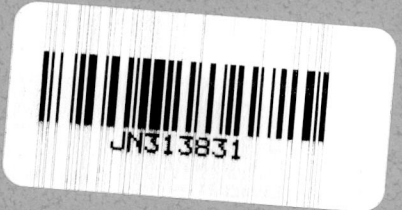

3.141592653589793238462643383279502884197...

意味がわかれば数学の風景が見えてくる

野崎昭弘・何森仁・伊藤潤一・小沢健一
著

序文

学ぶのは、何のため？

私たちは数学を、何のために学ぶのだろうか？

(1) 役に立つから

と答えるのは、幸せな人である。

(2) 楽しいから

と答えるのは、さらに幸せな人である。しかしかなりの人が、

(3) 試験に出るから

と答えるのではないだろうか。これはとても残念なことである。

昔々、古きよき時代には、子どもたちは従順に勉強してくれた。そして先生たちは「なぜ学ぶか」を説明せずに、漢詩を暗唱させたり、大量の計算練習をやらせたりしていた。大学でも、授業がわからない学生は「自分が悪い」と反省して努力を重ねた。だからそこでストレスをためていた子どもや学生が数学嫌いになり、あとで

「数学なんかできなくても、ちゃんと生きてきた」

と言ったとしても、自然の成り行きであろう。また今は、授業がわからなければ「先生の教え方が悪い」と思うだけで、反省も努力もしない子ども・学生が珍しくない時代である。これまでのような教育で、うまくいくわけがない。

ではどうすればいいのか。数学に限らず、「勉強する」ことの本当の意味を、子どもにも大人にもわかってもらわないといけない。それは「経済的に豊かな生活を保証する」ためではない。私たちは「心豊かに生きる」ために勉強をするのである。

考えてみてほしい。漢詩でも英語でも、まるっきり知らなくてもちゃんと生きていけるが、少しでもわかれば世界が拡がる。理解が進めばさらに深く、遠くが見えるようになる。コンピュータでも音楽でも、数学でも文学でも、みな同じである。

ここで必要なのが、いろいろな水準で「わかる」という体験であろう。そしてそのためには、技術的な訓練より基本的な考え方、部分的な詳細よりも全体的な風景を提示する数学教育が望まれる。

本書では、以上の趣旨に基づく入門書を作ろうとしてみた。そのきっかけは、ベレ出版社長の内田眞吾さんが持ち込んできた企画で、キーワード「風景」も同氏のアイデアである。これを受けて、最初は「微分・積分」というかなり高い水準を選び、次は基礎に戻って「数と計算」、それから、応用上重要な「統計・確率」、さいごに理論的にも応用上も独特の味のある「図形・空間」の順で、基本概念の意味がわかる、数学の風景が見えるシリーズをめざして 4 巻を刊行した。幸い好評でどの巻も版を重ねたが、このたび「合本」という形で、索引も加えて、まとめられることになった。

原著の執筆に当たっては、まず目次案の詳細（項目を含む）を全員で検討し、各項目を主に小沢・何森・伊藤（ごく一部だけ野﨑）が分担執筆、各章の序文と章末のコラムを野﨑が担当し、さらに全員がすべての原稿を読んで、調整を行った。また今回の「合本」にあたっては、全員で再協議して、重複する部分の調整・削除や新項目の追加を行い、修正と執筆を分担し、さいごは「全員ですべてを読む」という方針を踏襲した。

編集の実務は、「微分・積分」、「数と計算」および「統計・確率」については新谷友佳子さん、「図形・空間」については坂東一郎さんが担当してくださった。また今回の「合本」については、永瀬敏章さんのお世話になった。どなたも誠意をもってお仕事をしてくださったことに対して、著者一同、深い感謝の意を表明したい。

2011 年 7 月

野﨑昭弘、何森仁、伊藤潤一、小沢健一

本書の構成
（目次の前に…）

「意味がわかれば数学の風景が見えてくる」●目次

第３章 関数と微分

第4章 解析幾何学

第1部

微分・積分の意味がわかる

第1章

速さとは何か

1687年に出版されたニュートンの『プリンキピア』は、科学史上最大の金字塔である。ライプニッツはこれを

「ニュートン以前のすべての業績を寄せ集めたより、さらに偉大な業績」

と賞賛したが、さすがによくわかっている人の評言である。このような知的文化遺産、あるいはそのエッセンス、あるいはせめてその「香り」を、これからもなるべく多くの人に伝えていくことは、私たちの義務である。

ではそこで、ニュートンは何をしたのか。力学の基本法則を明らかにし、それによって地上の物体の運動も、天上の星の運動も、またそれらのかかわりによって起こる潮の干満も、すべて統一的に説明できることがわかった。こうして天上界を覆っていた神秘のヴェールが完全にはがされ、「占い」や「魔術的な力」によらず、できる限り客観的な知性によって自然現象を理解しようとする姿勢が広められた。

その説明は、「月はこれまでこのように動いてきたから、これからもこう動くだろう」というような「後追い」式の説明ではない。月だろうとロケットだろうと、ニュートン力学の基本法則に従う限り「こうなるはずだ」という「未来予測」型の説明であって、現代の工業生産にもしっかり役立っている。もちろん「電気」とか「情報」のように、ニュートン以後に発達した科学技術もたいへんな威力をもっているが、それらも実際の「もの」と結びつくためには、ニュートン力

学の助けを借りることが多い。

ところでニュートン力学を応用につなげるには、ニュートン自身が開発した数学が活用される。それが第1部の主題「微分・積分学」である。実はニュートン力学の第2法則には「加速度」という言葉が使われているが、これを正確に定義するのにすでに、「微分」の概念が必要である。また「微分」によって加速度を定義しておけば、物体の位置を理論的計算によって、定量的に予測する道が開ける。その関係を図示すると、次のようになる。

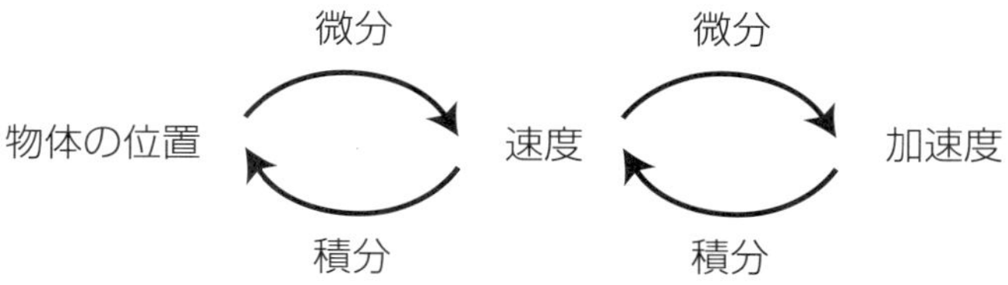

なお個々の言葉の意味はあとでていねいに説明するから、今すぐ理解する必要はない——「何やら微分とか積分という操作が物体の位置の計算に関係があるらしい」とか「微分と積分は、逆向きの操作であるらしい」というようなところに注目しておいて頂ければ十分である。

では早速、本論に入ろう。まずは「時速」のお話から——

1 時速70キロ

少々大げさにいうと、微分・積分がわかることは、速さとは何かを理解することに尽きる。

遠慮がちにいえば、微分・積分の誕生のひみつと基本的な考え方は、速さをどうとらえるかの中に含まれている。

数学という学問の中に、微分積分学という分野を確立したニュートンとライプニッツがした仕事は、じつは速さをどうとらえるかと一体であった。

Sir Isaac Newton
（1642.12.25 ～ 1727.3.20）
イギリスの数学者、物理学者

Gottfried Wilhelm Freiherr von Leibniz
（1646.7.1 ～ 1716.11.14）
ドイツの百科全書的天才

2つの計器

「時速70キロメートル」という速さについて考えてみよう。これは、「1時間につき、70km進む」速さという意味であることはご存じの通りで、実際にはかなりのスピードである。

人間が歩く速さよりずっと速い。人間はかなりせっせと歩いても1時間につき、5～6kmくらいしか進めない。ふつうの目安は1時間につき4km、つまり「時速4キロ」という速さである。

人間が走る速さはどうだろう。マラソン選手は42.195kmを2時間強で走るがこれでも1時間につき、せいぜい20kmくらい。つまり「時速20キロ」くらいの速さである。

ここで読者の方は、次のことに気づいたことと思う。

速さとは「○時間につき、△km進む」として表現されるものであるから、○を計るのに時計が必要、△を計る（測る）のに巻き尺などのものさしが必要、すなわち2つの計器を使わなくてはならない。

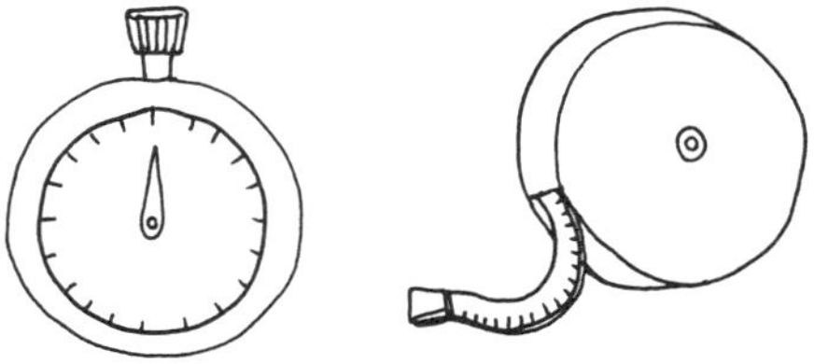

⇨ 速さ

これが私たちが考えはじめるスタートラインである。

2 速度違反の話

『ファインマン物理学』(坪井忠二訳、岩波書店)のⅠ.力学　の中にある、スピードについての一節を紹介する。

「スピードについての議論を進めるときには、いろいろ微妙なところがあるものなのである。

この微妙なところをはっきりさせるために、一つの冗談話をもち出そう。この話は諸君も聞いたことがあるにちがいない。

女の人の運転する自動車が白バイにつかまった。巡査が彼女のところへやって来て、こう言う。“奥さんは時速70キロ(原文は60マイル)で走ってましたね！”彼女は言う。“そんなはずはありませんよ。まだ7分間しか走っていないのですよ。おかしいですねー。まだ1時間も走らないのに1時間で70km走れるはずはないじゃありませんか？”もしも諸君が警官だったら、何と答えるか？　もしも諸君がほんとの警官だったら、微妙なところは何もなく、はなはだ簡単である。こう言う。“そんなことは裁判官に言いなさい！”しかしこの言い逃れはないことにして、問題をもっと正直に知的に取り扱い、1時間に70キロで走っていたということの意味を彼女に説明しようとするとしよう。我々の意味することははたして何なのか？　我々はこう言う。“奥さん、我々が言うのはこういう意味なのです。あなたが今まで通りに走り続けていたら、次の1時間に70km行くだろうということなのです。”彼女は言う。“でも、私はアクセルをふんでいませんでした。車のスピードはだんだん落ちていました。ですから今まで通りに走り続けても、70km行くはずはありません。”……」

ノーベル物理学賞学者ファインマン先生の名講義はまだまだ続くのだが、私たちはここで時速70キロについてはっきりさせておく。

7分間しか走らなくても

時速70キロという速さは、「1時間につき70km進む」速さのことだから、時間を変えると当然進む距離も変わり、次のような表を作ることができる。

時間 	距離 
1時間	70km
2時間	140km
3時間	210km
0.5時間（30分）	35km
$\frac{1}{60}$ 時間（1分）	$\frac{70}{60}$ km（約1.17km）
$\frac{7}{60}$ 時間（7分）	$\frac{490}{60}$ km（約8.17km）
$\frac{1}{3600}$ 時間（1秒）	$\frac{70}{3600}$ km（約19.4m）

○時間で△km進んだとすれば、70×○＝△だから

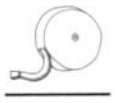
――――

$= \frac{△}{○} = 70$ となる。単位「km/時」を使って、時速70キロという速さを、「速度は70km/時」と表現することが普通である。

7分間しか走らなくても、その間に8.17km進めば速度は70km/時。たった1秒しか走らなくても、その間に19.4m進めば、やはり速度は70km/時。

3 平均のいろいろ

「平均」を大辞林(三省堂)で引いてみると

①ものの数や量の大小の凸凹をならすこと。不揃いでないようにすること。「――に分ける」「品質が――している」

②[数]……

と書いてある。[数]という数学用語のところはまだ、ヒ・ミ・ツ。

(1) 平均身長は?

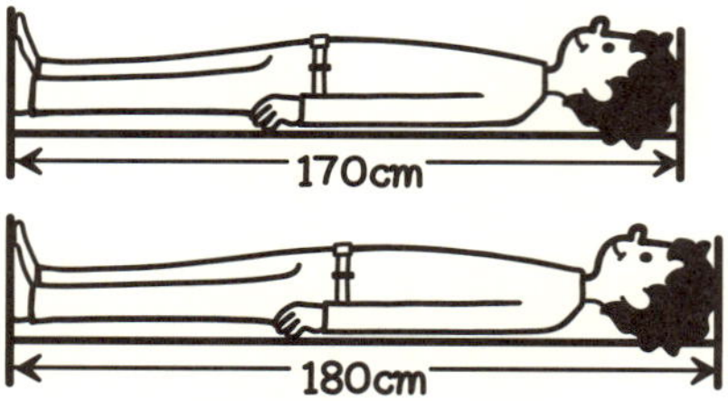

(2) 2年間の売り上げの前年比の平均は?

(3) 往復する平均速度は?

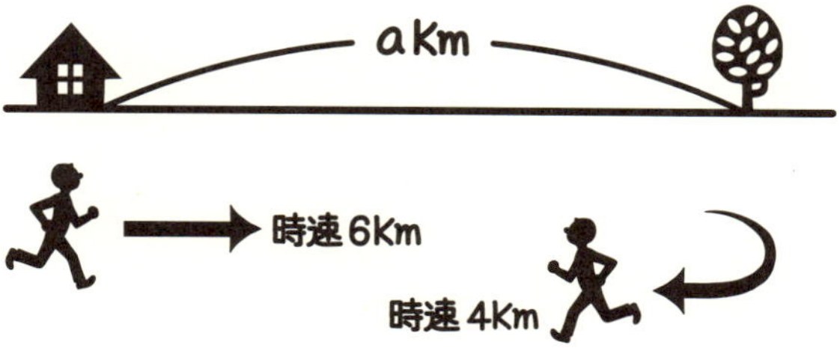

(1)は、常識的に、

$$\frac{170+180}{2}=\frac{350}{2}=175\,(\mathrm{cm})$$ となる。

相《あい》加えて割るということで、「相加平均」という。

(2)は、どうしても$(2+3)\div 2=2.5$（倍）ではおかしい。毎年、前年比2.5倍ずつでは、2年間で、$2.5\times 2.5=6.25$(倍)になってしまう。うーん。基準の年の、$2\times 3=6$(倍)になっているのだから、毎年、$\sqrt{6}$倍ずつとすると、2年間で$\sqrt{6}\times\sqrt{6}=6$(倍)となり、ぴったり合う。

相《あい》乗じて、平方根ということで、「相乗平均」という。

(3)は、うっかり$(6+4)\div 2=5$（km/時）とやってしまいそう。なぜダメ？　帰りが、0km/時だったら$(6+0)\div 2=3$(km/時)となり、帰ってこられる。実際は行ったっきり！

速度を求める鉄則　$$\text{速度}=\frac{\text{進んだ距離}}{\text{かかった時間}}\quad\left(\text{時間}=\frac{\text{距離}}{\text{速度}}\right)$$

たとえば、1時間あたりに直したとき進むであろう距離が40kmなら、「時速40km」「40km/時」という。

さて、(3)の往復にかかった時間は、行き$\frac{a}{6}$時間、帰り$\frac{a}{4}$時間だから、$\frac{a}{6}+\frac{a}{4}$(時間)、行きも帰りも一定の速度だとして、前と同じ時間がかかる速度が、平均速度。よって

$$\text{平均速度}=\frac{2a}{\frac{a}{6}+\frac{a}{4}}=\frac{2a\times 12}{\left(\frac{a}{6}+\frac{a}{4}\right)\times 12}=\frac{24a}{2a+3a}=\frac{24}{5}=4.8\ (\mathrm{km/時})$$

この形の平均を「調和平均」という。

ここでの、最大のポイントは、途中の速度がどうであれ、単位時間あたりに直したときに進むであろう距離(位置変化)が、平均速度！

4 速度の変化

あきら君は社会人1年生。今日から出社である。会社の最寄り駅に降りて分速60mで歩き始め、10分ほど歩いたところで、このまま行くと遅刻しそうな気がして分速180mで走り、5分後にようやく会社に着いた。あきら君の今朝の出勤の平均速度を求めてみよう。

まず、駅から会社までの距離を求める。

（距離）

＝60m/分×10分＋180m/分×5分

＝600m＋900m

＝1500m

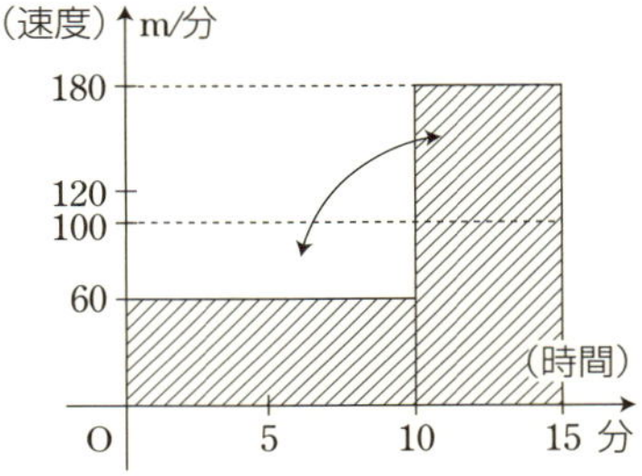

次に、かかった時間を求める。

（時間）＝10分＋5分＝15分

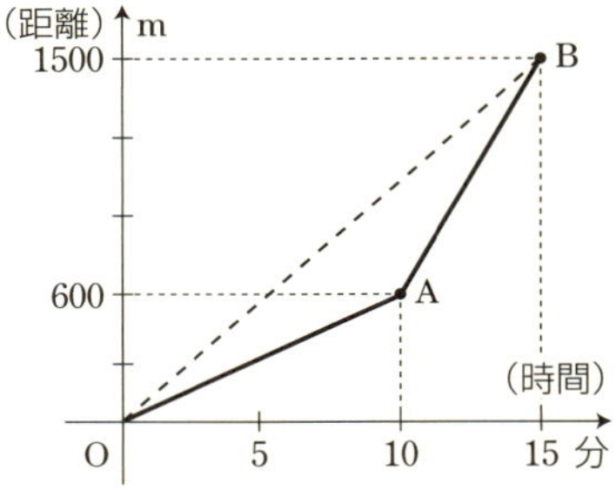

これより、平均速度が次のように計算できる。

$$（\text{平均速度}）=\frac{（\text{距離}）}{（\text{時間}）}=\frac{1500\text{m}}{15\text{分}}$$

$$=100\text{m/分}$$

右上の図とグラフは、あきら君の今朝の出勤の様子を表している。上の〈速度－時間〉の図では、斜線部の長方形の面積が距離を表し、この長方形をならすと平均速度が見えてくる。また、下の〈距離－時間〉のグラフでは、線分の傾き（勾配）が速度を表している。すなわち点線部OBの傾きが平均速度を表している。

北方線の新型車両「やませ号」が、出発してから次のように加速して走ったとする。

最初の2分間…時速60km

次の2分間……時速120km

次の2分間……時速180km

次の2分間……時速240km

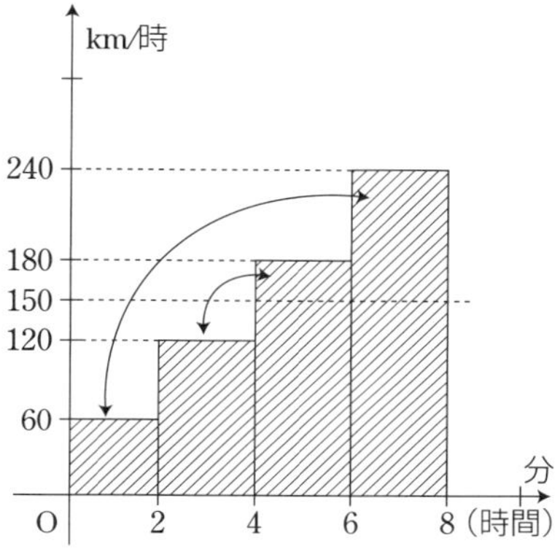

「やませ号」は出発地点からこの8分間でどれだけ走ったか。また、平均速度はいくらだろうか。

はじめに、走行距離を求める。

(距離) = 60km/時×2分 + 120km/時×2分 + 180km/時×2分 + 240km/時×2分

= 1km/分×2分 + 2km/分×2分 + 3km/分×2分 + 4km/分×2分

= 2km + 4km + 6km + 8km

= 20km

これは、上の図の斜線部の長方形の面積の和を表している。

次に、平均速度を計算する。

$$(\text{平均速度}) = \frac{20\text{km}}{8\text{分}} = 2.5\text{km/分}$$

$$= 150\text{km/時}$$

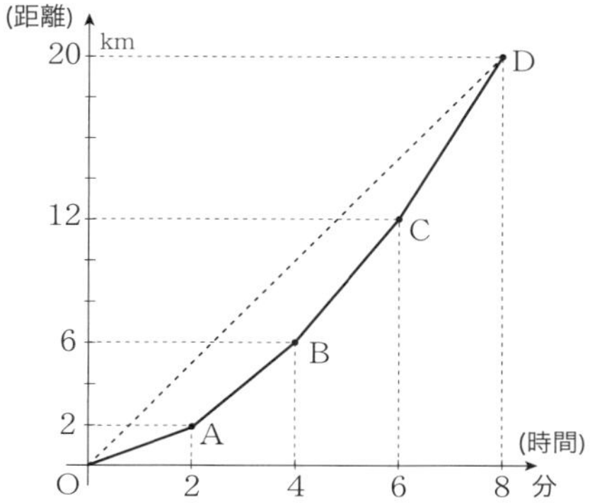

この平均速度は、上の図では長方形をならしたときの高さで表される。また、右のグラフでは点線部ODの傾き(勾配)の程度で表される。

このようにして、速度がいろいろ変わるときも走行距離や平均速度を考えることができる。

5 平均速度と瞬間速度

エスカレーターのように、いつも速度が一定な運動もあるし、自動車のように速くなったり遅くなったりする運動もある。

ここでは、斜面に玉を転がしたときの速度を例としてとりあげよう。カーテンレールを斜めに置いて、パチンコ玉を転がしたと思っていただきたい。玉は次第に速くなっていく。この運動を実験によって解明したのはガリレイであり、彼は驚くべき結果を得た。

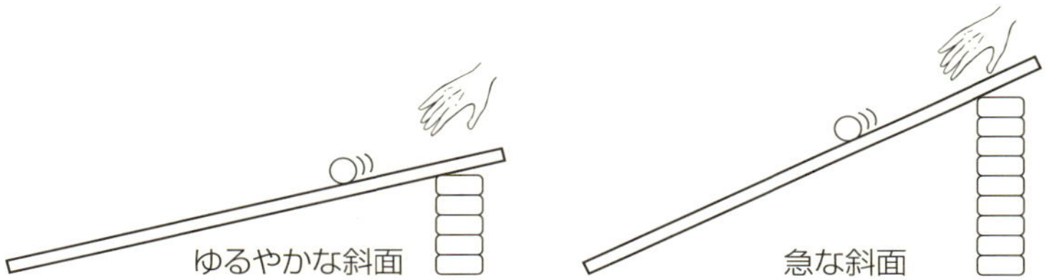

斜面の傾き方がゆるやかかそれとも急かにかかわらず

玉の転がる距離は、時間の2乗に比例する

というのである。式で表すと、時間をt、距離をxとしたとき

$$x = at^2$$

と書けるという大発見であった。ここで、aは斜面がゆるやかだと小さく、急だと大きい定数で、斜面の傾き方で決まる。

いま、斜面を適当に固定したところ

$x = 3t^2$（t：秒、x：m）

となったとする。

tにいろいろな値を入れると、たちまちxが計算できる。空想的ではあるが、長い長い斜面で考えていただきたい。

$t=1$のときは$x=3\times1^2=3$(m)

$t=2$のときは$x=3\times2^2=12$(m)

というようになる。

時間t(秒)	距離x(m)
0	0
1	3
2	12
3	27
4	48
5	75
6	108

$t=3$のときの瞬間速度

玉が転がりはじめてから3秒後という時刻に着目し、$t=3$の瞬間にはいったいどのくらいの速さで進んでいるのかを考えてみる。

$t=3$と$t=6$の間の平均速度は

$$\frac{\text{進んだ距離}}{\text{かかった時間}}=\frac{108-27}{6-3}=\frac{81}{3}=27(\text{m/秒})$$

$t=3$と$t=4$の間の平均速度は

$$\frac{48-27}{4-3}=\frac{21}{1}=21(\text{m/秒})$$

これらはまだ「$t=3$の瞬間の速度」とはいえない。そこで思いきって時間の幅をせまくしよう。

時間 t(秒)	距離 x(m)
3	27
3.1	28.83
3.01	27.1803

$t=3$と$t=3.1$の間

$$\frac{28.83-27}{3.1-3}=\frac{1.83}{0.1}=18.3(\text{m/秒})$$

$t=3$と$t=3.01$の間

$$\frac{27.1803-27}{3.01-3}=\frac{0.1803}{0.01}=18.03(\text{m/秒})$$

どうやら、$t=3$の瞬間には18m/秒の速度で転がっている。これを瞬間速度という。

6 風速の測り方

「南鳥島、南南西の風、風力5、気圧985ヘクトパスカル……」

NHKラジオ第2放送で、たまに聞く。

風力5とは、秒速8m ～ 10.7mの風のことだそうで、時速に直すと、28.8km/時～ 38.52km/時となる。状態としては、「低木がゆれはじめ、海面全体が白波」だそうである。

風力	風速(m/秒)	陸　　上	海　　上
0	0.0 ～ 0.2	煙がまっすぐに昇る	油を流したような海面
1	0.3 ～ 1.5	煙がたなびく程度	さざなみが生じる
2	1.6 ～ 3.3	木の葉が動く	一面にさざなみが立つ
3	3.4 ～ 5.4	たえず木の葉が動く	ところどころ白波が立つ
4	5.5 ～ 7.9	小枝が動く	海面のなかばが白波
5	8.0 ～ 10.7	低木がゆれはじめる	海面全体が白波
6	10.8 ～ 13.8	大枝が動き電線が鳴る	大波が出はじめ、しぶきが立つ
7	13.9 ～ 17.1	樹木全体が動く	波頭がくだけて泡立つ
8	17.2 ～ 20.7	小枝が折れる	波頭からしぶきがとび散る
9	20.8 ～ 24.4	人家に損害が出はじめる	泡が風の方に尾を引き さかんにしぶきがとぶ
10	24.5 ～ 28.4	樹木が倒れる	海面全体が白くなる
11	28.5 ～ 32.6	広く破壊がおこる。ま れにしか生じない大風	山のような大波
12	32.7 ～	大被害が生じる	見通しがきかないほどのしぶき

さて、風速はどうやって測るか？

何か軽い物を風に乗せて飛ばして、1秒間に何m飛ぶか測っているのではなく、誰でも知っているように、風速計で測っている。いろいろあるが、「風杯型風速計」と「風車型風向風速計」が代表的だ。

風杯型

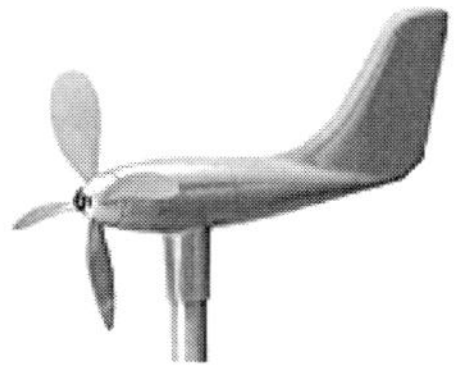

風車型

風車型は、風向きも同時に測れるが、風向きの乱れにはちょっと弱い。風杯型は、同じ場所に風向計を置けない等の弱点がある。

風速はどうやって…

自動車のスピードメーターも、幼い頃不思議だった。速く走ると、歯車は速く回りっぱなしになるのに、メーターの針がどうして一定のところに止まっているのだろうと。回転軸に小さな発電器を付けていたら、その電流の大きさで速さがわかると思い、識者に聞くと「そんなもんだ」と言われ得意になった。風速計もそうだと思っていた。

ところが、今は違うようだ。

右図のように、スリットが入った円盤が回り、その通過を光で数え、パルス信号にして、1秒間に何回通過したかを調べる。それを、ある関係式を使って風速の値に直すということだ。ではくしゃみの風速は、いくら位か？一説に200km/時といわれる。

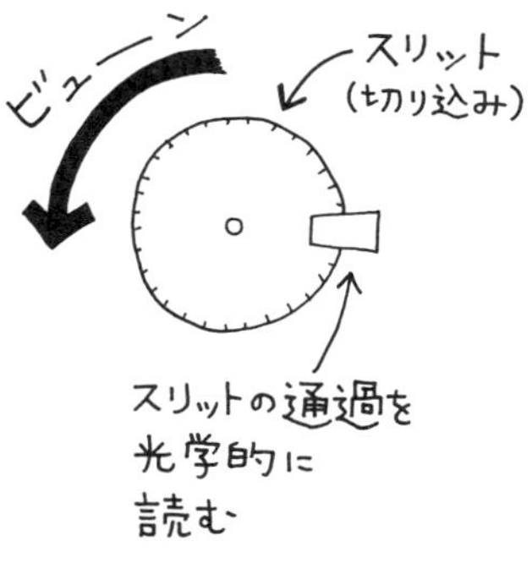

7 お湯の冷める速さ

7月の朝のこと、風呂の水に手を入れてみたらまだ温かいのである。数時間前に誰か風呂に入ったものがいるようである。

そういえば、昨晩は娘の帰りが遅かったのだが…。そうか、寝ていてわからなかったが帰宅し風呂に入ったのが午前2時か3時頃だなと見当をつけることができた。

ところが12月の寒い朝には、風呂のお湯があっという間に冷めてしまい、このような見当をつけるのは困難である。どうしてだろうか。

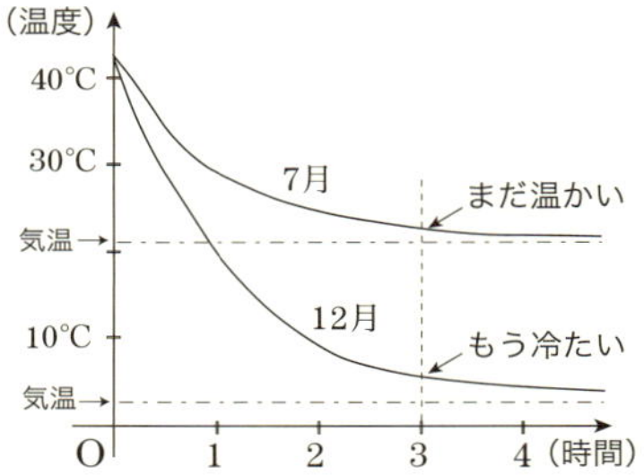

このような差が出るのは、7月と12月の気温に大幅な差があるからである。12月は風呂の温度と気温の差が大きいので急激にお湯が冷めるし、7月は風呂の温度と気温の差が小さいので緩やかに冷めるのである。

一般に、お湯の冷める速さは、お湯の温度と気温の差に比例することが知られている。これを「ニュートンの冷却法則」という。

気温20℃の部屋に100℃に沸かしたコーヒーがある。現在の温度差は80℃で、20分後に、この温度差の半分の40℃下がり60℃になった。

この段階で、気温との温度差は40℃になっているので、次の20分間、すなわち40分後には、その半分の20℃下がり、コーヒーの温度は40℃になるはずである。以下同様に続くとすれば、図のように気温20度に近づいてゆく滑らかな冷却曲線が得られる。

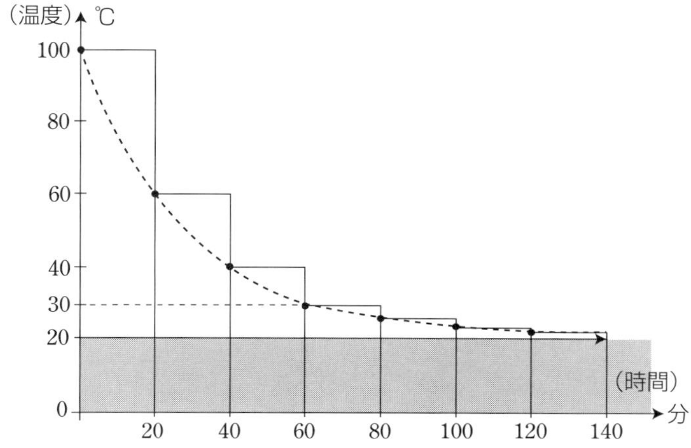

この冷却曲線を利用して、犯罪捜査に適用することができるかもしれない。

「やはり遅かったか！」と探偵がはきすてるように言った。

すでに犯人は逃亡した後だった。部屋のテーブルに飲みかけのコーヒーカップとポットが置いてある。「そうか！」探偵に良い考えが閃いた。自分のポケットから温度計を取り出し、室温を測ったら20℃であり、カップに残っているコーヒーの温度は30℃、ポットの中の温度は約100℃であった。

なんと探偵はニュートンの冷却法則を知っていたのである。

上の冷却曲線にあてはめ、「犯人は60分前に逃亡したのだ」と結論したのである。

8 面積が変わる速度

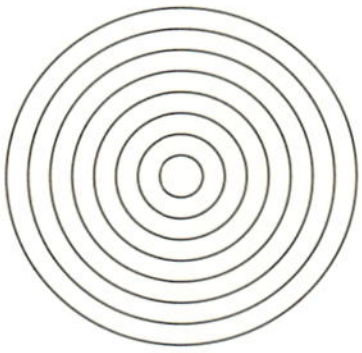

半径が10cm/秒で増えるときの円の面積の増える速度を考えてみよう。

水面に小石を落として波の輪が広がるのを頭に浮かべればよい。

t秒後には半径$10t$cmの円になるから、円の面積は$\pi \times (10t)^2$ (cm^2)として計算できる。

5秒から8秒までの間には、面積は

$\pi \times 80^2 - \pi \times 50^2$

$= \pi \times 3900$ (cm^2)

増えるので、この間の面積の増加速度は

$$\frac{\pi \times 3900}{3} = 1300\pi \text{ (cm}^2\text{/秒)}$$

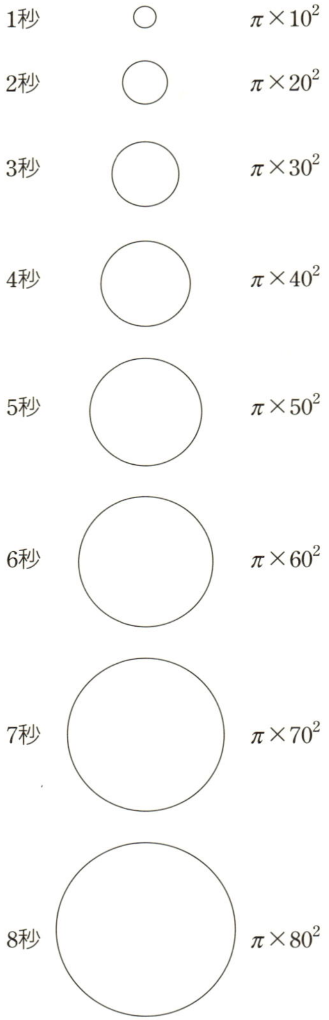

として計算できる。

5秒から7秒までの間ならば

$$\frac{\pi \times 70^2 - \pi \times 50^2}{7-5} = \frac{\pi \times 2400}{2} = 1200\pi \ (\mathrm{cm}^2/\text{秒})$$

であり、また5秒から6秒の間ならば

$$\frac{\pi \times 60^2 - \pi \times 50^2}{6-5} = \frac{\pi \times 1100}{1} = 1100\pi \ (\mathrm{cm}^2/\text{秒})$$

これらは面積の増加する平均速度である。

ちょうど5秒のときの瞬間速度は、たとえば5.001秒までの間の平均速度を計算してみると見当がつく。

$$\frac{\pi \times 50.01^2 - \pi \times 50^2}{5.001-5} = \frac{\pi \times 1.0001}{0.001} = 1000.1\,\pi \ (\mathrm{cm}^2/\text{秒})$$

たぶん1000π（cm^2/秒）にちがいない。

ケプラーの第二法則

面積の速度が活躍する有名な例は、天体の運動についてのケプラーの第二法則といわれるものである。

Aが太陽だとすると、火星や地球などの惑星Bは楕円軌道を描く。

このとき、線分ABが一定時間に通過する、図の斜線部分の面積（これを面積速度という）が、いつも一定であるというのである。右図の斜線部がある一定時間における面積だとすれば、この2つの面積が等しいことになる。

つまり、速く進んだりゆっくり進んだりする、ということである。

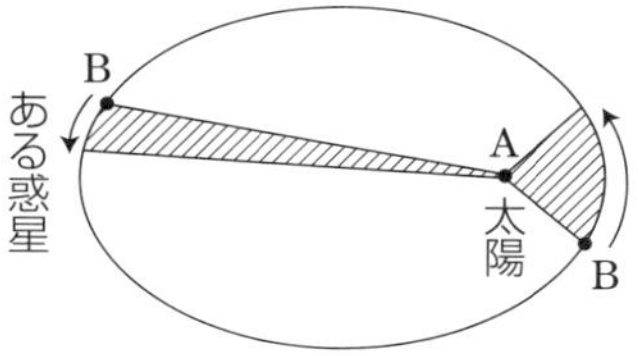

9 等速運動

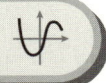

同じ速度で、ズーッと進むこと…といって終わりにすると怒られる。

まず、「速度」とは、

「単位時間あたりの位置の変化」

で、距離だけでなく方向も含む。方向を考えず移動距離だけ考えたのが「速さ」である。だから右方向をプラスとすると…。

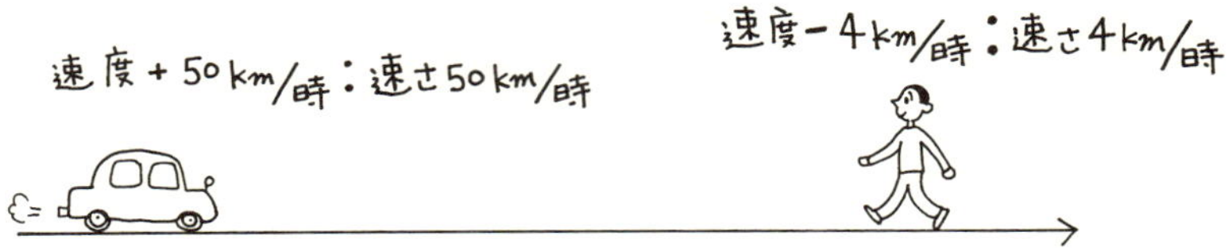

しかしふつう「速度」と「速さ」は混同して使われている。

さて、ニュートン力学の基本が「運動の3法則」である。それを説明する前に、それ以前の古い経験法則を紹介しておこう。

- 運動量：動いている物の運動の大きさ。バーンとぶつかったときの衝撃の大きさで測れる。

  運動量＝質量×速度　　①

- 運動量の変化：力を加えれば物が動きだす。運動量が変化する。力をズーッと加えれば、運動量がズーッと変化する。

  運動量の変化＝加わる力×時間　　②

質量が一定なら、これは次のようにも書ける。

質量×速度の変化＝加わる力×時間　　②′

これは実は、時間がごく短いときに、近似的にしか成り立たない。

そこでニュートンの「運動の3法則」。

第1法則：慣性の法則

②の式で加わる力がゼロだったら、0×時間＝0で、運動量は変化しない。質量は変わらないから、速度もまったく変化しない。

第2法則：運動法則

加速度は力に正比例し、質量に反比例する。

加わる力＝質量×加速度

力が加わると、運動量が変化し、速度が変わる。速度の変化の割合「加速度」は、加わる力が大きいほど大きく、質量が大きいほど小さくなる。重い物ほど動かしにくい、ということである。

第3法則：作用・反作用の法則

2つの物がぶつかって、一方が他方に与える力と、他方が一方（？）に与える力は、大きさが同じである。

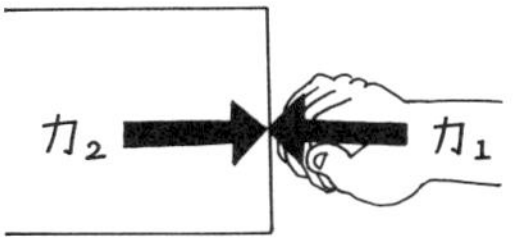

$力_1＝力_2$
だから、痛い！

第2法則は、②′から導かれる次の式によく似ている。

$$加わる力＝質量×\frac{速度の変化}{時間}$$

その差が実は天地の差で、「近似的・定性的な予測」から「定量的な、正確な予測」への進化を引き起こすのであるが、そのわけはこのあとの項で、少しずつ説明する。

10 ガリレイの落下法則

橋の上から小石を落とすと、次第に落ちる速度が大きくなっていく。このような落下運動を初めて定量的に取り扱ったのが、16世紀末のイタリアで活躍したガリレオ・ガリレイである。彼は斜面を転がり落ちる球の運動を観察し、次の仮説をたてた。

「制止した球が初めの単位時間に転がり落ちた距離を1とすると、単位時間に転がり落ちる距離は1、3、5、7というように増える」

この仮説をもとに、転がり始めてからの時間と、転がった距離の関係を調べてみよう。ガリレイの仮説を対応表であらわすと次のようになる。

転がり始めてからの時間(t)	0		1		2		3		4……
単位時間に転がり落ちる距離(s/t) つまり平均速度(v)		1		3		5		7……	

これをグラフで表してみると法則がはっきりする。すなわち、時間とともに速度が一定に増えているのである。このような変化の法則を等加速変化とよぶ。

また、転がった距離は、次のように求められる。

1単位時間　$1 = 1 = 1^2$

2単位時間　$1+3 = 4 = 2^2$

3単位時間　$1+3+5 = 9 = 3^2$

4単位時間　$1+3+5+7 = 16 = 4^2$

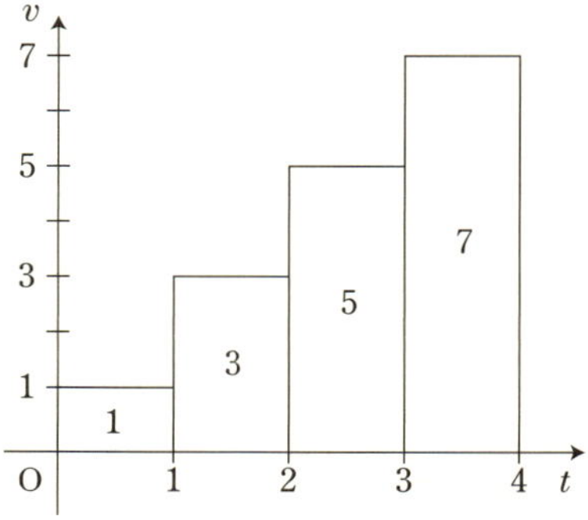

これを対応表にまとめると、次のようになる。

転がり始めてからの時間(t)	0	1	2	3	4 ……
転がった距離(s)	0^2	1^2	2^2	3^2	4^2……

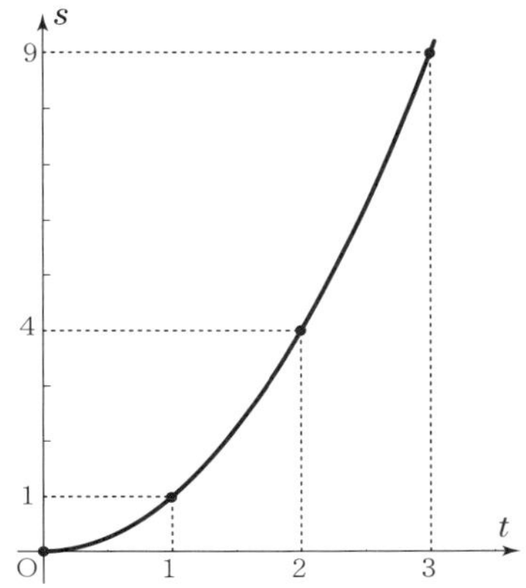

これから、この落下運動は、

(転がり落ちる距離)

=(転がり始めてからの時間)^2

すなわち、$s=t^2$と定式化できる。

このグラフは、右の通り滑らかな曲線(放物線の一部)になる。

アレ？　と感じた人は鋭い人だ。

単位時間で区切って議論してきたのが、いつの間にかエイヤーと滑らかな曲線で結んでしまったのは、いささか「勇み足」だったかもしれない。「自然は、連続や滑らかさを好む！」と煙に巻くこともできるが、このことをきちんと理解するためには、これから展開される「微分・積分」をマスターしなければならないのである。

ガリレイは、斜面を転がり落ちる玉の運動の仮説を、自由落下運動にも適応した。

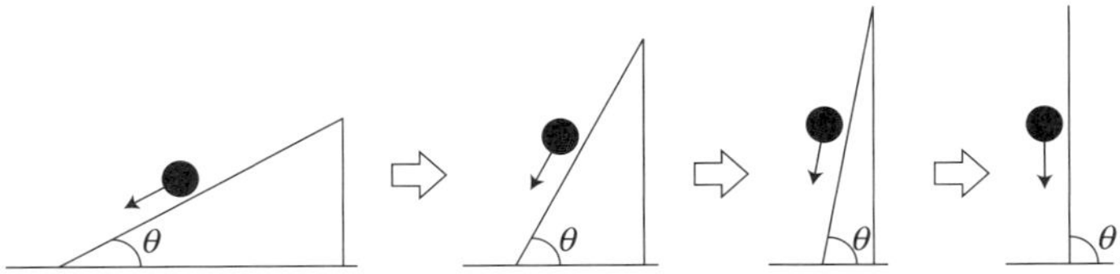

また、これらの落下運動は、球の重さに無関係であることも示すことができたのである。自然の法則を初めて数式で表したガリレイの落下法則は力学と微積分の誕生のきっかけを作ったといえる。

11 速度の変化する速さが加速度

自動車が速度50km/時で走っている、というときの速度50km/時は、「1時間につき、距離が50km変化するような速さ」である。

変化するものをいろいろ考えると、そのつど別の速度が考えられる。

1単位時間につき、どれだけ距離が変化するか…………普通の速度
1単位時間につき、どれだけ温度が変化するか…………温度の変化速度
1単位時間につき、どれだけ面積が変化するか…………面積速度
1単位時間につき、どれだけ体積が変化するか…………体積速度
1単位時間につき、どれだけ国民総生産が変化するか…経済成長速度

さらに、速度そのものが、1単位時間につきどれくらい変化するかも考え、これを加速度という。

1単位時間につき、どれだけ速度が変化するか……加速度

たとえば、仮に出発後の車の速度が右表のようになったとすれば、

時　間	速　度
0秒	0 m/秒
1秒	2 m/秒
2秒	5 m/秒
3秒	7 m/秒
4秒	8 m/秒
5秒	8 m/秒
6秒	7 m/秒
7秒	2 m/秒
8秒	0 m/秒

2秒後から4秒後の間の加速度は

$$\frac{8-5}{4-2}=\frac{3}{2}\ (\text{m/秒}^2)$$

5秒後から7秒後の間の加速度は

$$\frac{2-8}{7-5}=\frac{-6}{2}=-3\ (\text{m/秒}^2)$$

となる。

ところで(　)内の単位がm/秒^{2}となっているのは、速度(m/秒)を時間(秒)で

割っているから、本来(m/秒/秒)と書くところだが、これを(m/秒^2)と表している。

瞬間の加速度

前ページの加速度は、今までの言い方をすれば、平均加速度である。瞬間的な加速度は、そもそも細かい間隔の時間で速度がわかっていないと近似値が計算できない。

時　間	速　度
t_1	v_1
t_2	v_2

つまり、右表でいえば、

$$\frac{v_2 - v_1}{t_2 - t_1}$$

が平均加速度であり、t_1とt_2の間隔がごく小さいときが瞬間的な加速度になる。

重力の加速度

一番有名な加速度は、地球上でものを自然落下させたときの加速度である。自然落下する物体は、t秒後の速度v(m/秒)が、$v = 9.8t$と表せることが知られている。t_1秒からt_2秒までの間の平均加速度は

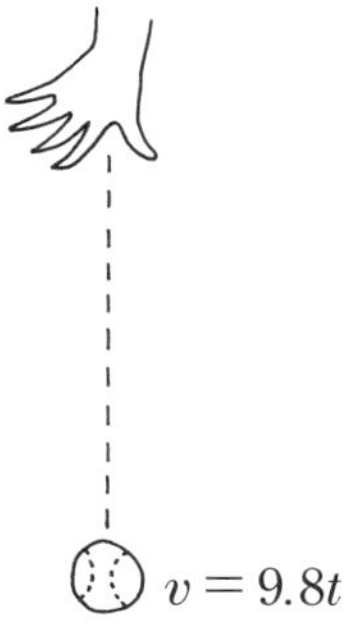

$$\frac{v_2 - v_1}{t_2 - t_1} = \frac{9.8t_2 - 9.8t_1}{t_2 - t_1} = 9.8(\text{m/秒}^2)$$

と、いつも一定になる。

t_1とt_2の間隔にかかわりなく一定だから、瞬間的な加速度も9.8(m/秒^2)であり、これを重力の加速度とよんでいる。

12 加速度を測る

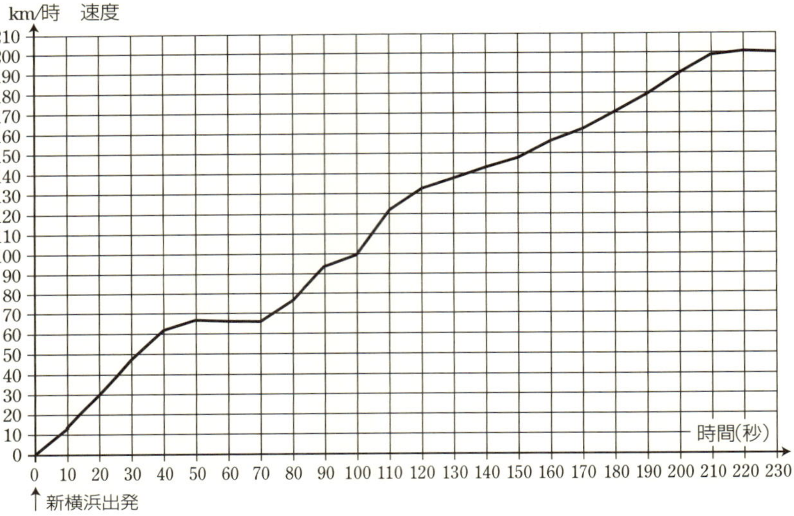

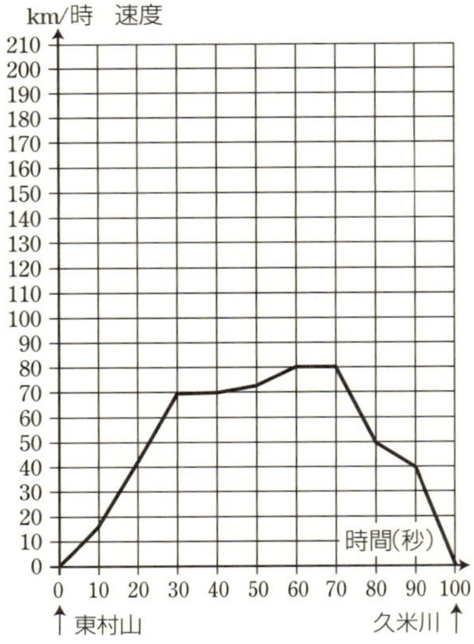

上は新幹線で、新横浜から小田原へ向かって、発車して10秒毎に速度を記録した（今は走っていない旧型のこだまのビュッフェの速度計を利用した）。左は、西武新宿線で、東村山から久米川までを、同様にして速度を記録した。

両方の出発後30秒後までの、平均加速度、すなわち1秒間あたり、何m/秒、速度が変化するかを求めよう。

まず、$1\text{km/時} = 1000\text{m/時} = \dfrac{1000}{60}\text{m/分} = \dfrac{1000}{3600}\text{m/秒}$

より、$1\text{km/時} = \dfrac{5}{18}\text{m/秒}$である。

●新幹線

30秒後の時速は$47\text{km/時} = 47 \times \dfrac{5}{18}\text{m/秒} \fallingdotseq 13.06\text{m/秒}$

よって出発より30秒後までの平均加速度は

$$\frac{13.06\text{m/秒}}{30\text{秒}} = 0.435\text{m/秒}^2$$

●西武線

30秒後の時速は$70\text{km/時} = 70 \times \dfrac{5}{18}\text{m/秒} \fallingdotseq 19.4\text{m/秒}$

よって出発より30秒後までの平均加速度は、

$$\frac{19.4\text{m/秒}}{30\text{秒}} = 0.647\text{m/秒}^2$$

新幹線も西武線も、30秒まではほぼ直線的に速度が変化しているので、30秒後までは、どの瞬間も加速度は上記であるといってよい。

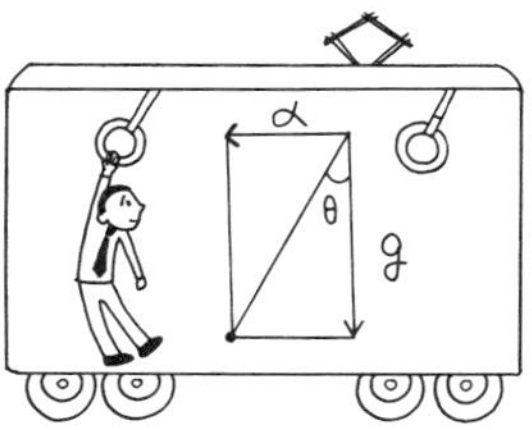

遠山啓氏は、振り子を持って電車に乗り、加速度αを測ったという(「数学教室」1975年8月号)。gは重力加速度で地球では9.8m/秒^2だから、加速するとき、どれだけ振り子が振れたかを調べればよいというのだ。スゴイ。

その時の結果を新幹線は$\dfrac{1}{10}g$以下、と書いている。$\dfrac{1}{10}g = 0.98\text{m/秒}^2$となる。

電車では、約2m/秒^2であったとも書いてある。西武線の停車するときでも加速度は-1.1m/秒^2である。遠山氏の測定は少し大きすぎると思う。今はなき遠山先生、ゴメンナサイ！

ちょっとひと息

微分積分の応用を語るときは、フランスの哲学者・科学者・数学者ルネ・デカルト（1596 ～ 1650）の業績も忘れるわけにいかない――彼の座標の考えによって、幾何学的な「位置」を数値で表すことができるようになったのである。

伝説によると、デカルトがぼんやり窓の外を眺めていたとき、格子のはまった窓の内側を、ハエがうろうろしていた。そこでひらめいたのが

「ハエの位置は、ふたつの数の組で表せる」

という座標の考えであった、という――もしそれがほんとうなら、上手にうろついてくれたハエの貢献もたいしたものである。座標がなければ、位置や移動距離、そして速さや加速度を微分に結びつけることはできなかったのである！

〈補足〉 ここでは通説を紹介しているが、ハエの話はどうやら作り話らしく、デカルトはギリシャ時代のアポロニウスの考えに従って（言葉づかいもまねて）、点の位置を記述している。詳しくいうと、点の位置を「一定の仕方で描かれる線分の長さ」と「その線分によって切り取られた定（半）直線の長さ」の組で表すことで、座標軸の考えはなかった。座標軸の考えが普及するのはデカルトの没後100年近くたってからで、「長さの組」が「数の組」におきかえられたのはさらにそのあとだそうである。

第1部

微分・積分の意味がわかる

第2章

近似計算と無限和

「瞬間速度」とは、非常に短い時間で測った「瞬間的な速度」に非常に近い。しかし厳密には、まったく同じではない。その違いを正確に理解するには「無限小」あるいは「収束」の概念が必要である。しかしここでは少し角度を変えて、「無限」と「近似」の概念を扱ってみたい。これらはそれ自身役に立つ、大事な概念でもある。たとえば「無限小数」とは何だろう？

$$\frac{1}{3} = 0.3333\cdots\cdots$$

とか

$$\sqrt{2} = 1.41421356\cdots\cdots$$

などの無限小数は、皆さんご存じであろう。しかし、よく考えてみると、無限に続く桁数字など、書ききれるわけがない(だから「……」でごまかすのだ)。また全部使えるものでもないので、普通は適当なところで打ち切って使う。たとえば500グラムの3分の1は正確には

$$500 \times 0.3333\cdots\cdots = 166.6\cdots\cdots$$

であるが、お料理の話で「5グラムまでなら違っていてもかまわない」のであれば

$$500 \times 0.33 = 165$$

と計算してもよい。

それなら無限小数など使わずに、いつでも

$$\frac{1}{3} = 0.33$$

とすればよい――かというと、そうはいかない。金属材料の場合は

「1グラムを越える差は許されない」かもしれないし、医薬品の場合はさらに正確でなければならないであろう。お料理の場合の「5グラムまで」のような「許される誤差の限界」は、場合によってずいぶん違うのである（法律によって規定されていることもある）。だから「無限に続く小数」は次のように考えておくとよい。

1）実際には、適当なところで打ち切って使う。

2）どこが適当かは、それぞれの場合ごとに、その場合の許容誤差限界に応じて決める。

3）どこが適当かわからない場合には、とりあえず「………」と書いておく。

「………」の部分は、空想力を働かせて

（ア）無限に続ければ、ぴったり合う

と考えてもよいし、

（イ）この後も続きます——必要に応じて計算して、使って下さい

という意味に解釈してもよい。どちらにしても、無限に計算を続けることはできない一方で、「どんどん続けていけば、誤差はいくらでも小さくできる」ことが理論的に確かめられる。

ごくわずかの時間Δtで測った「瞬間的な速度」は、Δtをどんどん小さくしていくと、「瞬間速度」にいくらでも近づく。正しい瞬間速度が理論的に計算できる場合もある。これが理論の強みである。

1 $\frac{1}{3}=0.333\cdots$は納得

無限小数に初めてお目にかかるのが小学5年生の頃であるが、$\frac{1}{3}=0.333\cdots\cdots$と黒板に書かれても、何となくわかったようなわからないような気持ち悪い印象を今でも持っている人も多いと思う。ここでは、この等式と無限小数を考えてみよう。

$$1\div3=\frac{1}{3}$$ を納得する

には、右図をじっと眺めればよい。すなわち、1を3等分した1つのものが$\frac{1}{3}$という訳である。

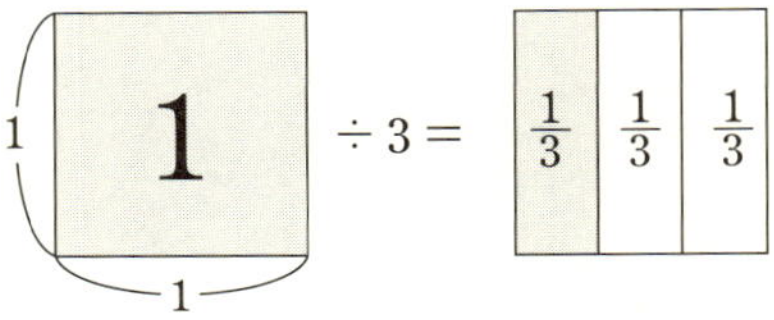

この式を逆転して

$$\frac{1}{3}=1\div3$$

と表すと意味が少し違ってくる。つまり$\frac{1}{3}$は$1\div3$の計算をすれば求められるという訳である。わり算は、整数の範囲で商と余りを求めるものと、小数の範囲で余りを際限なく割っていくものがあるが、小数の範囲でどんどん割っていくことにする。

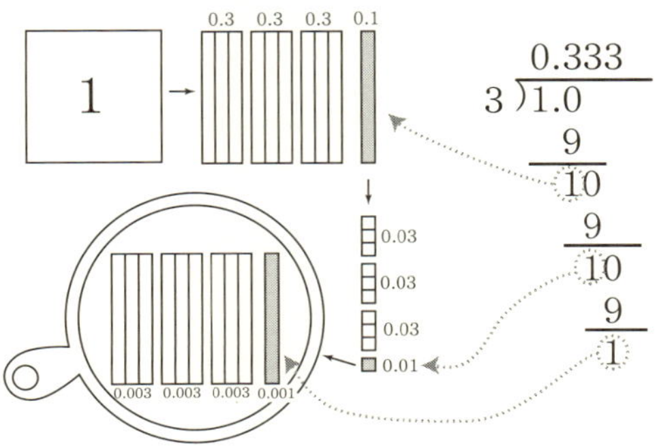

このことを、次の表にまとめよう。

割り算の回数	商	余り
1	0.3	0.1
2	0.33	0.01
3	0.333	0.001
4	0.3333	0.0001
100	$0.\overbrace{333333\cdots\cdots\cdots3}^{100個}$	$0.\overbrace{00000\cdots\cdots\cdots0}^{99個}1$
1000	$0.\overbrace{3333333\cdots\cdots\cdots3}^{1000個}$	$0.\overbrace{000000\cdots\cdots\cdots0}^{999個}1$

このように割り算の回数が増えるごとに、商の小数は長くなり、余りがどんどん0に近づいてゆく。このことより、割り算をずーっと際限なく続けていった「行く先」の値を

0.3333…………

と表すことにしたのである(「…」の後に数字が書かれていないことに注意)。これが無限小数である。

この無限小数の値は割り算の途中経過を表したものではなくて、「それに近づいて行く、行く先」という、ひとつの確定した値を表しているので、それは $\frac{1}{3}$ に等しいのである。

よって　$\frac{1}{3} = 0.33333\cdots\cdots\cdots$ となる。同様に

$$\frac{1}{9} = 0.111\cdots\cdots、\frac{2}{9} = 0.222\cdots\cdots、\frac{4}{9} = 0.444\cdots\cdots、$$
$$\frac{5}{9} = 0.555\cdots\cdots、\frac{7}{9} = 0.777\cdots\cdots、\frac{8}{9} = 0.888\cdots\cdots、$$

も納得できるだろう。

2 用紙A判、B判

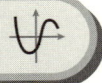

コピー用紙やノートなどの大きさは、B5とかA4とかの記号で表示されているのをご存じのことと思う。

じつは、紙のたて・よこの長さが、工業規格で定められている。

番　号	A列(mm)	B列(mm)
0	841 × 1189	1030 × 1456
1	594 × 841	728 × 1030
2	420 × 594	515 × 728
3	297 × 420	364 × 515
4	210 × 297	257 × 364
5	148 × 210	182 × 257
6	105 × 148	128 × 182
7	74 × 105	91 × 128
8	52 × 74	64 × 91
9	37 × 52	45 × 64
10	26 × 37	32 × 45
11	18 × 26	22 × 32
12	13 × 18	16 × 22

これは何だ？　と思う方もいると思うので、急がば廻れ、用紙の謎を解明しておこう。

まず、ちなみに面積および、短い辺と長い辺の比(長い辺÷短い辺)を計算してみると次のページの表ができる。

この表をしばらくながめていただくと、謎のいくつかについて「そのこころ」の見当がつく。なお、(倍率)は、下から上へ面積が何倍になっているかを計算した数字である。

	A　列			B　列		
番号	面積(mm^2)	(倍率)	たてよこの比	面積	(倍率)	たてよこの比
0	999,949	(×2.00)	1.4138	1,499,680	(×2)	1.4136
1	499,554	(×2.00)	1.4158	749,840	(×2)	1.4148
2	249,480	(×2)	1.4143	374,920	(×2)	1.4136
3	124,740	(×2)	1.4141	187,460	(×2.00)	1.4148
4	62,370	(×2.01)	1.4143	93,548	(×2)	1.4163
5	31,080	(×2)	1.4189	46,774	(×2.01)	1.4121
6	15,540	(×2)	1.4095	23,296	(×2)	1.4219
7	7,770	(×2.02)	1.4189	11,648	(×2)	1.4066
8	3,848	(×2)	1.4231	5,824	(×2.02)	1.4219
9	1,924	(×2)	1.4054	2,880	(×2)	1.4222
10	962	(×2.06)	1.423	1,440	(×2.05)	1.4063
11	468	(×2)	1.4444	704	(×2)	1.4545
12	234		1.3846	352		1.375

ごらんの通り、A列にしろB列にしろ、つぎの2つのことがわかる。

①下から上へ、面積は2倍、2倍になっている。

②どこの用紙もたてとよこの比が1.4くらいになっている。

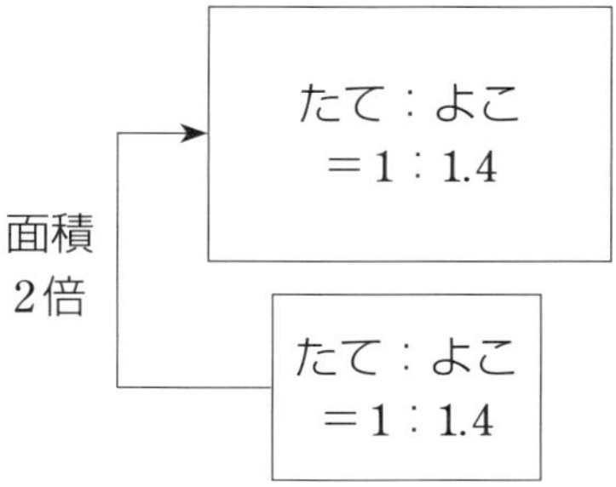

3 用紙と $\sqrt{2}$

工業規格で定められた用紙は、2つの特徴を持っている。

ひとつは、A判にしろB判にしろ、……→A4→A3→……または……→B4→B3→……と逆のぼると紙の面積は2倍、2倍、……となっている。

もうひとつは、どの用紙も、たてとよこの比が約1.4になっているのである。言いかえると、どの用紙も同じ形(相似)である。

この2つは、紙の規格を決めるときの一つのアイデアから必然的に出てくる結果である。そのアイデアとは、長方形を図のように2等分し、小さい長方形をもとの大きな長方形と同じ形(相似)にしよう、という人間の知恵であった。

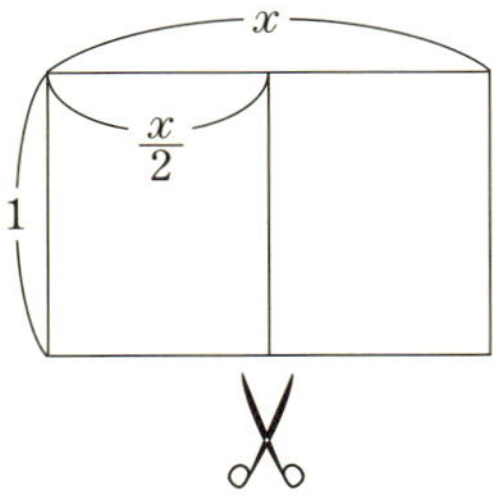

大小の長方形が相似になるには図のように大長方形のたてを1、よこを x とおいて

(大長方形のたて):(大長方形のよこ)

=(小長方形のたて〈短い辺〉):(小長方形のよこ〈長い辺〉)

すなわち

$$1 : x = \frac{x}{2} : 1$$

が成り立てばよい。この式から

$$\frac{x^2}{2} = 1$$

$$x^2 = 2$$

よって $x = \sqrt{2}$ (= 1.4142……)が導ける。

つまり、たて:よこ=1:$\sqrt{2}$ である。

ところで、たとえばA0判は工業規格によれば

$$841\text{mm} \times 1189\text{mm}$$

と決められていて、たてとよこの比は

$$1 : \frac{1189}{841} = 1 : 1.413793103\cdots\cdots$$

であり、$\sqrt{2} = 1.41421356\cdots\cdots$とぴたり一致しているわけではない。

もしも、たての長さを841mmに固定したら、よこの長さは

$$841 \times \sqrt{2} = 1189.353605\cdots\cdots(\text{mm})$$

にした方が正しい。

しかし皆さんもお気づきのことと思うが、紙の裁断は機械でバサッと切るのだから、1mm以下を定めても誤差の範囲に入ってしまう。したがって、1189mmで十分なのである。言い方をかえれば841×1189というたてよこの長さは、実用上の許容度まで考えたとき、$1 : \sqrt{2}$ の近似として大変すぐれたものである（1190より誤差が小さい）。

ちなみに、A系列はドイツで始まり国際規格となったもの、B系列は日本で昔使われていた「美濃紙」を参考に決められたもので、さらにそれぞれA0判は1m^2、B0判は1.5m^2になるように作られた。そこまで考慮して理論値を計算してみると、

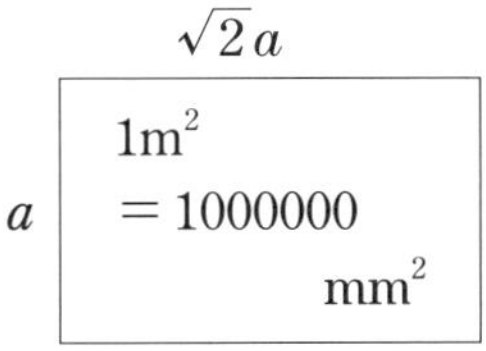

$$\sqrt{2}a^2 = 1000000$$

$$a^2 = 500000\sqrt{2}$$

$$a = \sqrt{500000\sqrt{2}}$$ だから

A0判 → $\sqrt{500000\sqrt{2}} : \sqrt{1000000\sqrt{2}} = 840.896415\cdots : 1189.207114\cdots$

B0判 → $\sqrt{750000\sqrt{2}} : \sqrt{1500000\sqrt{2}} = 1029.88357\cdots : 1456.475314\cdots$

となる。工業規格ではこれらの値をmm単位でA0判、B0判の寸法として採用した。あとは長い方を半分（割り切れないときは端数切り捨て）にしながらA0→A1→A2→…、B0→B1→B2→…と定めていく。

4 無限小数

「数はすべて、無限小数で表すことができる。」

「エッ、ホント？ ウソでしょう。」

「ホントだよ。」

「1は1だし、2は2で、1.5は1.5、1.76536はやっぱり1.76536で、ピタッとお尻が6で、無限じゃない！！」

この議論は次の項にまわすことにして、納得しようとしまいと、ここでは無限小数をながめてもらう。

まず割り切れない分数を小数に直してみる。

1/3＝0.33333333333333333333333333333333333333333333333333…
1/6＝0.16666666666666666666666666666666666666666666666666…
1/7＝0.14285714285714285714285714285714285714285714285714…
1/9＝0.111111111111111111111111111111111111111111111111111…
1/11＝0.09090909090909090909090909090909090909090909090909…
1/12＝0.083333333333333333333333333333333333333333333333333…
1/13＝0.07692307692307692307692307692307692307692307692307…
1/14＝0.071428571428571428571428571428571428571428571428571…
1/15＝0.06666666666666666666666666666666666666666666666666…
1/17＝0.05882352941176470588235294117647058823529411764705…
1/18＝0.05555555555555555555555555555555555555555555555555…
1/19＝0.052631578947368421052631578947368421052631578947368…
1/21＝0.04761904761904761904761904761904761904761904761904…
1/22＝0.045454545454545454545454545454545454545454545454545…
1/23＝0.04347826086956521739130434782608695652173913043478…
1/24＝0.04166666666666666666666666666666666666666666666666…
1/26＝0.038461538461538461538461538461538461538461538461538…
1/27＝0.037037037037037037037037037037037037037037037037037…
1/28＝0.03571428571428571428571428571428571428571428571428…
1/29＝0.034482758620689655172413793103448275862068965517241…
1/30＝0.033333333333333333333333333333333333333333333333333…
1/31＝0.032258064516129032258064516129032258064516129032258…
1/33＝0.0303030303030303030303030303030303030303030303030303…
1/34＝0.0294117647058823529411764705882352941176470588235294…

1/35＝0.028571428571428571428571428571428571428571428571428…
1/36＝0.027777777777777777777777777777777777777777777777777…
1/37＝0.027027027027027027027027027027027027027027027027027…
1/38＝0.0263157894736842105263157894736842105263157894736842…
1/39＝0.0256410256410256410256410256410256410256410256410256…
1/41＝0.0243902439024390243902439024390243902439024390243902…
1/42＝0.0238095238095238095238095238095238095238095238095238…
1/43＝0.02325581395348837209302325581395348837209302325581…
1/44＝0.0227272727272727272727272727272727272727272727272727…
1/45＝0.0222222222222222222222222222222222222222222222222222…
1/46＝0.0217391304347826086956521739130434782608695652173913…
1/47＝0.021276595744680851063829787234042553191489361702127…
1/48＝0.0208333333333333333333333333333333333333333333333333…
1/49＝0.0204081632653061224489795918367346938775510204081632…

すごいですネ。どれもそれなりに、循環している。こんどは無理数。循環は無理なようだ。

$\sqrt{2}$＝1.414213562373095048801688724209698078569671875376948073
1766797379907324784621070388503875343276415727…

$\sqrt{3}$＝1.732050807568877293527446341505872366942805253810380628
0558069794519330169088000370811461867572485756…

$\sqrt{5}$＝2.236067977499789696409173668731276235440618359611525724
2708972454105209256378048994144144083787822 74…

π＝3.141592653589793238462643383279502884197169399375105820
974944592307816406286208998628034825342117067…

今度は…

1＝0.99999999999999999999999999999999999999999999999999…
2＝1.99999999999999999999999999999999999999999999999999…
1.5＝1.4999999999999999999999999999999999999999999999999…
1.76536＝1.765359999999999999999999999999999999999999…

「ホントウですか？」

「本当です！」

5　1＝0.9999999…は、本当です！

1を3で割ると、0.333…と続いて、いつまでたっても割り切れない。そこで

$$\frac{1}{3}=0.333333333333\cdots$$

という等式が生まれる。“…”は「このあと、3が無限に続く」ことを表しているが、ここではじめて「無限」と出会った人も多いだろう。しかしこの等式の両辺を3倍して

$$1=3\times\frac{1}{3}=3\times0.33333333\cdots=0.99999999\cdots$$

という等式を導くと、ほとんどの人が反発する。「どこまで9を並べても、1よりはほんのちょっと小さいはずで、絶対に1に等しくはならない」というわけである。また「もし右辺が1に等しいなら、1と書けばよいので、0.999…などと書く理由がない」という反発もある。しかし

$$\sqrt{2}=1.41421356237309504880\cdots$$

$$\pi=3.14159265358979323846\cdots$$

などはどうなのだろうか。これらも「厳密には“＝”ではない」と考えると、$\sqrt{2}$や円周率πなどが「数では表せない」ことになってしまう。それでは困ることがいろいろあるので、

> どちらの数も、右辺を有限桁で打ち切れば“＝”にはならない（右辺のほうがほんの少し小さい）が、無限に続ければ正確に、左辺と等しくになる

と考えるとよい。無限の桁数字を「書きつくす」ことはできないが、計算法はわかっているし、実際に使うときは、「許容誤差」（これくらい

は違っていても困らない）というものがあるので、ふつうは3桁ぐらい、特に詳しい値がほしい場合でも9桁ぐらいで間にあう。

0.999999999…に同じ考え方を適用すると、「1に等しい」ことがわかる。論より証拠、引き算をやってみよう：

　　1
－　0.99999999…（9が無限に続く）
――――――――――――――――
　　0.00000000…（0が無限に続く）

9が有限個だったら、さいごに1が現れて「やっぱり、差は0でない」ことになるが、9が無限に続く場合には、引いた答えの0も無限に続くので、いつまでたっても1は出てこない――だから結果は正確に0で、「0.9999…は1に等しい」のである。

0.9999…という形はいかにも不自然であるが、計算の仕方によっては、出てくることがある（次の項目「無限等比級数」参照）。

＜例題＞　アキレスが、9m先から同時に走り出すカメと競争をする。アキレスは秒速10m、カメは秒速1mだとすると、カメが何m進んだところで、アキレスがカメに追い付くか？

＜答え＞　カメが1m進んだところでアキレスは10m進み、ちょうど追い付く。しかしアキレスが最初の差9mを詰める間に、カメは0.9m前進している。アキレスがその差0.9mを詰める間に、カメは0.09m前進している。このような「差を詰められるたびに、カメが進む距離」の総合計は：

$$0.9 + 0.09 + 0.009 + 0.0009 + \cdots = 0.9999\cdots$$

これはさっきの答え1(m)と同じになるはずだから

$$1 = 0.9999\cdots$$

6 無限等比級数

「新ジャックと豆の木」という問題をご存じであろうか。

豆の木が第1日に1m伸び、2日目はその半分の $\frac{1}{2}$ m伸び、3日目はまたその半分の $\frac{1}{4}$ m伸び、……と前日の半分ずつ成長していくとする。ジャックは天まで登れるであろうか。

（ア）天まで登る　（イ）途中で止まる　（ウ）その他

これが問題。

式で書くと

$$1+\frac{1}{2}+\frac{1}{4}+\frac{1}{8}+\frac{1}{16}+\cdots\cdots$$

という無限個の数の和（これを級数という）は一体どうなるかという問題である。

答えは（イ）であり、この和はじつは2になる。

$$2=1+\frac{1}{2}+\frac{1}{4}+\frac{1}{8}+\frac{1}{16}+\cdots\cdots$$

であることは、次の図を見ていただけばわかる。

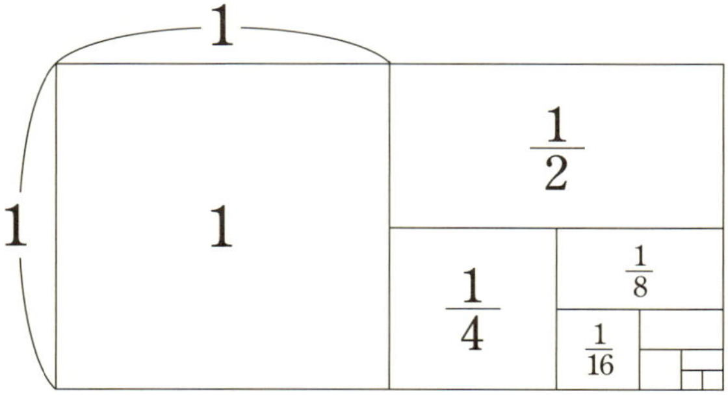

左右を入れかえて

$$1+\frac{1}{2}+\frac{1}{4}+\frac{1}{8}+\frac{1}{16}+\cdots\cdots=2$$

と書くと、……はいつまでも続くのだからふえ続けていき、2という固定した値にならないのではないかという気分になる。

しかし、「……」はいつまでもどんどんふやしていく「途中経過」を表現しているのではなく、「とどのつまり」を表している。

$$S_1=1=1$$

$$S_2=1+\frac{1}{2}=1.5$$

$$S_3=1+\frac{1}{2}+\frac{1}{4}=1.75$$

$$\vdots$$

$$S_{10}=1+\frac{1}{2}+\frac{1}{4}+\cdots+\frac{1}{2^9}$$

$$=1.998046875$$

$$\vdots$$

$$S=1+\frac{1}{2}+\frac{1}{4}+\frac{1}{8}+\cdots=2$$

途中まで計算した値を順に

$S_1,\ S_2,\ S_3,\ \cdots\cdots,\ S_n,\ \cdots$とすると、これは

1,　1.5,　1.75,　…

という数の列になる。

そして「とどのつまり」が 2 になる。

S_n の n が1万であろうが1兆であろうが「とどのつまり」とは違うのであるから、数列

$S_1,\ S_2,\ S_3,\ \cdots\cdots,\ S_n,\ \cdots$

と、級数

$$S=1+\frac{1}{2}+\frac{1}{4}+\frac{1}{8}+\frac{1}{16}+\cdots\cdots=2$$

との思考上のギャップは大きいかもしれない。だが、n をふやしていけば、いくらでもよい近似値が出てくる。このことを

数列$S_1,\ S_2,\ S_3,\ \cdots\cdots,\ S_n,\ \cdots$は$S=2$に収束する

という。

7 誤差限界とε論法

無限級数 $\dfrac{1}{4}+\dfrac{1}{4^2}+\dfrac{1}{4^3}+\dfrac{1}{4^4}+\cdots$

は「行きつく先」があるとすれば、その値はいくらであろうか。

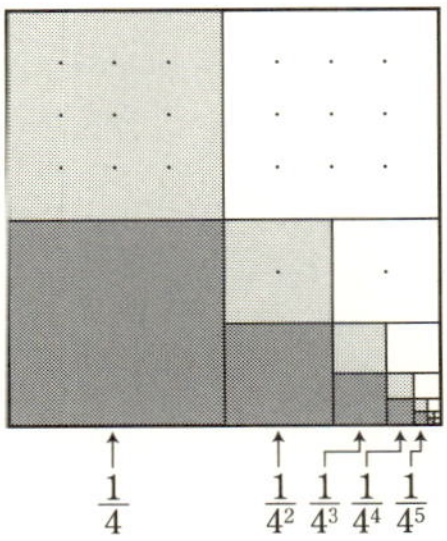

正方形を左のように、分割していく。すると、同じ大きさの正方形の■と■と□がつぎつぎとできていく。どんどんやっていくと、■の部分は全体の $\dfrac{1}{3}$ に近づき、「行きつく先」は $\dfrac{1}{3}$ しかないということがわかる。

ではどんな風に近づくのだろうか？

じっくりと、下の表とグラフを見てほしい。

$S_n=\dfrac{1}{4}+\dfrac{1}{4^2}+\dfrac{1}{4^3}+\cdots+\dfrac{1}{4^n}$ とする。

n	S_n	$\frac{1}{3}$との差
1	0.25	1/12
2	0.3125	1/48
3	0.328125	1/192
4	0.33203125	1/768
5	0.3330078125	1/3072
6	0.33325195312…	1/12288
7	0.33331298828…	1/49152
8	0.33332824707…	1/196608
9	0.33333206177…	1/786432
10	0.33333301544…	1/3145728
11	0.33333325386…	1/12582912
12	0.33333331347…	1/50331648
13	0.33333332837…	1/201326592
14	0.33333333209…	1/805306368
15	0.33333333302…	1/3221225472

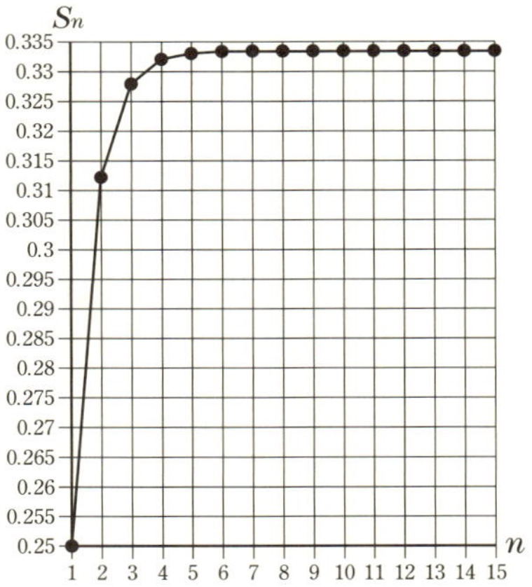

この場合、誰がどのように小さい数を示し、「この数よりも、$\frac{1}{3}$との誤差を小さくしてみろ！」といっても、ず〜っと大きいnをとって計算すると、その要求に応えることができる。

いいかえると、

どんな誤差限界ε（エプシロン）をいわれても、十分nを大きくとると、

$$\left| S_n - \frac{1}{3} \right| < \varepsilon$$

とすることができる。このとき「S_nは$\frac{1}{3}$に収束する」という。

あとの項で説明される、円周率πに収束するライプニッツの級数より、もっと速くπに収束する級数がいろいろある。そのひとつを見てみよう（どうして見つけたかは、ここでは説明なし）。

$$\pi = \frac{6}{2} + \frac{6}{2} \times \frac{1}{3 \cdot 2^3} + \frac{6 \times 3}{2 \times 4} \times \frac{1}{5 \cdot 2^5} + \frac{6 \times 3 \times 5}{2 \times 4 \times 6} \times \frac{1}{7 \cdot 2^7} + \cdots$$

この数列の和S_nは、nを大きくすると、円周率πにいくらでも近づくことが知られている。

n	S_n	πとの差
1	3	0.141526…
2	3.125	0.0165927…
3	3.1390625	0.00253015…
4	3.1411551339…	0.00043752…
5	3.1415767158…	0.0000159378…
6	3.1415894253…	0.00000322827…
7	3.1415919824…	0.00000067123…
8	3.1415925112…	0.00000014243…

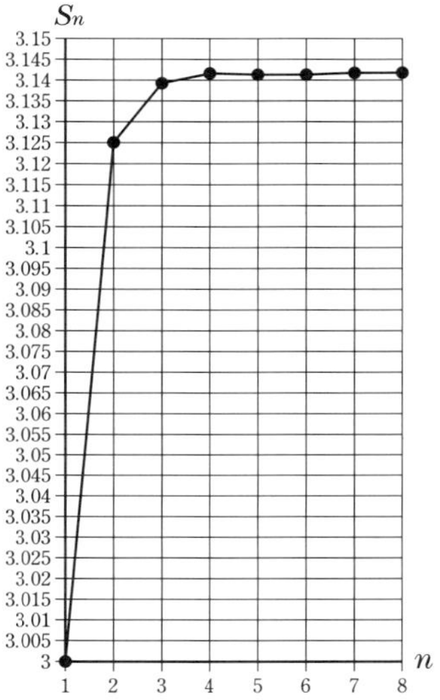

表とグラフを見ると、どんなεをいわれても、それよりも差を小さくする自信がでてくる。

8 εN論法

2つの数列$s_n = \dfrac{1}{n}$と$t_n = \dfrac{1}{n^2}$を考えよう。この2つの数列はどんなに厳しい誤差限界$\varepsilon > 0$を指定しても十分先まで計算すれば$0 < s_n < \varepsilon$, $0 < t_n < \varepsilon$となるので、どちらも0に収束することがわかる。ところが下表からわかるように、明らかに$t_n = \dfrac{1}{n^2}$の数列の方が$s_n = \dfrac{1}{n}$の数列よりも早く0に収束していくように思える。

n	$\dfrac{1}{n}$	$\dfrac{1}{n^2}$
1	1	1
10	0.1	0.01
100	0.01	0.0001
1000	0.001	0.000001
10000	0.0001	0.00000001

たとえば、誤差限界を0.0001とすると、$s_n = \dfrac{1}{n}$は、$n = 10000$から先はいつでも$0 < s_n < 0.0001$となるが、$t_n = \dfrac{1}{n^2}$は、$n = 100$から先はいつでも$0 < t_n < 0.0001$となる。つまり数列t_nの方が誤差限界を超えるのが、ずーっと早いのである。

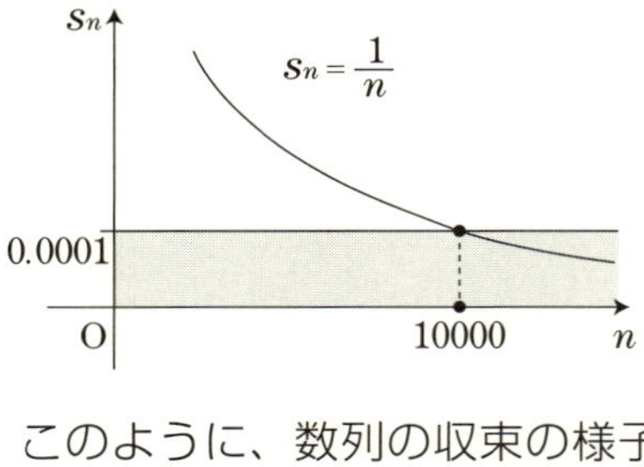

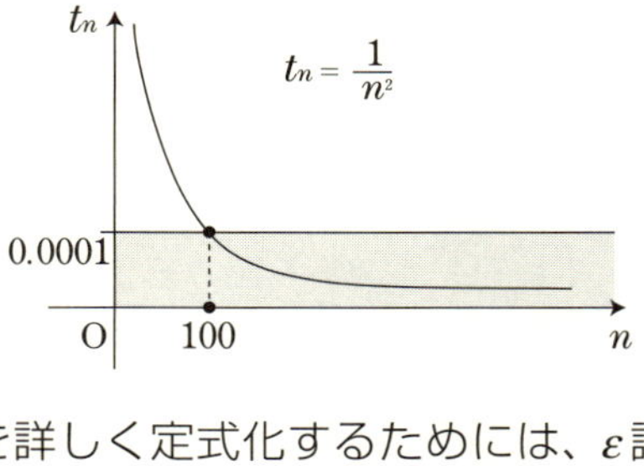

このように、数列の収束の様子を詳しく定式化するためには、ε論法をもう1段進化させたεN論法が必要である。

εN論法

どんなに厳しい誤差限界$\varepsilon > 0$が指定されても、適当な整数Nを選ぶと、N以上のすべてのnについて

$$|s_n - s| < \varepsilon$$

これがいえるとき、数列s_nはsに収束する、すなわち$s_n \to s$となることが示されたとするのである。ここで$s_n - s$に絶対値がついているのは$s_n - s$が負になる場合も含めて議論するためである。

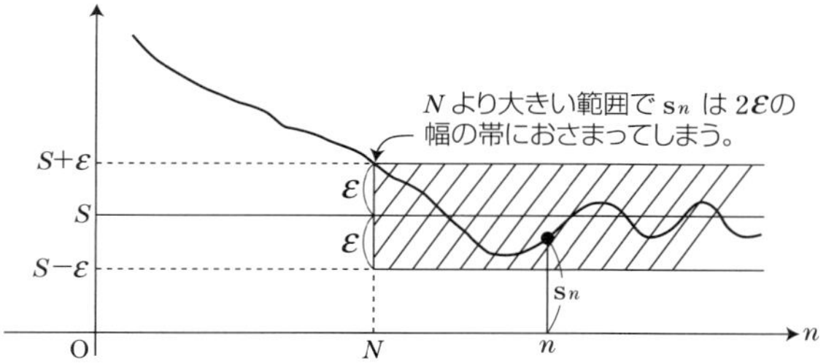

2に収束する数列$s_n = 2 + (-0.8)^n$を考えよう。対数関数logを使えば$|s_n - 2| = |(-0.8)^n| = 0.8^n < \varepsilon$より$n > \dfrac{\log \varepsilon}{\log 0.8}$が得られる。

ε	$\dfrac{\log \varepsilon}{\log 0.8}$	N
0.1	10.31…	11
0.01	20.63…	21
0.001	30.95…	31
0.0001	41.27…	42

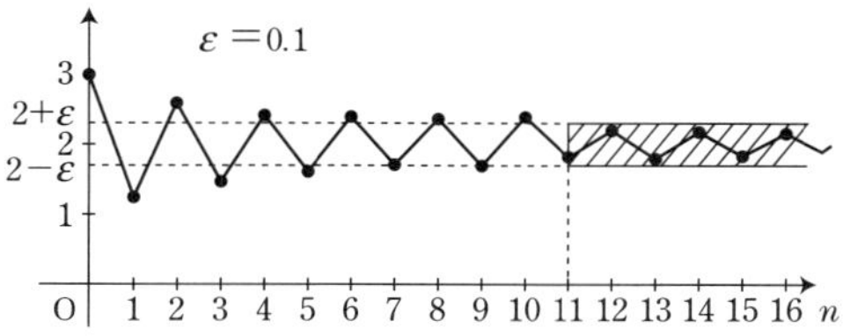

こうして、誤差限界εと整数Nの表が上のように求めることができる。

たとえば$\varepsilon = 0.1$とすると、図のように$N = 11$より大きいnについて、s_nは2を中心とする、2εの幅の帯の中におさまってしまうことがわかる。

9 円周率πの計算

εN論法を用いて円周率πを計算してみよう。

ライプニッツの公式とよばれる円周率πを計算する式がある。

$$\pi = 4\left(1 - \frac{1}{3} + \frac{1}{5} - \frac{1}{7} + \cdots\right)$$

右辺の「……」は必要なだけ計算すればよい。ふつうは小数点以下2桁ぐらい正しい答えが出れば十分であるが、精密な装置の設計などでは、要求がもっと厳しくて、4桁あるいは6桁まで正確でないといけない場合もある。

ライプニッツ

$$s_1 = 4$$

$$s_2 = 4\left(1 - \frac{1}{3}\right)$$

$$s_3 = 4\left(1 - \frac{1}{3} + \frac{1}{5}\right)$$

$$s_4 = 4\left(1 - \frac{1}{3} + \frac{1}{5} - \frac{1}{7}\right)$$

…………………………………………

$$s_n = 4\left\{1 - \frac{1}{3} + \frac{1}{5} - \frac{1}{7} + \cdots + (-1)^{n-1}\frac{1}{2n-1}\right\}$$

として、nを大きくしていこう。

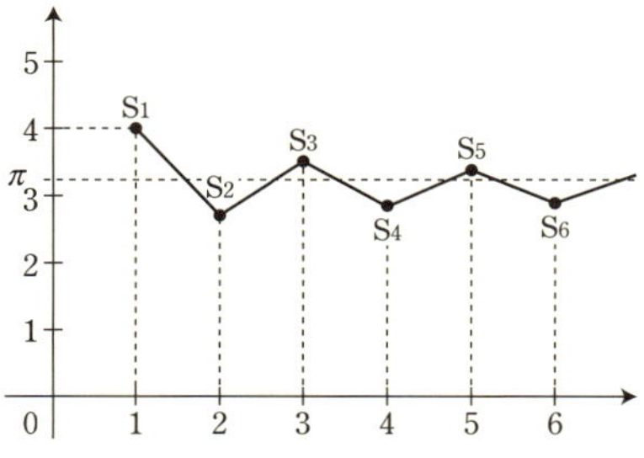

n	s_n	誤差$(s_n - \pi)$
1	4	0.8584…
2	2.6666…	−0.4749…
3	3.4666…	0.3250…
4	2.8952…	−0.2463…
5	3.3396…	0.1980…
6	2.9760…	−0.1655…

左図のように、nを大きくするとs_nの値は、振動しながらπの値に近づいていくことがわかる。こうして次の表のように、nをどんどん大きくしていけば、いくらでも精度のよい近似値を手に入れることができる。

しかし、εN論法で、収束のようすを表現すれば、近似値のより明確な見積ができるのである。

n	s_n	誤差$(s_n-\pi)$
1	4	0.85840…
5	3.33968…	0.19808…
10	3.04183…	−0.09975…
50	3.12159…	−0.02000…
100	3.13159…	−0.00999…
500	3.13959…	−0.00199…
1000	3.14059…	−0.00099…
5000	3.14139…	−0.00020…

図より明らかに

$s_2=s_1-\frac{4}{3}<\pi$より$s_1-\pi<\frac{4}{3}$

$s_3=s_2+\frac{4}{5}>\pi$より$\pi-s_2<\frac{4}{5}$

$s_4=s_3-\frac{4}{7}<\pi$より$s_3-\pi<\frac{4}{7}$

$s_5=s_4+\frac{4}{9}>\pi$より$\pi-s_4<\frac{4}{9}$

……………………………………

このように、不等式$|s_n-\pi|<\dfrac{4}{2n+1}$が成りたつ。一方、$\dfrac{4}{2n+1}<\varepsilon$を$n$について解くと$n>\dfrac{2}{\varepsilon}-\dfrac{1}{2}$となるから$n>\dfrac{2}{\varepsilon}$とすれば十分で、次のように定式化できる。

『どんなに小さい誤差限界$\varepsilon>0$が指定されても

$n>\dfrac{2}{\varepsilon}$となるすべてのnについて$|s_n-\pi|<\varepsilon$が成り立つ』

これにより「誤差を0.003より小さくしたい」のであれば、

$n>\dfrac{2}{0.003}=666.66\cdots$、つまり、例えば$n=667$について$s_n$の値を計算すれば、十分よい近似値が得られるのである。実際にパソコンで計算してみると　$s_{667}=4\left\{1-\dfrac{1}{3}+\dfrac{1}{5}-\dfrac{1}{7}+\cdots+\dfrac{1}{1333}\right\}=3.1430919\cdots$

となり、$s_{667}-\pi=0.001499\cdots\cdots$と目的を達していることがわかる。

なおこの公式は、ヨーロッパで最初に発表したのはライプニッツであるが、イギリスの数学者グレゴリーがすでに発見していたとか、アジアでは14世紀インドの数学者マーダヴァが発見していたことがわかっている。そういうこともあるので、「公式の名前は通称」と思っておけばよい。

10 $1+x+x^2+x^3+x^4+\cdots=\dfrac{1}{1-x}$

話は次の式から始めよう。

$$(1-x)(1+x)=1-x^2$$

$$(1-x)(1+x+x^2)=1-x^3$$

$$(1-x)(1+x+x^2+x^3)=1-x^4$$

$$\vdots$$

$$(1-x)(1+x+x^2+\cdots\cdots+x^{n-1})=1-x^n$$

不安な方は実際に展開計算をしてみていただきたい。$(1-x)$の1を右側の各項にかけ、次に$-x$を右側の各項にかけてみるとプラスマイナスで途中はみんな消えてしまう。

両辺を$1-x$で割ると

$$1+x+x^2+x^3+\cdots\cdots+x^{n-1}=\frac{1-x^n}{1-x} \qquad ※$$

となる。

この式は、1以外のどんなxの値でも成り立つから、たとえば$x=2$、$n=101$のときは

$$1+2+2^2+2^3+\cdots\cdots+2^{100}=\frac{1-2^{101}}{1-2}$$

となる。話は少しずれるが、

$$a,\ \ ar,\ \ ar^2,\ \ ar^3,\ \cdots\cdots,\ ar^{n-1},\ \cdots\cdots$$

$\times r \quad \times r \quad \times r$

という数列を等比数列という。上の※から導ける

$$a+ar+ar^2+ar^3+\cdots\cdots+ar^{n-1}=\frac{a(1-r^n)}{1-r}$$

は、「等比数列の和の公式」とよばれている。

$-1 < x < 1$のとき

※に戻り

$$S_n = 1 + x + x^2 + \cdots + x^{n-1} = \frac{1 - x^n}{1 - x}$$

とすると、数列

$$S_1,\ S_2,\ S_3,\ \cdots\cdots,\ S_n,\ \cdots$$

ができるが、いま$-1 < x < 1$のとき、n を大きくしていくと x^{n-1} や x^n は 0 に収束するので、級数の和の公式

$$1 + x + x^2 + x^3 + \cdots\cdots = \frac{1}{1 - x}$$

ができる。たとえば

$$1 + \frac{1}{2} + \frac{1}{4} + \frac{1}{8} + \cdots\cdots$$

という級数は、$x = \frac{1}{2}$ のときだから

$$\frac{1}{1 - \frac{1}{2}} = 2$$

となる。同様にして

$$1 + \frac{1}{3} + \frac{1}{9} + \frac{1}{27} + \cdots = \frac{1}{1 - \frac{1}{3}} = \frac{1}{\frac{2}{3}} = \frac{3}{2}$$

$0.3333\cdots\cdots\cdots$

$$= 0.3 + 0.03 + 0.003 + 0.0003 + \cdots\cdots = \frac{0.3}{1 - 0.1} = \frac{1}{3}$$

などとなる。

ちょっとひと息

無限和の考えを駆使して、便利な公式や美しい公式をたくさんこしらえてくれたのは、何といってもスイスの大数学者レオンハルト・オイラー(1707～1783)であろう。たとえば三角関数は、多項式では

$$\sin x \fallingdotseq x$$

とか

$$\cos x \fallingdotseq 1-\left(\frac{1}{2}\right)x^2$$

のような近似式しか作れないが、無限和を使えば次のように正確に表せる。

$$\sin x = x-\left(\frac{1}{3!}\right)x^3+\left(\frac{1}{5!}\right)x^5-\cdots$$

$$\cos x = 1-\left(\frac{1}{2!}\right)x^2+\left(\frac{1}{4!}\right)x^4-\cdots$$

ここで分母のビックリマーク！は「階乗」、たとえば
3!＝3×2×1, 5!＝5×4×3×2×1
という形の積を表している。

これらはたとえば正確な三角関数表の作成に応用できる。また指数関数も同様である。

$$e^x = 1+x+\left(\frac{1}{2!}\right)x^2+\left(\frac{1}{3!}\right)x^3+\cdots$$

ここから有名なオイラーの公式(1)、(2)が導かれる。

(1)　$e^{ix} = \cos x + i\sin x$

(2)　$e^{i\pi} = -1$

ここでiは虚数単位($i=\sqrt{-1}$, $i^2=-1$)を表す。これは

「三角関数と指数関数、また定数eとπとが、複素数の世界では深く結ばれている」

ことを示す重要な事実である。

第1部

微分・積分の意味がわかる

第3章

関数と微分

「一方を決めれば他方が決まる」関係を、関数関係という。1個100円のサイコロをいくつかまとめ買いするときは、個数 x を決めると総額 y が決まる。この関係は $y=100x$ という1次式で表される。斜面の上から玉をころがせば、t 秒間にころがった距離 y は、t のある2次式で表される。これもだいじな関数である。

「関数」というと抽象的でわかりにくいように感じられるかもしれない。そういう方は、「何かを入れると何かが出てくる」自動販売機のような機械を連想していただきたい。

第1章では、「関数」という言葉は使っていなかった。しかし点 P、位置あるいは移動距離 y のどれも、時間 t とともに変化する場合を考えていた。しかも「どの時刻にも、どこにある(どこまで進んだ)かがはっきりわかっている」場合を考えていた。要するに点 P や位置 y が「時間 t の関数である」場合だけを扱っていたので、だからこそ微分や積分が応用できるのである。

関数が、理論的にわかっている場合は特に重要である。たとえばピサの斜塔からボールを落としたときの、ボールの動きを考えてみよう――これは「自由落下の問題」とよばれる、力学の基本的な問題のひとつである。きちんといえば

時間 t とその間にボールが落ちた距離 y の間の関数関係

を考えよう、ということである。

この関係は、実験的にも調べられる。たとえばいろいろな高さからボールを落としてみて、地表に落ちるまでの時間を測ってみてもよい。ただそれでは、いくつか限られた場合の数値しかわからない。

だから微分も積分も、近似的にしか求められない。ところが

y は t の2乗に比例する

というガリレオの理論を前提にすると、その前提のもとで正確な微分や積分が、理論的に簡単に計算できる。

ではその理論は、絶対に正しいのだろうか。実は、そうはいかない——ガリレオの理論は、空気の抵抗とか風の影響などを無視しているので、細かくいえば近似的にしか成り立たない。しかしその近似が「許容誤差限界」の中におさまっていれば何も心配することはないので、簡単に計算できるのはよいことなのである。理論にはこのように

細かいところを無視することによって、計算がラクになる

という実際的な効用もある。

この章では、いろいろな関数の例から始めて、理論的なグラフとか微分の計算の具体例を説明している。技術的なことにも興味のある人は詳しく読むとよいが、「全体の風景だけ見たい！」という人は適当に拾い読み、読み飛ばしをして頂きたい。

1 棒グラフと関数

「関数を理解するなら棒グラフなり」と言った人がいる。言い得て妙だ。

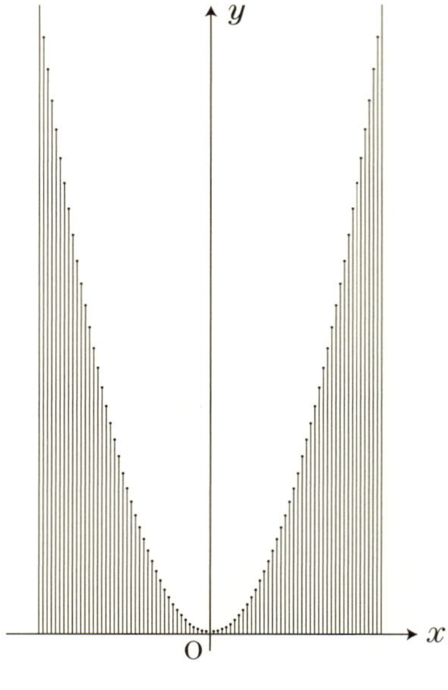

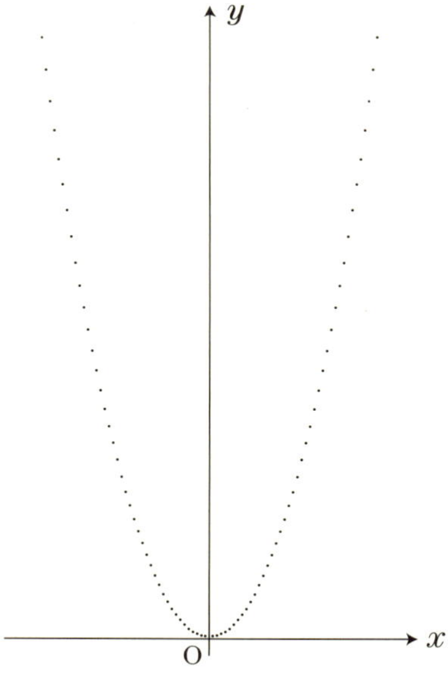

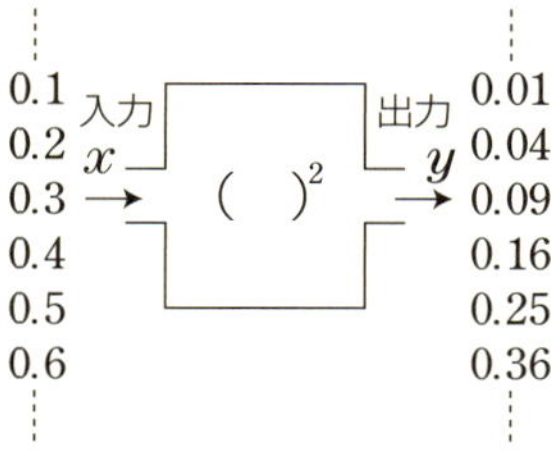

関数$f(x)=x^2$の変化をxの変化0.1きざみに書いたのが上の左図。棒グラフは、入力する数xに対し、出力した数yの高さを誇示するものだ。

その棒を消すと、上の右図のように点だけが残る。少し見なれたグラフに近くなった。

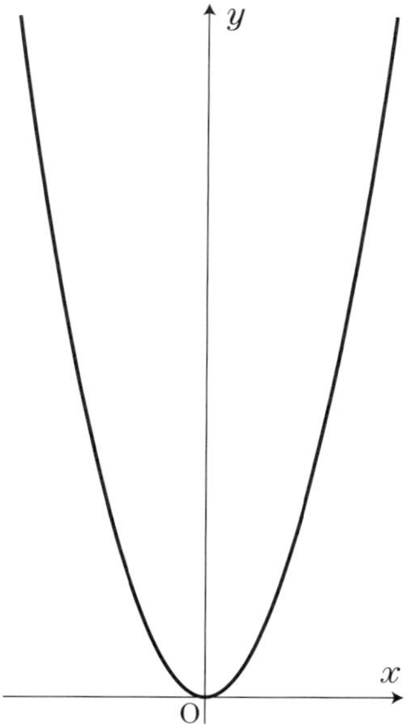

そして、もっともっと点をとっていくと、ふつうのグラフになった。

しかし、この棒グラフもだいじなもので、関数の変化を重要視した表現なのだ。

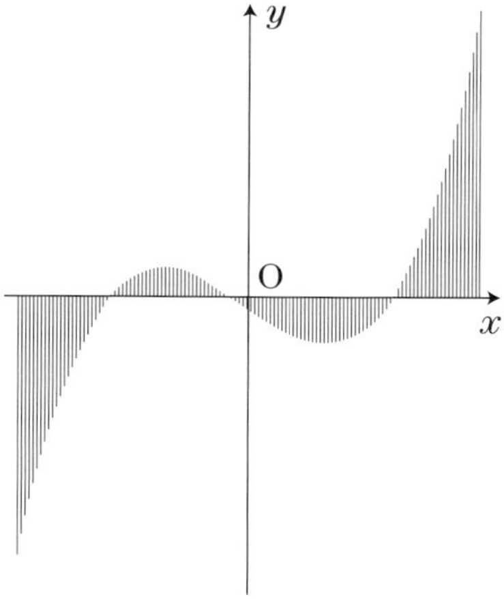

右は

$f(x)=(x-9)(x+1)(x+9)$

という3次関数の棒グラフ。

下はそれを、ふつうのグラフに。

これからは、関数のグラフには、棒が隠れていると思いながら見ると、関数の

「入力・出力」

というポイントがはっきり眼に見える。

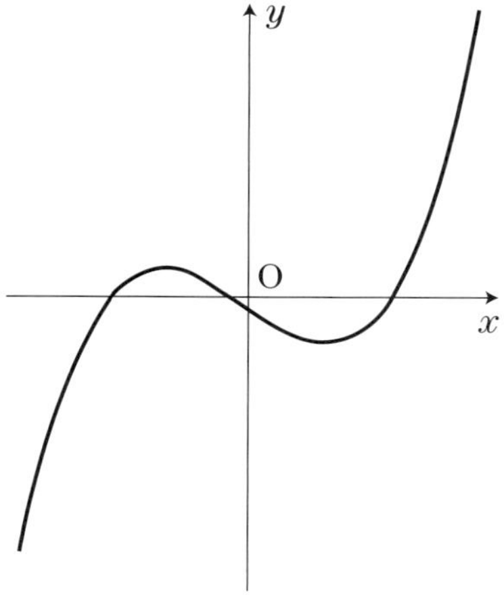

2 いろいろな関数

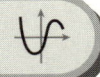

右の図のような装置(一種のカメラ)を作って、いろいろなものを覗いてみよう。

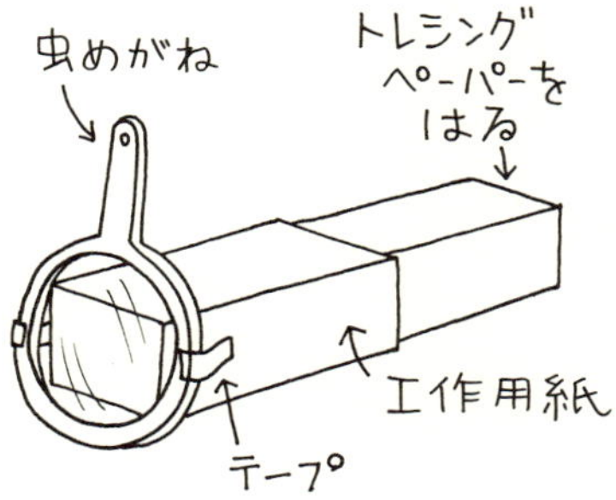

後ろの筒を出し入れして像のピントを合わせる。このときのレンズとトレシングペーパーの距離を測ると、おもしろい法則に気がつく。

レンズとトレシングペーパーの距離を$x$cm、被写体までの距離を$y$cm、レンズの焦点距離を10cmとする。

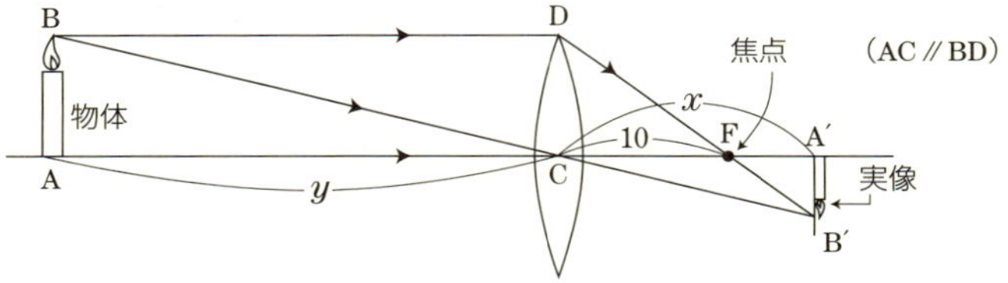

上の図において、△ABC∽△A′B′Cより $\dfrac{AB}{y}=\dfrac{A'B'}{x}$

また△CDF∽△A′B′Fより $\dfrac{AB}{10}=\dfrac{A'B'}{x-10}$ が成り立ち、この2つの式より

$$\frac{1}{x}+\frac{1}{y}=\frac{1}{10}$$

というレンズの公式が示せる。

これを、yについて解くと $y=\dfrac{10x}{x-10}$ となる。

この式によって、レンズとトレシングペーパーの距離xがわかれば、被写体までの距離yを計算することができる。こうして、レンズの関数

$$y = f(x) = \frac{10x}{x-10}$$

が得られた。

この関数では、たとえば$x = 12$cmのとき$y = 60$cmであるので、筒の12cmのところに印をつけ60cmと書き入れる。

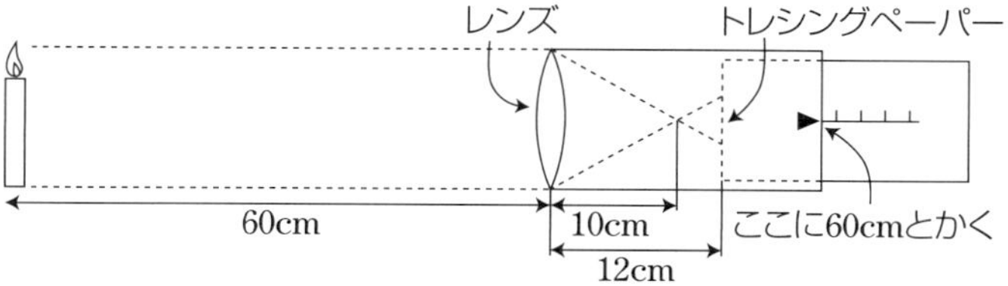

このようにして、後の筒に対応するyの値を書き込んでおけば、この印を利用して被写体までの距離を測ることができる。

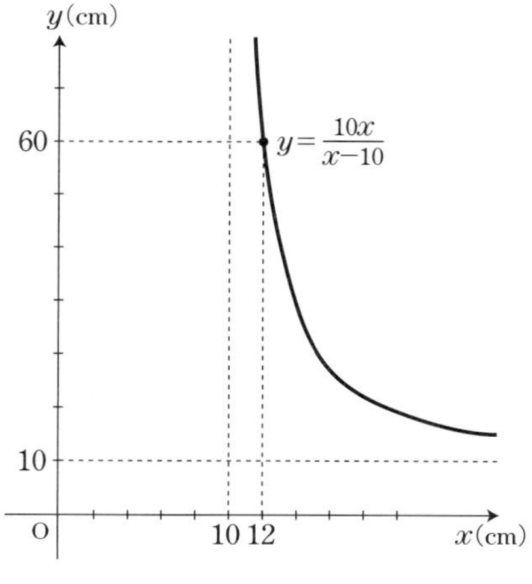

カメラのピント合わせも同じ原理によっているのである。

左は、レンズの関数$f(x)$のグラフである。

レンズとトレシングペーパーの距離xが10cmに近づくときが、被写体までの距離yが無限(∞)に遠いときに対応していることがよくわかると思う。

我々がふだん何気なく使っているカメラに、実はケッコウ複雑な関数がひそんでいたのである。

3 続・いろいろな関数

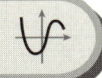

考えてみると私達は、いろいろな関数によって取り巻かれている。

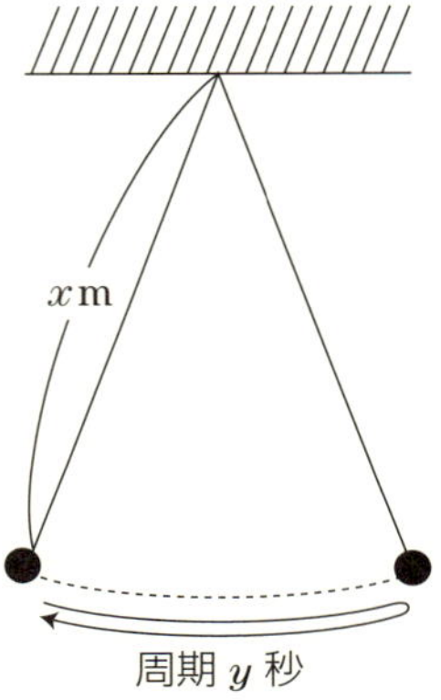

糸の端に5円玉を結びつけて、長さ25cmの振り子を作ると周期はほぼ1秒になる。糸の長さを4倍の1mにすれば、周期は2秒になる。糸の長さがx mの振り子の周期y秒は、ほぼ

$$y=2\sqrt{x}$$

となることが知られている。こうして、糸の長さx mがわかれば、周期y秒を計算できる振り子の関数$y=f(x)=2\sqrt{x}$が得られた。

また、この式を変形して$x=\dfrac{y^2}{4}$とすると、周期y秒から糸の長さx mを計算できる別の振り子の関数

$$x=g(y)=\frac{y^2}{4}$$

が得られる。

この前訪れた科学館の天井からつり下げられたフーコーの振り子があった。周期を測ったら6秒だったので、振り子の糸の長さ（天井の高さ）は

$$x=g(6)=\frac{6^2}{4}=9\ (\mathrm{m})$$

であることがすぐ計算できた。

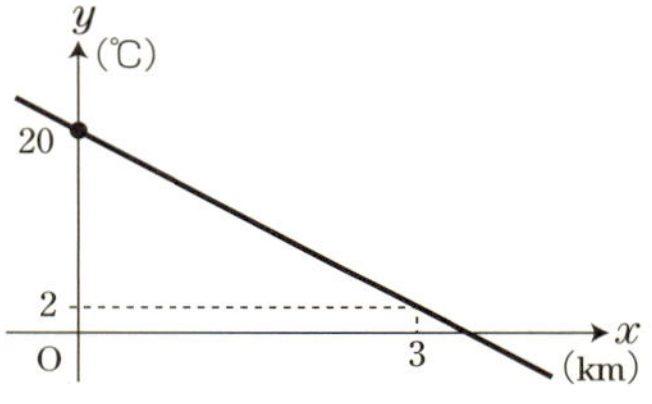

次に、気温と高度の関係を調べよう。気温は高度が1km高くなるごとに

6℃下がるとされている。

地上気温が20℃のとき、x km高い地点の気温をy℃とすれば

$$y = 20 - 6x (℃)$$

となる。

この式によって高さが与えられたときの気温を計算することができ、$y = f(x) = 20 - 6x$という関数が得られた。

たとえば3000m高い地点の気温は$f(3) = 20 - 6 \times 3 = 2$と2℃ということになる。

また、体感温度と風速の関係について考えよう。風速が1m増せば体感温度は1℃下がるとされている。例えば気温が2℃のとき、風速x m/秒の体感温度をy℃とすれば

$$y = g(x) = 2 - x (℃)$$

という関係が得られる。

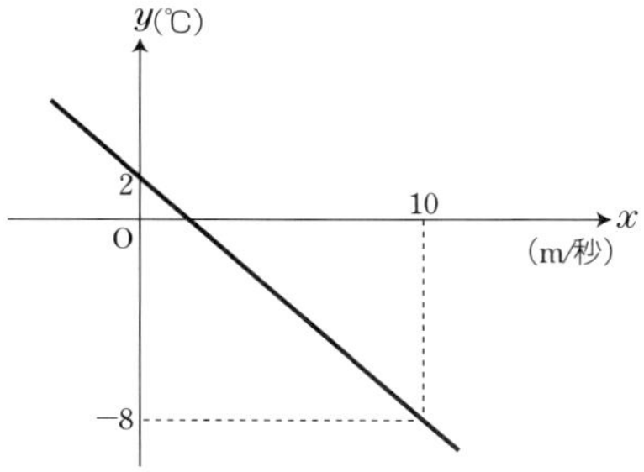

たとえば、風速10m/秒のときの体感温度は

$$g(10) = 2 - 10 = -8 (℃)$$

となる。

気温と高度の関係を表す関数$f(x)$と体感温度と風速の関係を表す$g(x)$とを組み合わせると次のことがわかる。

平地で20℃のとき、3000m高い山地の気温は2℃であり、その地点での風速が10m/秒であれば、体感温度は－8℃ということになる。

秋から冬にかけての山の遭難が多い原因は、このことからもうなずけるだろう。

4 1次、2次、3次、…関数

百聞は一見に如かず、1次関数、2次関数、3次関数、…のグラフはたとえばどんなふうになるかを鑑賞する。

●1次関数

$y = 2x + 2$

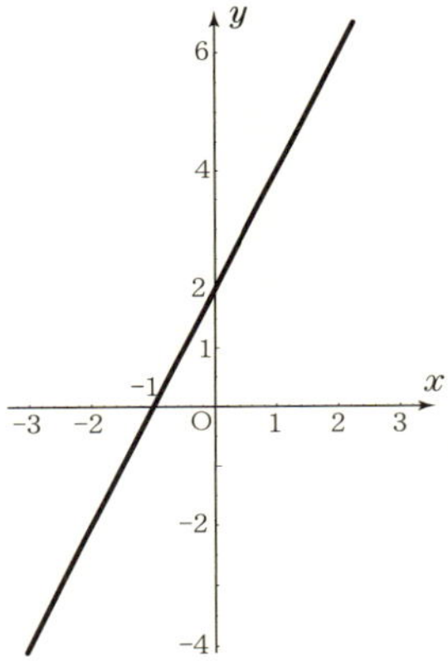

$y = -x - 1$

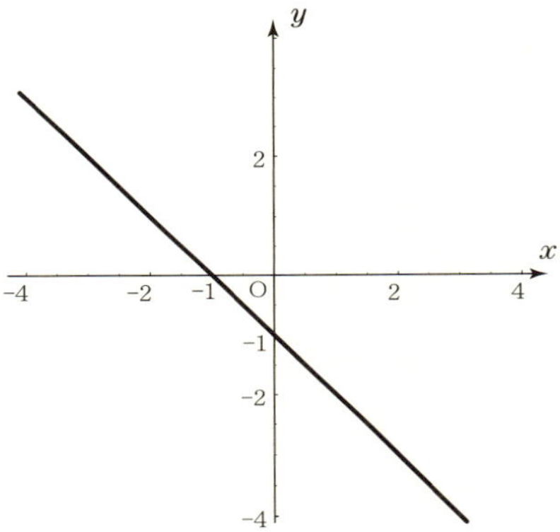

●2次関数

$y = \frac{1}{2}x^2 + 2x - 1$

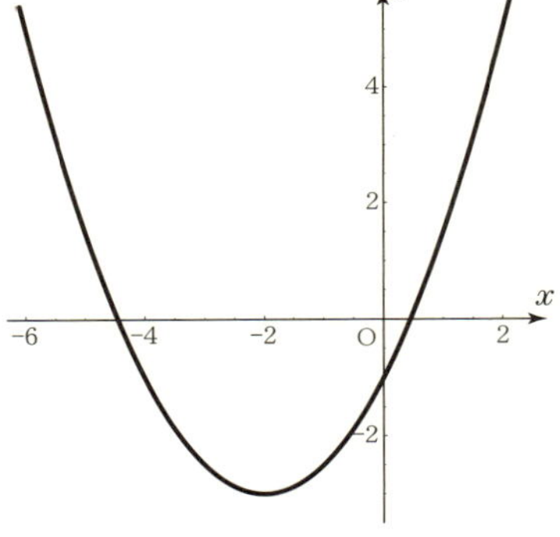

$y = -x^2 - 3x - 1$

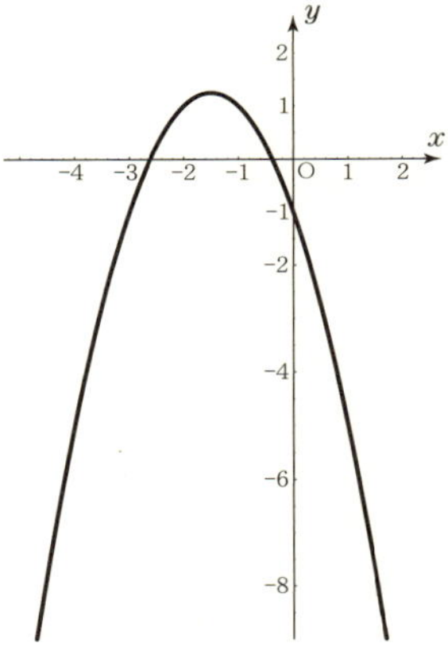

●3次関数

$y = x^3 + \frac{1}{2}x^2 - 2x - 1$

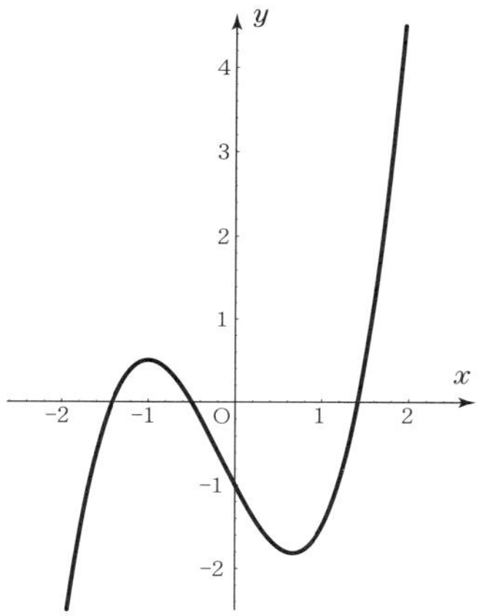

$y = -x^3 - x^2 + x - 1$

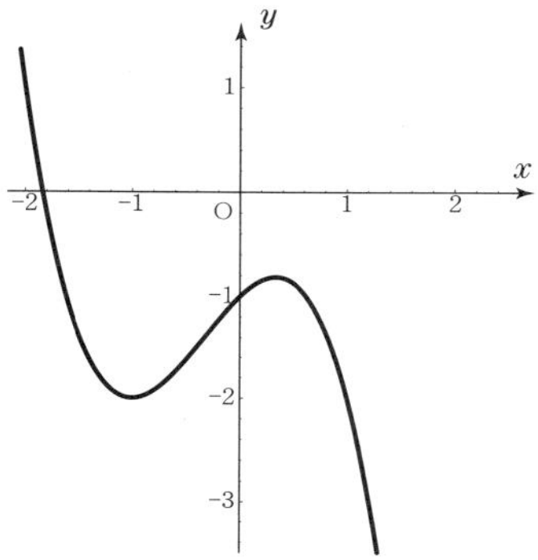

●4次関数

$y = x^4 - 3x^3 - \frac{1}{2}x^2 + 2x - 1$

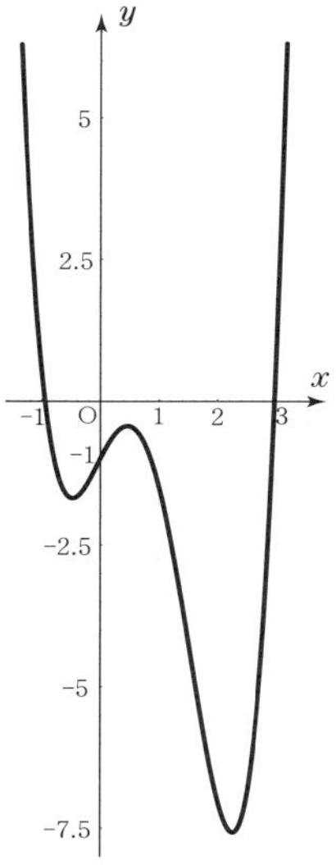

$y = -x^4 + 2x^3 + x^2 - x - 1$

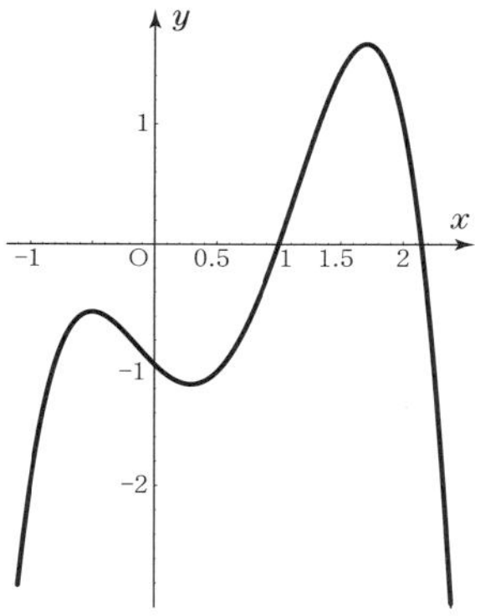

「なるほど、山と谷がだんだんふえていくのだな。」

5 三角関数

P君が観覧車に乗ってグルグル回る。半径 1 で中心を基準(原点)とし、P 君の上下の運動のみに注目したとき、P の y 座標を $\sin\theta$ で表す。左右の運動に注目するとき、x 座標を $\cos\theta$ で表す。

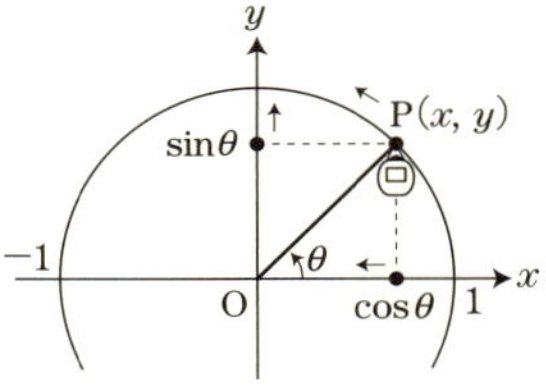

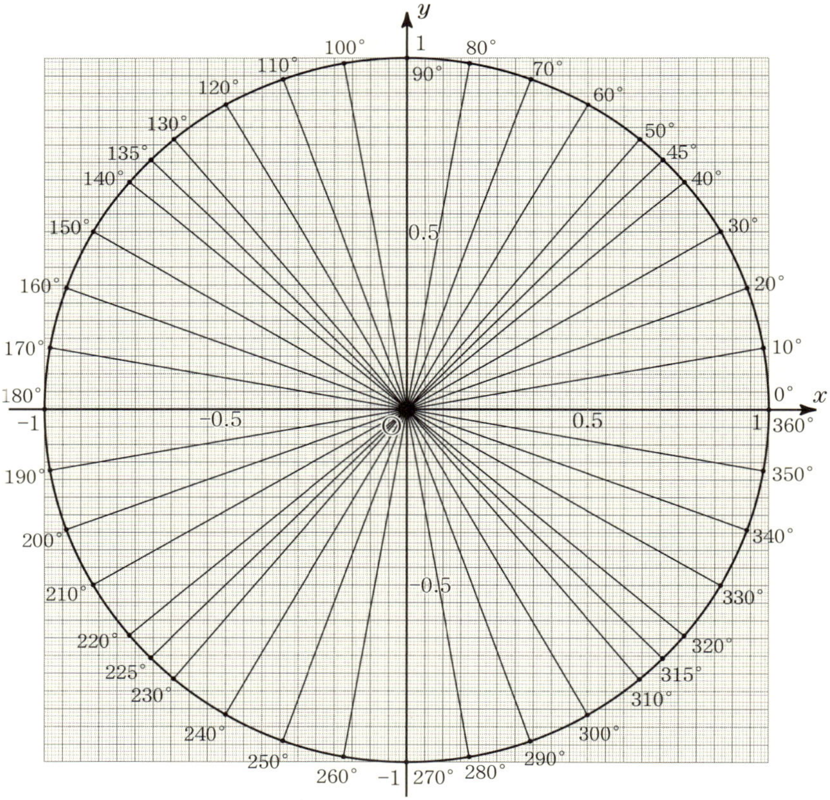

点 P の x 座標も、y 座標も、動くOPの角 θ で決まるので、$\sin\theta$ も、$\cos\theta$ も θ の関数である。これらを三角関数という。前ページの図を使うと $\sin\theta$、$\cos\theta$ の大体の値が求まる。たとえば

$$\sin 10^\circ = 0.17,\ \cos 10^\circ = 0.98,\ \sin 300^\circ = -0.86,\ \cos 300^\circ = 0.5$$

と読める（図がちょっと細かすぎるかな）。

$y = \sin\theta$ の変化をグラフで見てみる。下図のように、OPの角を細かく分け、各々の角 θ に対する点 P の y 座標を、対応する角 θ のところに点を取っていく。

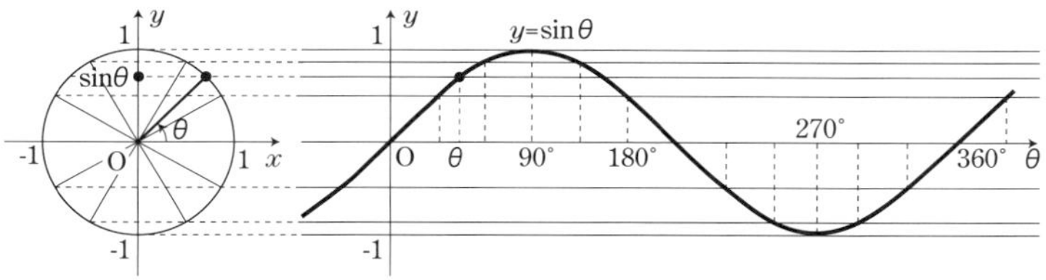

$x = \cos\theta$ も、下図のようになる。

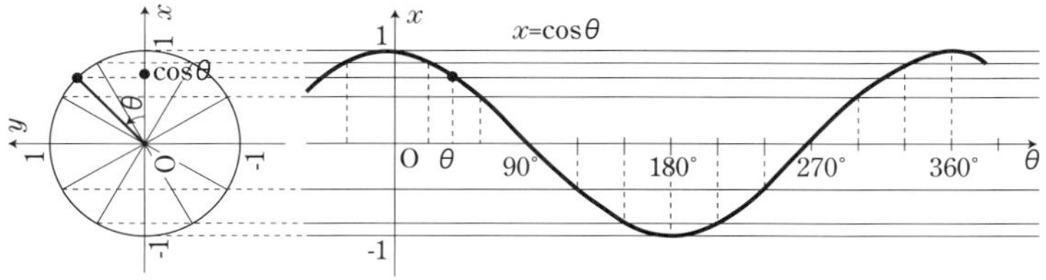

バネにおもりをつけて、上下運動させながら歩くと、おもりの軌跡はサインカーブになる。おもりの上下運動は単振動するという。

6 三角関数表

もうひとつの三角関数 $\tan\theta$ は、t 軸を考え、図のように定義する。直線の傾きは、1だけ右にいったときの垂直距離だから $\tan\theta$ は、動径OPの傾きを θ の関数で表しているといえる。

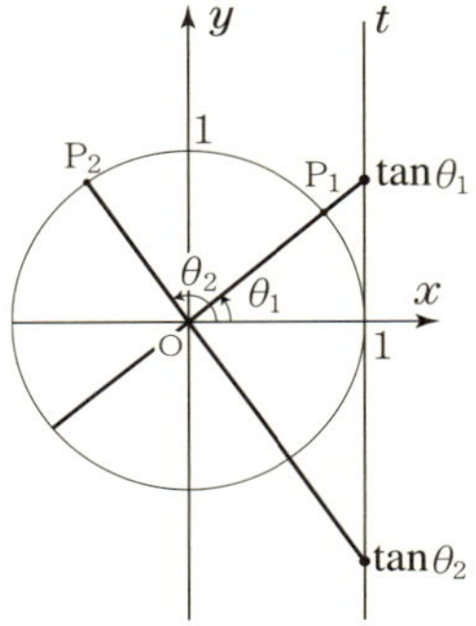

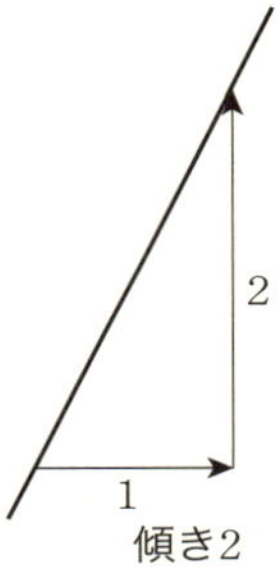

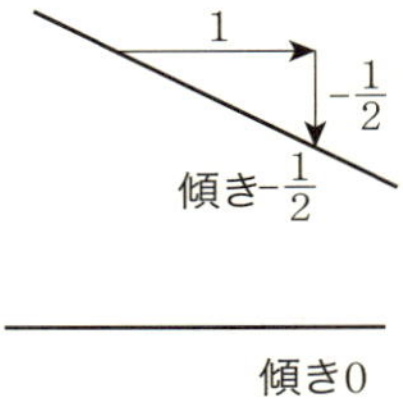

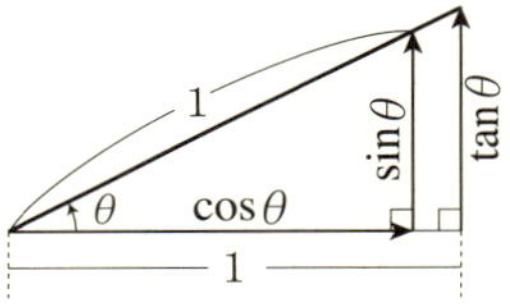

また、左図より

$$\tan\theta = \frac{\sin\theta}{\cos\theta}$$ となる。

右ページに三角関数0°から90°までの値を、小数点以下4桁まで示しておく。

〈補足〉角の大きさを測るには「度」のほかに「弧度法」というのがある。弧度法では、角の大きさを「単位円の弧の長さ」に単位名「ラジアン」をつけて表す。円周の長さは 2π だから

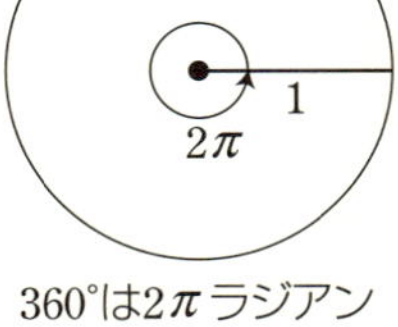

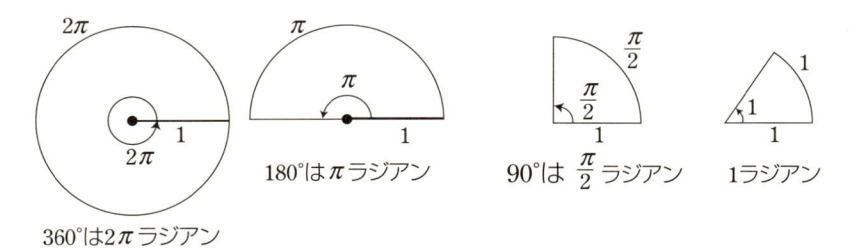

360°は 2π ラジアン

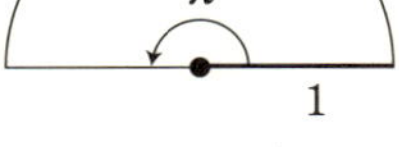

180°は π ラジアン

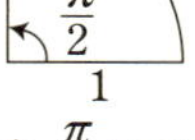

90°は $\frac{\pi}{2}$ ラジアン

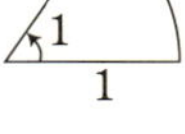

1ラジアン

この表では90°までしかないが、単位円の観覧車を考えると、どんな角のサイン、コサイン、タンジェントの値もでてくる。前項で求めた値と比べてほしい。

角	sin(正弦)	cos(余弦)	tan(正接)
0°	0.0000	1.0000	0.0000
1°	0.0175	0.9998	0.0175
2°	0.0349	0.9994	0.0349
3°	0.0523	0.9986	0.0524
4°	0.0698	0.9976	0.0699
5°	0.0872	0.9962	0.0875
6°	0.1045	0.9945	0.1051
7°	0.1219	0.9925	0.1051
8°	0.1392	0.9903	0.1405
9°	0.1564	0.9877	0.1584
10°	0.1736	0.9848	0.1763
11°	0.1908	0.9816	0.1944
12°	0.2079	0.9816	0.1944
13°	0.2250	0.9781	0.2126
14°	0.2419	0.9703	0.2493
15°	0.2588	0.9659	0.2679
16°	0.2756	0.9613	0.2867
17°	0.2924	0.9563	0.3057
18°	0.3090	0.9511	0.3249
19°	0.3256	0.9455	0.3443
20°	0.3420	0.9397	0.3640
21°	0.3584	0.9336	0.3839
22°	0.3746	0.9272	0.4040
23°	0.3907	0.9205	0.4245
24°	0.4067	0.9135	0.4452
25°	0.4226	0.9063	0.4663
26°	0.4384	0.8988	0.4877
27°	0.4540	0.8910	0.5095
28°	0.4695	0.8829	0.5317
29°	0.4848	0.8746	0.5543
30°	0.5000	0.8660	0.5774
31°	0.5150	0.8572	0.6009
32°	0.5299	0.8480	0.6249
33°	0.5446	0.8387	0.6494
34°	0.5592	0.8290	0.6745
35°	0.5736	0.8192	0.7002
36°	0.5878	0.8090	0.7265
37°	0.6018	0.7986	0.7536
38°	0.6157	0.7880	0.7813
39°	0.6293	0.7771	0.8098
40°	0.6428	0.7660	0.8391
41°	0.6561	0.7547	0.8693
42°	0.6691	0.7431	0.9004
43°	0.6820	0.7314	0.9325
44°	0.6947	0.7193	0.9657
45°	0.7071	0.7071	1.0000

角	sin(正弦)	cos(余弦)	tan(正接)
46°	0.7193	0.6947	1.0355
47°	0.7314	0.6820	1.0724
48°	0.7431	0.6691	1.1106
49°	0.7547	0.6561	1.1504
50°	0.7660	0.6428	1.1918
51°	0.7771	0.6293	1.2349
52°	0.7880	0.6157	1.2799
53°	0.7986	0.6018	1.3270
54°	0.8090	0.5878	1.3764
55°	0.8192	0.5736	1.4281
56°	0.8290	0.5592	1.4826
57°	0.8387	0.5446	1.5399
58°	0.8480	0.5299	1.6003
59°	0.8572	0.5150	1.6643
60°	0.8660	0.5000	1.7321
61°	0.8746	0.4848	1.8040
62°	0.8829	0.4695	1.8807
63°	0.8910	0.4540	1.9626
64°	0.8988	0.4384	2.0503
65°	0.9063	0.4226	2.1445
66°	0.9135	0.4067	2.2460
67°	0.9205	0.3907	2.3559
68°	0.9272	0.3746	0.4751
69°	0.9336	0.3584	2.6051
70°	0.9397	0.3420	2.7475
71°	0.9455	0.3256	2.9042
72°	0.9511	0.3090	3.0777
73°	0.9563	0.2924	3.2709
74°	0.9613	0.2756	3.4874
75°	0.9659	0.2588	3.7321
76°	0.9703	0.2419	4.0108
77°	0.9744	0.2250	4.3315
78°	0.9781	0.2079	4.7046
79°	0.9816	0.1908	5.1446
80°	0.9848	0.1736	5.6713
81°	0.9877	0.1564	6.3138
82°	0.9903	0.1392	7.1154
83°	0.9925	0.1219	8.1443
84°	0.9945	0.1045	9.5144
85°	0.9962	0.0872	11.4301
86°	0.9976	0.0698	14.3007
87°	0.9986	0.0523	19.0811
88°	0.9994	0.0349	28.6363
89°	0.9998	0.0175	57.2900
90°	1.0000	0.0000	———

7 円運動と三角関数

原点が中心で半径rの円周上を点A $(r, 0)$から出発して一定の速さで回転する動点Pのx座標とy座標を考える。回転角が与えられれば、点Pのx座標とy座標が決まり

$$x = r\cos\theta,\ y = r\sin\theta$$

と表される。

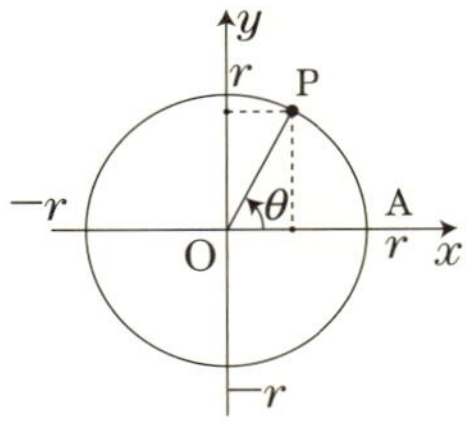

図のような半径100mの観覧車があり、毎秒 $\frac{1}{2}^\circ$ で回転しているとする。出発点Aから動きだしてt秒後の角θは、$t = 0$のとき$\theta = -90^\circ$と考えると、

$$\theta = \frac{1}{2}t - 90^\circ$$

であるので、Aからの高さhは

$$h = 100\sin\left(\frac{1}{2}t - 90\right)^\circ + 100 \cdots ①$$

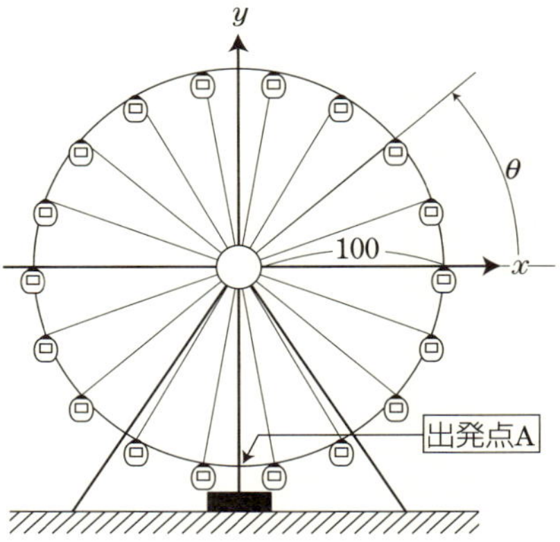

と表され、ゴンドラの水平方向の位置xは、次の式で表される。

$$x = 100\cos\left(\frac{1}{2}t - 90\right)^\circ \cdots ②$$

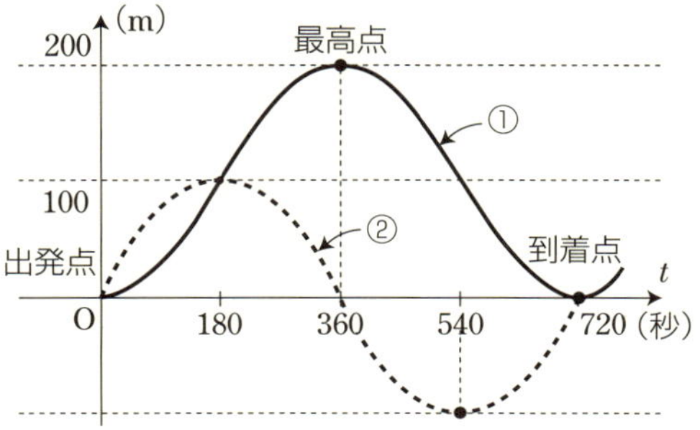

右図のように、回転運動を上下運動に変える装置はカムとよばれている。

点Pが点Aを出発し、1秒につき角ωだけ回転するとき、カムの先端Qの上下運動は

$y = r\sin(\omega t + \alpha) + h$

と表される。

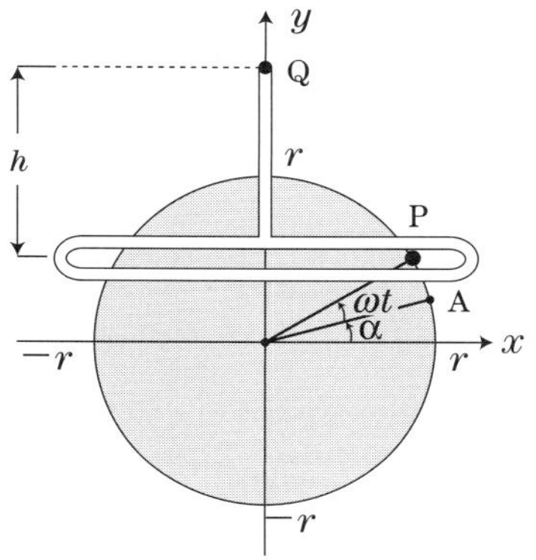

一般に$y = r\sin(\omega t + \alpha)$で表される運動を単振動という。

単振動の例としては、ばねにつるされたおもりの上下運動、ふれ幅が小さいときの振り子の左右にふれる運動、空気の振動である音の波

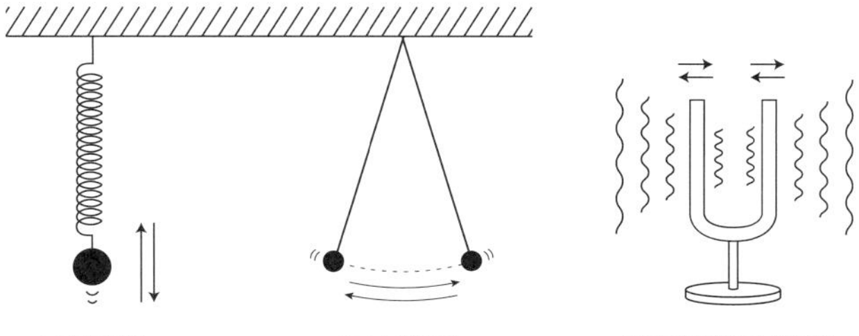

上下運動　　左右運動　　空気の粗密運動

などがある。

なお$y = r\sin(\omega t + \alpha)$において、$r$を振幅、$\omega$を角速度、$\alpha$を初期位相という。

点Pが円を1周すると単振動は1往復するが、これにかかる時間は$\dfrac{360^\circ}{\omega}$である。これを単振動の周期という。また、1秒あたり何往復するかを振動数といい、周期の逆数$\dfrac{\omega}{360^\circ}$として求められる。

8 指数関数

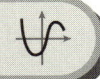

倍々法則に従う現象

1時間たつと2倍に増殖するバクテリアを考えよう。はじめの量をAgとし、x時間後の量をygとすると

$$y = A \times 2^x$$

と表せる。たとえば3時間後には$A \times 2 \times 2 \times 2 = A \times 2^3$となる。

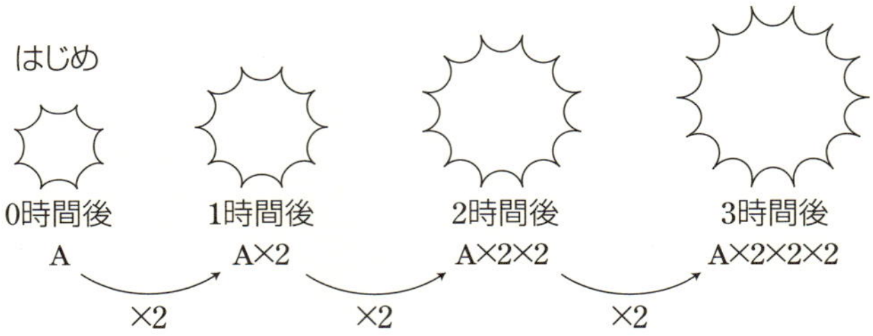

1年に3%の利息がつく借金を考えよう。はじめA円借りたとして、x年ほうっておいたときの元利合計は、次のように表せる。

$$y = A \times 1.03^x$$

ある放射性元素が崩壊して1年で半分になるとしよう。はじめAgあったとし、x年後の量をy gとすると次の式で表せる。

$$y = A \times \left(\frac{1}{2}\right)^x$$

あるガラス板1枚を光が通過すると、明るさが0.8倍になるとする。はじめの明るさをAルクスとし、ガラス板x枚を重ねて光が通過したときの明るさをyルクスとすると次のようになる。

$$y = A \times 0.8^x$$

指数関数

一般に、$y=A\times a^x$あるいは$A=1$として$y=a^x$の形で表せる関数、すなわち、世の中によくある倍々法則を表現する関数を指数関数という。

$y=2^x$を例にとって、もう一度、倍々法則をふりかえってみる。

〈$x=1, 2, 3, \cdots\cdots$のとき〉

$$2^x=\underbrace{2\times 2\times\cdots\cdots\times 2}_{x\text{個}}$$

x時間たてばバクテリアは2^x倍になる。

〈$x=0, -1, -2, \cdots\cdots$のとき〉

$x=0$のときは現在の1倍だから$2^0=1$

$x=-1$のときは1時間前、当然現在の半分だったから　$2^{-1}=\dfrac{1}{2}$

$x=-2$のときは2時間前、またその半分だったから　$2^{-2}=\dfrac{1}{2^2}=\dfrac{1}{4}$

……

〈$x=\dfrac{1}{2}$のとき〉

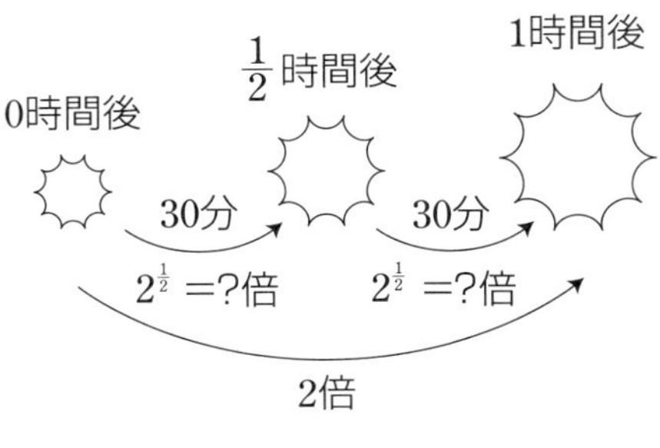

30分で？倍だから1時間では？×？＝2倍。よって？＝$\sqrt{2}$。

つまり　$2^{\frac{1}{2}}=\sqrt{2}$

9　指数関数と対数関数のグラフ

いくつかの指数関数のグラフを鑑賞しよう。

$y=2^x$

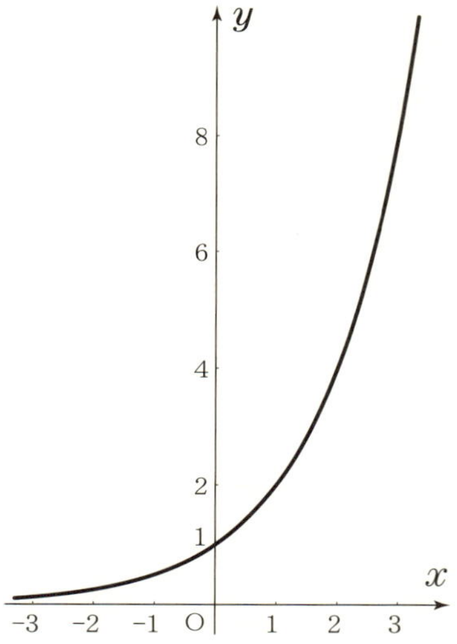

xが1ふえるたびに

yは2倍になる

$y=0.8^x$

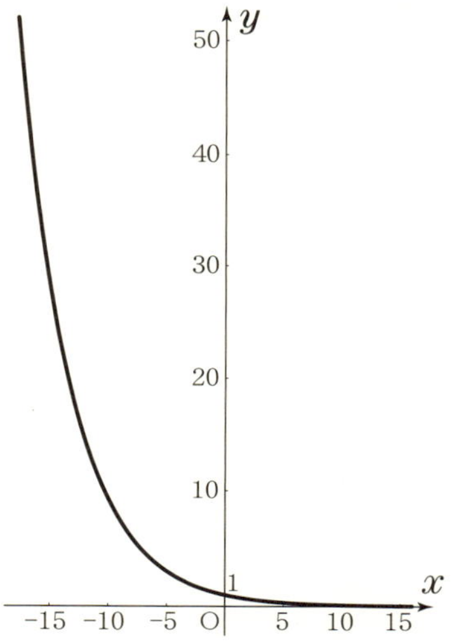

xが1ふえるたびに

yは0.8倍になる

式で書くと

$a^{x+1}=a^x\times a$

が成り立つ。もっと一般には

$a^{x_1+x_2}=a^{x_1}a^{x_2}$

が指数関数の特徴を示す式。

1時間につきa倍にふえるバクテリアがx時間ではa^x倍にふえる。これが指数関数である。

反対に、x倍にふえるためには何時間かかるかを

$$\log_a x$$

という記号で表し、対数関数という。たとえば、1時間につき2倍にふえるバクテリアが16倍までふえるのは4時間後であるから

$$\log_2 16 = 4$$

である。

$y = \log_2 x$

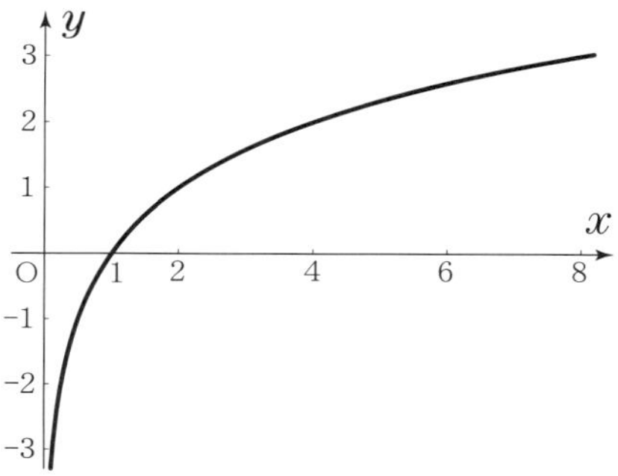

$y = \log_{0.8} x$

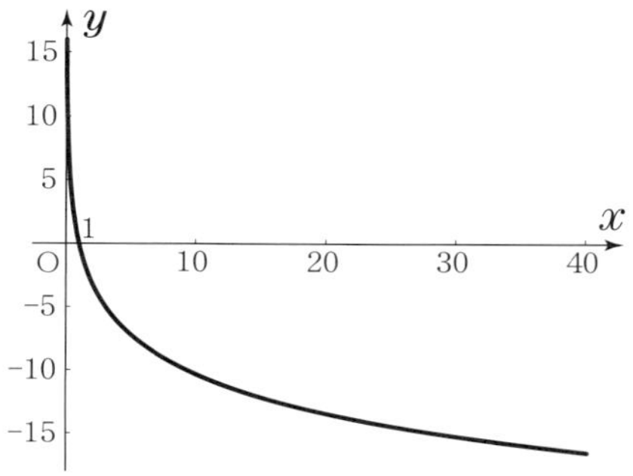

たとえば、1時間につき2倍にふえるバクテリアが、まず4倍にふえ、続いて8倍にふえれば、結局32倍にふえたことになるが、この間にかかった時間は、はじめ$\log_2 4 = 2$時間、続いて$\log_2 8 = 3$時間、合計5時間であり、$\log_2 32 = 5$時間と比較すると$\log_2 4 + \log_2 8 = \log_2 32$となる。

一般に

$$\log_a uv = \log_a u + \log_a v$$

が成り立つ。

10 速度と微分

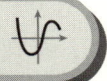

高いところから、そっとボールをはなすと、ドンドン落ちていく。空気抵抗がないとすると、地球上ではほぼ

$$\underset{\text{m}}{(\text{落ちる距離})}=4.9\times\underset{\text{秒}}{(\text{落ちた時間})}^2$$

になる。式で書くと

$$f(x)=4.9x^2 \qquad \langle x：\text{時間(秒)、}f(x)：\text{距離(m)}\rangle$$

この関数のグラフは下のようになる。

さて、2秒後から4秒後までの2秒間の平均速度は

$$\frac{\text{落ちた距離}}{\text{かかった時間}}=\frac{78.4-19.6}{2}$$

$$=29.4\ (\text{m/秒})$$

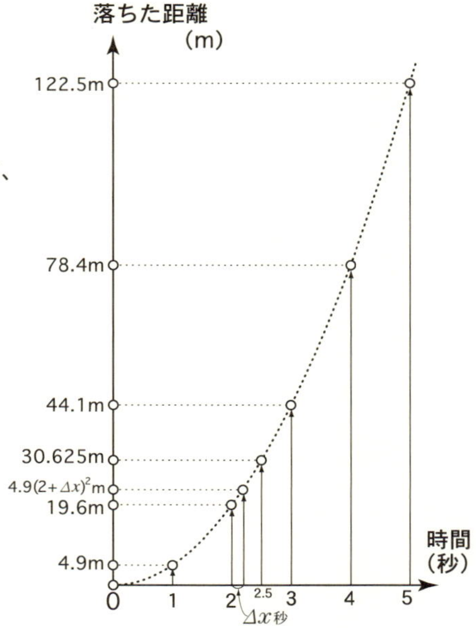

では、

2秒後から3秒後までの1秒間は、

$$\frac{44.1-19.6}{1}=24.5\ (\text{m/秒})$$

ではでは

2秒後から2.5秒までの0.5秒間

では

$$\frac{30.625-19.6}{0.5}=\frac{11.025}{0.5}$$

$$=22.05\ (\text{m/秒})$$

エイッ！ 面倒ダ！

2秒後から、ほんのちょっとの時間Δ《デルタ》x秒間の平均速度は

$$\frac{\text{落ちた距離}}{\text{かかった時間}} = \frac{4.9\times(2+\Delta x)^2 - 4.9\times 2^2}{\Delta x}$$

$$= \frac{4.9\times 2^2 + 4.9\times 4\times\Delta x + 4.9\times(\Delta x)^2 - 4.9\times 2^2}{\Delta x}$$

$$= 19.6 + 4.9\times\Delta x \text{ となる}$$

この式のΔxに0.5、0.1、0.01を入れると2秒後からそれだけの時間の平均速度が求まる。

そこで、思い切って$\Delta x \to 0$と、Δxを0に限りなく近づけると、$4.9\Delta x$はどんどん0に近づき、$19.6 + 4.9\Delta x$は限りなく19.6（m/秒）に近づく。これが2秒後の瞬間速度。

記号で書くと

$$\lim_{\Delta x \to 0} \frac{4.9\times(2+\Delta x)^2 - 4.9\times 2^2}{\Delta x} = \lim_{\Delta x \to 0}(19.6 + 4.9\Delta x) = 19.6$$

一般にx秒後の瞬間速度は

$$\lim_{\Delta x \to 0} \frac{4.9\times(x+\Delta x)^2 - 4.9x^2}{\Delta x} = \lim_{\Delta x \to 0}(9.8x + 4.9\Delta x) = 9.8x$$

となる。これで、xに数値を代入するだけで、そのときの瞬間速度が求まる。

もっと一般に、関数$y = f(x)$について、

$$\lim_{\Delta x \to 0} \frac{f(x+\Delta x) - f(x)}{\Delta x}$$ を求めることを“$f(x)$を微分する”

という。また、これを、y'とか$f'(x)$で表し、$f(x)$の導関数という。

11 →とlim

数学には、一見あいまいな表現がある。

「x をドンドンどこまでも 1 に近づける」

または

「x を限りなく 1 に近づける」

ということを

$x \to 1$

と表す。

「ドンドンどこまでも」「限りなく」といっても、そんなに近づくことができるの？ また、最終的には 1 になるのか？ と疑問がつきまとう。

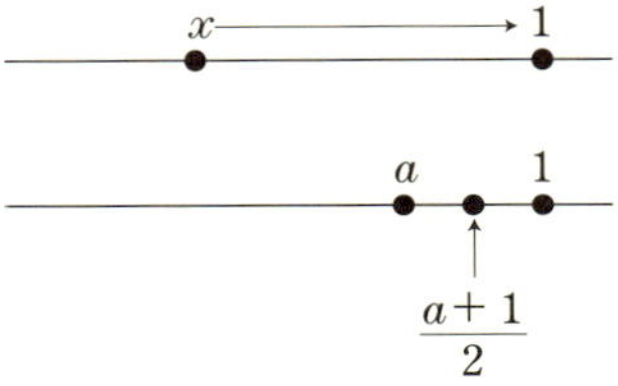

1 より小さくて、1 に一番近い数はない。実際、1に近い（しかし一致はしない）どんな数 a を選んでも、$\dfrac{a+1}{2}$ は a と1の間にあり、a よりさらに1に近い。だから「1に近づく」という動作は、どこまでも続けることができる。

$x \to 1$ のとき　$1+x$ は限りなく 2 に近づく。

このとき、この 2 を $x \to 1$ のときの $1+x$ の極限値といい、記号で

$$\lim_{x \to 1}(1+x)=2$$

で表す。「な〜んだ、x に 1 を代入しただけではないか。やっぱり x は 1 になるんだ」とは思わないでほしい。

$\lim_{x\to 1}(1+x)=2$ の2は、$1+x$ の「行きつく先」「極限値」と考えてほしい。

$\lim_{x\to 2}\dfrac{x^2+x-6}{x-2}$ を求めてみる。

x	$(x^2+x-6)/(x-2)$
2.1	5.1
2.01	5.01
2.001	5.001
2.0001	5.0001
2.00001	5.00001
2.000001	5.000001
2.0000001	5.0000001

分母も分子も、$x\to 2$ のとき 0 にどこまでも近づき、x に 2 を代入すると、$\dfrac{0}{0}$ になってしまう。

$\dfrac{0}{0}$、$\dfrac{\infty}{\infty}$ の形になってしまうものを不定形というが、真の極限値がウラに隠れていることがある。

x に 2.1, 2.01, 2.001, 2.0001,……

を代入して $\dfrac{x^2+x-6}{x-2}$ を計算すると上の表になった。

これから $\lim_{x\to 2}\dfrac{x^2+x-6}{x-2}=5$ になりそうである。計算では次のようにたしかめられる。

$$\lim_{x\to 2}\frac{x^2+x-6}{x-2}=\lim_{x\to 2}\frac{(x-2)(x+3)}{x-2}=\lim_{x\to 2}(x+3)=5$$

$\lim_{x\to 0}\dfrac{\sin x}{x}$ はどうなるだろう。ただし、x はラジアン。x に、0 に近い数を入れて計算してみた。

x	$\dfrac{\sin x}{x}$
0.1	0.99833416647⋯
0.01	0.99998333342⋯
0.001	0.99999983333⋯
0.0001	0.99999999833⋯
0.00001	0.99999999998⋯

図でみると、x が小さくなると $\sin x$ と x の長さは、等しくなっていくようだ。

これらから $\lim_{x\to 0}\dfrac{\sin x}{x}=1$ に違いない。

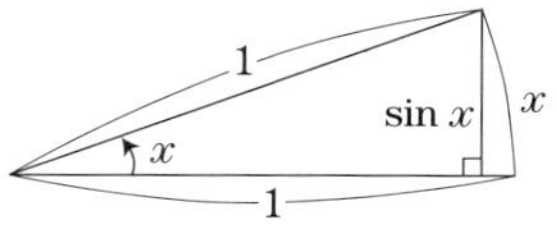

12 傾き・勾配

山道を歩くと、上り坂や下り坂、急な坂やゆるやかな坂が次々とあらわれてくる。その坂道の傾きについて考えてみよう。

右の図のようにまっすぐな坂道の傾き（勾配）は、水平距離1あたりの垂直距離（高度差）によって表される。すなわち

$$傾き＝\frac{（垂直距離）}{（水平距離）}$$

たとえば、下の坂道Aと坂道Bでは、どちらの坂道が急だろうか。

（坂道A）

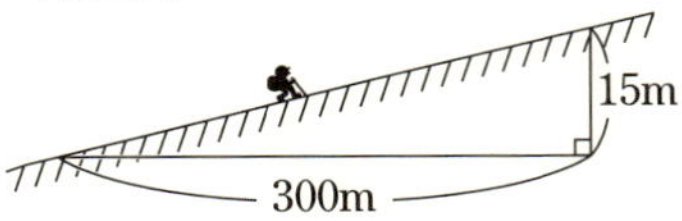

（坂道B）

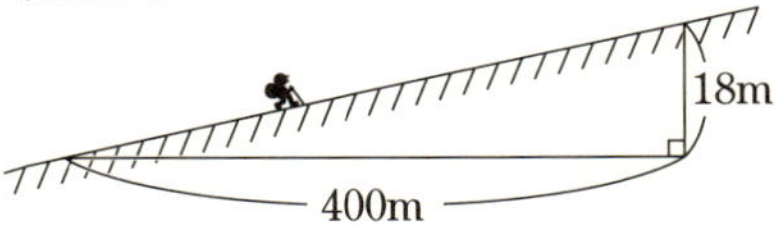

$$傾き＝\frac{15}{300}＝0.05$$

$$傾き＝\frac{18}{400}＝0.045$$

よって、わずかながら坂道Aの方が急であることがわかる。

次に、傾き（勾配）が一様でない坂道を考えてみよう。

右の図は、$y=x^2$ のグラフを $x \geqq 0$ の範囲でかいたものである。これを坂道にみたてると、x の値が大きくなっていくにつ

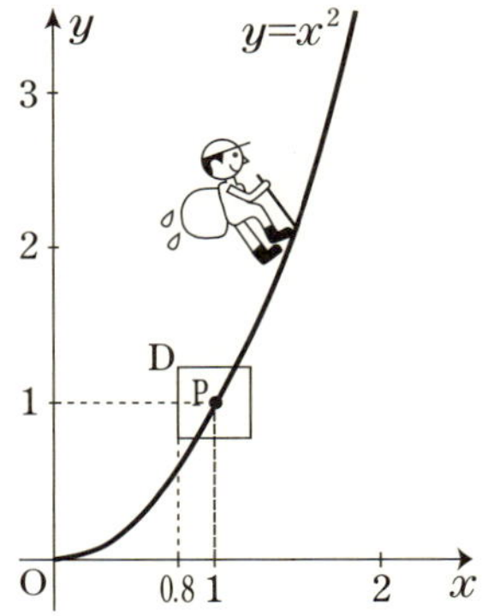

れて坂道はしだいに急になっているように思える。

このグラフ上の1点P（1,　1)の近くでの坂道の様子を調べるために、点Pの近くを拡大してみよう。

下の図は、前のグラフの領域Dの部分を拡大したものと、領域Eを拡大したものである。

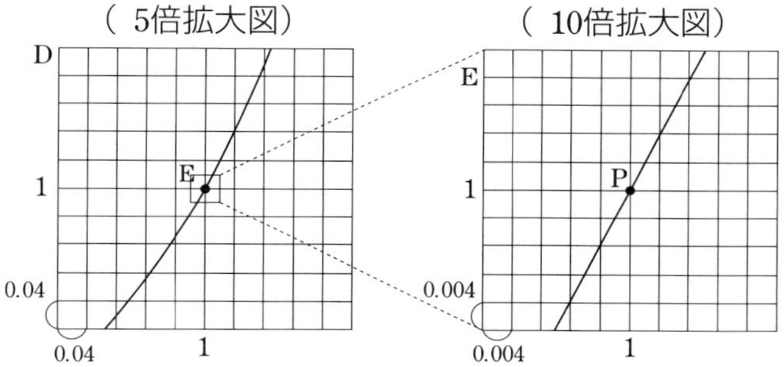

この図を見ると、もともとは曲線であるはずのグラフも、点Pの近くの非常に小さな部分を取り出して拡大すれば傾き2の直線とみなせることがわかる。

$y=f(x)=x^2$ のグラフ上の点P(1, 1)の近くでの関数の変化の様子を計算で調べてみよう。

$x=1$ から x の値の変化量を h とすると、y の変化量は

$$\begin{aligned} f(1+h)-f(1) &= (1+h)^2-1^2 \\ &= 2h+h^2 \end{aligned}$$

よって、右図の直線PQの傾きは

$$\frac{f(1+h)-f(1)}{h}=\frac{2h+h^2}{h}=2+h$$

ここで、h をどんどん 0 に近づけると $2+h \to 2$ となる。この結果は、上のグラフを拡大して考えた結果と一致している。

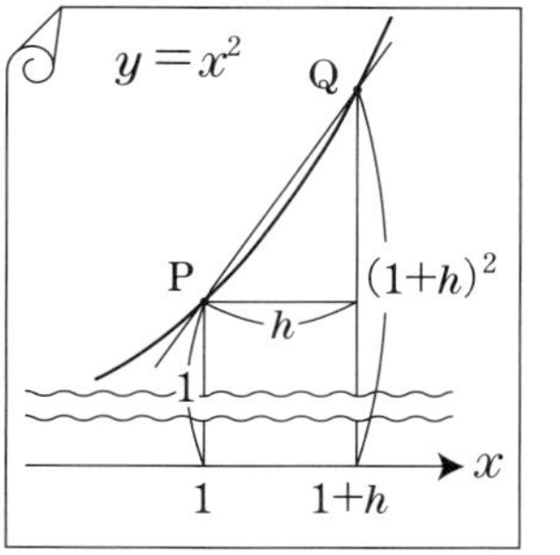

13 n次関数と微分

瞬間速度も、グラフの傾き・勾配も微分。とはいえ、微分係数とか導関数などという概念に慣れなければならないので、計算処理の方法のスタートラインを確認する。

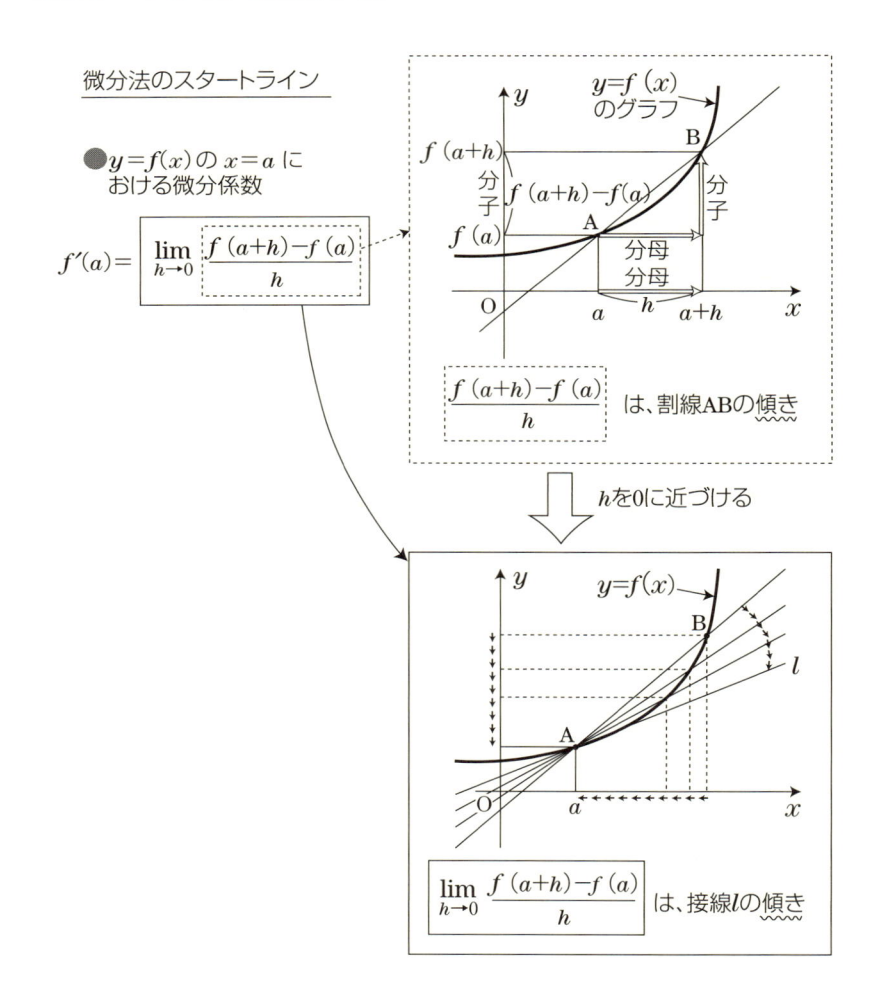

微分法のスタートライン

●$y=f(x)$ の $x=a$ における微分係数

$$f'(a)=\lim_{h\to 0}\frac{f(a+h)-f(a)}{h}$$

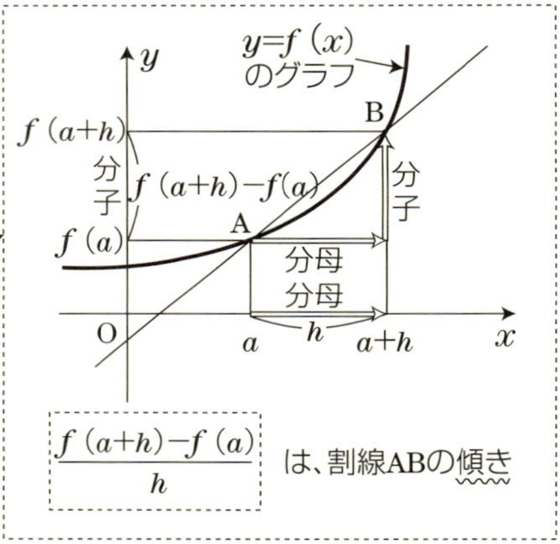

hを0に近づける

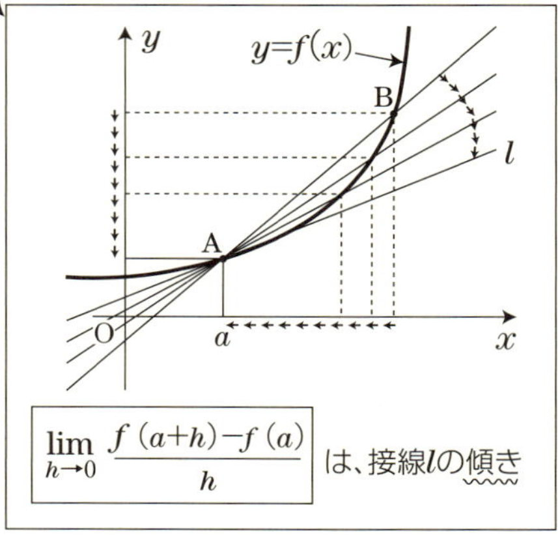

●$y=f(x)$の導関数

$$f'(x)=\lim_{h\to 0}\frac{f(x+h)-f(x)}{h}$$ ⇦ 微分係数の定義の a を x にする。

それにより、どこでもすぐ傾きがわかる。いわば「全天候型微分係数」。

$$y',\ \left\{f(x)\right\}',\ \frac{dy}{dx},\ \frac{d}{dx}f(x)$$

などとも書く。

●与えられた関数 $f(x)$の導関数 $f'(x)$を求めることを「微分する」という。

たとえば$f(x)=x^2$ を微分してみよう。

$$\begin{aligned} f'(x) &= \lim_{h\to 0}\frac{(x+h)^2-x^2}{h} \\ &= \lim_{h\to 0}\frac{x^2+2hx+h^2-x^2}{h} \\ &= \lim_{h\to 0}\frac{h(2x+h)}{h}=\lim_{h\to 0}(2x+h)=2x \end{aligned}$$

となって、「$f(x)=x^2$ のとき、$f'(x)=2x$」という公式ができる。

この方法を一般化して、$n=1,\ 2,\ 3,\ \cdots\cdots$のとき

$f(x)=x^n$ のとき、$f'(x)=nx^{n-1}$

という公式も証明できる。そのときは、たとえば

$$a^n-b^n=(a-b)(a^{n-1}+a^{n-2}b+a^{n-3}b^2+\cdots+ab^{n-2}+b^{n-1})$$

という式を利用するとよい。また

$f(x)=c$ （定数関数）のときは、$f'(x)=0$

となる。

14 n次関数と手作業微分

微分するということを“グラフの各点における接線の傾きの変化を求める”と考えれば手作業で、導関数のグラフが描け、導関数の予想ができる。

$f(x)=\dfrac{1}{4}x^2$ のグラフに、接線を引き、$f'(x)$の長さを実際に測り

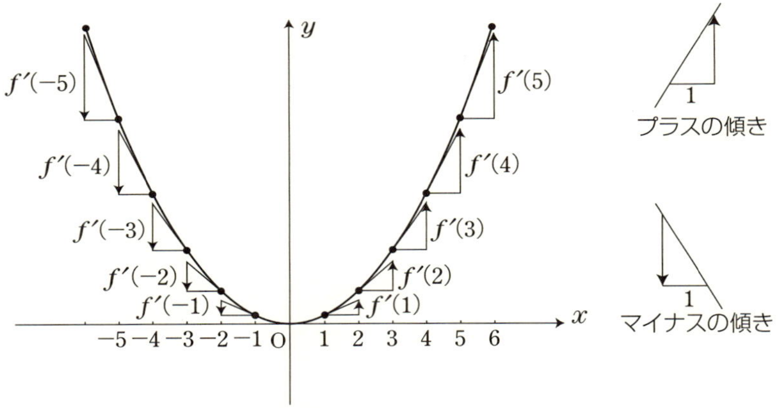

それを下のように平面に書いていった。

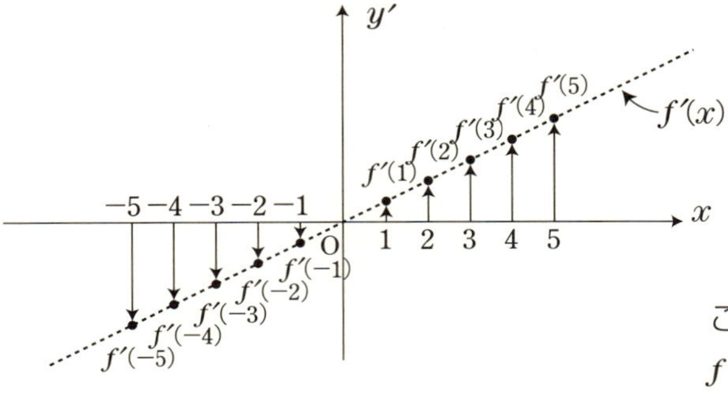

これをみると
$f'(x)=\dfrac{1}{2}x$
としか見えない。

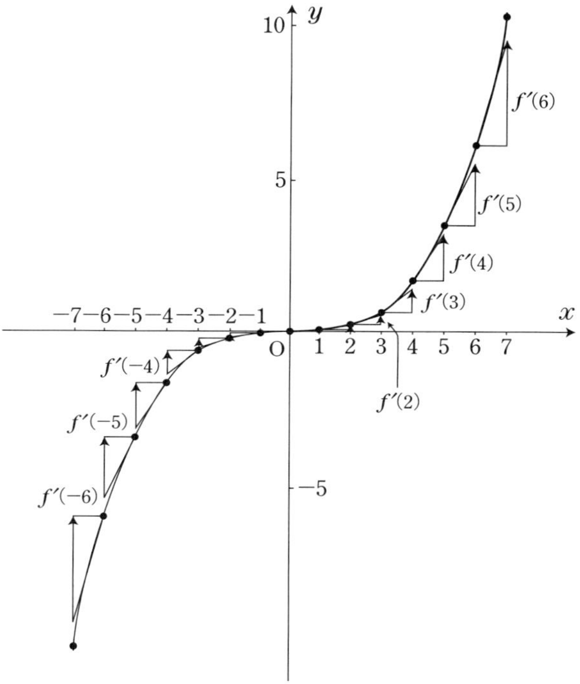

今度は、3次関数のグラフをかいて接線を引いて、同じように$y'=f'(x)$のグラフをプロットした。

これを見ると、3次関数の導関数は2次関数になっている。

$(x^2)'=2x$

$(x^3)'=3x^2$

$(x^4)'=4x^3$

⋮

はどうも本当らしい。

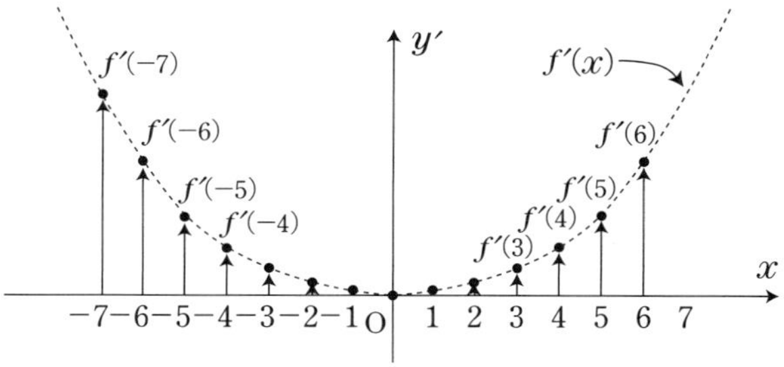

15 三角関数と微分

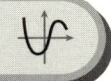

三角関数の微分の計算をするには、じつは角の単位をうまく選ばないと大変である。1周を360°とする60分法で考えると微分計算が複雑になってしまう。そこで、半径1の円の弧の長さを角の大きさとする弧度法とよばれる新しい角の単位を考える。

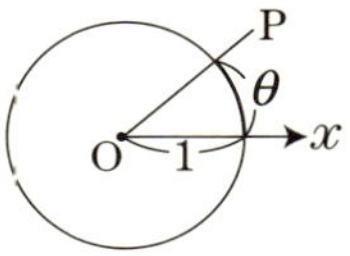

図のように、$\angle x$ OPに対する弧の長さがθのとき、この角の大きさをθラジアンというのである。1回転した角360°は半径1の円周だから2πラジアン、$\frac{1}{2}$回転した180°はπラジアンなどとなる。また、弧度法では、ふつうラジアンの単位を省略する。

弧度法を使うと扇形の弧の長さや面積が実に簡単に表せるようになる。

60分法	弧度法
90°	$\frac{\pi}{2}$
60°	$\frac{\pi}{3}$
45°	$\frac{\pi}{4}$
1°	$\frac{\pi}{180}$
$\frac{180^\circ}{\pi}$	1

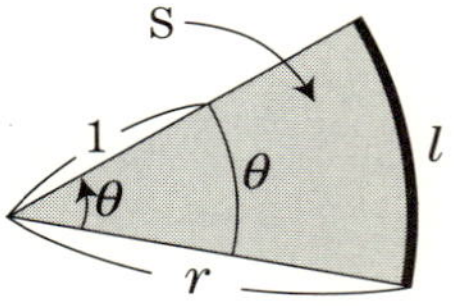

半径 r、中心角θラジアンの扇形の弧の長さをl、面積をSとすると、$l = r\theta$、$S = \frac{1}{2}r^2\theta$となる。もし中心角がθ°として同じ面積を表すと$l = \frac{\pi r \theta^\circ}{180^\circ}$、$S = \frac{\pi r^2 \theta^\circ}{360^\circ}$となるのでやはり弧度法の方がすっきりしている。

さて、$\sin\theta$、$\cos\theta$を微分してみよう。

単位円周上を運動する点をP(x, y)、動径 OP の表す角をθとすると、$x = \cos\theta$、$y = \sin\theta$となる。

ここで、図のように OP を微小な角 $\Delta\theta$ だけ回転した動径を OQ とし、点 P の x、y 座標の増分をそれぞれ Δx、Δy とする。

また、弧 PQ は半径の 1 の円弧であるので $\overset{\frown}{\mathrm{PQ}}=\Delta\theta$ となる。

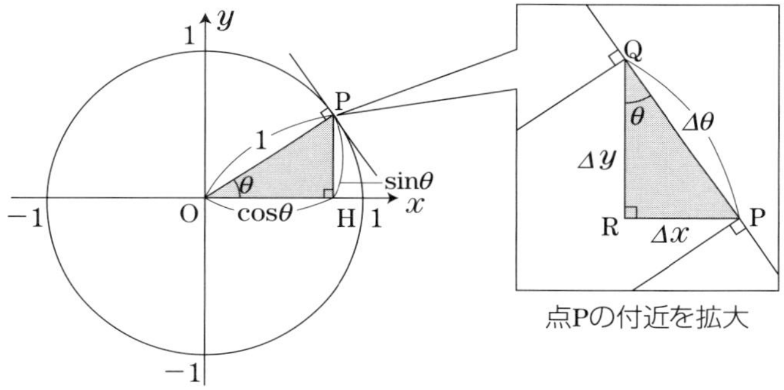

図のように H、R をとると、ここで弧 PQ、直線 PQ、点 P における円の接線の 3 つの線はほとんど重なるので、△OHP と△QRP は相似になる。Δx、Δy の符号も考えると

$$\frac{\Delta x}{\Delta\theta} \fallingdotseq -\sin\theta、\frac{\Delta y}{\Delta\theta} \fallingdotseq \cos\theta$$

となる。ここで $\Delta\theta \to 0$ とすれば $\Delta x \to 0$、$\Delta y \to 0$ となるので

$$\frac{dx}{d\theta} = -\sin\theta、\frac{dy}{d\theta} = \cos\theta$$

となる。すなわち $(\cos\theta)' = -\sin\theta$、$(\sin\theta)' = \cos\theta$ である。

もし、角の単位を60分法で考え、θ ラジアンを θ°、$\Delta\theta$ ラジアンを $\Delta\theta^\circ$ としたら、上の図で弧は $\overset{\frown}{\mathrm{PQ}} = \frac{\pi}{180}\Delta\theta^\circ$ となり

$$\frac{dx}{d\theta^\circ} = -\frac{\pi}{180}\sin\theta^\circ、\frac{dy}{d\theta^\circ} = \frac{\pi}{180}\cos\theta^\circ$$

となる。やはり微分するなら角は弧度法に限る。

16 三角関数と手作業微分

おなじみ「手作業微分」で

$$(\sin x)' = \cos x$$

という美しい公式を確認してみよう。

いろいろな点に糸で接線をあて、その傾きを下のグラフにポツンと目盛る。

下図が完成図。右ページを使って$(\cos x)' = -\sin x$となることを苦労して一度やってみていただきたい。

(注)下図は$y = \sin x$、前ページでは$y = \sin\theta$と、文字x, θがちがっているが、文字はあくまで目印だから同じこと。

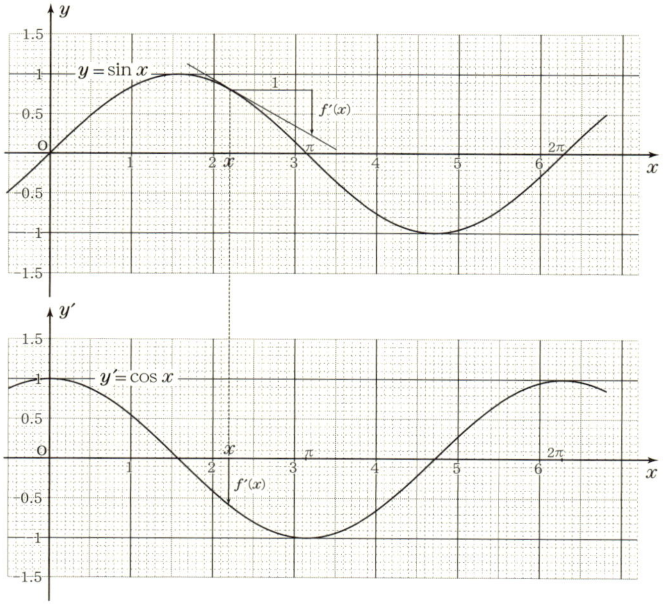

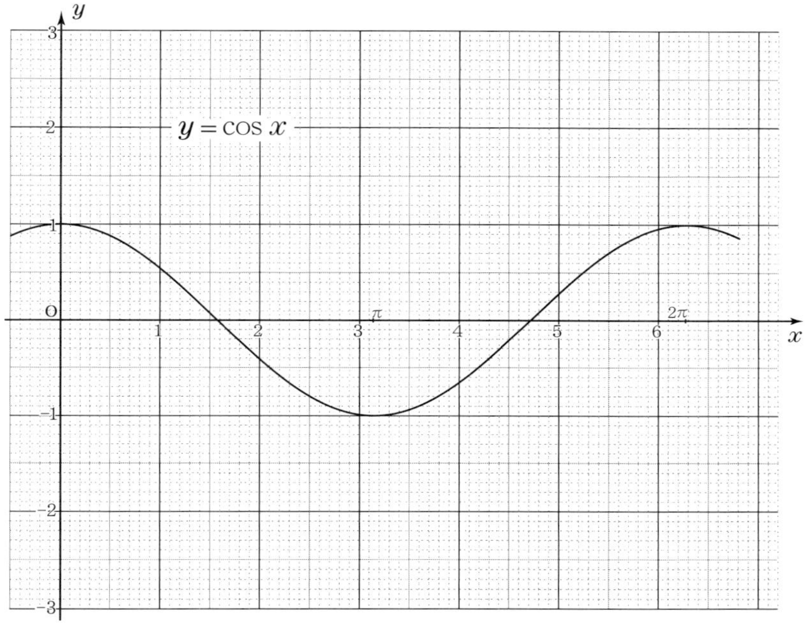
y
$y = \cos x$
3
2
1
O
−1
−2
−3
1
2
3
4
5
6
π
2π
x

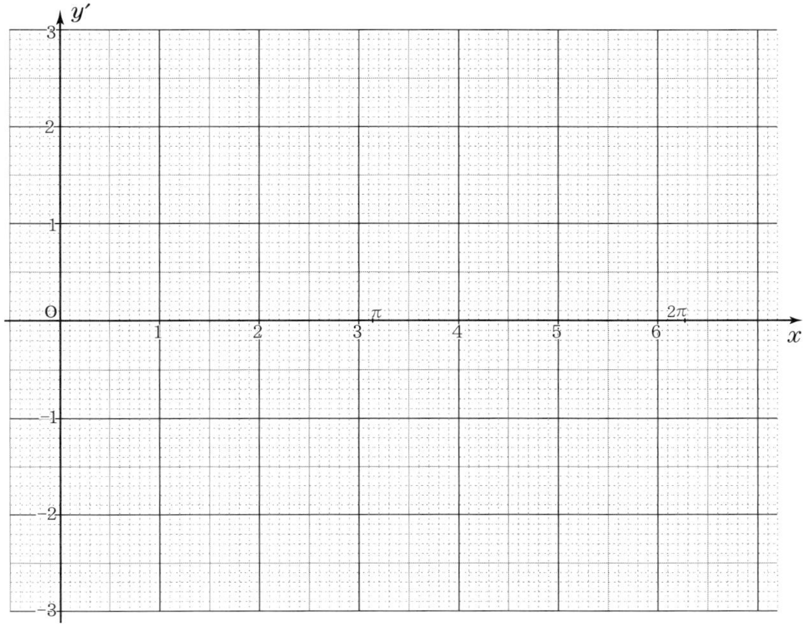
y′
3
2
1
O
−1
−2
−3
1
2
3
4
5
6
π
2π
x

17 指数関数と微分

生物のふえ方、放射能、経済に関すること等、指数関数に関係することが多数ある。ここでは、指数関数の導関数を求めてみる。

● $f(x)=a^x$ の導関数を求める

$$f'(x)=(x\text{の変化量}\to 0)\frac{f(x)\text{の変化量}}{x\text{の変化量}}=\lim_{h\to 0}\frac{a^{x+h}-a^x}{h}=\lim_{h\to 0}\frac{a^x a^h-a^x}{h}$$

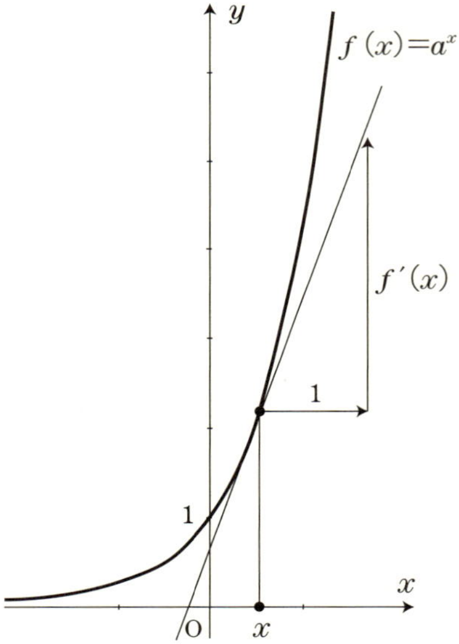

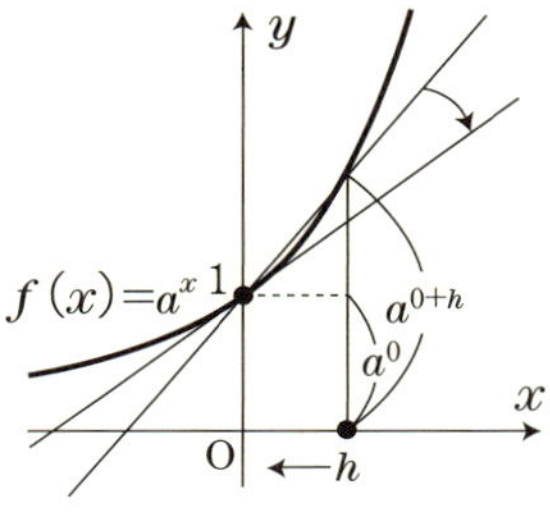

$$=\lim_{h\to 0}\frac{a^x(a^h-1)}{h}$$

$$=a^x\lim_{h\to 0}\frac{a^h-1}{h}\cdots\cdots\cdots ※$$

$\displaystyle\lim_{h\to 0}\frac{a^h-1}{h}$ がわかれば万々歳！

ところで、$a^0=1$だからこれは、

$\displaystyle\lim_{h\to 0}\frac{a^{0+h}-a^0}{h}$ と書けてしまう。

これは、$x=0$での接線の傾き（微分係数）である。よって

$$\lim_{h\to 0}\frac{a^h-1}{h}=f'(0)$$

で、一定である。

そこで、$f'(0)=k$ とすると※より、

$$f'(x)=(a^x)'=ka^x$$

となる。

● k が1となる $f(x)=a^x$ がある。

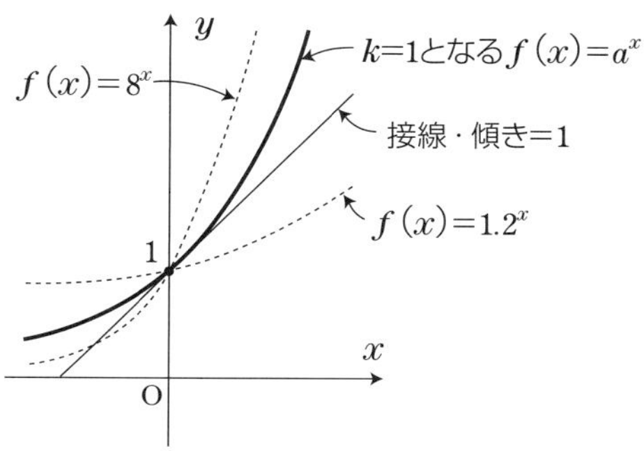

$f(x)=a^x$ のグラフは、a が小さければゆるやかだし、a が大きければ急傾斜になる、そこで、a の値を適当に選べば $x=0$ における接線の傾きが1になる a の値がある。そこでその値を e で表す。すると

$(e^x)'=e^x$

● e はどんな数

式(※)の a に e を代入すると $(e^x)'=e^x\lim_{h\to 0}\dfrac{e^h-1}{h}$ となる。

h が小さい値なら

$$\frac{e^h-1}{h}\fallingdotseq 1\text{だから、}e^h-1\fallingdotseq h\quad\text{よって}\quad e\fallingdotseq(1+h)^{\frac{1}{h}}$$

	e の近似値
$h=0.1$ とすると	$1.1^{10}=2.5937\cdots\cdots$
$h=0.01$ とすると	$1.01^{100}=2.7048\cdots\cdots$
$h=0.001$ とすると	$1.001^{1000}=2.7169\cdots\cdots$
$h=0.0001$ とすると	$1.0001^{10000}=2.7181\cdots\cdots$

$\dfrac{1}{h}=n$ とすると、$e\fallingdotseq\left(1+\dfrac{1}{n}\right)^n$ とも書ける。

$$e=\lim_{h\to 0}(1+h)^{\frac{1}{h}}$$
$$=\lim_{n\to\infty}\left(1+\frac{1}{n}\right)^n$$

この $e=2.7181828\cdots$ という定数は自然対数の底という。

● $(a^x)'$ の場合

$a=e^{\log_e a}$ と書けるので

$(a^x)'=(e^{(\log_e a)x})'=(\log_e a)a^x$ となる。

18 指数関数と手作業微分

指数関数$f(x)=2^x$のグラフに接線を引き、$f'(x)$の長さを実際に測ってみよう。

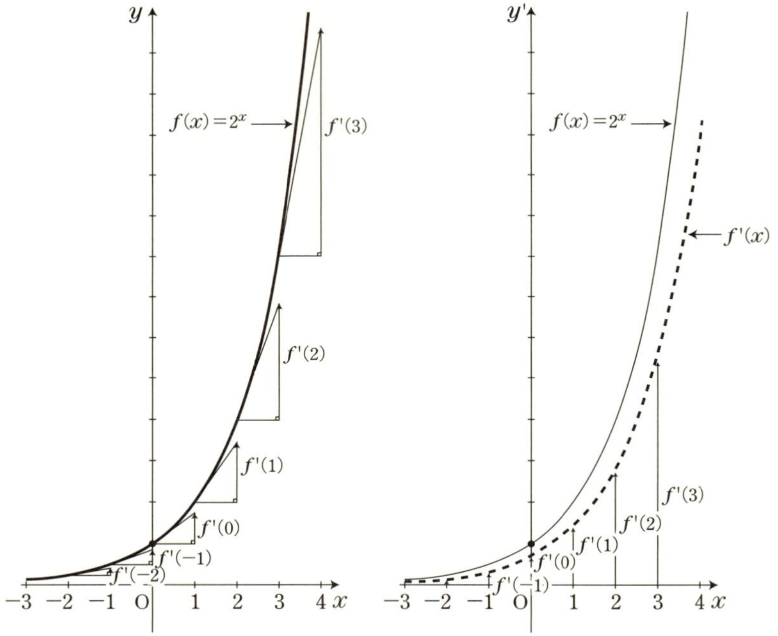

右図を見ると$f'(x)$もまた指数関数で2^xをy軸方向に一定の倍率cで縮小したもののように思えるので、

$$f'(x)=c\cdot 2^x$$

と考えられる。この定数cの正体は何だろうか？

次に、自然対数の底$e=2.718281828$……を底にする指数関数

$f(x)=e^x$のグラフで上と同様のことをやってみよう。

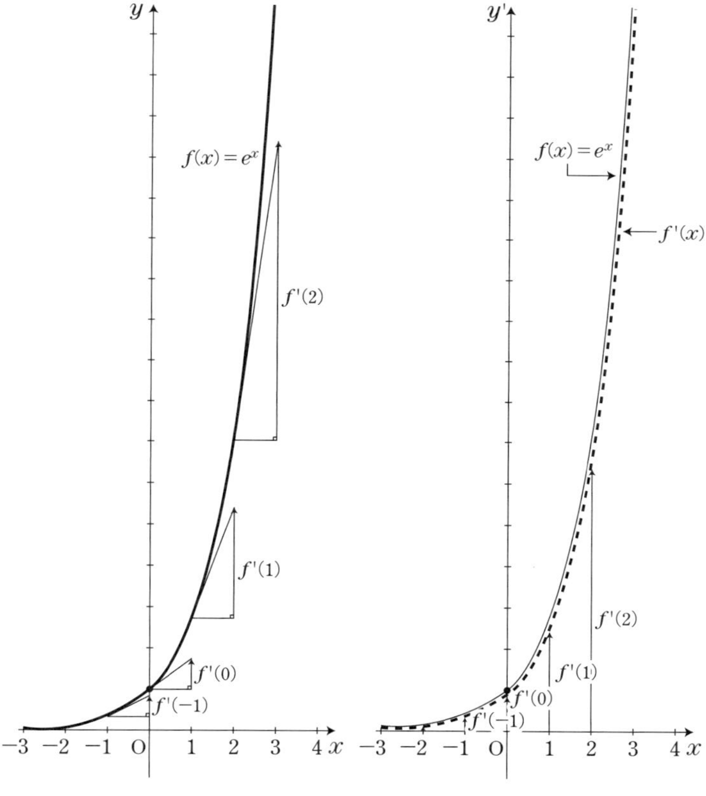

今度は$f(x)$と$f'(x)$のグラフがピッタリ重なるようである。このことから$f'(x)=f(x)$すなわち$(e^x)'=e^x$が成り立つことがいえる。

前の例のように底 a が e より大きかったり、小さかったりするときは、微分すると係数 c がつく。

$(a^x)'=c\cdot a^x$ このとき $c=\log_e a$ であるので前の例の c は

$c=\log_e 2 \fallingdotseq 0.7$ である。2^x を微分するとグラフは y 軸方向に70%ほど縮小するのである。

19 分数関数の微分

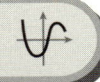

一般に$y=\dfrac{f(x)}{g(x)}$の形をした関数を分数関数とよぶ。

一番素朴なものは、$y=\dfrac{1}{x}$である。$y=\dfrac{1}{x}$を微分すると一体どうなるであろうか。

微分の仕方は、それまでにどんな公式を手に入れているかでいろいろな方法があるが、答えはもちろん一つで、

$$y'=-\frac{1}{x^2}$$

という、やはり分数関数になる。

導関数の定義にもとづいて計算してみよう。

$$f'(x)=\lim_{h\to 0}\frac{f(x+h)-f(x)}{h}=\lim_{h\to 0}\frac{\dfrac{1}{x+h}-\dfrac{1}{x}}{h}$$

$$=\lim_{h\to 0}\frac{\dfrac{x-(x+h)}{(x+h)x}}{h}=\lim_{h\to 0}\frac{\dfrac{-h}{(x+h)x}}{h}$$

$$=\lim_{h\to 0}\frac{-1}{(x+h)x}=-\frac{1}{x^2}$$

ところが、微分法にはいろいろな計算法の公式が「発見」されていて、たとえば次のようなものがある。

$$\{f(x)g(x)\}'=f'(x)g(x)+f(x)g'(x)$$ （積の微分法）

$$\left\{\frac{f(x)}{g(x)}\right\}'=\frac{f'(x)g(x)-f(x)g'(x)}{\{g(x)\}^2}$$ （商の微分法）

じつはこれらも導関数の定義から導くことができる。たとえば積の微分法の場合は次のように証明する。

$$\{f(x)g(x)\}'=\lim_{h\to 0}\frac{f(x+h)g(x+h)-f(x)g(x)}{h}$$

$$=\lim_{h\to 0}\frac{f(x+h)g(x+h)-f(x)g(x+h)+f(x)g(x+h)-f(x)g(x)}{h}$$

$$=\lim_{h\to 0}\frac{f(x+h)-f(x)}{h}g(x+h)+\lim_{h\to 0}f(x)\frac{g(x+h)-g(x)}{h}$$

$$=f'(x)g(x)+f(x)g'(x)$$

商についても同じような工夫をすれば導ける。

さて、もし商の微分法を前もって知っていれば、$y=\dfrac{1}{x}$ の微分は

$$\left(\frac{1}{x}\right)'=\frac{(1)'x-1(x)'}{x^2}=\frac{0\times x-1\times 1}{x^2}=-\frac{1}{x^2}$$

となる。

また、$f(x)=\dfrac{1}{x}$ とおき、次のように積の微分法を使う手もある。

$$f(x)=\frac{1}{x}\quad\text{より}\quad xf(x)=1$$

両辺を x で微分すると

$$(x)'f(x)+xf'(x)=0$$

$$1\times\frac{1}{x}+xf'(x)=0$$

よって $f'(x)=-\dfrac{1}{x^2}$

いろいろな方法、これがうっかりすると忘れがちな「数学の自由さ」である。

20 分数関数の手作業微分

$$f(x)=\frac{1}{x}$$

のグラフをかいて、例によって、傾きを↓でかいた。さて、どんな $f'(x)$ のグラフになるか。

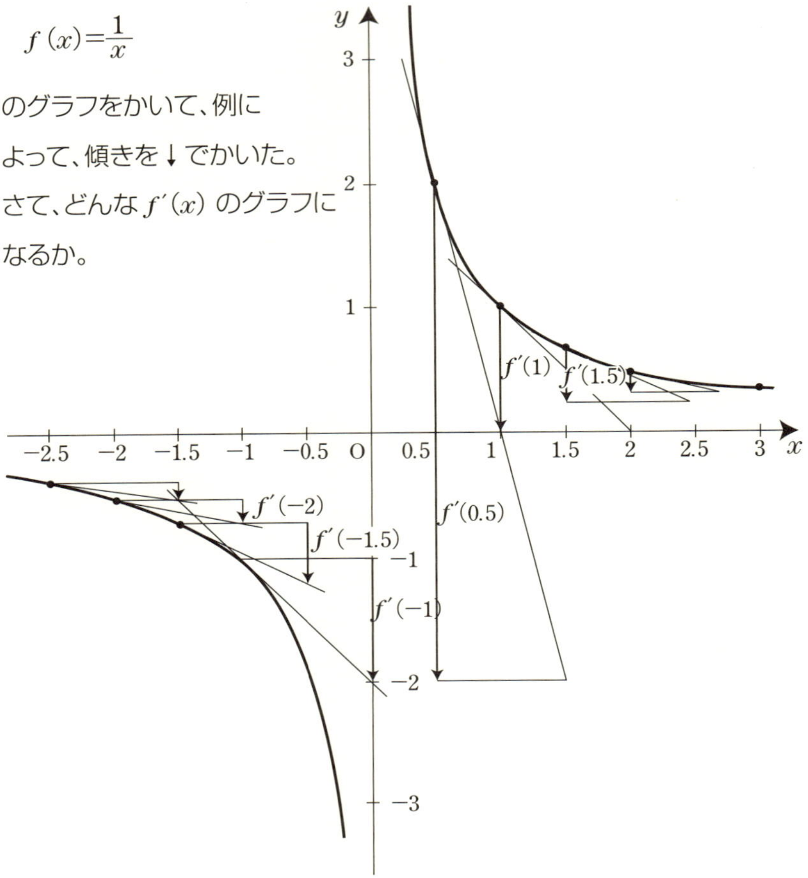

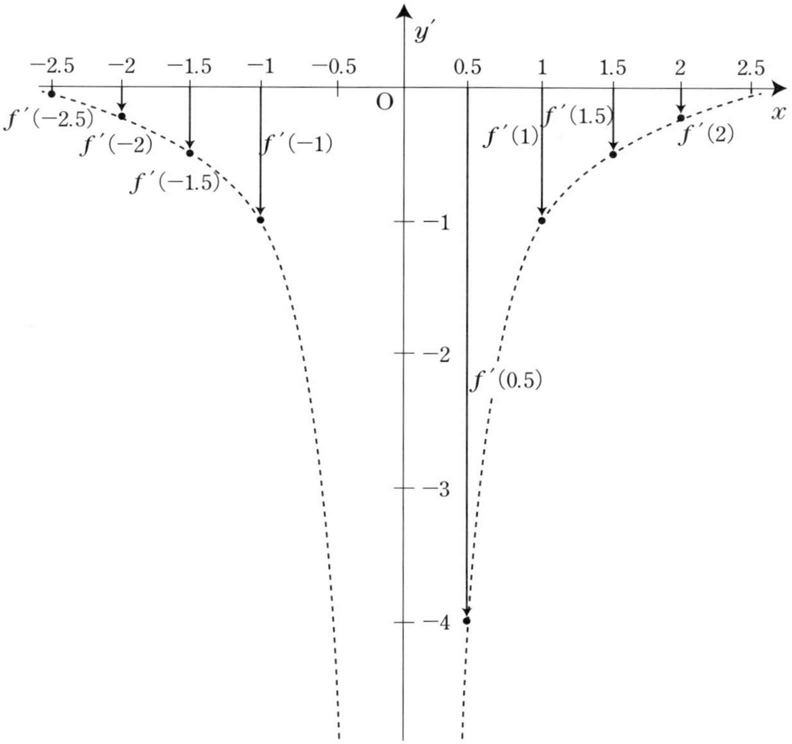

プロットの点の数が少ないが、なんとなく、導関数のグラフが見えてくる。

もう一度、$f(x)=\dfrac{1}{x}$ の導関数を求めると

$$f'(x)=\lim_{h\to 0}\frac{\dfrac{1}{x+h}-\dfrac{1}{x}}{h}=\lim_{h\to 0}\left(-\frac{1}{x(x+h)}\right)=-\frac{1}{x^2}$$

だから

$$\left(\frac{1}{x}\right)'=-\frac{1}{x^2}$$

このグラフにそっくりでしょう?!

21 等速円運動と微分

図のように、点 A $(r,\ 0)$を出発して、半径 r の円周上を毎秒 ω だけの角で回転する点 P について考えてみよう。このとき点 P の位置は、時刻 t の関数

$x = r\cos\omega t$、$y = r\sin\omega t$

で表される。

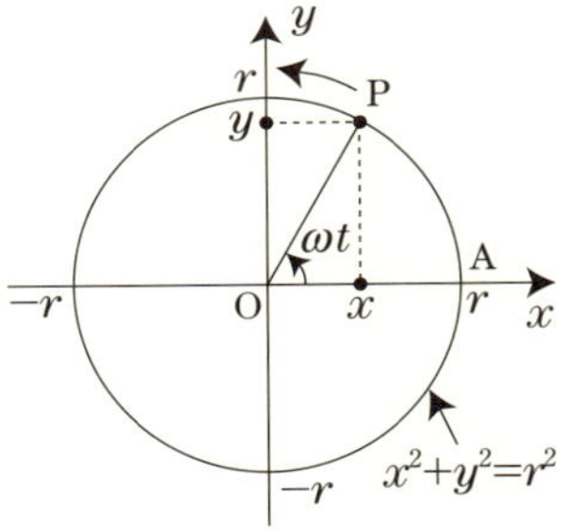

1 周は 2πなので、この円運動の周期 Tは、$T = \dfrac{2\pi}{\omega}$ である。

時刻 t における位置 x、y の変化率

$$v_x = \frac{dx}{dt} = -r\omega\sin\omega t$$

$$v_y = \frac{dx}{dt} = r\omega\cos\omega t$$

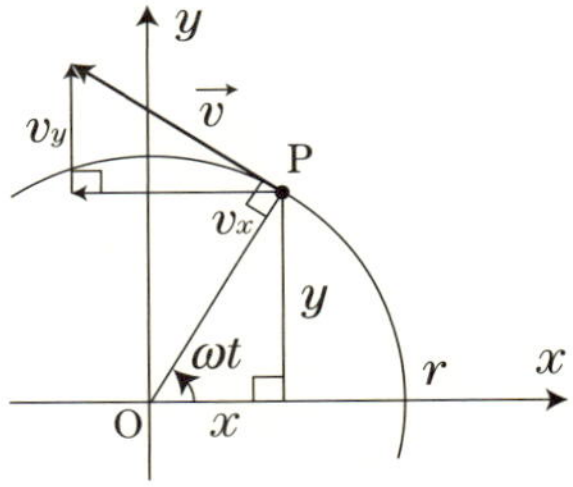

は、各軸を運動する点の速度を表す。

よって、点 P の速度ベクトル $\vec{v}$ は

$$\vec{v} = (v_x,\ v_y) = (-r\omega\sin\omega t,\ r\omega\cos\omega t) = (-\omega y,\ \omega x)$$

となる。

ここで、

$\overrightarrow{OP} = (x,\ y)$とし $\overrightarrow{OP}$ と $\vec{v}$ の2つのベクトルの内積を計算すると

$$\overrightarrow{OP}\cdot\vec{v} = (x,\ y)\cdot(-\omega y,\ \omega x) = -\omega xy + \omega xy = 0$$

すなわち速度ベクトルの向きは OP と垂直であることがわかる。

また、点 P の速度の大きさ(速さ)v は、次のようになる。

$$v=\sqrt{v_x^2+v_y^2}=\sqrt{(-\omega y)^2+(\omega x)^2}=\omega\sqrt{x^2+y^2}=r\omega$$

さて、時刻tにおける速度v_x, v_rの変化率

$$\alpha_x=\frac{dv_x}{dt}=-r\omega^2\cos\omega t$$

$$\alpha_y=\frac{dv_y}{dt}=-r\omega^2\sin\omega t$$

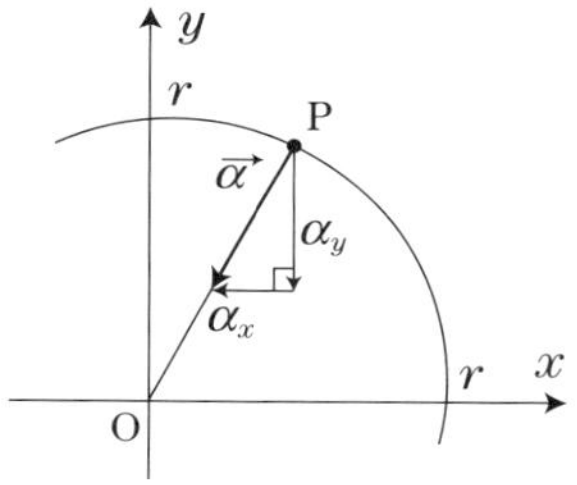

は、各軸を運動する点の加速度を表し、点Pの加速度ベクトル $\vec{\alpha}$ は

$$\begin{aligned}\vec{\alpha}&=(\alpha_x,\ \alpha_y)\\&=(-r\omega^2\cos\omega t,\ -r\omega^2\sin\omega t)\\&=(-\omega^2 x,\ -\omega^2 y)\end{aligned}$$

となる。これにより$\vec{\alpha}=-\omega^2(x,\ y)=-\omega^2\,\overrightarrow{OP}$であるので加速度の向きは$\overrightarrow{OP}$と逆、つまり中心方向を向いている。

また、点Pの加速度の大きさαは、次のようになる。

$$\alpha=\sqrt{\alpha_x^2+\alpha_y^2}=\sqrt{(-\omega^2 x)^2+(-\omega^2 y)^2}=\omega^2\sqrt{x^2+y^2}=r\omega^2$$

ここで、地球の地表付近で水平方向に打ち出した物体が人工衛星になるための速度(第1宇宙速度)を求めてみよう。地球の半径を$r=6.4\times10^6$(m)、重力加速度を$g=9.8$(m/秒^2)、人工衛星の速度をv、毎秒の回転角をωとすると、次の式が成り立つ。

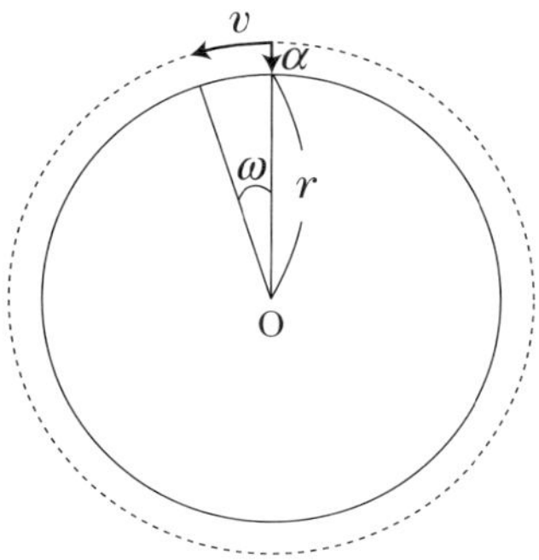

$$g=r\omega^2,\quad v=r\omega$$

これからωを消去し、次の式が導ける。

$$v=\sqrt{rg}=\sqrt{6.4\times10^6\times9.8}\fallingdotseq7.9\times10^3\ (\text{m/秒})=7.9(\text{km/秒})$$

22 微分法の公式

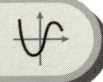

ある関数の導関数を求めることを、「微分する」という。

ニュートン、ライプニッツ以来、その計算法が整備されてきた。整備が進めば進むほど、形式的処理の道具として、公式がたくさんできる。公式は便利にはちがいないが、一番はじめの考え方からは遠くなる。痛しかゆしである。

$f'(x)=\lim_{h \to 0}\frac{f(x+h)-f(x)}{h}$ という導関数の定義から次々に導かれてきた公式一覧を紹介しよう。

【どんな関数にも共通な微分法の公式】

1) $\{f(x) \pm g(x)\}'=f'(x) \pm g'(x)$ （和・差の微分法）

2) $\{h\,f(x)\}'=h\,f'(x)$ （実数倍の微分法）

3) $\{f(x)\,g(x)\}'=f'(x)\,g(x)+f(x)\,g'(x)$ （積の微分法）

4) $\left\{\frac{f(x)}{g(x)}\right\}'=\frac{f'(x)\,g(x)-f(x)\,g'(x)}{\{g(x)\}^2}$ （商の微分法）

5) $y=f(u)$、$u=g(x)$のとき

$\frac{dy}{dx}=\frac{dy}{du}\cdot\frac{du}{dx}$ （合成関数の微分法）

[$\{f(g(x))\}'=f'(g(x))\cdot g'(x)$ の意味]

6) $\frac{dy}{dx}=\frac{1}{\frac{dx}{dy}}$, $\frac{dx}{dy}=\frac{1}{\frac{dy}{dx}}$ （逆関数の微分法）

7)　$x=f(t)$、$y=g(t)$のとき

$$\frac{dy}{dx}=\frac{\dfrac{dy}{dt}}{\dfrac{dx}{dt}}\quad\left(=\frac{g'(t)}{f'(t)}\right)$$
（媒介変数表示の微分法）

【個別の関数の微分公式】

1)　$n=0,\ 1,\ 2,\ 3,\cdots\cdots$のとき

$(x^n)'=nx^{n-1}$　（n次関数の微分公式）

とくに$(c)'=0$　（定数関数の微分公式）

2)　$(\sin x)'=\cos x$

$(\cos x)'=-\sin x$

$(\tan x)'=\dfrac{1}{\cos^2 x}$　（三角関数の微分公式）

$\left(\dfrac{1}{\tan x}\right)'=-\dfrac{1}{\sin^2 x}$

3)　$(e^x)'=e^x$

$(a^x)'=a^x\log_e a$　（指数関数の微分公式）

4)　$(\log_e x)'=\dfrac{1}{x}$

$(\log_a x)'=\dfrac{1}{x\log_e a}$　（対数関数の微分公式）

（$\log_e|x|$, $\log_a|x|$ のときも同じになる）

5)　αが定数であれば、どんな値であっても

$(x^\alpha)'=\alpha x^{\alpha-1}$

23 ベキ級数と項別微分

スゴイことを考えたものだと思う。とにかく感心した記憶がある。

$$e = 1 + 1 + \frac{1}{2!} + \frac{1}{3!} + \frac{1}{4!} + \frac{1}{5!} + \cdots \qquad ※1$$

$$e^x = 1 + x + \frac{x^2}{2!} + \frac{x^3}{3!} + \frac{x^4}{4!} + \frac{x^5}{5!} + \cdots \qquad ※2$$

となるというのだ。……は、ずっとどこまでも続くということ。

（5! とは1×2×3×4×5のことで「5の階乗」という）

※2のように、$a_0 + a_1x + a_2x^2 + a_3x^3 + a_4x^4 + \cdots\cdots$

という次数が無限大の多項式をベキ級数とか整級数という。

いろいろ工夫されて、いろんな関数の級数展開がされている。

$e = \lim_{n \to \infty}\left(1 + \frac{1}{n}\right)^n$ を前提にし、※1をちょっと求めてみよう。

$$(1+x)^1 = 1 + x$$

$$(1+x)^2 = 1 + 2x + x^2$$

$$(1+x)^3 = 1 + 3x + 3x^2 + x^3$$

$$(1+x)^4 = 1 + 4x + 6x^2 + 4x^3 + x^4$$

$$\vdots$$

$$(1+x)^n = 1 + \frac{n}{1}x + \frac{n(n-1)}{2!}x^2 + \frac{n(n-1)(n-2)}{3!}x^3 + \cdots$$

$$+ \frac{n(n-1)\cdots 2\cdot 1}{(n-1)!}x^{n-1} + x^n$$

となる。

すると

$$\left(1+\frac{1}{n}\right)^n=1+\frac{n}{n}+\frac{1}{2!}\times\frac{n(n-1)}{n^2}+\frac{1}{3!}\times\frac{n(n-1)(n-2)}{n^3}+\cdots+\frac{1}{n^n}$$

とかける。じつはこれを考えたのはオイラー。オイラーは n が大きくなると、$\dfrac{n-1}{n}$ も $\dfrac{n-2}{n}$ も 1 になると考え、そうなると

$$e=\lim_{n\to\infty}\left(1+\frac{1}{n}\right)^n=1+1+\frac{1}{2!}+\frac{1}{3!}+\frac{1}{4!}+\frac{1}{5!}+\cdots\cdots$$

と求めた。ついでに $\left(1+\dfrac{x}{n}\right)^n$ という式を考え $n=mx$ とすると

$$\left(1+\frac{x}{n}\right)^n=\left(1+\frac{1}{m}\right)^{mx}=\left\{\left(1+\frac{1}{m}\right)^m\right\}^x$$ が e^x に近づくから

$$e^x=\lim_{n\to\infty}\left(1+\frac{x}{n}\right)^n=1+x+\frac{x^2}{2!}+\frac{x^3}{3!}+\frac{x^4}{4!}+\frac{x^5}{5!}+\cdots\cdots$$

を求めたという。すごい！

ここで、右辺を項別に微分してみる。

$$(\text{右辺})'=0+1+\frac{2x}{2!}+\frac{3x^2}{3!}+\frac{4x^3}{4!}+\frac{5x^4}{5!}+\cdots\cdots$$
$$=1+x+\frac{x^2}{2!}+\frac{x^3}{3!}+\frac{x^4}{4!}+\cdots\cdots$$

となり、なんと e^x になる。

これからも　$(e^x)'=e^x$ がでてくる。

この他にも、いろんな手法で、関数がベキ級数であらわされた。

$$\log(1+x)=x-\frac{x^2}{2}+\frac{x^3}{3}-\frac{x^4}{4}+\frac{x^5}{5}-\cdots\cdots$$

$$\sin x=x-\frac{x^3}{3!}+\frac{x^5}{5!}-\frac{x^7}{7!}+\frac{x^9}{9!}-\cdots\cdots$$

$(\sin x)'=\cos x$ となることを知っていれば、$\sin x$ の右辺を項別微分すると、$\cos x$ のベキ級数が求まる。

ちょっとひと息

微分はニュートン以前にも、たとえばフランスの裁判官・数学者ピエール・フェルマー(1601 ～ 1666)によっても研究されていた。

「350年来の難問解決」といって騒がれた「フェルマーの問題」の火元になった人である。

フェルマーは数学をひとりでこつこつ勉強しながら、たくさんの発見をした。

「p が素数で、x が p では割り切れない自然数であるとき、x の($p-1$)乗を p で割ると、必ず1余る」

という事実はフェルマーの小定理とよばれ、整数論の基本である。「それがどうした」といわれそうであるが、これは最近「暗号理論」に応用され、電子通信の安全性に役立っている。

「小定理」があれば「大定理」もある。フェルマーの大定理とは

方程式 $x^n + y^n = z^n$ は、$n \geqq 3$ だと自然数解がない

というすごい内容で、読みかけの本の欄外に「すばらしい証明を思いついたが、ここには狭すぎて書けない」というメモといっしょに書き残されていた。後世の人たちが必死に証明を考えたがうまくいかず、「フェルマーの思い違いだろう」と見られるようになり、呼び名も「大定理」から「フェルマーの予想」や「フェルマーの問題」に変わった。しかし結果的には正しかったので、フェルマーはやっぱり偉かった！

「大定理」という名前に戻してあげたらどうでしょうね。

第1部

微分・積分の意味がわかる

第4章

関数と積分

積分は、曲線図形の面積を求めることから始まった。アルキメデス（紀元前287？～212）は

　　細かく分けて、直線図形で近似し、足し合わせる

という技法を駆使して、いろいろな曲線図形の面積を求めた。その後、「関数の積分」が考えられるようになると、応用がずっと広がり、物体の重心を求める問題や、物体の運動を予測する問題も、積分を使って正確に表現されるようになった。

積分を計算するには、2つの方法がある。1つはアルキメデスがやった「分けて、足す」方法で、「区分求積法」とよばれている。もうひとつがニュートンのすばらしい方法で、その解説がこの章の核心である。要点は

　　積分は、微分の逆である

ことで、もう少し正確にいうと、次のようなことである。

関数 $f(x)$ の積分を求めるには、

「微分すると $f(x)$ になるような関数」$F(x)$

を見つければよい。

そうすれば $f(x)$ の積分の値が、$F(x)$ から（ニュートンの基本定理によって）手軽に求められる。

「微分すると $f(x)$ になるような関数」を求めるには、いろいろな公式がある。この章では理解を正確にするため（受験も考える人のため）に、区分求積法についても「微分の逆」についても、多少技術的なことに立ち入って説明をしているが、「風景が見えれば満足だ」という方は、適当に読み飛ばされてよい。しかし次のことはつけ加え

ておきたい。

アルキメデス式の計算は、ニュートン式の軽快な技法に比べて、いかにも鈍重であるが、「微分の逆」がうまく求められないときには、それしか手段が見あたらないことがある。実用的な問題では「そういう場合が少なくない」といってもいいくらいである。幸い、コンピュータという飛び道具があるから、相当複雑な計算でもあっという間に済んでしまう。そこで「区分求積法による近似計算」は「数値積分」とよばれ、応用数学のりっぱな一分野になっている。

〈補足〉「微分して $f(x)$ になる関数」は、あるとすればいつでも複数個、それどころか無限個ある。たとえば $\dfrac{x^3}{3}$ を微分すると x^2 になるが、実は $\dfrac{x^3}{3}+1$ でも $\dfrac{x^3}{3}-2$ でも、一般に

$$\frac{x^3}{3}+c\ （定数）$$

という式はどれも微分すると x^2 になる——定数を微分すると0になるから、それはあたりまえである。しかし「微積分学の基本定理」にあてはめるときには、$F(x)$ としてどれを使ってもかまわない。

$$F(2)-F(0)=\int_0^2 x^2dx$$

は、$F(x)$ が $\dfrac{x^3}{3}$ であろうと $\dfrac{x^3}{3}+4$ であろうと、変わりなく成り立つ（なぜでしょう？——計算してみて下さい）。

1 曲線図形の面積

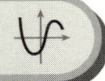

長方形の面積は、(たて)×(よこ)の計算で簡単に求めることができる。それは、長方形の内部の正方形の数を数えていることにもなる。

(長方形)

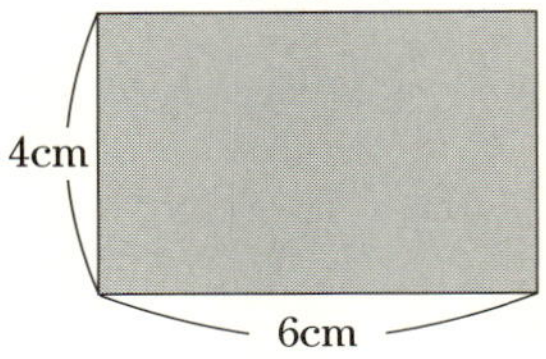

$S=4\text{cm}\times 6\text{cm}=24\text{cm}^2$

(長方形)

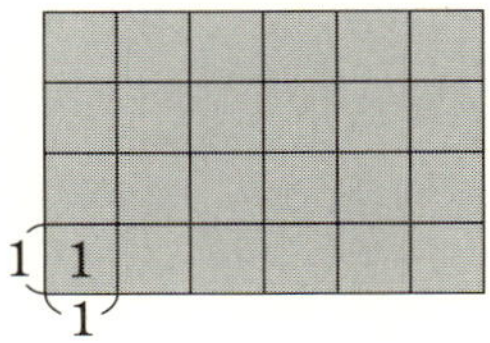

$S=1\text{cm}^2\times 24=24\text{cm}^2$

曲線で囲まれた図形の面積も、同様に正方形の数を数えて求めることができる。ただし、図形の内部の正方形だけでなく境界の正方形も数える必要がある。

次の図のような曲線で囲まれた図形の面積を S、内部の正方形の個数を m、境界の正方形の個数を n、単位の正方形の面積を a とする。

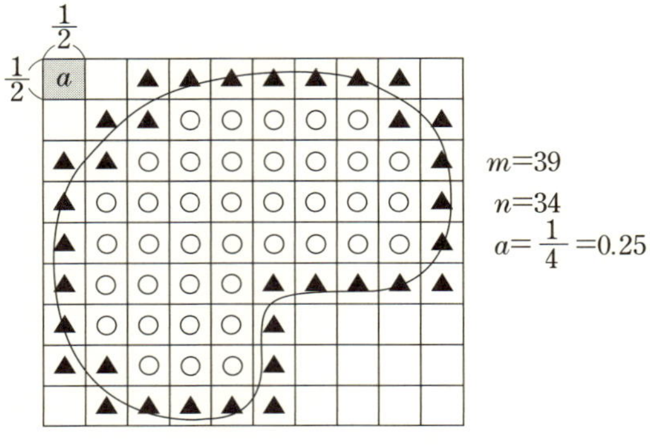

こうすると、面積 S は、内部の正方形の面積の和 ma と内部と境界の正方形の面積の和 $(m+n)a$ にはさまれることがわかる。

$$ma < S < (m+n)a$$

これより面積 S の近似値として、次の式を用いてもよい。

$$S \fallingdotseq (m+\frac{1}{2}n)a$$

この例の場合は $\dfrac{39}{4} < S < \dfrac{73}{4}$ で $S \fallingdotseq 14$ となる。もっと精密な値を求めたいなら、分割する正方形をもっと小さいものに選べばよい。こうして、いくらでも望むだけの精密な値を求めることができるのである。

この方法で、半径 1 の円の面積 S を求めてみよう（効率を上げるために $\dfrac{1}{4}$ 円で考え 4 倍して求める）。

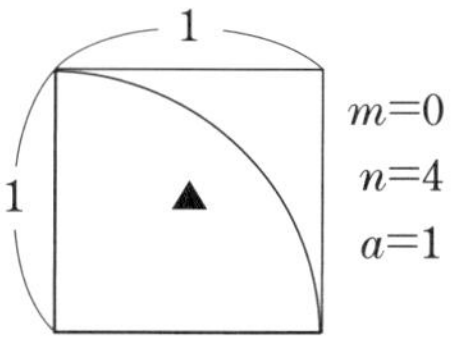

$0<S<4$
$(S \fallingdotseq 2)$

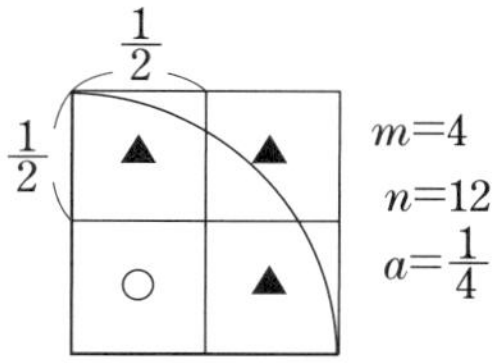

$1<S<4$
$(S \fallingdotseq 2.5)$

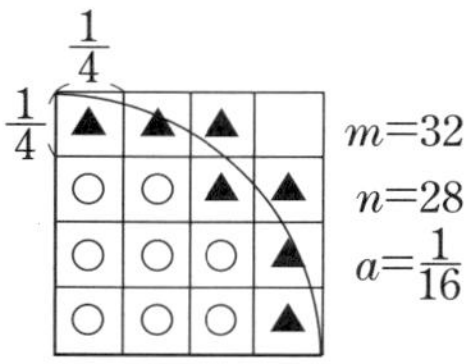

$2<S<3.75$
$(S \fallingdotseq 2.875)$

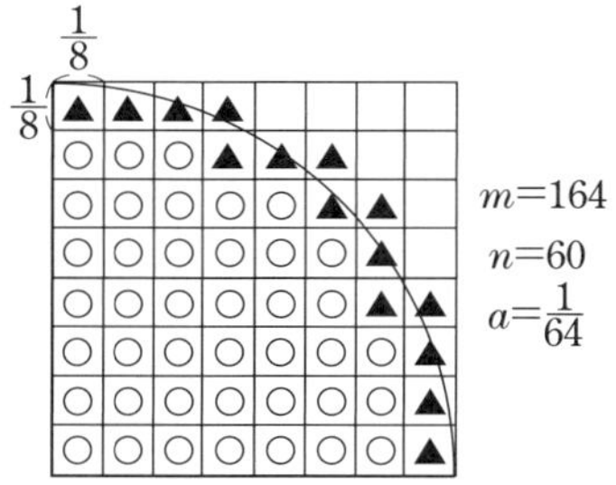

$2.5625<S<3.5$
$(S \fallingdotseq 3.03125)$

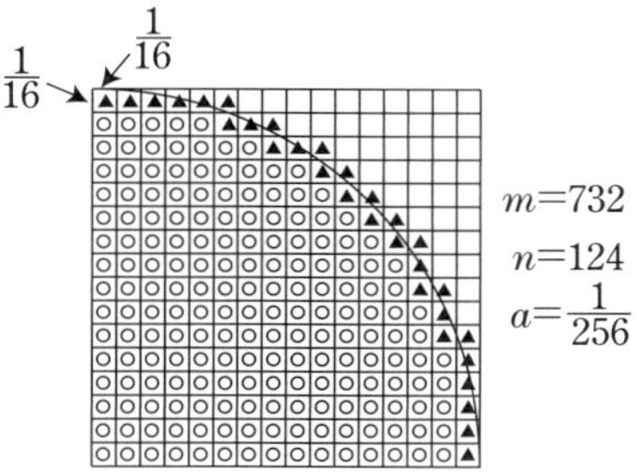

$2.859375<S<3.34375$
$(S \fallingdotseq 3.1015625)$

このようにして、分割を増やすと面積 S の近似値は、次第に精密になり、真の値 3.141592… に近づいていく。

2 円の面積

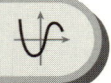

半径 r の円の面積が πr^2 であることを説明するのに、たとえば次のような方法がある。

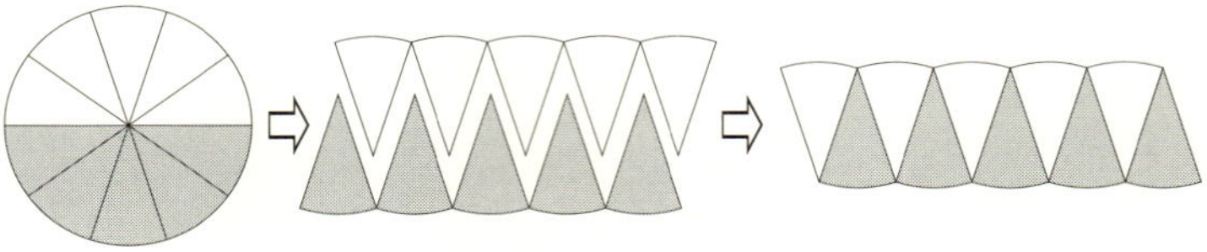

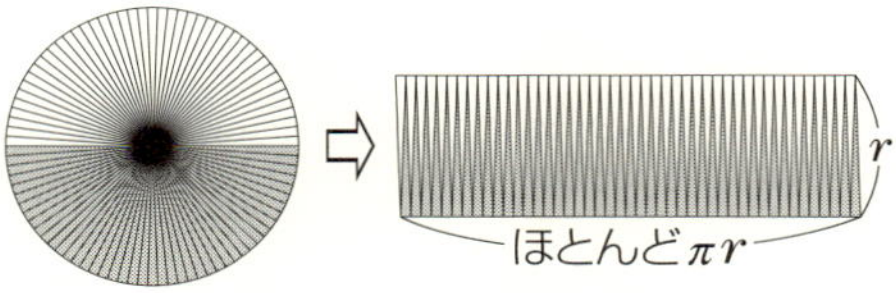

半周はπr　　面積は $\pi r \times r = \pi r^2$

上の場合は10等分、下の場合はもっと細かく90等分。

「ほとんど」というところが気になる。

本格的にやるとなかなか骨がおれる。

次ページのように正 n 角形で内と外からはさんで、n を限りなく大きくしていく。そして両方とも πr^2 であることを示す。

ただし、いろいろ準備が必要である。

① 2辺夾角が a、b、θ の三角形の面積Sは

$$S = \frac{1}{2} ab \sin\theta$$

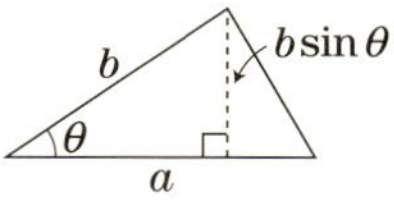

これは $\frac{1}{2}$ ×底辺×高さの公式から導ける。

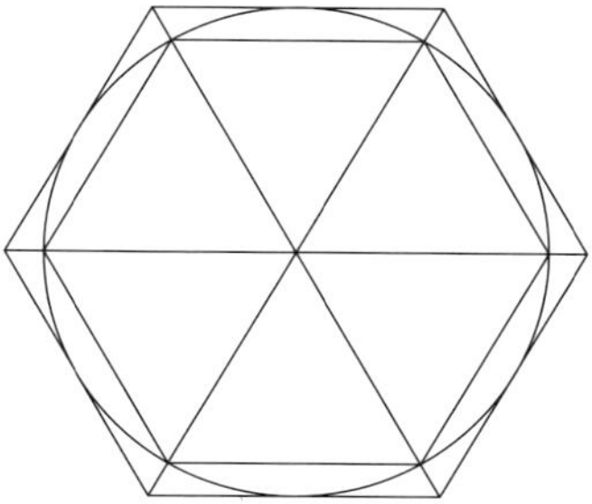

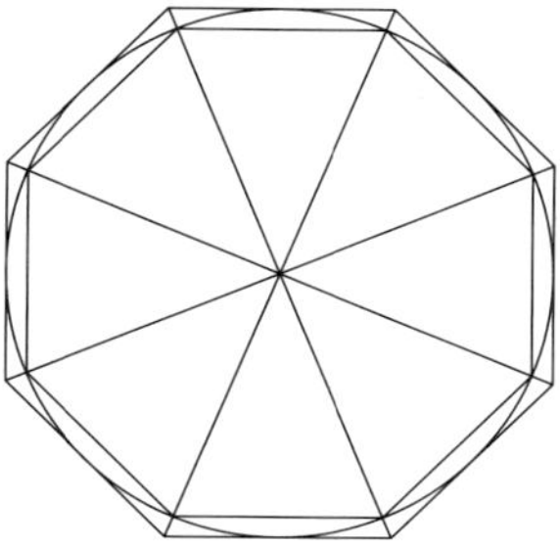

② 角の単位をラジアンとしたとき

$$\lim_{\theta \to 0} \frac{\sin\theta}{\theta} = 1$$

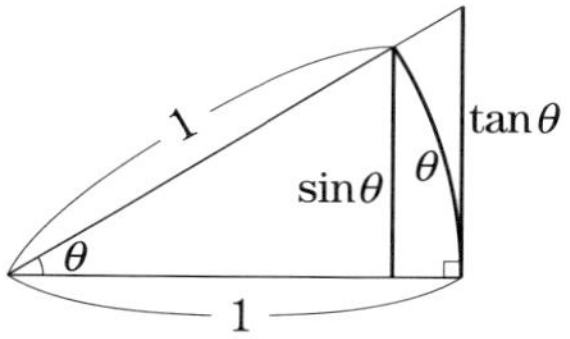

これは右図で

$$\sin\theta < \theta < \tan\theta$$

だから $1 < \dfrac{\theta}{\sin\theta} < \dfrac{1}{\cos\theta}$

ここで、θ を 0 に近づけると，

$\dfrac{1}{\cos\theta} \to 1$ だから $\dfrac{\theta}{\sin\theta} \to 1$ でなければならない。

これらを使うと、内側の正 n 角形の面積は $n \times \dfrac{1}{2} r^2 \sin\dfrac{2\pi}{n}$ となるので

$$\lim_{n \to \infty} n \times \frac{1}{2} r^2 \sin\frac{2\pi}{n}$$

$$= \lim_{n \to \infty} \frac{\sin\dfrac{2\pi}{n}}{\dfrac{2\pi}{n}} \times \pi r^2 = \pi r^2$$

となる。また外側の正 n 角形は内側の正 n 角形を $\dfrac{1}{\cos\dfrac{\pi}{n}}$ 倍した相似形になっていて、

$$\lim_{n \to \infty} \frac{\sin\dfrac{2\pi}{n}}{\dfrac{2\pi}{n}} \times \pi r^2 \times \frac{1}{\cos^2\dfrac{\pi}{n}} = \pi r^2$$

となる。ああくたびれた。

3 体　積

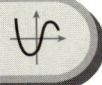

日常、言葉で明確に説明できなくても、概念としては正確に理解し、使っている言葉が多い。「体積」もそうだと思う。

体積とは、空間を占める物体の大きさといえる。

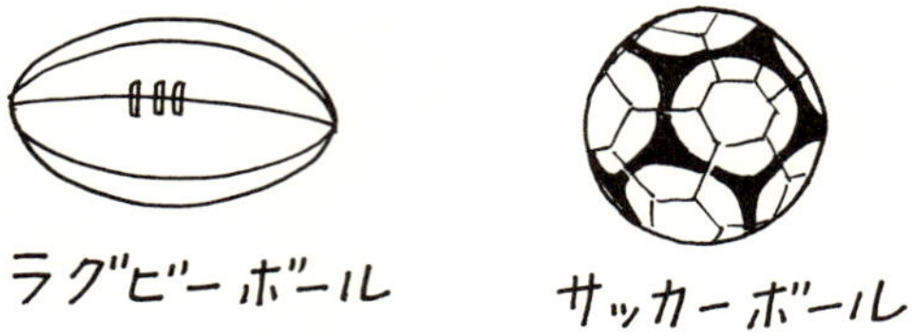

ラグビーボールとサッカーボールのどっちが大きい？ という意味は、やはり重さではなく、体積であろう。空間を占める大小を比較するには、水を使うのがよい。

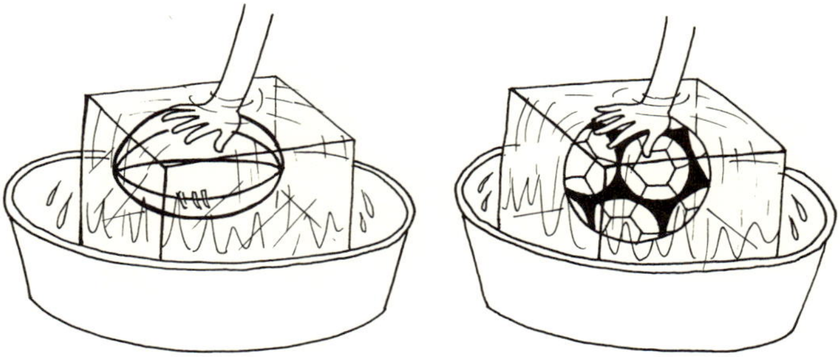

水がいっぱいの水そうに、ボールを入れ、こぼれた分の量を比べる。

どんなものの体積も同じ単位で表せば、大きさがわかる。

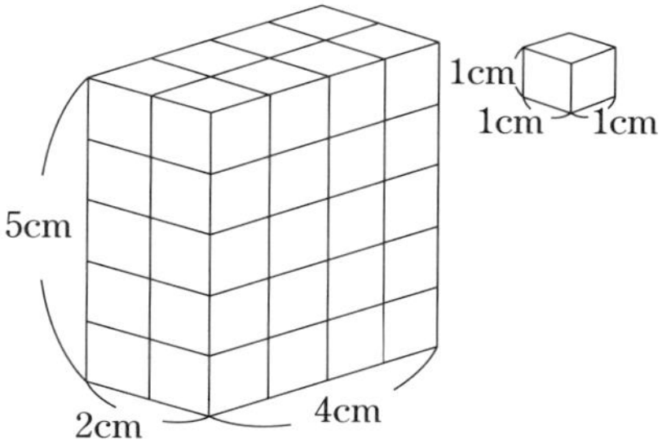

1cm^3を単位とすると、それが何個分かということでわかる。

左図では

たて×よこ×高さ

$= 2\text{cm} \times 4\text{cm} \times 5\text{cm} = 40\text{cm}^3$

別の考え方をすると、下図のように“底面が動いて、空間を占める大きさ”になる。

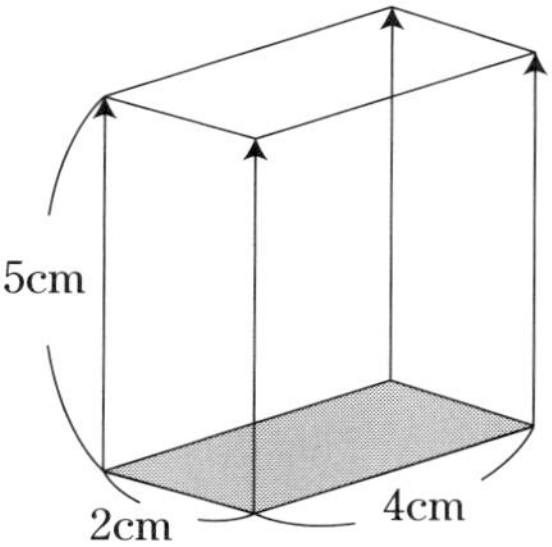

（底面積）×（底面が垂直方向に動いた高さ）$= (2\text{cm} \times 4\text{cm}) \times 5\text{cm}$

$= 8\text{cm}^2 \times 5\text{cm} = 40\text{cm}^3$

となる。

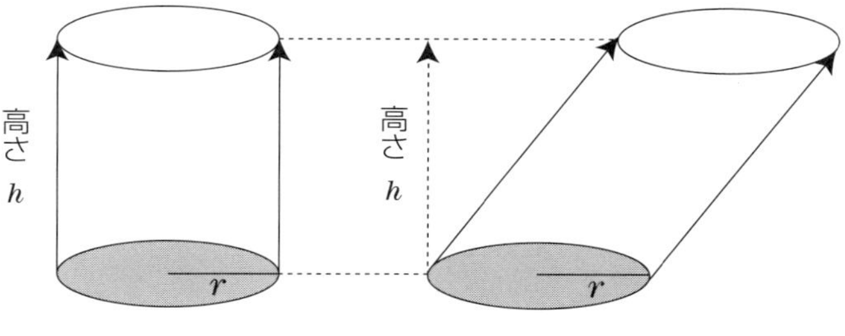

この考え方によれば、円筒の体積は、底面の円の面積 πr^2 と高さ h で、$\pi r^2 h$ となって便利。

右上図の斜円柱の場合も同じで、$\pi r^2 h$ となる。10円玉を高く積んで少しずつずらして斜円柱にしてごらん！

4 円錐の体積

円錐の体積が、同じ半径・高さの円柱の体積の $\frac{1}{3}$ であることは、ギリシャ時代から知られていた。アルキメデスは「エウドクソスが証明した」と述べているが、具体的な方法は不明である。

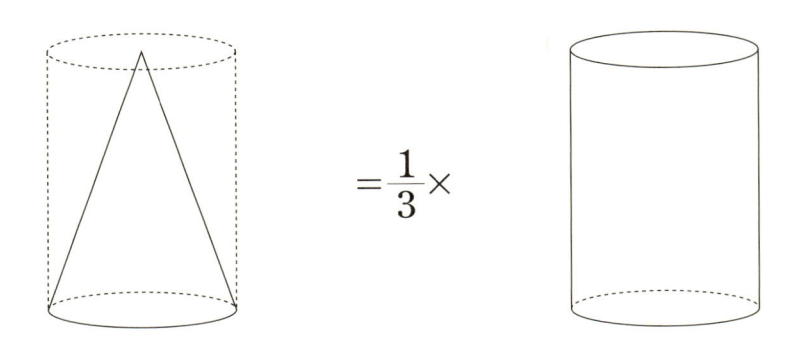

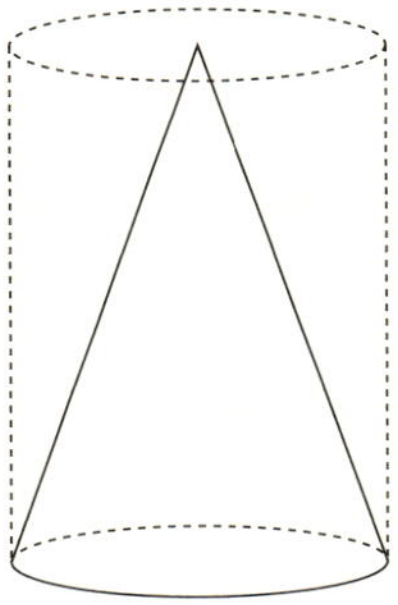

$$= \frac{1}{3} \times$$

ここでは以下のアイデアで証明してみよう。

（ア）　円柱の体積は、底面の円の面積×高さで計算できる。

（イ）　そこで、右ページのように円柱がたくさん積み重なったもので近似する。

（ウ）　円柱の高さ（右ページは横に寝ているので円柱の幅とよぶ）をどんどん小さくすれば、誤差はどんどん小さくなる。

底円の半径を r、高さを h とし、いま幅の等しい n 枚の円柱（というより円板といった方がピンとくる）を重ねて近似したとすると、各円板の体積は、小さい方から順に

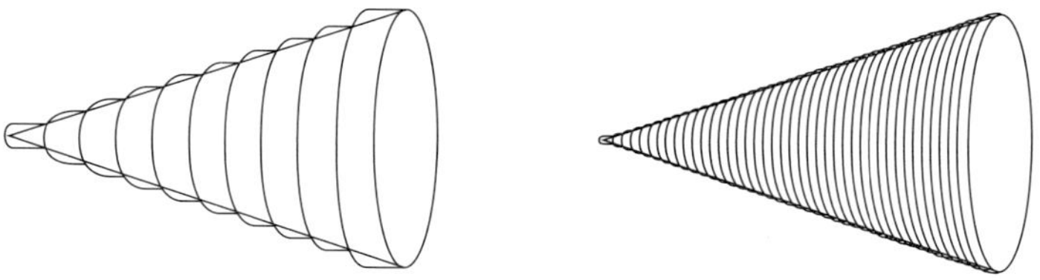

$$\underbrace{\pi\left(\frac{r}{n}\right)^2}_{\text{円の面積}} \times \underbrace{\frac{h}{n}}_{\text{幅}},\quad \underbrace{\pi\left(\frac{2r}{n}\right)^2}_{\text{円の面積}} \times \underbrace{\frac{h}{n}}_{\text{幅}},\quad \cdots\cdots,\quad \underbrace{\pi\left(\frac{nr}{n}\right)^2}_{\text{円の面積}} \times \underbrace{\frac{h}{n}}_{\text{幅}}$$

となる。これらを加えたものを S_n とすると、次のように式が整理できる。

$$S_n = \frac{\pi r^2 h}{n^3}(1^2+2^2+3^2+\cdots\cdots+n^2)$$

ここで(　)の中は $\dfrac{n(n+1)(2n+1)}{6}$ となるので

$$S_n = \frac{\pi r^2 h}{n^3} \times \frac{n(n+1)(2n+1)}{6}$$

$$= \pi r^2 h \times \left(1+\frac{1}{n}\right)\left(\frac{1}{3}+\frac{1}{6n}\right)$$

そして n を限りなく大きくすると、$\dfrac{1}{n}$ と $\dfrac{1}{6n}$ は0に限りなく近づくから

$$S = \lim_{n \to \infty} S_n = \pi r^2 h \times \frac{1}{3}$$

$$= \text{円の柱の体積} \times \frac{1}{3}$$

となる。

「近似」と「極限」、これがポイントである。

思えば小学校のとき、先生はどのようにしてこの公式を教えてくれたのだったろうか。

5 球の体積

曲面で囲まれた立体の体積を求めるには、右図のように立体を平行な平面で切り、無数の非常に薄い板を作る。次にその一枚一枚の板の体積を求めて、すべての板の体積を加えて求めればよい。

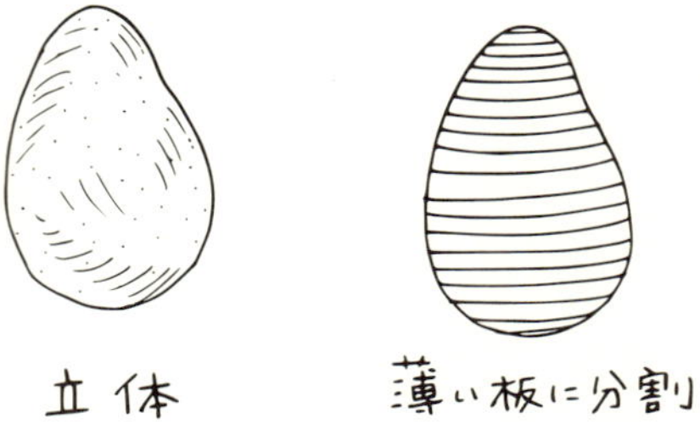

ところで、この薄い板と体積にかかわって「カバリエリの原理」とよばれる極めて重要な性質がある。

この原理は、図のように、2つの立体の底面から等しい高さの水平な切断面の面積が常に等しければ、この2つの立体の体積は等しいということを主張している。

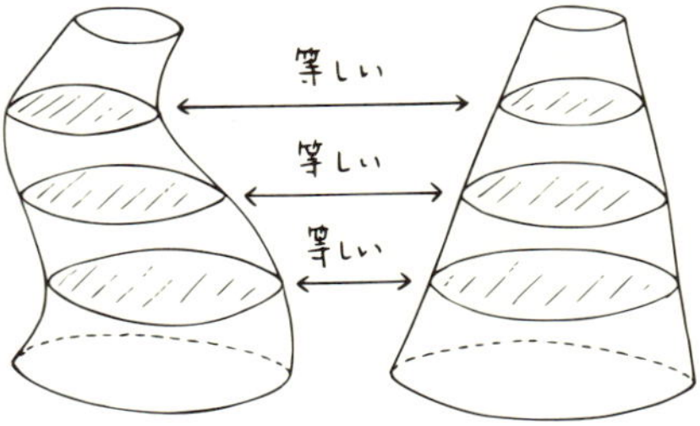

この原理を使えば、すでにわかっている立体の体積から、まだわかっていない立体の体積を求めることができるのである。

それでは、この原理を使って球の体積を求めてみよう。そのために、球に外接する円柱から図のような2つの逆向きの円錐を取り去った、臼形の立体を調べてみよう。

半径 r の球と外接円柱から作った臼形の同じ高さの水平な切断面を比較してみよう。

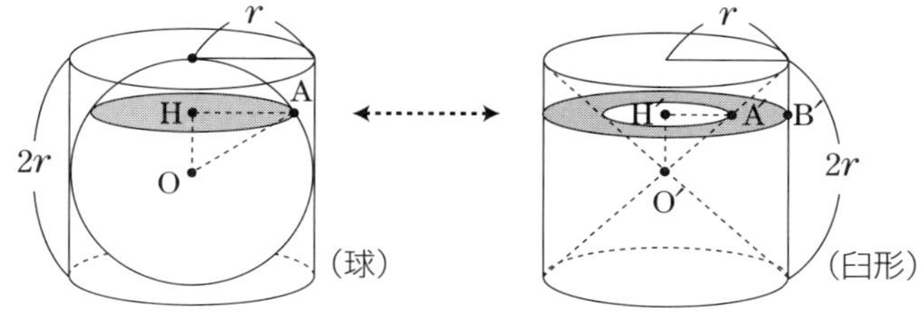

次の図のように、中心Oから切断面までの距離を x とすると、ピタゴラスの定理よりAH＝ $\sqrt{r^2-x^2}$ 、また△O′A′H′ が直角二等辺三角形なので A′H′＝x となる。

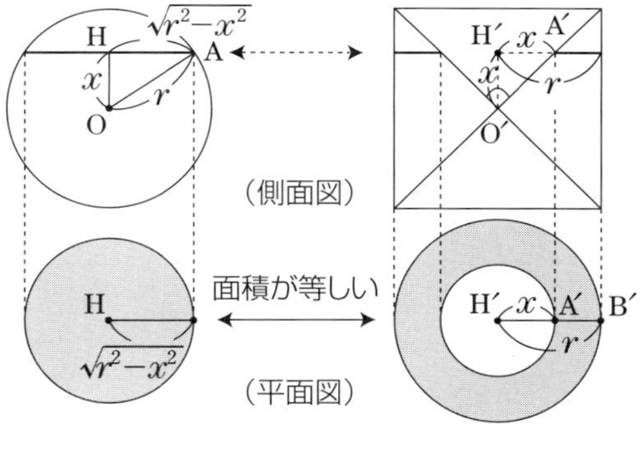

左の円の面積は、$\pi(\sqrt{r^2-x^2})^2=\pi(r^2-x^2)$ であり、右の円環の面積は、$\pi r^2-\pi x^2=\pi(r^2-x^2)$ であるので、この2つの面積は等しい。

よってカバリエリの原理より、球の体積と臼形の立体の体積は等しい。

これより、次のことがいえる(461ページ参照)。

(球の体積)＝(臼形の体積)＝(円柱の体積)－(2つの円錐の体積)

$$= 2\pi r^3-\frac{2}{3}\pi r^3$$

$$= \frac{4}{3}\pi r^3$$

6 定積分

積分法は、微分法よりずーっと昔からあった。紀元前の人々が、面積、体積の計算をやっていた。その基本的考えは細かい部分に分け計算してたすというもの。

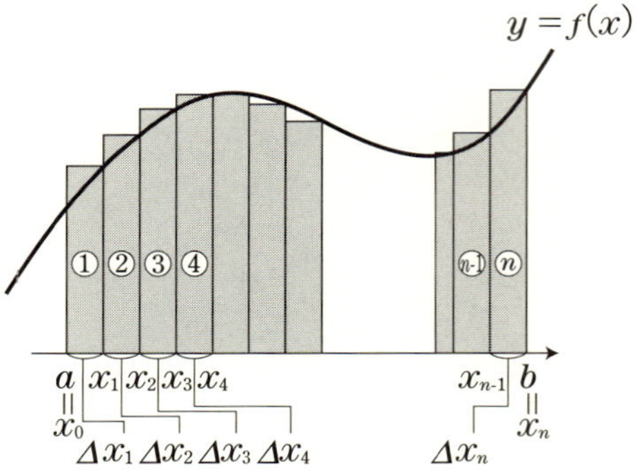

このことを、少しはっきり「決め事」としてかいてみる。

目標は、左下図の面積 S を求めること。S はすぐには無理なので、上図の長方形の面積の和をまず考える。

①＋②＋③＋④＋……＋ⓝ

$$=f(x_1)\Delta x_1+f(x_2)\Delta x_2+f(x_3)\Delta x_3+\cdots$$

（$f(x_1)$：たて　Δx_1：よこ）

$$\cdots+f(x_n)\Delta x_n$$

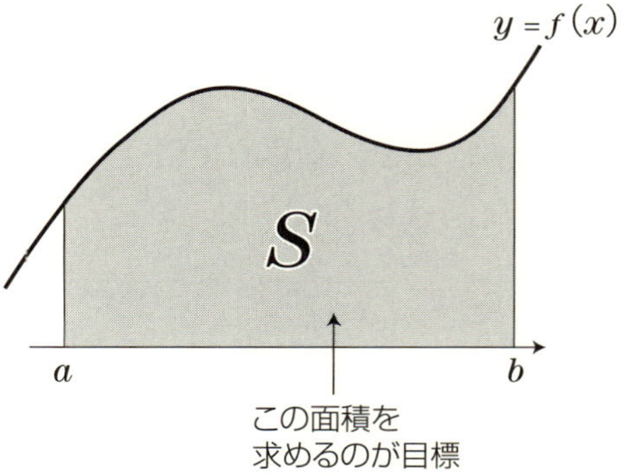

ここで、どの長方形の幅も小さくなるように、分割を極端に多くすると、面積 S になると思うのが自然。

そこで、Σを使って書くと、

$$f(x_1)\Delta x_1+f(x_2)\Delta x_2+f(x_3)\Delta x_3+\cdots\cdots+f(x_n)\Delta x_n=\sum_{k=1}^{n}f(x_k)\Delta x_k$$

$\sum_{k=1}^{n}f(x_k)\Delta x_k$ だけを見るとギョッとするが、

“1番目から n 番目までの長方形の面積(たて×よこ)をぜーんぶ加える”

と訳すとよい。

そして、どのΔx_n（よこ)も 0 に近づくように分割 n を、どんどん大きくする。記号で書くと

$$\lim_{n\to\infty}\sum_{k=1}^{n}f(x_k)\Delta x_k$$

となり、これは、面積 S となる。

そこで、

$$\int_a^b f(x)dx=\lim_{n\to\infty}\sum_{k=1}^{n}f(x_k)\Delta x_k$$

と書いて、$f(x)$ の $x=a$ から b までの定積分という。

$\int$ はインテグラルと読み sum(和)の S を ↕S として $\int$ となった。

dx は、無限小の幅(幅のない幅？)を表している。

$$\int_a^b f(x)dx$$

（$\int_a^b$ ↑ a から b までベターッとたす。　$f(x)$ ↑ たて　dx ↑ よこ）

問題は $\int_0^3 x^3dx$ などを実際に求めるのは、どうするか。1600年代にものすごく簡単に求める方法が発見された！

それは、あ・と・で。

7 積分関数と不定積分

右図のように円錐を逆にしたような水槽に水をためることを考える。このとき、高さ x までにたまった体積と高さ x における水の表面積は、ともに x の関数とみなすことができて、次のように表せる。

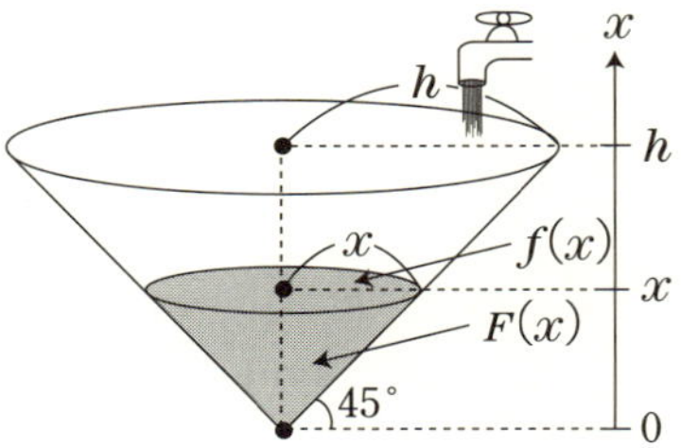

$$F(x)=\frac{1}{3}\pi x^3\text{（たまった関数）、}f(x)=\pi x^2\text{（ためている関数）}$$

カッコ内の名前はこの関数のニックネームである。ところで、2 つの関数を比較すると $F'(x)=f(x)$ の関係があることに気がつく。

いつでもこの関係が成り立つのだろうか？

右図のように t 軸の a から x までの色を塗った部分の面積を x の関数とみなして $F(x)$ と表す。また、t 軸の x における線分 PQ の長さも当然 x の関数で $f(x)$ と表す。

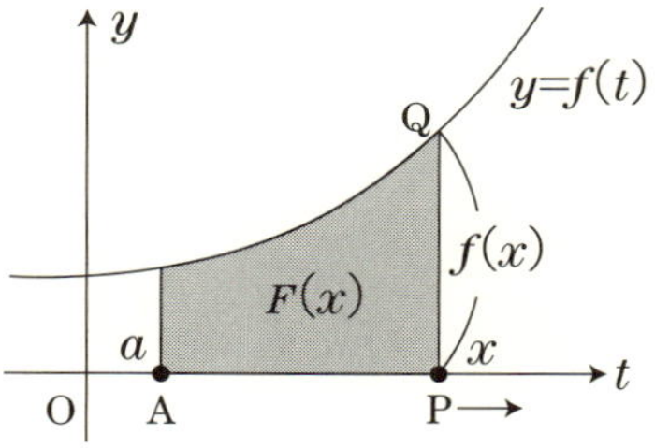

この $F(x)$ は、面積を「ためこんだ」関数と考えられるし、$f(x)$ は、今まさに面積を「ためつつある」関数と考えることもできる。

この面積を表す関数 $F(x)$ は、定積分の記号を使えば、

$$F(x)=\int_a^x f(t)dt$$

で表すことができる。そこでこれを積分関数という。

この積分関数を微分したらどうなるだろうか。具体例として

$$F(x)=\int_0^x t^2dt$$

を取り上げて、考えてみよう。積分の上端 x が h だけふえて $x+h$ になると、$F(x)$ は $F(x+h)$に変わり、面積は $F(x+h)-F(x)$ だけふえる（図の斜線部分）。この部分の面積は、2つの長方形の面積の間にあるから

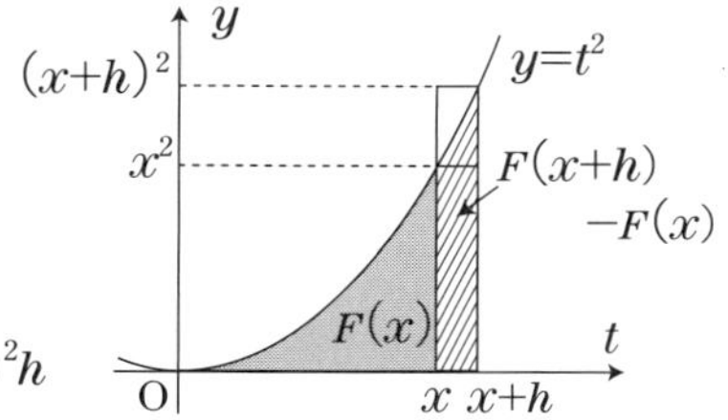

$$x^2h<F(x+h)-F(x)<(x+h)^2h$$

両辺を h で割ると

$$x^2<\frac{F(x+h)-F(x)}{h}<(x+h)^2$$

ここで $h\to 0$ とすると、明らかに $(x+h)^2\to x^2$ で

$$\frac{F(x+h)-F(x)}{h}\to F'(x)$$

したがって $F'(x)=x^2$ である。すなわち、$F(x)$は微分すると x^2 になる。

微分すると x^2 になる関数は、$\frac{1}{3}x^3$, $\frac{1}{3}x^3+1$, $\frac{1}{3}x^3-2$, …などたくさんあるが、これらをもとの関数 x^2 の原始関数という。またその代表 $\frac{1}{3}x^3+c$ を、積分記号を流用して

$$\int x^2dx=\frac{1}{3}x^3+c$$

で表し、不定積分という（積分記号の上下端とも不定なため）。

なお定数 c は積分定数とよばれる。

さっきの $F(x)$ も、x^2 の原始関数のひとつであるが、$F(0)=0$ だから（なぜでしょう？）、$F(x)=\frac{1}{3}x^3$ が成り立つ。したがって $F(1)=\frac{1}{3}$ である（図）。

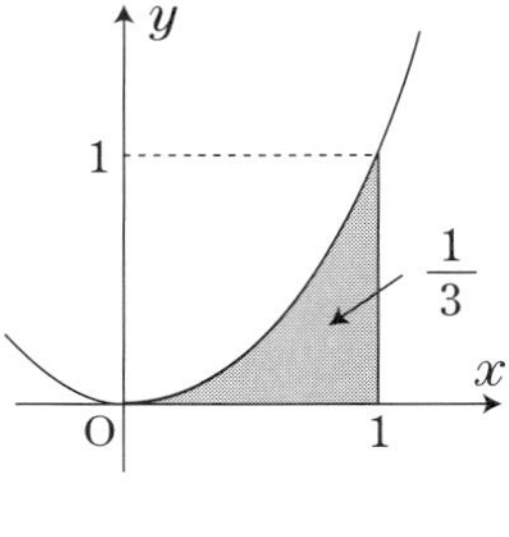

8 面積・昔と今

現在に残る世界最古の数学書といわれるアーメス・パピルス（紀元前1500年頃）には、三角形や台形の面積を求める問題が入っている。もっともっと前から、面積は人類の関心事の一つだったのだろう。

ここで「昔と今」というのは、じつは「微積分以前と以降」という意味で、人類史からみればごく最近のことである。しかし、やはりニュートンは偉かった。ニュートン以降ではどう変わったのかを、$y=x^2$のグラフにおける図の部分の面積を例にとって、ながめてみよう。

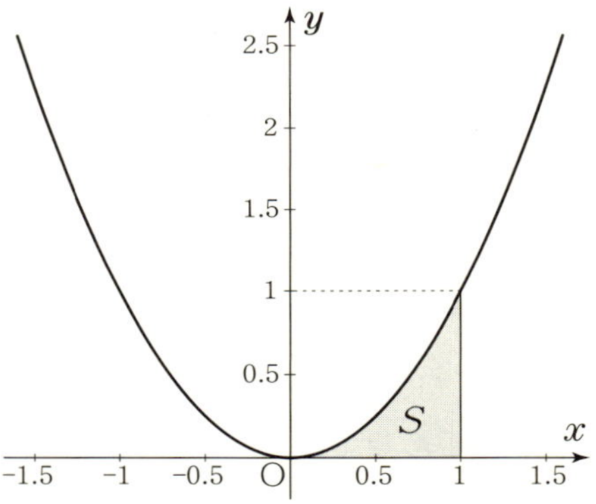

＜ニュートン以前＞

第1のステップ：長方形をたくさん集めて近似する。長方形の幅を小さくすればするほどよい近似になるというアイデア。

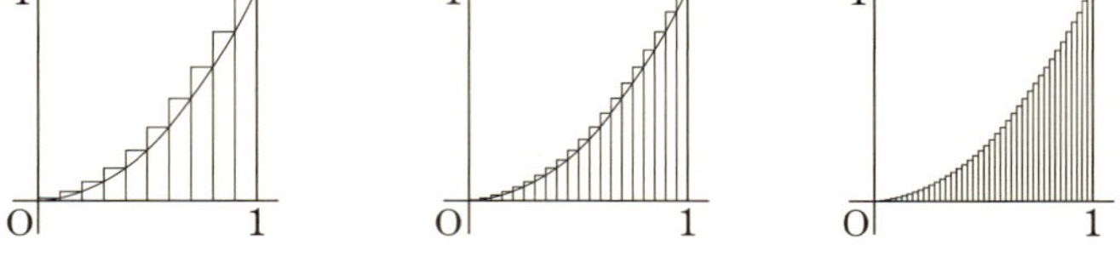

そこで、$0 \leqq x \leqq 1$ を n 等分すると、全部の長方形の面積は

$$S_n=\left(\frac{1}{n}\right)^2\times\frac{1}{n}+\left(\frac{2}{n}\right)^2\times\frac{1}{n}+\cdots\cdots+\left(\frac{n}{n}\right)^2\times\frac{1}{n}$$

たて　よこ　たて　よこ　　　　たて　よこ

$$=\frac{1}{n^3}(1^2+2^2+3^2+\cdots\cdots+n^2)$$

$$=\frac{1}{n^3}\times\frac{n(n+1)(2n+1)}{6}=\left(1+\frac{1}{n}\right)\left(\frac{1}{3}+\frac{1}{6n}\right)$$

第2のステップ：n を限りなく大きくして極限値を求める。

$$S=\lim_{n\to\infty}S_n=\lim_{n\to\infty}\left(1+\frac{1}{n}\right)\left(\frac{1}{3}+\frac{1}{6n}\right)=\frac{1}{3}$$

こうして面積 $\frac{1}{3}$ が求まる。

＜ニュートン以降＞

$$S=\int_0^1 x^2dx=\left[\frac{1}{3}x^3\right]_0^1=\frac{1}{3}-0=\frac{1}{3}$$

こうして面積 $\frac{1}{3}$ を求めることができる。

＜感想＞

「たった1行で出てしまう」

「すごいね」

「長生きはするものだ」

「ニュートンさん、ありがとう」

「でも、どうして？」

「次のページで出てくるよ」

＜注＞

$\left[\frac{1}{3}x^3\right]_0^1$ は $\frac{1}{3}x^3$ に1を代入したものから、0を代入したものを引く、という記号。

9 微分積分学の基本定理

人類数千年の歴史の中で、大きな一歩といってよい。その「微積分学の基本定理」を考えてみよう。

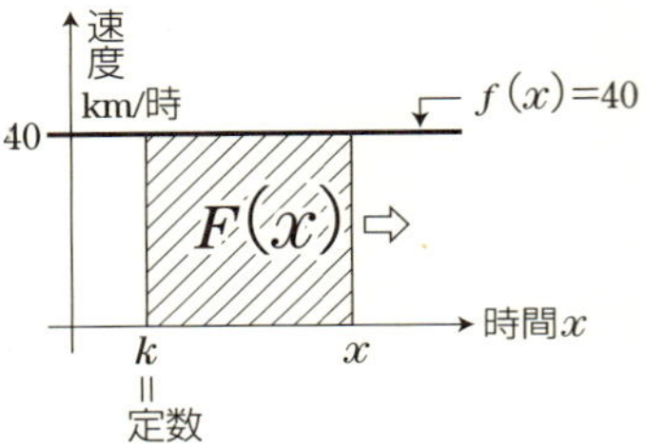

まず、時速40kmで等速で走っている車の話から。

時刻 k から x までに走った距離 $F(x)$ は

$$F(x)=40\times(x-k)(\mathrm{km})=40x-40k(\mathrm{km})$$

となる。この $F(x)$ は、上の図では、斜線部分の面積 $\int_k^x f(x)dx$ になっている。微分のところで考えたように、瞬間速度は、距離を時間で微分するとよかった。

そこで　$F'(x)=40=f(x)$

エッ？ 面積 $F(x)$ を微分したら、$f(x)$ になった。微分と積分は逆の演算になっている？ 等速運動のときだけではないのか？ ところが……

今度は、一般の関数 $y=f(x)$ で考えてみよう。

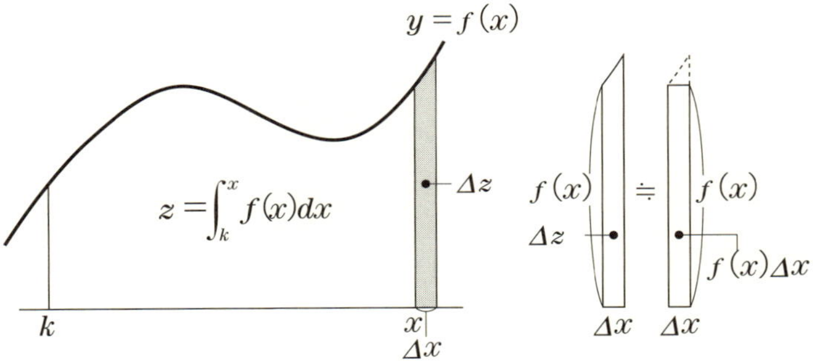

$f(x)$ の x が k から x まで面積 $F(x)$ は $z=F(x)=\int_k^x f(x)dx$

x が Δx だけ変化したときの面積 $F(x)$ の増分 Δz は、Δx が小さくなればなるほど、

$$\Delta z \fallingdotseq f(x)\Delta x\text{、これから}\frac{\Delta z}{\Delta x}\fallingdotseq f(x)$$

よって、Δx を無限に小さくすると、

$$\lim_{\Delta x \to 0}\frac{\Delta z}{\Delta x}=F'(x)=f(x)$$

どういうことかというと、$\int_k^x f(x)dx=F(x)$ とおき、この $F(x)$ を微分すると $f(x)$ になる。そこで $F(x)$ を $f(x)$ の原始関数という。

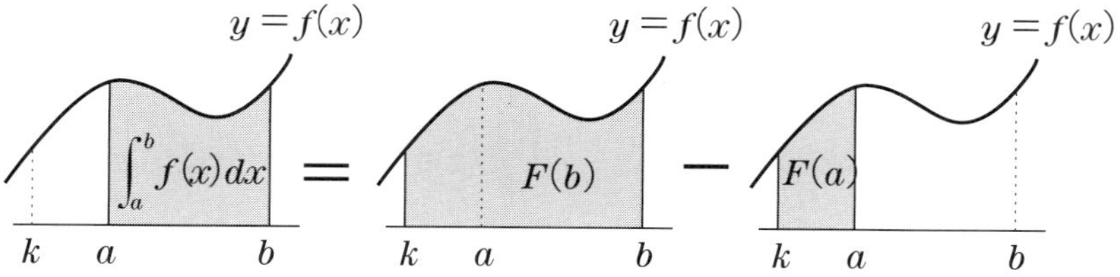

$F(x)+c$（定数）も微分すると $f(x)$ になるので、原始関数はたくさんある。しかしどれを使っても

$$\int_a^b f(x)dx=F(b)-F(a)$$

が成り立つ。これがニュートンの「微分積分学の基本定理」である。

また $F(b)-F(a)$ を $\Big[F(x)\Big]_a^b$ と書いたりする。だからたとえば $\left(\frac{1}{3}x^3\right)'=x^2$ から、次のような計算ができる。

$$\int_1^2 x^2dx=\left[\frac{1}{3}x^3\right]_1^2=\frac{8}{3}-\frac{1}{3}=\frac{7}{3}$$

10 積分の公式

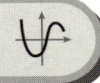

＜定積分の一般公式＞

1. $\displaystyle\int_a^b hf(x)dx = h\int_a^b f(x)dx$ （定数倍の積分）

2. $\displaystyle\int_a^b \{f(x)+g(x)\}dx = \int_a^b f(x)dx + \int_a^b g(x)dx$ （和の積分）

この2つの法則が一番基本的なもので、定数倍、和と積分の順序交換が可能であることを示している。

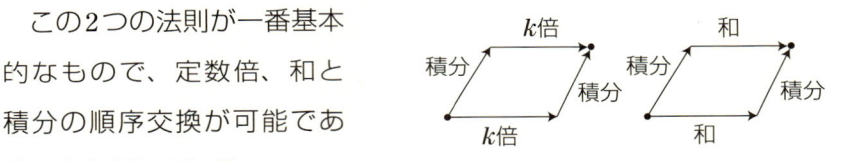

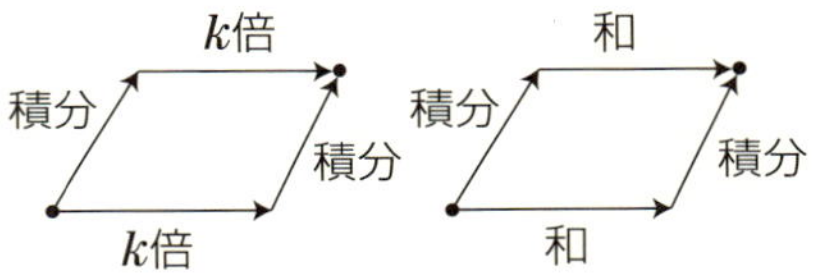

3. $\displaystyle\int_a^b f'(x)g(x)dx = \Big[f(x)g(x)\Big]_a^b - \int_a^b f(x)g'(x)dx$ （部分積分法）

左辺の f にダッシュ（微分）がついているところに注意してほしい。ずいぶん特殊なように見えるが、これでなかなか役に立つ法則である。

4. $\displaystyle\int_\alpha^\beta f(x)dx = \int_a^b f(g(t))g'(t)dt$ （置換積分法）

ただし、$x=g(t)$として、$\alpha=g(a)$、$\beta=g(b)$とする。

この公式は、変数を他の文字に置き換えてより簡単な積分に書き換えようとするもので、使用頻度の高い法則である。たとえば、

$$\int_\alpha^\beta f(mx+n)dx = \frac{1}{m}\int_a^b f(t)dt \qquad \text{ただし}\ a = m\alpha + n、b = m\beta + n$$

である。また、定積分の性質から自然に出てくる法則もある。

5. $\displaystyle\int_a^a f(x)dx = 0$

6. $\displaystyle\int_a^b f(x)dx = -\int_b^a f(x)dx$

7. $\int_a^b f(x)dx=\int_a^c f(x)dx+\int_c^b f(x)dx$

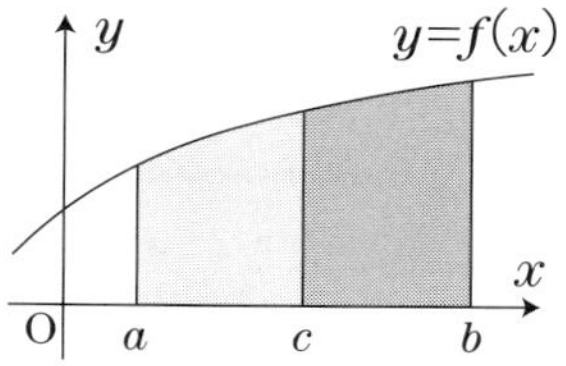

＜覚えておくと役に立つ定積分＞

8. $\int_0^a \sqrt{a^2-x^2}\,dx=\frac{\pi a^2}{4}$

9. $\int_0^{\frac{\pi}{2}} \sin^2\theta d\theta=\int_0^{\frac{\pi}{2}} \cos^2\theta d\theta=\frac{\pi}{4},\ \int_0^{\frac{\pi}{2}} \sin\theta\cos\theta d\theta=\frac{1}{2}$

＜不定積分（原始関数）の一般公式＞

定積分の一般公式の1、2、3、4は不定積分でも同様に成立する。

たとえば　$\int_a^b hf(x)dx=h\int_a^b f(x)dx \rightarrow \int hf(x)dx=h\int f(x)dx$

＜主な関数の不定積分（原始関数）＞

1. $\int 0dx=c$

2. $\int 1dx=x+c$

3. $\int x^n dx=\frac{1}{n+1}x^{n+1}+c$　ただし $n\neq -1$

4. $\int \frac{1}{x}dx=\log_e|x|+c$

5. $\int \sin x dx=-\cos x+c$

6. $\int \cos x dx=\sin x+c$

7. $\int \tan x dx=-\log_e|\cos x|+c$

8. $\int e^x dx=e^x+c$

9. $\int a^x dx=\frac{1}{\log_e a}a^x+c$

11 積分で円の面積

定積分とは $\int_a^b f(x)dx = \lim_{\substack{\Delta x \to 0 \\ n \to \infty}} \sum_{i=1}^{n} f(x_i)\Delta x$ のこと、すなわち $f(x_i)$ と Δx を「かけて」、次に全部加えて（Σ）、極限値をとるのであるから、円の面積を積分で計算するとき、方法として 2 つ考えられる。

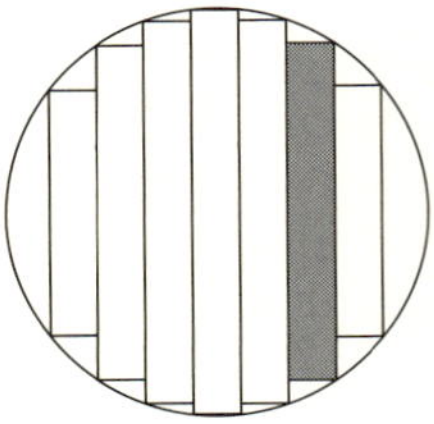

（第 1 の考え方）

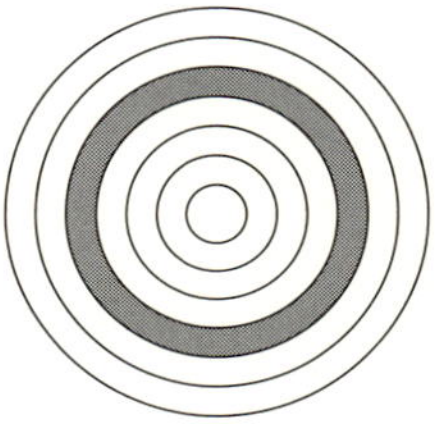

（第 2 の考え方）

第1の方法のときは、

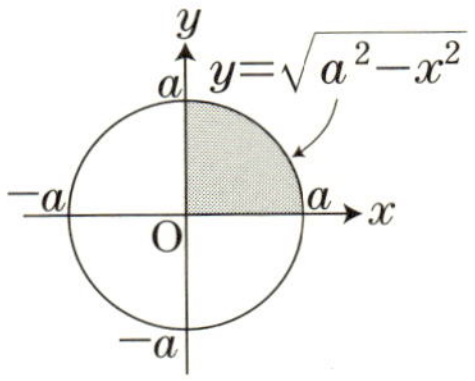

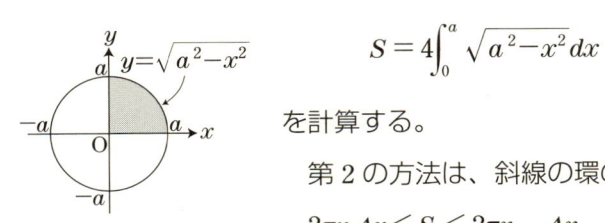

$$S = 4\int_0^a \sqrt{a^2 - x^2}\,dx$$

を計算する。

第 2 の方法は、斜線の環の面積 S_i は

$$2\pi r_i \Delta r < S_i < 2\pi r_{i+1} \Delta r$$

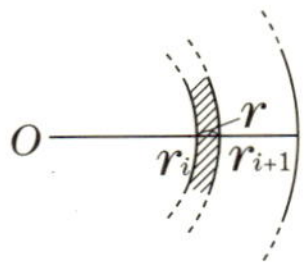

だから、円の面積は $\sum_{i=1}^{n} 2\pi r_i \Delta r$ で近似できるので、

$$S = \int_0^a 2\pi r dr$$

を計算する。

後者はあっという間に答えが出る。

$$S=\int_0^a 2\pi r dr=\Big[\pi r^2\Big]_0^a=\pi a^2$$

前者の計算は大変であり、置換積分法を使い、また三角関数の複雑な公式のお世話になる。

$x=a\cos t\left(0\leqq t\leqq \dfrac{\pi}{2}\right)$　とおくと

$\sqrt{a^2-x^2}$
$=\sqrt{a^2(1-\cos^2 t)}$
$=a\sin t$　　　　であり、また

$\dfrac{dx}{dt}=-a\sin t$　であるから

x	$0\to a$
t	$\dfrac{\pi}{2}\to 0$

$$S=4\int_{\frac{\pi}{2}}^{0} a\sin t\times(-a\sin t)dt$$

$$=4a^2\int_0^{\frac{\pi}{2}}\sin^2 t\ dt$$

（注　$\sin^2 t=\dfrac{1-\cos 2t}{2}$ を利用する）

$$=4a^2\int_0^{\frac{\pi}{2}}\left(\frac{1}{2}-\frac{\cos 2t}{2}\right)dt$$

$$=4a^2\left[\frac{t}{2}-\frac{\sin 2t}{4}\right]_0^{\frac{\pi}{2}}$$

$$=4a^2\left\{\left(\frac{\pi}{4}-\frac{\sin\pi}{4}\right)-\left(0-\frac{\sin 0}{4}\right)\right\}$$

$$=4a^2\times\frac{\pi}{4}=\pi a^2$$

やっと出た。

12 積分で球の体積

球の体積を積分で求めてみる。

球を輪切りにして薄い円盤に！

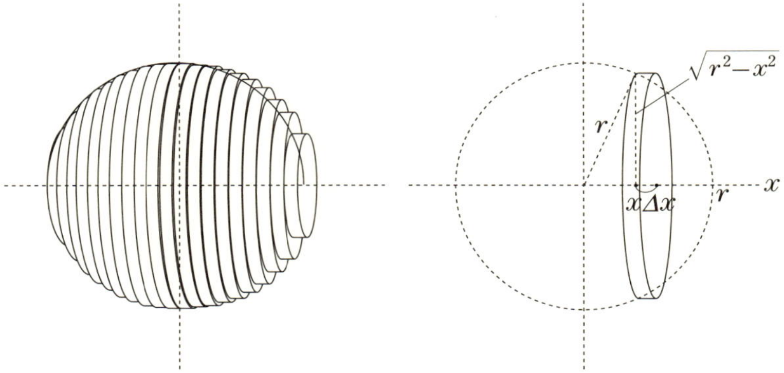

$$\text{円板の体積}=\text{円の面積}\times\Delta x=\pi\left(\sqrt{r^2-x^2}\right)^2\Delta x$$

半径 r の球を輪切りにして、x 軸に垂直の平面で切った切り口の面積を $S(x)$ とする。右半分の半球の n 個の円盤の体積の和は

$$S(x_0)\Delta x_0+S(x_1)\Delta x_1+S(x_2)\Delta x_2+\cdots+S(x_{n-1})\Delta x_{n-1}$$
$$=\pi\left(\sqrt{r^2-x_0^2}\right)^2\Delta x_0+\pi\left(\sqrt{r^2-x_1^2}\right)^2\Delta x_1+\pi\left(\sqrt{r^2-x_2^2}\right)^2\Delta x_2+$$
$$\cdots+\pi\left(\sqrt{r^2-x_{n-1}^2}\right)^2\Delta x_{n-1}$$

となる。

Δx_n が 0 になるよう n を無限大にすると半球の体積は、

$$\lim_{n\to\infty}\sum_{k=0}^{n-1}\pi\left(\sqrt{r^2-x_k^2}\right)^2\Delta x_k=\int_0^r\pi\left(\sqrt{r^2-x^2}\right)^2dx$$

と積分で書ける。

よって球の体積は、

$$2\int_0^r\pi\left(\sqrt{r^2-x^2}\right)^2dx$$

$$=2\pi\int_0^r(r^2-x^2)dx=2\pi\left[r^2x-\frac{x^3}{3}\right]_0^r=2\pi\left(r^3-\frac{r^3}{3}\right)$$

$$=2\pi\left(\frac{2r^3}{3}\right)=\frac{4\pi r^3}{3}$$

これで無事、球の体積が求められた。

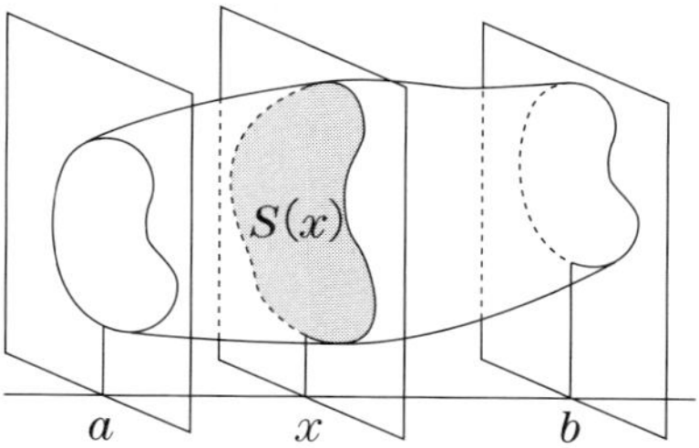

一般に、立体の a から b まで体積は、

切り口の薄い膜を、a から b までベターッとたすと考え、

$$\int_a^b S(x)dx$$

で計算ができる。

13 球の表面積

球の体積 V をもとにして球の表面積 S を求めてみよう。半径 r の球を図のような小さな四角形で覆い、その面積を ΔS_1、ΔS_2、ΔS_3、……とすると

$S = \Delta S_1 + \Delta S_2 + \Delta S_3 + \cdots\cdots$

となる。また、その小さな四角形の各頂点と球の中心を結んでできる立体の体積を ΔV_1、ΔV_2、ΔV_3、……とすると

$V = \Delta V_1 + \Delta V_2 + \Delta V_3 + \cdots\cdots$ となる。

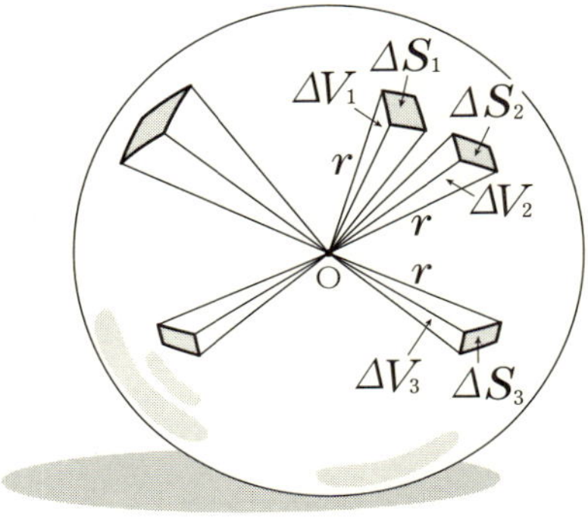

この四角形の大きさが十分小さければ立体は高さ r の四角錐とみなせて

$$\Delta V_1 = \frac{1}{3}\Delta S_1 \cdot r,\ \Delta V_2 = \frac{1}{3}\Delta S_2 \cdot r,\ \Delta V_3 = \frac{1}{3}\Delta S_3 \cdot r, \cdots\cdots$$

と書くことができる。これより

$$\begin{aligned} V &= \frac{1}{3}\Delta S_1 \cdot r + \frac{1}{3}\Delta S_2 \cdot r + \frac{1}{3}\Delta S_3 \cdot r + \cdots\cdots \\ &= \frac{1}{3}(\Delta S_1 + \Delta S_2 + \Delta S_3 + \cdots) \cdot r \\ &= \frac{1}{3}S \cdot r \end{aligned}$$

となる。球の体積は $\frac{4}{3}\pi r^3$ であるので $\frac{1}{3}Sr = \frac{4}{3}\pi r^3$

これより、球の表面積を求める $S = 4\pi r^2$ が得られる。

ところで、球の体積 V を半径 r で微分すれば球の表面 S が出て、球の表面積 S を r で積分すると球の体積 V が出てくるという不思議な性質があ

る。次にこの性質について考えてみよう。

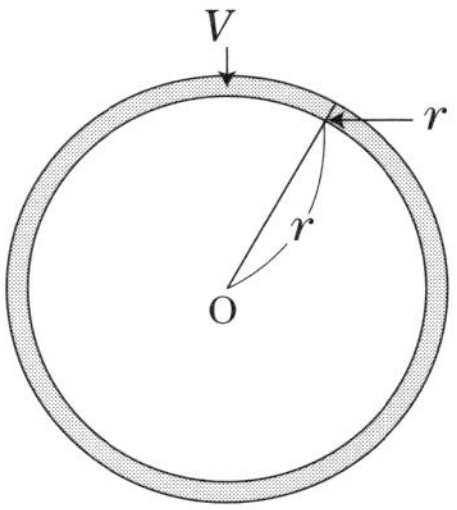

半径 r の球が少し膨らんで半径 Δr だけ増加したとする。このときの球の体積の増加分を ΔV とすると Δr が十分小さければ

$$\Delta V = S\Delta r$$

と書ける。これより $S = \dfrac{\Delta V}{\Delta r}$ と変形でき、$\Delta r \to 0$ とすると $\Delta V \to 0$ となり

$$S = \frac{dV}{dr}$$

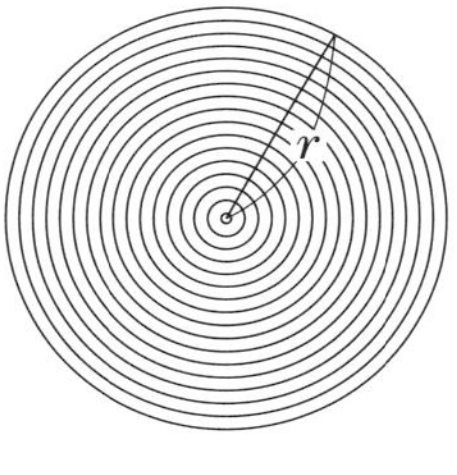

すなわち、体積 V を半径 r で微分すると表面積 S が得られることがわかる。すなわち

$$S = \left(\frac{4}{3}\pi r^3\right)' = \frac{4}{3}\pi \cdot 3r^2 = 4\pi r^2$$

また、図のように玉ねぎの皮状に dV がつみ重なって球ができていると、次のようになる。

$$V = \int_0^r dV = \int_0^r S dr = \int_0^r 4\pi r^2 dr = \frac{4}{3}\pi r^3$$

すなわち、表面積 S を半径 r で積分すると体積 V が出てくることがわかった。

一般に、図のように関数 $y = f(x)$ の $x = a$ から $x = b$ までの部分が x 軸のまわりに回転したときの表面積は、次の式で計算することができる。

$$S = 2\pi \int_a^b f(x)\sqrt{1 + \left\{f'(x)\right\}^2}\, dx$$

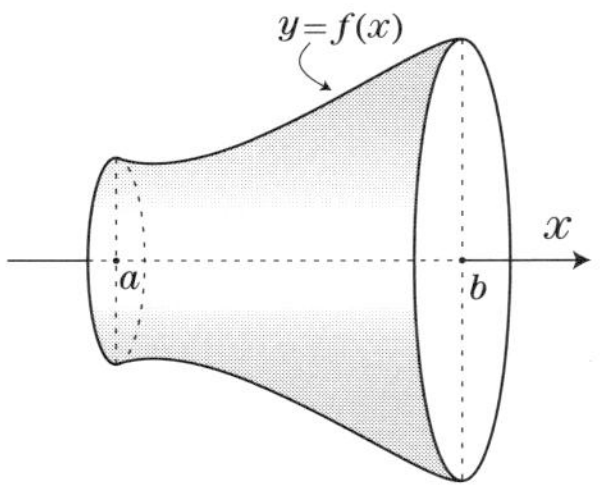

原点を中心とする半径 r の球の場合は、上の式で $f(x) = \sqrt{r^2 - x^2}$、$a = -r$、$b = r$ として求めれば $S = 4\pi r^2$ が出てくる。

（たしかめてみる？）

14 回転体の体積

$y=f(x)$ のグラフを x 軸のまわりにクルッと回転してできる回転体の体積は計算しやすい。

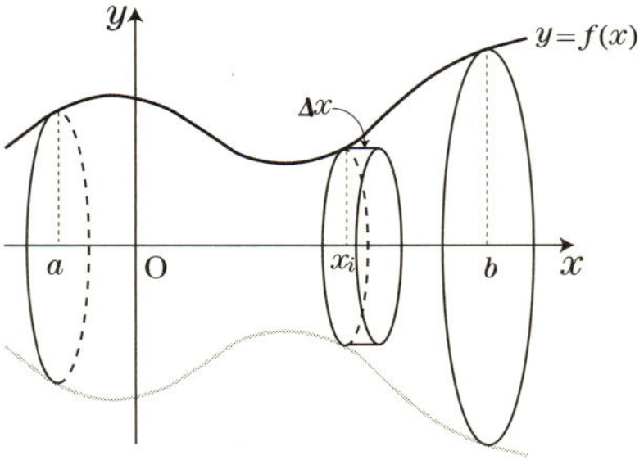

というのは、右図のような円板を重ねて近似することになり、円板の体積は $\pi\{f(x_i)\}^2\Delta x$ となるからである。

したがって

$$V=\lim_{\substack{\Delta x\to 0\\ n\to\infty}}\sum_{i=1}^{n}\pi\Big\{f(x_i)\Big\}^2\Delta x=\int_a^b\pi\Big\{f(x)\Big\}^2dx$$

となる。

たとえば、円錐の体積もすぐ計算できる。

$$f(x)=\frac{r}{h}x\quad(0\leqq x\leqq h)$$

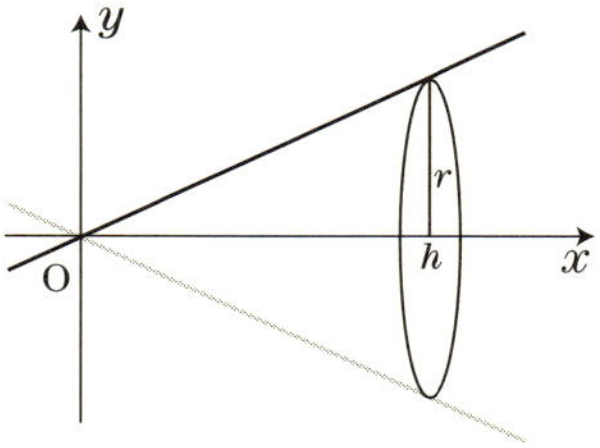

を回転すればよいから

$$\begin{aligned}V&=\int_0^h\pi\left(\frac{r}{h}x\right)^2dx\\&=\frac{\pi r^2}{h^2}\left[\frac{1}{3}x^3\right]_0^h\\&=\frac{\pi r^2}{h^2}\times\frac{1}{3}h^3=\frac{1}{3}\pi r^2h\end{aligned}$$

となる。

もしも

$$y=\sin x\ (0 \leqq x \leqq \pi)$$

のグラフを x 軸のまわりに回転してできるラグビーボール状の立体であったら

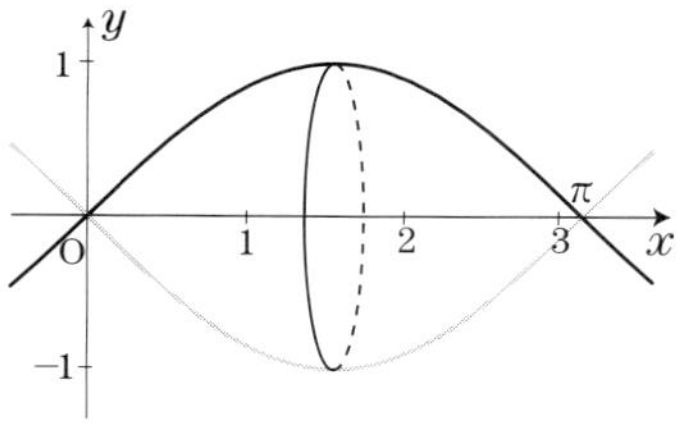

$$V=\int_0^{\pi} \pi \sin^2 x dx$$
$$=\pi \int_0^{\pi} \frac{1-\cos 2x}{2} dx$$
$$=\pi \left[\frac{1}{2}x-\frac{1}{4}\sin 2x \right]_0^{\pi}$$
$$=\pi \times \frac{1}{2}\pi=\frac{1}{2}\pi^2$$

である。また、

$$y=x^2\ (0 \leqq x \leqq 2)$$

のグラフを y 軸のまわりに回転してできる回転放物体の体積は、円板の半径が

$$x=\sqrt{y}$$

になることに注意して

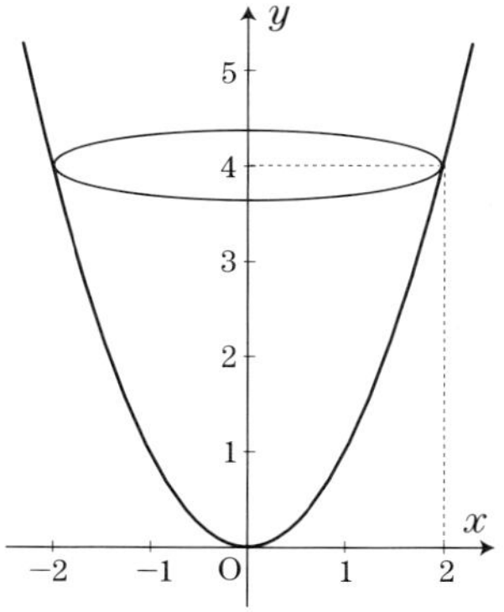

$$V=\int_0^{4} \pi \left(\sqrt{y}\right)^2 dy$$
$$=\int_0^{4} \pi y dy=\pi \left[\frac{1}{2}y^2 \right]_0^{4}=8\pi$$

として求められる。

15 曲線の長さ

曲線の長さはどうすれば、求められるか？

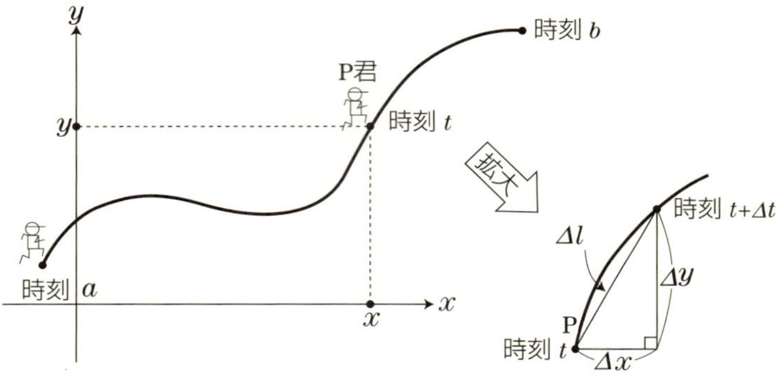

P 君が時刻 a から時刻 b まで歩いた道のり、すなわち曲線の長さを求めよう。

時刻 t から Δt 時間の間の道のりは、右上図のように 2 点を結ぶ直線の長さ Δl で近似できる

Δl は

$$\Delta l = \sqrt{(\Delta x)^2 + (\Delta y)^2}$$

ちょっとこの式を変形すると

$$\Delta l = \sqrt{(\Delta t)^2 \left(\frac{\Delta x}{\Delta t}\right)^2 + (\Delta t)^2 \left(\frac{\Delta y}{\Delta t}\right)^2} = \sqrt{\left(\frac{\Delta x}{\Delta t}\right)^2 + \left(\frac{\Delta y}{\Delta t}\right)^2}\,\Delta t$$

となる。

求める道のりは、例によって、

Δl を時刻 a から b までベターッと加えて、Δt をどこまでも 0 へということで、

$$l=\int_a^b \sqrt{\left(\frac{dx}{dt}\right)^2+\left(\frac{dy}{dt}\right)^2}\,dt$$

また $x=t$ とすると

$$l=\int_a^b \sqrt{1+\left(\frac{dy}{dx}\right)^2}\,dx$$

何か、またスゴイ式になったけど、これで求まる。例をひとつ、

$$\begin{cases} x=\cos^3 t \\ y=\sin^3 t \end{cases}$$ の t が 0 から 2π までの曲線の長さ l

t にいろいろ値を入れてグラフを書くと、下のようになる。

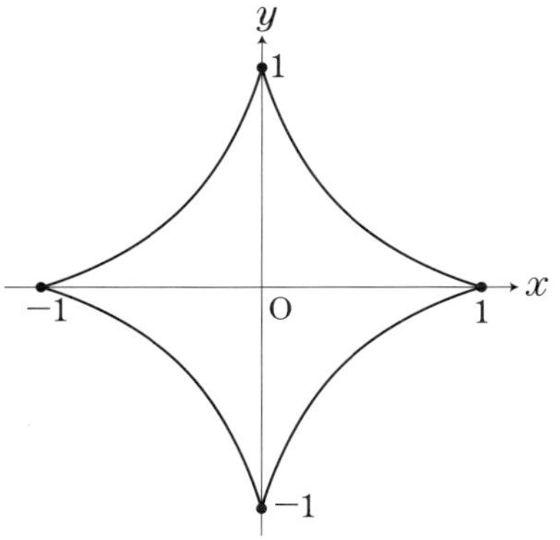

$$\begin{aligned} l&=\int_0^{2\pi} \sqrt{\left(\frac{dx}{dt}\right)^2+\left(\frac{dy}{dt}\right)^2}\,dt \\ &=4\int_0^{\frac{\pi}{2}} 3\cos t\ \sin t\,dt \\ &=6\int_0^{\frac{\pi}{2}} \sin 2t\,dt \\ &=6 \end{aligned}$$

途中の計算はおそろしいので省いた。とにかく、ゴチャゴチャとした計算の後「6」という結果がでることを、見てもらいたかった。

16 サイクロイド

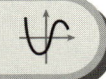

右図のように半径aの円をx軸にそって、すべらないように転がす。このとき、はじめに原点のところにあった円周上の点Pの座標$(x,\ y)$は、円が角θだけ回転したとき、

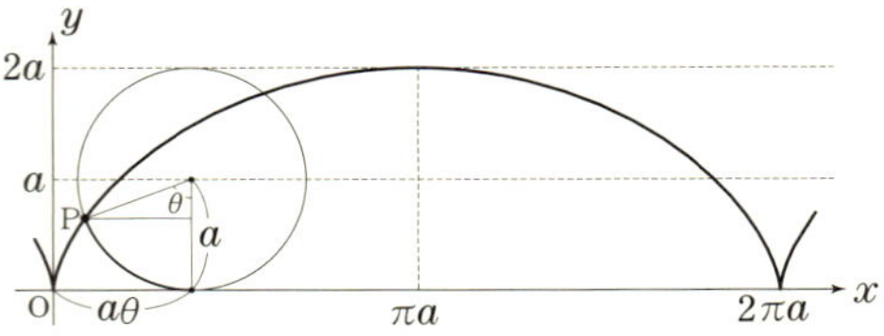

$$x = a(\theta - \sin\theta)$$

$$y = a(1 - \cos\theta)$$

と表される。このとき、点Pの描く曲線をサイクロイドという。

このサイクロイドの1アーチ分の面積Sを求めてみよう。

$$S = \int_0^{2\pi a} y\,dx$$

$$= a^2\int_0^{2\pi} (1 - \cos\theta)^2 d\theta$$

$$= 3\pi a^2$$

x	$0 \to 2\pi a$
θ	$0 \to 2\pi$

（注 $\cos^2\theta = \dfrac{1+\cos 2\theta}{2}$ を利用する）

このように、サイクロイドの1アーチ分の面積は半径aの円の面積のちょうど3倍になっている。

次にサイクロイドの1アーチ分の曲線の長さLを求めてみよう。

$$L = \int_0^{2\pi} \sqrt{\left(\frac{dx}{d\theta}\right)^2 + \left(\frac{dy}{d\theta}\right)^2}\,d\theta$$

$$= \int_0^{2\pi} \sqrt{a^2(1 - \cos\theta)^2 + a^2\sin^2\theta}\,d\theta$$

(つづき) $= a\int_0^{2\pi}\sqrt{2(1-\cos\theta)}\,d\theta$　　(注 $\sin^2\dfrac{\theta}{2}=\dfrac{1-\cos\theta}{2}$ を利用する)

$$= a\int_0^{2\pi}\sqrt{4\sin^2\frac{\theta}{2}}\,d\theta$$

$$= 2a\int_0^{2\pi}\sin\frac{\theta}{2}\,d\theta$$

$$= 8a$$

このように、サイクロイドの1アーチ分の曲線の長さはちょうど円の半径の8倍になっている。

サイクロイド曲線は、面積も長さもきれいな値になる扱いやすい曲線であるだけでなく、力学的にとても重要な曲線なのである。

図のようにAから出発してBまで重力によって下降する物体があるとき、最短時間で到着するには一見、まっすぐ直線に行けばよいと思われる。しかし、実際には、Aから出発しBを通るサイクロイドが最速降下線なのである。

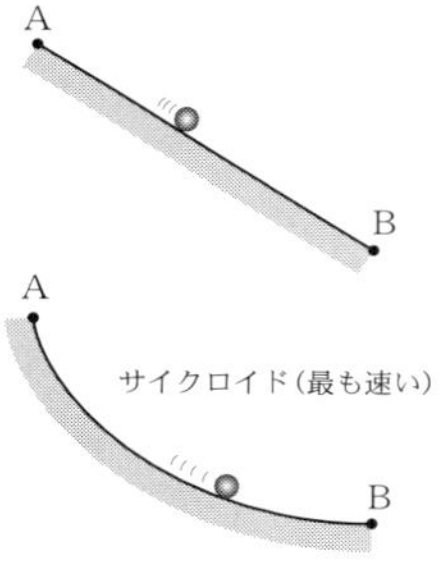

スキー場での最速のシュプールを描くには、サイクロイドをイメージしなければならない?!

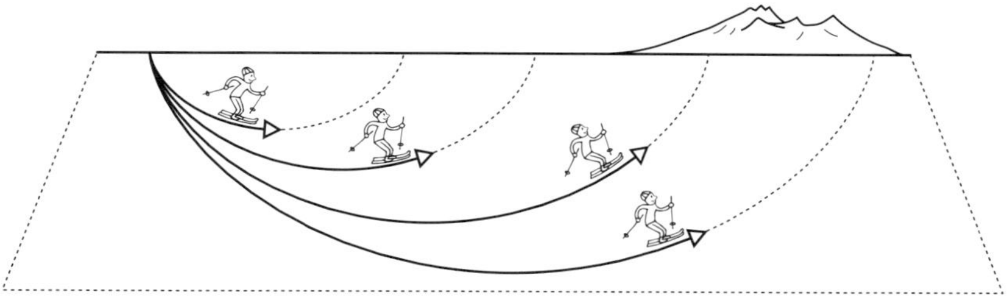

17 懸垂線

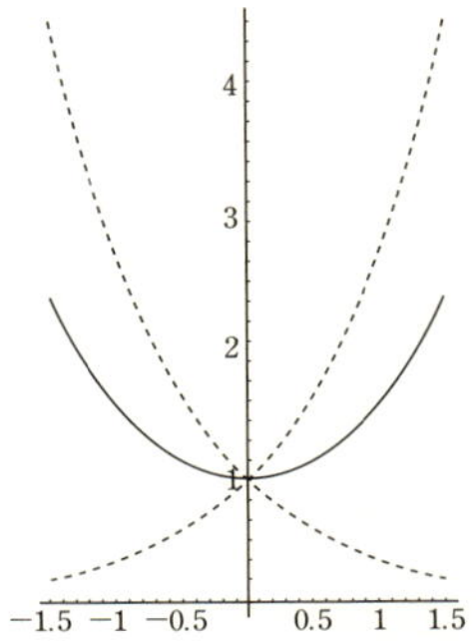

電線やネックレスの鎖のように太さと重さが一様な綱の両端を持ってぶらさげたときにできる曲線を懸垂線(カテナリー)という。ガリレイは放物線になると誤解したそうだが、

$$y=\frac{a}{2}\left(e^{\frac{x}{a}}+e^{-\frac{x}{a}}\right)$$

という式になる。上図は $a=1$ のときで、破線で e^x と e^{-x} も示した。また、右ページに、a の値を変えた 3 つの懸垂線がある。ぜひネックレスの鎖をたらして合わせてみてほしい。

$y=\frac{1}{2}(e^x+e^{-x})\ (-1\leqq x\leqq 1)$ の曲線の長さが積分で計算できる。

$$1+(y')^2=1+\frac{1}{4}(e^x-e^{-x})^2=\frac{1}{4}(e^x+e^{-x})^2$$

となるので、計算がうまくいく。

$$\begin{aligned}
l&=2\int_0^1\sqrt{1+(y')^2}\,dx=2\int_0^1\frac{1}{2}(e^x+e^{-x})dx\\
&=\Big[e^x-e^{-x}\Big]_0^1=(e-e^{-1})-(1-1)\\
&=e-\frac{1}{e}
\end{aligned}$$

となる。

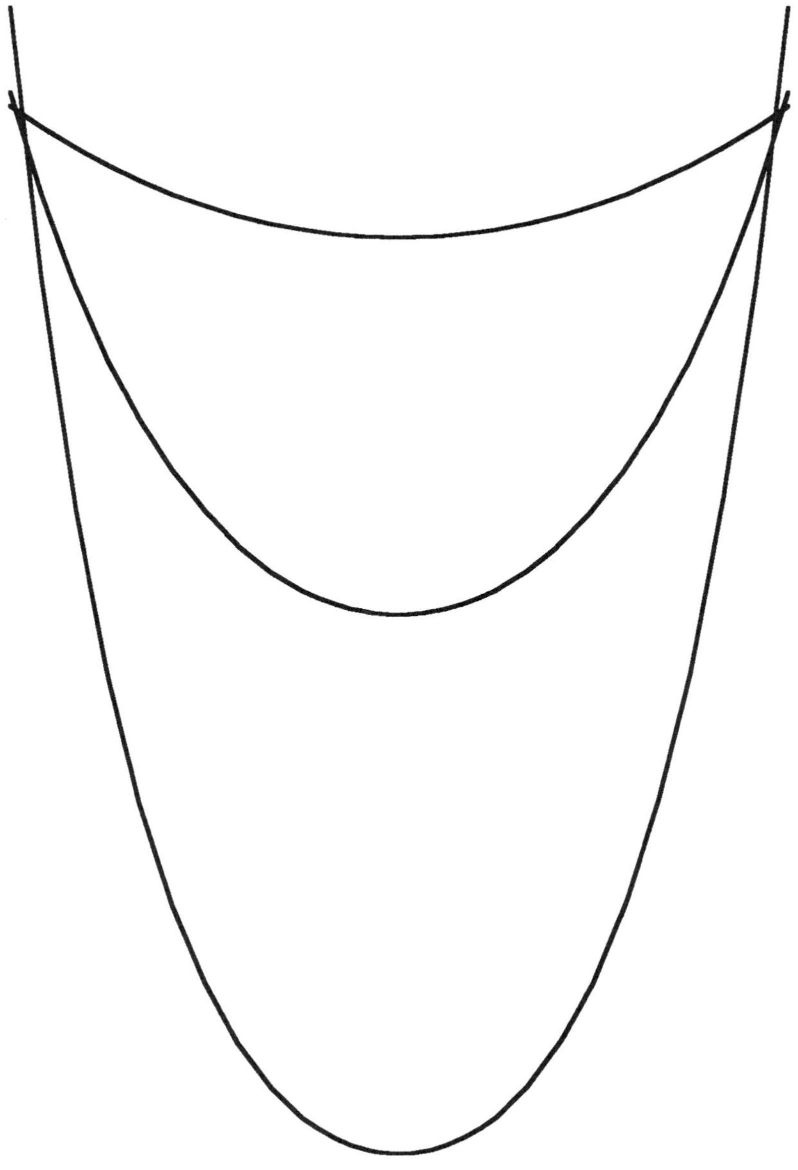

18 三角独楽

若いころ、独楽を「こま」と読めなかった。“ひとりで楽しむ”とはしゃれている。

ここでは、ちょっと、積分を離れた気分で……

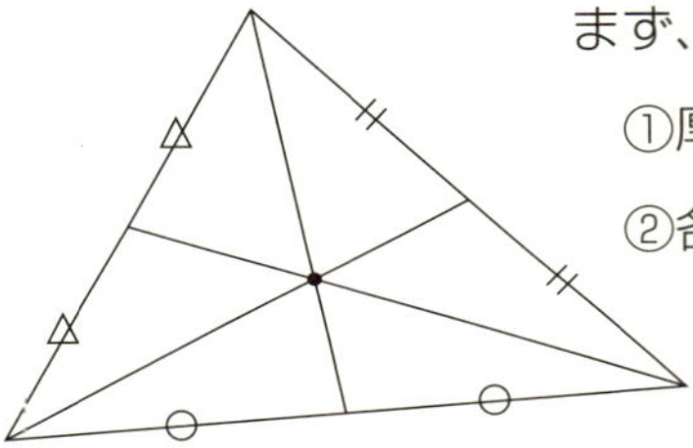

まず、

①厚紙を用意して、好きな三角形を書く。

②各辺の中点に印をつけ、左図のように各交点と結ぶ。交点に黒丸をつける。

③三角形をハサミで切り取り、黒丸にようじをさす。

④そして、机の上でクルッと回してみる。

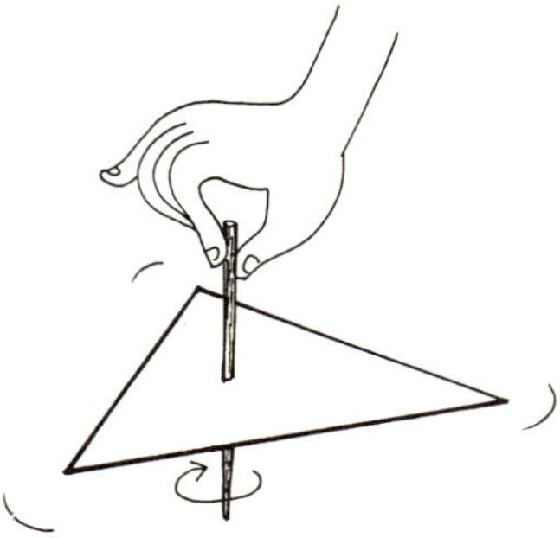

これが、よく回る。

どうして、円でないのに回るの？
それは、重心にようじをさしたから。

今度は、糸を重心の穴に通して、つり下げると、三角形は水平になる。

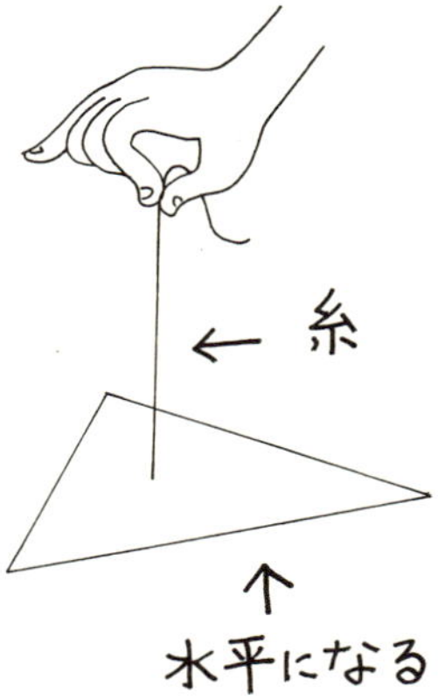

三角形の重さの中心(重心)は、なぜ頂点から各辺の中点に引いた線分の交点なのだろうか？

●簡単な説明

①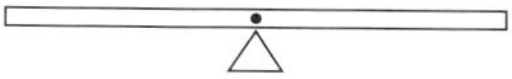細い均一な棒の重心は中点である(これは誰も文句はないだろう)。

②三角形を切った、各棒の重心は、やはり各棒の中点。

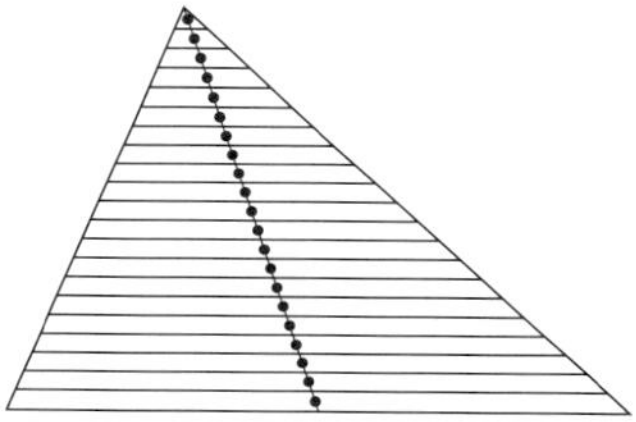

←まずこの辺に平行に切る。

③よって、左図のようになる。

④他の辺についても同じように考える。
すると交点が全体の重心！

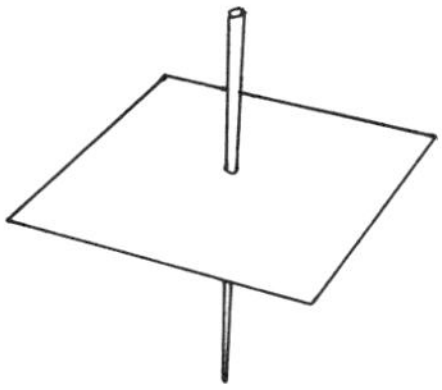

四角形の独楽を作るのは宿題。
(ヒント：三角形に分け、その重心を利用)

19 重心

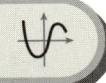

右図のように目盛りのついた軽い棒に同じ重さのおもりをつるしたとき、この棒のどこを支えるとつり合うか考えてみよう。

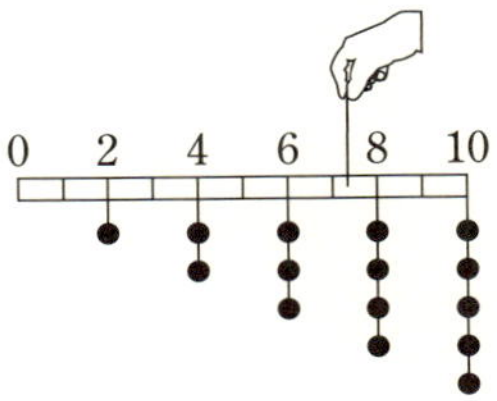

目盛り m のところでつり合うとすると、mのところに全体のおもりがかかり、目盛り 0の点を支点として棒が右まわりと左まわりがつり合って

$$m\times(1+2+3+4+5)=2\times1+4\times2+6\times3+8\times4+10\times5$$

という関係が成り立つ(このことをきちんと理解したい人はモーメントの学習をしてね)。この式から、つり合う点の目盛り m は

$$m=\frac{2\times1+4\times2+6\times3+8\times4+10\times5}{1+2+3+4+5}=\frac{110}{15}=\frac{22}{3}\fallingdotseq 7.33$$

となる。このつり合う点をこの棒の重心という。

一般に、つり合う点の目盛り m は、次のように表される。

$$m=\frac{(\text{目盛り}\times\text{重さ})\text{の合計}}{\text{全体のおもりの和}}$$

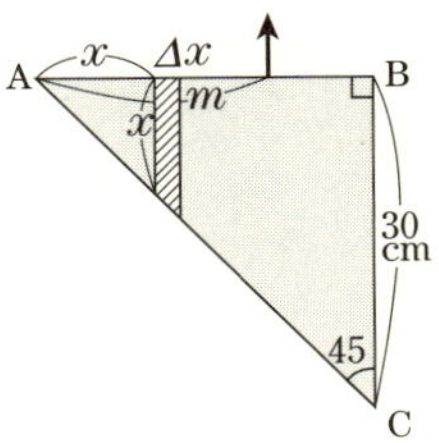

次に、均質な板でできた右図のような直角二等辺三角形を辺 AB が水平になるように糸でつるすには、辺 AB のどの点でつるせばよいか考えてみよう。

この板の密度を w として、全体の重さを W とすると

$$W=\frac{1}{2}\times30\times30\times w=450w$$

である。

また、辺 AB に A を基点として目盛りをとって、目盛り x のところに幅 Δx、長さ x の細長い長方形の板がつるされていると考えて(目盛り×重さ)の合計を M とすると、M は次のように計算される。

$$M=\int_0^{30} x\cdot x dx\cdot w=w\int_0^{30} x^2 dx=w\left[\frac{x^3}{3}\right]_0^{30}=9000w$$

前ページのおもりつき棒の重心を求めたのと同様に考えて

$$m=\frac{M}{W}=\frac{9000w}{450w}=20$$

となるから、Aから20cmのところ、すなわちABを2：1に内分する点で糸をつるせばつり合うことがわかる。

右図のような均質な板を線分OAが水平になるように糸でつるす。このとき、目盛りxでOAに垂直に切ったときの切り口の長さを$f(x)$とすると、重心の目盛りmは、次のようにして求められる。

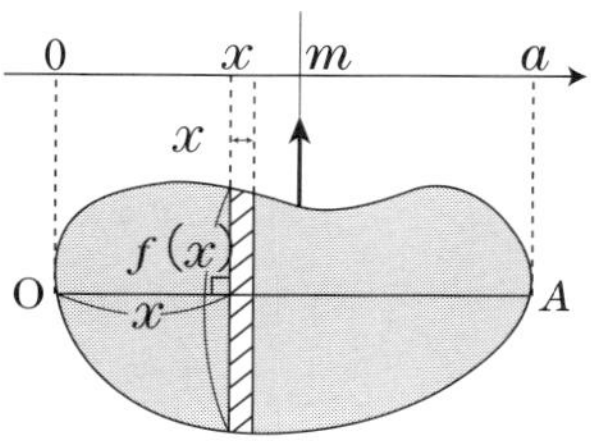

$$m=\frac{\displaystyle\int_0^a xf(x)dx}{\displaystyle\int_0^a f(x)dx}$$

右図のような均質な半円の板の重心の位置 m を求めてみよう。

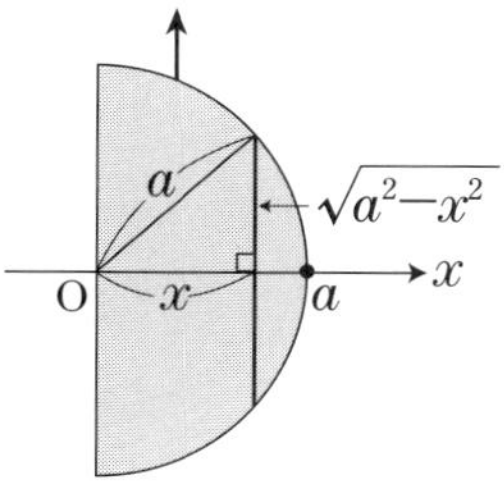

$$m=\frac{\displaystyle\int_0^a 2x\sqrt{a^2-x^2}dx}{\displaystyle\int_0^a 2\sqrt{a^2-x^2}dx}=\frac{\frac{2}{3}a^3}{\frac{\pi}{2}a^2}=\frac{4a}{3\pi}$$

であるので、円の中心から m だけ隔たったところに芯棒を入れて回せばスムーズに回るはずである。ぜひ試してほしい。

ちょっとひと息

アルキメデス(紀元前287？～212)は、古代世界最大の天才数学者である。ローマ時代に活躍したギリシャの作家プルターク(プルタルコス46？～120？)の『英雄伝』でも、すでにほとんど神格化されていて、おおげさな説話が語られている。

ただ、『英雄伝』の中にある

「アルキメデスは実用的な応用を心から軽蔑していた」

という記述は、私は疑わしいと思っている。それは彼が実用的な事柄にも熱中し、すばらしい結果を出しているからである。たとえば彼は大浴場で湯船に浸かりながら、王様に頼まれていた難問：

王冠が質のよい金でできているか、混ぜものが多いかを、

王冠を溶かさずに判定せよ

という実用的な問題を、考え続けた。そこで彼は浮力の原理と、「それで問題が解ける」ことの両方を思いつき、うれしさのあまりすぐさま風呂を飛び出して「わかったぞ！」(eureka！)と叫びながら、丸裸のまま家に走って帰った！

ほかにもいろいろな武器を考案してローマ軍を悩ませた話は有名であるし、彼が発明したという「らせん式揚水機」は、2200年後の現代でも使っている地方がある。

私はアルキメデスのファンであるから、アルキメデスが生まれながらの貴族、真実の自由人であり、理論だろうと実用だろうと「おもしろいものには何でも興味をもっていた」と想像している。

第5章

未来の予測

微分積分学、その後さらに発展した分野の名前としては「解析学」の最大の武器は、「未知の関数を求める」ための

微分方程式

であろう。これはニュートン力学と結びついて、実にたくさんのことを私たちに教えてくれる。

では科学の貴重な財産は、それだけなのか、ニュートンしかないのか——というと、もちろんそんなことはない。電磁気学、量子力学、それに情報科学は、ニュートン力学にはない武器をたくさん提供してくれる。また数学でも、代数学・幾何学は、ニュートンの微分積分学にない視点を与えてくれるし、「組み合わせ論」、「カタストロフィー理論」や「カオスの理論」など、20世紀後半に成長・発展あるいは誕生した現代数学の分野もある。

しかし、電気・電子でも情報でも、「ものの役に立つ」ためには、どこかで実際的な(巨視的な、手でさわれる)「もの」につながっていることが多い。そして「もの」につながると、そこではニュートン力学が今でも役に立っている。

現代数学の諸分野でも、「未来の定量的な予測」になると、微分積分学にはかなわない。たとえば「カタストロフィー理論」は、定量的な予測をあきらめ、定性的な予測をはじめたのがそもそもの出発点なのである。しかし「いつかは大地震が来る」といわれても、10年先か1000年先かもわからないのではあまりうれしくないので、「いつ頃か」をある程度は定量的に予測できないと、実用上の意味は薄い。

この章では、こうした最先端の話題に触れることはできなかった

が、「微積分学の応用」について、むずかしくない範囲でその「香り」を伝えようと、努力してみた。これまでの章とあわせて、人間社会・文化の中での

微積分学の風景

がいくらかでも浮かび上がればよい、というのが著者たちの願いである。

1 ボールは落ちる

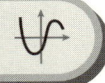

ニュートンはその著作「プリンキピア」によって、それ以前のガリレイやフック等による科学的知識を集大成した、という人がいるが、これは適切なとらえ方といえない。集大成ではなく新しい体系の創出であった。

運動についていえば、次の3つの法則を大前提にして、ガリレイやケプラー等の経験的な法則を導くことができる（41ページ参照）。

（第1法則）物体に力が働いていなければ、その物体は一直線上を同じ速さで動き続ける。

（第2法則）物体の運動に際して、その質量 m と、ある時刻における加速度αとの積は、その時刻に働いている力 f に等しい。

つまり　$f = m\alpha$

なお一般的には力と加速度はベクトルで、$\vec{f} = m\vec{\alpha}$ と表される。

（第3法則）作用と反作用は大きさが等しく、方向が逆である。

第1法則は「慣性の法則」といわれ、第3法則は「作用反作用の法則」とよばれている。第1法則は第2法則の特殊な場合で、第3法則は力そのもののあり方を述べているとみることができる。したがって、運動の法則といえば、第2法則を指すと思ってよい。

さて、地球上でボールをそっと落とす場合を考えよう。

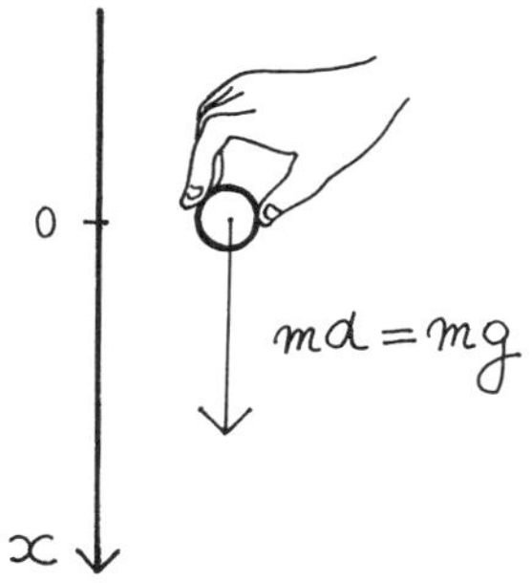

ボールに働く重力の強さ f は、ボールの質量のみに比例すると考えてよいから、比例定数を g とすると $f=mg$ であり、第2法則から $\alpha=g$、つまり

$$\alpha=\frac{dv}{dt}=\frac{d^2x}{dt^2}=g \qquad (*)$$

と書ける。これを、運動方程式（もっと一般的には微分方程式）といい、この式から v や x を求めることを、運動方程式（あるいは微分方程式）を解くという。

（＊）を解くには、両辺を積分して

$$v=\frac{dx}{dt}=gt+v_0$$

これをさらに積分して

$$x=\frac{1}{2}gt^2+v_0t+x_0$$

とすればよい。

ボールを離す瞬間を $t=0$ とし、そのときの高さを原点にすれば（このような条件を初期条件という）、$v_0=0,\ x_0=0$ であるから

$$x=\frac{1}{2}gt^2$$

となる。つまり、ガリレイの発見した式が導けてしまう。

〈補足〉　g は重力の加速度で、地表では約9.8（m/秒^2）である。

なおニュートン以前の「運動量の法則」

　　質量×速度の変化＝力×時間

は、平均的・近似的にしか成り立たないので、微分・積分の考えを取り入れないと、このように「微分方程式をたてて、それを解く」という方法にはつながらない。

2 ボールを投げる

ボールを真上に投げることを考えよう。今度は上方向をプラス、下方向をマイナスと考える。すると、投げあげられたボールには、下向きに重力が働く。その大きさは $m \times g$ で、符号はマイナスだから、ボールに働く力 f は $f = -mg$ で表される。ニュートン力学の第2法則 $f = m\alpha$ から（あるいは g が重力のひきおこす「加速度」であることから）、次の等式が成り立つ。

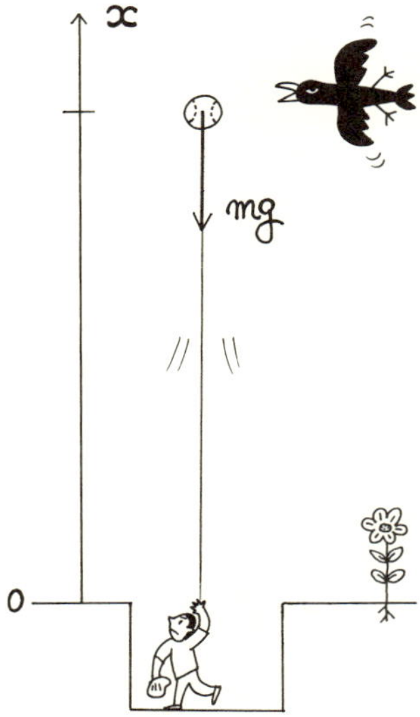

$$\alpha = \frac{d^2x}{dt^2} = -g \qquad (※)$$

これを解いて x（ボールの位置）を t（投げてからの時間）で表わしてみよう。

まず、※の両辺を t で積分すると

$$\frac{dx}{dt} = -gt + v_0$$

（v_0：初速（一定））

もう一度積分すると

$$x = -\frac{1}{2}gt^2 + v_0 t + x_0$$

（x_0：最初の位置）

となる。投げた位置を基準にすると、$x_0 = 0$ だから

$$x = -\frac{1}{2}gt^2 + v_0 t$$

となる。

松坂投手が、ボールを初速150km/時で真上に投げたとする。

150km/時＝$\dfrac{150000}{3600}$ m/秒≒42m/秒で、$g = 9.8$m/秒^{2}だから

$x = -4.9t^2 + 42t$　となる。

(1)　何秒後に落ちてくるだろう？

$x = 0$になる、tを求めると　$-4.9t^2 + 42t = 0$

$t(4.9t - 42) = 0$より　$t = \dfrac{42}{4.9} \fallingdotseq 8.6$

8.6秒後となる（$t = 0$でも$x = 0$であるが、これは投げ上げる瞬間である）。

(2)　最高点は何メートルの高さだろう？

上りと、下りの時間は同じだから　$t = \dfrac{8.6}{2} = 4.3$のときが最高点、

よって　$-4.9 \times (4.3)^2 + 42 \times 4.3 = 89.999 \fallingdotseq 90$メートル

なんと、90メートルまでいくのだ。もっとも空気抵抗なしとして。

〈補足〉　ガリレイの法則だけでなく、ケプラーの法則もニュートン力学の3法則（と万有引力の法則）から導かれる――といっても、「すでに知られている法則を導いただけじゃないか」と思う人たちもいる。しかしガリレイもケプラーも、過去の観測から、経験的に彼らの法則を導き出した。だから新しい問題についてきかれると、「では実験してみましょう」というほかない。ボールを投げあげるくらいなら何百回かやってみるのも悪くない。しかしロケットの打ち上げなどでは、そう何回もやってみるわけにはいかない。ニュートンの方法なら、ボールを1回も投げあげずに、理論的に上の結果を導くことができる。これが理論の強みである！

3　ボールをぶつける

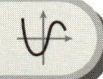

図のようにイタズラ好きの少年が木の枝にぶら下がっているサルを目がけてボールを投げました。気配を察したサルは、ボールが投げられた瞬間、枝を握っていた手を離して地面に飛び降りました。どうなるでしょうか？――これが通称「モンキーハンティング」で、これを実演する教育玩具もある。

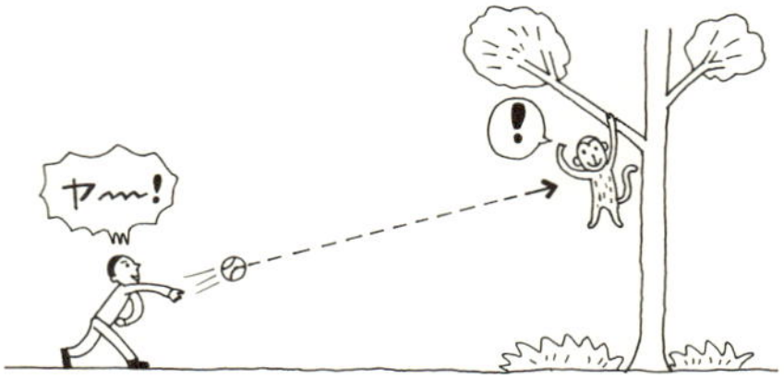

「投げると同時に落ちる」サルに当てるには、サルがいるところの少し下を狙って投げないといけない、ように思えるが、実は少年と同じように、サル目がけて投げれば当たる――ボールの速さは関係ないというが、どうしてだろうか？　その理由を考えてみよう。

図のように座標系を決め、原点Oがボールを投げる位置、Aがサルの最初の位置、そしてPをt秒後のボールの位置、Qをt秒後のサルの位置とする。また重力の加速度をg（＝9.8m/秒^2）とすると、加速度ベクトル$\vec{\alpha}$は$\vec{\alpha}=(0, -g)$で表される。

〈注意〉　ここでは位置・速度・加速度および力がベクトルになる。ベクトルに慣れていない方は、最後の2行だけお読み下さい。

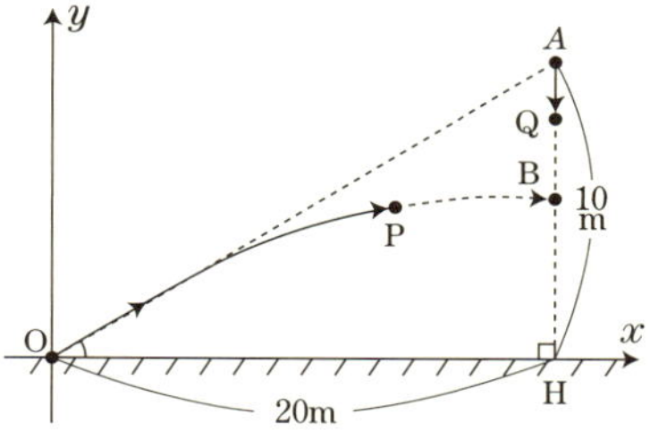

ボールの初速度 $\vec{v_0}$ を $\vec{v_0}=(20,\ 10)$ とすると（単位は毎秒メートル）、t 秒後の速度 $\vec{v}=(v_x,\ v_y)$ は、次のように表される。

$$v_x = 20 + \int_0^t 0dt = 20 \quad \text{（毎秒メートル）}$$

$$v_y = 10 + \int_0^t (-g)\,dt = 10 - gt \quad \text{（毎秒メートル）}$$

さて、t 秒後のボールの位置 $P(x,\ y)$ は、次のように表される。

$$x = \int_0^t 20\,dt = 20\,t \quad \text{（メートル）} \cdots\cdots\cdots\cdots ①$$

$$y = \int_0^t (10 - gt)\,dt = 10t - \frac{1}{2}gt^2 \quad \text{（メートル）} \cdots ②$$

同様にして、t 秒後のサルの位置 $Q(u,\ v)$ は、次のように表される。

$$u = 20 \cdots\cdots\cdots\cdots ③$$

$$v = 10 - \frac{1}{2}gt^2 \cdots\cdots\cdots\cdots ④$$

点 P が AH 上に達する時間は①＝③として $20t=20$ を解いて $t=1$（秒）である。このときのボールの高さ y は、$g=9.8$ から

$$y = 10 \times 1 - \frac{1}{2}g \cdot 1^2 = 10 - \frac{1}{2}g = 5.1 \text{（メートル）}$$

また、サルの高さ v は

$$v = 10 - \frac{1}{2}g \cdot 1^2 = 10 - \frac{1}{2}g = 5.1 \text{（メートル）}$$

なので、ボールの高さ y に一致する。つまり1秒後に、ボールは地上5.1メートルのところでサルに当たることになる。

ところで、ボールの初速度 $\vec{v_0}$ を $\vec{v_0}=(30,\ 15)$ としても、上と同様の計算で、ボールを投げてから $t=\frac{2}{3}$ 秒後に地上約7.82メートルのところでサルに当たることが確かめられる。

けっきょく、サルが落ちるぶんだけ、飛んでゆくボールも下がるので、最初にサルを狙って投げさえすれば、必ず当たるのである。

4 コーヒーを冷ます

時間がたつとコーヒーが冷める。

その様子を、実際に温度計を使って測ってみたことがおありだろうか。筆者が実験した結果をグラフにしてみた。

時間(分)	温度℃
0	58
5	52
10	47
15	43
20	41
25	38
30	36
35	34
40	33
45	32

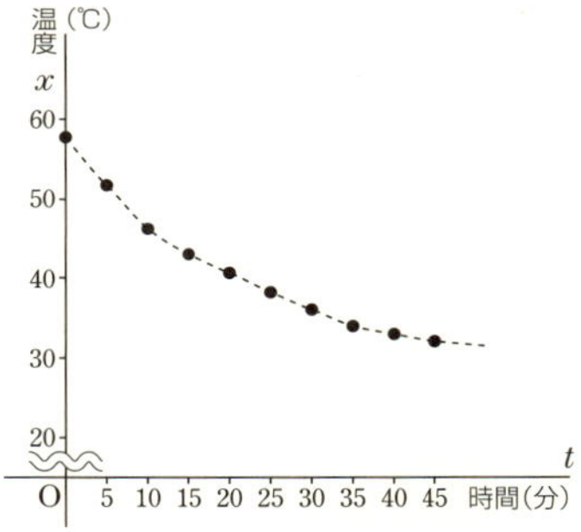

なお、この日の室温は21℃であった。

グラフを見ると、測定誤差が入っているので微妙なカーブになっている。

じつは、この温度変化は、理論的には指数関数になる。以下そのことを述べる。

ある物体の温度が x℃とし、これを気温 p℃(一定)の大気中に置くと、時刻 t に対する x の変化率(温度が変化する速度)は、外気温との差に比例する。

これは、ニュートンの冷却法則といわれる。

式を使って表すと

$$\frac{dx}{dt}=-k(x-p)\quad (k\text{ は正の定数})$$

という微分方程式になる。

この微分方程式を解くには、次のようにする。

$$\frac{1}{x-p}\frac{dx}{dt}=-k$$

両辺を t で積分すると

$$\int\frac{dx}{x-p}=-kt+c_1$$
$$\log|x-p|=-kt+c_1$$
$$|x-p|=e^{-kt+c_1}=e^{-kt}e^{c_1}=c_2e^{-kt}$$
$$x-p=\pm c_2e^{-kt}=c_3e^{-kt}$$
$$\therefore x=p+c_3e^{-kt}$$

$t=0$ のとき $x=p_0$（物体のはじめの温度）とする

$p_0=p+c_3$ より $c_3=p_0-p$

よって $x=p+(p_0-p)e^{-kt}$

この関数のグラフは下のように順番に考えていけば描くことができる。

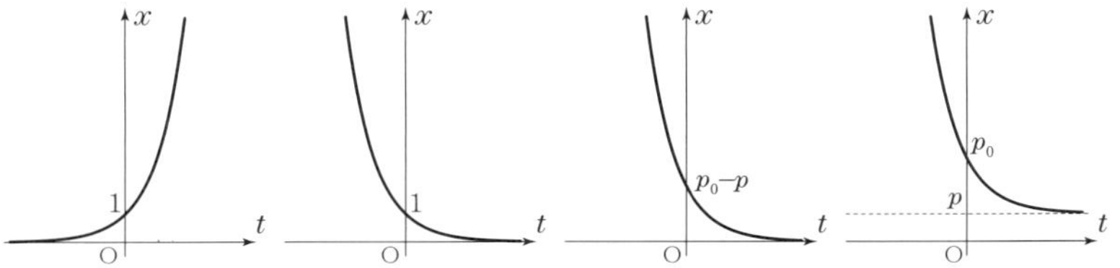

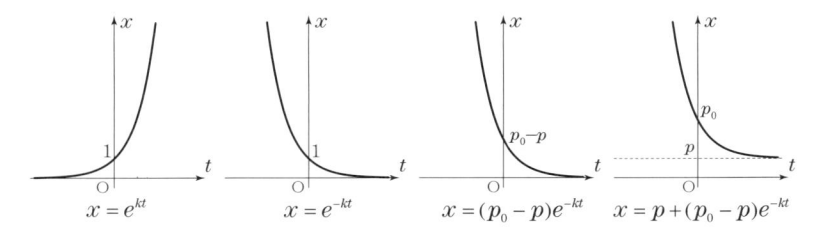

$x=e^{kt}$　　$x=e^{-kt}$　　$x=(p_0-p)e^{-kt}$　　$x=p+(p_0-p)e^{-kt}$

左ページのグラフはその一部であった。

5 雨粒に当たる

物が落っこちるとき、実際には、空気抵抗がある。もし、空気抵抗がなければ、スピードがおさえられず、“雨粒に当たって、痛かった”ということにもなりかねない。

たとえば1100m上空から雨粒0.5gが抵抗なしに落ちてくると

$1100 = \frac{1}{2} g t^2$　　より

$t \fallingdotseq 15$秒

$v = gt$ より

$v = 9.8 \times 15 = 147$m/秒

　　　　$\fallingdotseq 530$km/時

すごい速さでしょう！　体にぶつかったときの衝撃（運動量）を計算してみると、同じ体積の鉄の玉を、4階建てのビルの屋上から落とした場合より大きい。

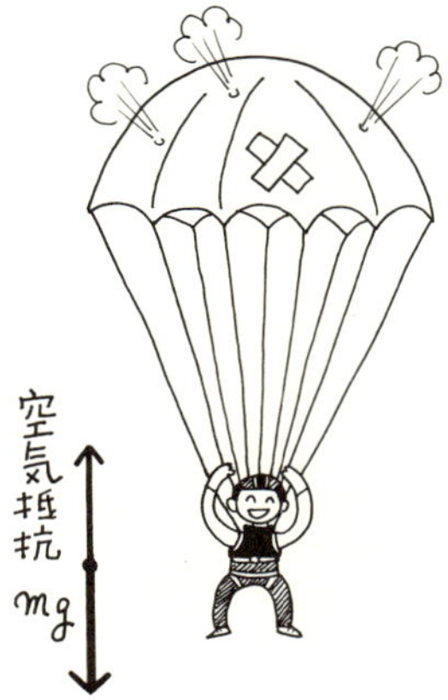

実際のパラシュートにも穴（空気抜き）がある。仏軍パラシュートには4ヶ所あるという。その方が抵抗が増すというのだ。

さて、実際は空気抵抗があるので心配ない。雨粒は徐々に加速度を落とし、ほぼ一定の速度になって落ちてくる。パラシュートは人間が無事着地できる速度に減速してくれる。

物が落ちるとき

$$m\frac{dv}{dt}=f$$

その物には、速度の 2 乗に比例する空気抵抗があるという。それを cv^2 とすると

$$m\frac{dv}{dt}=-mg+cv^2$$

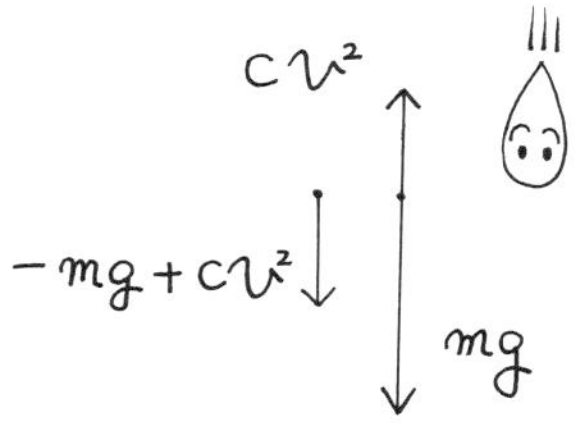

となる。ずーっと落ちていって、一定速度（終端速度）v_t になったとすると、それ以後は等速運動で、

加速度 $\dfrac{dv}{dt}$ が0になるから

$$-mg+cv_t^2=0$$

これより $v_t^2=\dfrac{mg}{c}$、よって　$v_t=\sqrt{\dfrac{mg}{c}}$

ところで、この c には物の断面積や、空気の密度、抵抗係数できまってくる。それで、計算すると各物体は落ちている途中で、わりあい早く、次のような「終端速度」になるという。

雨粒	7m/秒
パラシュート	6.4m/秒
ボール	40m/秒
スカイダイバー	50m/秒

6 細菌がふえる

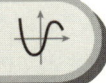

食中毒の恐ろしいところは、はじめはたった数個の細菌でも、ちょっと油断しているうちに、急速に増殖して数億個のレベルになってしまうことである。この細菌のふえ方について考えてみよう。

まず、細菌はそのときの量に比例して増殖すると考えよう。すなわち、右図のようにいまの細菌の量が多ければ多いほど、増殖する細菌の量が多くなるのである。

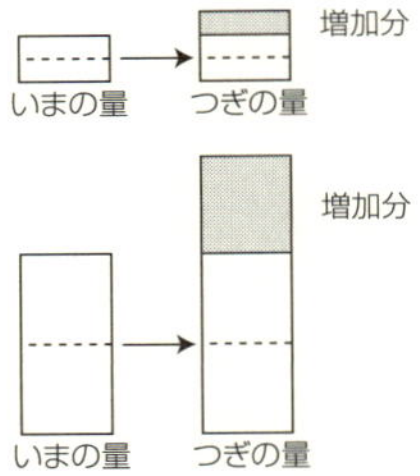

さて、増殖する細菌の時刻 t における量を y とする。この細菌の時刻 0 における量を 1g、その時点での細菌の増加率が 0.5（細菌の量の50%分が増殖する）とすると、次の微分の法則が成り立つ。

$$y' = 0.5y、\quad t = 0 \text{ のとき } y = 1 \cdots\cdots\cdots (1)$$

この関係を満たす関数を求めてみよう。

この式の左辺の y' は、求める関数の接線の傾きを表しているので、たとえば上の式で $y' = 1$ とおいて得られる $y = 2$ は、「直線 $y = 2$ 上にある関数のグラフの接線の傾きは 1 である」ことを意味している。

このようにして、点 $(t,\ y)$ の傾きを表わす短い矢印をつけると、右図のような流れが見えて

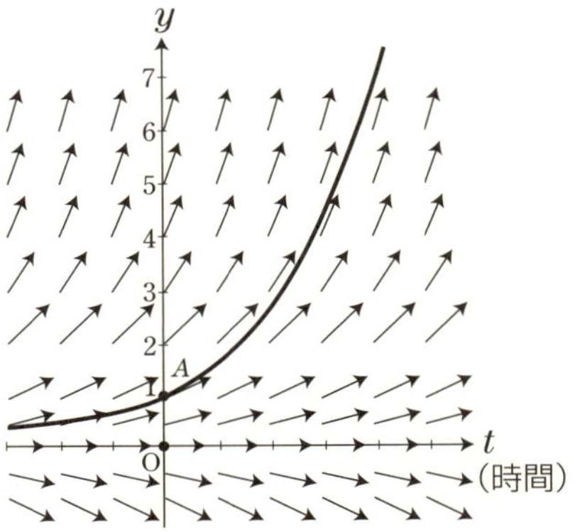

くる。さて、(1)の解は、点 A (0, 1) を通りこの流れに沿った図のような曲線になる。この解は明らかに指数関数で

$$y=e^{0.5t}$$

と表されることがわかる。ここで t を24時間とすると y は約163kg、t を168時間（1週間）とすると y は約 3×10^{30} トンで地球より重くなってしまう。いくらなんでも現実はこんなことは起こらない。

現実には、細菌は限られたスペースで増殖するので、細菌の量がふえて密度が高くなると増加率が抑えられてしまう。

この細菌の増殖にブレーキをかける働きは、残されたスペースの比率に比例すると考えられる。

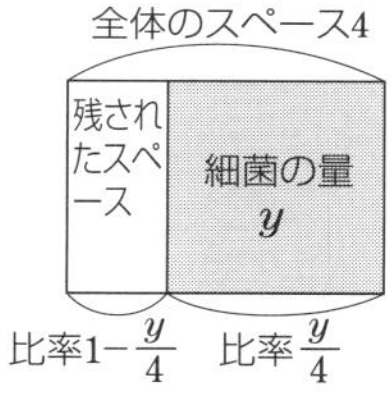

いま全体のスペースを4とすると残されたスペースの比率 $1-\dfrac{y}{4}$ なので、細菌の増殖の微分法則は、次のように修正される。

$$y'=0.5\,y\left(1-\frac{y}{4}\right)、t=0 のとき y=1 \cdots\cdots\cdots\cdots (2)$$

この関係を満たす関数を求めてみよう。

(1)と同様に点 $(t,\ y)$ の傾きを表す短い矢印をつけると、右図のような流れが見えてくる。(1)の解は点 A を通りこの流れに沿った図のような曲線になる。たしかにスペースの限界4に接近する様子が表れている。

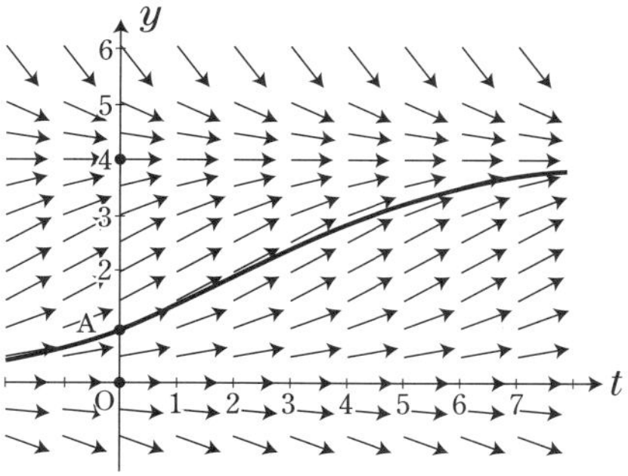

この曲線は、ロジスティック曲線とよばれ $y=\dfrac{4}{1+3e^{-0.5t}}$ と表される。

7 ウサギと狐のシーソーゲーム

草原にウサギが生息していたとして、えさの草は十分に育つとすると、時間 t とウサギの数 u との関係は、たとえば

$$\frac{1}{u}\frac{du}{dt}=2$$

と表せると考えられる。2という数字は仮の数である。$\frac{1}{u}\frac{du}{dt}$ は「一匹あたりのウサギの増加する速度」の意味。この微分方程式を解くと指数関数になる。

また、草原に狐が生息していたとすると、草はいくら育っても食糧にならないので、時間 t と狐の数 v との関数は、たとえば

$$\frac{1}{v}\frac{dv}{dt}=-1$$

と表せ、これも解くと減少する指数関数になる。（－1は仮の数字）

同じ草原に、ウサギと狐の両方が生息していたらどうなるであろうか。狐はウサギを食べてどんどん数をふやす。しかしウサギが減ってくるとエサを失った狐は減りはじめる。狐が減ると、再びウサギは勢力を伸ばしはじめる。すると、一度減った狐はエサのウサギがふえたので、狐も勢力を伸ばしはじめる……。

このような生存競争に着目して研究した学者にヴォルテラ（1860～1940、イタリア）という人がいた。彼の場合は、狐とウサギでなく、海中のサメとその他の魚の似たような統計資料をもとに理論化した。

さて、狐とウサギが同時に生息する草原では、ウサギの一匹あたりの増加速度に狐の数がマイナス成分として作用し、また狐の増加速度

にはウサギの数がプラス成分として作用する。

ヴォルテラは、これを次のような簡単な1次関数で表した。

$$\begin{cases} \dfrac{1}{u}\dfrac{du}{dt}=2-v \\ \dfrac{1}{v}\dfrac{dv}{dt}=-1+u \end{cases}$$

この連立微分方程式を解くのはかなり面倒で、興味をもたれた方は『数学がわかるということ――食うものと食われるものの数学』(山口昌哉著、ちくま学芸文庫)を参照していただきたい。

結論だけ紹介すると、u と v との関係は

$$u+v-\log u-2\log v=c$$

という式になり、u - v 平面に図示すると次のようになる。

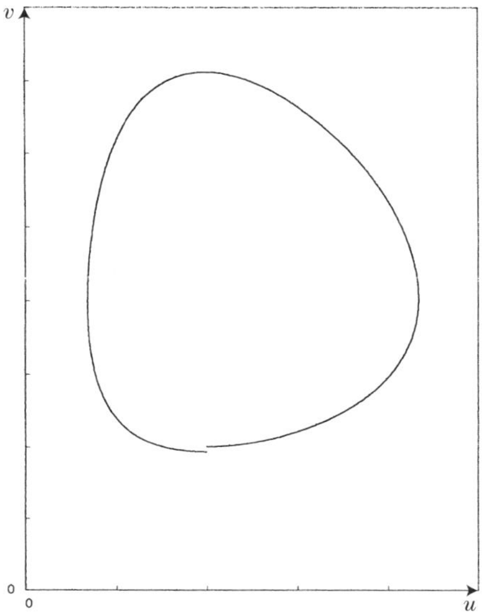

(注)・上の微分方程式を表計算ソフトを用いて数値解析でグラフ化した。

- 横軸が u、縦軸が v
- c の値を変えても、ほぼ同じような形の卵型の輪になる。
- ひとまわりしたところがちょっとずれたのは、計算誤差によるずれで、理論的にはぴたりと元に戻る。
- 時計と反対まわりに、ウサギと狐は増減をくり返しながら生息する。

ちょっとひと息

最近、「数学は役にたつのか」という議論がはやっている。

「2次方程式もろくにできないけれど、65才になる今日まで全然不自由しなかった」

と言った人もいる。昔々にも、ある儒者が当時の数学（和算）を批判して、「世に用なし」と言ったそうである。

これまでの「技術中心」の教え方によって、数学が嫌いになってしまった人々には、私は同情するし、責任を感じている。しかしだからといって「むずかしいことは教えなくていい」とまで言われると、「それは危険だ」と思う。実際、2次方程式に限らず漢字、外国語、あるいはコンピュータとか音楽・美術でも「ろくに知らないけれど不自由を感じなかった」人はいるに違いない。しかしどれも「苦手な子には教えなくてよい」といっていいのだろうか。「食わず嫌い」にならないようにと、中学・高校では、「生活で直接役立つ」読み書き・そろばん以上のことも、ある程度は教えるのである。それを学んだときの苦労、つまり「学ぶ力」は、学んだ知識よりあとで役立った——というのが私の感想である。

なお上の儒者の言葉「世に用なし」について、日本が誇る数学者・高木貞治先生（1875－1960）は次のように書いておられる（『数学の自由性』筑摩書房）。おもしろいので、一部分を抜き書きしておこう。

世に用なしは間違いだろう、これは「予（自分）に用なし」だろう。自分には用がない、それを世に用なしと思うのです。予に用がないといっても、自分ではどんな恩恵を蒙っているか知らない。間接に恩恵を蒙っているのだが、それを認識しない。だから実際は、予（自分）に用なしでもないのだ。

第2部

数と計算の意味がわかる

第1章

数と計算の基本

「数」の概念は、きわめて抽象的なので、原始時代の人々にはひじょうにわかりにくいものであったといわれている。彼らは、ひとつがいの鳩とか一対の矢ならわかるけれど、それらに共通する2という数が、2人でも2日でも表せる——という一般性・抽象性が「まるでわからなかった」のだそうである。しかし現代では、たいていの人が何の抵抗もなく、上手に使いこなしている。特に「円」という単位のついた数に対しては、数学者よりすぐれた直感をお持ちの方が少なくない。

大事なのは「慣れ」である。$1+1=2$からはじめて、

$$5+7=12,\quad 2\times 3=6,\quad 24\div 2=12$$

などなど、形式的・抽象的な計算練習をやっている間に「鳩だろうと帽子だろうと、こちらに5個ありあちらに7個あれば、全部あわせていつでも12個だ」ということ、つまり

それが何を表すかは、いちいち考えなくてよい

という「形式性」の便利さが、無意識のうちに身についてしまう。

しかしこの「形式性」には、落とし穴がある。それは、無意味な計算をしても、答え(らしきもの)の数字が出てしまう、ということである。たとえば「1回に2千円ずつ、3回受け取った」のなら

$2+2+2=2\times 3=6$(千円)

は意味のある正しい計算であるが、

2(万円)×3(万円)＝6(？？)

では意味のつけようがない。架空の例であるが

5時間に7キログラムを加える

とか

　　24リットルのアルコールを2ccの水でわる

などの答え12も、「まったく無意味」といってよい。

いずれにしても、計算だけなら電卓やコンピュータでもやってくれる。それに「どういう意味があるか」は、人間が責任をもたないといけない。そこで小学校の先生方は、子どもたちに「形式的な訓練」をする一方で、「意味を忘れないように」という教育もしなければならない —— これはなかなかたいへんな仕事である！

この章では、子どもたちが抱くいろいろな疑問を軸にして、数学の基本である「数」と「計算」の概念を、「意味」を考えながらおさらいしている。皆さんご存じのことであるから、計算練習などはいっさい省いてしまった。また「応用」による分類、たとえば

　　①12を3つに等分するといくつになるか(等分除)

　　②12の中には3がいくつあるか(包含除)

のような分類への深入りは避けた —— このような分類はほかにもいろいろあるけれど、すでに一度習っておられる大人の方々には

　　わり算はかけ算の逆演算(あとでくり返し説明します！)

という理解のしかたのほうが、本質をとらえていてよい、と思うからである。

ではまず「ゾウもアリも“ひとつ”」からはじめよう。「無限」が出てくるとむずかしくなるが、先を読めばわかることもあるので、どうか気楽に、「立ち止まらずに前進」していただきたい。

1 ゾウもアリも“ひとつ”

「羊が1匹、羊が2匹、羊が3匹、羊が4匹、………」

どうも寝つかれない。

「ゾウが1頭、ゾウが2頭、ゾウが3頭、ゾウが4頭、………」

うーん、大きすぎる。

「アリが1匹、アリが2匹、アリが3匹、アリが4匹、………」

スヤ、スヤ。

ゾウも“ひとつ”　　アリも“ひとつ”

数というのも考えてみるとおもしろい。

なんでも数えられるところがすごい。大きくても「ひとつ」、小さくても「ひとつ」、あれも1、これも1。

数学は世界の共通語であるといわれるが、その大もとに、数のもつ普遍性があるに違いない。

ある小学校の1年生に、先生が、

「みなさん、いろいろなものを数えましょう」

と言って、黒板に

［　　　　］がひとつ

と書いた。

子どもたちは、えんぴつ、つくえ、せんせい、こうてい、やま等と目につくものを次々にあげたそうだが、一人の子どもが教室の水そうを見て

［　水　］がひとつ

という答えを出した。

その先生は賢明で、

「そうですね、水そうの水がひとつですね」

とその場はおさめたそうだ。

水のようにつながっていてまとまりのないものは数えられない。しかし、コップにひとつ、というように分割すれば数えられる。一般にはこの操作は「測る」というのだが、測ることも実は分割して「数える」ことに他ならない。

かといって、「愛情」「倫理」「大切さ」「美しさ」等々までは数えられないだろう。

ふだん慣れ親しんでいる数のもついろいろな性格、たとえば普遍性、抽象性、規範性（限界）を考えてみるのがこれからはじまる第2部の仕事。

2 ゾウとアリをいっしょに数えてよいか

ゾウ2頭とアリ3匹を合わせて数えてみよう。多分、エッ！ そんなことができるのかと思うだろう。

このことを助数詞つきの式で表すと、次のようになる。

2(頭)＋3(匹)＝？

2＋3＝5であるので、結果は5(　)となるはずだが、このカッコの中に入れる適当な助数詞が思いつかない。確かにゾウとアリをまとめて数える場面は、普段はまったくないので「ゾウとアリをいっしょに数えることの意味がわからない」と思う人がいても不思議ではない。

しかし、「数えようと思えば、数えられる」のがおもしろいところで、一見すると無意味なことにも使えるのが、数の便利さのひとつの現れである。意味については「数える人が責任をもたないといけない」ともいえる。

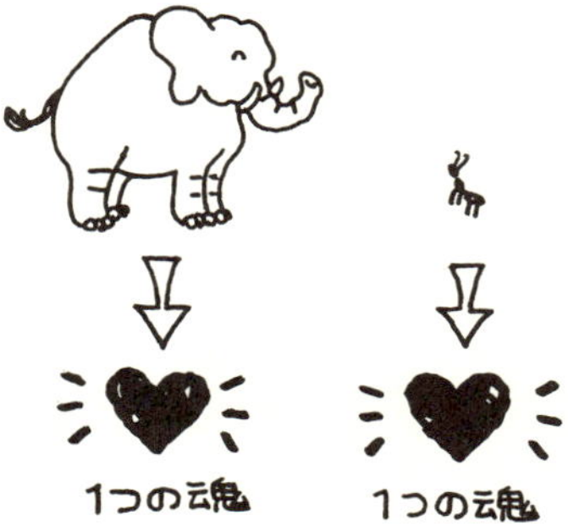

「一寸の虫にも五分の魂がある」という諺がある。巨大なゾウもちっぽけなアリも魂すなわち命をもった個体であることはまちがいない。

この魂の数、すなわち個体の数を数えていると考えれば、ゾウとアリをいっしょに数えることの意味がつく。つまり、次のように考える。

2(頭)＋3(匹)→2(個)＋3(個)＝5(個)

この屁理屈のような見方が実際上の意味をもつこともある。たとえば「この動物園には100種類の動物がいます」というときは、巨大なゾウも長いヘビも小鳥もすべて「1種」と数えている。この「動物の種類の数」は「動物園の規模」を表すひとつの指標になっている。

ところで、普段、何げなくおこなっている数えるという行為は実は「1：1対応」という数学的方法を基礎にしている。図のようにすべてのウサギ1匹に対してニンジン1本が対応しているとき、ウサギとニンジンは1：1に対応しているという。そして、1：1に対応しているとき、2つのものは「同数」であるという。

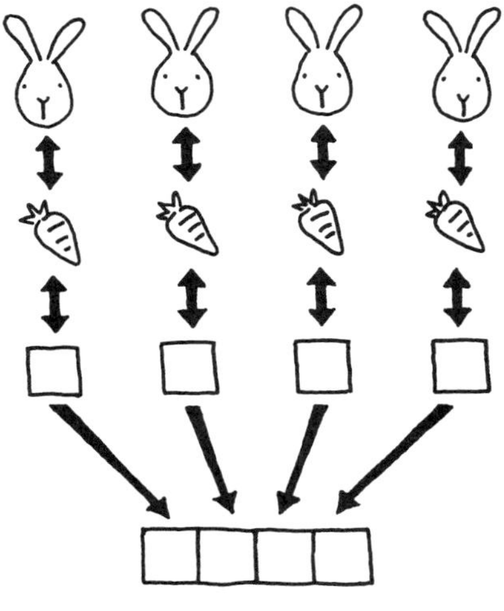

「数える」とは、数える相手と数詞の系列1, 2, 3, 4,……との間に1：1の対応をつけることだということもできる。

大事なことは、「すべてのものをもれなく数える」ことと「同じものをダブらないように数える」こと。

落語の「時そば」で、ずるい客が「1, 2, 3,……, 8, 今何時だ？」「ハイ、9つで」「10, 11, 12,……, 16」として勘定をごまかすのが、これは数詞の方をわざともらして数えることにあたる。そして、トンマな客が「1, 2, 3,……, 8, 今何時だ？」「ハイ、4つで」「5, 6, 7,……, 16」としてよけいな勘定を払うのが、はからずも数詞をダブッて数えることにあたる。気をつけよう。

3　1と1はたせるか?

「1と1はたせるか？」という疑問を感じた人はエライ！

「1」がある特定のものを指しているとしたら、「そのものに同じものをたす」ことができるのだろうか？

たとえば、「1」が自分だとしたら、もう1つの「1」は何だろうか。もう1人の自分だろうか？　それとも、自分のクローンだろうか？　自分と自分はたせるか？　自分とクローンはたせるか？……考えてみればもっともな疑問だ。

「彼は、それを指さし、次にそれを手に取って叫んだ。」という文章では、前の「それ」と後の「それ」は同じものを指していないと困ってしまう。英語でもitは何を指してもよいが、同じ文の中で「前のitと後のitが別のものを指している」のは「悪文」といってよく、普通はやらない。

数学の方程式でも、同じ方程式を解いているときは、前の「x」と後の「x」が、別のものを指すとは考えられないので「xは何でもよいが、ともかくある特定の（同じ）数を表す」として解く。

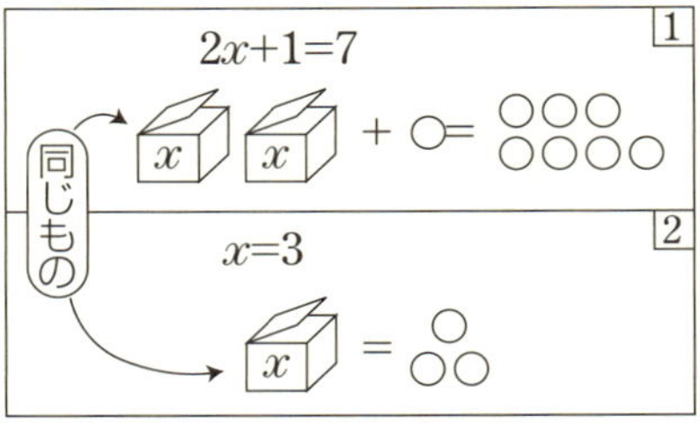

それなら「1＋1」の前の「1」と後の「1」が別のものを指すと考えるのはおかしい！?

しかし、「机の上に机がのっています。その上にまた、机がのっています」という文の中では、3回出てくる「机」がすべて「別の机」を指している。

この文に、「その上にまた、机がのっています」という言葉をつけ加えるたびに「別の机」が一段積まれる。実際には、机を積み重ね過ぎると、ガラガラと崩れてしまうが、頭の中では、いくらでも机をのせることができる。つまり、頭の中では「別の机」のコピーがいくらでも作れるのだ。

1や2などの数詞も「そのようなものだ」と考えておけばよい。

だから

　　あの1＋この1＝2

と書けばわかりやすいかもしれないが、メンドーなので、普通は

　　1＋1＝2

と書いてしまうのがならわし。

このことが了解されれば、

　　あの1＋この1＋その1＝3　は　1＋1＋1＝3

と書くことができるし、

　　あの1＋この1＋その1＋かの1＝4　は　1＋1＋1＋1＝4

と書くことができる。

4　1たす1が1？

“1たす1は2”　“1＋1＝2”に決まっている。……が、ちょっと次のことを考えてみよう。

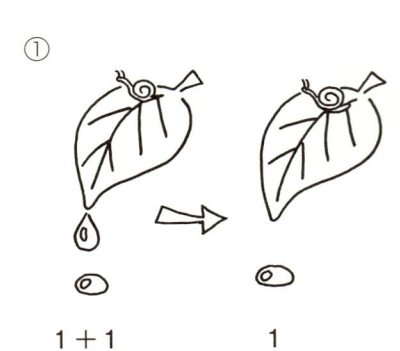

①

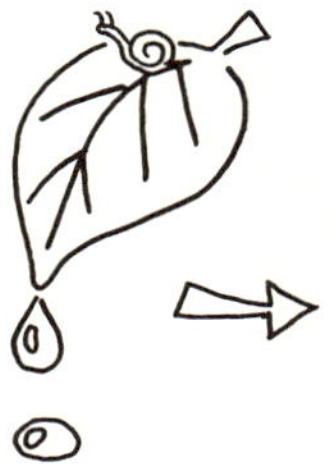

1＋1　　　1

②

1＋1　　　1

③

1＋1＝2？

④

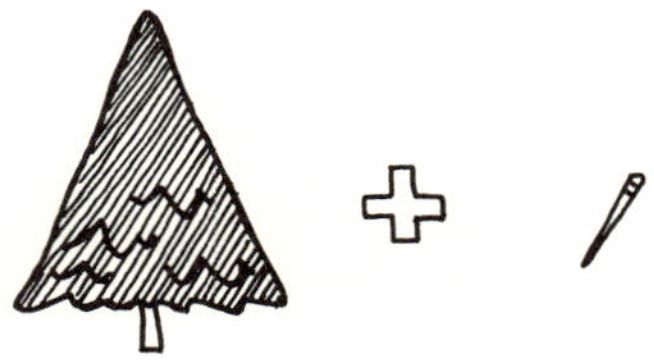

1＋1＝2？

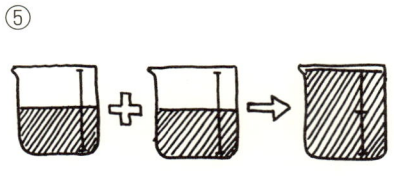

⑤

水1ℓ　アルコール1ℓ

1＋1＝2？

⑥

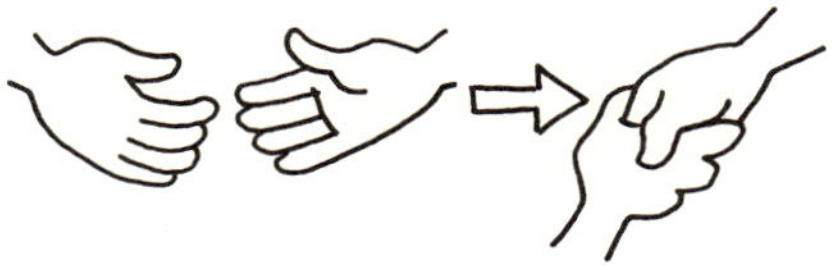

36℃　36℃　　72℃

36＋36＝72？

①キラリと光った水玉2つが、アッ、ひとつになった。

“ひとつ”と“ひとつ”で“ひとつ”になった。

②ポッカリ浮かんだ雲ふたつ。アレレッ、ひとつになった。

“ひとつ”と“ひとつ”で“ひとつ”になった。

子どもでなくても、心が和む風景だが、これを「数学のふるまい」としては、「1＋1＝1」としてはいけない。数学は標準的・規範的な場合を扱うので、変化するものや消滅するものを数えたり、たしたりすることはできない。

③ゾウとアリで、1＋1＝2、④大木《たいぼく》と爪楊枝《つまようじ》で1＋1＝2

これは逆に、どうも？と思ってしまう。「2」と言ってもいいんだろうかと疑問がわく。これらは、計算としては正しいが、「どういう意味があるか」は不明である。しかし「たそうと思えばたせる」のが困ったところで、意味については、たす人が責任をもたなければならない。

⑤水1ℓとアルコール(C_2H_5OH)1ℓをたすと2ℓ……

と思いがちだが、ところがどっこい、そうはならない。実験では1970㎖弱になってしまった。これは、分子レベルのことがからんでいるらしい。質量保存の法則はあっても、体積保存の法則はないのだ。

⑤36℃と36℃が手をつなぐと、やはり36℃

興奮したりすると少しは上がるが…。学生に、この質問をしたら、とっさに「72度」と答えた。田舎のおばあさんに質問したら、「バカなこと言うんじゃねぇ。36度のまんまだ」。

たし算とは、「いくつかの変化しないものの集団をひとまとめにした総数」を計算するのが基本で“大原則”！　ただし、そこにどんな意味があるのかは、たす人の自己責任で。

5 上手な数え方教えて！

多数の紙幣の枚数を数えるとき、銀行員は手際よくバサバサとさばいて、「ご」「じゅう」「じゅうご」……と5枚ずつ数えているのを見かける。

素人は、なかなかそうはいかない。ふつうは2枚ずつ数えながら「に」「し」「ろー」「はー」「とー」……と口ずさむ。

もう少し、はやくなる方法は、3枚2枚、3枚2枚、……と数えながら「いーち」「にーい」「さーん」……と口ずさむ。最後が「きゅう」で、3枚残りなら、5×9＋3＝48枚ということになる。

釣り銭の1円玉を箱に貯めていると、いつのまにかイッパイになっている。何個あるか数えるには、やはり……

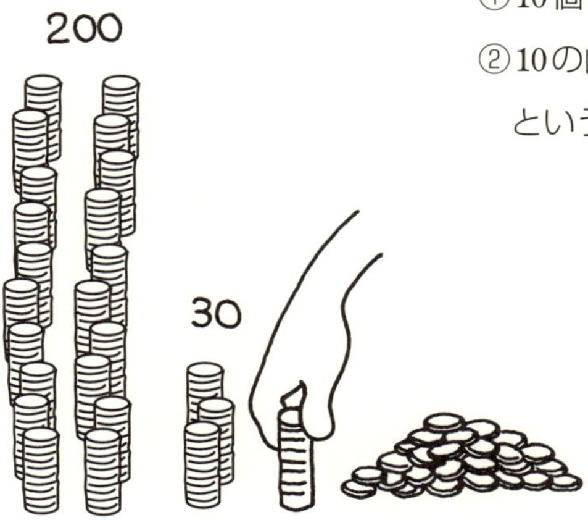

①10個ずつ積み上げてならべていく
②10の山を10本ずつならべる

というのが順当な方法だ。

これは10（十）でひとまとまりになり、十の十倍が百、百の十倍が千…という十進法に合わせた、合理的な数え方である。

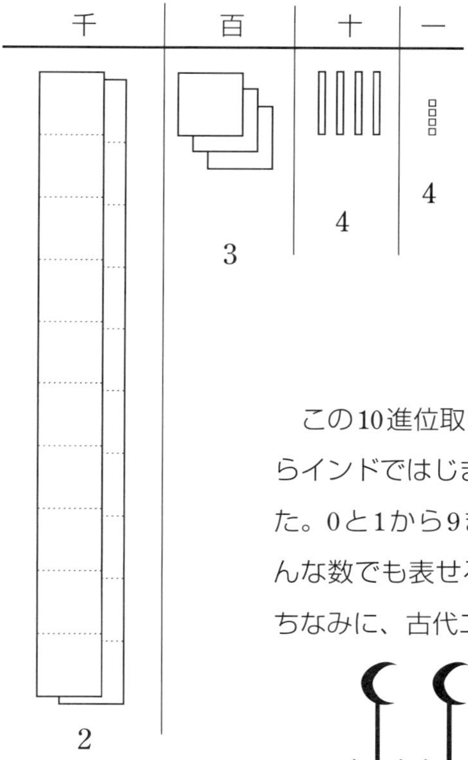

数を書き表すときに、とても大事なのが、ご存じ「位取り記数法」だ。

二千三百四十四と表したのと、2344と表したのでは決定的な違いがある。2344では、数字の場所によって、それが表す「位」が違う。

この10進位取り記数法は、5〜6世紀ごろからインドではじまり、ジワジワと広がっていった。0と1から9までの10個の数字だけで、どんな数でも表せるのは、先人たちに感謝感謝。

ちなみに、古代エジプトの記数法では2344は

と表していた。紀元前3000年頃の話である。

ついでに、1と0だけで表すのが、2進位取り記数法。

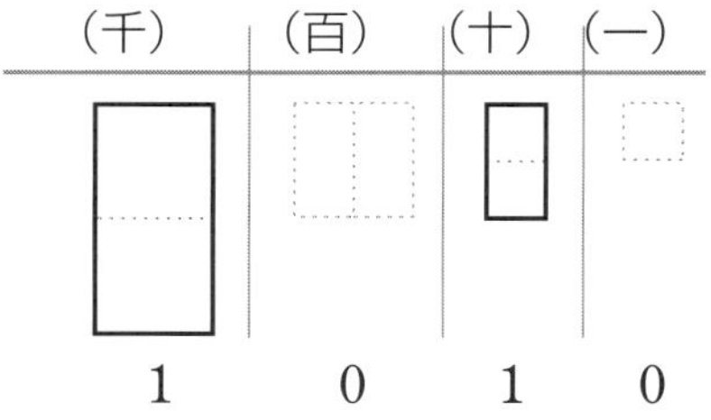

2進法で1010とは10進法では単位の□を数えると、10になる。

電卓・コンピュータ時代、みんな無意識にお世話になっている、おもしろい数え方！

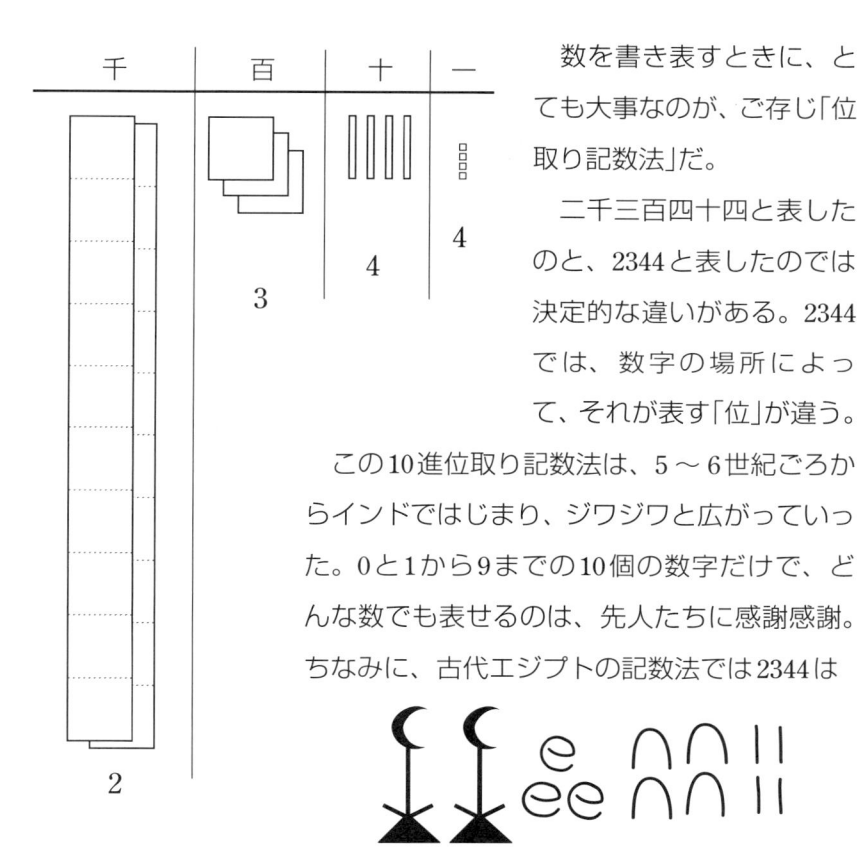

6 どこまで大きい数があるの？

いくらでもある。次々に1を加えていけば限りが無く大きな数はできる。限りが無いから、無限！

昔の人も大きい数には興味をもったらしく、いろんな名前（読み方）が考案されている。これを数詞という。

旧トルコ紙幣（1000000 トルコリラ）

	読み方（数詞）
1	一
10	十
100	百
1000	千
1,0000	万
10,0000	十万
100,0000	百万
1000,0000	千万
1,0000,0000	億

以下、桁数が4つ増える（1万倍）ごとに

1,0000,0000,0000	兆
1,0000,0000,0000,0000	京（けい）
1,0000,0000,0000,0000,0000	垓（がい）
1,0000,0000,0000,0000,0000,0000	秭（じょ）
1,0000,0000,0000,0000,0000,0000,0000	穣（じょう）
1,0000,0000,0000,0000,0000,0000,0000,0000	溝（こう）
1,0000,0000,0000,0000,0000,0000,0000,0000,0000	澗（かん）
1,0000,0000,0000,0000,0000,0000,0000,0000,0000,0000	正（せい）

著者は兆までしか使ったことがないし、それ以上の数詞は覚えていない。たぶんだれも澗などまで使って大きな数を読むことはないと思う。しかし途中で名前がなくなるのも気になったとみえて、まだまだ続く。以下、江戸初期に出版され和算の発展のもとになった吉田光由の『塵劫記(じんこうき)』から。

1のうしろに0が	40個が	正(せい)だったが、さらに
1のうしろに0が	44個	載(さい)
	48個	極(ごく)
	52個	恒河沙(ごうがしゃ)
	56個	阿僧祇(あそうぎ)
	60個	那由他(なゆた)
	64個	不可思議(ふかしぎ)
	68個	無量大数(むりょうたいすう)

あまりに大きすぎて、ほとんど遊びの世界である。しかも、もともと中国から伝わったものだし、同じ塵劫記でも十万を億、十億を兆のように十倍刻みの版や、恒河沙から先は億倍刻みの版もある。

ところで、0が4個増えるごとに名前が変わるのだから、大きい数をカンマで区切るのは4つごとが適している。それなのに現在日本でも3桁ごとに区切ってカンマを付けるようになってしまった。「3桁区切り」が読みやすい、ヨーロッパの数詞の影響である。たとえば英語(米)の場合：

1	one	(ワン)
1,000	thousand	(サウザンド)
1,000,000	million	(ミリオン)
1,000,000,000	billion	(ビリオン)
1,000,000,000,000	trillion	(トリリオン)

7 10進位取り記数法、n進法

下に描かれたタイルは、全部で何個あるだろうか？

ひとつずつ数えるのが大変だから、10ずつまとめてみよう。

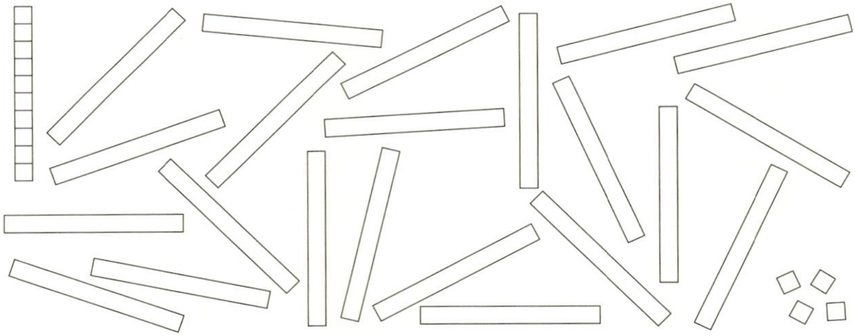

さらに、10ずつまとめると……タイルの数は二百三十四個。

これを

234

と書くのが、10進位取り記数法である。この数を式で書くと

$2 \times 10^2 + 3 \times 10 + 4$　となる。

23,045を式で表すと、$2 \times 10^4 + 3 \times 10^3 + 0 \times 10^2 + 4 \times 10 + 5$、

2.34を式で表すと、$2 + 3 \times \frac{1}{10} + 4 \times \frac{1}{100}$となる。

この位取り記数法の発明によって、0から9までの10種類の数字で、どんな大きい数も、どんな小さい数も簡単に表せるようになった。ひょっとしたらこれは人類最大の発明のひとつかもしれない。

数を10ずつまとめる代わりに2ずつまとめて表すやり方を2進法という。下のように、29個のバラのタイルを2つずつまとめていくと……。

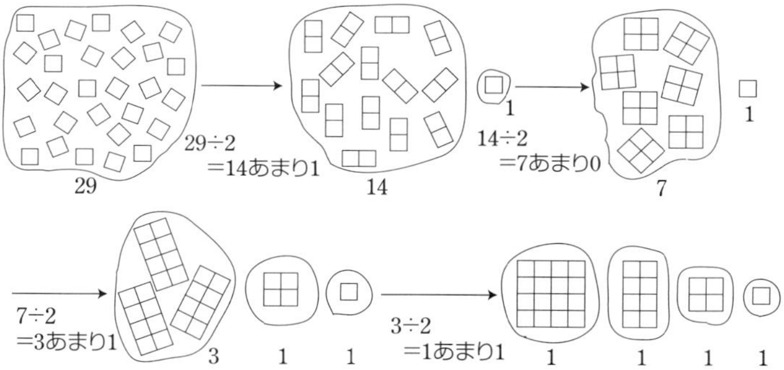

2進法での記数11101が得られる。この数を式で書けば

$$1 \times 2^4 + 1 \times 2^3 + 1 \times 2^2 + 0 \times 2 + 1$$

となる。

一般に、n進法とは、数をnずつまとめて表すやり方で、式で書けば次のようになる。

$$a_k \cdot n^k + a_{k-1} \cdot n^{k-1} + \cdots\cdots + a_2 \cdot n^2 + a_1 \cdot n + a_0$$

ただし係数は$0 \leqq a_i < n$をみたす整数。この式が表している数を、n進法では$a_k\, a_{k-1} \cdots a_2 a_1 a_0$と書く。

情報処理の数学では、コンピュータと相性のよい2進法や16進法がよく使われる。

8 たし算とひき算

2たす3は5

つまり2＋3＝5

であるが、これを読むとき

2と3を加えると5

という人と

2に3を加えると5

という人がいる。どちらも5に違いないが、イメージは微妙に違う。

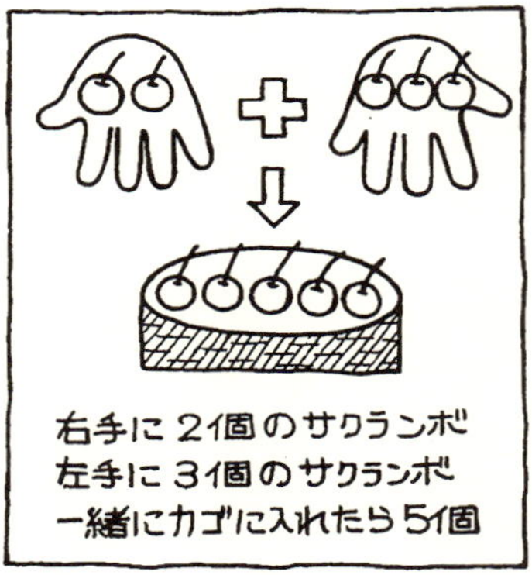
右手に2個のサクランボ
左手に3個のサクランボ
一緒にカゴに入れたら5個

2と3を加える

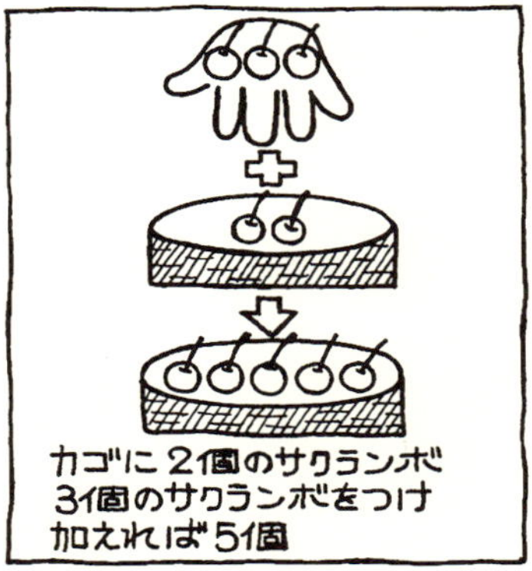
カゴに2個のサクランボ
3個のサクランボをつけ
加えれば5個

2に3を加える

との方を合併、にの方を添加とよぶことにする。

毎月コツコツ貯金していくのは添加。家を建てることになって、あり金を全部かき集めるのは合併、という感じ。

ひき算も使われる場面によって大きく分けて2通りあり、それぞれ「求残」「求差」とよばれている。

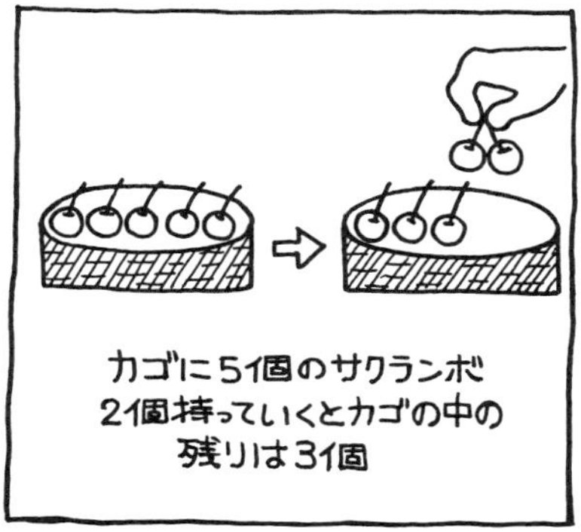

5から2をひくと3（求残）

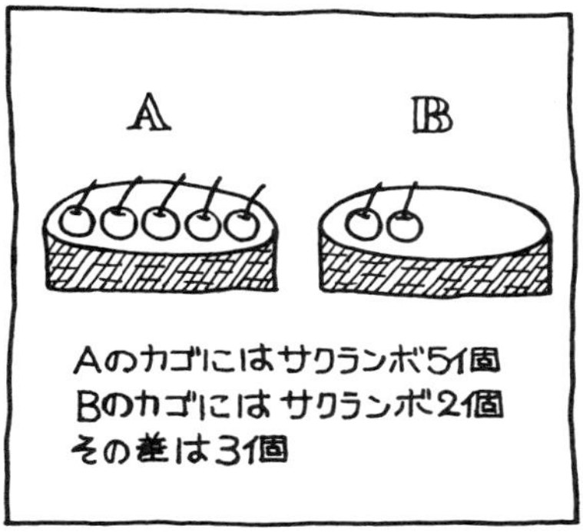

5と2の差は3（求差）

どちらも

$$5-2=3$$

というひき算で計算する。

求残の場合、2個のサクランボを戻せばもとの合計5個になるのだから、結局ひき算5－2は

$$\boxed{?}+2=5 \quad \text{または} \quad 2+\boxed{?}=5$$

となる $\boxed{?}$ を求めること。

求差でも同じで、5－2という差は

$$\boxed{?}+2=5 \quad \text{または} \quad 2+\boxed{?}=5$$

という $\boxed{?}$ を求めること。つまり、$x-y$とは、

$\boxed{?}+y=x$をみたす $\boxed{?}$ のこと

あるいは同じことであるが、（$y+\boxed{?}=x$をみたす $\boxed{?}$ のこと）と考えれば、応用上の意味の細かい区別によらず、ひき算を一般的・統一的に考えることができる。これがひき算の本質である。

9 かけ算とわり算

かけ算とはどのような計算だろうか。「ウサギが3匹います。耳は全部で何本あるでしょうか?」という問題を考えよう。

もし、ウサギ1匹あたりいつでも2本あることが確かなら、

2(本／匹)×3(匹)＝6(本)

というかけ算で答えを出すことができる(ここで(本／匹)は「一匹あたりの本数」の省略形である)。しかし、(あり得ない話であるが)図のようにウサギによって耳の数が異なっていたら、かけ算では答えを出せず、

2(本)＋3(本)＋1(本)＝6(本)

という、たし算で答えを出すほかにない。

このように、かけ算が成立するためには、大前提がある。すなわち、「1匹あたり必ず2本」のように「1あたりの量が一定」でないとかけ算が成立しない。つまり、かけ算とは、1あたりの量が一定のとき、全体の量を求める計算であるということができる。

(1あたりの量)×(いくつ分)＝(全体の量)

かけ算を考える際、右図のような面積をイメージした図で考えるとわかりやすい。抽象的な考えを、具体的なイメージに置きかえて考えたものを心理学ではシェーマとよんでいる。

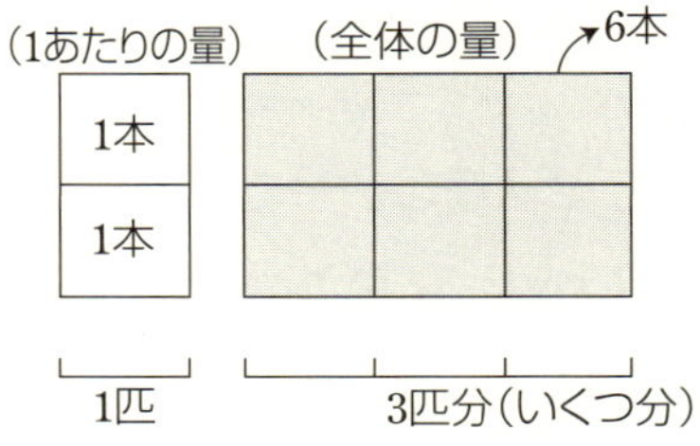

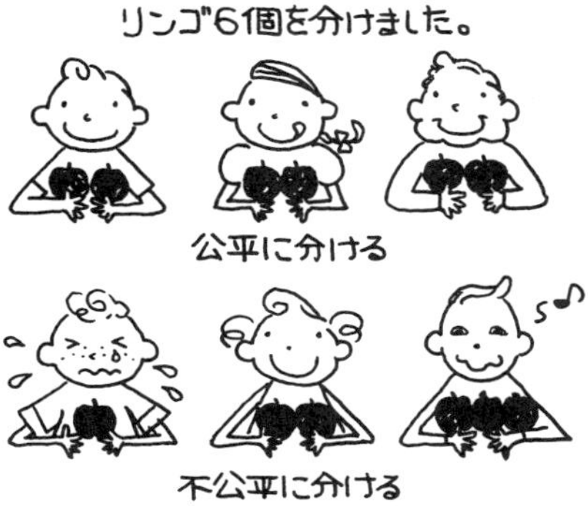

わり算とはどのような計算だろうか。「リンゴ6個を3人の友だちに分配する。それぞれ何個ずつもらえるか？」という問題を考えよう。

もし、このリンゴを3人に平等(均等)に分けるとすると、

6(個)÷3(人)＝2(個／人)

というわり算で答えを出すことができる。ところが、図のように不平等(不均等)に分けてもよいとすると、わり算では答えを出せない。

わり算が成立するためには、均等に分配するという大前提がある。つまり、わり算とは、1あたりの量を求める計算である。

(全体の量)÷(いくつ分)＝(1あたりの量)

ほかの応用もあるが、これが基本だと思ってよい。

ところで、12×3÷3＝12とか7÷5×5＝7のように、同じ数を「かけてわる」か「わってかける」と必ずもとにもどる。そこで「かけ算とわり算は逆演算である」といわれる。また一般に、

$x \div y = \boxed{?}$

という等式は、

$y \times \boxed{?} = x$ (あるいは $\boxed{?} \times y = x$)

に置きかえることができる。

このことを利用して、わり算を逆演算(つまりかけ算)で定義することができる：

$x \div y$とは、 $y \times \boxed{?} = x$　をみたす $\boxed{?}$ のことである。

〈注意〉もちろん $\boxed{?} \times y = x$　をみたす $\boxed{?}$ といってもよい。

10 0とはなにか

一輪のバラ。これからデートだ。ちょっと拝借して…。残ったのは0輪のバラ。

あるはずのものが無いのが「0」

0はすごい数でもある。

- たしても増えない　$a+0=a$
- ひいても減らない　$a-0=a$
- かけると必ず0に　$a\times 0=0$
- 0でわることは禁じ手
- 何でわってもわり切れる
  （$0\div a=0$で余りが出ないということ）
- すべての数の倍数ともいえる
  （$a\times 0=0$より）

今の世の中では、小学生から自在にあやつっている数「0」。

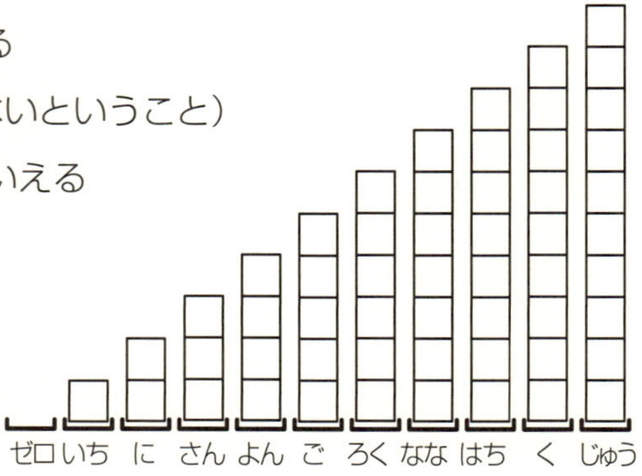

ところで、ゼロの記号が使われはじめたのは、5～6世紀のインドだったが、それが数としてヨーロッパで認められたのは12世紀頃で、日本では、江戸時代にも、零を数として扱った人はいなかった。

インドでの10進位取り記数法が、ゼロを数の大舞台へ押し上げたといってよいのだ。

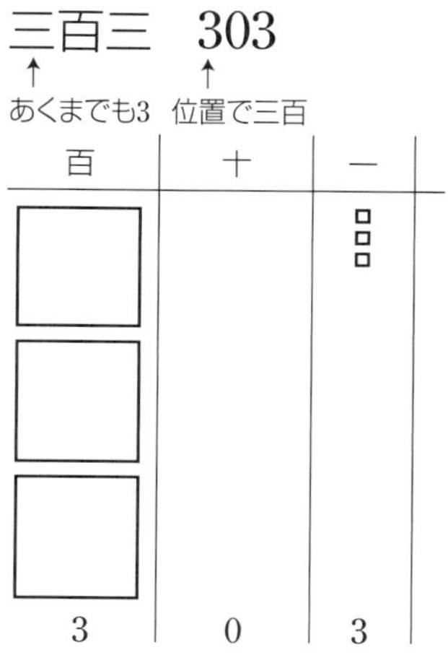

たとえば、日本流に三百三と書くと、「三」はあくまでも3なので、一方の三が300を表すことは、数詞「百」によって示される。一方303と書くと、最初の3はその位置(右から3桁め、百の位)から三百を表すことがわかる。子どもが、0の使い方に慣れていないと、三百三を33とか3003と書く。これでは位置が狂ってしまう。しかしこういう0の使い方が生まれるまでに、長～い時間を要したことを考えれば、あせることはない。

インド数字は 0, 1, 2, 3, 4, 5, 6, 7, 8, 9 の10個の記号で、どんな数も表せるというすぐれものである。他の記数法に比べると味気ない気はするが。

子どもたちに、自分の数字を作らせたら次のようなのがあった。

楽しいでしょう。でもこの“記数法”からゼロの必要性はでにくい。

11 $\frac{0}{0}=1$じゃないの?

$\frac{3}{3}=1$, $\frac{4}{4}=1$はご存じのことと思う。

もちろん$\frac{2}{2}=1$, $\frac{1}{1}=1$となる。

いきおい、$\frac{0}{0}=1$も成り立ちそうな気がするが、これはダメ。

もし$\frac{0}{0}=1$だとすると大変なことになる。というのは、

$$\frac{0}{0}=\frac{0+0}{0}=\frac{0}{0}+\frac{0}{0}=1+1=2$$

となったり

$$\frac{0}{0}=\frac{0+0+0}{0}=\frac{0}{0}+\frac{0}{0}+\frac{0}{0}=1+1+1=3$$

となったりしてしまう！　あるいは

$$0\times\frac{0}{0}=0\times1=0$$

かと思ったら

$$0\times\frac{0}{0}=\frac{0\times0}{0}=\frac{0}{0}=1$$

になってしまう！！

では一体$\frac{0}{0}$という分数はいくつなのだろうか？

結論は、そういう分数はない。分数として認めてはいけない。

なぜなら、そもそも$\frac{a}{b}$という分数は

$$b\times x=a$$

をみたすxのことであるから、もし$\frac{0}{0}$という分数を考えるなら

$$0\times x=0$$

をみたすxのこと。ところがこのxは1つの数として定まらない(xにどんな数を入れても成り立ってしまう)。

だから$\frac{0}{0}$という「数」は考えられない。

● $\frac{1}{0}$もない

$\frac{0}{0}$は数として認められないことをながめてきたが、同じように分数の仲間に入れられないものに$\frac{1}{0}$, $\frac{2}{0}$, $\frac{3}{0}$のように分母が0で分子が0でない形がある。

たとえば$\frac{1}{0}$という分数を考えるなら

$$0 \times x = 1$$

をみたすxのこと。ところがこのようなxは1つも存在しない(0をかければ0になるはず)。

具体的な例で考えてみよう。

a時間で$b$km進む自動車の平均速度は$\frac{b}{a}$km／時として求められる。しかし、0時間で0km進む自動車の速度を形式的に$\frac{0}{0}$km／時と表したところで意味がない。というのは、その自動車の速度はそもそもわからない。0時間で1km進む自動車の速度を形式的に$\frac{1}{0}$km／時と表したところで意味がない。なぜなら、そもそも0時間で1km進むはずがない。

電卓で$0 \div 0$や$1 \div 0$を計算するとE(エラー)表示がでる。

0で割ること、つまり分母が0の分数を考えることは、数学ではご法度なのである。

12 マイナスとはなにか

この世にマイナスの数などないと信じている人も多いようである。たしかに「ないものより小さい数などない」と考えるのも、もっともな話である。

「無いもの」すなわち「無としての0」しか考えられない場合は、マイナスの数は存在しない。しかし、数0は、そのほかに「相対的な基準としての0」の意味を持たせることができる。この「基準の0」の了解なくして、マイナスの数の理解はできない。

<時間における無の0>

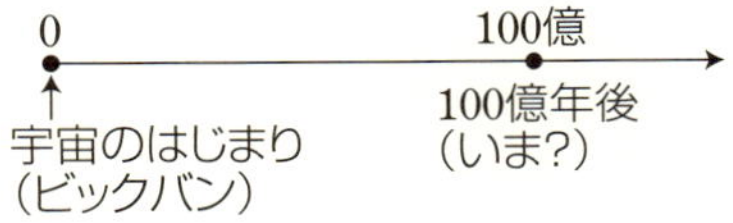

<時の流れにおける基準の0>

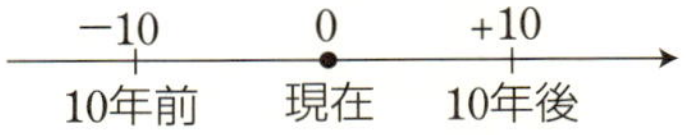

時間は宇宙のビッグバンとよばれる大爆発によって生まれたらしい。この瞬間を「無の0」として宇宙の絶対年齢を考えることができる。この瞬間より「前」ということは、宇宙も時間もなかったので、誰にも考えることができない。

一方、現在を「相対的な基準の0」とみなし、10年後の未来をプラス10（＋10）、10年前の過去をマイナス10（－10）と約束してみよう。こうすると、時間におけるマイナスの数は、別に不思議でもなく、単にある（相対的）基準年から過去の時刻を表す数にすぎない。

また、温度は、本来、分子の運動状態の指標であり、分子の運動が激しい状態では温度が高く、穏やかな状態では低いとする。そして、分子の運動が完全に静まった理想的な状態を絶対零度とよび、0 K《ケルビン》と表す。これが、温度における「無の0」である。0K(絶対0度)より低い温度は誰にも考えることができない。

＜温度における無の0＞

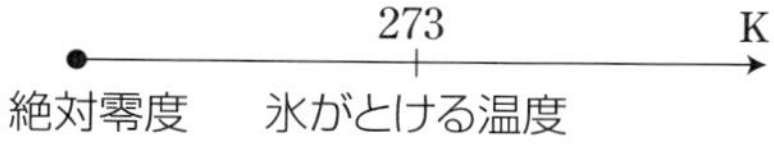

＜温度における基準の0＞

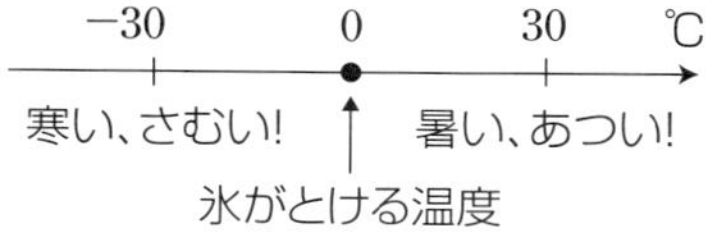

一方、一気圧で氷がとける温度(273K、正確には273.15K)を零度とよび0°Cと表す。これが、温度における「基準の0」である。そして水が沸騰する温度を100°Cとして目盛りをつくったのが摂氏温度なのだ。

こうすると、温度におけるマイナスの数も、別に不思議でも不条理でもなく、寒い北国の冬では、日常茶飯事に体験できる数である。

また、数0は、「バランスとしての0」の意味を持たせることもできる。

金融では、3万円の財産と3万円の借金を合わせると相殺されて後は何も残らない。

財産をプラス、借金をマイナスとして式で表すと

$$(+3)+(-3)=0$$

となる。これが「バランスの0」。

＜金融におけるバランスの0＞

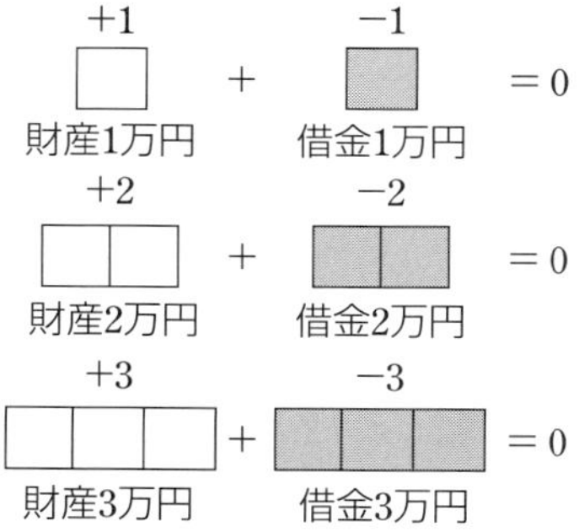

この「バランスの0」のアイデアを使って、右図のように正負の数のたし算のしくみを、わかりやすく説明することができる。

＜正負の数の加法＞

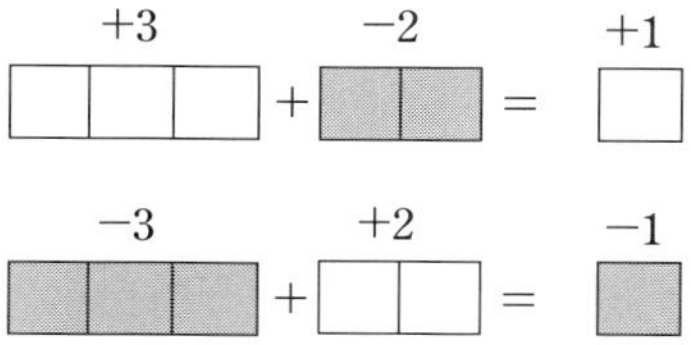

13 絶対値とは

5の絶対値、すなわち｜5｜とは、原点から点5までの距離で、5。

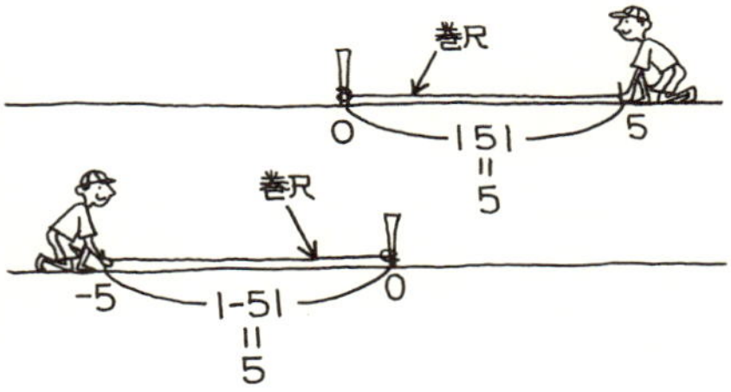

－5の絶対値、｜－5｜とは、原点から点－5までの距離で、5。

｜a｜とは、原点から点aまでの距離ということ。これを形式的に書くと、

$a \geqq 0$のとき、｜a｜$=a$, $a<0$のとき｜a｜$=-a$

というふうに、わかりづらくなる。

また「符号を取れ」と教える人もいる。｜－5｜＝｜＋5｜＝5はよいのだが、｜5｜＝??で悩んでしまう。「5は＋5の省略形」と思えばよいのだが、「手作業で覚える」のは「意味が見えない」という欠点があるので要注意！

｜$x-3$｜とは、点3から点xまでの距離ということ。

たとえば、

｜$x-3$｜＝5なら、図のように、$x=-2$, 8とすぐわかる。

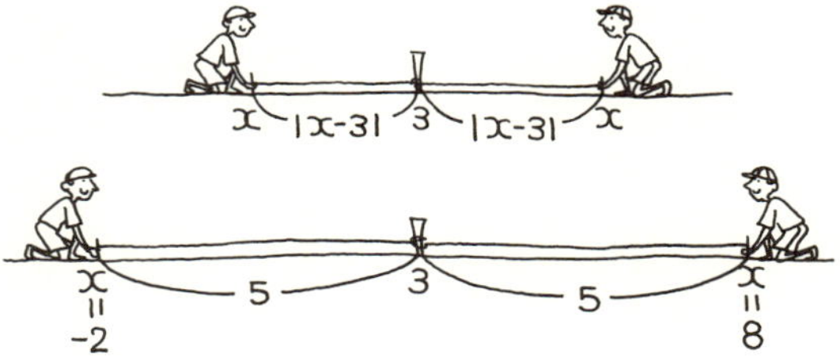

これを

$x-3 \geqq 0$のときは

$x-3=5$　だから　$x=8$、

$x-3<0$のときは、$-(x-3)=5$　だから　$x=-2$

と求めることを身につけただけでは、絶対値の本質がみえなくなる。

ベクトル(270ページ参照)でも、絶対値と同じ記号(｜　｜)を使う。ただし、絶対値とよばず「大きさ」という。しかし、共通なことは距離を表すことである。

ベクトル$\vec{a}$の成分を$(3,\ 4)$とし、

$\left|\vec{a}\right|$を求めると

$$\left|\vec{a}\right|=\sqrt{3^2+4^2}=\sqrt{25}=5$$

となる。

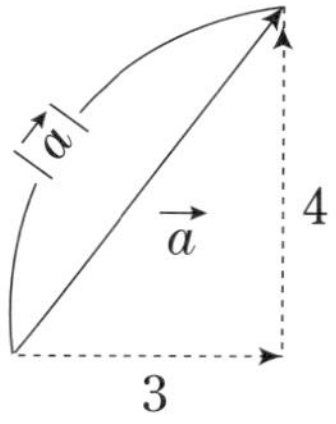

$-\vec{a}$は、$\vec{a}$とは向きが反対のベクトルで、

成分は$(-3,\ -4)$となり

$$\left|-\vec{a}\right|=\sqrt{(-3)^2+(-4)^2}=\sqrt{25}=5$$

となる。

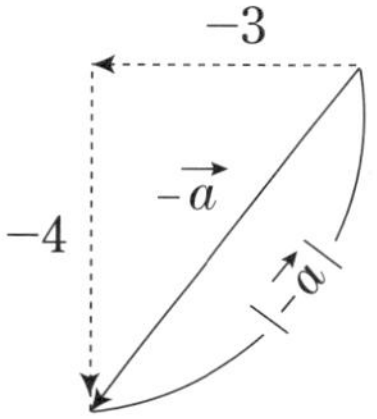

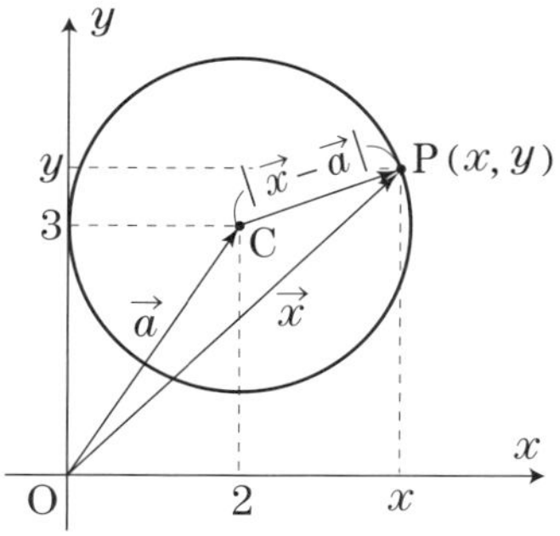

$\vec{a}=(2,\ 3)$とすると

$$\left|\vec{x}-\vec{a}\right|=2$$

は平面の点$(2,3)$からはかって、距離が2である点を示す。それは点$(2,3)$を中心にして、半径が2の円になる。

$\overrightarrow{CP}=\vec{x}-\vec{a}$ の成分は、$(x-2,\ y-3)$となるので

$\left|\vec{x}-\vec{a}\right|=\sqrt{(x-2)^2+(y-3)^2}=$ 2となる。

両辺を2乗すると$(x-2)^2+(y-3)^2=2^2$

これが$(x,\ y)$を使った中心を点$(2,3)$とし半径が2のふつうの円の式。

14 デカルトのかけ算

デカルト（René Descartes 1596 ～ 1650）の著作『幾何学』の第1巻「円と直線だけを用いて作図しうる問題について」の中に、次のような記述がある。（白水社『デカルト著作集Ⅰ』、原亨吉訳）

［乗法］

たとえば、AB［第1図］を単位として、BDにBCをかけねばならぬとすれば、点AとCを結び、CAに平行にDEをひけばよい。BEはこの乗法の積である。

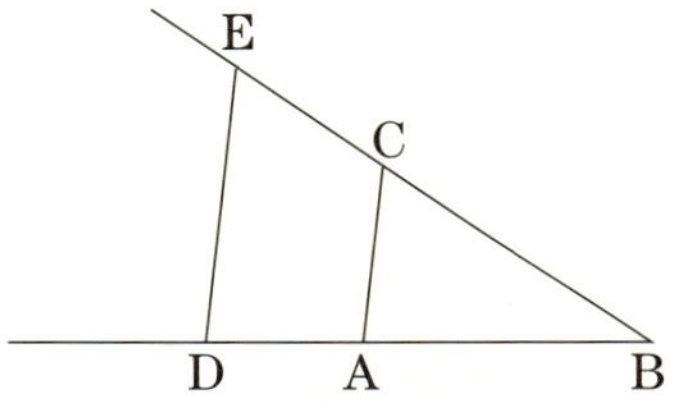

［第1図］

同じことを数直線を用いて表すと次のようになる。

（下の図は上の図を時計回りに150°ほど回転させた位置になっている。）

①x軸上の○と、y軸上の1を結ぶ。

②y軸上の△から、①で作った直線に平行線をひき、x軸との交点を読む。それが○と△をかけ算した答えとなる。

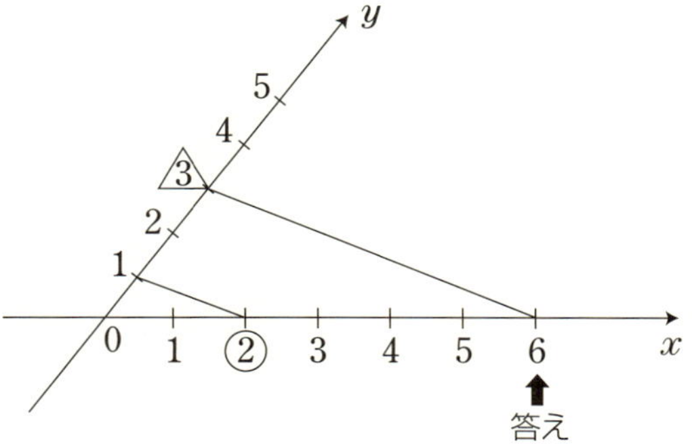

これは平行線による相似拡大を上手に使っている。つまり2つの三角形の相似により、y軸上の1から△までの拡大率が、x軸上の○から答えまでの拡大率と同じだから、答えは ○ ×《かける》 △ となる。

もっとわかりやすく図示すると、次のようなイメージである。

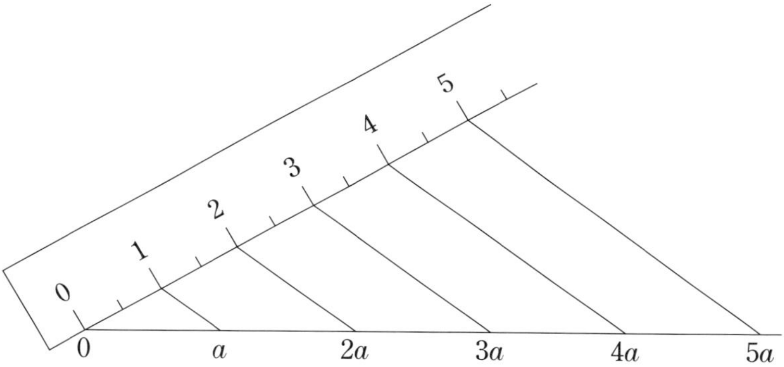

さて、おもしろいのは、このデカルトのかけ算の方法を数直線の負の部分にまで拡張すると

マイナス × マイナス＝プラス

の計算の答えも正しく求められる。

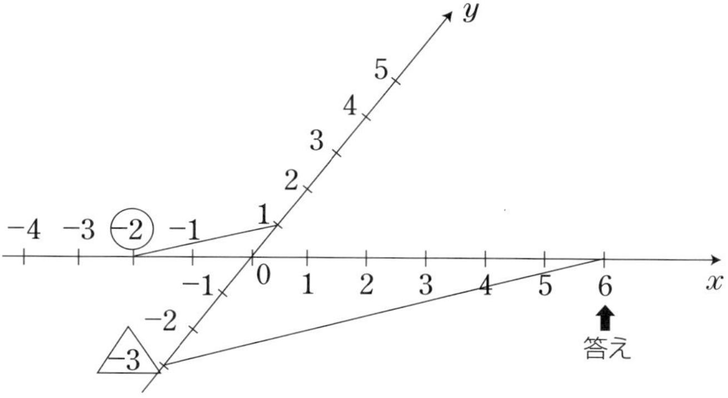

15 マイナスかけるマイナスはなぜプラス?

マイナスかけるマイナスがプラスだとすれば

(借金)×(借金)=(財産)

になるはずだが？　そんなバカな…と思われるかもしれないが、そもそも(借金)×(借金)がバカげているのである。

考えてみてほしい。(300円)×(50円)にどういう意味があるのだろうか。意味のない計算をすれば、無意味な答えになっても、ふしぎはない。それを数学のせいにするのは、「$2\times x=6$のxに、借金を代入したら　借金＝3になった。バカげている」と言うようなものである。

意味のあるかけ算を考えるためには、

(1あたりの量)×(いくつ分)＝(全体の量)

という形にあてはまる例で考えないといけない。

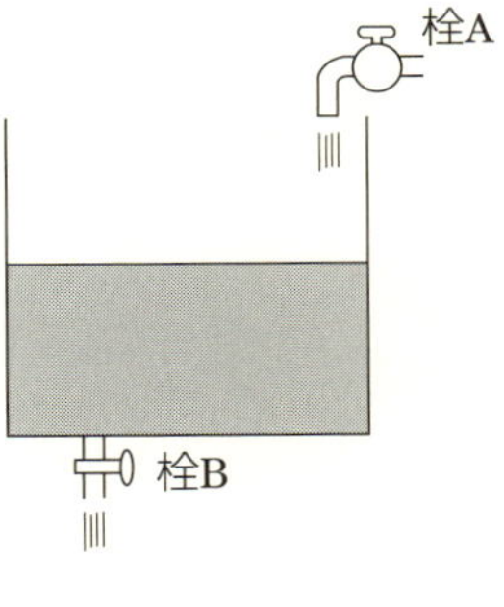

右図のような水そうを考える。栓Aを開くと1分あたり5ℓの水が流入し、栓Bを開くと1分あたり5ℓの水が流出する。これを、

栓A：＋5(ℓ／分)、栓B：－5(ℓ／分)のように表す。

また、未来をプラス、過去をマイナスとし、水そうの水が増えた分をプラス、減った分をマイナスと決めて、以下の現象を正負の数のかけ算で表してみよう。

①　栓Aが開いた状態で、3分たつと水は15ℓだけ増えるので

$(+5)\times(+3)=+15$

②　栓Aが開いた状態で、3分前には、水そうの水は15ℓだけ少なかったはずなので、

$(+5)\times(-3)=-15$

③　栓Bが開いた状態で、3分たつと水そうの水は15ℓだけ減少するので

$(-5)\times(+3)=-15$

④　栓Bが開いた状態で、3分前には水は15ℓだけ多かったので、

$(-5)\times(-3)=+15$

④からわかるように⊖×⊖＝⊕と決めるのが自然なのである。

しかし、どうせ数学は約束事で作られているのだから⊖×⊖＝⊖と決めたっていいではないかという人もいるかも知れない。

では、⊖×⊖＝⊖と決めたときと、⊖×⊖＝⊕と決めたとき、どのようなことが起こるか調べてみよう。

平面上の点A(x, y)のy座標に-1をかける変換を考えよう。

$A(x, y) \longrightarrow A'(x, y\times(-1))$

もし⊖×⊖＝⊖だったら図1は図2のように折りたたまれて、ウサギも苦しそうである。

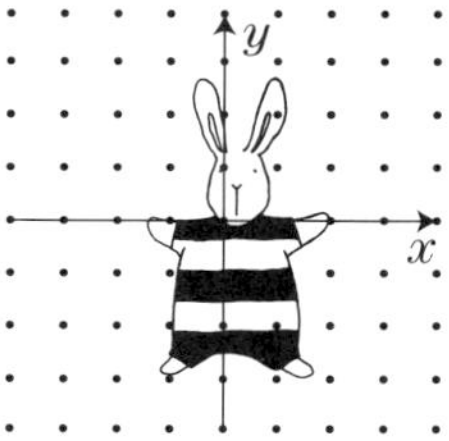

[図1]

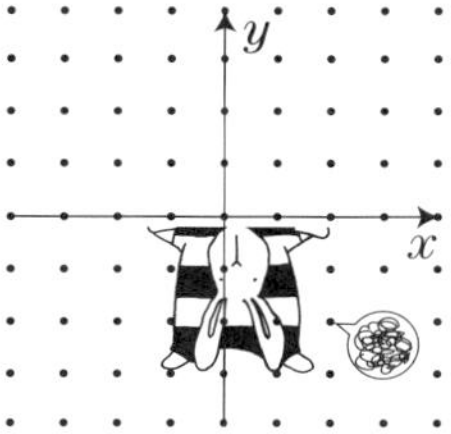

[図2]

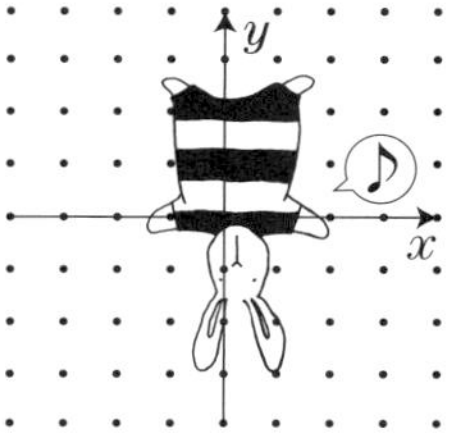

[図3]

⊖×⊖＝⊕だったら図1は図3のようになりウサギも楽しそうである。やはり、⊖×⊖は⊕に限るようだ。

16 分数と小数

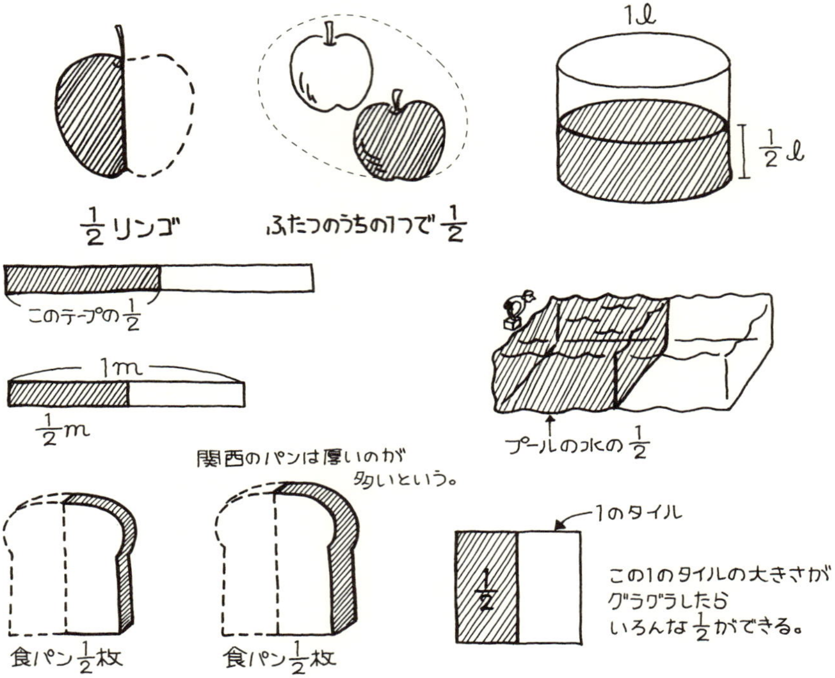

いろんな $\frac{1}{2}$ がある。分数を考えるときは、基準の量の「1」を、ことさら意識する必要がある。

分数は、主に西洋の文明の中で育ってきた。ギリシャ時代、すべての長さは、整数の比で表されると思っていたところにも、その原因があるのかもしれない。

0.5と言えば…

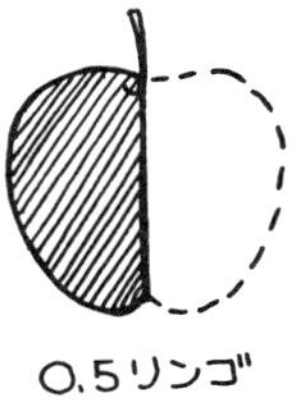

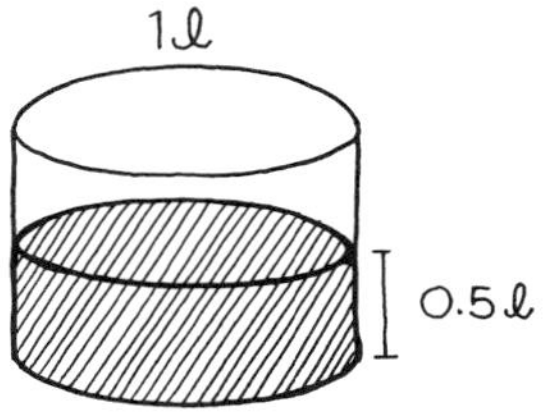

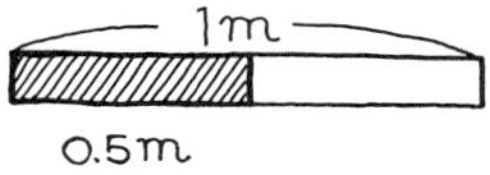

小数は分数よりは基準の1を思いおこさせる

小数は、西洋では16世紀に発見された。

東の文明は、命数法として分(0.1)、厘(0.01)、毛(0.001)…とし、小数の考えを中心にして計算してきた。

分《ぶ》	0.1
厘	0.01
毛	0.001
糸	0.0001
忽《こつ》	0.00001
微	0.000001
繊	0.0000001
沙《しゃ》	0.00000001
塵《じん》	0.000000001
埃《あい》	0.0000000001
渺《びょう》	0.00000000001
莫《ばく》	0.000000000001
模《も》糊《こ》	0.0000000000001
逡巡《しゅんじゅん》	0.00000000000001
須《しゅ》臾《ゆ》	0.000000000000001
瞬息《しゅんそく》	0.0000000000000001
弾《だん》指《し》	0.00000000000000001
刹《せつ》那《な》	0.000000000000000001
六徳《りっとく》	0.0000000000000000001
空虚《くうきょ》	0.00000000000000000001
清浄《せいじょう》	0.000000000000000000001

「数学小辞典」矢野健太郎編(共立出版)より

歩合を表す「割」も0.1でこれが割り込んで、今では「分」は0.01＝1%とされることが多くなった。

「腹8分目」とは、腹8%ではなく、80%のこと。

17 半端を表す

たとえばある長さを測るとき、単位(1とする長さ)が何個分あるかで数えるのだが、ちょうどぴったり測れるということはめったになく、たいていの場合、半端(はんぱ)が出る。

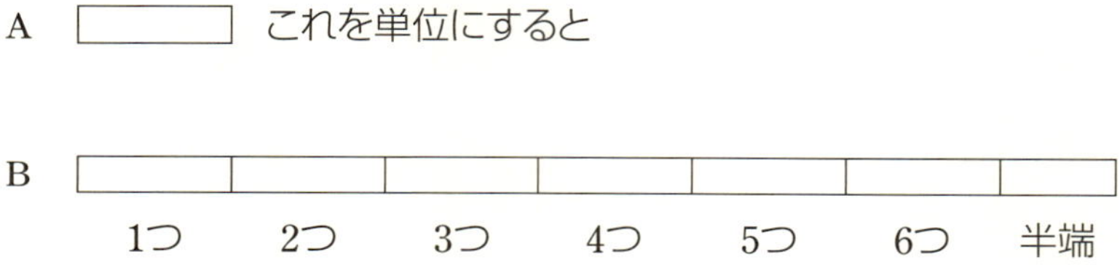

したがって、Aの長さを1とするとBの長さは「6とちょっと」という長さになる。

前項でも見たように、この半端を測る方法として2種類ある。

(その1)分数

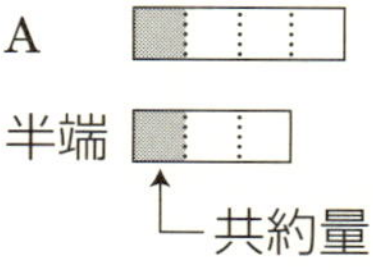

その1つは、「単位の長さ」に対する「半端の長さ」の割合を、分数で表す方法である。その分数を見つけるには、単位の長さと半端の長さの両方をぴったり測りきれる共通の長さ(共約量ともよばれる)が見つかるとよい。

上の例では、共約量が $\frac{1}{4}$ であり、半端の長さはその3つ分であるから $\frac{3}{4}$ で表される。

だからB全体の長さは、$6\frac{3}{4}$ となる。

日常生活では、この共約量はいわゆる目分量でだいたいの見当をつけて済ます。しかし、厳密に考えると、あらゆる2つの長さには必ず共約量があるのか、もしあったとすればどういう手続きでそれを求められるか、という2つの大きな問題につき当たる。これは実は数学の発展にとっては大切なポイントとなったのであるが、本書では234ページや328ページで扱われる。

(その2)小数

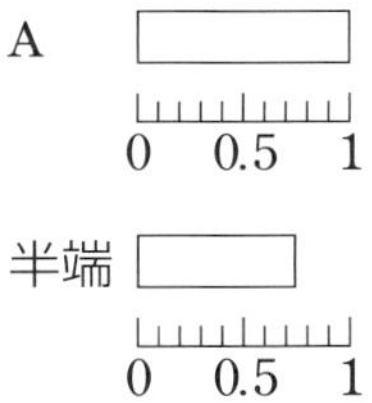

もう一つの方法は、単位1の長さを10等分して、前もって0.1, 0.2, 0.3, ……というものさしを作っておく方法である。0.1の長さをさらに10等分して0.01, 0.02, 0.03, ……と細分することもできる。

左の例では、0.75となる。

だからB全体では6.75と小数で表せる。

半端物、中途半端などなど、半端という言葉はあまりいいところでは使われないが、しかし数の世界では半端こそ分数や小数の生みの親である。

日本では、日常的には半端を表すのに小数の方が多用され、たとえば次のようなところに出てくる。

(ア)マラソンコースの距離　42.195km

(イ)1升ビンのお酒　1.8ℓ

(ウ)新聞に毎日載る気温

11日の気温(15時まで)と天気(15時)

	最高	平年	最低	平年	天気
札　幌	−4.2	2.6	−6.9	−4.2	晴
仙　台	6.3	8.8	2.2	0.7	雪
新　潟	6.6	8.8	4.4	2.5	雪
東　京	13.4	12.7	9.8	4.4	快晴
名古屋	12.4	11.8	6.5	2.5	晴
金　沢	8.4	10.5	4.7	3.2	雨
大　阪	13.7	12.5	10.6	4.6	晴
広　島	12.8	11.8	8.3	2.9	雨
松　江	11.9	11.3	7.4	3.2	雨
高　松	13.4	12.2	10.5	2.9	晴
福　岡	12.7	12.8	8.4	5.1	晴
鹿児島	16.4	15.3	10.7	4.8	晴
那　覇	22.3	21.0	20.1	16.0	曇

18 比率を表す

分数や小数が比率を表すこともある。そのいくつかの例を取り上げてみよう。

●打率

打率は $\dfrac{(\text{ヒット数})}{(\text{打　数})}$ という式で表される。打数とは打席に入った数からフォアボール、デッドボール、それからバントなど犠打の数を引いたものである。たとえば、100打数のうちヒットを33本打った選手の打率は、

$$\frac{33}{100}=0.33\quad \text{すなわち}\quad 3\text{割}3\text{分}$$

ということになる。3割打者の打率は0.3…であり、2割打者の打率は0.2…であるので、たった0.1くらいしか違わない。しかし、実際の試合では、作戦の変更を考えるほど大きな差でもある。

●アルコール濃度

アルコール濃度は、$\dfrac{(\text{酒の中のアルコール重量})}{(\text{酒の重量})}$ という式で表される。アルコール度数とは、この比率を百分率で表したものである。

たとえば、酒800gの中にアルコール120gが入ったもののアルコール濃度とアルコール度数は

$$\frac{120\text{g}}{800\text{g}}=0.15\quad \text{すなわち}\quad 15\text{度}$$

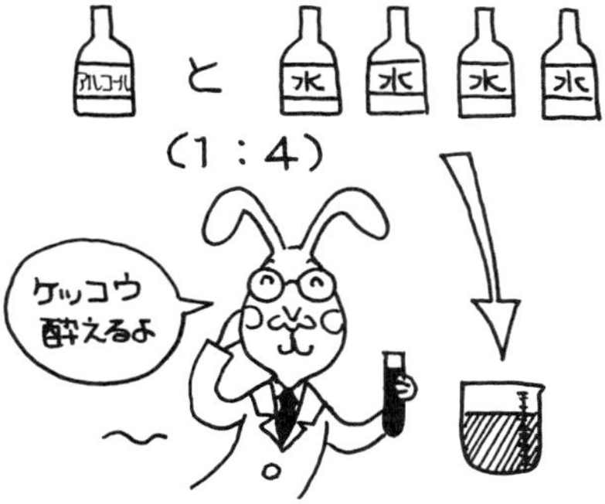

ということになる。学生の頃、実験室のエチルアルコールを水で割った酒を飲まされたことがあった。アルコール100gを水400gで割った酒のアルコール濃度は

$$\frac{100\text{g}}{100\text{g}+400\text{g}}=\frac{100}{500}=0.2$$

すなわち20度ということになる。

●利益率と割引率

利益率は、$\dfrac{(\text{利益金})}{(\text{元金})}$という式で表される。

たとえば、原価800円の商品を定価1000円で販売したときの、利益率は

$$\frac{1000\text{円}-800\text{円}}{800\text{円}}=\frac{200}{800}=0.25$$

すなわち25%の利益率ということになる。

また、割引率は、$\dfrac{(\text{割引額})}{(\text{定}\quad\text{価})}$という式で表される。

たとえば、定価15万円の高級バッグを9万円で売ったときの割引率は

$$\frac{15\text{万円}-9\text{万円}}{15\text{万円}}=\frac{6}{15}=0.4$$

すなわち40%の割引率ということになる。

利益率や割引率のように、分母に元になる量、分子に増加・減少した量で表される比率は、いろいろな場面で出てくる。たとえば、

$$(\text{膨張率})=\frac{(\text{膨張した長さ})}{(\text{元の長さ})}\qquad(\text{成長率})=\frac{(\text{増加した量})}{(\text{元の量})}$$

19 かけて小さくなる、わって大きくなる

九九を習って、かけ算を知ってから、何千回もかけ算をしてきた。

3個ずつおまんじゅうを9人に配ると、3×9＝27(個)

車3台に車輪は何本？　4×3＝12(本)

生活の中でも、かけ算をしていくうちに

“かけ算すると大きくなる”

という実感が身にしみ込み、頭を支配してしまう。そんなとき

$400 \times 0.8 = 320$

に出会う。「かけたのにどうして小さくなるの？」と不思議になる。

かけ算って何だろう？

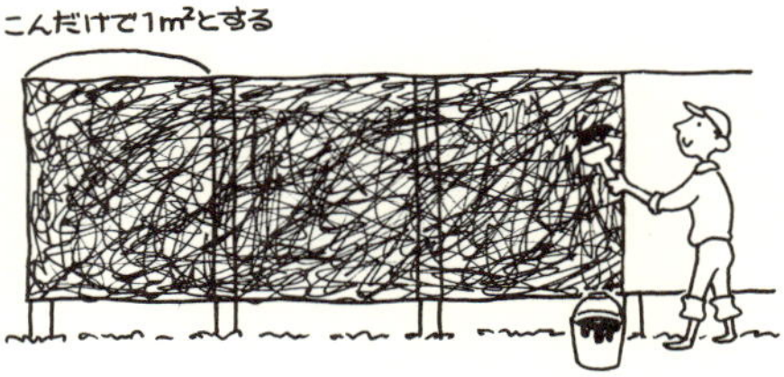

●ペンキを塀に塗るのに1m²あたり、400gのペンキを使うとする。3m²塗るのに何gのペンキがいるか？

というとき次のようにする。

$400\text{g/m}^2 \quad \times \quad 3\text{m}^2 \quad = \quad 1200\text{g}$

↓　↓　↓

1あたりの量×いくら分＝全部の量

0.8m²塗るときは

$400\text{g/m}^2 \times 0.8\text{m}^2 = 320\text{g}$

となり、意味を考えれば“小さくなってあたりまえ”である。

実生活では、利息の計算に「小さくなるかけ算」がよく現れる。

わり算を知る前から、りんごを2人で食べると、ひとり分は半分。お年玉では、3人兄弟だったら、一番下は3分の1以下になった！

わり算を習ったとき

27個のおまんじゅうを9人に配ると、ひとり何個と聞かれ

$27 \div 9 = 3$(個)

と答えて○。このような計算をくり返しているうちに、“わり算をすると小さくなる”という実感が身にしみ込み頭を支配してしまう。そんな時

$320 \div 0.8 = 400$

に出会うと、「わったのにどうして大きくなるの？」と不思議になる。

わり算って何だろう？

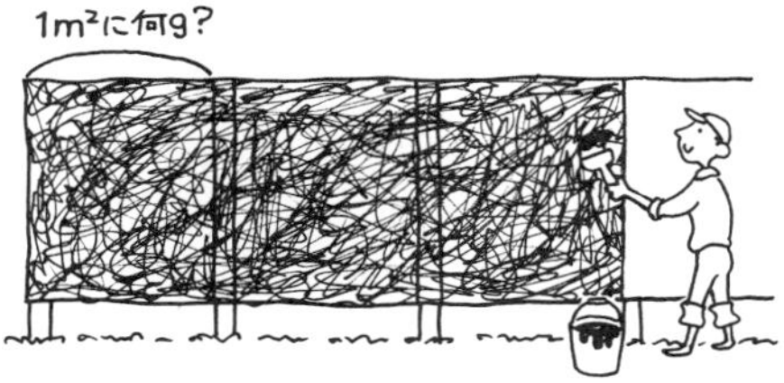

●ペンキを塀に塗ったら1200gのペンキで$3\mathrm{m}^2$塗ることができた。$1\mathrm{m}^2$あたり何g使ったの？

$$?\,\mathrm{g/m^2} \times 3\mathrm{m}^2 = 1200\mathrm{g} \Longleftrightarrow ?\,\mathrm{g/m^2} = 1200\mathrm{g} \div 3\mathrm{m}^2$$

↓　↓　↓　　　↓　↓　↓

1あたりの量×いくら分=全部の量　　1あたりの量=全部の量÷いくら分

より、$400\mathrm{g/m^2}$。

では、320gで$0.8\mathrm{m}^2$塗ることができたとき、$1\mathrm{m}^2$あたり何g使うことになるの？

$320\mathrm{g} \div 0.8\mathrm{m}^2 = 400\mathrm{g/m^2}$

となり、“大きくなってあたりまえ(?)”

20 $\frac{1}{2}+\frac{1}{3}=\frac{2}{5}$ はどうしていけないの？

ことの起こりは北海道のある農業高校の数学の授業だ。

先生が生徒たちに分数のたし算を復習させた。

先生「$\frac{1}{2}+\frac{1}{3}$ はどのようにして計算するの？」

ある生徒「$\frac{1}{2}+\frac{1}{3}=\frac{1+1}{2+3}=\frac{2}{5}$」

先生「えっ？　どうして」

以下がその生徒の説明。クラス中の生徒がみんな納得した。

2匹中、黒ブタが1匹。

3匹中、黒ブタが1匹。

一緒にすると

5匹中、黒ブタは2匹。

だから

$$\frac{1}{2}+\frac{1}{3}=\frac{2}{5}$$

読者の皆さんも納得されたのではないかと思う。

しかしちょっと待ってください。

$$\frac{1}{2}=0.5$$

$$\frac{1}{3}=0.3333\cdots$$

$$\frac{2}{5}=0.4$$

だから、これでは $0.5+0.3333\cdots=0.4$ だ！　おかしい。

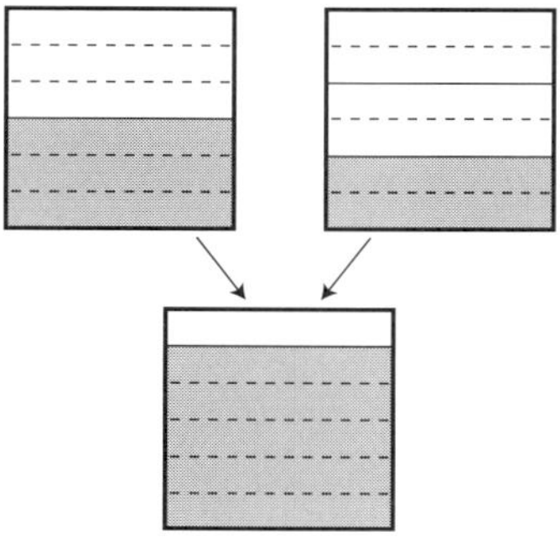

小学校では次のようにして教えてくれる。

「$\frac{1}{2}$ℓと$\frac{1}{3}$ℓの水があります。

これを一緒にすると

$\frac{1}{2}+\frac{1}{3}=\frac{3}{6}+\frac{2}{6}=\frac{5}{6}$

（ジャーと一緒にする）

ねっ、$\frac{5}{6}$ℓになったでしょ。」

つまり、分数のたし算は分母を通分してから分子だけを加えて

$\frac{B}{A}+\frac{C}{A}=\frac{B+C}{A}$　とする。

ちなみに

$$\frac{5}{6}=0.8333\cdots\cdots$$

だから、$0.5+0.3333\cdots=0.8333\cdots$で合っている。

では、黒ブタの計算$\frac{1+1}{2+3}$は、どこがいけないのだろうか。この計算は、黒ブタの比率を求める計算としては正しい。でもそれを$\frac{1}{2}+\frac{1}{3}$という分数のたし算だと思ってしまったところがまちがい。

ついでにつけ加えると、比率のたし算はむずかしい。たとえば

10匹中、黒ブタ5匹。3匹中、黒ブタ1匹。これを一緒にして

$$\frac{\text{黒ブタの数}}{\text{全体の数}}=\frac{5+1}{10+3}=\frac{6}{13}$$

とすると黒ブタの正しい比率（割合）が出るが、$\frac{5}{10}=\frac{1}{2}$だからといって$\frac{1+1}{2+3}=\frac{2}{5}$としたのでは、答えが違ってしまう。いろいろ考えさせられる問題である。

21 分数のわり算：どうして「ひっくり返してかける」の？

「どうして分数でわるとき、ひっくり返してかけるの」と聞くと、「小学校の時、何かダマサレタような気がする」という答えが返ってくることがある。たしか高畑勲の「おもひでぽろぽろ」というアニメ映画の中でも、主人公のタエ子が、小学校の5年の頃を思い出して「そういえば私は、あの分数でわると、なぜひっくり返してかけるのかわからなくて……人生に落ちこぼれたの……」と言う場面があったと思う。「たかが分数」「されど分数」である。

そこで、この疑問にこだわってみよう。

1秒間に $\frac{15}{4}$ mの速さで1200mを走る。何秒かかるか？

（距離）÷（速さ）＝（時間）　なので、この問題の計算式は

$$1200(\mathrm{m}) \div \frac{15}{4}(\mathrm{m}／秒)$$

となる。

さて、この式をかけ算で処理するには、どうしたらよいだろうか。

「$\frac{15}{4}$（m／秒）の速さ」とは「1秒あたり $\frac{15}{4}$ mの割合で走る」ことで、これは「4秒間で15mの割合で走る」ことになる。

これを、距離をベースにして見方を変えると「15mを4秒の割合で走る」ことになり、結局「1mを $\frac{4}{15}$ 秒の割合で走る」ことに等しくなる。

すなわち、次のようになる。

$$速さ\ \frac{15}{4}(\mathrm{m}／秒) \longrightarrow 速さ\ \frac{4}{15}(秒／\mathrm{m})$$

こうすると、初めの問題は、次の問題とまったく同じになるはずである。

1mあたり $\frac{4}{15}$ 秒の速さで1200mを走る。何秒かかるか？

この問題の計算式は、次のようになる：

$$\frac{4}{15}(\text{秒}/\text{m})\times 1200(\text{m})=320(\text{秒})$$

なるほど、分数のわり算は、分母と分子をひっくり返してかければよいことがわかった。

また、次のように考えてもよい。

$1200\div\frac{15}{4}$ とは、「1200の中に $\frac{15}{4}$ がいくつあるか」という問題である。

これを「$\frac{1200\times 4}{4}$ の中に $\frac{15}{4}$ がいくつあるか」といいかえてみよう。分母の4が共通だから、下の図より

$$1200\times 4\div 15=1200\times 4\times\frac{1}{15}=1200\times\frac{4}{15}$$

に等しい。

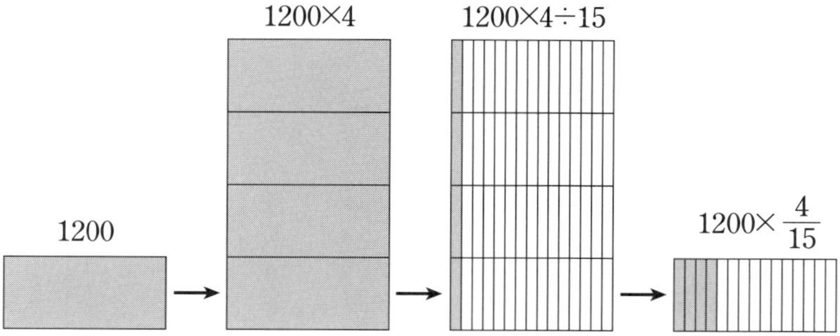

なるほど、分数のわり算は、分母と分子をひっくり返してかければいいのだ！（なお別の説明が327ページにある。）

22 無限との出会い：0.3333…

あくまでも友人の話。

「高校のときの数学の先生はヒドかった。15分遅れて教室にきて『あっ忘れ物をした』と言って職員室に帰ってしまうこともしばしば。ある日、『今日は無限の話をしよう』と言って、チョークで黒板に直線を描きはじめた。『直線には限りがない。無限ダ』と言いながら、黒板の端にきても、そのまま壁に描いて、扉を開けて廊下の壁にも描きながら行ってしまった。そのまま帰ってこなかった。無限ってスゴイと思った記憶がある。」

この友人は、立派な数学の教師になっている(教育はおもしろい?!)。

さて、$\frac{1}{3}$を小数になおすと

$$\frac{1}{3}=0.3333\cdots\cdots \qquad ※1$$

となるのは、みんなわりとスンナリ受け入れてくれる。これから起こる常識をゆさぶるような、"無限との出会い"に気がつかずに。

"等号の両辺に同じ数をかけても、等号は成り立つ"

という、あたりまえのことを、※1に適用してみる。

$$3 \times \frac{1}{3} = 3 \times 0.3333\cdots\cdots$$

よって$1 = 0.9999\cdots\cdots$　　※2

※2の式をみたら、多くの人は、「本当はちょっと差がある」と言い、「とにかく、納得できかねる」と猛反発する（ボクも今でも、心のどこかで反発している）。

あとについている“……”が曲者だ。“……”は「つづく」「どこまでもつづく」ということで、とどまることを知らない。100億桁つづけても、そこで停まってしまったら、無限でも何でもなく単なる「有限小数」で、1との差は、$10^{100\text{億}}$分の1もある。

“無限”といってしまった瞬間に、それは質が違う新しい世界に足を踏み入れている。

無限とは、有限ではなく、有限とも仲のよい別世界

ますます混乱！　混乱したついでに…

（1）10までの自然数と、10までの偶数の個数くらべ

自然数	1	2	3	4	5	6	7	8	9	10
	↕	↕	↕	↕	↕					
偶　数	2	4	6	8	10					

子どもがするように
ひとつとひとつを対応。
自然数の勝ち！

“ひとつ”と“ひとつ”を対応させて、もれなく対応がつけば同じ個数だとすると…

（2）全部の自然数と、全部の偶数の個数くらべ

自然数	1	2	3	4	5	6	7	8	9	10	11	12 …
	↕	↕	↕	↕	↕	↕	↕	↕	↕	↕	↕	↕
偶　数	2	4	6	8	10	12	14	16	18	20	22	24 …

えっ、対応がつくよ。よって、自然数全部の個数と、偶数全部の個数は、同じになる???　これであなたも、無限の世界に迷い込んでしまった！

23 分数を小数に直す

●有限小数と無限小数

たとえば分数 $\dfrac{5}{8}$ を小数に直すには、右のように5を8で割っていけばよい。

$$
\begin{array}{r}
0.625 \\
8\,\overline{\smash{)}\,5} \\
\underline{4\,8} \\
2\,0 \\
\underline{1\,6} \\
4\,0 \\
\underline{4\,0} \\
0
\end{array}
$$

$$\frac{5}{8}=0.625$$

このようにわり算が途中で終わるものもあるし

$$\frac{2}{3}=0.6666\cdots$$

のようにいつまでもつづくものもある。それぞれ、有限小数、無限小数とよんでいる。

●循環小数

おもしろいのは分母が7のときであり、がんばってわり算の計算をつづけていくと、

$$
\begin{array}{r}
0.428571\cdots\cdots \\
7\,\overline{\smash{)}\,3} \\
\underline{2\,8} \\
2\,0 \\
\underline{1\,4} \\
6\,0 \\
\underline{5\,6} \\
4\,0 \\
\underline{3\,5} \\
5\,0 \\
\underline{4\,9} \\
1\,0 \\
\underline{7} \\
3
\end{array}
$$

$$\frac{3}{7}=0.\underbrace{428571}\underbrace{428571}\underbrace{428571}\cdots\cdots$$

くりかえす

のように、428571がくり返される。

このような小数を循環小数といい

$$0.\dot{4}2857\dot{1}$$

という表し方をすることもある。上の

$\dfrac{2}{3}=0.6666\cdots\cdots$ も循環小数であり、$0.\dot{6}$ と表す。

右の表は、分子を1にして、分母をいろいろ変えていったときの小数表示の結果である。

ここで3つの疑問がわく。

(1)有限小数になるものの右に○印をつけた。分母が2, 4, 5, 8, 10, 16, 20, 25, 32, 40, 50の場合である。これらに共通の性質は？

(2)無限小数になるものは必ず循環小数になるのか？

(3)循環する部分の数字の個数がバラバラで、$\frac{1}{23}$のときは22個、$\frac{1}{24}$のときは1個。一体どうなっているのか？

(3)は難しいが、(1)(2)はしばらく考えていただくと判明すると思う。「しばらく」が1時間であったり1週間であったりするかもしれませんが楽しんでみてください。

(答えのヒント)(1)2と5だけの積になる。(2)必ず循環する。左ページ$\frac{3}{7}$の計算参照。

n	$\frac{1}{n}$の小数表示	
2	0.5	○
3	$0.\dot{3}$	
4	0.25	○
5	0.2	○
6	$0.1\dot{6}$	
7	$0.\dot{1}4285\dot{7}$	
8	0.125	○
9	$0.\dot{1}$	
10	0.1	○
11	$0.\dot{0}\dot{9}$	
12	$0.08\dot{3}$	
13	$0.\dot{0}7692\dot{3}$	
14	$0.0\dot{7}1428\dot{5}$	
15	$0.0\dot{6}$	
16	0.0625	○
17	$0.\dot{0}58823529411764\dot{7}$	
18	$0.0\dot{5}$	
19	$0.\dot{0}5263157894736842\dot{1}$	
20	0.05	○
21	$0.\dot{0}4761\dot{9}$	
22	$0.0\dot{4}\dot{5}$	
23	$0.\dot{0}43478260869565217391\dot{3}$	
24	$0.041\dot{6}$	
25	0.04	○
26	$0.0\dot{3}8461\dot{5}$	
27	$0.\dot{0}3\dot{7}$	
28	$0.03\dot{5}7142\dot{8}$	
29	$0.\dot{0}34482758620689655172413793\dot{1}$	
30	$0.0\dot{3}$	
31	$0.\dot{0}3225806451612\dot{9}$	
32	0.03125	○
33	$0.\dot{0}\dot{3}$	
34	$0.0\dot{2}94117647058823\dot{5}$	
35	$0.0\dot{2}8571\dot{4}$	
36	$0.02\dot{7}$	
37	$0.\dot{0}2\dot{7}$	
38	$0.0\dot{2}6315789473684210\dot{5}$	
39	$0.\dot{0}2564\dot{1}$	
40	0.025	○
41	$0.\dot{0}243\dot{9}$	
42	$0.0\dot{2}3809\dot{5}$	
43	$0.\dot{0}2325581395348837209\dot{3}$	
44	$0.02\dot{2}\dot{7}$	
45	$0.0\dot{2}$	
46	$0.0\dot{2}17391304347826086956\dot{5}$	
47	$0.\dot{0}2127659574468085106382$ $978723404255319148936\dot{7}$	
48	$0.0208\dot{3}$	
49	$0.\dot{0}2040816326530612244 8$ $979591836734693877 55\dot{1}$	
50	0.02	○

24 0.9999……＝1 ?!

$\frac{1}{3}$ を小数で表すと

$$\frac{1}{3} = 0.3333\cdots\cdots \qquad ①$$

のように無限小数になってしまう。ところで、この式を逆転すると

$$0.3333\cdots\cdots = \frac{1}{3} \qquad ②$$

となるが、一見自明のようだが、よく考えると、ケッコウ微妙な問題を抱えている。

$$0.3333\cdots = 0.3 + 0.03 + 0.003 + 0.0003 + \cdots\cdots$$

$$= \frac{3}{10} + \frac{3}{100} + \frac{3}{1000} + \frac{3}{10000} + \cdots\cdots$$

0.3333…をこのように、無限につづく和の形で表すことができる。それぞれの数は、小さいながら正の数なので、無限に加えたら限りなく大きくなるような気もする。しかし、②は、無限に加えても一定の値 $\frac{1}{3}$ に落ち着くと主張しているのだ。このように、無限がからむと、完全に納得できない気分が残る。

ところで、②の両辺に3をかけてみよう。

$$0.9999\cdots\cdots = 1 \qquad ③$$

あれ、何かおかしい。

$0.9 < 1$

$0.99 < 1$

0.999＜1

0.9999＜1

…………………

0.9999………9＜1

このように、9がどこまでつづいてもぴったり1にはならない。

②の式が正しいとすると③の式も正しいことになる。また、③の式が怪しい式だとすると②の式も怪しくなってくる。これは困った。

では逆に0.9999……＜1とすると、この式の左辺と右辺の差はどれくらいか求めてみよう。

　　1.00000……（どこまでもつづく）
－）0.99999……（どこまでもつづく）
――――――――――――――――
　　0.00000……（どこまでもつづく）

0.00000……＝0だから、差は0である！　ということは、③は、見かけはおかしい式だが、正しい式であると結論せざるを得ない。③の式が正しい式であるとすると②の式もやっぱり正しい式であることがわかる。

しかし、0.3333……×3の計算は、3を無限に分配しなければならないし、1－0.9999……は、1を無限に繰り下げなければならない。

　0.3333……　　　　1.0000……
×3　　　　　　　　－0.9999……
――――――――　　――――――――
　0.9999……　　　　0.0000……

これは、仮に「無限につづける作業が完成したとする」という条件の下で、はじめてできる計算だ。そんなことは人間には不可能なので、無限に接するときは、空想力を働かせるか、よほど数学を勉強するか、あるいは神様になったような気持ちで臨まなければならない。

25 無理数はふらふらする数?

1×1.5の長方形をなるべく大きな正方形でしきつめるときは、一辺0.5の正方形が最大になる。

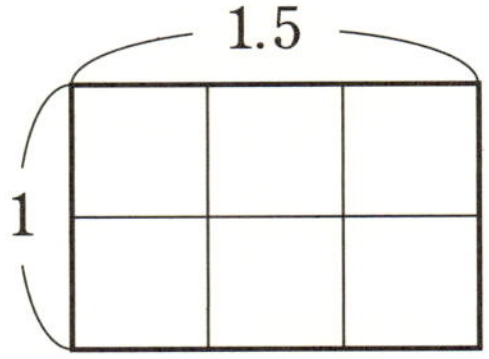

だから、縦の長さを1として、横の長さがいくらでも、適当な大きさの正方形でしきつめることができる、…　というのはウソ。でも、一辺の長さをどんなに小さくしてもよいと思うと、できそうな気がする？

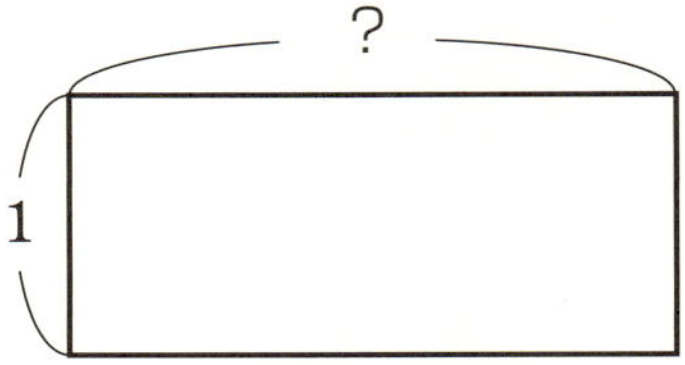

ピタゴラス(紀元前570頃～490頃)が活躍したギリシャ時代でさえ、“できる”と思い込んでいた。この“できる”とは、“どんなふたつの長さも整数値の比で書ける”ということだ。もっというと、“どんな長さも分数で表される”という考え。

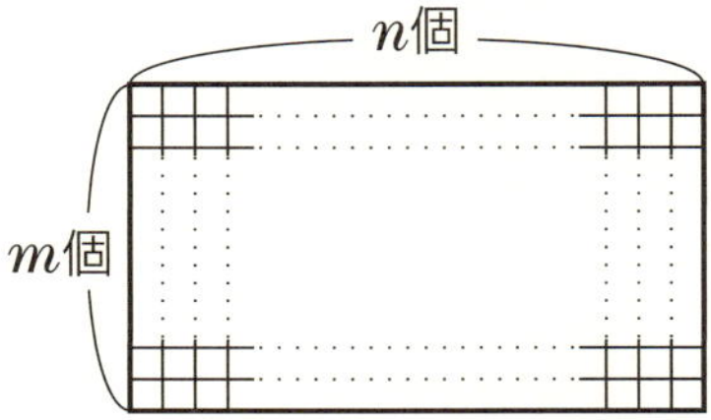

ところが、異常事態が発生していた。

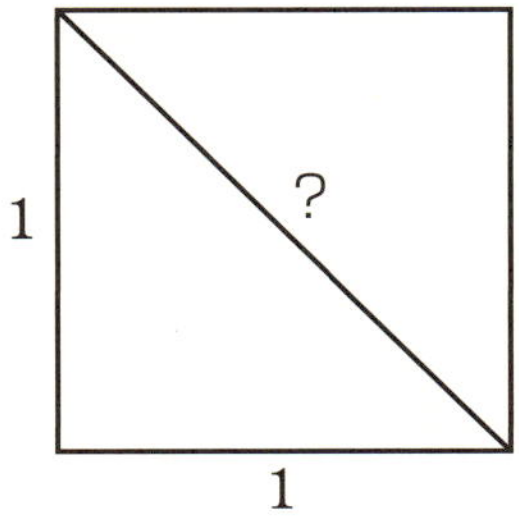

正方形の対角線の長さは、どうやっても分数で表すことができないのだ。でも、その長さはそこに“実在”するということが彼らを悩ませた。ピタゴラスはこの発見を極秘事項として、弟子たちに口止めをしたといわれている。

さて、どんな分数(有理数)も循環小数になるし、どんな循環小数も分数で表される。

たとえば　$0.2\underbrace{142857142857}_{\text{循環}}\cdots$ は $\dfrac{3}{14}$

とピタッと分数で書ける。

$$\begin{array}{rl} 1000000S = & 214285.7142857\cdots \\ -)\qquad\qquad S = & \qquad\quad 0.2142857\cdots \\ \hline 999999S = & 214285.5 \\ \therefore S = & \dfrac{2142855}{9999990} = \dfrac{3}{14} \end{array}$$

どこまでいっても、循環しない小数は、分数に直せない。

そういう数を無理数という。その代表格が $\sqrt{2}$ で、2乗すると2になる数だ。一辺1の正方形の対角線が、ピタゴラスを悩ませた $\sqrt{2}$ である。$\sqrt{2}$ を小数点以下200桁まで表すと、

$\sqrt{2}$ ＝1.41421356237309504880168872420969807856967187537694807317667973799073247846210703885038753432764157273501384623091229702492483605585073721264412149709993583141322266592750559275579995050115278206057147…

となるが、まだまだ“ふらふら”してピタッと定まる気配がない。そこで「無理数はふらふらしてピタッと定まらない数」などと誤解されたりする。しかし正方形の対角線は実在し、その長さはピタッと決まっているのだから心配することはない。一辺を1としたときに対角線は分数で表せないだけのことだ(これが、大変重要なのだが)。

ちなみに、対角線の長さを1とすると、一辺は $\dfrac{\sqrt{2}}{2}$ となり、無理数に変身(変心？)！

ちょっとひと息

　現代でも「5＋7というのは鳩の数だろうか、それとも帽子の話なのだろうか」と悩む子どもがいる。そういう子どもには標準的な具体例で考えること、特に本書でも随所で利用している

　　　タイル　□□□□□　□□□　……

で考えることをすすめるとよい。タイルは具体的でありながら、数えられるものの個性をみごとに消しているので、抽象的・一般的な数の概念を育てる道具として、なかなかの「すぐれもの」である。

　このような標準モデルは、「標準的な場合を扱う」という数学の「規範性」とも相性がよいけれど、規範性の裏にある

　　　標準的な場合**しか扱えない**

という数学の限界も、忘れるわけにはいかない。たとえば現れては消えるあぶくを数えたり、くっついては離れる雲の数を加えたりするのは「数学の手の届かない世界」と考えた方がよい。数学は、

　　　正確に扱えることに限って、正確な結論を出す

のを期待されているので、それで信頼を得ているのだから、限度を超えた応用は戒めなければならないのである。だから

　　　「1＋1＝2と決めるのはおかしい」

と言う子がいたら、次のように答えるとよい、と私は思う。

　　　「ごめんなさい、数学ではそういう場合しか扱えないのです。
　　　でもそのおかげで、いろんなことがはっきりするんですよ。」

第2部

数と計算の意味がわかる

第2章

数と計算の威力

いろいろな人に、学校の勉強がどんな風に役に立ったかを聞いてみると、

「ぜんぜん役に立たなかった」

という人が少なくない。また

「お釣りの計算に役に立った」

「ファーストフードのカタカナ語がわかった」

等々の実益を強調する人もいる。

「ぜんぜん役に立たなかった」という人でも、お釣りの計算はたぶん上手にやっているので、「そんなのは勉強のうちに入らない」ということであろうか。ファーストフードで使われる程度の英語やフランス語は、もとの意味など知らなくても確実に生きていかれるし、それがわかったところで「ものの見方が幅広くなる」とも思えないので、これも「たいして役に立っていない」といえるであろう。

英語がほんとうに役立つのは

　　「英語の本が読める」

とか

　　「英会話ができる」

という水準に達したときなので、そこではじめて

　　「人生を豊かにするために、役立つ」

ようになる。数学でも、たとえば「公式の証明」を通じて学ぶ

　　論理的で緻密な考え方

や

むずかしい問題にねばり強く取り組む情熱

がほんとうに役に立つのであって、それを身につけられなかった人が「あんな公式は教える必要がない」などと言うのは、一番大事なことがわかっていない証拠なのである。昔ある老人がベートーヴェンの音楽を聴いて「これが音楽かね。まるでニワトリのケンカだ」と言ったというが、私はその話を思い出してしまう。

さてこの章では、数学の応用に眼を向けることにした。しかし、「日常生活でただちに役立つような小話集」にはしたくなかった。その理由は、そこにだけ眼がいってしまうと、上に述べた「数学がほんとうに役立つところ」を見逃しかねないからである。

そうはいっても、いきなり抽象的な応用から入るのでは、すぐに嫌われてしまう。そこでまず「予測」とか「複利計算」から入り、以下「わからないものに名前をつける」、「座標とグラフ」……と進めることにした。しかし「日常生活とのかかわり」は急速に間接的になり、そのぶん話が抽象的になってくる。特に2次方程式から3次、4次の方程式の解法を扱った10項から15項あたりは、かなりのところまで進んでしまうので、おもしろそうなところだけゆっくりと、あとは立ち止まらずに、適当に拾い読みをしていただきたい——フランスの数学者ダランベール(1717 ~ 1783)は言いました。

前に進め！　自信はあとからついてくる！

1　予測と確率

私たちは必然と偶然にとり囲まれて生活している。人生双六という言葉があるように、人生そのものが必然と偶然のくり返しといえるかもしれない。大学受験のとき、模擬試験を受けると「あなたの合格率は50%」などという結果が出るが、こうなると人間がサイコロになっているようなものだ。

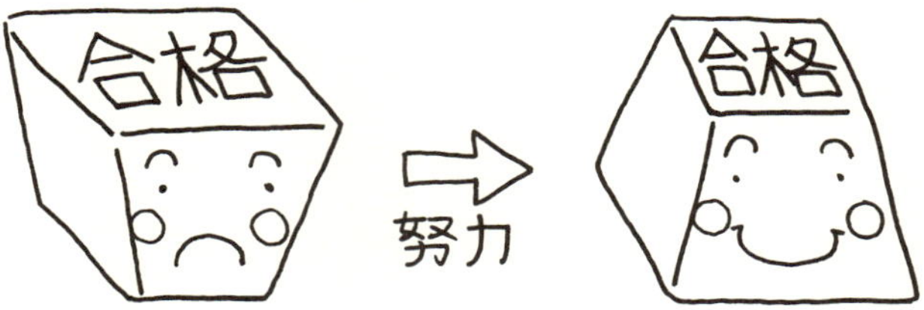

合格の目が出にくいサイコロ　　合格の目が出やすいサイコロ

さて、起こるかどうか運次第という偶然性までも数字で表してしまうのが確率。確率論は、パスカル(Blaise Pascal　1623 ～ 1662)がフェルマー（Pierre de Fermat　1601 ～ 1665)との間でかわした賭け事に関する往復書簡の中から生まれたという。

●大数《たいすう》の法則と一発勝負

正しく作られたサイコロを投げるとき、1の目が出る確率は $\frac{1}{6}$ である。これは6回投げればそのうち1の目が必ず1回出るということではない。実際にやってみれば6回中1の目が2回出ることもあるし、1回も出ないこともある。ところが多数回(N回)投げたとき1の目が出る回数（r回）の割合 $\frac{r}{N}$ は限りなく $\frac{1}{6}$ に近づく。これを大数の法則というのだが、「確率 $\frac{1}{6}$ 」は $\frac{r}{N}$ がNを大きくしていくとどんどん近づいていく目標値である。

しかし現実問題としては、サイコロにしろ宝くじにしろ、何千回、何万回と一人で繰り返すわけにはいかない。多くの場合はいわゆる一発勝負。

一発勝負の場合、確率はどんな意味を持つかというと、起こりやすさの「目安」として予測に使っている。

●ところで問題を一つ

「硬貨を4回投げて、表が2回出る確率は？」

即座に $\frac{1}{2}$ と答える人が多い。ところがこれは間違い。

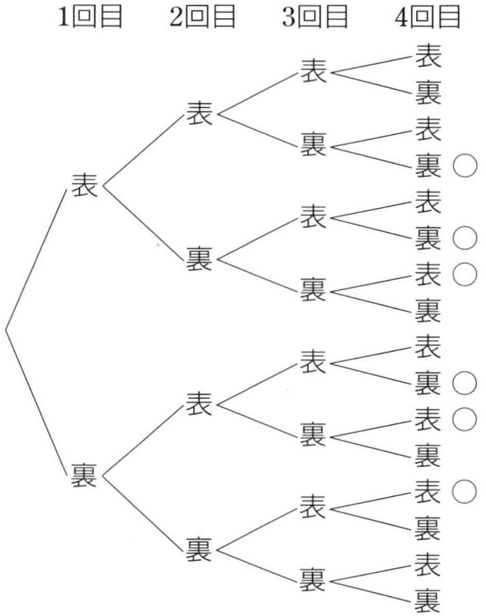

起こり得る場合は左の16本の枝で表すことができる。各枝の確率は

$$\frac{1}{2}\times\frac{1}{2}\times\frac{1}{2}\times\frac{1}{2}=\frac{1}{16}$$

という「かけ算」で計算でき、表が2回の場合は○印のときだから $\frac{1}{16}$ を6個「たし算」で計算し、結局 $\frac{6}{16}=\frac{3}{8}$ が正解。確率の計算でもかけ算やたし算が活躍する。

2 虹マスの数の推定

虹マスがたくさん生息している湖がある。ところが、地元の漁師によれば、最近、漁獲高が激減しているという。しかし、この湖は広く深いので、いったい何匹いるのか見当もつかない。この湖の虹マスの数を次のように推定してみた。

①はじめに1000匹の虹マスを捕獲し、印をつけて再び湖に放す。

②しばらくたってから、湖のあちこちで400匹の虹マスをサンプルとして捕獲して、印のある魚を数えたら40匹だった。

$$(\text{印のついた虹ますの比率}) = \frac{40}{400} = 0.1$$

ということになる。はじめに印をつけた虹マスは1000匹だから、湖全体の虹マスの数をNとすると

$$\frac{1000}{N} = 0.1 \quad \text{これを解いて} \quad N = 10{,}000$$

よって、湖にすむ虹マスは、およそ1万匹であることがわかった。

この推定の仕方は、素朴で簡単だが、ある条件を満たしていなければ有効でない。その条件とは「印のついた魚と印のついていない魚がよく混ざり合って、印のついた魚がどこでも同じ比率で住んでいる」

ということである。

実際には、場所や時間によってこの比率が若干散らばるのがふつうである。この比率の散らばりを考慮に入れた推定には次のような方法がとられている。

以下の用語や方法について、くわしいことは〈第4部 統計・確率〉を読んでください。ここでは、結果だけを書きます。

平均は、$m=\dfrac{40}{400}=0.1$　となり、

標準偏差は、$s=\sqrt{400\times0.1\times0.9}=6$

となる。

問題の比率 p は、偶然的散らばりであれば、95%の確かさでほぼ

$$m-2\times\frac{s}{n}\leqq p\leqq m+2\times\frac{s}{n}$$

の範囲に入ることがいえる。

上の値をあてはめて計算すると

$$0.07\leqq p\leqq 0.13$$

となる。

湖全体の虹マスの数 N は

$$\frac{1000}{N}=p\quad\text{より}\quad N=\frac{1000}{p}$$

で求められ、これより

$$7692(\text{匹})\leqq N\leqq 14286(\text{匹})$$

と推定される。

3 複利計算

A円借りて、一定期間たってついた利息が、元金にくり入れられ、次の期間にはそれにも利息がつくという計算法。

たとえば、年利rで一年複利でA円借りると

借りた　A円

1年後 $A(1+r)$円

2年後 $(A(1+r))(1+r)=A(1+r)^2$円

⋮

n年後 $A(1+r)^n$円

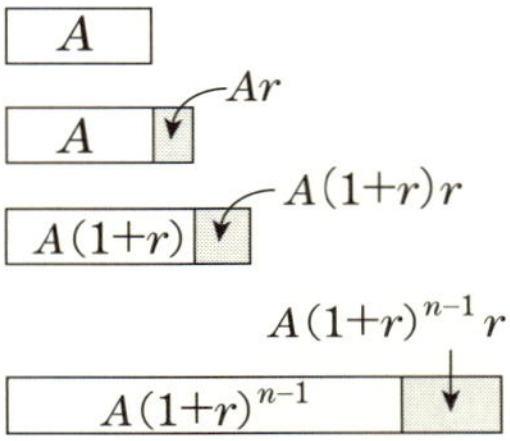

これを、具体的数値で、表してみた。

たとえば、年利4%で10年借りると、1.480倍になる。100万円なら148万円になる。年利0.5%で預けると10年で1.051倍にしかならない。

	年利0.5%	年利1%	年利2%	年利4%	年利6%	年利10%	年利12%	年利18%
1年後	1.005	1.010	1.020	1.040	1.060	1.100	1.120	1.180
2年後	1.010	1.020	1.040	1.082	1.124	1.210	1.254	1.392
3年後	1.015	1.030	1.061	1.125	1.191	1.331	1.405	1.643
4年後	1.020	1.041	1.082	1.170	1.262	1.464	1.574	1.939
5年後	1.025	1.051	1.104	1.217	1.338	1.611	1.762	2.288
6年後	1.030	1.062	1.126	1.265	1.419	1.772	1.974	2.700
7年後	1.036	1.072	1.149	1.316	1.504	1.949	2.211	3.185
8年後	1.041	1.083	1.172	1.369	1.594	2.144	2.476	3.759
9年後	1.046	1.094	1.195	1.423	1.689	2.358	2.773	4.435
10年後	1.051	1.105	1.219	1.480	1.791	2.594	3.106	5.234
11年後	1.056	1.116	1.243	1.539	1.898	2.853	3.479	6.176
12年後	1.062	1.127	1.268	1.601	2.012	3.138	3.896	7.288
13年後	1.067	1.138	1.294	1.665	2.133	3.452	4.363	8.599
14年後	1.072	1.149	1.319	1.732	2.261	3.797	4.887	10.147
15年後	1.078	1.161	1.346	1.801	2.397	4.177	5.474	11.974

年利0.5%＝0.005は銀行に預けるときの利息、年利4%＝0.04は銀行から借りたとき、年利18%＝0.18はサラ金から借りたときの金利に近い(2011年時)。次第に腹が立ってきませんか？

こんどは、コツコツと毎月、A円ずつ半年積み立てたときの元利合計を計算しよう。

月利rで1ヵ月複利とする。

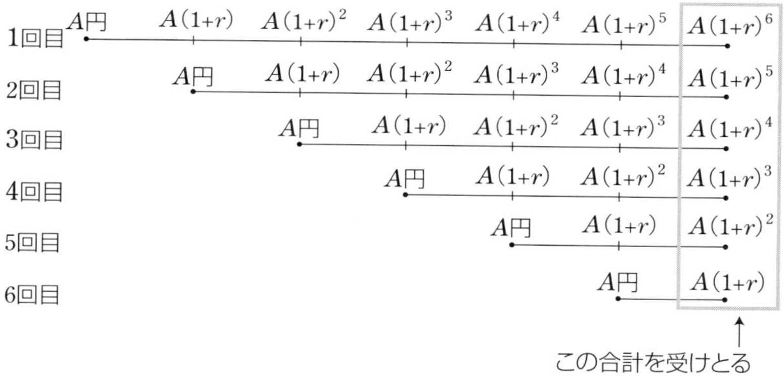

半年後に受けとる元利合計は、

$$A(1+r)+A(1+r)^2+A(1+r)^3+A(1+r)^4+A(1+r)^5+A(1+r)^6$$

$$=A(1+r)(1+(1+r)+(1+r)^2+(1+r)^3+(1+r)^4+(1+r)^5)$$

$$=A(1+r)\frac{(1+r)^6-1}{1+r-1}=A(1+r)\frac{(1+r)^6-1}{r}$$となる。

なぜ?　等比数列の和は$1+x+x^2+x^3+\cdots+x^{n-1}=\dfrac{x^n-1}{x-1}$だから。

なぜ？　$(x-1)(1+x+x^2+\cdots+x^{n-1})$を展開すると$x^n-1$になるから。

毎月1万円ずつ、月利0.05%＝0.0005では上の式より

$$10000\times1.005\times\frac{1.0005^6-1}{0.0005}=60105(円)$$　となる。

一般にnヵ月の複利計算なら、「6」をnにおきかえればよい。

4 指数計算

麻雀の点数を数えるとき指を折り曲げながら、「ニー、ヨン、パー、イチロク、ザンニー、ロクヨン、イチニッパ、ニゴロ、ゴイチニ、満貫」などと唱えることがある。これは

1, 2, 4, 8, 16, 32, 64, 128, 256, 512, ……

2倍 2倍 2倍…

という、2倍、2倍のくり返しによる数値を求めていることはご存じの通りである。これらを1から順に

2^0, 2^1, 2^2, 2^3, 2^4, 2^5, 2^6, 2^7, 2^8, 2^9, ……

と表し、2^nは「2のn乗」と読む。そして肩の上に乗ったnのことを指数という。また土台にする2のことを底《てい》とよぶ。

2^nを電卓で計算する方法がある。

[2] [×] [×] と [×] のキーを2度押し、そのあと

[=]　表示は4

[=]　表示は8

[=]　表示は16

と [=] キーだけを押していけばいい(機種によっては [×] は1回だけでもよい)。

なにしろ、2倍、2倍、……であるからどんどん大きくなる。

$2^{10}=1024$

$2^{20}=1048576$

$2^{30}=1073741824$

底が1.1のときは

$$1.1^2 = 1.21$$

$$1.1^3 = 1.331$$

$$1.1^4 = 1.4641$$

と、のんびり増えていくように見えるが、しばらくするとびっくりするほど大きくなる。これが借金地獄のもとになる。

友人のKさんから聞いた一杯飲み屋での会話。

「電話するから10円貸してくれ。」

「いいよ、利息は10分で1割。」

「ありがとう。明日返すよ。」

Kさんは家に帰って計算してみた。

もし1日借りると、24時間＝1440分だから

$$10 \times 1.1^{144} = 10円 \times 913159.5445 = 約900万円！！$$

これは数の魔術でも何でもない、厳然たる事実。

一般にa^nは、nが1増えると全体はa倍になるのだから

$$a^{n+1} = a^n \times a$$

である。さらに

$$a^{n+m} = a^n \times a^m,\ (a^n)^m = a^{nm},\ (ab)^n = a^n b^n$$

という関係式ができ、これらは指数法則とよばれている。

〈補足〉

電卓で1.1^{144}をどのように求めるかもおもしろい問題である。

[1] [•] [1] [×] [×] として [=] キーを143回たたくと、電卓によって四捨五入などの仕方が違うらしく、$1.1^{144} = 913159.5258$となるものもある。なお、143回もたたかない工夫も考えてみてください（ヒント：多くの電卓で [×] [=] と押すと表示窓の数値が2乗される）。

第2部　数と計算の意味がわかる

5 指数と対数

●対数とは

対数は、一見難しげな記号$\log_a M$で表される。このときaを底、Mを真数とよぶ。さて、この記号は何を表しているのだろうか。

それは

$\log_a M$……真数Mは底aの何乗か？

ということを聞いているのである。たとえば、

$\log_2 8$……$8 = 2^{\square}$？

この□の中には3が入るので

$\log_2 8 = 3$　($8 = 2^3$より)

ということになる。この値□＝3を対数という。同様にして

$\log_3 9 = 2$　($9 = 3^2$より)

$\log_{10} 100000 = 5$　($100000 = 10^5$より)

となる。いろいろな底の対数があるが、我々のふだん使っている計算が10進法であるという事情から底が10の対数がよく使われ、この対数を常用対数とよぶ。常用対数では、底を省略することが多い。

次の表は、常用対数表の一部である。たとえば、表より

$\log 1.43 = 0.1553$(または$1.43 = 10^{0.1553}$)と読み取れる。

常用対数表：1.43に対する値は、1.4の行の3の列にある

数	0	1	2	3	4	5	6	7	8	9
1.0	.0000	.0043	.0086	.0128	.0170	.0212	.0253	.0294	.0334	.0374
1.1	.0414	.0453	.0492	.0531	.0569	.0607	.0682	.0645	.0719	.0755
1.2	.0792	.0828	.0864	.0899	.0934	.0969	.1004	.1038	.1072	.1106
1.3	.1139	.1173	.1206	.1239	.1271	.1303	.1335	.1367	.1399	.1430
1.4	.1461	.1492	.1523	.1553	.1584	.1614	.1644	.1673	.1703	.1732
1.5	.1761	.1790	.1818	.1847	.1875	.1903	.1931	.1959	.1987	.2014
1.6	.2041	.2068	.2095	.2122	.2148	.2175	.2201	.2227	.2253	.2279
1.7	.2304	.2330	.2355	.2380	.2405	.2430	.2455	.2480	.2504	.2529
1.8	.2553	.2577	.2601	.2625	.2648	.2672	.2695	.2718	.2742	.2765
1.9	.2788	.2810	.2833	.2856	.2878	.2900	.2923	.2945	.2967	.2989
2.0	.3010	.3032	.3054	.3075	.3096	.3118	.3139	.3160	.3181	.3201
2.1	.3222	.3243	.3263	.3284	.3304	.3324	.3345	.3365	.3385	.3404
2.2	.3424	.3444	.3464	.3483	.3502	.3522	.3541	.3560	.3579	.3598
2.3	.3617	.3636	.3655	.3674	.3692	.3711	.3729	.3747	.3766	.3784
2.4	.3802	.3820	.3838	.3856	.3874	.3892	.3909	.3927	.3945	.3962

●対数は巨大な数を調べる「望遠鏡」

2^{100}を計算してみよう。筆算でやったら途中で嫌になるし、電卓でやっても途中でオーバーフローしてストップしてしまう。このような巨大な数は、対数の力を借りてスイスイとやりたいものである。

常用対数表より

$\log 2 = 0.3010$　すなわち　$2 = 10^{0.3010}$

したがって

$2^{100} = (10^{0.3010})^{100} = 10^{30.1}$

$= 10^{0.1} \times 10^{30}$

となる。ところで表より

$\log 1.26 \fallingdotseq 0.1$　すなわち　$10^{0.1} \fallingdotseq 1.26$

である。よって

$2^{100} \fallingdotseq 1.26 \times 10^{30}$

$= 1260000000000000000000000000000$（28個の0）

となる。このように、2^{100}は「10進法で31桁にもなる大きな数である」ことがわかる。同様にして、対数は微小な数を調べる「顕微鏡」にもなる。

●対数計算の威力

$\sqrt[12]{2}$ すなわち12乗して2になる正の数を求めてみよう。対数を知らない人はどうしたらよいか、悩むだろうと思う（269ページ参照）。

常用対数表より$\log 2 = 0.3010$　すなわち　$2 = 10^{0.3010}$

したがって

$\sqrt[12]{2} = 2^{\frac{1}{12}} = (10^{0.3010})^{\frac{1}{12}} \fallingdotseq 10^{0.0251}$

ところで、表より$\log 1.06 \fallingdotseq 0.0251$　すなわち　$10^{0.0251} \fallingdotseq 1.06$である。よって$\sqrt[12]{2} \fallingdotseq 1.06$となる。

「対数の発明は天文学者の仕事を軽減し、その人生を長引かせた」と言ったフランスの数学者ラプラスの気持ちをわかってほしい。

6 計算尺

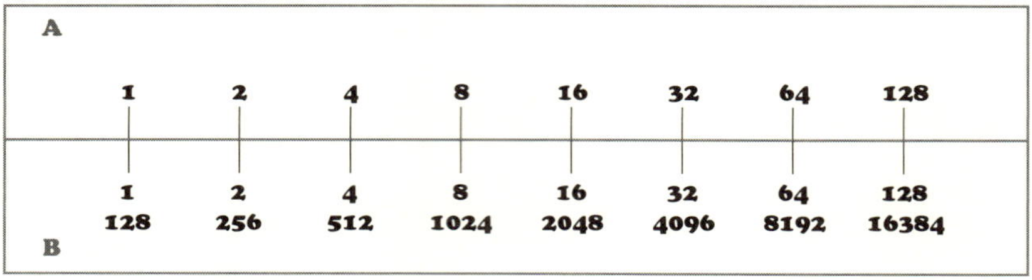

まず、$2^m \times 2^n$ができる計算尺。

[使い方]

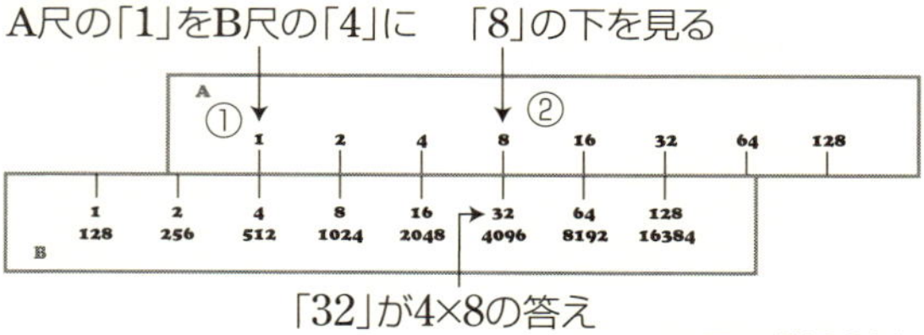

● 4 × 8 を求める

①A尺　の1をB尺の4に合わせる。

②A尺の8の下のB尺の値を見る。

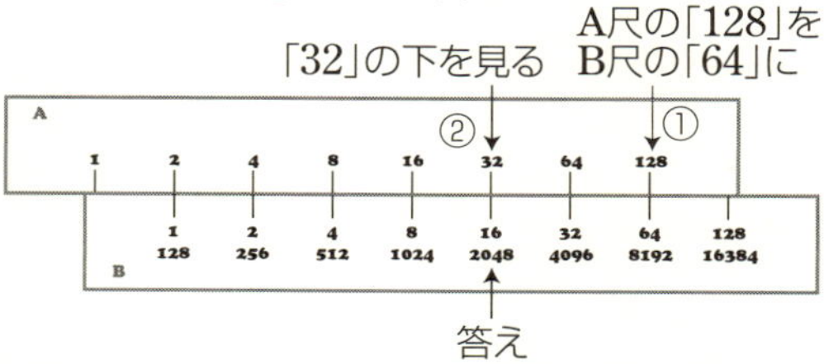

● 64 × 32 を求める

①A尺　の1をB尺の64に合わせると、32の下がないのでA尺の128を64に合わせる。

②A尺の32の下のB尺の下段を見る。$64 \times 32 = 2048$

[原理] $\log_2 n$の長さのところに、nを目盛っている。

たとえば、$\log_2 1=0$だから、0のところに「1」、$\log_2 2=1$だから1のところに「2」、$\log_2 4=2$だから、2のところに「4」……、$\log_2 128=7$だから7のところに「128」。すると“対数の法則”から$\log_2 4+\log_2 8=\log_2 (4\times 8)$なので、2+3=5のところに、ちょうど4×8=32が目盛られている。

不思議だなぁー。

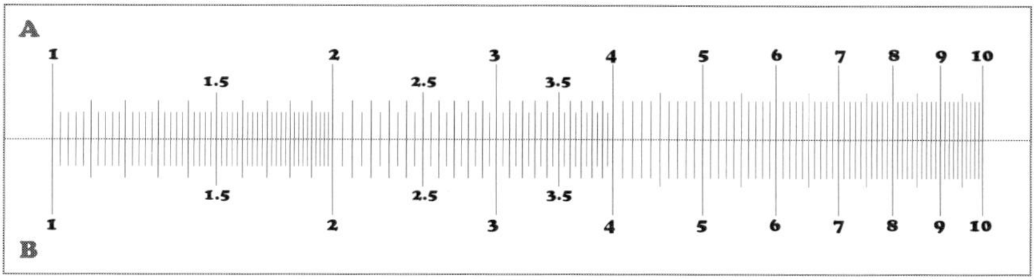

（拡大コピーして作って！）

次は万能計算尺。

[使い方]

● 2.55 × 2 を求める

①A尺の1をB尺の2.55に合わせる。

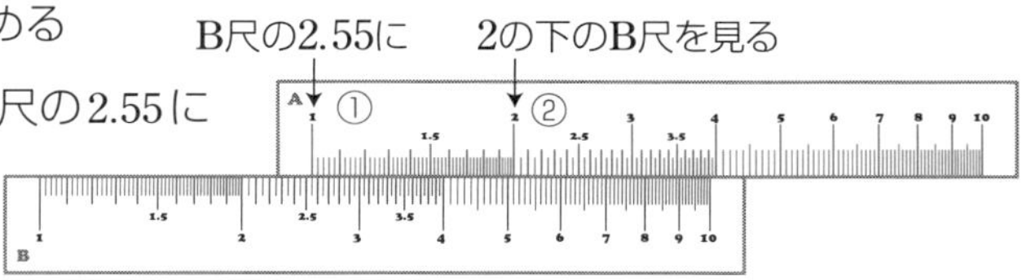

②A尺の2の下のB尺の値を読むと5.1となっている。最後の桁は暗算で確かめると安全。

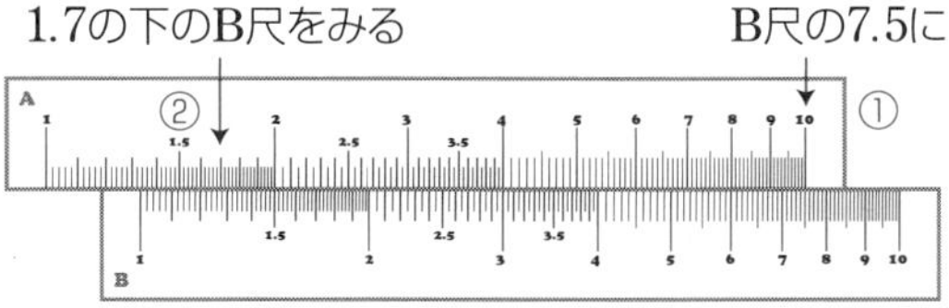

● 7.5 × 1.7 を求める

①A尺10をB尺7.5に合わせる。

②A尺の1.7の下を見る。12.7 ？位で、5 × 7 = 35だから、最後の桁は「5」で12.75。

[原理]　$\log_{10} n$ の長さのところに、n を目盛っている。原理は前と同じ。

一昔前、科学者、教師、技師*etc*は、いつも携帯していた必需品。こういっても、今ではほとんど信じてもらえない。大きい文房具店でも「計算尺、下さい」と言うと、店員さんが「ハー？」と言う。映画「アポロ13号」で管制官が必死に計算尺で計算している姿があった。計算尺も、人間を月へ送る手助けをしたのだ。

7 わからないものに名前をつける

数式を見ると自分とは縁遠いものに見えるという人が多いが、これはもっともなことで、その数式の意味するものが理解できなければ単なる記号の羅列にすぎない。

もう一つ、数式ではa, b, cとかx, y, zなどの文字が出てくるから嫌だという人も多い。

そのような方へのおすすめ

“文字が出てきたら、数を入れる袋か箱だと思え”

たとえば、もしも

$$x^2+3x-4=0$$

という式が出てきたら

$$\boxed{x}^2+3\times\boxed{x}-4=0 \qquad ①$$

と思う。また

$$(a+b)^2=a^2+2ab+b^2$$

という式を見たら

$$(\boxed{a}+\boxed{b})^2=\boxed{a}^2+2\times\boxed{a}\times\boxed{b}+\boxed{b}^2 \qquad ②$$

と思う。さらに

$$y=2x+5$$

という式だったら

$$\boxed{y}=2\times\boxed{x}+5 \qquad ③$$

と見直す。

そしてもう一つのおすすめ。

“箱の中にどんな数が入るか考える”

たとえば①の箱には1は入れてよいが、2を入れると成り立たない。

また②のa、bの箱はどんな数を入れても成り立つ。

さらに③は、xの箱にはどんな数を入れてもいいが、その一つ一つの場合にyの箱の数は決まってしまう。

すると数式のねらいが見えてくる。ねらいのちがいに応じて、数学では次の(　)内のようなよび方をする。

①は箱の中に入れてよい数をさがすことがねらい(方程式)

②はどんな数を入れても成り立つ関係を記述(恒等式)

③はxとyの従属関係を述べている(関数)

「ツルとカメが合わせて10匹います。足の数は全部で24本です。ツルとカメはそれぞれ何匹でしょう。」

これは昔から有名なツルカメ算とよばれる問題だが、次のように数式を使って解くことができる。

ツルをx匹とするとカメは$10-x$匹。

足の数はそれぞれ$2x$本、$4(10-x)$本だから

$$2x+4(10-x)=24$$

$$2x+40-4x=24$$

$$-2x=-16$$

$$x=8$$

よって、ツルが8匹、カメは2匹。

これは①の代表的な例で、この使い方のxを未知数という。

8 方程式、連立1次方程式

●等式

方程式は等式の形で定式化される。等式の性質はてんびんのイメージから自然に導かれる。

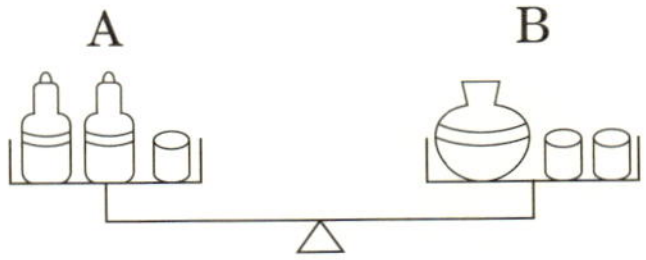

（てんびん）

A　＝　B

（等式）

たとえば、「両辺に同じ数をたしても、ひいても等号は成り立つ」という性質は、てんびんの両側に同じ重さのものを加えても、取り去っても、つり合いは保てるという事実から抵抗なく納得できる。

●未知数

方程式は必ず未知数をともなっている。未知数は「どんな数だかわからないが、とりあえずxと名前をつけて考えよう」ということで登場させたものである。

この未知数xは、何かある数が入っている「袋」か「箱」をイメージするとよいだろう。

未知の数 x のイメージ

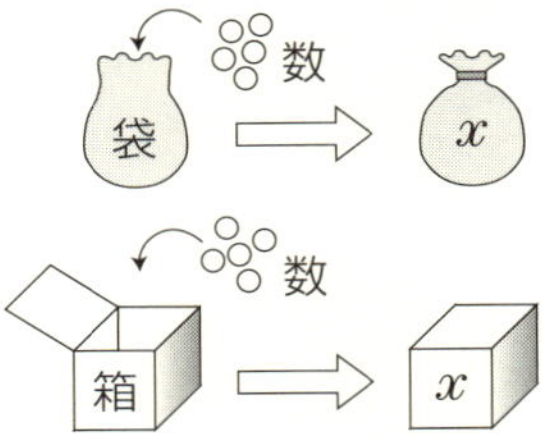

● 1次方程式

「ある数を3倍して2をたしたら14になった。その数はいくらか？」という問題を、袋の絵を描いて解いてみよう。

問題を定式化すると 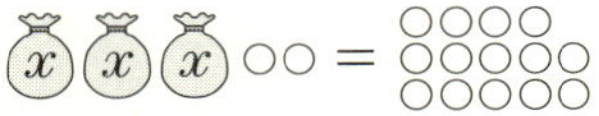

両辺から 2 をとると 

両辺を 3 でわると  よって、その数は 4 である。

これを文字xを使って解くと次のようになる。

問題を定式化すると　$3x+2=14$

両辺から2をひくと　$3x=12$

両辺を3でわると　$x=4$

よって、その数は4である。

このように代数の計算では、絵を描いて計算する具体的なレベルと文字を自在に使って計算する抽象的レベルがある。大切なことはこの具体と抽象の世界を、いつでも自由に行き来できることである。

●連立1次方程式

未知数が2つある場合では、2つの方程式がないと未知数を決定できない。

未知数をx, yとする連立1次方程式$\begin{cases} 3x+y=11 \\ x+y=5 \end{cases}$を解いてみよう。

未知数x, yを2種類の箱で表し、その絵を描いて解いてみる。

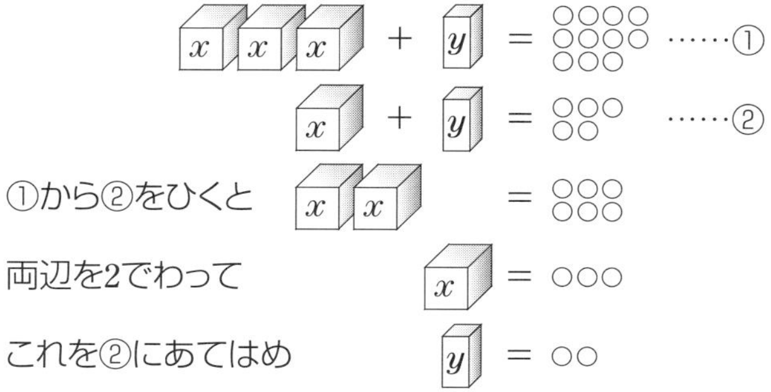

これより$x=3$, $y=2$となる。

未知数が3つになったら、もう一種類、箱を増やせばよい。このように箱をイメージすれば、連立方程式もこわくない。

9 座標の考え：関数を眼で見る

x	x^3-4x^2-x+8
−2.0	−14
−1.6	−4.736
−1.2	1.712
−0.8	5.728
−0.4	7.696
0	8
0.4	7.024
0.8	5.152
1.2	2.768
1.6	0.256
2.0	−2
2.4	−3.616
2.8	−4.208
3.2	−3.392
3.6	−0.784
4.0	4
4.4	11.344
4.8	21.632
5.2	35.248
5.6	52.576
6.0	74
6.4	99.904

$f(x)=x^3-4x^2-x+8$のxにいろいろな値を入れたときの$f(x)$の値の対応表は左のようになる。これをジーッと見てもどんな変化をしているのかわかりにくい。これを、x-y座標平面にこまかく点をとってつなげると、右のようになる。ホーッ、こうなっているのか。

$f(x)=\sin x$についても、表を見たのでは、キレイな変化がわからない。座標平面に描くと、サインカーブ。

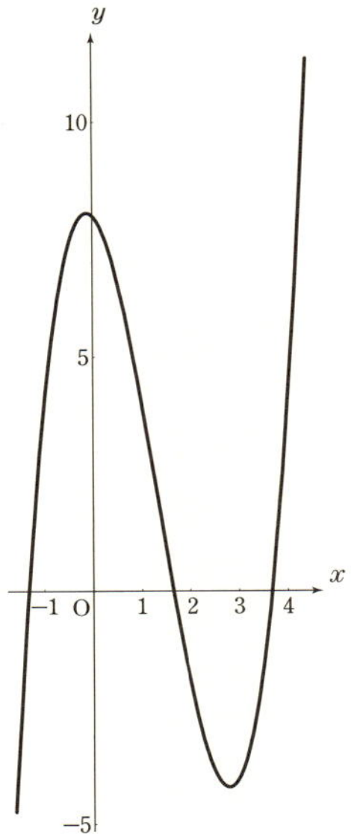

x	$\sin x$
−2.0	−0.9093
−1.6	−0.9996
−1.2	−0.9320
−0.8	−0.7174
−0.4	−0.3894
0	0
0.4	0.3894
0.8	0.7174
1.2	0.9320
1.6	0.9996
2.0	0.9093
2.4	0.6755
2.8	0.3350
3.2	−0.0584
3.6	−0.4425
4.0	−0.7568
4.4	−0.9516
4.8	−0.9962
5.2	−0.8835
5.6	−0.6313
6.0	−0.2794
6.4	0.1165

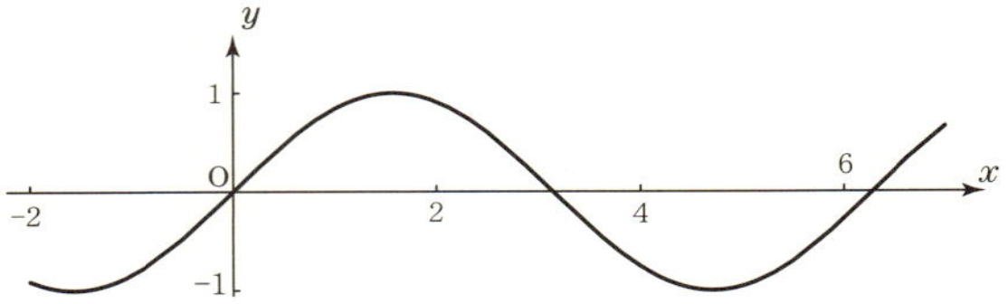

今では「そんなのみんな知ってるヨ」ということになるが、座標の考えがでてきたのは、17世紀。日本でいえば、徳川幕府が安定してきたころ。デカルト（1596～1650）が、座標の考えを導入した。

負の数を含め、数を眼で見えるように図形的に表現するということに、人間は数千年かかった。

y \ x	-2.0	-1.6	-1.2	-0.8	-0.4	0	0.4	0.8	1.2	1.6	2.0
-2.0	-0.9514	-0.8363	-0.6901	-0.5508	-0.4518	-0.4161	-0.4518	-0.5508	-0.6901	-0.8363	-0.9514
-1.6	-0.8363	-0.6380	-0.4161	-0.2163	-0.0784	-0.0292	-0.0784	-0.2163	-0.4161	-0.6380	-0.8363
-1.2	-0.6901	-0.4161	-0.1259	0.1282	0.3011	0.3624	0.3011	0.1282	-0.1259	-0.4161	-0.6901
-0.8	-0.5508	-0.2163	0.1282	0.4254	0.6260	0.6967	0.6260	0.4254	0.1282	-0.2163	-0.5508
-0.4	-0.4518	-0.0784	0.3011	0.6260	0.8442	0.9211	0.8442	0.6260	0.3011	-0.0784	-0.4518
0	-0.4161	-0.0292	0.3624	0.6967	0.9211	1.0000	0.9211	0.6967	0.3624	-0.0292	-0.4161
0.4	-0.4518	-0.0784	0.3011	0.6260	0.8442	0.9211	0.8442	0.6260	0.3011	-0.0784	-0.4518
0.8	-0.5508	-0.2163	0.1282	0.4254	0.6260	0.6967	0.6260	0.4254	0.1282	-0.2163	-0.5508
1.2	-0.6901	-0.4161	-0.1259	0.1282	0.3011	0.3624	0.3011	0.1282	-0.1259	-0.4161	-0.6901
1.6	-0.8363	-0.6380	-0.4161	-0.2163	-0.0784	-0.0292	-0.0784	-0.2163	-0.4161	-0.6380	-0.8363
2.0	-0.9514	-0.8363	-0.6901	-0.5508	-0.4518	-0.4161	-0.4518	-0.5508	-0.6901	-0.8363	-0.9514
2.4	-0.9998	-0.9671	-0.8968	-0.8186	-0.7593	-0.7374	-0.7593	-0.8186	-0.8968	-0.9671	-0.9998
2.8	-0.9555	-0.9965	-0.9955	-0.9738	-0.9514	-0.9422	-0.9514	-0.9738	-0.9955	-0.9965	-0.9555
3.2	-0.9635	-0.9796	-0.9909	-0.9976	-1.0000	-0.9983	-0.9928	-0.9837	-0.9712	-0.9555	-0.9370
3.6	-0.5598	-0.6982	-0.7942	-0.8545	-0.8867	-0.8968	-0.8867	-0.8545	-0.7942	-0.6982	-0.5598
4.0	-0.2379	-0.3933	-0.5109	-0.5917	-0.6384	-0.6536	-0.6384	-0.5917	-0.5109	-0.3933	-0.2379
4.4	0.1205	-0.0305	-0.1511	-0.2379	-0.2900	-0.3073	-0.2900	-0.2379	-0.1511	-0.0305	0.1205
4.8	0.4685	0.3403	0.2332	0.1532	0.1041	0.0875	0.1041	0.1532	0.2332	0.3403	0.4685

$z=f(x,y)$を2変数関数といい、xとyの値に対してzの値が決まる。

$z=\cos\sqrt{x^2+y^2}$のx, yの値に対するzの値を書いたのが上の表。これを3次元の座標で描くと右のようになる。ワーッ、キレイ。

$z=\cos\sqrt{x^2+y^2}$ のグラフ

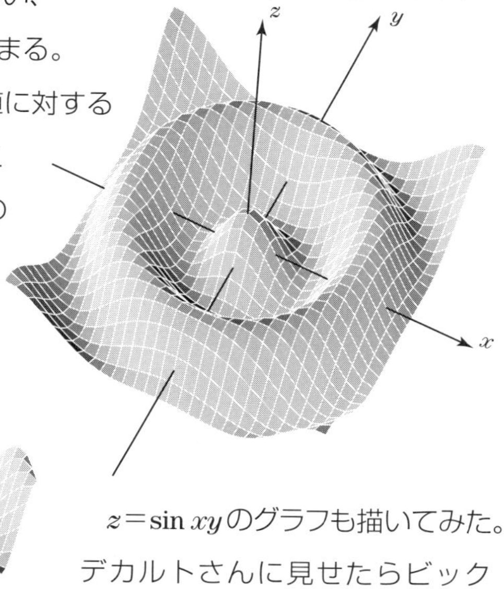

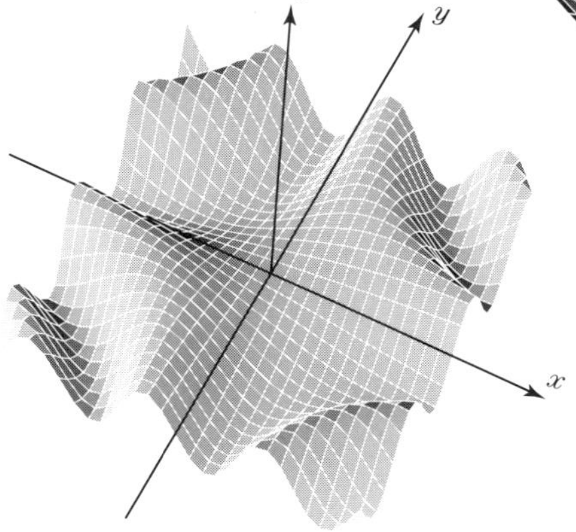

$z=\sin xy$のグラフも描いてみた。デカルトさんに見せたらビックリするか、それとも「こんなこと、頭の中でえがいていたヨ」と言うか、どっちだろう。

10 2次方程式と解の公式

こんな問題を考えてみよう。

「10mのヒモで長方形を作り、面積を$5\mathrm{m}^2$にするには？」

つまり、下の(A)では、$4\mathrm{m}^2$、(B)では$6\mathrm{m}^2$。

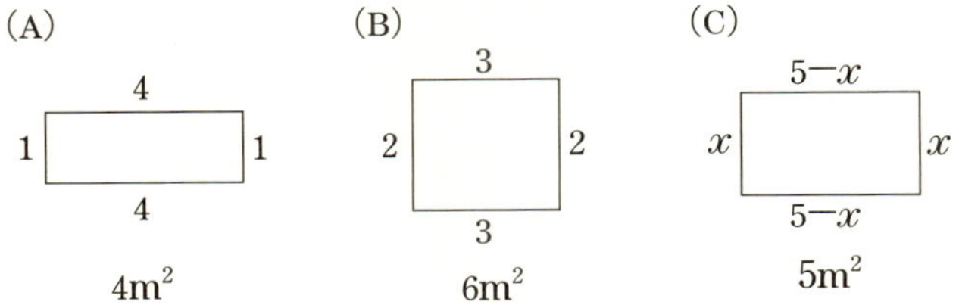

ちょうど$5\mathrm{m}^2$になる(C)はどんなときか？ という問題である。

たての長さをxmとすると、よこの長さは$(5-x)$mだから

$$x(5-x)=5 \qquad ※$$

となるxの値を見つければよいのだが……。

このようなとき、2次方程式の解の公式を使う。

$ax^2+bx+c=0$ $(a \neq 0)$の形の方程式を2次方程式

といい、その解は

$$x=\frac{-b \pm \sqrt{b^2-4ac}}{2a}$$

である。

※の式は、$x^2-5x+5=0$と整理できるので、この公式により

$$x=\frac{-(-5)\pm\sqrt{25-20}}{2\times 1}=\frac{5\pm\sqrt{5}}{2}$$

となる。結局、たて・よこは、約1.38mと約3.62mとなる。

2次方程式の解の公式は、次のようにして導くことができる。

$$ax^2 + bx + c = 0$$

（両辺に $4a$ をかける）

$$4a^2x^2 + 4abx + 4ac = 0$$

（両辺に b^2 をたし $4ac$ を移項）

$$4a^2x^2 + 4abx + b^2 = b^2 - 4ac$$

（左辺を因数分解）

$$(2ax + b)^2 = b^2 - 4ac$$

よって　$2ax + b = \pm\sqrt{b^2 - 4ac}$

$$2ax = -b \pm\sqrt{b^2 - 4ac}$$

$$x = \frac{-b \pm\sqrt{b^2 - 4ac}}{2a}$$

もう一つの問題。

「ある長方形の紙から、正方形Aを切りとる。残ったBがもとの長方形と相似になるとき、この長方形のたてよこの比は？」

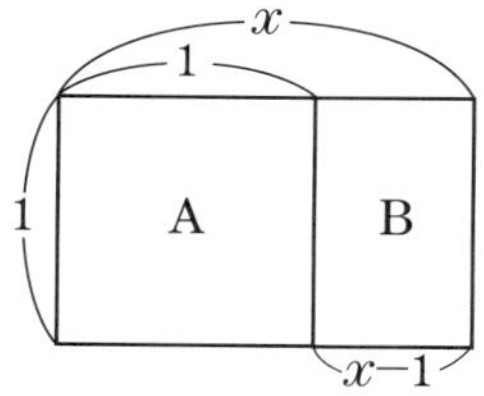

このたてよこの比が有名な黄金比である。

たてを1、よこをxとすると、大小の長方形が相似になるには

$1 : x = (x - 1) : 1$　（「たて：よこ」が等しい）

よって　$x(x - 1) = 1$

整理すると　$x^2 - x - 1 = 0$

解の公式を使って

$$x = \frac{1 \pm \sqrt{1 + 4}}{2} = \frac{1 \pm \sqrt{5}}{2}$$

$x > 0$だから　$x = \dfrac{1 + \sqrt{5}}{2} = 1.618\cdots\cdots$

こうして黄金比は1：1.618……であることがわかる。

11 3次、4次の方程式の解の公式

3次方程式$x^3+3x+2=0$を解いてみよう。エーッと、左辺を因数分解して……と考えても無駄である。この3次式は簡単には因数分解できない。このような3次方程式は、カルダノ(16世紀のイタリアの数学者)の方法で解くことができる。

カルダノ

$x^3+3x+2=0$……①

$x=u+v$とおくと

$x^3=u^3+3u^2v+3uv^2+v^3$

$=3uv(u+v)+u^3+v^3$

$=3uvx+u^3+v^3$

$x^3-3uvx-(u^3+v^3)=0$……②

①、②の係数を比較すると

$uv=-1,\ u^3+v^3=-2$……③

u^3、v^3を解とする2次方程式は

$(t-u^3)(t-v^3)=0$　すなわち　$t^2-(u^3+v^3)t+u^3v^3=0$

③の結果をあてはめると

$t^2+2t-1=0$

2次方程式の解の公式より　$t=-1+\sqrt{2},\ -1-\sqrt{2}$

よって①の方程式の解は、次のように表される。

$$x=u+v=\sqrt[3]{-1+\sqrt{2}}+\sqrt[3]{-1-\sqrt{2}}$$

ただし3乗根は複素数の範囲で適当に選ぶ($uv=-1$に注意)。

一般に、3次方程式の$ax^3+bx^2+cx+d=0$は、$x=y-\dfrac{b}{3a}$とおくことによって

$y^3+py+q=0$

に変形できる。この方程式をカルダノの方法で解くと、次のような公

式を得る。覚えるには、ちょっとシンドイ。

$$x=-\frac{b}{3a}+\sqrt[3]{-\frac{q}{2}+\sqrt{\left(\frac{q}{2}\right)^2+\left(\frac{p}{3}\right)^3}}+\sqrt[3]{-\frac{q}{2}-\sqrt{\left(\frac{q}{2}\right)^2+\left(\frac{p}{3}\right)^3}}$$

次に、4次方程式$x^4-2x^2+8x-3=0$をフェラーリ（カルダノの弟子）の方法で解いてみよう。

$$x^4=2x^2-8x+3$$

として両辺に$2tx^2+t^2$を加えると、左辺は平方（2乗）の形になる。

$$(x^2+t)^2=(2t+2)x^2-8x+(t^2+3)\cdots\cdots①$$

さらに、右辺も平方の形になるようにtの値を選ぶ。

$$(x^2+t)^2=\left(\sqrt{2t+2}\,x+\sqrt{t^2+3}\right)^2\cdots\cdots②$$

①と②の右辺を比較すると、この条件は

$$2\sqrt{2t+2}\,\sqrt{t^2+3}=-8$$

となればよい。これを整理すると、次の3次方程式が現れる。

$$t^3+t^2+3t-5=0$$

これを解いて$t=1$が得られ、②に代入して

$$(x^2+1)^2=(2x-2)^2$$

$$x^2+1=\pm(2x-2)$$

と2つの2次方程式が出てくる。これより、次の解が求まる。

$$x=1+\sqrt{2}i,\ 1-\sqrt{2}i,\ -1+\sqrt{2},\ -1-\sqrt{2}$$

一般に、4次方程式の$ax^4+bx^3+cx^2+dx+e=0$は、$x=y-\dfrac{b}{4a}$とおくと$y^4+py^2+qy+r=0$に変形できる。上と同様の方法で

$$(y^2+t)^2=\left(\sqrt{2t-p}\,y+\sqrt{t^2-r}\right)^2$$

と変形できるtの値を求める。そのためには、3次方程式

$$t^3-\frac{p}{2}t^2-rt+\frac{pr}{2}-\frac{q^2}{8}=0$$

をカルダノの方法などで解けばよい。

12 5次以上の代数方程式の解の公式はない!

5次以上の代数方程式の解の公式はない！

伊能忠敬は、満55才から日本全土を測量し、日本地図を作った。1800年から10数年間である。彼のたぐいまれなる好奇心、興味、行動力と数学的知識と体力のたまものだろうと思っている。

55才になっても、新たに挑戦はできるのだと、中高年の希望の星になっている。それに比べて、近ごろの20才前後の若者はとぼやくが…。

ところがである。

2人の若者が数学を大躍進させ、それぞれ26才と20才でこの世を去っていった。

アーベル

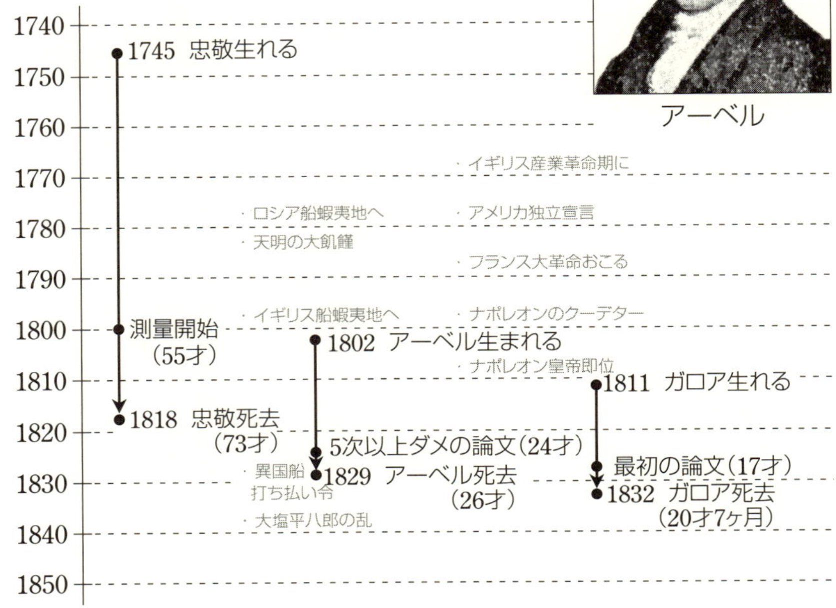

1次、2次、3次、4次の方程式には、解の公式がある。とにかく、ピタッと解けるのだ。計算の威力を見せつけるのが、解の公式。

そこで、次は5次以上の方程式の解の公式を見つけようとするのが、当然の態度である。

ところが、次第に不可能ではないかという声もではじめた。

まず、ノルウェーのニールス・ヘンリク・アーベルが、5次以上の高次方程式は、代数的・一般的には解けないということを証明した。天才は、ベルリン大学に採用が決まったのに、それを知らないまま病気で死んだ。

次は、エヴァリスト・ガロア。

ガロア

ガロアは、パリに生まれ、若くして数学の才能を発揮した。“ガロアの理論”という、代数学の重要な体系ともいえるものを創った。その中に、“5次以上は解けない”ということが含まれている。アーベルが、一点突破なら、ガロアは、全面攻撃ともいえるかもしれない。

ガロアは、共和主義者としても活動したが、女性問題で決闘をして死んだ。

時代が大きく変わろうとしているとき、老いも若きも大いに働くものだと思う。

伊能図は現代に残り、ガロアの理論も生きつづけている。

13 方程式の数値解法

高次方程式の近似解を求める方法を数値解法という。

2次方程式ならまだしも、3次、4次方程式となると解を求めるのは大変で、さらに5次以上の方程式は解の公式すらないのだから、近似値を求める方法がいろいろ工夫されている。

江戸時代の和算家関孝和（1642頃～1708）は算聖とよばれたほどの優れた数学者だった。彼は3次方程式

$$6x^3 - 45x^2 + 125 = 0$$

の解を

$$x = 1.93481563\text{弱}$$

と、なんと小数点以下第8位まで計算している。

当時の計算機はそろばんと算木だったから、ずいぶん苦労したことと思う。今はコンピュータを用いて

$$x = 1.9348157155\cdots\cdots$$

と数値解を求めることができる（関孝和は小数第7位からまちがっていた。それにしてもすごい）。

さて、関孝和にしろコンピュータの数式処理ソフトにしろ、一体どのようにしてこんなにくわしく数値解を求められるのであろうか。関孝和の場合は、西洋流にいえばホーナーの方法という手法を使っていたらしいといわれている。いずれにしろ基本は

　　試行錯誤しながら攻めていく

という、いかにも“人間的”で“骨の折れる”方法をとる。

たとえば、5次方程式

$$x^5 - 3x^3 + 2x - 3 = 0$$

を例にとって、考え方を紹介する。

① $f(x) = x^5 - 3x^3 + 2x - 3$

とおくと

$$f(1) = 1 - 3 + 2 - 3 = -3 < 0$$

$$f(2) = 32 - 24 + 4 - 3 = 9 > 0$$

である。だから$x = 1.$□……という数にちがいない。

② □を見つけるために試行錯誤をしてみよう。たとえば$x = 1.7$とか1.8などをおいてみると、

$$f(1.7) \fallingdotseq -0.14 < 0$$

$$f(1.8) \fallingdotseq 2 > 0$$

がわかる。だから$x = 1.7$△……という数にちがいない。

③ △を見つけるために計算し、……

以下同様にくり返し、小数点以下を少しずつ詳しくしていく。

なるべく早く近似していくために、②の段階で①の1と2の中点、1.5で試す「2分法」とか、微分を応用する「ニュートン法」などがある。そしていずれにしても、$y = f(x)$という関数の連続性（グラフがつながっていること）を上手に応用している。つまり右のグラフのx軸との交点をなるべく詳しく求めるために「攻めていく」のである。

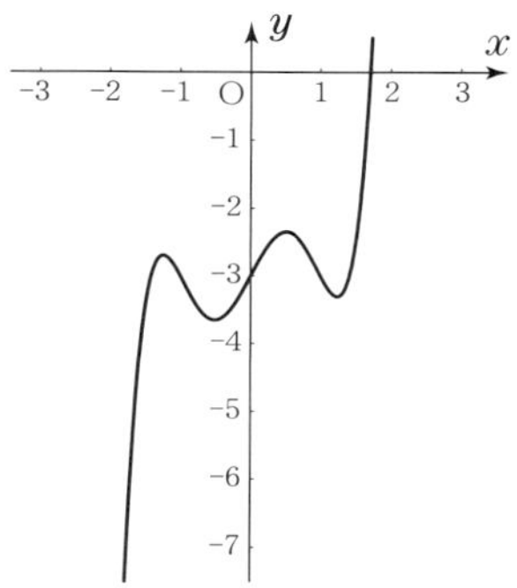

14 平方根の計算法

●電卓で計算する

$\boxed{\sqrt{\ }}$ キーがついていない電卓で平方根を求めてみよう。たとえば $\sqrt{2}$ の値を計算するには、次のように2乗して2に近くなる小数をさがしていけばよい。

$0^2=0$
$1^2=1$
$2^2=4$
$3^2=9$

$1.2^2=1.44$
$1.3^2=1.69$
$1.4^2=1.96$
$1.5^2=2.25$
$1.6^2=2.56$
$1.7^2=2.89$

$1.40^2=1.9600$
$1.41^2=1.9881$
$1.42^2=2.0164$
$1.43^2=2.0449$
$1.44^2=2.0736$

$1.412^2=1.993744$
$1.413^2=1.996569$
$1.414^2=1.999396$
$1.415^2=2.002225$
$1.416^2=2.005056$

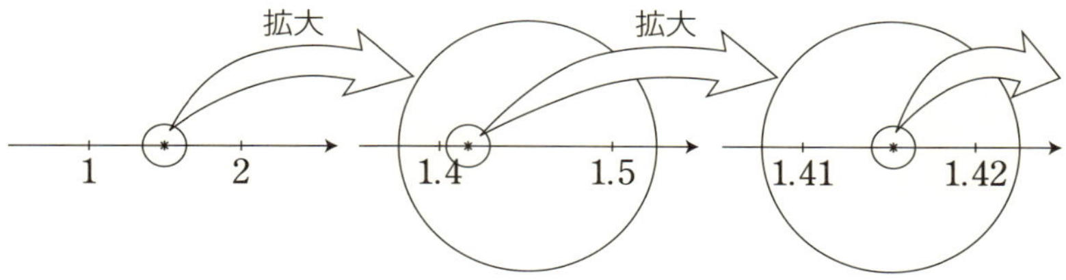

ものの数分で $\sqrt{2} \fallingdotseq 1.4142135$ と計算することができた。

このようにしてどんな平方根 $\sqrt{a}$ でも計算できる。

●筆算で計算する

この計算の極意は、「αが正の小さい数であれば、α^2は、それよりずーっと小さい数であり、無視してもかまわない」ということだ。たとえば、$\alpha=0.001$のときは、$\alpha^2=0.000001$で、これはαにくらべてずーっと小さい数である。このことを頭において…。

まず $\sqrt{2} = 1 + \alpha_1$、($\sqrt{2}$ は1とちょっと)とおく。

両辺を2乗すると

$$2 = 1 + 2\alpha_1 + \alpha_1^2$$

ここで α_1^2 は α_1 よりずーっと小さい数なので無視すると

$$1 + 2\alpha_1 \fallingdotseq 2$$

これを解いて $\alpha_1 \fallingdotseq \dfrac{1}{2}$ が得られる。よって $\sqrt{2} = 1 + \alpha_1 \fallingdotseq 1 + \dfrac{1}{2} = \dfrac{3}{2}$ となり、これは $\sqrt{2} \fallingdotseq 1$ よりよい近似値になる。

次に $\sqrt{2} = \dfrac{3}{2} + \alpha_2$ とおく。

両辺を2乗すると

$$2 = \dfrac{9}{4} + 3\alpha_2 + \alpha_2^2$$

ここで α_2^2 を無視すると

$$3\alpha_2 + \dfrac{9}{4} \fallingdotseq 2 \quad \text{これより} \quad \alpha_2 \fallingdotseq -\dfrac{1}{12}$$

<$\sqrt{2}$の近似の様子>
① $\sqrt{2} \fallingdotseq 1$
② $\sqrt{2} \fallingdotseq \dfrac{3}{2} = 1.5$
③ $\sqrt{2} \fallingdotseq \dfrac{17}{12} = 1.41666\cdots$
④ $\sqrt{2} \fallingdotseq \dfrac{577}{408} = 1.4142156\cdots$

よって、$\sqrt{2} \fallingdotseq \dfrac{3}{2} - \dfrac{1}{12} = \dfrac{17}{12}$ となり、これは $\sqrt{2} \fallingdotseq \dfrac{3}{2}$ よりよい近似値になる。

つづいて $\sqrt{2} = \dfrac{17}{12} + \alpha_3$ とおき、両辺を2乗して α_3^2 を無視すると

$$\dfrac{289}{144} + \dfrac{17}{6}\alpha_3 \fallingdotseq 2 \quad \text{これより} \quad \alpha_3 \fallingdotseq \dfrac{1}{408}$$

よって、$\sqrt{2} \fallingdotseq \dfrac{17}{12} - \dfrac{1}{408} = \dfrac{577}{408}$ となり、これは $\sqrt{2} \fallingdotseq \dfrac{17}{12}$ よりよい近似値になる。以下、すきなだけつづければ、いくらでも精密な近似値が得られる(詳しい値は235ページ参照)。

15 立方根の計算法

たとえば $\sqrt[3]{5}$（3乗すると5になる数）を電卓で求めるにはどうすればよいだろうか？

1. [√] キーつき電卓で $\sqrt[3]{5}$ を求める

① 適当に最初の数x_0を考える。$x_0 = 3$としてみよう。

② [3] [×] [5] [=] [√] [√] この結果がx_1で、$x_1 = 1.9679896$となる。

③ [×] [5] [=] [√] [√] をくり返し、x_nが安定したらやめる。

この場合は、x_{12}で $\sqrt[3]{5} \fallingdotseq 1.7099759$となる。

一般に、正の数aに対して $\sqrt[3]{a}$ を求めるとき、正の数x_0を適当にとり（むちゃな数にはしないこと）、[x_0] ※([×] [a] [=] [√] [√]) と押し、2回目からは※をくり返すと $\sqrt[3]{a}$ の近似値が求まる。

〈根拠〉 $b_{n+1} = \dfrac{1}{4}(1 + b_n)$という漸化式を反復すると$b_n \to \dfrac{1}{3}$になる（信じて！）。

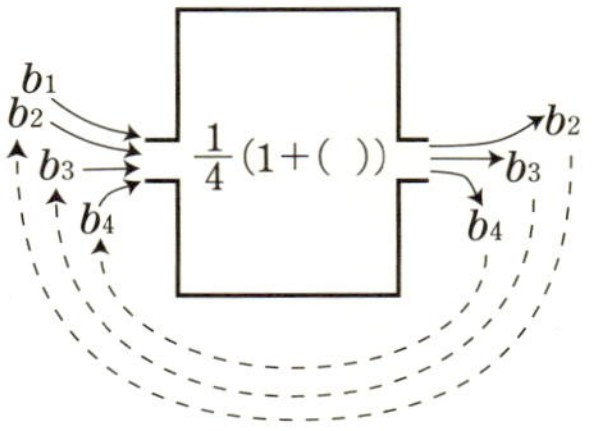

そこで　$a^{b_{n+1}} = a^{\frac{1}{4}(1+b_n)} = \left((a^{b_n} \times a)^{\frac{1}{2}}\right)^{\frac{1}{2}}$

という漸化式を反復すると

$x_n = a^{b_n} \to a^{\frac{1}{3}}$　となる。

2. [√] キーがついていない電卓で $\sqrt[3]{5}$ を求める

① 適当に最初の数x_0を考える。$x_0 = 3$としてみよう。

② [3] [×] [3] [×] [3] [×] [2] [+] [5] [÷] [3] [÷] [3] [÷] [3] [=]

をx_1として書きとめる。

③ [x_n] [×] [x_n] [×] [x_n] [×] [2] [+] [5] [÷] [3] [÷] [x_n] [÷] [x_n] [=]

の結果を書きとめながらくり返す。

この場合x_5で、$\sqrt[3]{5}\doteqdot 1.7099758$となり安定する。

一般に、$\sqrt[3]{a}$を求めるとき、x_0を適当にとり

$\boxed{x_n}\boxed{\times}\boxed{x_n}\boxed{\times}\boxed{x_n}\boxed{\times}\boxed{2}\boxed{+}\boxed{5}\boxed{\div}\boxed{3}\boxed{\div}\boxed{x_n}\boxed{\div}\boxed{x_n}\boxed{=}$

をくり返すとよい。電卓に$\boxed{\mathrm{CM}}\boxed{\mathrm{RM}}\boxed{\mathrm{M+}}$キーがついていれば、操作が便利になる。

〈根拠〉体積aで一辺x_0の正方形を底面にもつ直方体の高さは$\dfrac{a}{x_0^2}$になる。次にこの三辺の平均値を一辺とする底面をもつ直方体をつくる。すこし、立方体に近づく。

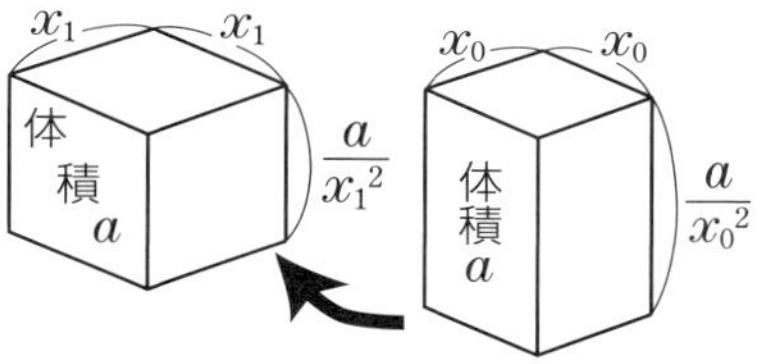

底面の正方形を三辺の平均値にする

$x_1=(x_0+x_0+\dfrac{a}{x_0{}^2})\div 3$

そこで漸化式

$$x_{n+1}=\frac{2x_n^3+a}{3x_n^2}$$ の反復をするとよいことになる。

3乗根が求められると、$\sqrt[6]{a}$, $\sqrt[12]{a}$もカンタン。

例）$\sqrt[6]{5}$と$\sqrt[12]{5}$を求める

1. の方法で$\sqrt[3]{5}$を求めて1.7099759が表示されている状態で$\boxed{\sqrt{\ }}$を1回押す。$\sqrt[6]{5}\doteqdot 1.3076604$と求められる。$\boxed{\sqrt{\ }}$をもう1回押すと$\sqrt[12]{5}\doteqdot 1.1435297$と求まる。

$\boxed{\sqrt{\ }}$キーつき電卓で$\sqrt[5]{a}$, $\sqrt[7]{a}$を求めることができる。

$\sqrt[5]{a}$は$\boxed{x_0}\overbrace{\boxed{\times}\boxed{a}\boxed{\times}\boxed{a}\boxed{\times}\boxed{a}\boxed{=}\boxed{\sqrt{\ }}\boxed{\sqrt{\ }}\boxed{\sqrt{\ }}\boxed{\sqrt{\ }}}^{※}$とし、※をくり返す。

$\sqrt[7]{a}$は$\boxed{x_0}\overbrace{\boxed{\times}\boxed{a}\boxed{=}\boxed{\sqrt{\ }}\boxed{\sqrt{\ }}\boxed{\sqrt{\ }}}^{※}$とし、※をくり返す。

残念ながら根拠を書くスペースがない。$\sqrt[5]{32}$などを求めて、検算して確かめてみてほしい。

16 ベクトルとその応用

1つの数で表そうとすると無理があったり、または1つの数で表すより2つ、3つ、……の数の組として表した方が都合がよいことは多い。たとえば平面上の位置・位置の変化・速度・加速度・力などは2つの数のペアで表すと具合がいい。

[平面上の位置]

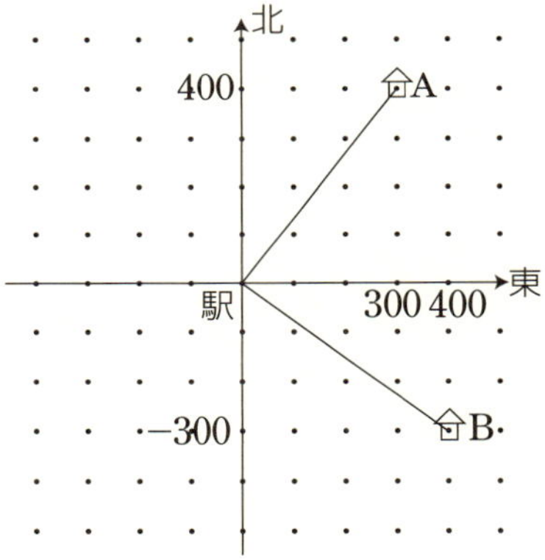

右図の家AもBも駅から500mのところにある。これを単に「駅から500m」というより、Aのときは

$$\begin{pmatrix} 300\text{m} \\ 400\text{m} \end{pmatrix} \begin{matrix} \leftarrow 東 \\ \leftarrow 北 \end{matrix}$$

そしてBのときは

$$\begin{pmatrix} 400\text{m} \\ -300\text{m} \end{pmatrix} \begin{matrix} \leftarrow 東 \\ \leftarrow 北 \end{matrix}$$

と、2つの数で表した方が正確に位置を表現することができる。

[平面上の位置の変化]

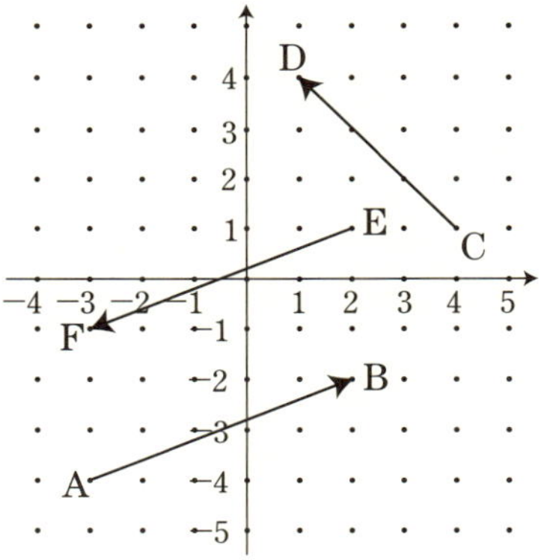

位置の変化(変位という)も同様で、右図のような変位はそれぞれ

$\overrightarrow{AB} = \begin{pmatrix} 5 \\ 2 \end{pmatrix}$, $\overrightarrow{CD} = \begin{pmatrix} -3 \\ 3 \end{pmatrix}$

$\overrightarrow{EF} = \begin{pmatrix} -5 \\ -2 \end{pmatrix}$　と表せる。

[平面上の運動の速度と加速度]

平面上を運動する点Pの運動もx軸上の運動$x=f(t)$と、y軸上の運動$y=g(t)$を並べて

$$\begin{pmatrix} f(t) \\ g(t) \end{pmatrix}$$

で表し、その速度、加速度も

$$\vec{v}=\begin{pmatrix} f'(t) \\ g'(t) \end{pmatrix},\ \vec{\alpha}=\begin{pmatrix} f''(t) \\ g''(t) \end{pmatrix}$$

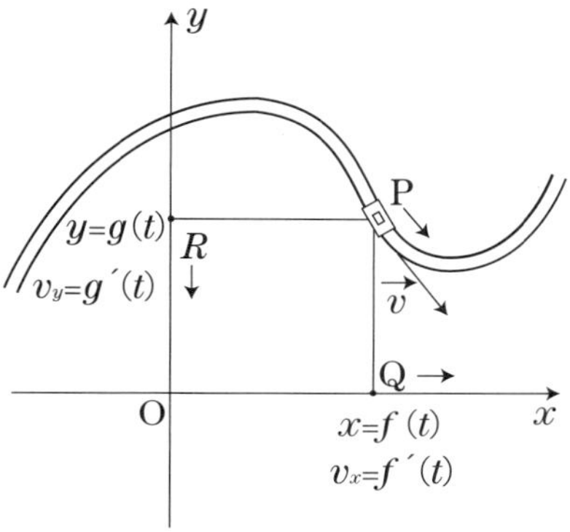

と表す(速度、加速度と微分については、〈第1部 微分・積分〉を参照)。

ここで出てきた数のペアをベクトルといい、各数を成分という。成分は横に並べて書いてもよい。矢印で表示したときのことを考えて、ベクトルとは向きと大きさをもつ量などということもある。

以上は平面上の位置や運動の例であったが、空間内であれば3つの数を並べた3次元ベクトルになる。

また、対象は運動に限るわけではなく、数の組として表した方が具合がいい場面はいろいろある。栄養の食品成分表もその例。

$$\begin{pmatrix} a_1 \\ a_2 \\ \vdots \\ \vdots \\ a_n \end{pmatrix}$$

n 次元のベクトル

したがって、ベクトルを体系的に扱う「線形代数」という数学の分野の応用は、物理学など自然科学だけでなく、経済学でも広く活躍する。

焼きさんま100gにつき

$$\begin{pmatrix} 23.8 \\ 14.8 \\ 0.1 \end{pmatrix}\begin{matrix} \leftarrow \text{たん白質(g)} \\ \leftarrow \text{脂質(g)} \\ \leftarrow \text{炭水化物(g)} \end{matrix}$$

17 ベクトルの計算

ある日の昼食の栄養分を調べようと思い、包装紙に書いてある数字を並べて表にしてみた。

	ラーメン 1食あたり	食パン 1枚あたり	牛乳1本 (180mℓ)あたり
エネルギー	390kcal	148kcal	123kcal
タンパク質	9.2g	5.0g	6.1g
脂　　質	143.0g	2.0g	7.0g
炭 水 化 物	55.0g	27.4g	8.9g
ナトリウム	2100mg	247mg	77mg

この日の総栄養分は次のようにそれぞれの栄養分を足せばよい。

$$\begin{pmatrix} 390+148+123 \\ 9.2+5.0+6.1 \\ 143.0+2.0+7.0 \\ 55.0+27.4+8.9 \\ 2100+247+77 \end{pmatrix} = \begin{pmatrix} 661 \\ 20.3 \\ 152.0 \\ 91.3 \\ 2424 \end{pmatrix} \begin{array}{l} \leftarrow \text{エネルギー(kcal)} \\ \leftarrow \text{タンパク質(g)} \\ \leftarrow \text{脂　　質(g)} \\ \leftarrow \text{炭 水 化 物(g)} \\ \leftarrow \text{ナトリウム(mg)} \end{array}$$

別の日、もし牛乳2本で済ませれば、各栄養分を2倍すればよい。

$$\begin{pmatrix} 2\times 123 \\ 2\times 6.1 \\ 2\times 7.0 \\ 2\times 8.9 \\ 2\times 77 \end{pmatrix} = \begin{pmatrix} 246 \\ 12.2 \\ 14.0 \\ 17.8 \\ 154 \end{pmatrix}$$

ベクトルとは多次元の量を抽象化したものとみなすことができる。

そこで、前ページの例から思い浮かぶ通り、ベクトルの相等や演算を次のように定める。

$$\vec{a}=\begin{pmatrix}a_1\\a_2\\\vdots\\a_n\end{pmatrix}、\vec{b}=\begin{pmatrix}b_1\\b_2\\\vdots\\b_n\end{pmatrix}$$ としたとき

〈ベクトルの相等〉

$a_i=b_i(i=1,\ 2,\ \cdots,\ n)$　のとき　$\vec{a}=\vec{b}$

〈ベクトルの和、差、実数倍〉

$$\vec{a}+\vec{b}=\begin{pmatrix}a_1+b_1\\a_2+b_2\\\vdots\\a_n+b_n\end{pmatrix}、\vec{a}-\vec{b}=\begin{pmatrix}a_1-b_1\\a_2-b_2\\\vdots\\a_n-b_n\end{pmatrix}、k\,\vec{a}=\begin{pmatrix}k\,a_1\\k\,a_2\\\vdots\\k\,a_n\end{pmatrix}$$

（例）

$$2\begin{pmatrix}1\\3\\-2\end{pmatrix}-3\begin{pmatrix}0\\1\\4\end{pmatrix}=\begin{pmatrix}2\\6\\-4\end{pmatrix}-\begin{pmatrix}0\\3\\12\end{pmatrix}=\begin{pmatrix}2\\3\\-16\end{pmatrix}$$

もう一つ、内積(ないせき)とよばれる次のような計算がある。

〈ベクトルの内積〉

$$\vec{a}\cdot\vec{b}=a_1\,b_1+a_2\,b_2+\ \cdots\ +a_n\,b_n$$

（例）

$$\begin{pmatrix}3\\2\\-4\end{pmatrix}\cdot\begin{pmatrix}2\\1\\2\end{pmatrix}=3\times2+2\times1+(-4)\times2=0$$

あとの〈第3部　図形・空間〉で活躍する。

18 行列とその計算

前項のラーメン、食パン、牛乳をそれぞれx_1食、x_2枚、x_3本飲食したとする。このときのエネルギー、たんぱく質、脂質、炭水化物、ナトリウムの総量をそれぞれ$y_1$kcal、y_2g、y_3g、y_4g、$y_5$mgとすると

$$\begin{cases} y_1 = 390 \times x_1 + 148 \times x_2 + 123 \times x_3 \\ y_2 = 9.2 \times x_1 + 5.0 \times x_2 + 6.1 \times x_3 \\ y_3 = 143.0 \times x_1 + 2.0 \times x_2 + 7.0 \times x_3 \\ y_4 = 55.0 \times x_1 + 27.4 \times x_2 + 8.9 \times x_3 \\ y_5 = 2100 \times x_1 + 247 \times x_2 + 77 \times x_3 \end{cases}$$

となるが、これを次のように書き表すことがある。

$$\begin{pmatrix} y_1 \\ y_2 \\ y_3 \\ y_4 \\ y_5 \end{pmatrix} = \begin{pmatrix} 39.0 & 148 & 123 \\ 9.2 & 5.0 & 6.1 \\ 143.0 & 2.0 & 7.0 \\ 55.0 & 27.4 & 8.9 \\ 2100 & 247 & 77 \end{pmatrix} \begin{pmatrix} x_1 \\ x_2 \\ x_3 \end{pmatrix}$$

ここで登場した長方形に並んだ数のかたまりを行列という。よこに5行たてに3列並んでいるので、5行3列の行列である。

$$\begin{cases} 2x + 3y = 8 \\ x - 2y = -3 \end{cases} \iff \begin{pmatrix} 2 & 3 \\ 1 & -2 \end{pmatrix} \begin{pmatrix} x \\ y \end{pmatrix} = \begin{pmatrix} 8 \\ -3 \end{pmatrix}$$

$$\begin{cases} x - 3y + z = 7 \\ 2x + 4y - z = 1 \\ 5x + y + 2z = 16 \end{cases} \iff \begin{pmatrix} 1 & -3 & 1 \\ 2 & 4 & -1 \\ 5 & 1 & 2 \end{pmatrix} \begin{pmatrix} x \\ y \\ z \end{pmatrix} = \begin{pmatrix} 7 \\ 1 \\ 16 \end{pmatrix}$$

連立方程式もこのように行列を使って表すことができる。ここに出てきたのはそれぞれ、2行2列の行列、3行3列の行列。

なお、並んだ一つ一つの数字は、その行列の成分という。

行列の演算はベクトルと同じ考え方で次のように定める。

$$A=\begin{pmatrix} a_{11} & a_{12} & \cdots & a_{1n} \\ a_{21} & a_{22} & \cdots & a_{2n} \\ \vdots & \vdots & & \vdots \\ a_{m1} & a_{m2} & \cdots & a_{mn} \end{pmatrix}、B=\begin{pmatrix} b_{11} & b_{12} & \cdots & b_{1n} \\ b_{21} & b_{22} & \cdots & b_{2n} \\ \vdots & \vdots & & \vdots \\ b_{m1} & b_{m2} & \cdots & b_{mn} \end{pmatrix}\quad \text{のとき}$$

〈行列の相等〉

$$a_{ij}=b_{ij}(i=1,\ 2,\ \cdots,\ m,\ j=1,\ 2,\ \cdots,\ n)\quad \text{のとき}\quad A=B$$

〈行列の和、差、実数倍〉

$$A\pm B=\begin{pmatrix} a_{11}\pm b_{11} & a_{12}\pm b_{12} & \cdots & a_{1n}\pm b_{1n} \\ a_{21}\pm b_{21} & a_{22}\pm b_{22} & \cdots & a_{2n}\pm b_{2n} \\ \vdots & \vdots & & \vdots \\ a_{m1}\pm b_{m1} & a_{m2}\pm b_{m2} & \cdots & a_{mn}\pm b_{mn} \end{pmatrix}$$

$$kA=\begin{pmatrix} ka_{11} & ka_{12} & \cdots & ka_{1n} \\ ka_{21} & ka_{22} & \cdots & ka_{2n} \\ \vdots & \vdots & & \vdots \\ ka_{m1} & ka_{m2} & \cdots & ka_{mn} \end{pmatrix}$$

（例）

$$2\begin{pmatrix} 1 & 4 \\ 3 & 0 \\ -1 & 5 \end{pmatrix}-4\begin{pmatrix} 5 & 0 \\ -2 & 3 \\ 4 & 6 \end{pmatrix}=\begin{pmatrix} 2 & 8 \\ 6 & 0 \\ -2 & 10 \end{pmatrix}-\begin{pmatrix} 20 & 0 \\ -8 & 12 \\ 16 & 24 \end{pmatrix}=\begin{pmatrix} -18 & 8 \\ 14 & -12 \\ -18 & -14 \end{pmatrix}$$

もう一つ、行列の積とよばれる次のような計算がある。

〈行列の積〉

$$\begin{pmatrix} 2 & 3 \\ 5 & 0 \end{pmatrix}\begin{pmatrix} 6 & -1 \\ 3 & 4 \end{pmatrix}=\begin{pmatrix} 2\times 6+3\times 3 & 2\times(-1)+3\times 4 \\ 5\times 6+0\times 3 & 5\times(-1)+0\times 4 \end{pmatrix}=\begin{pmatrix} 21 & 10 \\ 30 & -5 \end{pmatrix}$$

$$\begin{pmatrix} 1 & 0 \\ 0 & 1 \end{pmatrix}\begin{pmatrix} a & b \\ c & d \end{pmatrix}=\begin{pmatrix} 1\times a+0\times c & 1\times b+0\times d \\ 0\times a+1\times c & 0\times b+1\times d \end{pmatrix}=\begin{pmatrix} a & b \\ c & d \end{pmatrix}$$

あとの〈第3部 図形・空間〉で登場する。

ちょっとひと息

皆さんは「後期印象派」というと、どんな画家たちを連想されるだろうか。美術に明るい方を別として「誰かは知らないが、印象派時代の後半期に所属する画家たち」と思われる方が多いのではないか、と思う。しかしこの「後期」は、「その後」を意味するpostの誤訳で、この派は「印象主義から脱けだそうとした画家たちセザンヌ、ゴーギャン、ゴッホ、スーラなどの総称」なのである。

一方「脱工業社会」の「脱」も、もとはpostである。社会の中心が農業から工業に移ったのが「工業社会」で、これが成熟して、情報・サービス産業が重要になったのが「ポスト工業社会」だそうである。しかしこれを「脱」工業社会といってしまうと、「もの作りなどしない社会」と誤解する人も出るのではないだろうか。

アメリカは、情報・工業・農業のすべてに強い。日本は農業が弱いけれど、工業が強いおかげで、自動車やオーディオ機器を輸出して、食糧を輸入している――私たちが飢え死にしないのは「工業のおかげ」である。これからは情報にも、今まで以上に力を入れていかねばならないが、情報でもうけるだけで食べていけるとは思えない。だから工業でも、情報・工業の基礎にある数学と理科の教育でも、まだまだがんばらないといけない。でないと将来「年金が心配」どころか、食べ物が心配なのである！

私は「教える時間」をふやし、「1クラスの人数」を減らすことが、今できる唯一の有効な対策ではないか、と思うのだが、いかがなものであろうか。

第2部

数と計算の意味がわかる

第3章

数と計算のおもしろさ

0から9までの数字をふたつ選ぶ。最初はたとえば3としよう。その次の数字は5に決めておく。そしてこれらをふたつの数字から、ある規則に従って、次のような数字の列を作る：

3, 5, 8, 3, 1, 4, 5

まだまだ続けられるが、どんな規則で並んでいるのだろうか？

「前の2つを加えて、次の数にする。

ただし答えが2桁になったら、上の桁数字を省く」

という規則であるが、すぐ気がつく小学生もいるし手こずる大学生もいる。7から始めれば7, 5, 2, 7, 9, 6, …となるし、4から始めると4, 5, 9, 4, 3, 7, 0, …となる。大勢の子どもたちに勝手な数字から始めて、2番目だけ共通の5にして、20番目ぐらいまで計算させて「では、17番目は？」と聞くと、あらふしぎ――全員が同じ答え5になる。「どうしてか」はかなりむずかしいけれど「高校生なら上手に指導すると、喜んで取り組んで、2～3週で一般法則を発見できる」という授業報告がある。

上の規則の「ただし書き」を省いて、1と1から始めると、かの有名なフィボナッチ数列になる(0と1から始める流儀もある)。

1, 1, 2, 3, 5, 8, 13, 21, 34, …

これはさっきの数列の分析にも役立つが、たとえば「松ぼっくりの鱗の配列を、ある仕方で教えると、フィボナッチ数列(の一部分)になる」など、自然界にもよく現れる、おもしろい数列である。

さてこの数列の第n番目を、一般的に表す公式がある。

$$\frac{1}{\sqrt{5}}\left\{\left(\frac{1+\sqrt{5}}{2}\right)^n-\left(\frac{1-\sqrt{5}}{2}\right)^n\right\}$$

私はこの公式(ビネの公式)を知ったとき、大いに感動した。整数ばかりの数列を表すのに、無理数 $\sqrt{5}$ が使われている！　無理数がこんなところで役に立つのだ!!　なお2次方程式の解の公式さえ知っていれば、ビネの公式を初等的に証明できるし、さらに「整数ばかりの列なのに、一般的な公式には複素数が現れる」例も作れる。

この章では、このフィボナッチ数列も含めて、中学・高校レベルの数学から、おもしろそうなトピックを選んで、解説を行ってみた。どの項目も「入り口をのぞく」程度であるけれど、どれもさらに広く、深く展開できる内容をもっている。

中でも大ものは虚数である。これは昔々「方程式$x^2=-1$が答えをもつように」という便宜的な理由で導入された数であるが、これを実数と組み合わせて「複素数」を作ってみたら、すばらしい世界が開けてきた。2次方程式どころか「何次方程式でも、複素数の世界でなら必ず解をもつ」のである(ダランベールが明言し、ガウスが証明した)。実数の世界ではバラバラだった指数関数と三角関数が、複素数の世界では深く結ばれている(オイラーの公式)。詳しいことは専門書に譲らなければならないが、ここでひととおり「数の風景」を眺めておくことに、けっしてソンはないと思う。

1 数の行進曲

数が規則的に並んでいる姿を見ることは、数学の理屈ぬきでオモシロイ。そのいくつかを鑑賞してみよう。

●揃った数の行進

$12345679 \times 9 = 111111111$

$12345679 \times 18 = 222222222$

$12345679 \times 27 = 333333333$

$12345679 \times 36 = 444444444$

……………………………………

$12345679 \times 81 = 999999999$

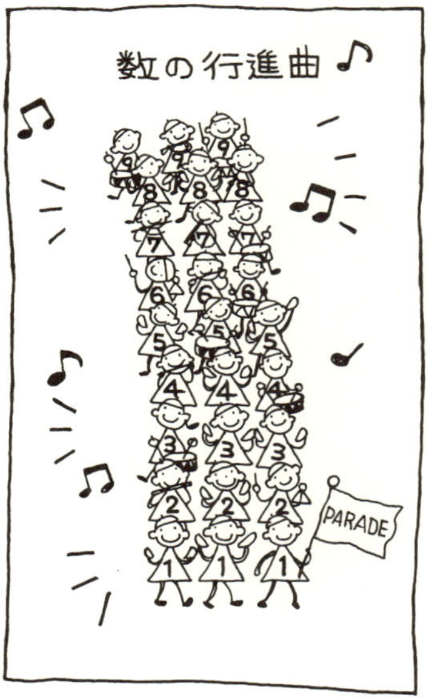

●1のピラミッド

$1 \times 9 + 2 = 11$

$12 \times 9 + 3 = 111$

$123 \times 9 + 4 = 1111$

$1234 \times 9 + 5 = 11111$

$12345 \times 9 + 6 = 111111$

……………………………………

$123456789 \times 9 + 10 = 1111111111$

●8のピラミッド

$9 \times 9 + 7 = 88$

$98 \times 9 + 6 = 888$

$987 \times 9 + 5 = 8888$

$9876 \times 9 + 4 = 88888$

……………………………………

$98765432 \times 9 + 0 = 888888888$

●再帰的な平方数

$$\underline{5}^2 = 2\underline{5}$$

$$\underline{25}^2 = 6\underline{25}$$

$$\underline{625}^2 = 390\underline{625}$$

$$\underline{90625}^2 = 82128\underline{90625}$$

$$\underline{890625}^2 = 793212\underline{890625}$$

$$\underline{2890625}^2 = 8355712\underline{890625}$$

$$\underline{12890625}^2 = 16616821\underline{2890625}$$

●連続した自然数の和

$$1 + 2 = 3$$

$$4 + 5 + 6 = 7 + 8$$

$$9 + 10 + 11 + 12 = 13 + 14 + 15$$

$$16 + 17 + 18 + 19 + 20 = 21 + 22 + 23 + 24$$

●連続した平方数の和

$$3^2 + 4^2 = 5^2$$

$$10^2 + 11^2 + 12^2 = 13^2 + 14^2$$

$$21^2 + 22^2 + 23^2 + 24^2 = 25^2 + 26^2 + 27^2$$

$$36^2 + 37^2 + 38^2 + 39^2 + 40^2 = 41^2 + 42^2 + 43^2 + 44^2$$

いろいろ観察しているうちに、「本当にこんなウマイことが成り立つのか？」「どうなっているのか？」と興味がわいてくると思う。それが数学の深みにはまるきっかけにもなったりする。

2 上手な計算法？

● 10個の数え方？

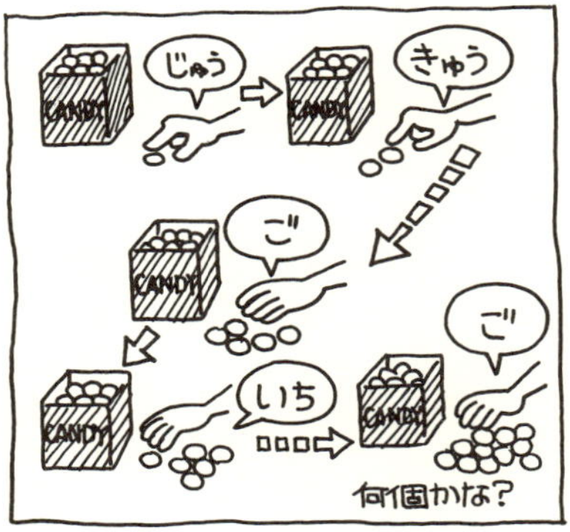

「アメ、10個もらっていい？」

「イイヨ。」

「じゃ、もらうね。じゅう、きゅう、はち、なな、ろく、ご、で半分。いち、に、さん、し、ご、で10個もらったヨ。」

「うん？」

幼い頃、これで損したり得したり。

● 指でかけ算

5までのかけ算を知っていれば、九九ができる。

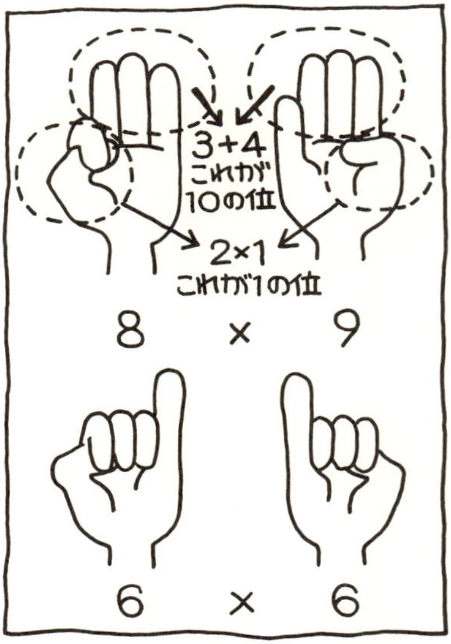

たとえば、8×9のとき、

立っている指を加えて10倍

$$(3+4) \times 10 = 70$$

折っている指をかける

$$2 \times 1 = 2$$

そして、たす

$$70 + 2 = 72$$

6×6のときも

$$(1+1) \times 10 + 4 \times 4 = 36$$

とちゃんとなる。

なぜでしょう。

●縁日かけ算

$82 \times 49 = 4018$　とパッと計算する方法。

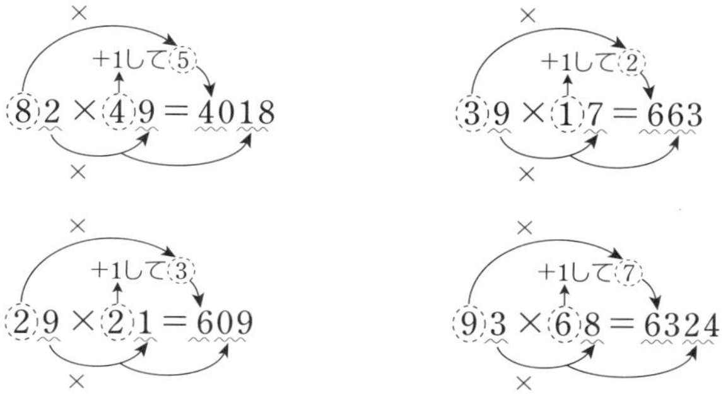

こんなのも、あり

この方法はいつも通用するとは限らない。自分で、この方法が通用する問題をたくさん作っておいて、相手が選んだ問題に、暗算で即座に答えを出すと、おどろいてくれる。

では種明かし、〈㊙問題の作り方〉

a, b, c, dを9以下の数とする。まずa, bを決め、それから$a : b = c : d$となるようにc, dを決める。そして、$10 - d$を求めれば、問題$ab \times c(10 - d)$ができあがり！

例）$a = 3,\ b = 4$とすると、$3 : 4 = 6 : 8$だから、$c = 6,\ d = 8$

そこで、34×6○と書き、○のところは、8の10に対する補数($10 - 8 = 2$)を書く。それで、問題「34×62」が完成！

3 ガウスのわり算

数学好きも含めて、計算嫌いの人は多い。

ところが、大数学者ガウス（Carl Friedrich Gauss 1777 ～ 1855）は、本人が冗談に「私は口がきけるより前から計算をしていた」と言うくらい、計算にたけていた。

よく知られている逸話に、小学校で1から40（本によっては100）までの和を求めよと問われて、

$$1+2+3+\cdots\cdots+40$$
$$=(1+40)+(2+39)+(3+38)+\cdots\cdots+(20+21)$$
$$=41+41+\cdots\cdots+41=41\times20=820$$

とたちまち正解を出したという。これを見ても感じられるが、やみくもに計算が得意というのではなく、考えながら楽しんでいたのではないだろうか。なお、本によってはもっと複雑な次の和だったという。

$$81297+81495+81693+\cdots+100899$$

高木貞治著『近世数学史談』（岩波文庫）によると、子どもの頃には200以下の数の逆数を、小数に直す表を作っていたそうだ。

そのとき、たとえば $\frac{1}{71}$ は右ページのように35個の数字が循環する循環小数になるのだが、ガウスは計算の過程をいろいろ工夫して楽しんだらしい。つまり「小数第7位で余り5が出るので、はじめの10を割った商の1408……を2で割れば、8位めから先の数字0704……が自然に出てくる」。だからガウスは、71でわるのはここでやめ、あとは前に出た商をどんどん2でわっていった！

```
      0.01408450704225352112676056338028169
   71)100
       71
      290
      284
        600
        568
         320
         284
          360
          355
            500
            497
             300
             284
              160
              142
               180
               142
                380
                355
                 250
                 213
                  370
                  355
                   150
                   142
                     80
                     71
                      90
                      71
                      190
                      142
                       480
                       426
                        540
                        497
                         430
                         426
                          400
                          355
                           450
                           426
                            240
                            213
                             270
                             213
                               570
                               568
                                200
                                142
                                 580
                                 568
                                  120
                                   71
                                   490
                                   426
                                    640
                                    639
                                      1
```

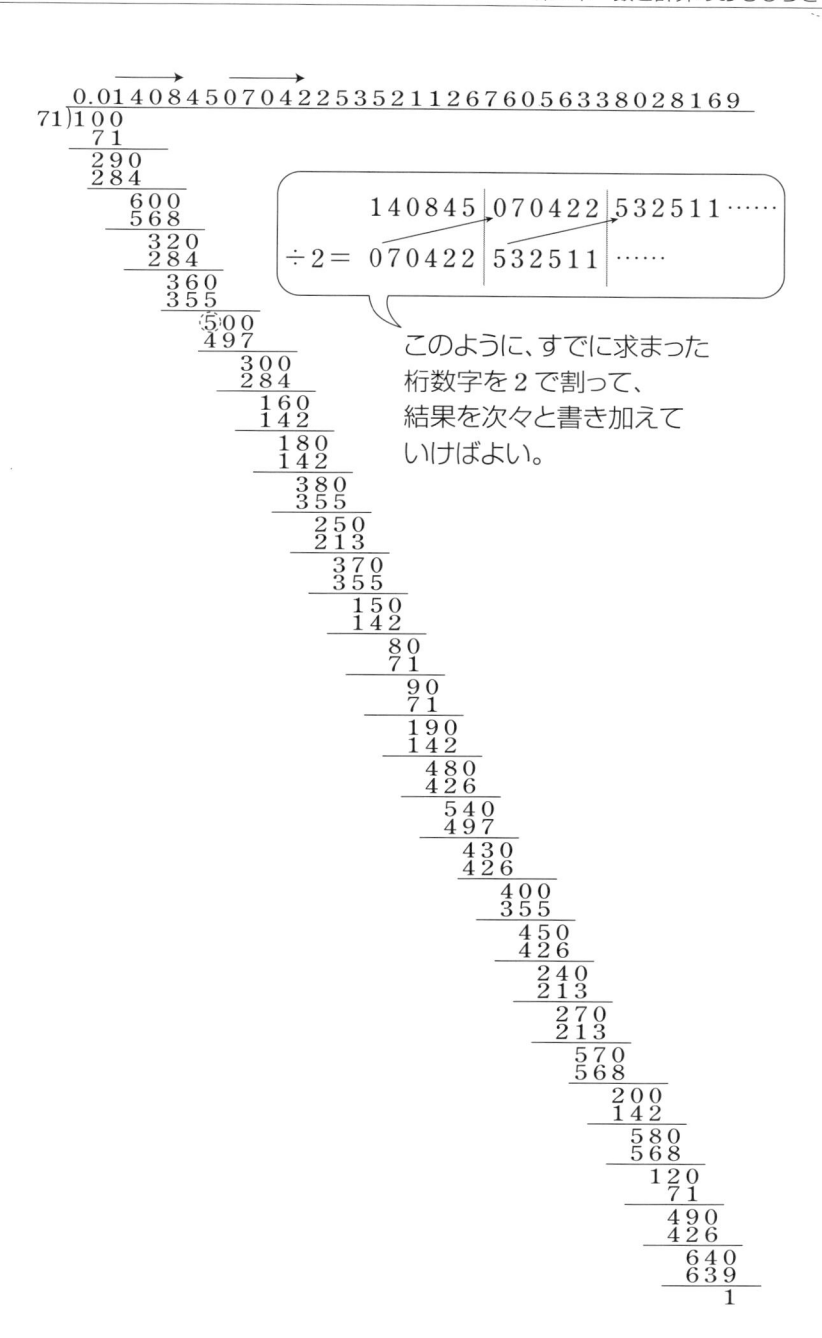

```
        140845 | 070422 | 532511……
÷2＝    070422 | 532511 | ……
```

このように、すでに求まった
桁数字を2で割って、
結果を次々と書き加えて
いけばよい。

4 三角数・四角数・五角数…

○を図のように並べて、それぞれ○の数を数えると、数列ができる。図のように、正三角形になる数を“三角数”、正方形になる数を“四角数”、正五角形になる数を“五角数”、……という。

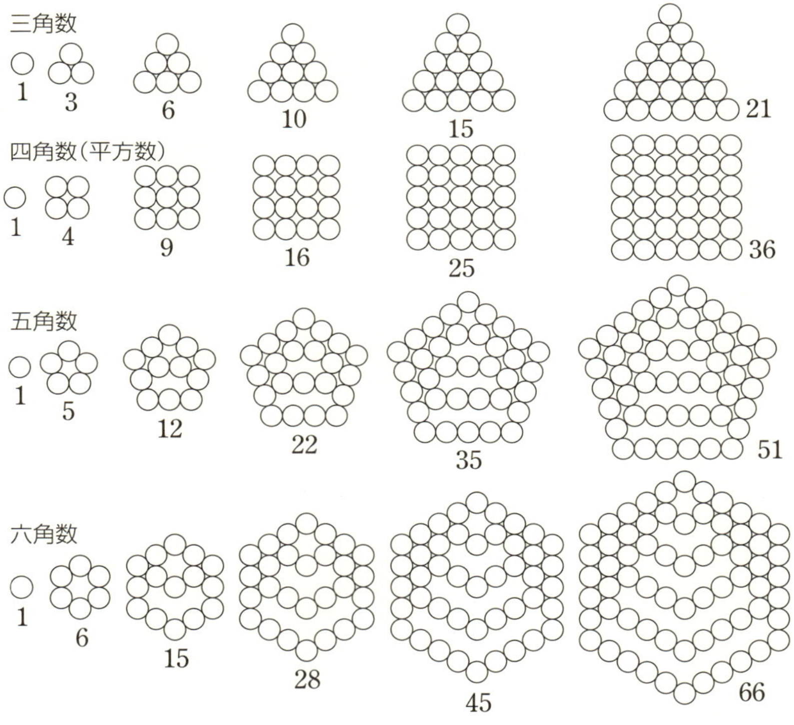

n番目の三角数は、

$$1+2+3+\cdots\cdots+n=\frac{n(n+1)}{2}$$

で計算できる。他の数列もそれぞれ考えると、n番目の数が求められるが、ここでは統一的な求め方を見てみよう。

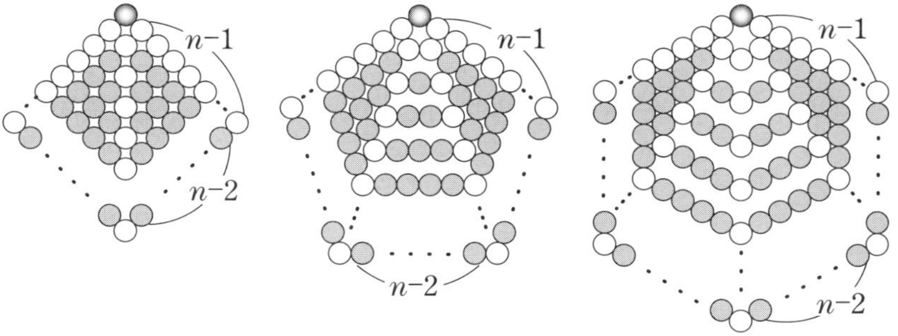

上の四・五・六角数のn番目の図をジーッと見てみよう。

四角数　$1+(n-1)3+(1+2+3+\cdots+(n-2))2=1+(n-1)3+(n-2)(n-1)$

五角数　$1+(n-1)4+(1+2+3+\cdots+(n-2))3=1+(n-1)4+(n-2)(n-1)\dfrac{3}{2}$

六角数　$1+(n-1)5+(1+2+3+\cdots+(n-2))4=1+(n-1)5+(n-2)(n-1)2$

となっている。k角数のn番目はこれから、

k角数　$1+(n-1)(k-1)+(n-2)(n-1)\dfrac{k-2}{2}$

ところで、六角数を一番目から全部加えると、どうなるだろう。

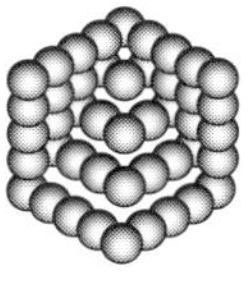

○を球にして大きくし、それを立方形にすると、各六角数は下図になるでしょう！

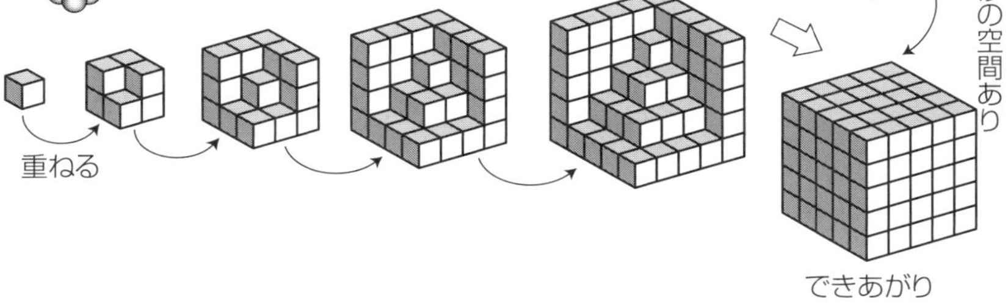

これらを重ねると……。

そこで、六角数のn番目までの和は

$n^3-(1^2+2^2+3^2+\cdots+(n-1)^2)$であることがわかる。

5 平方数

○を下の図のように正方形状に並べたときにできる数を、四角数とよぶ。四角数は$(\quad)^2$と表すことができるので、平方数ともいわれる。

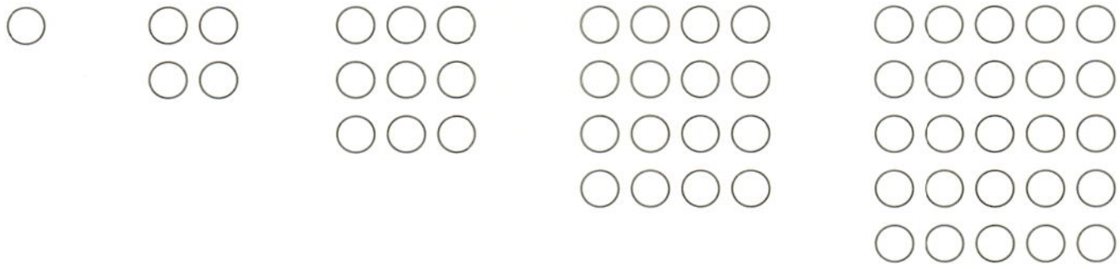

1^2　　2^2　　3^2　　4^2　　5^2

平方数を次の図のように区切って、和の形で表してみよう。

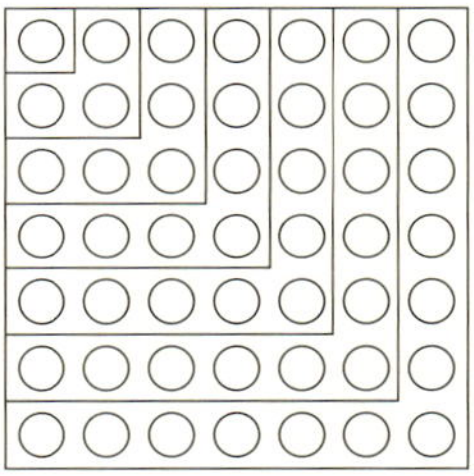

$1^2 = 1$

$2^2 = 1 + 3$

$3^2 = 1 + 3 + 5$

$4^2 = 1 + 3 + 5 + 7$

$5^2 = 1 + 3 + 5 + 7 + 9$

…………………………………

このように、平方数は、連続する奇数の和で表すこともできる。このことは古代ギリシャの人々にも知られていた。また、平方数を、左の図のように区切ると、8つの三角数と中心の1に分けられる。よって、

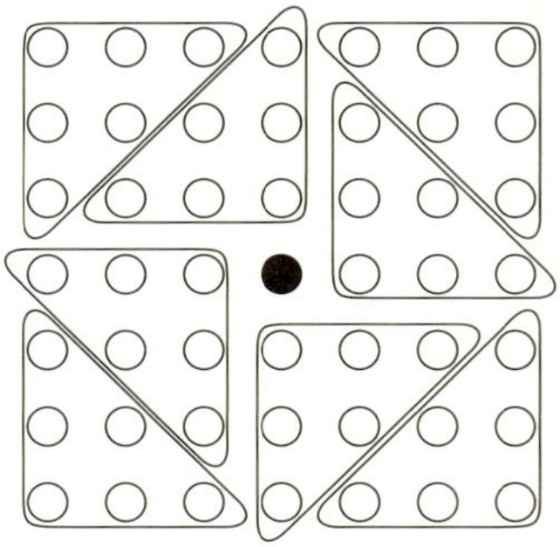

$7^2 = 8 \times (1 + 2 + 3) + 1$

このように、三角数を8倍して1を加えると、平方数になる。

このことは、やはり古代ギリシャの数学者、ディオファントスによって発

見されたといわれる。

平方数の和$S=1^2+2^2+3^2+4^2+5^2$を求めてみよう。

それぞれの平方数を和の形に分解してみると、

$1^2=1$

$2^2=2\times2=2+2$

$3^2=3\times3=3+3+3$

$4^2=4\times4=4+4+4+4$

$5^2=5\times5=5+5+5+5+5$

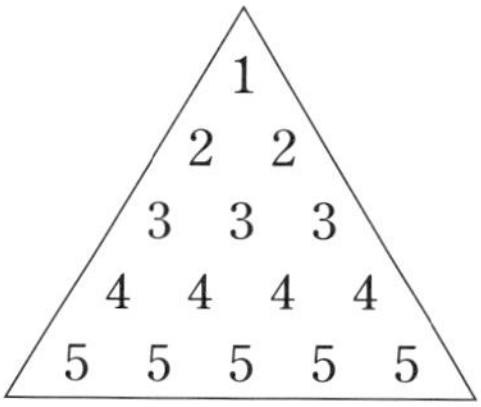

となる。そこで右図のような三角形を作ると、Sはこの三角形の中のすべての数の和になっている。

次に、この三角形を3個作って、下の図のように並べる。このとき、同じ位置にある数の和を求めると、すべて11になる。

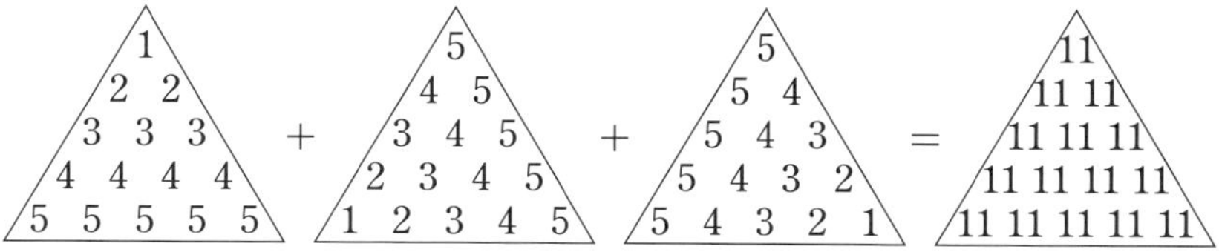

11の個数は$1+2+3+4+5=15$(個)

したがって、$3S=15\times11$　より　$S=\dfrac{15\times11}{3}=55$となる。

同様にして平方数の和$S=1^2+2^2+3^2+\cdots\cdots+n^2$を求めてみよう。

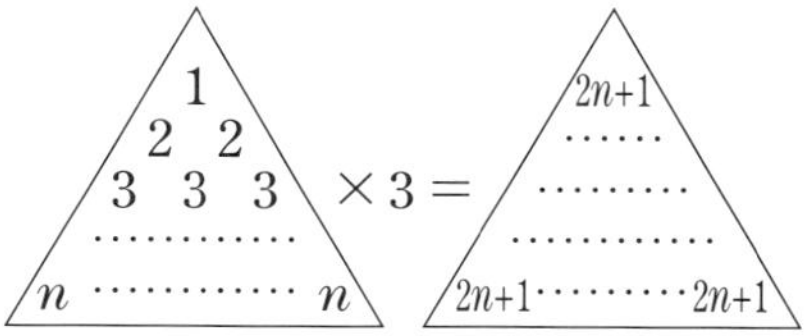

$2n+1$の個数は

$1+2+3+\cdots+n=\dfrac{n(n+1)}{2}$

(個)あるので

$3S=(2n+1)\times\dfrac{n(n+1)}{2}$より

$$S=1^2+2^2+3^2+\cdots+n^2=\frac{n(n+1)(2n+1)}{6}$$　となる。

6 パスカルの三角形

$(x+1)^2=x^2+2x+1$

$(x+1)^3=x^3+3x^2+3x+1$

これらを展開の公式として覚えている人が多い。

$(x+1)^4$は$(x+1)^3(x+1)$であるから、右のようなたて書きの計算をしてみると

$x^4+4x^3+6x^2+4x+1$

となることがわかる。

$$
\begin{array}{rrrrrr}
 & x^3 & +3x^2 & +3x & +1 \\
\times & & & x & +1 \\ \hline
 & x^3 & +3x^2 & +3x & +1 \\
x^4 & +3x^3 & +3x^2 & +\ x & \\ \hline
x^4 & +4x^3 & +6x^2 & +4x & +1
\end{array}
$$

$x+1$をかけるごとに、係数は次のような増え方をする。

$$
\begin{array}{rrrrrr}
 & x^n & +\bigcirc x^{n-1} & +\triangle x^{n-2} & +\square x^{n-3} & +\cdots \\
\times & & & & x & +1 \\ \hline
 & x^n & +\bigcirc x^{n-1} & +\triangle x^{n-2} & +\square x^{n-3} & +\cdots \\
x^{n+1} & +\bigcirc x^n & +\triangle x^{n-1} & +\square x^{n-2} & & +\cdots \\ \hline
x^{n+1} & +(1+\bigcirc)x^n & +(\bigcirc+\triangle)x^{n-1} & +\cdots & &
\end{array}
$$

$$
\begin{array}{ccccccccc}
 & 1 & & \bigcirc & & \triangle & & \square & \cdots \\
1 & & 1+\bigcirc & & \bigcirc+\triangle & & \triangle+\square & & \cdots
\end{array}
$$

この特徴を使うと、右のような三角形状に並んだ数ができる。

たとえば$(x+1)^5$は

$x^5+5x^4+10x^3+10x^2+5x+1$

と展開できる。

この数の三角形のことを、パスカルの三角形という。

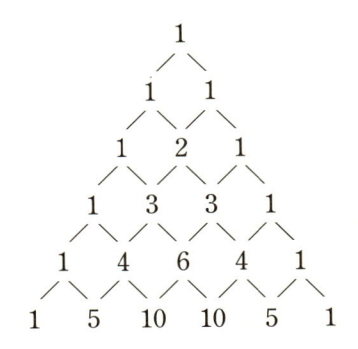

```
          1
        1   1
      1   2   1
    1   3   3   1
  1   4   6   4   1
1   5   10  10  5   1
```

$(x+1)^{10}$などになると、三角形を作っていくのはかなり面倒だが、$(x+1)^5$や$(x+1)^6$あたりまでなら、この三角形を作るのも容易であり、大変助かるので「タスカルの三角形」などとシャレていう人もいる。

この三角形の数字は、見方を変えれば、右図のAから出発して、その点まで行く道筋の数と考えてもよい。

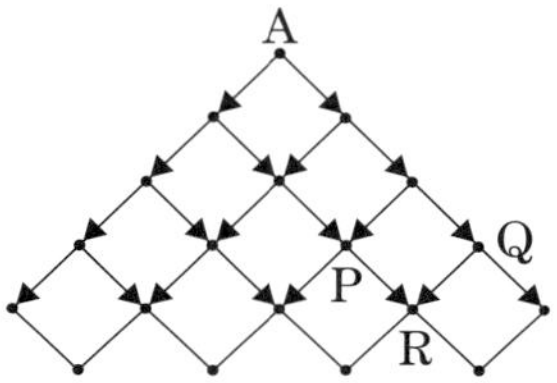

たとえば、Rまで行く道筋（遠回りはしない）は、Pまで行く道筋とQまで行く道筋の合計になる。

●組合せ

ところで、AからRに行くのには、3ブロック↘、1ブロック↙で到達する。したがってRに到達する場合は、下の4つの場合である。

ブロック	①	②	③	④
場合1	↘	↘	↘	↙
場合2	↘	↘	↙	↘
場合3	↘	↙	↘	↘
場合4	↙	↘	↘	↘

いいかえると、①②③④のうちから↘の置き場所を3ヵ所選ぶ選び方の総数が4である。

一般に①②③…ⓝ の中からr個を選ぶ選び方の総数は

$$\frac{n(n-1)\cdots(n-r+1)}{r(r-1)\cdots3\cdot2\cdot1}$$ で計算できる。

ここでは深入りしないが「組合せ」の数とよばれ、${}_nC_r$と表される。

7 素数

いくつかの小石は長方形に並べられるけれど、個数によってはどうしても、長方形には並べられない。このようなことから素数と合成数の考えが生まれた。

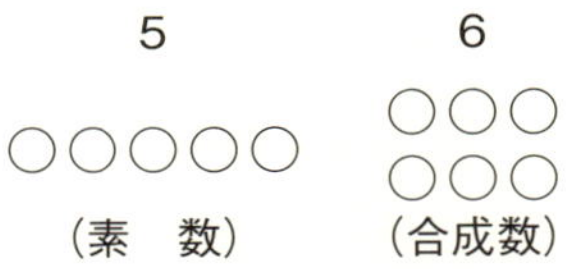

すなわち、素数とは、「自分自身と1でしか割り切れない自然数」のこと。また、素数でない自然数を合成数という。ただし1は、素数にも、合成数にも属さない特別な数とする。

与えられた自然数Nが素数であることを示すには、2から$\sqrt{N}$までのどの数でも割り切れないことを示せば十分である。1つ1つの数について、この方法でやっていては効率がよくないので、ある一定の数までのすべての素数を求める方法として「エラトステネスのふるい」と名づけられている方法を紹介しよう。

~~1~~	②	③	~~4~~	⑤	~~6~~	⑦	~~8~~	~~9~~	~~10~~
⑪	~~12~~	⑬	~~14~~	~~15~~	~~16~~	⑰	~~18~~	⑲	~~20~~
~~21~~	~~22~~	㉓	~~24~~	~~25~~	~~26~~	~~27~~	~~28~~	㉙	~~30~~
㉛	~~32~~	~~33~~	~~34~~	~~35~~	~~36~~	㊲	~~38~~	~~39~~	~~40~~
㊶	~~42~~	㊸	~~44~~	~~45~~	~~46~~	㊼	~~48~~	~~49~~	~~50~~

たとえば1から50までの数を上の表のように並べる。まず1を消す。次に2に○をつけて、2より大きい2の倍数を消す。次に、消されずに残った数の最小値3に○をつけて、3より大きい3の倍数を消す。このようにして「消されずに残った数の最小値」5, 7, …について くり返すと

2, 3, 5, 7, 11, 13, 17, 19, 23, 29, 31, 37, 41, 43, 47

が残る。これらはすべて素数で、「1から50までの間には15個の素数がある」ことがわかる。

数が大きくなればなるほど、合成数の比率が増え、素数の比率が減ってくる傾向がある。では、素数の数は無限にあるのだろうか、それとも有限個で最大の素数があるのだろうか。

この疑問に最初に答えたのが古代ギリシャ人であった。ユークリッドは『原論』の中で、背理法によるみごとな証明により、素数が無限にあることを示した(証明は328ページ参照)。

ところで、右の図のように、41からスタートする四角いらせん状の自然数の列を並べ、素数に印をつける。何と対角線上の数が全部素数である(?!)

105	104	**103**	102	**101**	100	99	98	**97**
106	77	76	75	74	**73**	72	**71**	96
107	78	57	56	55	54	**53**	70	95
108	**79**	58	45	44	**43**	52	69	94
109	80	**59**	46	**41**	42	51	68	93
110	81	60	**47**	48	49	50	**67**	92
111	82	**61**	62	63	64	65	66	91
112	**83**	84	85	86	87	88	**89**	90
113	114	115	116	117	118	119	120	121

41,　43,　47,　53,　61,　71

2　4　6　8　10

階差が偶数になっているので、この数列のn番目の数$f(n)$は、次の式で表せる。

$$f(n)=n^2-n+41$$

ひょっとしたら、この式は、どんな自然数nについても素数を発生させる関数かもしれない。事実$f(1), f(2), f(3), \cdots, f(40)$まではすべて素数だ。しかし$n=41$で期待を裏切ってしまう。

$$f(41)=41^2$$

となるからである。

実は$f(1), f(2), f(3), \cdots$すべてが素数になるような多項式$f(n)$は存在しない。

8 素数の散らばり

10000までの素数は1229個ある。次ページがそのすべて。5000毎の20万までの素数の数と累計の表が右。百万までは累計78498個で、そこまでの最大の素数は999983。

〈素数定理〉

xまでの素数の数を$\pi(x)$とすると

$$\pi(x) \sim \frac{x}{\log x}$$

となる。これは、xが大きくなると、$\pi(x)$は$\dfrac{x}{\log x}$にどこまでも近づくという意味。

$$\frac{x}{\log x - 1.08366}$$

の方が非常に近似がよい。実際の数とそれとの比較を表に含めた。

〈補足〉分母の-1.08366は、この範囲では妥当であるが、範囲を無限に広げると-1が最適であることがわかっている。

	5000毎	累計①	②	③
1 ～5000	669個	669個	673	0.54%
5001～ 10000	560個	1229個	1231	0.12%
10001～ 15000	525個	1754個	1758	0.23%
15001～ 20000	508個	2262個	2268	0.25%
20001～ 25000	500個	2762個	2765	0.09%
25001～ 30000	483個	3245個	3252	0.21%
30001～ 35000	487個	3732個	3732	0.01%
35001～ 40000	471個	4203個	4205	0.04%
40001～ 45000	472個	4675個	4673	0.05%
45001～ 50000	458個	5133個	5136	0.05%
50001～ 55000	457個	5590個	5594	0.08%
55001～ 60000	467個	6057個	6049	0.13%
60001～ 65000	436個	6493個	6501	0.12%
65001～ 70000	442個	6935個	6950	0.21%
70001～ 75000	458個	7393個	7395	0.03%
75001～ 80000	444個	7837個	7838	0.02%
80001～ 85000	440個	8277個	8279	0.03%
85001～ 90000	436個	8713個	8718	0.05%
90001～ 95000	444個	9157個	9154	0.03%
95001～100000	435個	9592個	9588	0.04%
100001～105000	432個	10024個	10021	0.03%
105001～110000	429個	10453個	10452	0.01%
110001～115000	418個	10871個	10881	0.09%
115001～120000	430個	11301個	11308	0.07%
120001～125000	433個	11734個	11734	0.00%
125001～130000	425個	12159個	12159	0.00%
130001～135000	417個	12576個	12582	0.05%
135001～140000	434個	13010個	13004	0.04%
140001～145000	412個	13422個	13425	0.02%
145001～150000	426個	13848個	13844	0.03%
150001～155000	424個	14272個	14263	0.07%
155001～160000	411個	14683個	14680	0.02%
160001～165000	410個	15093個	15096	0.02%
165001～170000	404個	15497個	15511	0.09%
170001～175000	419個	15916個	15925	0.06%
175001～180000	426個	16342個	16338	0.02%
180001～185000	403個	16745個	16750	0.03%
185001～190000	425個	17170個	17162	0.05%
190001～195000	403個	17573個	17572	0.00%
195001～200000	411個	17984個	17982	0.01%

②$= \dfrac{x}{\log x - 1.08366}$, ③は①と②の誤差

2, 3, 5, 7, 11, 13, 17, 19, 23, 29, 31, 37, 41, 43, 47, 53, 59, 61, 67, 71, 73, 79, 83, 89, 97, 101, 103, 107, 109, 113, 127, 131, 137, 139, 149, 151, 157, 163, 167, 173, 179, 181, 191, 193, 197, 199, 211, 223, 227, 229, 233, 239, 241, 251, 257, 263, 269, 271, 277, 281, 283, 293, 307, 311, 313, 317, 331, 337, 347, 349, 353, 359, 367, 373, 379, 383, 389, 397, 401, 409, 419, 421, 431, 433, 439, 443, 449, 457, 461, 463, 467, 479, 487, 491, 499, 503, 509, 521, 523, 541, 547, 557, 563, 569, 571, 577, 587, 593, 599, 601, 607, 613, 617, 619, 631, 641, 643, 647, 653, 659, 661, 673, 677, 683, 691, 701, 709, 719, 727, 733, 739, 743, 751, 757, 761, 769, 773, 787, 797, 809, 811, 821, 823, 827, 829, 839, 853, 857, 859, 863, 877, 881, 883, 887, 907, 911, 919, 929, 937, 941, 947, 953, 967, 971, 977, 983, 991, 997, 1009, 1013, 1019, 1021, 1031, 1033, 1039, 1049, 1051, 1061, 1063, 1069, 1087, 1091, 1093, 1097, 1103, 1109, 1117, 1123, 1129, 1151, 1153, 1163, 1171, 1181, 1187, 1193, 1201, 1213, 1217, 1223, 1229, 1231, 1237, 1249, 1259, 1277, 1279, 1283, 1289, 1291, 1297, 1301, 1303, 1307, 1319, 1321, 1327, 1361, 1367, 1373, 1381, 1399, 1409, 1423, 1427, 1429, 1433, 1439, 1447, 1451, 1453, 1459, 1471, 1481, 1483, 1487, 1489, 1493, 1499, 1511, 1523, 1531, 1543, 1549, 1553, 1559, 1567, 1571, 1579, 1583, 1597, 1601, 1607, 1609, 1613, 1619, 1621, 1627, 1637, 1657, 1663, 1667, 1669, 1693, 1697, 1699, 1709, 1721, 1723, 1733, 1741, 1747, 1753, 1759, 1777, 1783, 1787, 1789, 1801, 1811, 1823, 1831, 1847, 1861, 1867, 1871, 1873, 1877, 1879, 1889, 1901, 1907, 1913, 1931, 1933, 1949, 1951, 1973, 1979, 1987, 1993, 1997, 1999, 2003, 2011, 2017, 2027, 2029, 2039, 2053, 2063, 2069, 2081, 2083, 2087, 2089, 2099, 2111, 2113, 2129, 2131, 2137, 2141, 2143, 2153, 2161, 2179, 2203, 2207, 2213, 2221, 2237, 2239, 2243, 2251, 2267, 2269, 2273, 2281, 2287, 2293, 2297, 2309, 2311, 2333, 2339, 2341, 2347, 2351, 2357, 2371, 2377, 2381, 2383, 2389, 2393, 2399, 2411, 2417, 2423, 2437, 2441, 2447, 2459, 2467, 2473, 2477, 2503, 2521, 2531, 2539, 2543, 2549, 2551, 2557, 2579, 2591, 2593, 2609, 2617, 2621, 2633, 2647, 2657, 2659, 2663, 2671, 2677, 2683, 2687, 2689, 2693, 2699, 2707, 2711, 2713, 2719, 2729, 2731, 2741, 2749, 2753, 2767, 2777, 2789, 2791, 2797, 2801, 2803, 2819, 2833, 2837, 2843, 2851, 2857, 2861, 2879, 2887, 2897, 2903, 2909, 2917, 2927, 2939, 2953, 2957, 2963, 2969, 2971, 2999, 3001, 3011, 3019, 3023, 3037, 3041, 3049, 3061, 3067, 3079, 3083, 3089, 3109, 3119, 3121, 3137, 3163, 3167, 3169, 3181, 3187, 3191, 3203, 3209, 3217, 3221, 3229, 3251, 3253, 3257, 3259, 3271, 3299, 3301, 3307, 3313, 3319, 3323, 3329, 3331, 3343, 3347, 3359, 3361, 3371, 3373, 3389, 3391, 3407, 3413, 3433, 3449, 3457, 3461, 3463, 3467, 3469, 3491, 3499, 3511, 3517, 3527, 3529, 3533, 3539, 3541, 3547, 3557, 3559, 3571, 3581, 3583, 3593, 3607, 3613, 3617, 3623, 3631, 3637, 3643, 3659, 3671, 3673, 3677, 3691, 3697, 3701, 3709, 3719, 3727, 3733, 3739, 3761, 3767, 3769, 3779, 3793, 3797, 3803, 3821, 3823, 3833, 3847, 3851, 3853, 3863, 3877, 3881, 3889, 3907, 3911, 3917, 3919, 3923, 3929, 3931, 3943, 3947, 3967, 3989, 4001, 4003, 4007, 4013, 4019, 4021, 4027, 4049, 4051, 4057, 4073, 4079, 4091, 4093, 4099, 4111, 4127, 4129, 4133, 4139, 4153, 4157, 4159, 4177, 4201, 4211, 4217, 4219, 4229, 4231, 4241, 4243, 4253, 4259, 4261, 4271, 4273, 4283, 4289, 4297, 4327, 4337, 4339, 4349, 4357, 4363, 4373, 4391, 4397, 4409, 4421, 4423, 4441, 4447, 4451, 4457, 4463, 4481, 4483, 4493, 4507, 4513, 4517, 4519, 4523, 4547, 4549, 4561, 4567, 4583, 4591, 4597, 4603, 4621, 4637, 4639, 4643, 4649, 4651, 4657, 4663, 4673, 4679, 4691, 4703, 4721, 4723, 4729, 4733, 4751, 4759, 4783, 4787, 4789, 4793, 4799, 4801, 4813, 4817, 4831, 4861, 4871, 4877, 4889, 4903, 4909, 4919, 4931, 4933, 4937, 4943, 4951, 4957, 4967, 4969, 4973, 4987, 4993, 4999, 5003, 5009, 5011, 5021, 5023, 5039, 5051, 5059, 5077, 5081, 5087, 5099, 5101, 5107, 5113, 5119, 5147, 5153, 5167, 5171, 5179, 5189, 5197, 5209, 5227, 5231, 5233, 5237, 5261, 5273, 5279, 5281, 5297, 5303, 5309, 5323, 5333, 5347, 5351, 5381, 5387, 5393, 5399, 5407, 5413, 5417, 5419, 5431, 5437, 5441, 5443, 5449, 5471, 5477, 5479, 5483, 5501, 5503, 5507, 5519, 5521, 5527, 5531, 5557, 5563, 5569, 5573, 5581, 5591, 5623, 5639, 5641, 5647, 5651, 5653, 5657, 5659, 5669, 5683, 5689, 5693, 5701, 5711, 5717, 5737, 5741, 5743, 5749, 5779, 5783, 5791, 5801, 5807, 5813, 5821, 5827, 5839, 5843, 5849, 5851, 5857, 5861, 5867, 5869, 5879, 5881, 5897, 5903, 5923, 5927, 5939, 5953, 5981, 5987, 6007, 6011, 6029, 6037, 6043, 6047, 6053, 6067, 6073, 6079, 6089, 6091, 6101, 6113, 6121, 6131, 6133, 6143, 6151, 6163, 6173, 6197, 6199, 6203, 6211, 6217, 6221, 6229, 6247, 6257, 6263, 6269, 6271, 6277, 6287, 6299, 6301, 6311, 6317, 6323, 6329, 6337, 6343, 6353, 6359, 6361, 6367, 6373, 6379, 6389, 6397, 6421, 6427, 6449, 6451, 6469, 6473, 6481, 6491, 6521, 6529, 6547, 6551, 6553, 6563, 6569, 6571, 6577, 6581, 6599, 6607, 6619, 6637, 6653, 6659, 6661, 6673, 6679, 6689, 6691, 6701, 6703, 6709, 6719, 6733, 6737, 6761, 6763, 6779, 6781, 6791, 6793, 6803, 6823, 6827, 6829, 6833, 6841, 6857, 6863, 6869, 6871, 6883, 6899, 6907, 6911, 6917, 6947, 6949, 6959, 6961, 6967, 6971, 6977, 6983, 6991, 6997, 7001, 7013, 7019, 7027, 7039, 7043, 7057, 7069, 7079, 7103, 7109, 7121, 7127, 7129, 7151, 7159, 7177, 7187, 7193, 7207, 7211, 7213, 7219, 7229, 7237, 7243, 7247, 7253, 7283, 7297, 7307, 7309, 7321, 7331, 7333, 7349, 7351, 7369, 7393, 7411, 7417, 7433, 7451, 7457, 7459, 7477, 7481, 7487, 7489, 7499, 7507, 7517, 7523, 7529, 7537, 7541, 7547, 7549, 7559, 7561, 7573, 7577, 7583, 7589, 7591, 7603, 7607, 7621, 7639, 7643, 7649, 7669, 7673, 7681, 7687, 7691, 7699, 7703, 7717, 7723, 7727, 7741, 7753, 7757, 7759, 7789, 7793, 7817, 7823, 7829, 7841, 7853, 7867, 7873, 7877, 7879, 7883, 7901, 7907, 7919, 7927, 7933, 7937, 7949, 7951, 7963, 7993, 8009, 8011, 8017, 8039, 8053, 8059, 8069, 8081, 8087, 8089, 8093, 8101, 8111, 8117, 8123, 8147, 8161, 8167, 8171, 8179, 8191, 8209, 8219, 8221, 8231, 8233, 8237, 8243, 8263, 8269, 8273, 8287, 8291, 8293, 8297, 8311, 8317, 8329, 8353, 8363, 8369, 8377, 8387, 8389, 8419, 8423, 8429, 8431, 8443, 8447, 8461, 8467, 8501, 8513, 8521, 8527, 8537, 8539, 8543, 8563, 8573, 8581, 8597, 8599, 8609, 8623, 8627, 8629, 8641, 8647, 8663, 8669, 8677, 8681, 8689, 8693, 8699, 8707, 8713, 8719, 8731, 8737, 8741, 8747, 8753, 8761, 8779, 8783, 8803, 8807, 8819, 8821, 8831, 8837, 8839, 8849, 8861, 8863, 8867, 8887, 8893, 8923, 8929, 8933, 8941, 8951, 8963, 8969, 8971, 8999, 9001, 9007, 9011, 9013, 9029, 9041, 9043, 9049, 9059, 9067, 9091, 9103, 9109, 9127, 9133, 9137, 9151, 9157, 9161, 9173, 9181, 9187, 9199, 9203, 9209, 9221, 9227, 9239, 9241, 9257, 9277, 9281, 9283, 9293, 9311, 9319, 9323, 9337, 9341, 9343, 9349, 9371, 9377, 9391, 9397, 9403, 9413, 9419, 9421, 9431, 9433, 9437, 9439, 9461, 9463, 9467, 9473, 9479, 9491, 9497, 9511, 9521, 9533, 9539, 9547, 9551, 9587, 9601, 9613, 9619, 9623, 9629, 9631, 9643, 9649, 9661, 9677, 9679, 9689, 9697, 9719, 9721, 9733, 9739, 9743, 9749, 9767, 9769, 9781, 9787, 9791, 9803, 9811, 9817, 9829, 9833, 9839, 9851, 9857, 9859, 9871, 9883, 9887, 9901, 9907, 9923, 9929, 9931, 9941, 9949, 9967, 9973

9 互除法

まず問題。

399と741の最大公約数を求めなさい。

たとえば、42と60の最大公約数を求めるとき、右のようにする。7と10に公約数はないので、2×3＝6が最大公約数となる。

```
2)42  60
3)21  30
   7  10
```

では、399と741でもやると…、次が見つからない…。こんなときの必殺技。

```
3)399  741
?)133  247
```

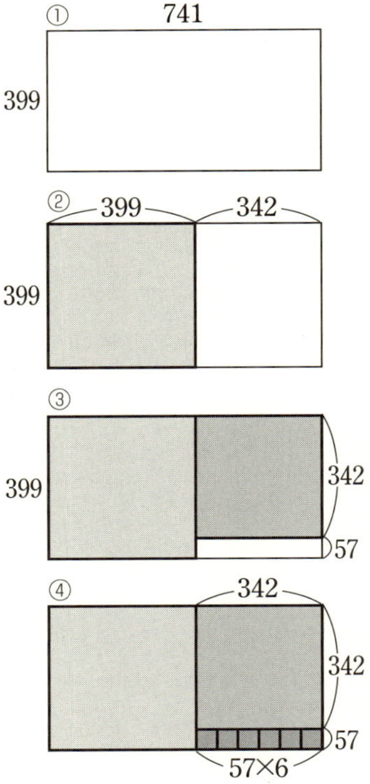

①399×741の長方形を、できるだけ大きい正方形でしきつめることを考える。

②一辺399の正方形ではどうかな？　ダメ！ 342余った。

③残りの長方形で、一辺342の正方形ではどうかな？　ダメ！ 57余った。

④残りの長方形で、一辺57の正方形6個が、ピタッと入る。

逆にさかのぼっていくと、全体が一辺57の正方形でしきつめられることがわかる。

この57が399と741の最大公約数。

計算で示すと右のようになる。

①741÷399からはじめる

②741÷399は商1余り342

③399を余りの342でわる。余り57

④342を余り57でわる。わり切れたので、57が最大公約数。

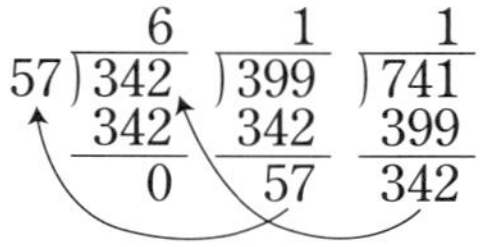

ふたつの数に対して交**互**に**除法**をして、最大公約数を求める方法を「ユークリッドの互除法」という。紀元前300年頃にユークリッドが書いた『原論』に述べられている。その起源は、それ以前のピタゴラス学派の音階にあるといわれている。

記号で互除法を書くと…

$a, b\,(a>b)$を整数とする。aをbでわった商をq、余りをrとすると、

$$a=bq+r \quad (0 \leqq r < b)$$

と書くことができる。

aとbの最大公約数を(a, b)と書くことにすると

$$(a, b)=(b, r)$$

となる。だから「aとbの最大公約数」を求めるかわりに、「bと余りrの最大公約数」を求めればよい、ということになる。

説明は省くが、これが互除法の根拠である。

[応用]

$\dfrac{3984}{5976}-\dfrac{5667}{13223}+\dfrac{310}{3255}$ を計算したい。それにはそれぞれの分数の分母、分子の最大公約数を求めて約分をしておくと、計算がラクになる。

10 ピタゴラス数

学校で学んだ定理の中で、一番多くの人が印象的に覚えている定理はたぶん「三平方の定理」だ。「ピタゴラスの定理」ともよばれる。

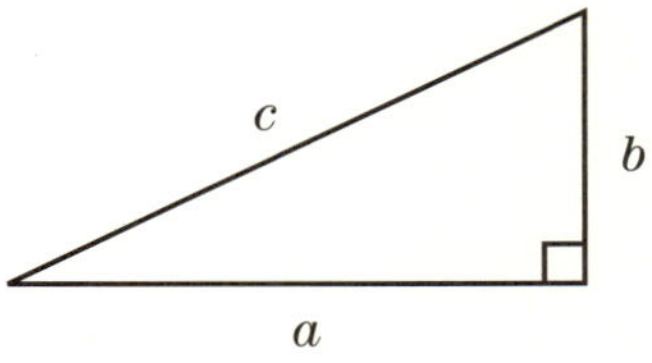

$a^2 + b^2 = c^2$

直角三角形の3辺の長さが a, b, c（cを斜辺の長さとする）のとき

$$a^2 + b^2 = c^2$$

が成り立つ。また逆に $a^2 + b^2 = c^2$ が成り立てば、直角三角形であるという、何とも美しい定理である。

3辺が3, 4, 5のとき

$$3^2 + 4^2 = 9 + 16 = 25 = 5^2$$

だから、この三角形はうまい具合に直角三角形になる。

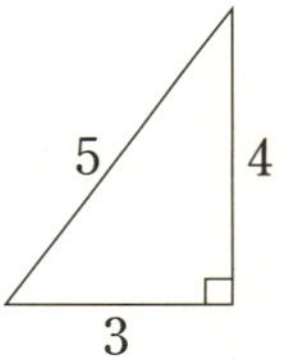

直角三角形

3辺が4, 5, 6では

$$4^2 + 5^2 = 16 + 25 = 41$$

$$6^2 = 36$$

だから $a^2 + b^2 = c^2$ は成り立たず、残念ながら直角三角形にならない。

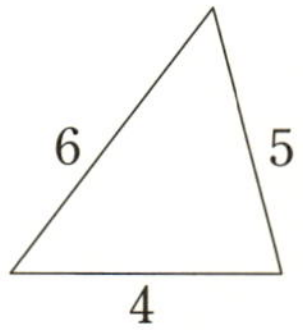

直角三角形にならない

もしも $a = 4$, $b = 5$ の直角三角形にしたければ $c = \sqrt{41}$ とすればよいのだが、根号（$\sqrt{\quad}$）を使わなければならない。

(3, 4, 5)のように各辺が整数になるものはまだある。各辺を2倍して(6, 8, 10)としてもよい。

しかしこれは相似形だからあたりまえでおもしろくない。

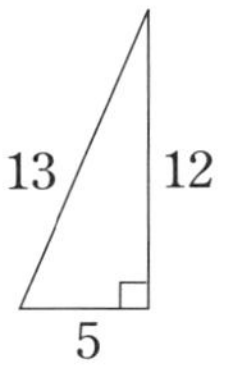

$a=5$, $b=12$, $c=13$が合格することは昔から知られていた。

$$5^2+12^2=25+144=169=13^2$$

3辺とも整数の(3, 4, 5)(5, 12, 13)のような数の組をピタゴラス数という。他にピタゴラス数はないか？

式の計算が得意な方は、

$$(m^2+n^2)^2-(m^2-n^2)^2=4m^2n^2$$

が成り立つことに気付かれることと思う。これは

$$(2mn)^2+(m^2-n^2)^2=(m^2+n^2)^2 \qquad (*)$$

と書けば、$a=2mn$, $b=m^2-n^2$, $c=m^2+n^2$ (m, nは$m>n$のどんな自然数でもよい)のとき、直角三角形であることを示している。

たとえば$m=7$, $n=5$とすると$a=70$, $b=24$, $c=74$という新しいものが見つかる。

しかし、これは全部偶数で(35, 12, 37)と相似形だ。

ここでは詳しい証明を省くが、上の(＊)の両辺を4でわった

$$(mn)^2+\left(\frac{m^2-n^2}{2}\right)^2=\left(\frac{m^2+n^2}{2}\right)^2$$

において、m, n ($m>n$)を互いに素(公約数をもたない)な奇数とすると相似な直角三角形が省かれ、しかもすべてのケースが求まることが知られている。これであなたも、たくさんのピタゴラス数を見つけられる。

11 黄金比

正方形の1辺と対角線の長さはよく知られているように

$$1 : \sqrt{2}$$

である。

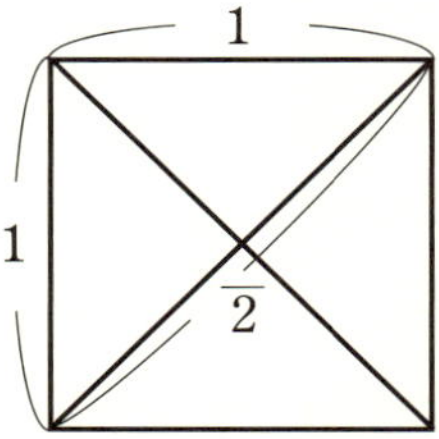

では、正五角形の1辺と対角線の比は？　実は

$$1 : \frac{1+\sqrt{5}}{2}$$

となる（約1：1.6）。

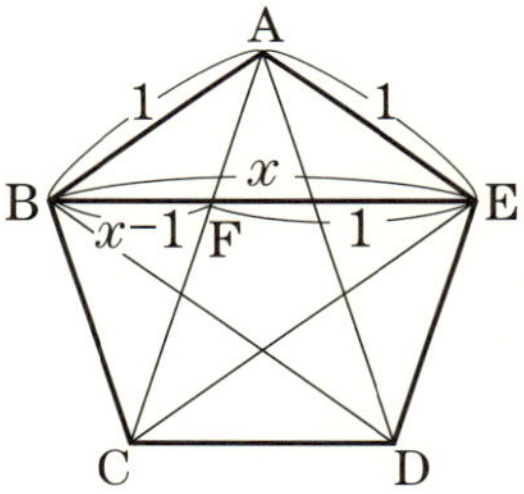

その理由。

△ABEと△FABが相似だから

AB：BE＝BF：AB

1辺の長さを1、対角線の長さをxとすると

$$1 : x = (x-1) : 1$$

よって　$x(x-1)=1$

$$x^2 - x - 1 = 0$$

2次方程式の解の公式を使って解くと

$$x = \frac{1 \pm \sqrt{1+4}}{2} = \frac{1 \pm \sqrt{5}}{2}$$

$x > 0$だから

$$x = \frac{1+\sqrt{5}}{2}$$

この　$1 : \frac{1+\sqrt{5}}{2}$　という比を黄金比《おうごんひ》という（259ページ参照）。

（注）

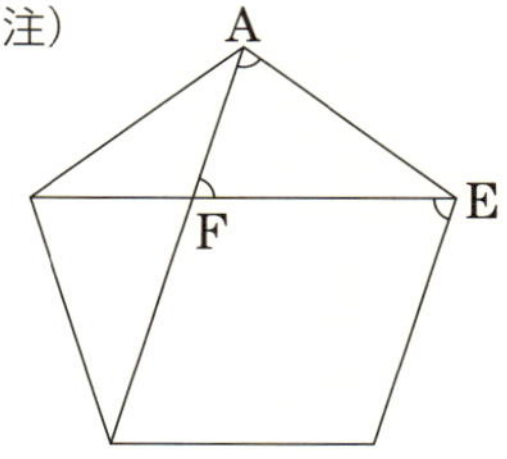

△FEAは2等辺三角形になる。これは上の図を見るとわかる

名刺のよことたての比は黄金比になっている。新書判の本のよこたての比も黄金比だ。

この比は美術的に美しい比といわれていて、たとえば下のように、パルテノンの神殿のたてよこの比が黄金比だとか、ミロのヴィーナスのおへそは黄金比に分割した位置だとかいわれている。

パルテノン神殿

ミロのヴィーナス

しかしこれは、偶然だろうという人も多い。

それにしても、やっぱり美しい比だから意識的に使おうという画家もいる。

皆さんも絵を描くとき黄金比の利用に挑戦してみてはいかがでしょうか。

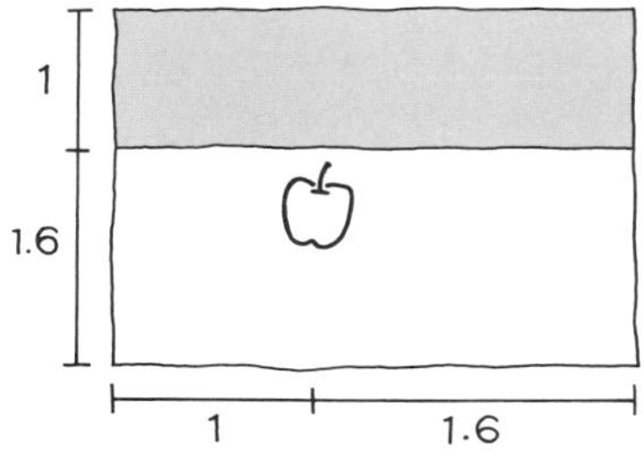

12 フィボナッチ数

13世紀のイタリアの数学者フィボナッチは、次の問題を研究した。「1対の子ウサギがいる。この1対のウサギは1ヶ月後に成熟して、その翌月から毎月1対のウサギを生む。生まれた1対の子ウサギは、親と同様に1ヶ月で成熟して、その翌月から1対の子を生むとする。さて、1年後には何対のウサギになるか？」

このウサギが増える様子を図で表してみよう。

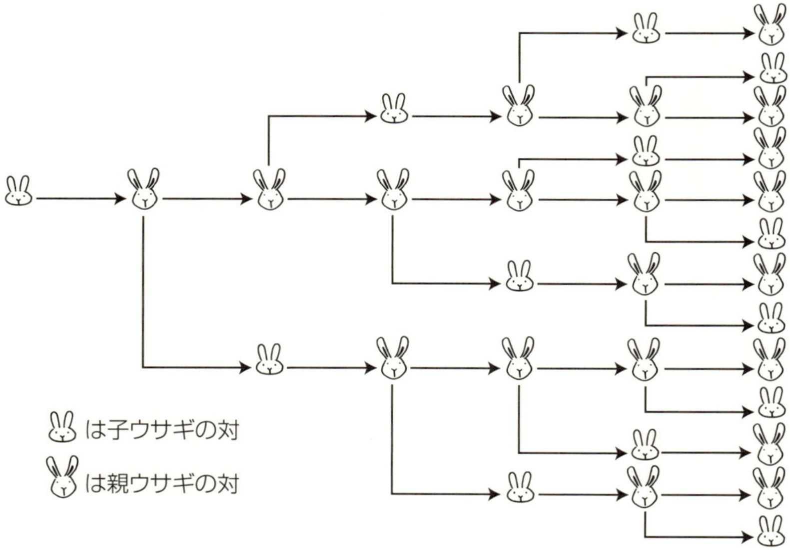

nヶ月後のウサギの対の数を$f(n)$で表すと、図より、$f(0)=1$, $f(1)=1$,　$f(2)=2$,　$f(3)=3$,　$f(4)=5$,　$f(5)=8$, …となる。

この数列は、どんな法則で増えているか調べてみよう。たとえば、$f(5)=8$対は、親が5対に子が3対で、計8対ということであるが、親の5対は前月のウサギの対の数$f(4)$に等しい。また、子の3対は前月の親の対の数に等しく、そのまた前の月のウサギの対の数$f(3)$に等しい。よって、次の関係が成り立つ。

$$f(5)=f(4)+f(3)$$

同様にして　$f(6)=f(5)+f(4)=8+5=13$　（対）

$$f(7)=f(6)+f(5)=13+8=21 \quad \text{（対）}$$

このように次々と計算して、$f(12)=233$（対）が求められる。

一般に$f(0)=1,\quad f(1)=1,\quad f(n)=f(n-1)+f(n-2)\quad (n \geqq 2)$

という法則で作り出せる数をフィボナッチ数という。

フィボナッチ数でらせんを作ってみよう。図のように1×1の正方形の上に、同じ正方形を置き、2×1の長方形を作る。次にその脇に2×2の正方形を置き、2×3の長方形を作る。以下同様に、長方形の長い辺に重なるように正方形を置いていく。それぞれの正方形に、図のような円弧をつけると、きれいならせんができあがる。

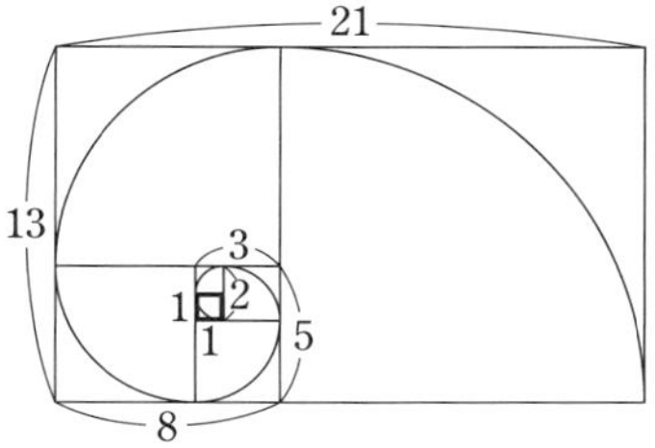

このらせんは90°回転するごとに拡大の倍率が $\dfrac{1}{1},\ \dfrac{2}{1},\ \dfrac{3}{2},\ \dfrac{5}{3},\ \dfrac{8}{5},\ \dfrac{13}{8},\cdots$ となる。この隣り合ったフィボナッチ数の比は、急速に黄金比$\phi=\dfrac{1+\sqrt{5}}{2}$に近づく。

式で証明することもできるが、逆に下図のように$1:\phi$の長方形から正方形を区切って作られたらせんを観察すると、そんな気がしてくるかもしれない。

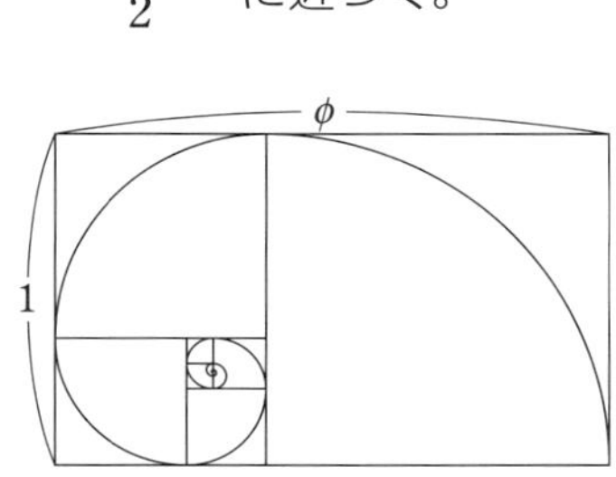

13 カタラン数

不等辺凸n角形を、対角線で$n-2$個の三角形にわける方法は何通りか？

四角形　2通り　　　　五角形　5通り

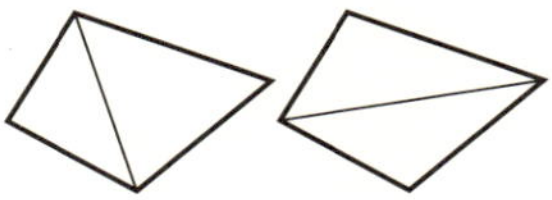

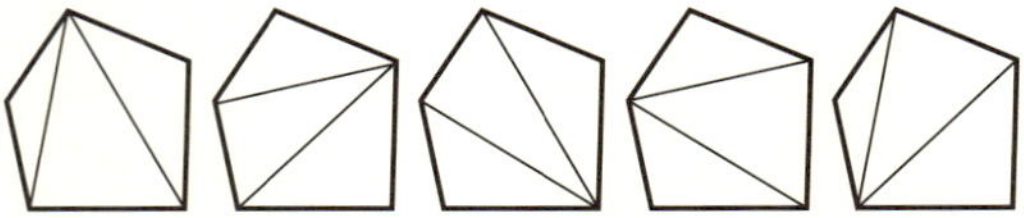

六角形のとき、七角形のときは、それぞれ何通りあるか。n角形のときはどうなるかを考えてみよう。でも、六角形までは、次のようになる。

	三角形	四角形	五角形	六角形	七角形	八角形
通り	1	2	5	14		

この1, 2, 5, 14, …をカタラン数という。

七角形ができたら、八角形を予想してみてほしい。

それから次の式で答えをたしかめるとよい。

n角形の場合

$$\frac{(2n-4)!}{(n-2)!(n-1)!}\text{通り}\quad\left(\begin{array}{c}\text{たとえば五角形のとき}\\ \dfrac{6!}{3!\ 4!}=\dfrac{6\cdot5\cdot4\cdot3\cdot2\cdot1}{3\cdot2\cdot1\cdot4\cdot3\cdot2\cdot1}=5\end{array}\right)$$

六角形

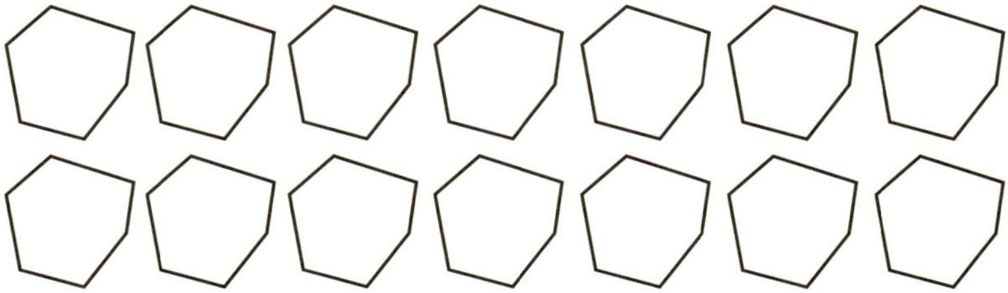

七角形（実際に線を引いて考えると、意外と楽しいもの！）

まず実際に線を引いて、もれなくかつダブらないように何通りあるか考えてほしい。

14 円周率 π

円の直径を2倍すれば円周も2倍になり、直径を半分にすれば、円周も半分になる。一般に円周と直径の比率は一定で、この比率のことを円周率といい、記号π(パイ)で表す。すなわち

$$\pi = \frac{(\text{円周})}{(\text{直径})} \text{ で、}\pi\text{の値は、}\pi = 3.14159\cdots\text{である。}$$

円周率πは、数学のいたる所に顔を出すとても重要な定数。たとえば、面積・体積では、次のようになる。

円の面積………πr^2

だ円の面積……πab

球の表面積……$4\pi r^2$

球の体積………$\dfrac{4}{3}\pi r^3$

円環体の表面積…$\pi^2(b^2 - a^2)$

円環体の体積……$\dfrac{1}{4}\pi^2(a+b)(b-a)^2$

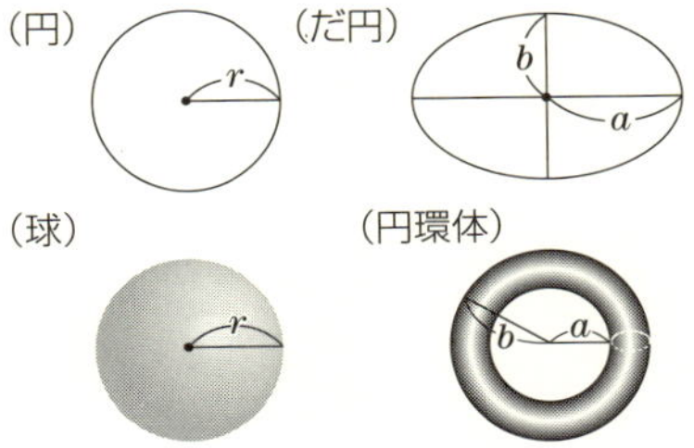

●アルキメデスの挑戦

円周率πの正確な値を求めるために、古代から多くの人々が挑戦してきた。アルキメデスは、「ひとつの円に内接する正n角形の周囲の長さは円周より短く、円に外接する正n角形のそれは、円周より長い」という性質に着目した。

nを十分大きくすると、2つの周は円周に限りなく近づく。彼はこれを利用してπの近似値を計算した。

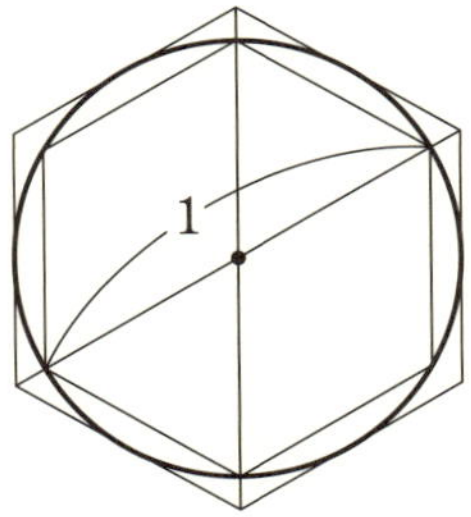

$3 < \pi < 2\sqrt{3}$

彼は、正六角形から始めて、辺の数を次々と2倍して、正96角形までいって、次の不等式を得た。

$$3\frac{10}{71} < \pi < 3\frac{1}{7}$$

小数になおせば、次の通りである。

$$3.1408\cdots\cdots < \pi < 3.1428\cdots\cdots$$

これは、πのおなじみの値、$\pi \fallingdotseq 3.14$と同程度の近似値を与えている。

●マチンの方法に挑戦

近代に入り、微積分学が発展してくるとπを計算するいろいろな公式が見つかるようになる。

ライプニッツの公式も、その1つ。

$$\frac{\pi}{4} = 1 - \frac{1}{3} + \frac{1}{5} - \frac{1}{7} + \frac{1}{9} - \frac{1}{11} + \cdots$$

しかし、この公式はπへの収束が遅く、計算には向いていない。それに対してマチンの公式とよばれる次の式は、収束が速く、計算に向いている。

$$\frac{\pi}{4} = 4\left(\frac{1}{1\cdot 5} - \frac{1}{3\cdot 5^3} + \frac{1}{5\cdot 5^5} - \cdots\right) - \left(\frac{1}{1\cdot 239} - \frac{1}{3\cdot 239^3} + \frac{1}{5\cdot 239^5} - \cdots\right)$$

たとえば最初の4つの項を計算しただけで、次のようにかなりよい近似値を出せる（今はもっとよい方法が知られている）。

$$4\left(\frac{1}{1\cdot 5} - \frac{1}{3\cdot 5^3} + \frac{1}{5\cdot 5^5}\right) - \frac{1}{239} \fallingdotseq 0.7854 \text{より} \pi \fallingdotseq 4 \times 0.7854 = 3.1416$$

●コンピュータで挑戦

20世紀に入るとコンピュータの出現によって、πの計算は新しい局面を迎えた。1949年アメリカのENIACによって、2037桁まで正しく計算されたのを皮切りに、2011年には日本の近藤茂さんが個人のパソコン・システムで10兆桁計算した。これが現時点での世界記録である！

15 万有率 e

サラ金の話から始めよう。

悪どい金融会社が、年100%の利率で金を貸していたとする。A円借りて、1年間たつと、$A\times(1+1)=2A$で元利合計が2倍になる。その金融会社は考えた。「そうだ！　半年複利にしよう。」

これは、半年で利息を元金にくり入れるということ。

年利100%だから半年で50%の利息になり、元利合計は

半年後　$A\left(1+\dfrac{1}{2}\right)=1.5A$

1年後　$\left(A\left(1+\dfrac{1}{2}\right)\right)\left(1+\dfrac{1}{2}\right)=A\left(1+\dfrac{1}{2}\right)^2=2.25A$　オッ2.25倍！

欲が出て、4ヶ月複利にしよう。そうすると利息は$\dfrac{1}{3}$年で$\dfrac{1}{3}$。

$\dfrac{1}{3}$年後　$1+\dfrac{1}{3}=1.333\cdots$ 倍

$\dfrac{2}{3}$年後　$\left(1+\dfrac{1}{3}\right)^2=1.777\cdots$ 倍

1年後　$\left(1+\dfrac{1}{3}\right)^3=2.37\cdots$ 倍　これはシメシメ。

こんな調子で1ヶ月複利にし、利息は1ヶ月で$\dfrac{1}{12}$だから、

1年後　$\left(1+\dfrac{1}{12}\right)^{12}=2.613\cdots$ 倍

エイッ、1日複利ダ。利息は、1日で$\dfrac{1}{365}$だから、

1年後　$\left(1+\dfrac{1}{365}\right)^{365}=2.7145\cdots$ 倍

もっと、期間を縮めたい。瞬間複利にしよう！

瞬間複利で、1年後は

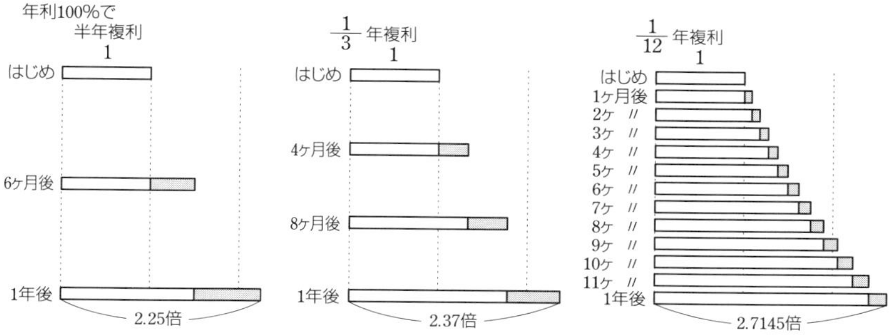

$$\lim_{n \to \infty}\left(1+\frac{1}{n}\right)^n$$

となる。これが、サラ金羨望の値でeと表される。

$h=\dfrac{1}{n}$とおくと　$\displaystyle\lim_{h \to 0}\left(1+h\right)^{\frac{1}{h}}$　とも表すことができる。

また

$$e=1+\frac{1}{1!}+\frac{1}{2!}+\frac{1}{3!}+\cdots+\frac{1}{n!}+\cdots$$

で与えられる(なぜかは、ちょっとややこしい)。

n=10まで計算すると

$$1+\frac{1}{1!}+\frac{1}{2!}+\frac{1}{3!}+\cdots+\frac{1}{10!}=2.7182818\cdots$$

となって小数点以下7桁までは、正確に求まる。

eはネピアの数とも万有率ともいわれる。

このeは、対数の底として使われる。数学では、$\log x$と底eを省略することも多く、“自然対数”という。

$$(\log x)'=\frac{1}{x},\ (e^x)'=e^x$$

と微分も、スッキリとしている。オイラーが見つけた$e^{i\pi}=-1$にいたっては、美の極致という人もいる(72、109、319各ページ参照)。

16 虚数

2次方程式 $x^2-x+1=0$ を、解の公式(258ページ参照)にあてはめてみよう。

$$x=\frac{-(-1)\pm\sqrt{(-1)^2-4\cdot1\cdot1}}{2\cdot1}=\frac{1\pm\sqrt{-3}}{2}$$

あれ、変な部分がある。$\sqrt{-3}$ のような負の数の平方根はどう考えたらよいだろうか。

$$(\sqrt{-3})^2=-3$$

であるらしい。$\sqrt{-3}$ は、2乗して -3 となる数である、でいいのだろうか。かつてこんな数は、数として認められなかった。

近代の数学者たちは、負の数の平方根を数として認めるか、認めないか悩んだようだ。

一番、安直な解決法は、負の数の平方根など数として認めない！という立場に立つことだ。しかし、こうすると2次方程式は、解けるものと、解けないものが混在することになり、スッキリしない。

はじめは、この立場に立つ者が多かったが、数の仲間に加えた方が何かと都合がよいことが多いので、やがてすべての数学者が認める立場に変わってきた。

一番簡単な負の数の平方根は、2次方程式 $x^2=-1$ の解から生まれる。

$$x^2=-1 \quad より \quad x=\pm\sqrt{-1}$$

この -1 の平方根の1つを、i と表すことにする。この i は

$$i^2=-1 \cdots\cdots\cdots\cdots ①$$

の関係を満たす数とするのである。

さて、このiは、どんな数だろうか？

もしiが実数だとすれば、数値線上のどこかに位置しなければならない。

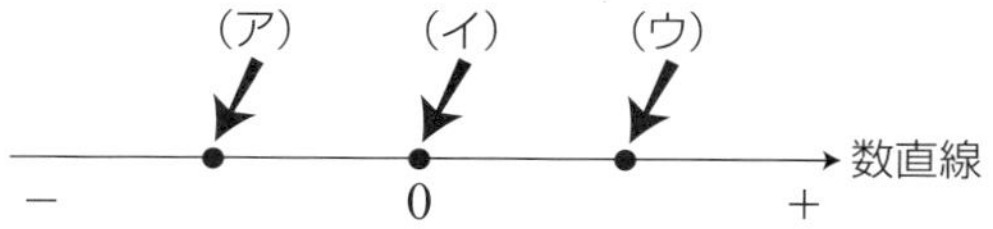

（ア）　$i<0$としても$i^2>0$　　（イ）$i=0$とすると$i^2=0$

（ウ）　$i>0$とすると$i^2>0$

いずれも①の$i^2=-1$と矛盾する。

よって、iは実数ではない。

そこで、iのことを虚数単位、$a+bi$ (a, bは実数, $b\neq 0$)のことを虚数(imaginary number)とよぶことにする。

負の数の平方根が、虚数であることは、次のように示される。

$$x^2=-k\ (k>0) \longrightarrow x=\pm\sqrt{-k}\ \text{（負の数の平方根）}$$

$$\downarrow \qquad\qquad \Updownarrow$$

$$\left(\frac{x}{\sqrt{k}}\right)^2=-1 \longrightarrow \frac{x}{\sqrt{k}}=\pm i \longrightarrow x=\pm\sqrt{k}\,i\ \text{（虚数）}$$

すなわち　$\sqrt{-k}=\sqrt{k}\,i$　$(k>0)$

これで、すべての2次方程式を解くことができる。たとえば、2次方程式$x^2+3x+4=0$を解いてみよう。

$$x=\frac{-3\pm\sqrt{3^2-4\cdot 1\cdot 4}}{2}=\frac{-3\pm\sqrt{-7}}{2}=\frac{-3\pm\sqrt{7}i}{2}$$

ところで、iの累乗はどうなるだろうか。

$i^2=-1$

$i^3=i^2\cdot i=-i$

$i^4=i^2\cdot i^2=(-1)\cdot(-1)=1$

$i^5=i^4\cdot i=i$

どうやら循環するようである。

17 複素数

複素数とは、a, bを実数、iを虚数単位として

$$a+bi$$

と表される数のことである。

たとえば、$2+3i$、$-3+i$、$\sqrt{2}-i$などは、すべて複素数である。

また5は、$5+0i$とみなせるので、実数は複素数の特別な場合だと考えられる。さらに、bキ0の場合を虚数といい、$3i$のように、$a=0$、bキ0の場合を純虚数という。

複素数$a+bi$の四則は、1次式の$a+bx$と同じように計算する。ただし、$i^2=-1$であるから、i^2が出てきたら-1に置きかえてよい。

＜加法・減法＞　$(4+3i)+(3+i)=7+4i$

$$(4+3i)-(3+i)=1+2i$$

＜乗法＞　$(4+3i)(3+i)=12+4i+9i+3i^2$

$$=12+4i+9i-3=9+13i$$

＜除法＞　$\dfrac{4+3i}{3+i}=\dfrac{(4+3i)(3-i)}{(3+i)(3-i)}=\dfrac{12-4i+9i-3i^2}{9-i^2}=\dfrac{15+5i}{10}$

$$=\frac{3}{2}+\frac{1}{2}i$$

除法については、上のように分母・分子に同じ複素数をかけて、分母の複素数を実数化するという独特の方法をとる。上の例では、分母が$3+i$なので$3-i$をかけたが、一般に分母が$a+bi$だったら$a-bi$をかければよい。

$$(a+bi)(a-bi)=a^2-b^2i^2=a^2+b^2$$

複素数$a+bi$に対して、$a-bi$を共役な複素数とよぶ。

このように複素数でも四則計算が自由にできる。

ところで、虚数iは、実数の範囲では解をもたない2次方程式$x^2+1=0$が、解をもつようにという要請から生まれた数であった。

このような虚数iを認めてしまえば、どんな2次方程式$ax^2+bx+c=0$も、複素数の範囲で必ず解

$$x=\frac{-b\pm\sqrt{b^2-4ac}}{2a}\quad\left(\text{または}\ x=\frac{-b\pm\sqrt{4ac-b^2}\,i}{2a}\right)$$

をもつといえる。

どんな高次方程式でも、複素数の範囲で解をもつだろうか？

3次方程式$x^3-1=0$を解いてみよう。

この左辺は因数分解できるので

$$(x-1)(x^2+x+1)=0$$

$$x-1=0\quad\text{または}\quad x^2+x+1=0$$

よって

$$x=1\quad\text{または}\quad x=\frac{-1\pm\sqrt{3}i}{2}$$

ガウスGauss（1777～1855）

やはり、複素数の範囲で3つの解をもっている。

では、一般にn次方程式$a_0x^n+a_1x^{n-1}+\cdots\cdots+a_{n-1}x+a_n=0$は必ず複素数の範囲で解をもつだろうか？　それとも、解をもたないような方程式があり、虚数iの他に、また新しい数を誕生させなければならないだろうか？

これを肯定的に解決したのが19世紀のドイツの数学者ガウスである。「n次方程式は、複素数の範囲で必ず解をもつ」という定理は、「代数学の基本定理」とよばれ、その後の方程式の理論の基礎になった。

18 複素平面

複素数とは、a, bを実数、iを虚数単位として

$$a + bi$$

と表せる数のことであった。

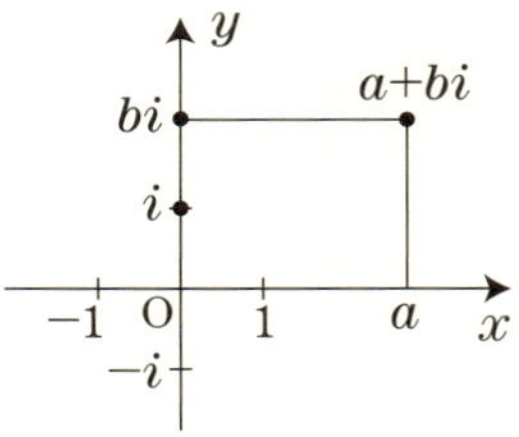

複素数は右のように、$a + bi$を座標平面上の(a, b)に対応させて目盛ることができる。$i = 0 + 1i$だから$(0, 1)$の点にiが目盛られる。これが「愛のメモリー」だなどと、ふざけたことをいう人もいた（著者本人！）。

x軸上には実数、y軸上には“純虚数”が目盛られ、それぞれ実軸、虚軸とよぶ。

こうして、すべての複素数はこの平面上に目盛ることができ、この平面を複素平面、あるいは発明者の名前を使ってガウス平面という。

たとえば右のA～Dは次の複素数を表す。

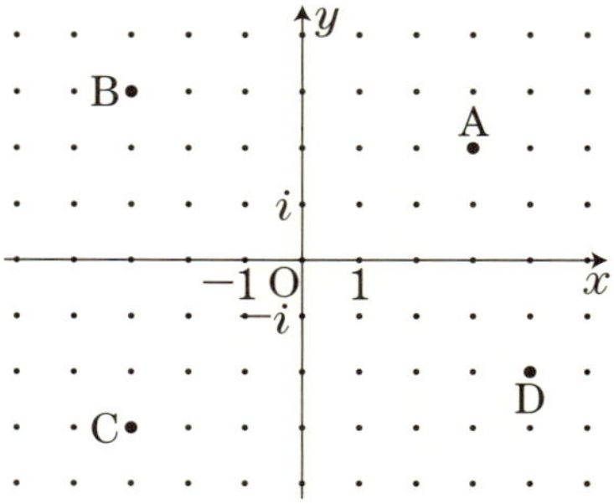

A　$3 + 2i$

B　$-3 + 3i$

C　$-3 - 3i$

D　$4 - 2i$

複素平面、そして発明したガウスのすごいところはこれからだ。

以下のように、複素数の計算の持っていた構造が幾何学的イメージとして明らかにされる。

ア．複素平面上の点に、ある複素数wを加えると、平行移動する。

イ．複素平面上の点を、実数倍すると、放射状に遠のく（または近づく）。

ウ．複素平面上の点に、iをかけると、90°回転する。

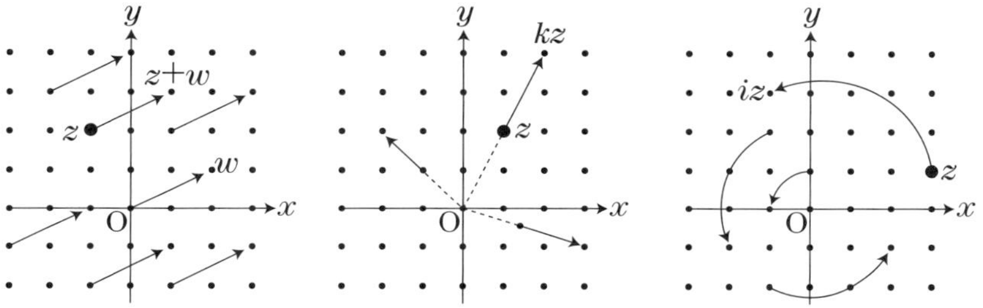

これらは具体的な例でたしかめていただくとすぐにわかる。

エ．複素平面上の点に、複素数$w=a+bi$をかけると……

$z(a+bi)=az+b(zi)$だからア、イ、ウを使って下の左図のようなところに移る。

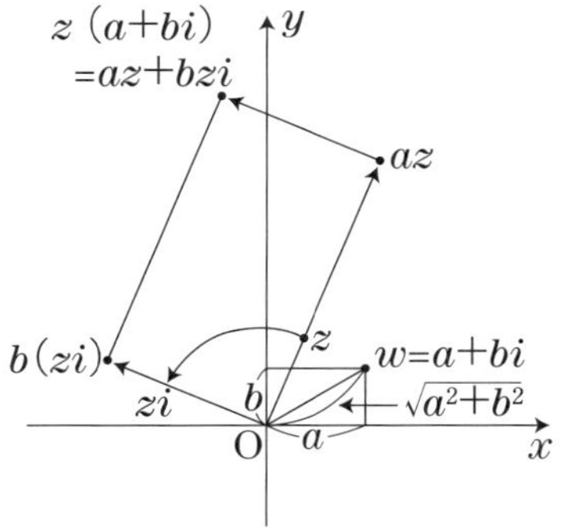

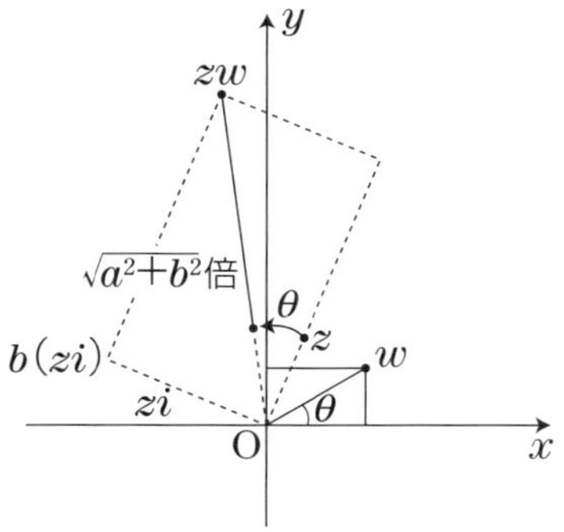

右図のように、複素平面上の各点は、wをかけることによって、θ（これをwの偏角という）だけ回転し、放射状に $\sqrt{a^2+b^2}$ （これをwの大きさという）倍に伸ばした点に移る。

こうして複素平面は、複素数に命をふき込んだ。

19 ガウスの素数

素数といえば、2, 3, 5, 7, 11, 13, 17, 19, ……と無限につづく。

その他の数は$4=2^2$, $6=2\times 3$, $8=2^3$, $9=3^2$, $12=2^2\times 3$, $14=2\times 7$, $15=3\times 5$, $16=4^2$, $18=2\times 3^2$と素因数に分解できる。

では、複素数の場合の“素数”はどうなるだろう。$a+bi$でa, bとも整数のとき、“ガウス整数”ということがある。

そこで、ガウス整数の範囲で2や5を考えると……

$$2=(1+i)(1-i),\quad 5=(2+i)(2-i)$$

となり、なんと因数に分解でき、素数でないことになる。これはおもしろい。そこでガウス整数の素数“ガウス素数”を、次のように定める。

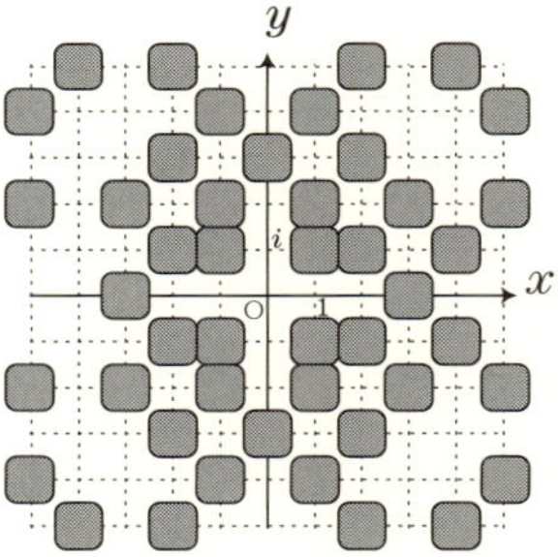

「$1, -1, i, -i$と、それ自身以外ではわり切れないガウス整数をガウス素数という」

最初、手計算でシコシコと素数を見つけてみた。右図は、複素数平面に、わかりやすいように■で素数をしるしたもの。$5+2i$は■だから素数、$5+3i$は$(1+i)(4-i)$となり“しるし”なし。手計算では大変！　本当に素数なのか、因数が見つけられないだけなのか自信がない。

そこで、パソコンの力を借りた。複素数zの絶対値$|z|$(原点からの距離)が30以下について、判定する。まず、0, ± 1, $\pm i$を消す。

そして消えていない数の中で、絶対値が最小のもののひとつaを選び、その倍数を消す。これをくり返すと残ったものが“ガウス素数”。

キレイな分布になる。“ふつうの素数”の素数定理「nまでの素数の数

は $\frac{n}{\log n}$ で近似できる」というような法則が、ガウス素数でもあるかは残念ながら知らない。

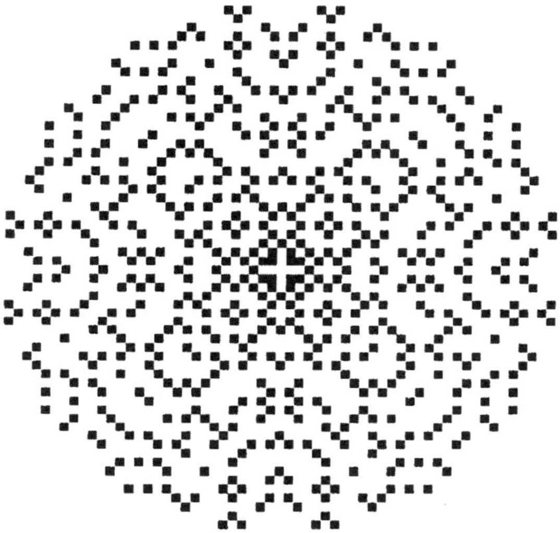

下の図は、ある国際数学教育の研究会でスカーフとして展示していたものの写真である。これで、「フクソスウノソスウ」を知ったのだが、上の分布と違うところがあってドキッ。

$8+15i$ がスカーフでは素数になっている。

しかし $8+15i$ は因数に分解できる。やってみてください。

20 オイラーの公式

複素平面の図のような円周上に点P_1をとる。

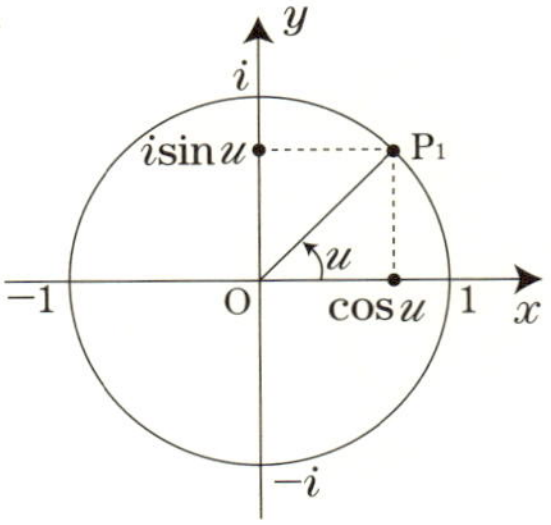

この点P_1の複素数は

$$\cos\theta + i\sin\theta$$

と表される。

複素平面上では、複素数$\cos\theta + i\sin\theta$をかけると、点Oを中心にθだけ回転した点に動くので、$(\cos\theta + i\sin\theta)^2$は点$P_1$を$\theta$だけ回転した$P_2$を表す複素数になる。よって

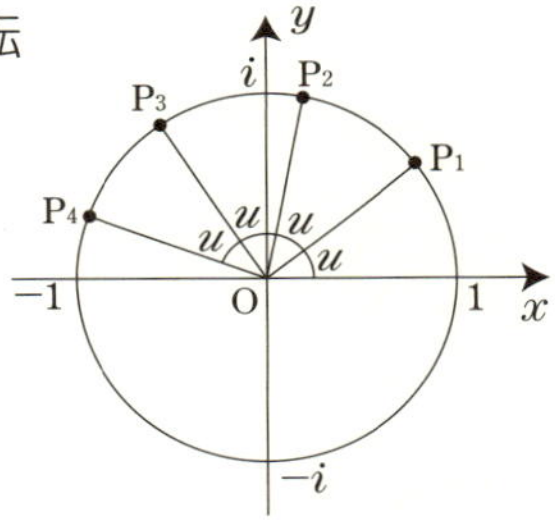

$$(\cos\theta + i\sin\theta)^2 = \cos 2\theta + i\sin 2\theta$$

また$(\cos\theta + i\sin\theta)^3$は点$P_2$を$\theta$だけ回転した$P_3$を表す複素数になる。よって

$$(\cos\theta + i\sin\theta)^3 = \cos 3\theta + i\sin 3\theta$$

同様にして、$(\cos\theta + i\sin\theta)^4$, $(\cos\theta + i\sin\theta)^5$, ……を考えて

$$(\cos\theta + i\sin\theta)^n = \cos n\theta + i\sin n\theta$$

が成立することが示される。この式はド・モアブルの公式とよばれている。

$f(\theta) = \cos\theta + i\sin\theta$とおく。

ド・モアブルの公式のnが、任意の実数で成立すると仮定すると

$$f(\theta) = \cos\theta \cdot 1 + i\sin\theta \cdot 1$$
$$= (\cos 1 + i\sin 1)^{\theta}$$

となる。どうやら$f(\theta)$は、指数関数で表すことができそうだ。

$f(0) = 1$の条件を満たす指数関数を考えればよいので

$$f(\theta) = e^{k\theta}$$

としてみる。このkはどんな数になるだろうか。

この式をθで微分すると

$$f'(\theta) = ke^{k\theta} = kf(\theta)\cdots\cdots①$$

となる。

また、$f(\theta) = \cos\theta + i\sin\theta$を$\theta$で微分すると

$$f'(\theta) = -\sin\theta + i\cos\theta = i\left(\cos\theta - \frac{1}{i}\sin\theta\right)$$
$$= i(\cos\theta + i\sin\theta) = i\cdot f(\theta)\cdots\cdots②$$

となる。①と②を比較すると、$k = i$となることがわかる。

これより

$$e^{i\theta} = \cos\theta + i\sin\theta$$

が導ける。

この式を“オイラーの公式”という。

左辺は指数関数で、右辺は三角関数である。つまり、この公式は、指数関数の世界と三角関数の世界を結びつける役割を持っている。

それは、太平洋と大西洋をつなぐパナマ運河のようなものと考えてよいと思う。

この公式を使えば、$\sin\theta$, $\cos\theta$を指数関数で表すことができる。

$$\sin\theta = \frac{e^{i\theta} - e^{-i\theta}}{2i}, \quad \cos\theta = \frac{e^{i\theta} + e^{-i\theta}}{2}$$

また、$\theta = \pi$とすると、万有率e、円周率π、虚数単位iの3つの重要な数を結びつける美しい公式が得られる。

$$e^{i\pi} = -1$$

ちょっとひと息

「学校の勉強は役に立ったか」という話には、つづきがある。

　　「いい大学・いい会社に入るのに役立った」

という人も少なくないからである。これは煎じ詰めればお金のため、上品にいえば

　　「経済的に豊かな生活が保証されるため」

ということであろう。そのせいか最近は

　　「どうすれば勉強せずに、単位とか資格を取れますか」

という質問をする大学生もいる。さる長老教授は、授業中におしゃべりをする学生に「なんで君たちは教室に来てるんだ」と聞いたら

　　「だってー、来なきゃお友達に会えないですもーん」

という返事であった、と笑っておられたが、これは「あんたの授業を聞きに来てんじゃねーんだよ」ということにほかならない。

これはやや極端な例であって、「お金のため」派の考えにも、十分な理由がある。実際「お金がなければ、まともに暮らしていかれない」のは確かである。しかし「役に立つ」のはお金それ自体よりその使い方であるし「お金では買えない、幸せがある」ことも確かである。美しい景色を見たり、かわいい小鳥のさえずりを聴いたりしても，感動する心が枯れ果てていたら、幸せにはなれない。逆に感動する心さえあれば、美術や音楽、詩や小説でも「役に立つ」ことがある。

フランスの飛行家・作家サンテグジュペリ（1900 ～ 1944）はいいことを言った：

　　それは美しい。だからほんとうに役に立つ。

第2部

数と計算の意味がわかる

第4章 数と計算の体系

数学の進む道は、「理想化」と「一般化」である。

昔々の数学者たちは、世の中の混沌とした現象から、何かしら変わらないもの、あるいは「変わらないように見えるもの」を見つけて、それを理想化し、言葉できちんと規定して、研究対象としてきた。第1章あたりでは、数学の対象は「標準的なもの」といっていたが、正しくは「理想的なもの」である。たとえばユークリッド（ギリシャ時代の数学者、紀元前350？～275？）が扱った

「位置だけあって大きさのない点」

とか

「無限に広い空間」

などは、現実には確かめようがない、まさに理想的なものである。これがみごとな実りをもたらしたのは、これがただ単に「世の中で標準的」ということではない、何かしら「美しい構造」にかかわりがあったからに違いない。

「理想化」が成功すると、応用範囲を広げるために「一般化」が始まる。代数でいえば

1次（2次、3次……）方程式は解けるようになったから、

2次（3次、4次……）方程式を考えよう

というふうに、問題を一般化することもあるし、またそれとも関連しているが

自然数→整数→有理数→実数→複素数→…

のように、道具を一般化してゆくこともある。あとの場合、新しく作った道具の性質を調べたくなるので、問題領域も広がっていく。

そこで明らかにされた性質(たとえば実数の連続性)から、新しい方法(方程式の解を、数値的に求める方法)が確立されることもある。

この章では、数と計算の風景を

今までよりは少し高い位置から眺める

ことを試みている。たとえば

分数のわり算：どうしてひっくり返してかけるの？

という疑問に、第1章では「具体的な意味」を説明しながら答えている(226ページ)が、この章では「形式的な意味」に重点をおいて解説している(326ページ)。「具体的な意味を考えないと、わかった気になれない」という人が多いであろうけれど、「形式的な説明を聞いて、はじめてナットクできた」という人もいる。どちらでも「わかった！」と思えれば、あとの応用力に差がつくわけではないが、「ふたつのまったく異なる視点があるんだ」ということは、知っておくとよい、と私は思う。

なお「数の最先端」として、4元数(quaternion)やp進数(p-adic number)の説明もさいごに入れておいたが、これは手ごわくて、その意味を十分にわかりやすく説明することはできなかった。「熱心な読者へのプレゼント」のつもりなので、さしあたりは「ずいぶん変わった数もあるなあ」というふうに感じていただくだけで十分である。

それでは「数の代数的性質」から、ゆっくりごらんください。

1 数の代数的性質

数の四則演算(加減乗除)にどんな構造があるか見てみよう。まず、数の鳥瞰《かん》図。

○**自然数の池**

たし算かけ算は自由にできるぞ。ひき算、わり算はできないこともある。

2－3はダメ

5÷2もダメ

○**有理数の湖**

四則演算

＋、－、×、÷

が自由にできる。

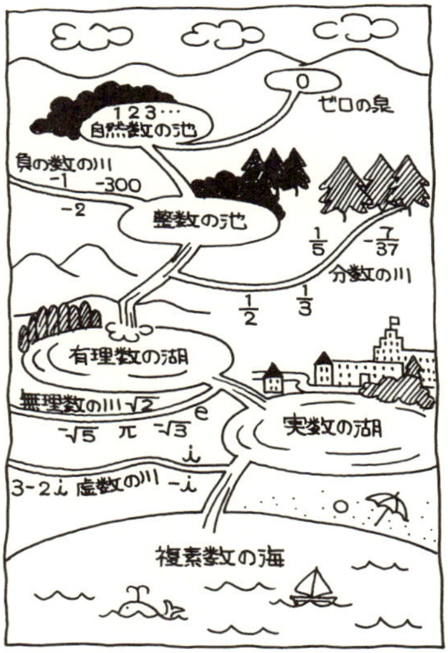

○**整数の池**

たし算、かけ算、ひき算は自由。わり算はできないことあり。

6÷7はダメ

○**実数の湖**

四則演算

＋、－、×、÷

が自由にできる。

○**複素数の海**

四則演算＋、－、×、÷が自由！

(注)どの池・湖・海でも、0ではわれないよ。

すこし、記号を使って説明すると……

● **自然数(とりあえず0も含める)は次の基本的性質がある**

a, b, cを自然数とすると

①$a+b$は自然数

②$(a+b)+c=a+(b+c)$

③$a+0=a$

④$a\times b$は自然数

⑤$(a\times b)\times c=a\times(b\times c)$

⑥$a\times 1=a$

注）$a+a'=0,\ a\times a''=1$ となる $a',\ a''$ の存在が保証されないので、残念ながら、ひき算、わり算は必ずしもできない。

●整数は次のようになる

$a,\ b,\ c$ を整数とする

①$a+b$ は整数
②$(a+b)+c=a+(b+c)$
③$a+0=a$
④$a+a'=0$ となる $a'=-a$ がある

（①〜④）加法について“群”をつくるという

⑤$a(b+c)=ab+ac,\ (a+b)c=ac+bc$
⑥$a\times b$ は整数
⑦$(a\times b)\times c=a\times(b\times c)$
⑧$a\times 1=a$

（①〜⑧）加法·乗法で“環”となるという

（注）　$a\times a'=1$ となる a' の存在が保証されないので、わり算が必ずしもできない。

●有理数、実数、複素数のそれぞれについて次のようになる

①加法について群になる
②0以外について、乗法について群になる
（$a\times a'=1$ となる $a'=\dfrac{1}{a}$ がある）

（①②）“体《たい》”をつくるという

ひらたくいうと有理数、実数、複素数、それぞれの中で四則演算（＋、－、×、÷）が常にできるということ（÷0だけが例外）。四則演算について“閉じている”といったりする。$3-5=-2$ は、自然数の範囲ではできないが、整数の範囲では自由にでき、「答えも整数の世界に閉じこめられる」――という気分である。

2 反数と逆数

● 0と1の役割

たし算における0の役割とかけ算における1の役割は同じ。

$a+0=a$　　　$a\cdot 1=a$

$0+a=a$　　　$1\cdot a=a$

すなわち、0をたしても、0にたしても、その数は不変であり、1をかけても、1にかけても、その数は不変だということ。

● 反数と逆数

$a+x=0$あるいは$x+a=0$となる数xのことをaの反数という。この式を満たす数は$x=-a$なので、

「aの反数とは、aの符号を反対にした数」

ということもできる。たとえば、3の反数は-3であり、-2の反数は$-(-2)=2$になる。ただし0の反数は0自身である。

$a\cdot x=1$あるいは$x\cdot a=1$となる数xのことをaの逆数という。この式を満たす数は$x=\dfrac{1}{a}$である。

たとえば

$$3\times\frac{1}{3}=1,\ \frac{2}{3}\times\frac{3}{2}=1,\ 2.5\times 0.4=1$$

であるから、3の逆数は$\dfrac{1}{3}$, $\dfrac{2}{3}$の逆数は$\dfrac{3}{2}$, 2.5の逆数は0.4になる。

一般にaの逆数xは$x=\dfrac{1}{a}$ $(=1\div a)$で表せるが、分数については

「$\dfrac{q}{p}$の逆数とは、$\dfrac{q}{p}$の分母・分子をひっくり返した数$\dfrac{p}{q}$」

ということもできる。なお0の逆数は存在しない。

●たし算の逆算、かけ算の逆算

たし算の逆算はひき算で、次の2つの式は同値である。

$$x = b - a \longleftrightarrow x + a = b \cdots\cdots ①$$

かけ算の逆算はわり算で、次の2つの式も同値になる。

$$x = b \div a \longleftrightarrow x \cdot a = b$$

$$x = \frac{s}{r} \div \frac{q}{p} \longleftrightarrow x \cdot \frac{q}{p} = \frac{s}{r} \cdots\cdots ②$$

●ひき算と反数

ところで

$$x + a = b$$

の両辺にaの反数$-a$をたすと

$x + a + (-a) = b + (-a)$　　左辺は$x + 0 = x$となるので$x = b + (-a)$

①より　$b - a = b + (-a)$となる。ここから「ある数をひく」とは、「その数の反数をたす」ことと考えてよい。だから$2 + (-3)$と$2 - 3$とは、同じことなのである。

●わり算と逆数

同じように「ある数でわる」とは、「その数の逆数をかける」のと同じことである。実際、$x = b \div a$ならば$x \cdot a = b$であるが、この両辺にaの逆数a'をかければ、左辺は$x \cdot a \cdot a' = x$、右辺は$b \cdot a'$になるから、当然$x = b \cdot a'$である。特にaが分数$\frac{q}{p}$ならば、その逆数a'は$\frac{p}{q}$であるから、

$$b \div \frac{q}{p} = b \times \frac{p}{q}$$

が成り立つ。だからたとえば、

$$\frac{2}{3} \div \frac{5}{4} = \frac{2}{3} \times \frac{4}{5} = \frac{8}{15}$$

とすればよい。

3 背理法

「私を産んだ母は、私より年齢が上だ」

という、あたりまえのことを誰も証明しようとは思わない。しかし、頭の中では、

「母が私と同じ年か下なら、私を産むことができないじゃないか」と一瞬に思考回路が働く。これが、立派な証明になっている。

「これこれは、なになにだ」

ということを証明するのに、

「これこれは、なになにでないとしたら、おかしな結果になる」

ということを述べて証明する方法を、背理法という。

●「素数の数は、無限だ」を証明してみよう

まず、「素数の数は有限個しかない」と仮定する。

だったら、最大の素数があることになるので、それをpとする。素数は2, 3とはじまって、pまでということになる。そこで、

$$2, 3, 5, 7, 11, 13, 17, 19, \cdots\cdots, 1999, 2003, \cdots, 2^{859433}-1, \cdots, p$$

の全部の素数をかけて、それに1をたした数Nをつくる。 ←これも素数なんだっ。

$$N=2\times3\times5\times7\times\cdots\cdots\times1999\times2003\times\cdots\cdots\times(2^{859433}-1)\times\cdots\times p+1$$

このNは、合成数のはずだ。なぜって？　素数の最大はpとしたから。じゃ、素数のどれかでわれるはずなのでわってみる。

2でわると1余る。3でわっても1余る。5でわっても1余る。…pでわっても1余る。ということは、Nは素数になっちゃった。

これはおかしい。そうだ、「素数は有限個しかない」とした仮定が間違いなのだ。だから、素数は無限にあることになる（証明終わり）。

●「一辺1の正方形の対角線の長さは有理数ではない」を証明しよう

一辺が1の正方形において、

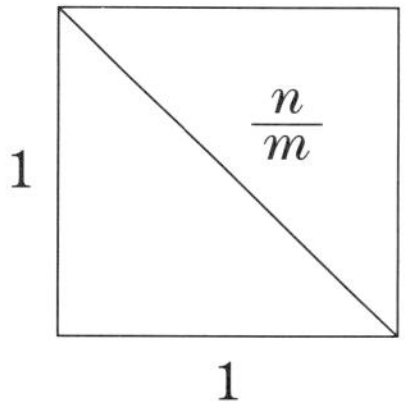

「正方形の対角線の長さは、有理数である」と仮定する。

そこで、対角線は$\frac{n}{m}$と既約分数で表す。

有名なピタゴラスの定理により

$$\frac{n^2}{m^2}=1^2+1^2$$

よって、$n^2=2m^2$となる。

さて、これを見ると、n^2は偶数であるからnも偶数になる。だったら、m^2も偶数になる。なぜって？　$n=2a$とすると、$4a^2=2m^2$より、$2a^2=m^2$だから。よってmも偶数である。

アレレ、mもnも偶数になって、$\frac{n}{m}$は約分できることになる。$\frac{n}{m}$は既約分数で約すことはできないはずなのに。ということで、有理数と仮定したのが間違いだったのだ（証明終わり）。

このように「なになにでない」と仮定して矛盾を導き、「なになにだ」ということを証明するこの背理法は、数学では大活躍する。

4　数学的帰納法

数についてのいろいろな法則の発見は、いくつかの具体例から帰納してなされることが多い。たとえば

$$\begin{aligned}
&1 &&= 1 &&= 2^1 - 1\\
&1 + 2 &&= 3 &&= 2^2 - 1\\
&1 + 2 + 2^2 &&= 7 &&= 2^3 - 1\\
&1 + 2 + 2^2 + 2^3 &&= 15 &&= 2^4 - 1
\end{aligned}$$

これから、次の式が成り立つだろうという予想が生まれる。

$$1 + 2 + 2^2 + 2^3 + \cdots\cdots + 2^{n-1} = 2^n - 1 \cdots\cdots ①$$

この予想がいくら正しいと確信したとしても、それだけではこの式が正しいということは保証できない。この式が

「すべての自然数nについて成り立つ」

という数学的な証明が必要だ。

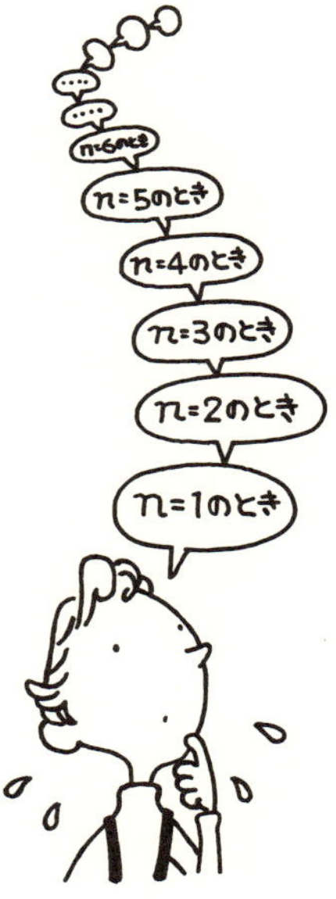

このことは、一見不可能なようにも思える。

$n = 5$, $n = 6$, $n = 7$というように自然数の階段を一歩ずつのぼっていったら、いつまでも終わらない…。

自然数の無限の階段を一挙にのぼる方法がほしい。そこで発明されたのが、数学的帰納法だ。この証明法は、Ⅰ，Ⅱ，Ⅲの3つのステップからできている。

Ⅰ．$n = 1$のとき、成立する。

Ⅱ．$n = k$のとき成立すると仮定すれば$n = k$

＋1のとき成立する。

Ⅲ．Ⅰ，Ⅱより、すべての自然数nについて成立する。

Ⅲは決まり文句であるから、ⅠとⅡさえできれば、証明されたことになる。その理由は、次のように考えればわかると思う。

まずⅠから、$n=1$のときはたしかに正しい。ところがⅡで$k=1$とおいてみると「$n=1$のとき正しければ$n=2$のときも正しい」となる。したがって、$n=2$のときも正しい。次に再びⅡで$k=2$とおいてみると「$n=2$のとき正しければ$n=3$のときも正しい」となる。だから$n=3$のときもオーケーである。あとはだまっていても、自動的に「ドミノ倒し」が進行して、すべてのドミノが倒れ、証明が完成する（次項参照）。

では、前ページの①を、数学的帰納法で証明してみよう。

Ⅰ．$n=1$のとき、左辺$=1$、右辺$=2^1-1=1$で成り立つ。

Ⅱ．$n=k$のとき成立すると仮定すると

$$1+2+2^2+2^3+\cdots+2^{k-1}=2^k-1$$

これを使って$n=k+1$のとき成立することを示す。

$$\underline{1+2+2^2+2^3+\cdots+2^{k-1}}+2^k=\underline{2^k-1}+2^k=2\cdot 2^k-1$$
$$=2^{k+1}-1$$

Ⅲ．Ⅰ，Ⅱよりすべての自然数nについて成り立つ。

このように、自然数nを含んだいろいろな法則が、数学的帰納法を使って証明することができる。

5　数学的帰納法をめぐる誤解

数学的帰納法の証明のスタイルは独特なので、いろいろな誤解を持たれやすい。一番の誤解は、証明の第2段階の

「$n=k$のとき成立する」→「$n=k+1$のとき成立する」

（帰納法の仮定）　　　　　（帰納法の結論）

の部分から生じる。

生徒「$n=k$の場合っていうけど、このkって何ですか？」

先生「何でもいい、任意の数だ！」

生徒「任意の数について正しいと仮定したのなら、証明は終わりじゃないですか？」

先生「ムムム……!?」

まず、生徒は二重の誤解をしていると思われる。第1の誤解は

「任意の数」＝「すべての数」

と受けとめていること。たしかにすべての数で正しいと仮定できるとしたら、証明なんか必要ないという気持ちもわからないでもない。

実は、先生のいっている「任意の数」とは、「（勝手に選んだ）ある数」のことなのだ。先生の言葉の使い方も不適切だったと思う。

第2の誤解は、証明の第2段階の目標が『（仮定）→（結論）』全体でひとつの条件文になっていることがよくわかっていないということ。

$n=k=3$のとき正しければ、$n=k+1=4$のときも正しい

ということをいっている。けっして「条件文だけ切りはなして、すべ

てのkについて正しい」ことを仮定しているわけではない。

つまり、仮定の「$n=k$の場合正しい」としても、その仮定のもとにきちんと結論の「$n=k+1$のとき成立する」ことを導けるかどうか調べなければならない。

このことに関連して、次のような珍証明を紹介しよう。

「この問題は、正しいか正しくないかのどちらかである。

もし正しくないならば、出題されるわけはない。

この問題は、現に出題されているので、正しい。証明終わり。」

また結論、「すべての自然数nについて成り立つ」という部分から生じる誤解もある。

Ⅰ．$0.9<1$は正しい

Ⅱ．$0.\overbrace{999\cdots9}^{k\text{個}}<1$ならば$0.\overbrace{999\cdots99}^{k+1\text{個}}<1$が成り立つ。

Ⅲ．Ⅰ，Ⅱよりすべての自然数nについて成り立つのだから

$0.999\cdots<1$

あれ、$0.999\cdots=1$だったはずなのに、おかしい！

「すべての自然数について成り立つ」と「無限にしても成り立つ」とを混同してはいけない。すべての自然数nについて「有限和$1+2+\cdots+n$は有限である」からといって、「無限和$1+2+3+\cdots$も有限になる」とはいえない。有限小数$0.999\cdots9$は1より小さいが、無限小数$0.999\cdots$は1に等しいのである。

6 まちがっているかもしれない証明

少し頭の体操をしよう。ふだんの生活でも信用してはいけないことを、ついうっかり「もっともだ」と信用してしまうことが多い。たとえば「あなた、私の大親友でしょう？　だから、私があなたをだますわけないでしょう！」

信用したい気持ちと、正しいかどうかは別問題！

その1)

$$1=1$$

$$4-3=6-5$$

両辺2乗して $(4-3)^2=(6-5)^2$

$(6-5)^2=(5-6)^2$ より $(4-3)^2=(5-6)^2$

よって　$4-3=5-6$

移項すると　$10=8$

これは「よって」のところがまちがっている。

その2)　$x=y$ とする

$$x^2=xy$$

また　$y^2=x^2$

よって　$x^2-y^2=xy-x^2$

因数分解すると $(x+y)(x-y)=(y-x)x$

よって　$x+y=-x$

すると　$y=-2x$

$x=y=1$ とすると　$1=-2$

これも両辺を $x-y(=0)$ でわったところがまちがいである。

ではもっと悩ましい例を…(解説は352ページ)。

その3） 右のようにずっとわり算をしていく。

よって

$$\frac{1}{1+x}=1-x+x^2-x^3+x^4-x^5+\cdots$$

そこで$x=1$とおく

$$\frac{1}{2}=1-1+1-1+1-1+\cdots$$

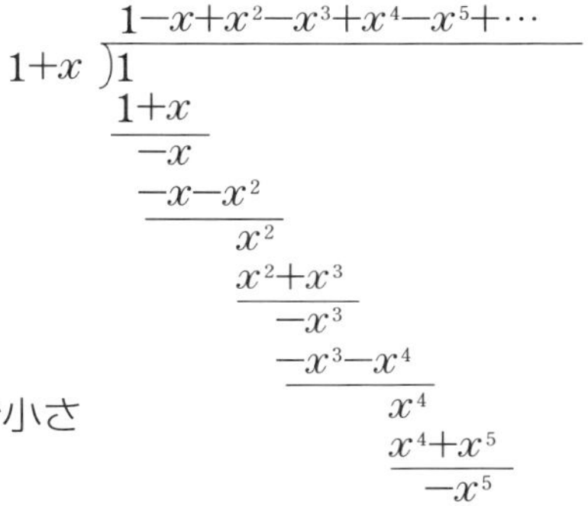

その4） 2つの同心円がある。

大きい方の円周の一点をとると必ず小さい方の一点が対応。

小さい方の円周の一点をとると必ず大きい方の一点が決まる。よって、大小2つの円の周の長さは等しい。

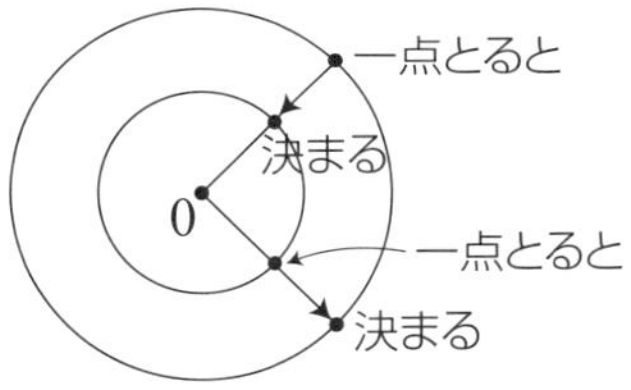

その5） ①のように△ABCの各辺の中点をとると、太線の長さはAB＋ACと等しい。そこで、同じようにすると、②の太線の長さはやはりAB＋ACと等しい。これをくり返すと、アレレ、AB＋AC＝BC。

2辺の長さは一辺と等しい。

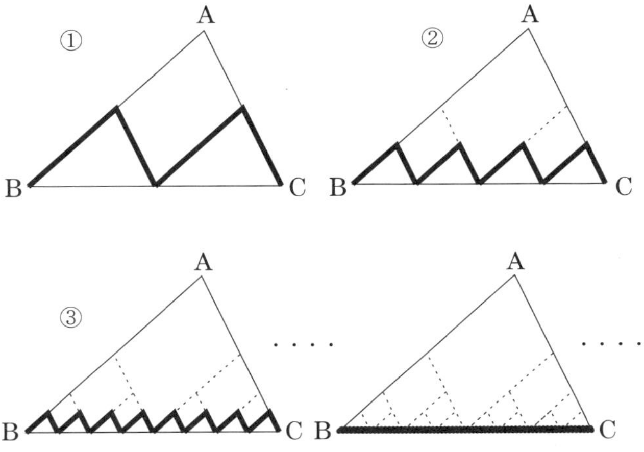

7 ペアノの公理系

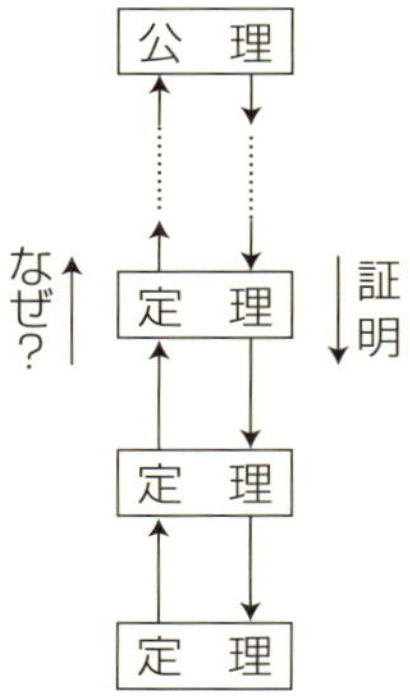

数学は論理的な学問だといわれる。たしかに、三平方の定理にしろ2次方程式の解の公式にしろ、それがなぜ正しいかという理由がきちんと論理的に証明されているから、安心して使うことができる。

「なぜその定理が正しいのか」を証明するために、どんどん逆のぼっていくと、「そのくらいは前提にしないとならないだろう」という基本的な事柄に突き当たる。

たとえば、ユークリッド幾何の場合でいうと

「2点を通る直線はただ1つである」とか「1点を通り、その点を含まない直線に平行な直線はただ1つ存在する」といったものがそれにあたる。

これが公理である。たった1つの公理で済むわけにもいかず、いくつかの公理をセットにせざるを得ない。ある理論の公理のセットを公理系とよんでいる。

19世紀後半から20世紀にかけては、次のような点の研究も重要視されることになった(数学基礎論)。

ア. 公理系の中の公理同士が矛盾していないか(無矛盾性)。

イ. ひょっとして他の公理から証明できるものが公理としてまぎれこんでいないか(独立性)。

ウ. 正しい定理がすべて証明できるか。つまり足りない公理はないか

（完全性）。

さらに、当時カントール（Georg Cantor 1845 ～ 1918）が創出した集合論の影響を受けて、たとえていえば

数学＝材料の集まり（集合）＋設計図（公理系）

という形での数学の再構築がはじまった（公理主義）。

まさか小学生でも知っている自然数1, 2, 3, ……まで公理化の対象ではないだろう、と思われる方が多いだろうが、どっこいそうはいかない。自然数の公理系として一番有名なのがペアノ（Peano 1858 ～ 1932）による次のような公理系である。

特別の記号1と、関数（ ′ ）だけを基本記号とし、次の5つの公理を満たす集合Nの要素を自然数という（集合論の記法に慣れていない方は、無視してもよい）。

（公理1）$1\in N$（$\in$ は集合の要素を示す記号）

（公理2）$x\in N$ならば$x'\in N$

（公理3）$x'=y'$ならば$x=y$

（公理4）$x'=1$となる$x\in N$は存在しない

（公理5）Nの部分集合Sについて

（1）$1\in S$　（2）$x\in S$ならば$x'\in S$

のときは$S=N$

（ ′ ）は「次の数」をイメージした関数であり、また（公理5）は数学的帰納法に他ならない。

これが自然数の出発点だから「すごい」とも思うし、「公理化は大変なことだ」とも思う。

8　拡張と同一視

数は、自然数から整数、整数から有理数、有理数から実数、実数から複素数と拡張されてきた。それは、ただ単に拡張してきたのではなく、一定のルールを守りながら拡張してきた。そのルールについて考えてみる。

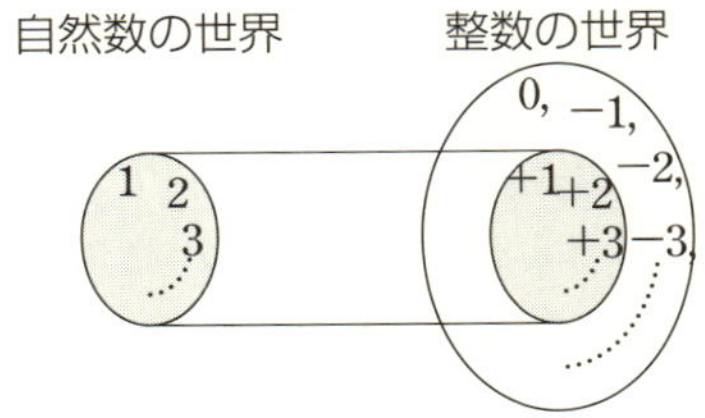

まず、自然数から整数の拡張について考えてみよう。

もともと自然数の世界と整数の世界は異なった世界である。整数の世界では、0を除いてすべての数に符号がついている。そこで、正の整数と自然数を対応させて、「同一視」という手続きをふむ。すなわち

$+1=1,\quad +2=2,\quad +3=3,\cdots\cdots$

この同一視のおかげではじめて整数の中の一員として自然数が認められる。そのためには、

$(+1)+(+2)=+3 \longleftrightarrow 1+2=3$

のように、整数の世界における計算と対応する自然数の計算が矛盾しないことも必要なことである。

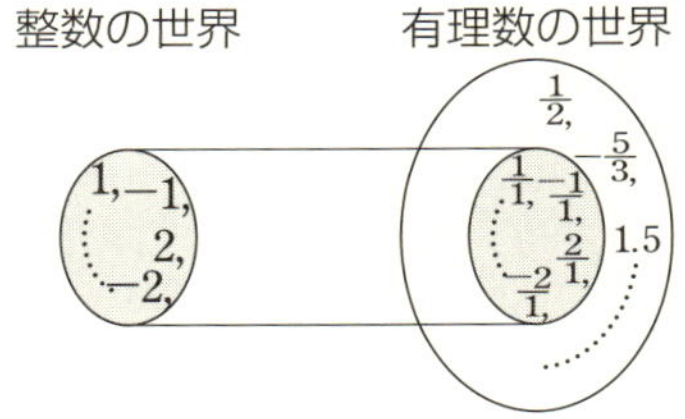

次に、整数から有理数の拡張について…。

有理数の世界では、すべての数が $\frac{(\text{整数})}{(\text{整数})}$ の形で表される。そこで、分母が1の有理数と整数を対応させて

「同一視」する。すなわち

$$\frac{1}{1}=1,\ \frac{-1}{1}=-1,\ \frac{2}{1}=2,\ \frac{-2}{1}=-2,\ \cdots\cdots$$

この同一視がなされて、はじめて有理数の一員として整数が認められる。またこの対応によって

$$\frac{-2}{1}+\frac{1}{1}=\frac{-1}{1} \longleftrightarrow -2+1=-1$$

のように有理数における計算と対応する整数の計算が矛盾しないことも、あらかじめちゃんとたしかめられている。

最後に、実数から複素数へ拡張。複素数の世界では、すべての数が $a+bi$ の形で表される。そこで、虚数部分の係数が0の複素数と実数を「同一視」する。すなわち

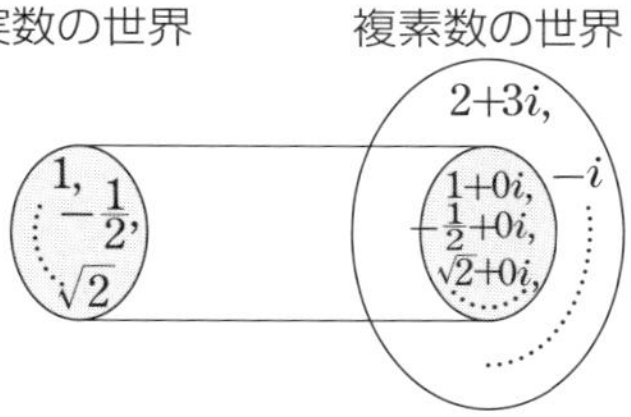

$$1+0i=1,\ -\frac{1}{2}+0i=-\frac{1}{2},\ \sqrt{2}+0i=\sqrt{2},\ \cdots\cdots$$

この同一視がなされて、はじめて複素数の一員として実数が認められる。また、この対応によって

$$(2+0i)+(3+0i)=5+0i \longleftrightarrow 2+3=5$$

のように複素数における計算と対応する実数の計算が矛盾しない。

このように、拡張には「同一視」が伴うことが普通である。そのため同一視によって、計算も自然な形で拡張されなければならない——それまでの形式がなるべく保存されるように、拡張しなければならない。これを「形式保存の法則」とか「形式不易の原則」とかいうこともある。

9 実数の連続性

自然数1, 2, 3, …から計算で、0をつくることができる。たとえば $3-3=0$。負の数もつくることができる。たとえば、$2-5=-3$。

整数…, -3, -2, -1, 0, 1, 2, 3, …から、わり算で有理数をつくることもできる。たとえば　$2\div3=\dfrac{2}{3}$。

ところが、無理数は、有理数をたしても、ひいても、かけても、わってもできない。“有理数の湖”はそこで閉じている世界だからだ。だから、無理数が発見されたとき、「どうしよう、どうしよう」と悩んだにちがいない。

そこで、直線に実数を対応させて数直線をつくり、「無理数の $\sqrt{2}$ はここダ！」と表すようになった。

でも、数直線は、点で数を表している。「大きさもない点でできている線が、連続??」と変な気持ちになってくる。

そこで、有理数と実数の違いを見てみよう。

まず、有理数はいくらでもあるという確認をしよう。

有理数 a, b があると, $\dfrac{a+b}{2}$ は有理数で、a と b の真ん中にある。ということは、これをくり返すと、どんなに近いふたつの有理数の間にも“無限個”の有理数がある。

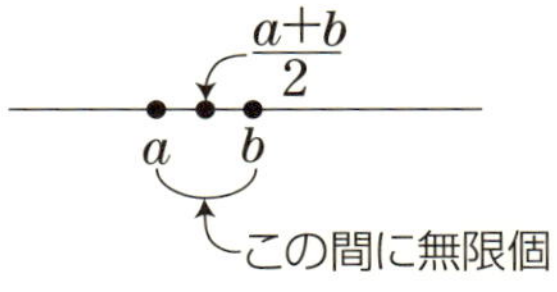

さて、お立ち合い！

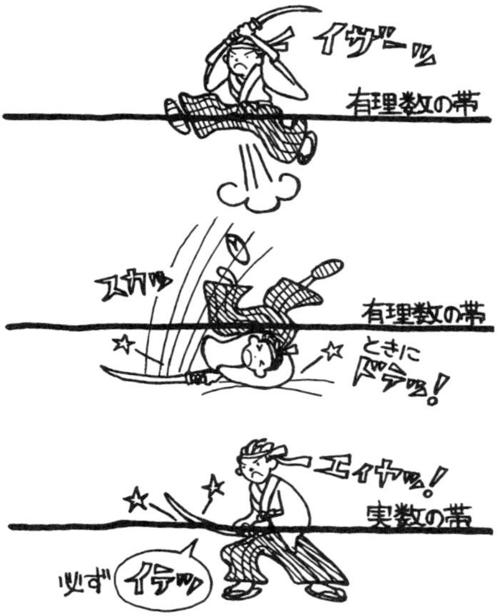

有理数の帯にむかって刀を振りおろすと、ときにスカッと刀が帯を通り抜けてしまう。たまに、カチンとひとつの有理数に当たる幸運もある。なぜなのかは、有理数を大・小2つの組に分けたとき

(1)　小の数　●　大の数

小の組に最大値（有理数）があって、大の組に最小値はなし。

(2)　小の数　●　大の数

小の組に最大値がなくて、大の組に最小値（有理数）がある。

(3)　小の組　大の組

小の組にも大の組にも、最大値、最小値がない。

の3通りが考えられる。たとえば「小の組は $\sqrt{2}$ より小、大の組は $\sqrt{2}$ より大」として有理数を分けると、(3)の場合になる。だから、有理数の帯で“スカッ”と刀が通り抜けたときは、無理数のところだった、というわけである。ところが、実数の帯に向かって刀を振り下ろすと、必ずひとつの数にカチンと当たる。これが「実数の連続性」で、264ページで述べた「方程式の数値解法」の根底にある。

なおドイツの数学者デデキント（1831～1916）は、このような有理数の“切断”を実数とよび、実数の連続性を証明した。

10 演算の連続性

加減乗除のことを、四則計算とよぶ人と四則演算とよぶ人がいる。「計算」と「演算」は同義語だと思ってもよいが、計算の方はどちらかというと答えを出す技術に主眼がおかれ、演算の方は＋、−、×、÷とは何かという基礎的な部分の解釈の方に重点がおかれているのかもしれない。

だから＋、−、×、÷という記号はふつう演算記号とよぶが、計算記号とはあまりいわない。

加減乗除は考えてみると

$$(\quad)+(\quad),(\quad)-(\quad),(\quad)\times(\quad),(\quad)\div(\quad)$$

というように、2つの数を入れてはじめて意味をもつ。

右図のような箱をイメージしていただいてもよい。そこでこれらを二項演算とよぶ。

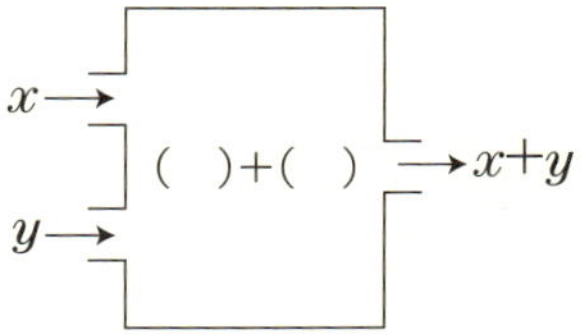

四則演算以外として $\sqrt{(\quad)}$ や $(\quad)^2$、また負の符号 $-(\quad)$ なども考えてよい。

これらは1つの数を入れればよいので、単項演算である。

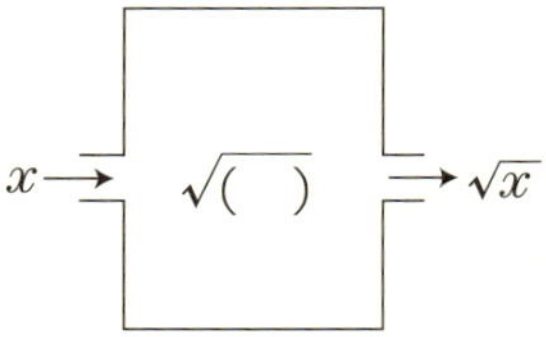

さて、$x+y$ という加法で、x と y の値が今それぞれ2, 3だったとすると

$$x+y=2+3=5$$

であるが、x と y の値をほんの少し動かして $x=2.01$, $y=3.01$ としてみると

$$x+y=2.01+3.01=5.02$$

となり、答えの方もほんの少しだけ動く。

この性質を演算の連続性という。

いい方を変えると、「x、yがほんのちょっと動いただけなのに$x+y$が大幅に動く、ということはないから心配をしないでくれ」ということ。

＋だけでなく、－、×、÷も同じことがいえるし、$\sqrt{\ }$ や$(\ \ )^2$の場合も演算の連続性が保証される。

さらに、ふだん扱われる数式は、これらの演算がいくつも複合して使われ、たとえば

$$x^2-3xy+y^2$$

のような形で出てくるが、基本となる演算の連続性のおかげで、やはり、xやyの値がほんのちょっと動いたとき、全体の値もほんのちょっとだけ動く、という連続性が保証される。

ただし、÷について例外がある。

$x \div y$のyが0のとき、206ページ「$\dfrac{0}{0}$は1じゃないの？」でも扱ったが、$x \div y$の値は存在しない。÷という演算の前提として$y \neq 0$をつけ加えなければならない。しかも、たとえば

$$2 \div 0.01 = 200$$

$$2 \div (-0.001) = -2000$$

のように、yが0の近辺では答えの値がとびはねるし

$$2 \div 0.001 = 2000$$

$$2 \div 0.0001 = 20000$$

と、yの値はちょっと変化しただけなのに、答えは結構変化するから、「0を除けば連続」とはいうものの、数値計算の誤差を考えるときなどは、0の近くでは気をつけた方がいい。

11 無限を数える

ものの個数を数えるという行為の基礎には1：1対応がある。図のように、リンゴとお友達が1：1対応できていれば同じ個数であり、1：1対応ができないで余ったもののある方の個数が大きい。1：1対応を調べるだけで個数の大小の比較ができる。

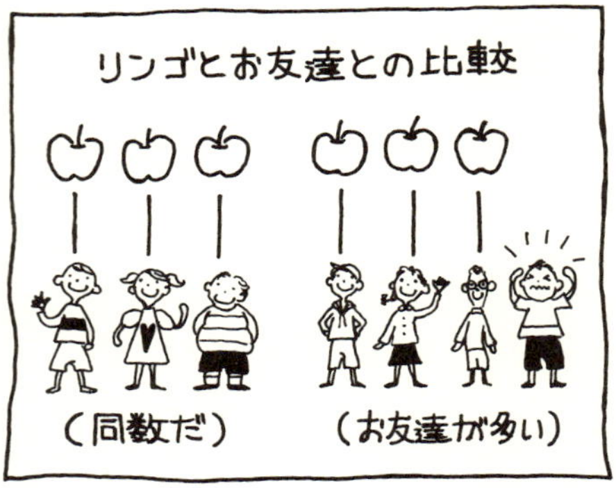

ものの個数を数えるには、数える相手と自然数の系列1, 2, 3, …とを1：1対応をつければよい。有限のものの個数を数えるのは、時間さえあればできる。ところが、無限のものの個数を数えるには、いくら時間をかけても終わりっこない。だから「数える」という行動ではなく、「1：1対応」という関数関係を考えるのだ。たとえば「自然数の全体」Sと「奇数の全体」Kとは$f(n)=2n-1$という関数によって「1：1で、もれのない対応」を実現することができる。

$$
\begin{array}{lccccccc}
\text{自然数}\ S & 1, & 2, & 3, & 4, & \cdots\cdots, & n, & \cdots\cdots \\
 & \updownarrow & \updownarrow & \updownarrow & \updownarrow & & \updownarrow & \\
\text{奇}\quad\text{数}\ K & 1, & 3, & 5, & 7, & \cdots\cdots, & 2n-1, & \cdots\cdots
\end{array}
$$

このとき「SとKは基数（濃度）が等しい」という。

こうして、「自然数の系列1, 2, 3, ……と1：1対応ができるもの」の基数は同じとして、これを可算基数（可算濃度）とよび、$\aleph_0$（アレフ・ゼロ）の記号で表す。すなわちSの基数もKの基数も$\aleph_0$である。ヘブ

ライ文字 $\aleph$ までもち出し、これを命名したのは「集合論」の創始者カントール(Georg Cantor 1845 ～ 1918)である。

ところで奇数は自然数の一部なので、全体と部分の基数が同じになってしまう。これは、「全体は部分より大きい」というよく知られた公理に反する。これらは無限につきまとう特有のパラドックスである。

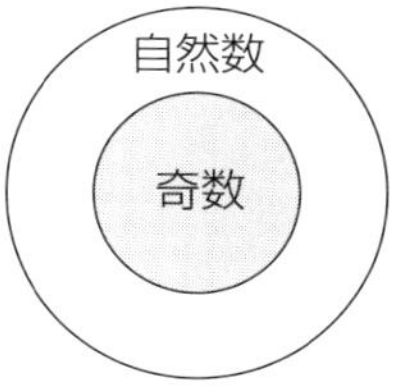

次に、整数　…, －2, －1, 0, 1, 2, 3, ……の基数を考えよう。

整　数	0,	1,	−1,	2,	−2,	3,	−3,	……,	n,	$-n$,	……
	↕	↕	↕	↕	↕	↕	↕		↕	↕	
自然数	1,	2,	3,	4,	5,	6,	7,	……,	$2n$,	$2n+1$,	……

このように自然数と完全に1：1対応がつくれるので、整数全体の基数も自然数全体の基数とおなじく $\aleph_0$ である。

同様にして有理数全体の基数も $\aleph_0$ であることが示せる。

では、無限の基数は $\aleph_0$ だけだろうか。

実は、線分や直線上の点の基数は、$\aleph_0$ より大きい基数であることが、知られている。

「直線上の点と1：1に対応するもの」の基数を、連続体基数(連続濃度)とよび、連続体continuumの頭文字をとって $\mathfrak{c}$ で表す。数直線上の点と実数は1：1に対応するので、実数の基数は $\mathfrak{c}$ である。

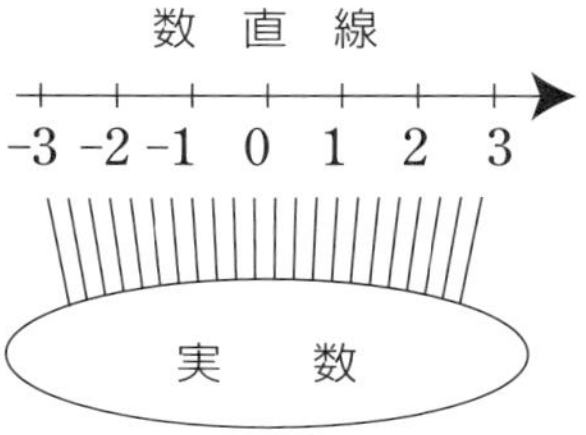

12 対角線論法

無限にある自然数の基数と、偶数の基数が同じといわれても、感情が反発する。なのに、有理数も同じ基数だといわれるとなおさら「なんで～？」となる。

順番に並べることができたら、順に番号1, 2, 3, ……をつけていけるので、自然数と同じ基数ということになる。

そこで有理数は $\dfrac{n}{m}$ というmが正の既約分数で書けるので、次のように｜n｜＋mが小さい順に並べることができる。｜n｜＋mが同じときは、分子が小さいものから並べる（同じ値はとばす）。

$$0, \frac{-1}{1}, \frac{1}{1}, \frac{-2}{1}, \frac{-1}{2}, \frac{1}{2}, \frac{2}{1}, \frac{-3}{1}, \frac{-1}{3}, \frac{1}{3}, \frac{3}{1}, \frac{-4}{1}, \frac{-1}{4}, \frac{1}{4}, \frac{2}{3}, \frac{4}{1}, \cdots$$

並んだ並んだ。これで、番号がつけられる。よって、基数は自然数と同じになる。

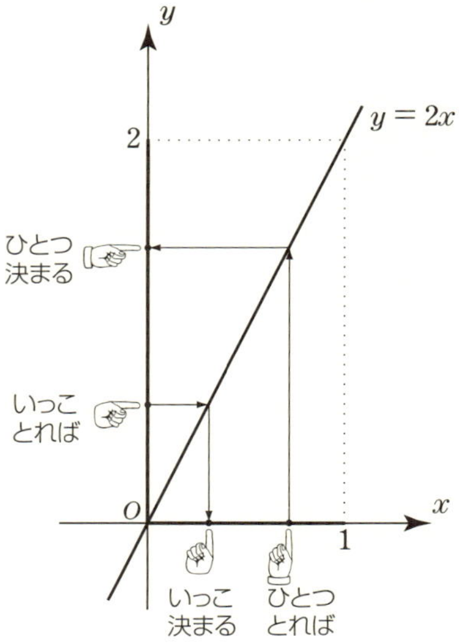

さて、対角線論法に入る前に、もうひとつ。

「0から1までの実数の基数と0から2までの実数の基数は同じ」ことを見ておこう。

右の図から、

0から1までのひとつの数に、0から2までのひとつの数が対応。逆に、0から2までのいっこの数に0から1までのいっこの数が対応する。

よって、1：1に対応できたので、基数は同じ。

同じように工夫すると、実数全体の基数と、0から1までの実数の基数は同じだということも示すことができる。

●対角線論法とは

やっと主題に。

　　実数の個数は、自然数の個数より多い

ということをたしかめよう。すなわち

　　実数の基数は、自然数の基数と同じではない

ということ。

ここで、0から1までの無限小数で表した実数に、番号がつけられたと仮定する。

それを並べたのが右。

そこで、対角線上のa_{11}, a_{22}, ……をとって、無限小数

$a = 0.\ a_{11}\ a_{22}\ a_{33}\ a_{44} \cdots a_{nn} \cdots$

をつくる。そして、各a_{nn}を自分と同じでもなく、0と9でもないb_nに変えて

$$
\begin{array}{l}
a_1 = 0.\ \textcircled{a_{11}}\ a_{12}\ a_{13}\ a_{14}\ a_{15} \cdots \\
a_2 = 0.\ a_{21}\ \textcircled{a_{22}}\ a_{23}\ a_{24}\ a_{25} \cdots \\
a_3 = 0.\ a_{31}\ a_{32}\ \textcircled{a_{33}}\ a_{34}\ a_{35} \cdots \\
a_4 = 0.\ a_{41}\ a_{42}\ a_{43}\ \textcircled{a_{44}}\ a_{45} \cdots \\
\cdots\cdots\cdots\cdots\cdots\cdots\cdots\cdots \\
a_n = 0.\ a_{n1}\ a_{n2}\ a_{n3}\ a_{n4}\ a_{n5} \cdots \textcircled{a_{nn}} \\
\cdots\cdots\cdots\cdots\cdots\cdots\cdots\cdots
\end{array}
$$

$b = 0.\ b_1 b_2 b_3 b_4 \cdots b_n \cdots\cdots$

をつくる。こうすると、数bは、どのa_nとも、b_n キ a_{nn}となっている。ということは、0から1までの実数を全部並べたはずなのに、他にも実数があったということになる。そこで、番号をつけたのがまずかった、番号はつけられないんだということで、可算集合でない。

なんか無限の話は、ケムにまくようなのが多くて……。

13 4元数

複素数$a+bi$(a, bは実数)は、

$$a\times 1+b\times i$$

と見れば、2つの単位1、iで構成された2次元のベクトルであるとみなすことができる。そして右のような乗法の約束をすることによって

×	1	i
1	1	i
i	i	-1

① 一般の多項式と同じように考えて四則計算ができる。

さらに、複素平面の項で見たように、かけ算は回転を表し、そのとき、$(a+bi)(c+di)=p+qi$とすると、原点からの距離に関して$\sqrt{a^2+b^2}\sqrt{c^2+d^2}=\sqrt{p^2+q^2}$ が成り立つ。つまり、

②$(a^2+b^2)(c^2+d^2)=p^2+q^2$である。

実際に$p=ac-bd$、$q=ad+bc$だから、左辺と右辺を計算してたしかめることもできる。

さて、$a+bi$が体(325ページ参照)として、いわば一人立ちしたのだから、素直に拡張して

$$a+bi+cj$$

という、3つの単位1、i、jで構成される3次元のベクトルを作りたくなるのは自然の成り行きであろう。

×	1	i	j
1	1	i	j
i	i	-1	
j	j		-1

では、単位についての乗法をどう決めればよいか。

実は右の表の空所をいろいろ工夫してみても、②に相当する、

$$(a^2+b^2+c^2)(d^2+e^2+f^2)=p^2+q^2+r^2$$

が出てこない。

アイルランド生まれのハミルトン(William Rowan Hamilton 1805～1865)は、3才で英語、5才でラテン語、以下ギリシャ語、ヘブライ語、…と13才までの間に毎年1つずつの外国語を身につけたという天才で、光学、数理天文学そして数学の学者であるが、彼もこの問題で頭を悩ませた(ベル『数学をつくった人びと』(東京図書)による)。

そして、もう一つ単位を増やした

$a+bi+cj+dk$

ならば、乗法を右表のように決めることによって成功することを発見した。これを**4元数**という。

(右)

(左) ×	1	i	j	k
1	1	i	j	k
i	i	-1	k	$-j$
j	j	$-k$	-1	i
k	k	j	$-i$	-1

ここで(左)(右)に注意していただきたい。

$ij=k$、$jk=i$、$ki=j$

であるが、

$ji=-k$、$kj=-i$、$ik=-j$

と定義するのである。

これで①②がクリアーされる。

乗法の交換法則$xy=yx$が成り立たない、いわゆる非可換体の歴史上初めての例とされるばかりでなく、さらに8元数、16元数への発展、多次元空間での回転への応用などの道を開いた。

上記ベルの本によると、天才ハミルトンは不運な結婚とアルコール依存で世捨て人のような晩年をおくったが、生涯の終わりが近づいたときは謙虚かつ誠実であり、4元数の発見をはじめとする学問上の名声を渇望する気持ちもなかったという。

14 p 進数

数を10進法で計算するには、普通のそろばんでよいが、もし3進法でやろうと思ったら写真のような2つ玉のそろばんを使えばよい。

たとえば、$100 = 1 \cdot 3^4 + 0 \cdot 3^3 + 2 \cdot 3^2 + 0 \cdot 3 + 1$と表されるので、2つ玉そろばんでは、次のように玉をおけばよい。

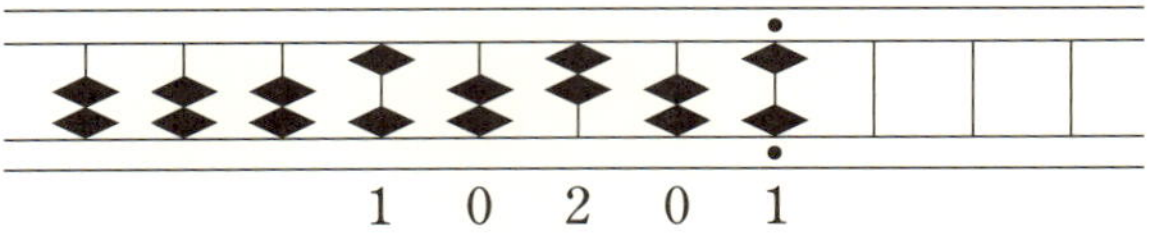

任意の自然数aは、3進法の式で次のように表せる。

$$a = a_n \cdot 3^n + a_{n-1} \cdot 3^{n-1} + \cdots\cdots + a_1 \cdot 3 + a_0$$

ただし、係数は　$0 \leqq a_i < 3$, $(i = 0, 1, 2, \cdots, n)$の整数とする。これが10進法の拡張である3進法の世界で、2つ玉そろばんでは、各位に数$a_n, a_{n-1}, \cdots, a_1, a_0$をおけばよい。

では、整数-1を2つ玉そろばんで表すことができないだろうか。実は、次のように表せる。ただし左側はどこまでも続いているとする。

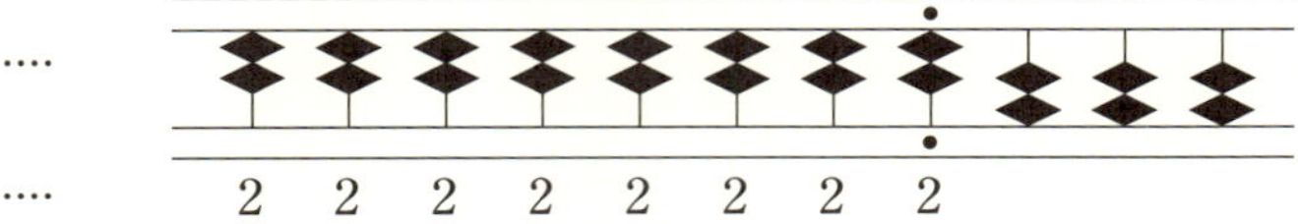

これが-1を表すことを納得するには、1を加えてみればよい。次々とくり上がって0の状態になる！　よって、この数-1を昇べきの順で書くと次のようになる。

$$-1 = 2 + 2 \cdot 3 + 2 \cdot 3^2 + 2 \cdot 3^3 + 2 \cdot 3^4 + \cdots\cdots\cdots$$

異様な式だが、もう少しつきあってほしい。

同様に有理数$\dfrac{1}{2}$は、2つ玉そろばんで次のように表せる。

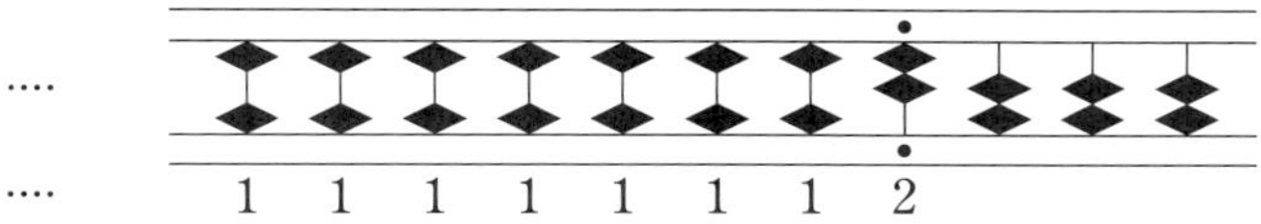

これが$\dfrac{1}{2}$を表すことを納得するには、2をかけてみればよい。次々とくり上がって1の状態になる。この数を式で書くと

$$\frac{1}{2}=2+1\cdot 3+1\cdot 3^2+1\cdot 3^3+1\cdot 3^4+\cdots\cdots\cdots$$

有理数$\dfrac{1}{6}$は2つ玉そろばんで次のように表せる

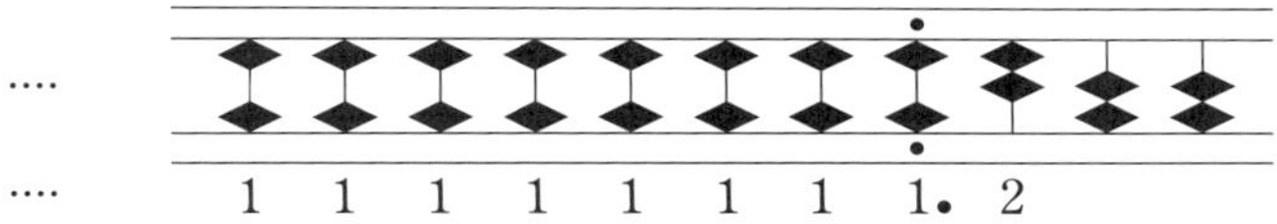

これが$\dfrac{1}{6}$を表すことは、3をかけると小数点が1つ移動し$\dfrac{1}{2}$の状態になることからわかる。この数を式で書くと

$$\frac{1}{6}=2\cdot 3^{-1}+1+1\cdot 3+1\cdot 3^2+1\cdot 3^3+\cdots\cdots\cdots$$

このようにして、任意の有理数aは、次のように表せる。

$a=a_k3^k+a_{k+1}3^{k+1}+a_{k+2}3^{k+2}+\cdots\cdots\cdots$(以下無限につづく)

ただしkはある整数で、係数a_j(jはk以上の整数)は$0\leqq a_j<3$をみたす。これはもはやふつうの「3進法の世界」ではなく「3進数体」とよばれる異様な世界である。3を任意の素数pに置きかえてp進数を導入することができ、数学の深いところ(ここではとても説明できない)で応用されている。

[補足]

n進数(numbers in base n)とp進数(p－adic numbers)とは、言葉はよく似ているが、意味はまったく違う——n進数は、2以上の任意の自然数nに対して定義でき、任意の実数を表せる。一方p進数は、素数pに対してだけ定義でき、実数とは代数的に異なる構造を持っている。

ちょっとひと息

ロッシーニは、ひとつの序曲を4つの歌劇で使った。ベートーヴェンは、ひとつの歌劇に4つの序曲を書いた。ところでガウスは、ひとつの定理に7通りの証明を書いた。

ガウスは有名な「完全主義者」で、ひじょうに厳密な分析を行ったことで知られている。だから業績は少ないかというとそれが逆で、整数論でも解析学でもたくさんのすばらしい定理を残した。その理由は、彼の天才ももちろんあるが、

「厳密に分析する」ことによって、直観だけではぼんやりとしか見えなかった深い世界をとらえ、体系化の第一歩を踏み出すことができたこと、さらに

体系化のおかげで、問題と方法が明確になった

からだ、と私は思う。ギリシャ以来、「数学的な厳密性」は進歩の足かせにはならず、むしろ発展の原動力になっている。

[335ページへの補足](その3)等式は $|x|<1$ のときしか成り立たないので、$x=1$ とおいたのがまちがい。(その4)点どうしに1対1の対応がつけられても、長さが等しいとはいえない。(その5)折れ線の「見かけがBCに近づく」から「長さもついには一致する」と考えたのが誤り——長さは全然近づいていない!

料金受取人払郵便

牛込局承認

6479

差出有効期間
平成32年11月
30日まで

(切手不要)

郵便はがき

162-8790

東京都新宿区
岩戸町12レベッカビル
ベレ出版
読者カード係　行

お名前

年齢

ご住所　〒

電話番号

性別

ご職業

メールアドレス

個人情報は小社の読者サービス向上のために活用させていただきます。

ご購読ありがとうございました。ご意見、ご感想をお聞かせください。

● **ご購入された書籍**

● **ご意見、ご感想**

● 図書目録の送付を　□ 希望する　□ 希望しない

ご協力ありがとうございました。
小社の新刊などの情報が届くメールマガジンをご希望される方は、
小社ホームページ（https://www.beret.co.jp/）からご登録くださいませ。

第3部

図形・空間の意味がわかる

第1章

幾何学はじめの一歩

ヨウカンをなるべく正確に７等分するには、どうすればいいだろうか？　長さを測って７で割ると、はんぱが出てしまい、なかなか正確には切れないものである。しかし次図のようにすると、正確に包丁を入れられる。

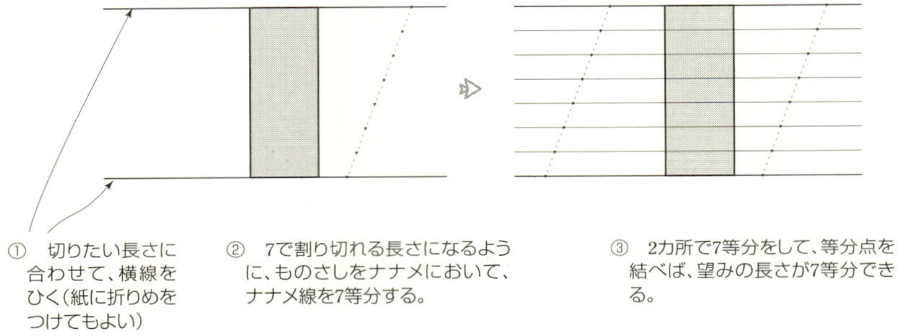

① 切りたい長さに合わせて、横線をひく（紙に折りめをつけてもよい）
② 7で割り切れる長さになるように、ものさしをナナメにおいて、ナナメ線を7等分する。
③ 2カ所で7等分をして、等分点を結べば、望みの長さが7等分できる。

では、１リットルのますで $\frac{1}{6}$ リットルを測るのはどうだろうか？——これも工夫すれば、正確に測ることができる。

ヒント：ますをナナメに使うと、$\frac{1}{6}$ が測れます。

しかしこのような「生活の知恵」はおもしろいけれど、役に立つ機会はそれほど多くない。大学で教わる知識もそうなので、「ぴったりあてはまる」場合には即効性があるけれど、ほんのちょっと条件が変わっただけで使えなくなるし、世の中が変わるとまるで役に立たなくなることもある。おもしろい例が、工学部・電気工学科で長年教えていた「真空管の性質」で、卒業してみたらトランジスタの時代になり、教わった知識はまるで役に立たなかった——という世代があった。

それでは昔、大学で真空管を学んだのは、まったくのムダだったのか——というと、それがそうでないからおもしろい。真空管がトランジスタになっても、応用の考え方には共通するところが多く、私の先輩は「真空管で学んだ考え方が、とても役に立った」と言っておられた。広く役に立つのは「知識」より「考え方」なのである。

そこで本書では、「生活に役立つ豆知識」より、「生活にも役立つ、考え方」に重点をおくことにした。その根底には

真実は何か

を追求するギリシャ的精神——「根拠」を重んじ、自由に考える精神がある。これが身についていれば、大学出のインテリが怪しげな宗教や悪徳セールスマンにダマされることなど、考えられないはずである。実際、「だいじなところでしっかり考える」、「バカなことをしない」だけでも、あれこれの豆知識より「よほど役に立つ」といえるのではないだろうか。

これからの節でとりあげる個々の題材は「生活からかけはなれている」ように見えるかもしれない。しかし私たちの現代生活を支えている科学技術の基礎には、幾何学を含む数学がある。だから幾何学の誕生について、ある程度の理解をもっていることは

ものごとを論理的に、自由に考える

上で、きっと役に立つはずである。なんといっても「幾何学の透明性」という言葉があるくらい、数学の中で直観的に最もわかりやすいのは幾何学であり、歴史的にも「根拠を問う」ギリシャ的精神が最初に成功したのは、幾何学であった。そこで、第1章では「幾何学誕生」の風景を描き、ギリシャ的精神への入門としたい。

1 見ればわかる［幾何学以前］

幾何学とは、ひらたくいえば「図形についての学問」である。その起源は古く、たとえば

円周の長さと直径の比はおよそ3である

とか

辺の長さの比が3：4：5の三角形は、直角三角形である

などの事実は、何千年も前から知られていた。

図形の性質は、「見ればわかる」ことが多い――百聞は一見にしかず、視覚の強みである。上に挙げた事実も、ひもを使って簡単に確かめられるし、図1の三角形ABCの、

上側の正方形(I)、(II)の面積の和は、下側の正方形(III)の面積に

等しいという事実も、図1をよく見れば発見できるに違いない。

ヒント：同じ大きさの、三角形の数に注目！

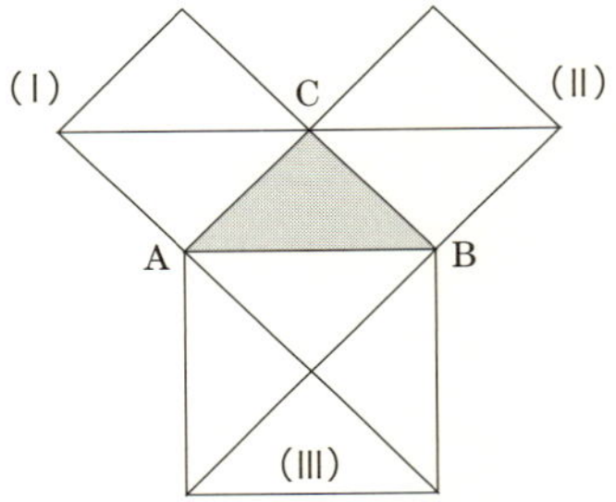

図1 $AB^2=AC^2+BC^2$

数についての性質でも、図を使うとよくわかる場合がある。たとえば

$$1+3+5=9=3\times 3,\quad 1+3+5+7=16=4\times 4$$

$$1+3+5+7+9+11+13+15+17=81=9\times 9$$

のように、「連続する奇数の和は、平方数になる」という事実は、次の図2を見れば「明らか」といってよいであろう。

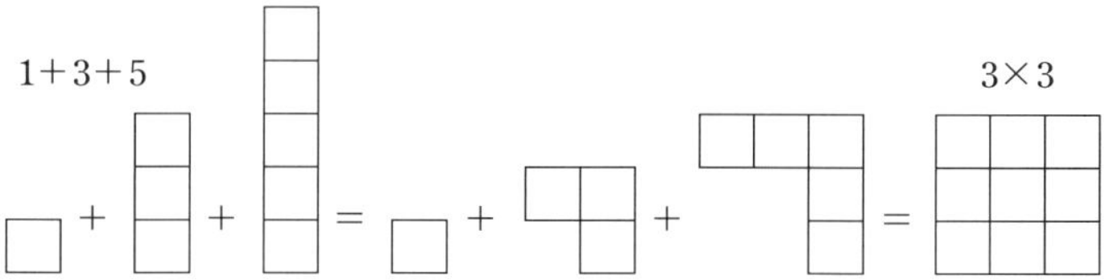

図2　奇数の和と「グノモン」

図の中のかぎ形は「グノモン」とよばれ、奇数をわかりやすく表現している。なおこの事実は、数式を使えば

$$1+3+5+\cdots\cdots+(2n-1)=n^2$$

と表され、数学的帰納法で証明できる。しかし形式的な証明を読むだけでは、「わかった！」という気がしないことが多い。それより上の図を見たほうが、$n=5$ だろうと $n=79$ だろうと、いつでも成り立つことがナットクできるであろう――この「わかりやすさ」こそ

幾何学の透明性

である。同じように、公式

$$1+2+\cdots+(n-1)+n+(n-1)+\cdots+2+1=n^2$$

や

$$1+2+\cdots+n=\frac{1}{2}n(n+1)$$

も、図から理解することができる。

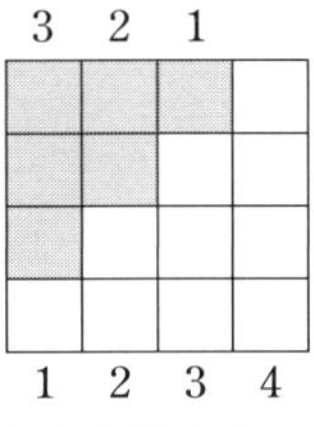

$1+2+3+4+3+2+1=4^2$

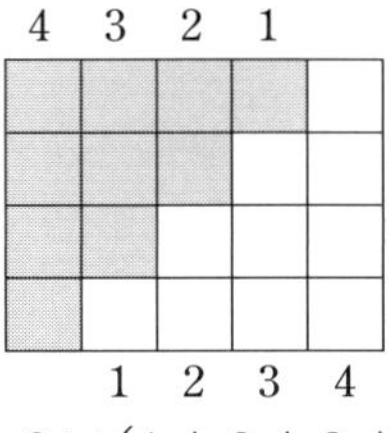

$2\times(1+2+3+4)=4\times(4+1)$

2 なぜ？ どうして？

幾何学を含む、数学的な多くの知識は、紀元前何千年もの昔から、エジプト、バビロニア、東洋では中国でたくわえられていた。そこで紀元前 6 世紀に活躍したギリシャの哲学者、「七賢人」の一人といわれるタレス（紀元前 624 頃～ 546 頃）は、バビロニアやエジプトに行って進んだ知識を勉強した。日本で昔、遣隋使や遣唐使が中国を訪れて、学術・文化を学んだようなものである。

しかし自由な海洋国であったギリシャの人たちは、教わった知識をうのみにはしなかった。「なぜ？　どうして？」と疑問を持ち、議論を始めたのである。そしてわずか数百年の間に、何千年もの伝統を持つエジプトやバビロニアの学問的水準を、軽々と追い越してしまった。たとえば円周率の値にしても、経験から 3 とか

$$\left(\frac{4}{3}\right)^4 = 3.160493\cdots\cdots$$

などが知られていたが、正しい値は経験だけではわからない。そこでアルキメデス（紀元前287頃～ 212頃）は、幾何学的に

$$3\frac{10}{71} < \text{円周率} < 3\frac{1}{7}$$

を証明して、小数で書けば $\pi \fallingdotseq 3.14$ であることを確定した。

ついでながらタレスはおもしろい人で、「哲学者」だけでなく、今でいえば国会議員から実業家、科学者の顔も持っていた。劇的な日食の予言をしたという伝説や「川の流れを変える」土木工事が有名であるが、歩きながら星に見とれてどぶに落ちたとか「リクツばかり」と批判されると商売に手を出して、大儲けしてみせた、という逸話が残っている。また「こうだ！」ではなくて「なぜ？」から出発して、弟子たちと

議論を始めたのも、タレスの功績である。

幾何学については、「円はその直径によって 2 等分される」とか、「二等辺三角形の底角は等しい」というような「見ればわかる」ことに、「裏返せば重なる」という程度の直観的な説明をつけただけであったが、

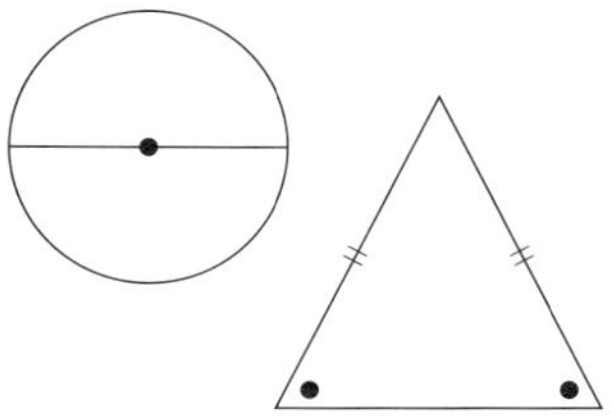

図 1　タレスと幾何学

ここから科学が始まった

ということもできる、重大なできごとであった。実際、それまでは神話でしかなかった「世界の成り立ち」を、彼が現実の問題として取り上げたところから、何でも神様のせいにするのでなく、合理的な説明をしようとする態度——「真実は何か」を追求する精神が生まれた。そしてそれが、ピタゴラス学派の地動説やデモクリトスの原子論、さらには現代の科学・技術へと発展してきたのである。だからタレスに始まる「真実を追い求める精神」がもし生まれなかったとしたら、私たちは今でも電車や自動車を知らず、とぼとぼ歩いて通勤・通学をしている——かもしれない！

〈補足〉「幾何学」という言葉は、geometry の訳語である。geo- はギリシャ語の大地、-metry はやはりギリシャ語の計測を意味する言葉から作られた。漢字「幾」は「きざし、気配、かすか、およそ、願う」など多くの意味を持つが、「幾何」だと「どれほど」という計測に近い意味になる。もとはエジプトで、ナイル河の氾濫によって乱される土地の境界や面積を計測するための技術であった。

これを科学としての幾何学にまで高めたのは、ギリシャ人の功績である。

3 ピタゴラス登場

ピタゴラス（紀元前560頃～480頃、ギリシャ式の発音はピュタゴラス）は豊かな商人の子としてサモス島に生まれた。若い頃は、友人ポリュクラテスの政治改革に共鳴・協力していたが、ポリュクラテスが貴族制を倒したあと兄弟をも追放して独裁者になると、失望してサモスを逃れ、知識を求める旅に出た。30歳頃のことといわれる。その旅は30年にも及び、エジプト、バビロニアはもちろんのこと、ガリアを訪れ、インドにも遠征している。あの時代に、少しは馬やラクダを使ったかもしれないが、あらかた歩いたのだろうから、ずいぶん丈夫な人に違いない。

ピタゴラスの知識の広さ・深さは「当時の人々を驚嘆させた」といわれるが、ピタゴラスは60歳頃にイタリア南部のクロトンに、神秘的宗教と学術研究の入り交じった「ピタゴラス教団」を創立した。輪廻転生を信じ、小犬をぶっている人を見て「打たないでくれ。その犬の魂は私の友人だ。声でわかるんだ」と言ったそうである。また輪廻転生から脱却する手段として「知を愛すること（フィロソフィア）」を教えたが、これが哲学（フィロソフィー）の語源である。音楽では、弦の長さの比と美しい和音の関係を明らかにして、ピタゴラス音階を定めた。

幾何学では「三角形の内角の和が180°であることを、平行線の性質から証明した」とか「比例の理論を組み立てた」ことも伝えられているが、何といっても有名なのはピタゴラスの定理――一般の直角三角形についての三平方の定理であろう（右ページ図）。

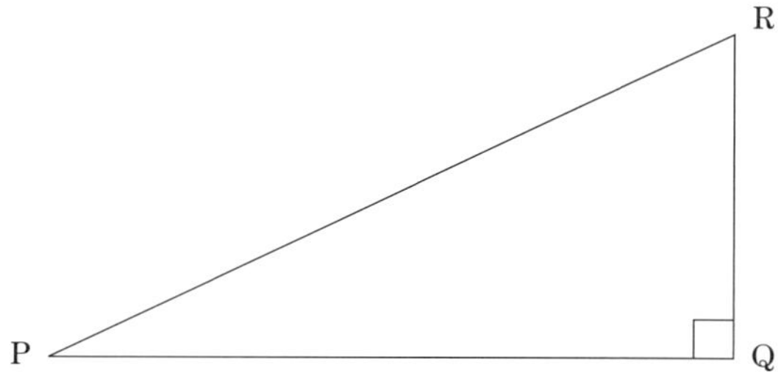

三平方の定理：$PQ^2 + QR^2 = PR^2$

356ページの図1に示した事実は、この定理の特殊な場合である。

なお三平方の定理は、バビロニアの学者にも知られていて、数学問題集の中で自由に使われていた。彼らの知識は大したもので、

$$x^2 + y^2 = z^2$$

をみたす整数の組(いわゆるピタゴラス数)についても

$$12709^2 + 13500^2 = 18541^2$$

のような巨大な例を知っていた。こんな巨大な例は、偶然に見つけたとは思えないので、おそらく理論的に得られたものであろう。

しかしバビロニアの人々は、問題を解くのに利用するだけで、三平方の定理そのものを一般的な形で述べるとか、まして定理の証明を記述した形跡はまったくない。だからのちにプロクロス(410頃～485頃)が「ピタゴラスがこの定理をはじめて一般的な形で述べ、証明を与えた」といったのが、今でも通説となっている。

4 宇宙、点、そして比例

ピタゴラスの宇宙論によれば、直弟子のフィロラオスのアイデアらしいが、宇宙は有限の球形で、その中心に「中心火」があって、そのまわりを地球が回転し、さらにその外側を太陽が回転している、のだそうである。でたらめもいいところ——と思われるかもしれないが、これがおよそ 2000 年の後にコペルニクスにヒントを与えたのだからおもしろい。なおアリスタルコスは「太陽が中心で、地球がそのまわりを 1 年で一周する」と考えていたし、エラトステネスは地球の一周の長さを計算するなど、ギリシャ人の自由な発想には驚かされる——万有引力が知られていない時代に、球形の地球が太陽のまわりを飛びまわるなど、よくまあ考えたものである！

しかし点とか線についてのピタゴラスの考えは、素朴な直感の範囲にとどまっていた。現代でもそのように思っている人が多いけれど、点とは「小さな小さな、しかし大きさが 0 ではない粒」のようなもので、線はひじょうに多くの、しかし有限個の点からできている——と考えていたようである。だからふたつの線の長さの比は、その中の点の個数の比で、かならず整数の比で表される——これはピタゴラスの「比例の理論」の前提であった。

「比例の理論」は、拡大コピーや縮小コピーに慣れている人には、ごくあたりまえのことであろう——三角形を◇倍すると、辺の長さはすべて◇倍になるが、角度は変わらない。またどんな三角形でも、

(☆)角度が変わらなければ、辺の長さはそろって何倍かになる。

これが「相似の基本性質」で、ここからピタゴラスの定理を導くこと

もできる。

この性質(☆)は、不思議に思われるかもしれないが、次の事実(★)と同じように証明できる：

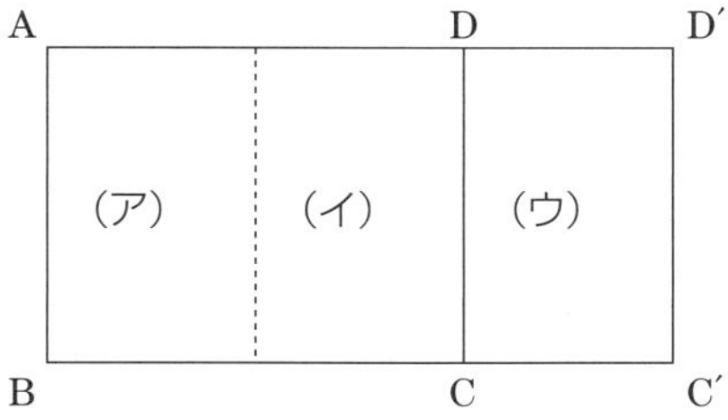

(★) 同じ高さの長方形の面積は、底辺の長さに比例する。

たとえば、図 1 の長方形□ABCD と □ABC′D′ において、底辺 BC と BC′ の長さの比が 2：3 であれば、それぞれの面積の比も 2：3 になる、ということである。これは次のように証明できる。

① 長方形 □ABC′D′ を図のようにたてに 3 等分する——BC：BC′ が2：3 だから、右側の等分線は CD に一致する。

② 3つの小区域はぴったり重ねられるので、面積は等しい。

③ □ABCD は、3 つの小区域のうちの 2 つ分、□ABC′D′ は 3 つ分であるから、面積の比も、もちろん 2：3 である。

長さの比が 2：3 でなくても、3：7 だろうと 19：61 だろうと、整数比でありさえすれば、まったく同じようにして証明できる——長さの比がかならず整数比ならば、「相似の基本性質」(☆)も同様にして証明できる。

＊) 数値で考えればあたりまえであるが、図形の中の量として、幾何学的に証明しなければならない。

5 はじめての挫折

現代では、長さといえば「29センチ7ミリ」とか「7.32メートル」など、単位つきの数値が思い出されるであろう。これらは単位となる長さに対する比であって、たとえば1センチの29.7倍が29センチ7ミリ、1メートルの7.32倍が7.32メートルなのである。そして誰でも何となく「どんな長さでも、数で表せる」と思っているのではないだろうか。

ピタゴラスも最初はそうであった。数は整数(マイナスは除く、0, 1, 2, ……など)と分数だけであったが、それでも「数では表せない長さ」があるなど、夢にも思っていなかった。ところが彼自身の定理から、意外な結論が飛び出した：

長さの比は、整数比になるとは限らない。

二等辺直角三角形(図1)の辺ACとABの比がすでに、整数比にならないのである。実際ACの長さを1とし、ABの長さをtとおくと、ピタゴラスの定理から

$$1^2+1^2=t^2$$

つまり

$$2=t^2$$

したがって、現代の記法で書けば

$$t=2乗して2になる数$$

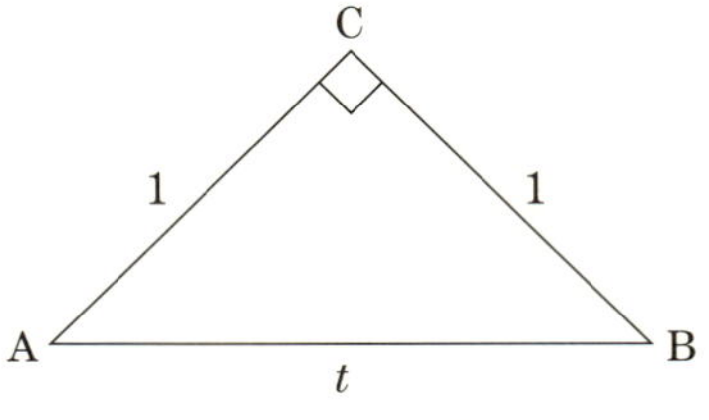

図1　2等辺直角三角形

つまり $\sqrt{2}$ となる。ところがこの $\sqrt{2}$ は、分数では絶対に表すことができない、いわゆる「無理数」なのである(右ページ参照)。

そこで「ピタゴラスは無理数を発見した」という人もいるが、彼がそんな数を認めたわけではない。何しろ「無限小数」とか「実数」という便

利なものはまだ発明されていなかったので、ピタゴラスたちは「数(＝有理数)では表せない比」、あるいは「数では表せない長さ」があることを発見してしまったのであった。

バビロニア人は、おおらかであった。彼らは60進法による(実質)有限小数を使って、2次方程式を計算で解き、近似解を求めることで満足していた。$\sqrt{2}$ の近似値としては

$$1+\frac{24}{60}+\frac{51}{60^2}+\frac{10}{60^3}=1.41421296\cdots$$

を知っていたのだから、たいしたものである(正しい値と0.0000006程度しか違わない)。彼らは「$\sqrt{2}$ が分数で正確に表せるかどうか」など、まったく気にかけなかった！

ギリシャ人はそうはいかない。「線は有限個の点からなる」という感覚が破られるし、比例の理論も吹っ飛んでしまった——整数比を前提とする証明では不十分だからである。そこで彼らは2次方程式を扱うとき、問題を図形の言葉に翻訳し、解を長さとして求めた。

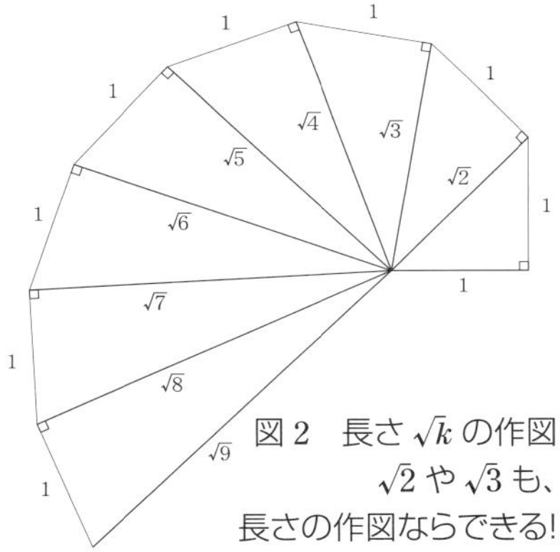

図2　長さ $\sqrt{k}$ の作図
$\sqrt{2}$ や $\sqrt{3}$ も、
長さの作図ならできる!

〈補足〉 $t^2=2$ となる t が分数では表せないことの証明：t が分数 $\dfrac{m}{n}$ で表されると仮定する。きちんと「約分」をしておけば、m と n には公約数がないとしてよい。これを $t^2=2$ に代入すると $m^2=2n^2$ が導かれる。この右辺は偶数だから、m は奇数ではあり得ない。そこで $m=2k$ とおくと $4k^2=2n^2$、すなわち $2k^2=n^2$ となり、n も偶数でなければならない。これは「m と n には公約数がない」という仮定に矛盾する。したがって t が分数で表せるという仮定は誤りである。

6 アキレスはカメを追い越せない？

難題は「数では表せない長さ」だけではなかった。議論というものは、厳密にしようとすればするほど、対立する説どうしで決着をつけるのがむずかしくなるものである。たとえば南イタリアのエレアの哲学者・パルメニデス（紀元前515頃～450頃）は「あるものはある、ないものはない」を基本原理として、「物質が何もない、空っぽの空間」という考えを否定し、「あるもの」は「分割不可能な全体で、永遠に不変・不動」と説いた。パルメニデスは議論を楽しんでいたように見えるが、弟子のゼノン（紀元前490頃～430頃）はこの無茶な学説を守る、おもしろい論法を思いついた。

空間は点（小さな粒）に、時間は時刻（ごく短い瞬間）に分割できる、と思っている人たちよ。空を飛ぶ矢を考えてごらん。

どの時刻にも、矢（の先端）はある点を占めている。つまりその瞬間には、動いていない。どの瞬間にも動いていないのだから、矢は空を飛べないことになる。

あなたはパルメニデス先生の説を「現実的でない」というけれど、あなたの説も現実的でない——これがゼノンの主張である。しかし矢が空を飛ぶのはたしかなので、これは事実に反する「パラドックス」（逆理、逆説）であり、「飛ぶ矢は飛ばず」のパラドックスとよばれている。

ゼノンのパラドックスは全部で4つ知られているが、最も有名なのは次の「アキレスとカメ」のパラドックスであろう。

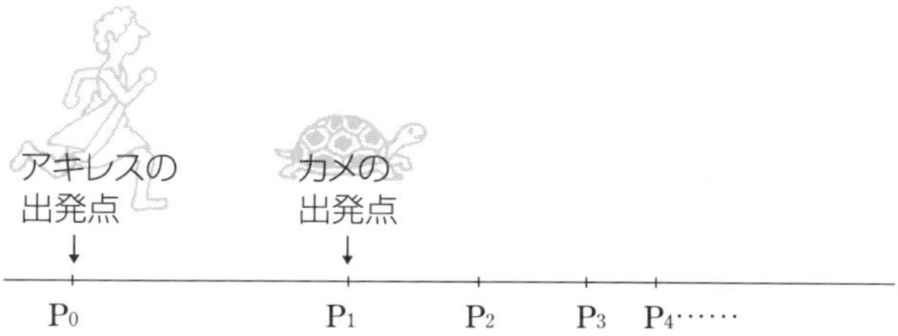

俊足で有名な英雄アキレスと、鈍足で知られるカメさんが競争をする。アキレスはカメより少し後ろから、同時にスタートすると、どうなるだろうか？

アキレスはまず、カメの出発点P_1に達する。それまでにカメは、遅いながらも少しは前進して、新しい地点P_2にいる。アキレスがP_2に達した瞬間には、いかにカメが鈍足でも絶え間なく前進しているので、カメはその少し先のP_3にいる。アキレスがP_3に達した瞬間にも、カメはそれよりほんの少し先のP_4にいる。

このように、無限の作業をくり返す（無限の瞬間が経過する）のだから、アキレスはいつまでたってもカメに追いつけない！

どちらも「点や時刻をどう考えるか」にかかわるパラドックスで、素朴な感覚ではうち破るのはなかなかむずかしい。

7 「点」や「線」の理想化

ゼノンのパラドックスは、「大きさのない、理想的な点」を認めれば解消できる。実体としては「大きさがない」ことなどありえないので、「点とは位置のこと」と考えるとわかりやすいかも知れない。時刻もそうなので、「ごく短い瞬間」ではなく、「時の流れの中の位置」が時刻なのである。だから「ある時刻での矢の位置を考える」のは、時間の流れを止めているので、「その時刻に矢がこの位置にある」からといって「その矢が止まっている」とはいえない。動いているか止まっているかは、時間の流れの中でしかわからないのである。

「大きさのない位置」であれば、有限の線の上に無限にあっても不都合はない。「時間の流れの中の時刻」もそうなので、アキレスとカメのパラドックスは次のようなところに注意すると、わかりやすいかもしれない。

アキレスの速さを秒速10メートル、カメさんの速さを仮に秒速1メートルとしよう。アキレスがカメの9メートル後ろから出発したのなら、ちょうど1秒後に追いつくはずである。この状況に、前節での議論を当てはめると、次のようになる。

1）　アキレスは0.9秒後、追いつく0.1秒前に、カメの出発点P_1に達する。そのときカメは0.9メートル進んだ地点P_2にいる。

2）　アキレスはその0.09秒後、追いつく0.01秒前に、P_2に達する。カメはその0.09メートル先の点P_3にいる。

3）　アキレスは追いつく0.001秒前に、P_3に達する。カメは0.009メートル先のP_4にいる。

・・・・・

アキレスがカメさんに追いつく時刻までの有限の時間を、頭の中で無限に分割しているだけの話であった！

「点とは小さな粒」、「線の中の点は有限個」というイメージを捨てれば、「線の長さの比が整数比にならない」ということも問題でなくなる。そこでギリシャ人の中にも、「点とは位置のことで、大きさはない」という考え方が生まれた。

これに慣れると、自然に「長さがあって幅のない線」、「広さがあって厚さのない面」も考えたくなる。これらは形式的な論証には、実に便利な概念である。しかしその一方で、慣れるまでは「直観的にわかりにくい」という苦情も出る。そう感じる人は、いろいろなものの「境界」から点や線をイメージするとよい。半透明の色紙を2～3枚、少しずらして重ねると、境界線として幅のない直線や、その交点としての「大きさのない点」が見えるであろう。2枚の紙の接触面が理想的な、厚さのない面である！

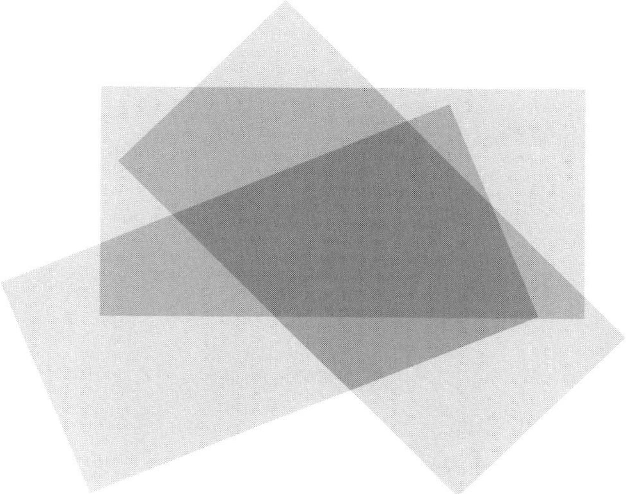

〈補足〉444ページの写真も参考にしてください。

8 体系化の始まり

ゼノンたちの哲学的な論争の一方で、幾何学的な考え方や収穫も、しだいに発展していった。たとえば紀元前5世紀後半に活躍したレウキッポスは、物質の入れ物としての空間(「もの」はなくても、「空間」はある)を認め、さらに「無限に広い空間」を構想した。さらに次の世紀には、多くの学者が活躍して収穫をふやした。少し変わった例を挙げると、メナイクモスは「3乗して2になる長さ」を、放物線と双曲線の交点を使って求める方法を発見した。その方法は、現代的な記法を使ってしまえば、いとも簡単に説明できる：

放物線$y=x^2$と双曲線$xy=2$の交点のx座標をaとすると、$y=a^2$でしかも$ay=2$,
したがって　$a^3=2$

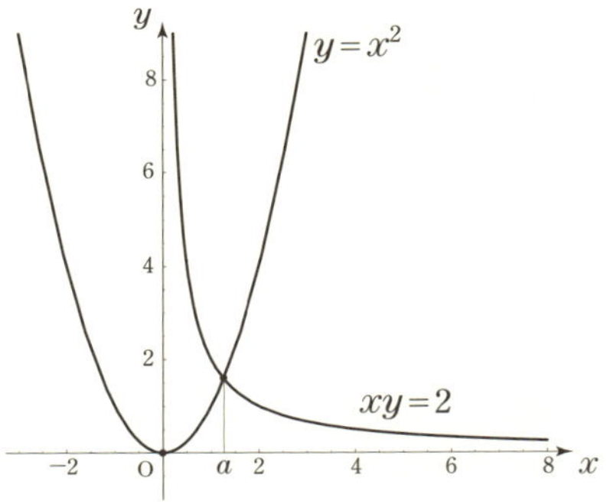

図１　３乗して２になる長さ

同じ世紀に活躍したエウドクソス(紀元前408頃～355頃)は、さらに重要な貢献をした。彼は自然数だけで一般の比を取り扱う、巧妙な方法を創案して、比例の理論を救ったのである。彼の方法は、「実数」に慣れている現代人から見れば不必要に技巧的なので、詳しい説明はここでは省くが(「番外編」380ページ参照)、第4節の「相似の基本性質」が厳密に証明でき、あとの議論がすべて息を吹き返した。また彼は、現在の積分(区分求積法)に相当する計算法を考案し、それを使ってデモクリトスが(皮肉なことによく似た考え方で)発見した角錐や円錐の体積の公式を証明した。

このような成果をとりまとめ、解説した教科書の中で、抜群によくできていたのが、紀元前3世紀に現れたユークリッドの『原論』であった。これがあまりにもすぐれていたために、ほかの教科書はみな失われてしまい、「ユークリッド以前にはどんな教科書があったのか」知りたい研究者を嘆かせている。

著者のユークリッド(生没年不詳、ギリシャ語の名前はエウクレイデス)は、アレキサンドリアで活躍した数学者である。プトレマイオスI世(在位紀元前317 ～ 283)に仕えていたとき、王様に「もっとやさしい勉強法はないのか」と聞かれて「幾何学に王様専用のハイウェーなどありません」(幾何学に王道なし)と答えた、という逸話が有名である(同じ逸話が、アレキサンダー大王とメナイクモスの間にも残っている)。

ラファエロが描いたヴァチカン宮殿の壁画『アテネの学堂』には右下にユークリッドが描かれている。コンパスを持っている。また、左下で本を開いているのがピタゴラス。

9 『原論』の出発点

ユークリッドの『原論』では、「前提から結論を、論理的に導く過程」が、次のように整理されている。まず理論の前提を

1) 用語の定義(これも一種の仮定・約束)、

2) 仮定として認めてほしい、要請

に分け、2)をさらに

2.1) 幾何学特有の要請(公準、アイテーマタ)、

2.2) 一般的な要請(公理、アキシオーマタ)

に分けた。たとえば『原論』第1巻には、

1. 点とは部分のないものである
2. 線とは幅のない長さである
3. 線の端は点である

から始まる23の定義が並べられている。そのあと

1. 任意の点から任意の点に直線を引くことができる
2. 有限の直線を続けてまっすぐに延長することができる
3. 任意の中心と半径をもつ円を描くことができる

以下、全部で5つの公準が並び、それにさらに

1. 同じものに等しいものは、また互いに等しい

に始まり、

8. 全体は部分より大きい
9. 2つの直線は面積を囲まない

で終わる、9個の公理が続いている。

皆さんはどう感じられるだろうか。奇妙なことと、あたりまえのこ

とが入り交じっていると思われたら、それは健康な反応だと思う。「定義」には省略が多すぎるし、一部は「公準」に移してもおかしくない。私なら、こんなふうに書きたいところである。

『本書で扱う図形の中で、部分を持たないものは点だけである。
このように理想化された点は「位置だけあって、大きさがないもの」ともいえる。一方、線には長さがあり、その一部分を切り取ることができるから、線は点ではない。ただし線も理想化して、幅のないものと考える。すると線の端は部分がないので、これは点である。（以下略）』

これでもすべての人を説得できるわけではない。あとの公準・公理もそうであるが、たとえばゼノンを説得するのはたぶん不可能であろう。それはユークリッドもわかっていた。だからこそ公準とか公理は「要請」であって、「ともかく本書では、こういう仮定で話を始める」と宣言したのである。これは「積極主義」(positivism)ともいえる、自由で大胆な宣言であった。

おもしろいことにこれらの要請は、慣れるとごく当たり前と思えてくる。だから公理や公準が、いつの間にか「誰の目にも明らかな事実」と見なされるようになった。しかし最初は誰でもふしぎに思ってあたりまえなので、もし「なぜ？」と思う生徒がいるとしたら、先生は「何だおまえ、頭が悪いな」などと言ってはいけない。「理想化」の考え方をよく説明し、369ページの視覚化も利用して、

「慣れると便利なんだよ。ちょっとつきあってごらん」

と要請するのが、真にギリシャ的な態度なのである！

10 定規とコンパス

ユークリッドの「公準」の書き方は、それだけでは何がいいたいのかわかりにくいし、実は説明が足りないところもある。たとえば公準1では「直線が引ける」としかいっていないが、あとの証明では「1本しか引けない」ことも使っている。だから今は

異なる2点P、Qを通る直線は、ただひとつ存在する

という形で述べることが多い——なおこれも「理想化された点、理想化された直線」でないと、成り立たない。

またユークリッドは一般的な「公理」と幾何学的な「公準」とを区別しているが、私には公理9『2直線は面積を囲まない』は、公準1、2と同じ程度に「幾何学的」と思える。また有名な公理

8『全体は部分より大きい』

も実際には次のように、図形に限定して考えたほうがわかりやすい。

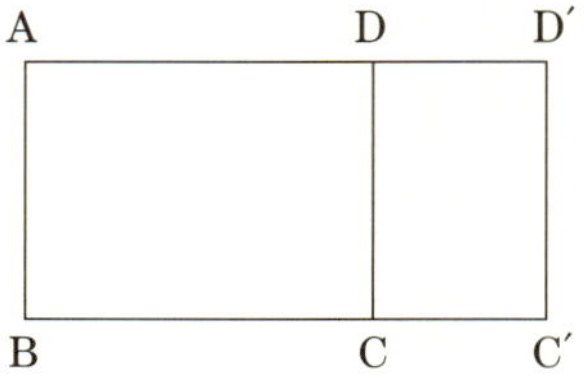

図1　部分と全体

①　全体の面積は部分の面積より大きい

＜例＞　□ABC′D′の面積＞□ABCDの面積

②　全体の長さは部分の長さより大きい

＜例＞　BC′の長さ＞BCの長さ

そのため現在では、公理と公準の区別をやめて、理論の出発点となる仮定をすべて「公理」とよんでいる。

ところでユークリッドが「直線が存在する」とは書かずに、「直線を引くことができる」と表現したことには、含みがある。公準1～3で、「図を描く手段として、定規とコンパスだけを認める」こと、その結果「対象は基本的に直線と円、手段は定規とコンパス」に限るので「それ以上のことは、本書では扱わない」と宣言しているのである。だからたとえばメナイクモスの「放物線と双曲線の交点を求める」作図などは「本書の対象外」ということになるし、ユークリッド自身の『円錐曲線論』も別の著書として書かれた（こちらはアポロニオスの『円錐曲線論』に負けて、残っていない）。

このように「定規とコンパスに限る」理由は、いくつもある。

1）　正確な作図ができる道具は、定規とコンパスだけであった。

2）　目盛りつきのものさしは近似的な作図には便利であるが、半端が出るときには、正確さに欠ける。

3）　直感にまどわされない、厳密な証明を展開する第一歩としては、「定規とコンパスだけの理論」が適している。

4）　定規とコンパスだけで、けっこういろいろなことができる：2次方程式を扱うのは定規とコンパスで足りる。

5）　コンパスと定規以外の道具を許すと、何を許すかによって、できることが実に多様なので、理論としてまとめにくい。

また「定規とコンパスでは何が**できない**か」がひじょうに内容の深い問題で、後世の数学に大きな刺激を与えたのも、おもしろいことだと思う。

11 ギリシャの3大難問

「定規とコンパスだけではできない」問題としては、次の3つが有名である——これらはギリシャの3大難問とよばれている。

（ア） 角の3等分：与えられた任意の角を、正確に3等分すること。

（イ） 円の正方形化：与えられた円と同じ面積を持つ正方形を求めること。

（ウ） 立方体倍積：与えられた立方体の、ちょうど2倍の体積を持つ立方体を求めること。

なおこれらが「定規とコンパスだけではできない」ことの証明には、2千年以上もかかった。特に（イ）はリンデマンが1882年の論文で決着をつけたが、「問題が出されてから解けるまでの時間」としては、これが「フェルマーもびっくり」の世界記録である。

しかし自由なギリシャ人たちは、定規とコンパスにこだわらず、別の解法も考えていた。そのひとつがメナイクモスの放物線と双曲線を利用した「3乗して2になる長さ」の作図法（370ページ）で、これで（ウ）立方体倍積問題が解ける——与えられた立方体の辺の長さを1として、「3乗すると2になる長さ」を求めれば、それがちょうど「体積が2倍の立方体」の辺の長さではないか！

アルキメデスの「角の3等分法」もおもしろい。これは目盛りつきの定規（ものさし）があれば、すぐに実行できる：3等分したい角を∠BACとする（図1）。

図1　角の3等分

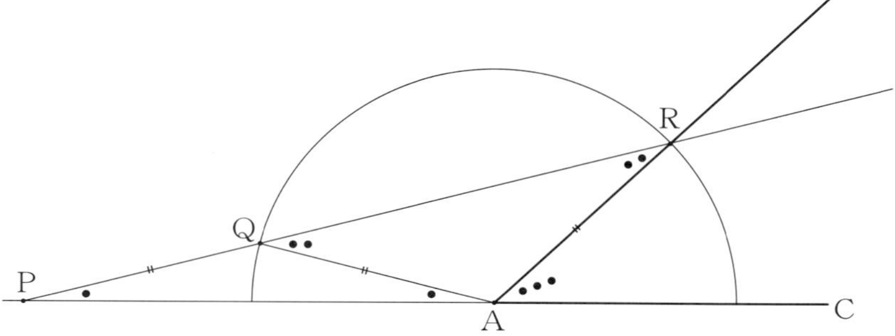

①　Aを中心とする、半径3センチの円を描く――ABとの交点をRとする。

②　直線ACの延長上の、円の左側の点Pと、点Rを通る直線を考える：Pから円との交点Qまでの距離がちょうど3センチになるように定規を調節して、Pの位置をきめる。

すると∠RPCが、ちょうど∠BACの3分の1になる（なぜでしょう？）。

なお「3センチ」というのはもちろん何でもいいので、定規の2ヶ所に目印がついていさえすればよい。

アルキメデスはまた、「中心Oからの距離が回転角に比例する」うず巻き線――アルキメデスの螺《ら》線を使うと、「任意の角の任意等分」や「円の正方形化」ができることを示した。しかしここではまだ準備不足なので、深入りはしないでおく。

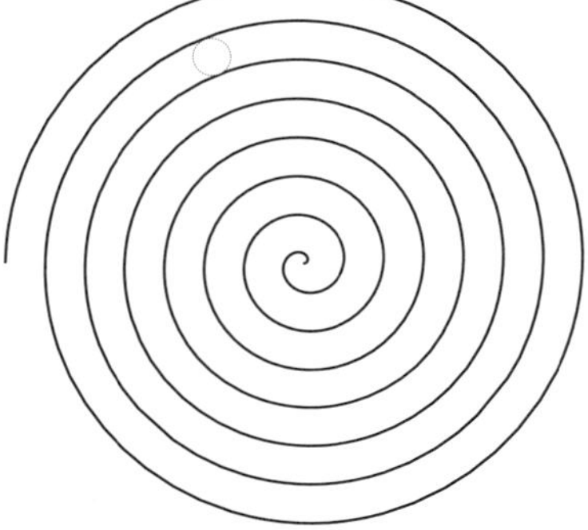

図2　アルキメデスの螺線

12 その後のユークリッド

ユークリッドの『原論』は、自然数の理論も含んでいるが、後世に大きな影響を与えたのは幾何学の部分である。特にニュートン(1642～1727)の力学が現れてからは、その基礎にあるユークリッドの幾何学は、「我々が住んでいる宇宙空間についての、絶対的真理」とみなされるようになった。

一方、新しい工夫もいろいろ行われていた。公理・公準を整理することもそのひとつで、特に次の「平行線公理」(ユークリッドの第5公準)が研究の対象になった。

直線lが他の2つの直線と交わり、lの同じ側にできる2つの内角(ア)、(イ)の和が2直角より小さければ、それらの直線はlの同じ側で交わる。

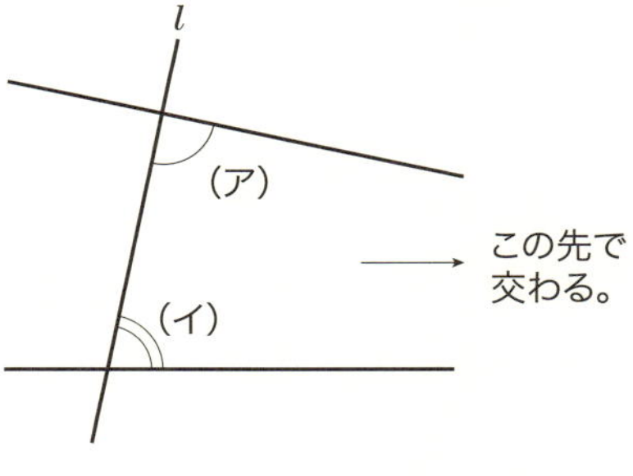

図1　平行線公理

この公理から、次のことが証明できる：

(E)直線Lとその上にない点Pに対して、Pを通りLと平行な直線がただひとつ存在する。

ここで「平行」とは「同じ平面上にあって、どこまで延長しても、けっして交わらない」ことである。しかしこれはほかの公理・公準に比べて、どうも複雑すぎる。そこで「これを他の公理から、導きだすことはできないだろうか」という疑問が、昔からあった。

結論からいうと、それは不可能である。その証拠に、

(B) 直線Lとその上にない点Pに対して、Pを通りLと平行な直線が、2つ以上ある

と仮定して議論を進めても論理的な矛盾は出てこないし、

(R) 直線Lとその上にない点Pに対して、Pを通りLと平行な直線は存在しない

と仮定してもやはり矛盾は現れない。そこで(E)をみたすユークリッド空間に対して、(B)あるいは(R)が成り立つ、いわゆる非ユークリッド空間が、少なくとも頭の中の存在として、認められるようになった。

ここから一歩を進めて、「我々が住んでいる宇宙空間は、はたしてユークリッド空間か？」という問題を取り上げたのは、天才数学者ガウス(1777～1855)である。これは実は物理学の問題なので、当時の技術では決着はつけられなかったが、今でも決定的なことはわかっておらず、「宇宙空間が有限か、それとも無限か」さえ断定はできないのだそうである。

現在、ユークリッドの幾何学は「現実世界とは独立の理論的体系」であって、その公理はまさに「理論を出発させるための要請」と考えられている。もちろん「日常生活には、十分役に立つ」のも事実であるが、「無限に広い空間」が実在するかどうかが不明であるなど、「現実の宇宙空間と、厳密には合わない」らしい。

それにしてもこの「現代的な見方」と「古代ギリシャ人の見方」が一致しているのは、実に驚くべきことである。

番外編　エウドクソスの比例論

エウドクソスは、長さや面積の「比が等しい」こと($\alpha : \beta = \gamma : \delta$)を、次のように定義した(技術的な話なので、とばしてかまいません)。

「α、βの比とγ、δの比が等しい」とは、すべての自然数p、qに対して、次の条件がいつでも成り立つことをいう。

αのp倍がβのq倍よりも大きい(小さい)ときは、

γのp倍はδのq倍よりも大きい(小さい)。

＜注意＞等しい場合を含めてもよいが、このままでもよい。

比の値 $x = \dfrac{\alpha}{\beta}$, $y = \dfrac{\gamma}{\delta}$ を知っている現代人のために、この定義を数の言葉に翻訳してしまうと、次のようになる。

$x = y$とは、すべての自然数p、qについて、いつでも次の条件が成り立つことをいう。

$x > \dfrac{q}{p}$となる必要十分条件は、$y > \dfrac{q}{p}$

めんどうな定義ではあるが、こうしておくと、363ページの「カナメの事実」(★)が、一般的に証明できる――証明の目標は「底辺の比＝面積の比」、きちんと書けば

$BC : BC' = \square ABCD : \square ABC'D'$……(＃)

である。

① BCのp倍をBG、BC′のq倍をBHとする(図1)。

図1　BCの4倍BGと、BC′の3倍BH

すると□ABCDのp倍は□ABGX、□ABC′D′のq倍は□ABHYになる――p、qが自然数なら、これはあたりまえである。

② BH＞BGのときは、BHはBGを含み、□ABHYは□ABGXを含むから、

□ABHY＞□ABGX

<注意>ここで公理8「全体は部分より大きい」が使われる。

③ またBG＞BHならば、BGはBHを含み、□ABGXが□ABHYを含むので、

□ABGX＞□ABHY

p、qは任意なので、比の定義から、めざす等式(#)が導かれる。

ここから次の事実も明らかであろう。

(▲)高さが等しい三角形の面積は、底辺に比例する。

そしてここからは比の定義に戻らずに、通常の図形の議論だけで、相似の基本性質(362ページ☆)以下、比例の理論がすべて導かれる(ユークリッド『原論』、第6巻)。

*）分数で実数を特徴づけるこのアイデアは、デデキントが実数論を組み立てた1872年の論文で生かされた。

ちょっとひと息

古代ギリシャの哲学者プラトン(紀元前428頃～348頃)は、幾何学をとても大事にした人である。彼が創設した学園アカデメイアの校門には、

「幾何学を知らぬ者、入るべからず」

と書かれていた、という。

プラトンは、実生活で苦労をしているのに、たいへんなロマンチストで、知るに値するのは「理想の真実在、永遠不滅のイデア」であり、「善のイデア」を知ることこそ人生の最大の目的である、と説いた。幾何学でも、手で描かれる三角形は「真の三角形の不完全な表示」で、研究の対象は「物質的な存在ではない、理想的な点・線・三角形」であるとした。また幾何学を学ぶのは、「善のイデア」をめざすよう、魂を真理に引きつけるためであって、実用的な利益などはとるに足りない、と考えていた。

彼は対話編『ティマイオス』の中で、ピタゴラス学派とテアイテトスが発見した5つの正多面体(「プラトン立体」)を取り上げている。また$x^2+y^2=z^2$をみたす整数、いわゆる「ピタゴラス数」を作る次の公式も、プラトンのものとされている：

$$x=2n,\ \ y=n^2-1,\ \ z=n^2+1$$

いよいよ脱線であるが、ほかに次のような公式もある：

$$x=pq,\ \ y=\frac{p^2-q^2}{2},\ \ z=\frac{p^2+q^2}{2}$$

ここで$p=179$, $q=71$とおくと、バビロニアのピタゴラス数(361ページ)が得られる。

第3部

図形・空間の意味がわかる

第2章

平面図形

今、多くの中学生・高校生に嫌われるテーマのひとつが、「証明」であるという。なぜだろうか？

「証明せよ」といわれた事柄に何の魅力も驚きも感じられない——というのがまず第一に挙げられるかもしれない。何のためにこんなことをしなくちゃいけないのかがわからない、遠い別世界の話、と思われるようでは、証明でも計算でも、始める気にはなれないであろう。

もちろん教える側には、学ぶ人が自然に興味をかきたてられ、魅力を感じるような指導法が望まれる。しかし学ぶ側が、「身近なところですぐ役に立つ知識」あるいは、あるアメリカの先生の嘆きを借りると「金になる（monetizable）技術」ばかり欲しがるのも、困ったことである。先行き不透明な現代社会では、知識・技術はすぐ古くなってしまうから、役に立つのは「ねばり強く考える力」なのである。その点「真実は何か」を追及した古代のギリシャ人たちが、実に素朴な階段から「証明」を考えているうちに、しだいに考えるのが上手になり、百年たらずでエジプト、バビロニアの何千年もの蓄積を追い越してしまったことは、実に教訓的である。現代でも、勤勉で知的好奇心が旺盛な日本人たちは、明治以来百年ほどで経済的にも科学・技術の水準でも、アジアの後進国から世界のトップクラスに成長した。新しい世紀でも、

「ふしぎだなあ、なぜだろう」

と感じる力が強く、自由な知的好奇心を幅広く持てる人々の方が、科学技術の分野で大きな成長を実現してゆくに違いない。これから

の日本が、現状を維持できるか、それとも追い越され没落する側に回るのかは、私にとっても読者の皆様にとっても他人ごとではない、とても重要なことである！

ところで「証明」が嫌われることには、技術的な理由もあるように思われる。特に「公理系に基づく厳密な証明」では、慣れない人にとって「前提と結果とで、わかりやすさが大差ない」と思える場合もある。ユークッリドの「直感に惑わされないよう、うまい証明をわざと避ける」たとえば「二等辺三角形の底角は等しい」ということを証明するのに、タレスのように「その三角形を裏返して、それ自身に重ねる」のを避け、わざわざ別の三角形を作ってそれを裏返している——ような潔癖さも、感動的ともいえるが、初心者には迷惑な話であろう。だから本書では、素朴な直感を生かした証明を中心にして、時にはおよその方針を示すだけにしたり、結論を述べるにとどめたりしたところもある。そのため「深さ」についてはご不満の方も出るかもしれないが、それはご容赦いただきたい。逆にまだむずかしすぎると思われる方は、

「こんなことにも興味を持つ人がいる」

という事実を、好意的に見ていただけるとありがたいと思う。

1 三角形

「丸い池」

「四角い顔」

「三角おむすび」

………

物(もの)には形(かたち)が付きものだから、私たちはさまざまな形に囲まれて生活している。

いろいろな形に着目し、その性質を調べることから幾何学は誕生した。本書ではこれから幾何学の有名な定理を中心にとり上げていくのだが、全体を通してのキーワードは『驚き』と『納得』。

たとえば、「三角形の内角の和は 180°」という多くの人が知っている定理について。

下図のような特殊な三角形についてはなるほど確かに内角の和は 180°である。

〈直角二等辺三角形〉

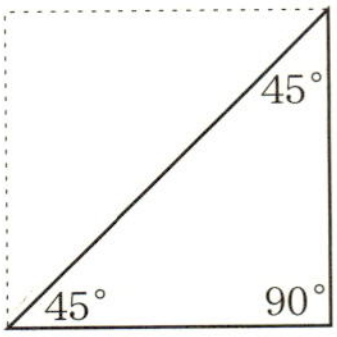

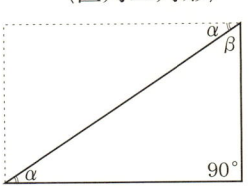

$45° + 45° + 90° = 180°$

〈正三角形〉

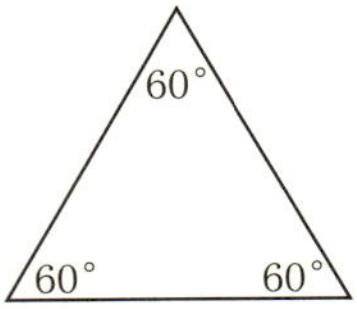

$60° + 60° + 60° = 180°$

〈直角三角形〉

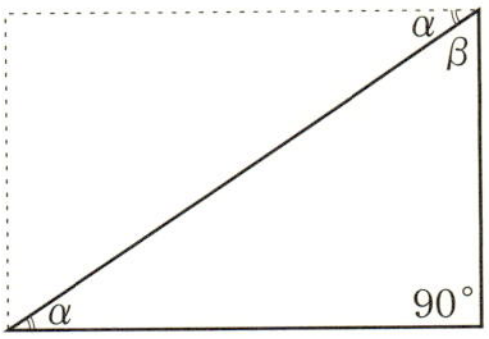

$\alpha + \beta + 90°$
$= 90° + 90° = 180$

ところが、「どんな三角形でも」必ず 180° になるといわれれば『驚き』である。最初に気づいた人はビックリしたに違いない。

「えっ、ほんと？」「なぜ？」

● 私の『納得』法（長方形をかぶせる）

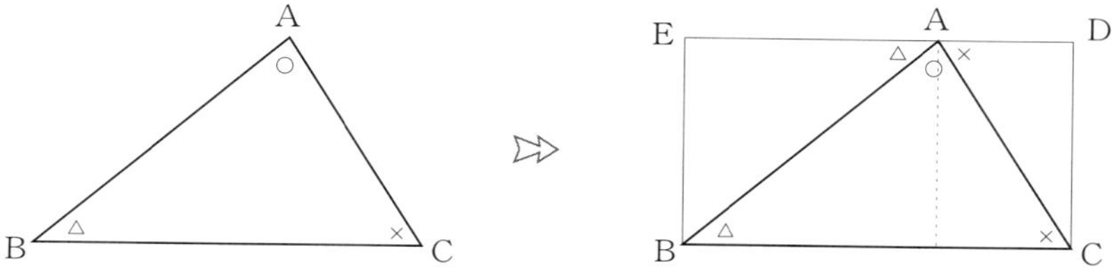

こうして○＋△＋×＝180°

● U さんの『納得』法（同じ三角形をしきつめる）

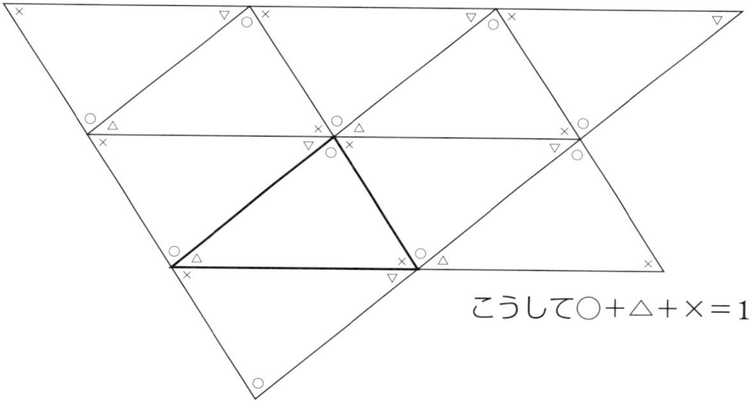

こうして○＋△＋×＝180°

● H 君の『納得』法（三角形の紙を用意して折る）

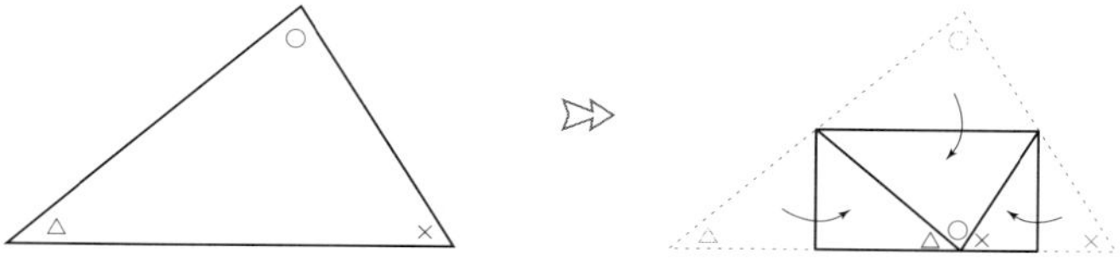

● あなたの『納得』法は？

「えっ、ほんと？」という『驚き』からスタートし「なぜ？」と考えて自己流『納得』法の模索。

幾何学を楽しむ極意である。

2 三角比

三角形、直角三角形とくると、思い出すのがサイン・コサイン。

「サインとは斜辺分の底辺？　高さ？　どっちだっけ？」「何を表してるんだろう？」となる。ここでは、スッキリと定義する。

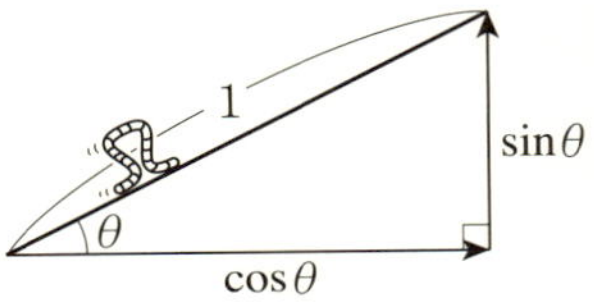

角θの斜面を1進んだときの

垂直距離を　$\sin\theta$

右への水平距離を　$\cos\theta$

と表す。じゃ、具体的に$\sin 40^\circ$と$\cos 40^\circ$の値はいくらになるかは、右ページの図を使えばわかる。右ページの図は0から1までを100等分した格子が書いてある。目を近づけてよく見ると

$\sin 40^\circ = 0.645$、$\cos 40^\circ = 0.765$

とわかる。鈍角のときは下図のように$\cos\theta$はマイナスになることがわかる。

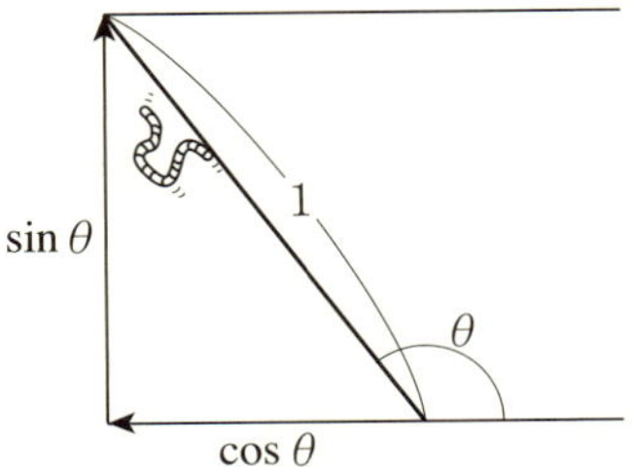

右ページの図から$\sin 160^\circ = 0.34$、$\cos 160^\circ = -0.94$と読める。もっと詳しい値は87ページの「三角関数表」を見るとわかる。

図のように角θで斜辺がrとすると、$b = r\sin\theta$、$a = r\cos\theta$となり、これからよくいわれている定義の式

$\sin\theta = \dfrac{b}{r}$、$\cos\theta = \dfrac{a}{r}$

が出てくる。

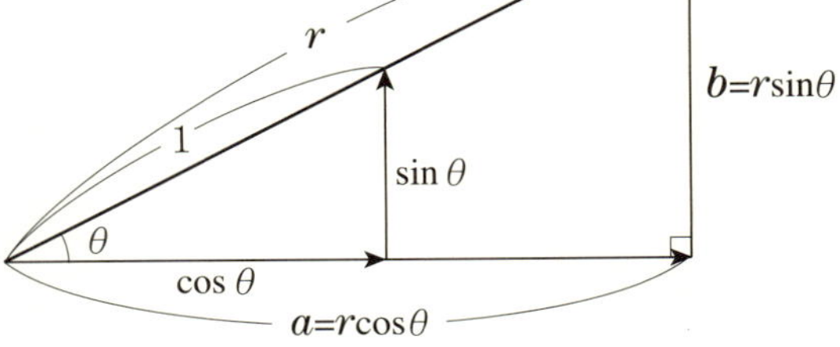

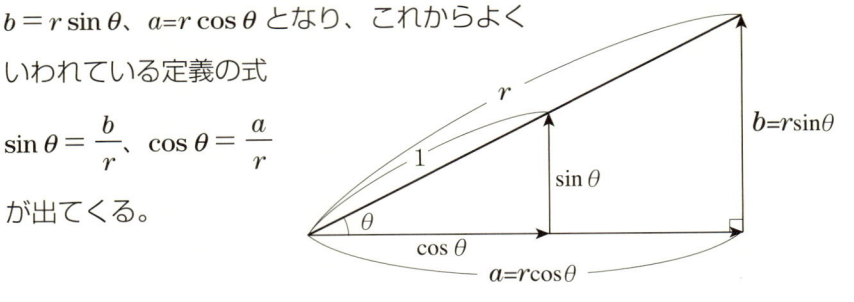

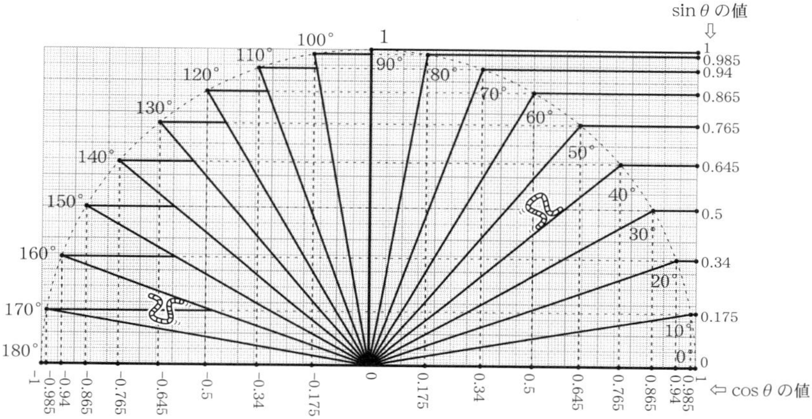

直線の傾きは、水平方向に1 進んだときの垂直距離で表される。直線が水平方向となす角θで傾きを表すのがタンジェント。

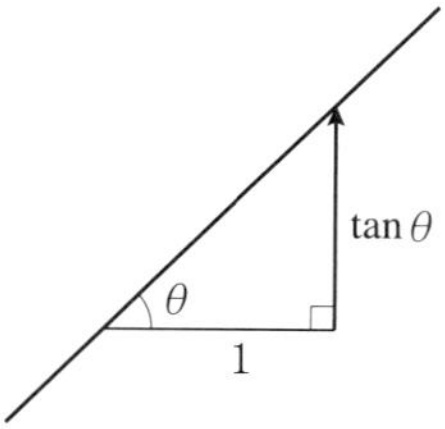

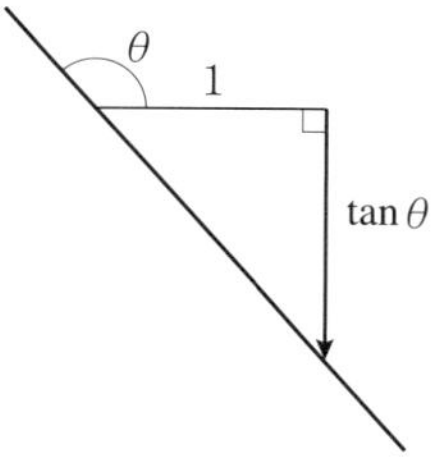

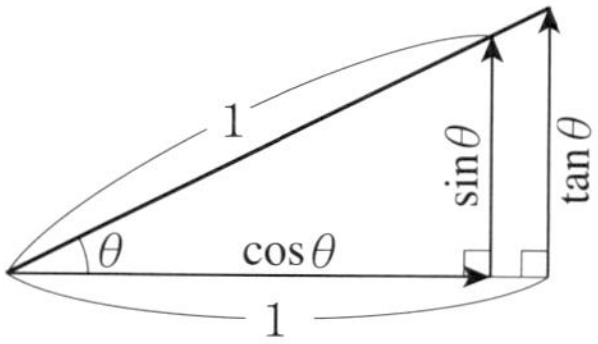

$\sin\theta$、$\cos\theta$、$\tan\theta$の関係は図を見ると

$\sin^2\theta+\cos^2\theta=1$、$\tan\theta=\dfrac{\sin\theta}{\cos\theta}$ となる。

三角関数表を見なくても、30°、45°、60°などの三角比の値は、図を利用するとわかる。たとえば、

$\cos 45^\circ=\dfrac{1}{\sqrt{2}}$、

$\sin 60^\circ=\dfrac{\sqrt{3}}{2}$ となる。

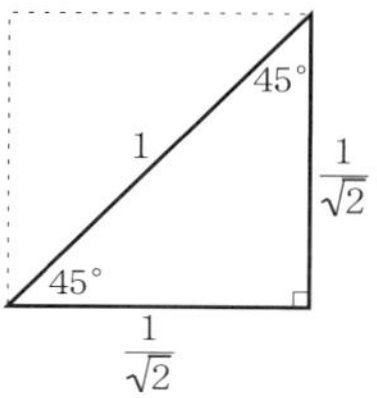

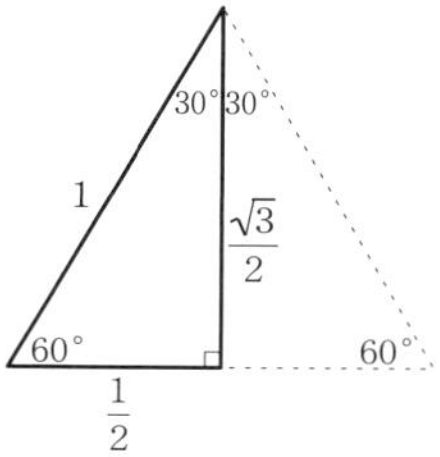

3 正弦定理

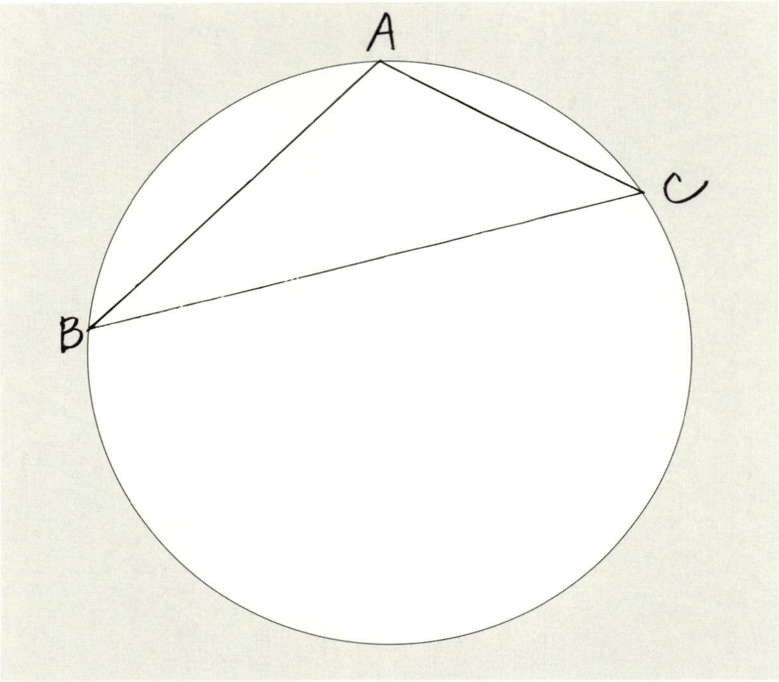

円に内接する三角形ABC を鉛筆で描いた。定規と分度器があったので、なるべく正確に辺の長さと角の大きさを測った。

$a = \mathrm{BC} = 7.6\mathrm{cm}$、　$b = \mathrm{AC} = 3.9\mathrm{cm}$、　$c = \mathrm{AB} = 5.35\mathrm{cm}$

$\angle A = 108.5^\circ$、　$\angle B = 29^\circ$、　$\angle C = 42^\circ$

だった。そこで、三角関数表を使って各角のサインの値を求めた。0.5刻みの場合は上の値と下の値の平均でよい。

$\sin 108.5^\circ = 0.9483$、$\sin 29^\circ = 0.4848$、$\sin 42^\circ = 0.6691$

そこで対応する辺の長さをサインの値で割ってみた。

$$\frac{a}{\sin A} \doteqdot 8.014、\frac{b}{\sin B} \doteqdot 8.045、\frac{c}{\sin C} \doteqdot 7.996$$

となり、小数点以下2桁を四捨五入するとどれも8となった。円の直径を測ったら、ちょうど8 cmだ。ぜひ、三角形を描いて同じことをしてほしい。

○正弦定理　三角形ABCにおいて次が成り立つ。

$$\frac{a}{\sin A} = \frac{b}{\sin B} = \frac{c}{\sin C} = 2R \text{（}R\text{は外接円の半径）}$$

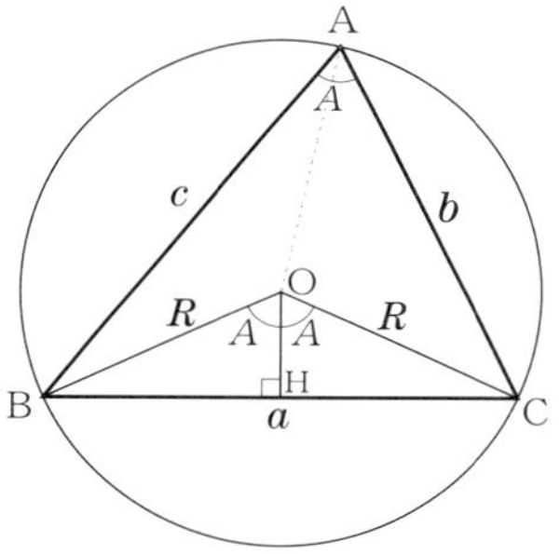

【証明】410ページ下の図にあるように、中心角は円周角の2倍なので∠BOH＝∠A。△BOHで考えると、

$$\sin A = \frac{BH}{OB} = \frac{\frac{a}{2}}{R} = \frac{a}{2R}$$ となり、

$$\frac{a}{\sin A} = 2R$$ となる。他も同じようにすると、$\frac{a}{\sin A} = \frac{b}{\sin B} = \frac{c}{\sin C} = 2R$ が成り立つ。

キレイな定理だが、結構役立つ定理でもある。

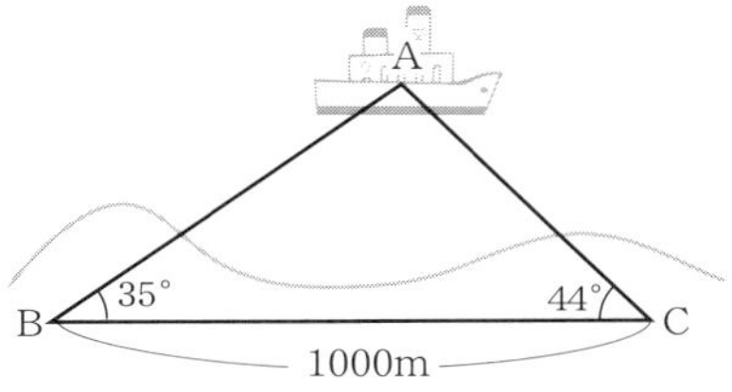

B地点から船Aまでの距離を求めてみる。$\angle A = 180^\circ - 35^\circ - 44^\circ = 101^\circ$ である。

$$\frac{a}{\sin A} = \frac{c}{\sin C}$$ だから、

$$\frac{1000}{\sin 101^\circ} = \frac{c}{\sin 44^\circ}$$

よって、$c = \frac{1000 \sin 44^\circ}{\sin 101^\circ} = \frac{1000 \times 0.6947}{0.9816} \doteqdot 707.7\text{(m)}$ となる。

4 余弦定理

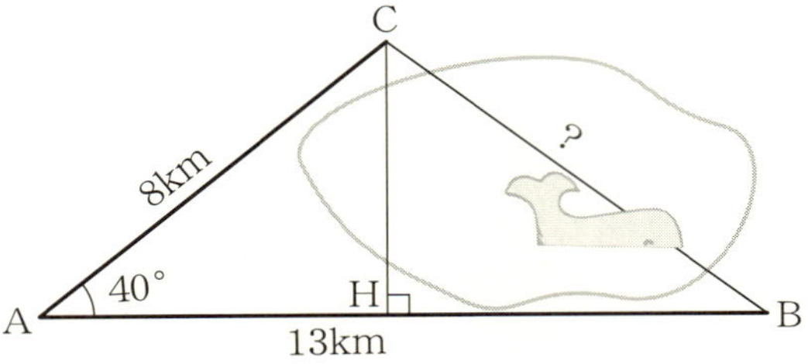

A地点からC地点までとB地点までの距離は測ることができ、∠Aの大きさもわかる。そこで、測れないBCの距離を知りたいという問題。

目を付けるのは、直角三角形CHBだ。CHとHBの距離がわかれば、ピタゴラスの定理でBCの距離がわかる。そこで、サインとコサインの登場。

$\mathrm{CH} = 8 \times \sin 40^\circ$ で、$\mathrm{AH} = 8 \times \cos 40^\circ$ より、$\mathrm{HB} = 13 - 8 \times \cos 40^\circ$。よって、

$\mathrm{BC}^2 = \mathrm{CH}^2 + \mathrm{HB}^2 = (8 \sin 40^\circ)^2 + (13 - 8 \cos 40^\circ)^2$ となる。計算すると、

$$
\begin{aligned}
\mathrm{BC}^2 &= 8^2 \sin^2 40^\circ + 13^2 - 2 \times 13 \times 8 \cos 40^\circ + 8^2 \cos^2 40^\circ \\
&= 8^2(\sin^2 40^\circ + \cos^2 40^\circ) + 13^2 - 2 \times 8 \times 13 \cos 40^\circ \\
&= 8^2 + 13^2 - 2 \times 8 \times 13 \cos 40^\circ \\
&\fallingdotseq 73.7
\end{aligned}
$$

なので、$\mathrm{BC} = \sqrt{73.7} \fallingdotseq 8.58$(km)となる。

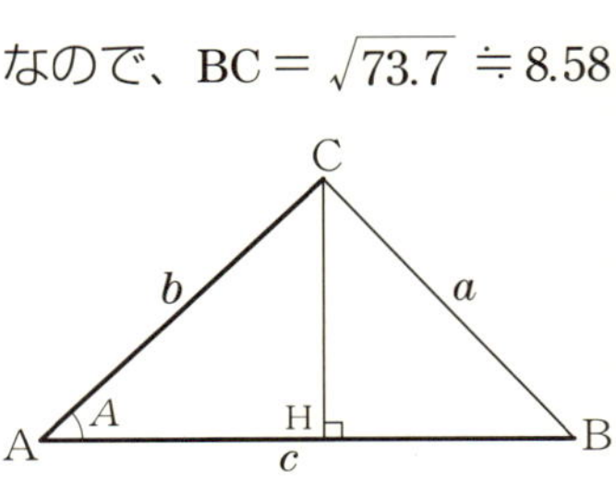

これを一般的に表すと余弦定理になる。左図でaを求めてみる。

$$
\begin{aligned}
a^2 &= \mathrm{CH}^2 + \mathrm{HB}^2 = (b \sin A)^2 + (c - b \cos A)^2 \\
&= b^2 \sin^2 A + c^2 - 2bc \cos A + b^2 \cos^2 A \\
&= b^2 + c^2 - 2bc \cos A
\end{aligned}
$$

となる。他の辺についてもまとめると次のようになる。

$$a^2 = b^2 + c^2 - 2bc\cos A$$

$$b^2 = c^2 + a^2 - 2ca\cos B$$

$$c^2 = a^2 + b^2 - 2ab\cos C$$

これを、余弦定理という。変形すると、$\cos A = \dfrac{b^2 + c^2 - a^2}{2bc}$となり、三辺がわかれば、角がわかる。正弦定理ほどキレイと思うかどうかは人によるが、結構役立つ定理である。

さて、$\angle A = 90^\circ$とすると、$a^2 = b^2 + c^2$となるが、ピタゴラスの定理の「証明」としてはならない。理由は余弦定理を導くのにピタゴラスの定理を使っているからである。では、ピタゴラスの定理を使わずに、余弦定理を導いてみよう。

△ABCの各辺に図のように正方形を描き、各頂点から垂線を下ろす。

さて、(い)から(へ)までの部分の面積を求める。

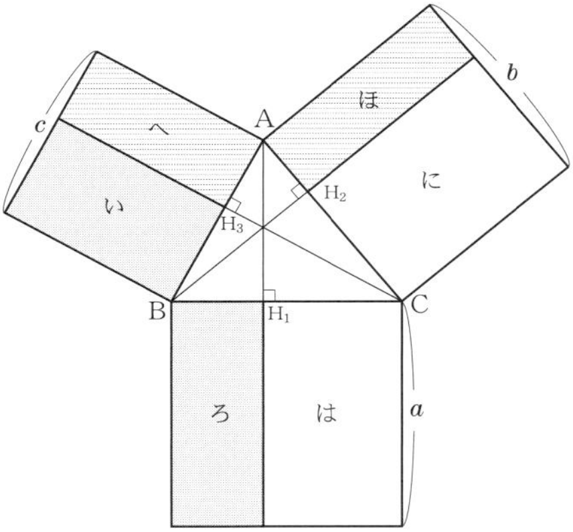

$BH_3 = a\cos B$、$BH_1 = c\cos B$

$CH_1 = b\cos C$、$CH_2 = a\cos C$

$AH_2 = c\cos A$、$AH_3 = b\cos A$

なので

(い)$= ca\cos B$、

(ろ)$= ac\cos B$で(い)＝(ろ)

(は)$= ab\cos C$、

(に)$= ba\cos C$で(は)＝(に)

(ほ)$= bc\cos A$、(へ)$= cb\cos A$で(ほ)＝(へ)となる。

a^2＝(ろ)＋(は)＝(い)＋(に)$= b^2 + c^2$－(ほ)－(へ)なので、

$a^2 = b^2 + c^2 - 2bc\cos A$となる。この証明を前提にすると、$\angle A = 90^\circ$としてピタゴラスの定理の証明としてもよい。

5 長方形

長方形とは、すべての頂点の角が直角である四角形のこと。長方形では、向かい合った辺の長さは等しくなるので、「たて」「よこ」2つの辺の長さで長方形は決まってしまう。

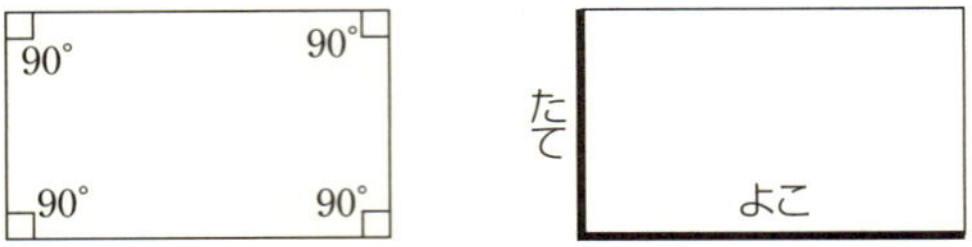

あなたの身のまわりの人工物をながめると、いくらでも長方形にお目にかかることができる。

どうやら人間は、長方形を好むようである。ところで、どうして人間は長方形を好むのだろうか。それは人間の生活で種々の合理的な点があるからだろう。

たとえば、家を作るとき、柱は地面に対して垂直にしないと不安定になる。また、梁は屋根などの重さを一様に支えなければならないので、地面に対して水平でなければならない。これより、家の形は長方形を基本にせざるを得ない。

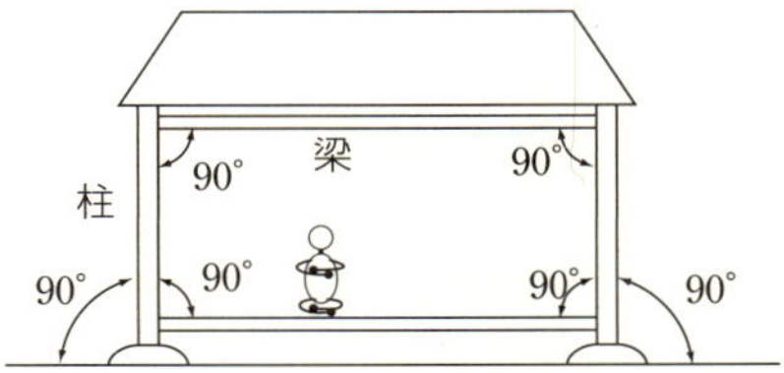

長方形の面積は、(たて)×(よこ)で求められる。しかし、なぜ?と聞かれるとムム…と返答につまる人もいると思う。

右図のような、たて3m、よこ4mの長方形の面積Sは、たて1m、よこ1mの正方形の面積1m^2を単位として数えて求めればよい。

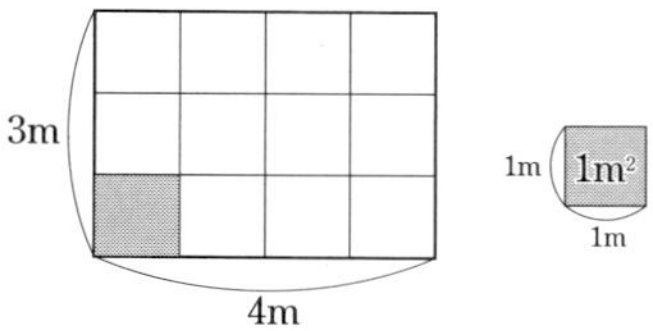

1つ1つ数えるのは大変なので次のように、かけ算でエイヤーッと処理してしまう。

$$S = 3\text{m} \times 4\text{m} = 12\text{m}^2$$

では、たて3.1m、よこ4.2mの長方形の面積Sはどう求めているのだろう。

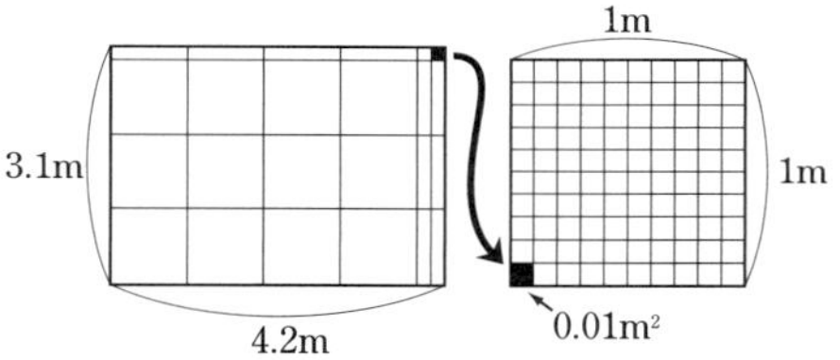

この面積は1辺の長さが0.1mの正方形の面積0.01m^2を単位として測ればよい。単位となるこの正方形が、たてに31、よこに42並んでいるのだから、この場合もかけ算を利用して

$$S = 31 \times 42 \times 0.01\text{m}^2 = 13.02\text{m}^2$$

と求められる。これは、小数のかけ算を使った

$$S = 3.1\text{m} \times 4.2\text{m} = 13.02\text{m}^2$$

と同じ答えになる。

このように、たて、よこの長さが整数でも、小数でも、長方形の面積は(たて)×(よこ)の計算で求められることがわかる。

6 正方形

正方形とは、4つの頂点の角が直角で4つの辺の長さが等しい四角形のこと。

正方形は“4等分、9等分など、何通りものしかたで、同じ大きさの正方形に分割できる”という性質がある。あたりまえのことのようだが、長方形では、同じ大きさの正方形で分割できないことが多い。たとえば

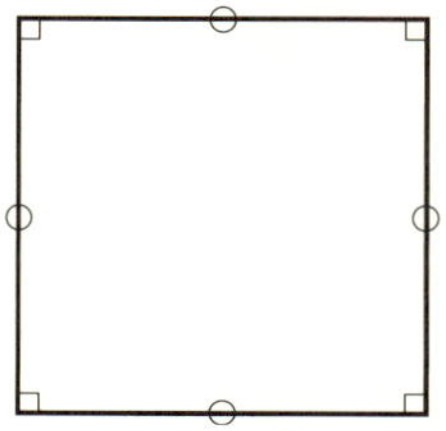

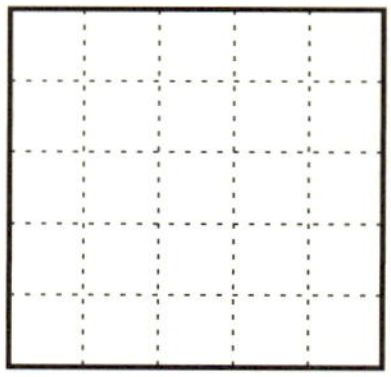

同じ大きさの正方形で
分割可能

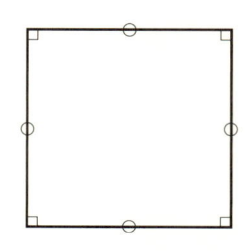

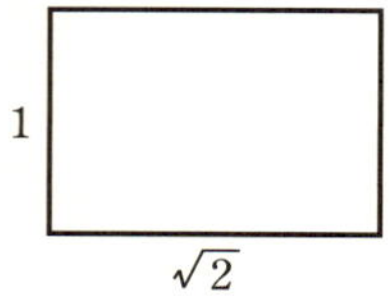

同じ大きさの正方形で
分割不可能

1：$\sqrt{2}$の長方形は絶対に、1辺がどのような長さの正方形にも、分割できない。

また、正方形は“単位”として大切な役割をしている。10進位取りを考えるときに、□＝1として、その威力を見せてくれる。面積の単位も、つねに正方形を基準として考えている。

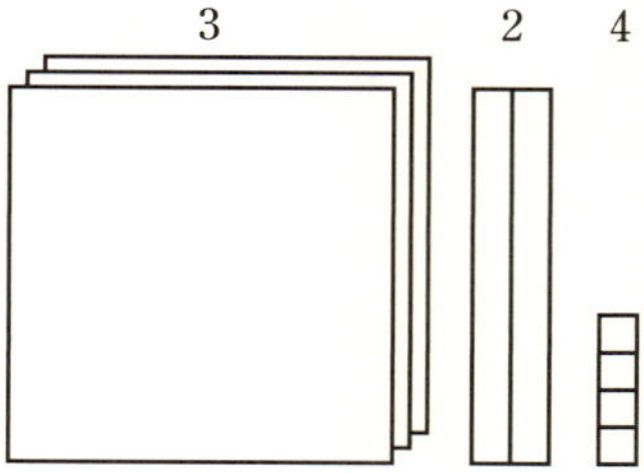

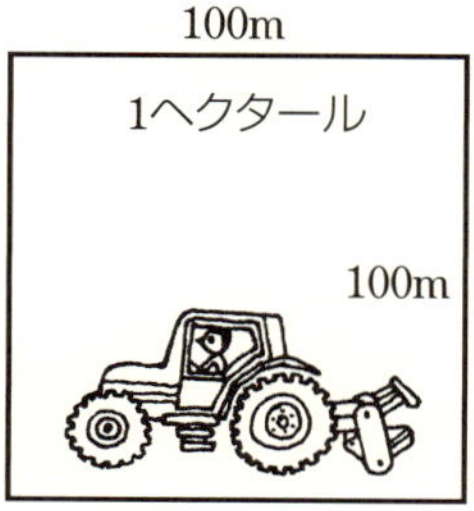

正方形の中に、ピタッと入って、くるくる回るものには「円」がある。ところが、“ルーローの三角形”というものは、常にどこかが、左右、上下の辺のどこかに接していて、スムーズに回転する。

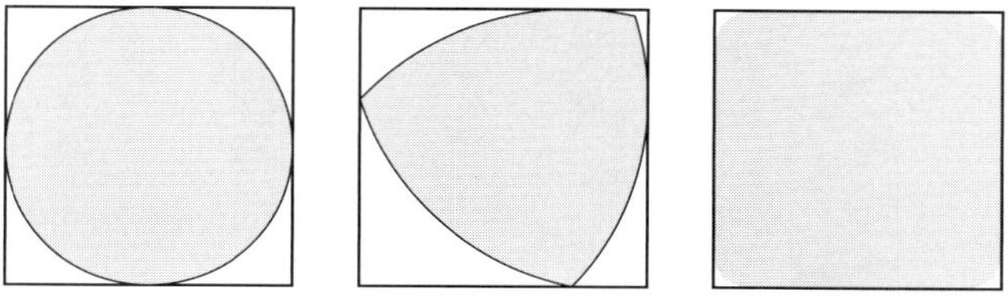

グレーの部分がルーローの三角形が動く範囲

木材などに、(ほとんど)四角の穴を開ける機械にこれが応用されている。

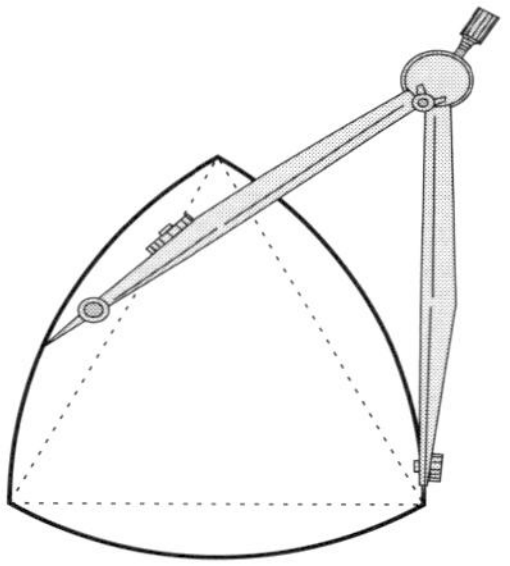

ルーローの三角の描き方。正三角形の各項点を中心に図のように円弧を描く。

さて“正方形をすべて大きさの違う正方形には分割できない”という「ルジンの予想」があった。実は分割が可能で、いろいろ実例が発見された。正方形の最小個数は21という証明もなされている。それは下のようになる。

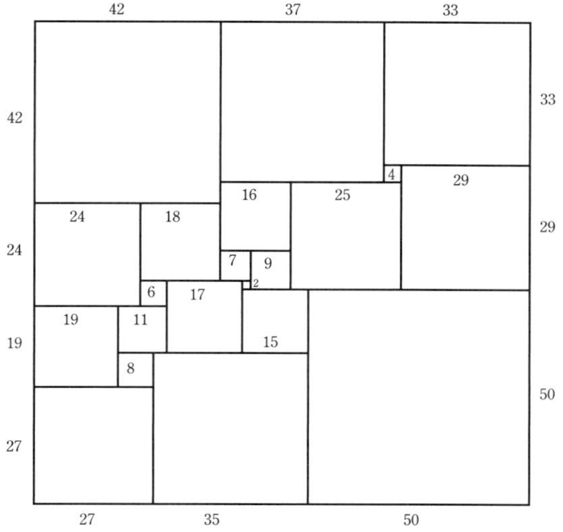

7　平行四辺形

平行四辺形は、“相対する辺(向かい合う辺)が、それぞれ平行である四辺形”のこと。平行四辺形は、

- 相対する角は、等しい。
- 相対する辺の長さは等しい。
- となり同士の角の和は180°となっている。

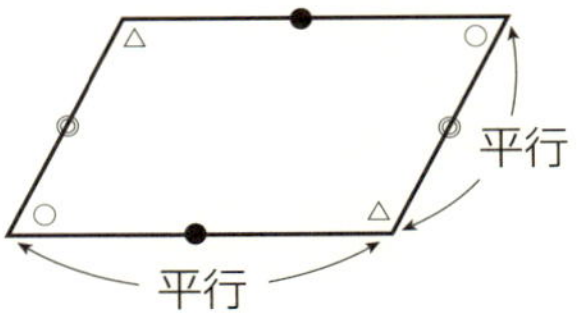

さて、平行四辺形の面積Sは、底辺をa、高さをhとすると、

$$S = ah$$

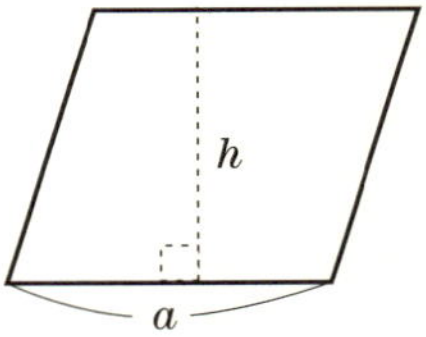

となる。このことは、次のように容易に説明できる。

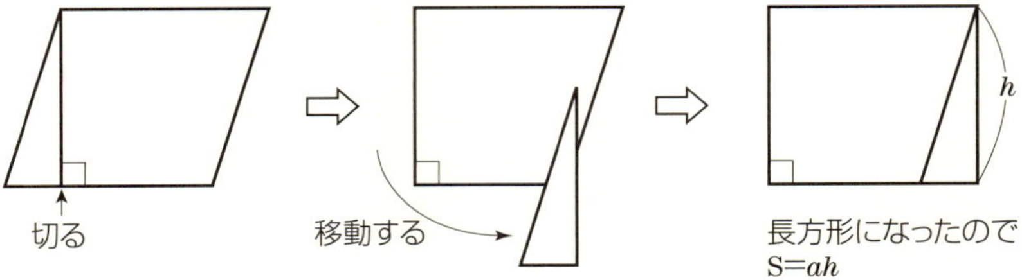

でも、右のような平行四辺形のときは、容易？　ぜひ、いろいろ考えてほしい。ここでは多分意外なふたつの考えを示そう。

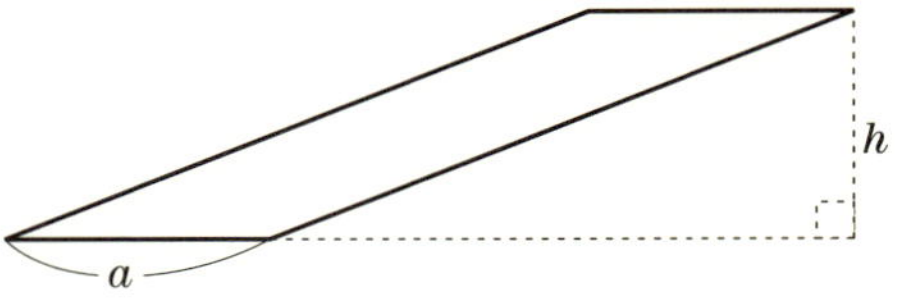

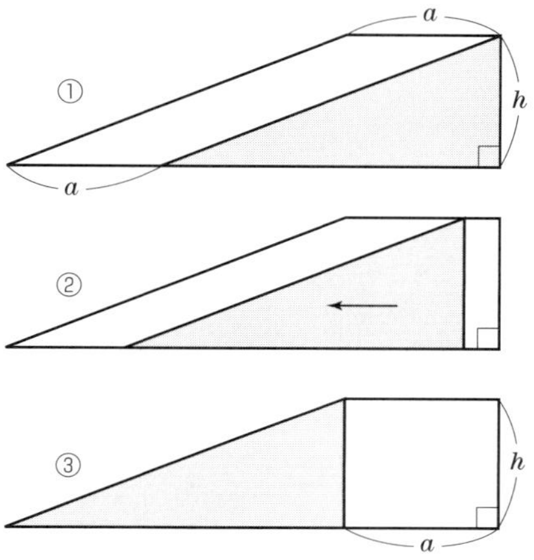

その❶

①　右側にグレーの三角をつけ加え、外枠 ▱ を描いておく。平行四辺形の面積Sは白の部分

②　外枠は動かさずに、グレーの直角三角形を左へ移動：全体の外枠もグレーの三角も変わらないので、2つの白の部分の面積の和はやはりS

③　移動終了。でもやはり、白の部分の面積はS。しかも長方形だから

$S = ah$

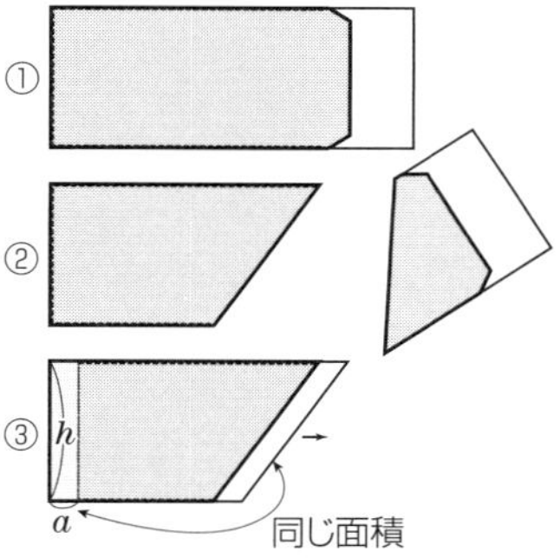

その❷　❶と似ているようで違う方法

①　封筒に、同じ幅の紙をピッタリ入れる

②　はさみで、スパッと切る

③　中の紙を少し引き出す

たとえば、aだけ引き出すと、底辺a、高さhの平行四辺形ができる。紙がなくなった長方形の部分の面積ahと平行四辺形の面積Sは、②で残った面積も共通(灰色)部分の面積も同じだから、ぴったり一致する。

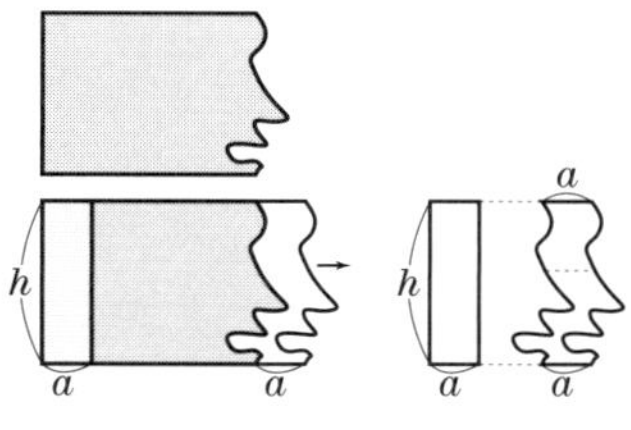

よって$S = ah$となる。

直線ではなく、上図のように、曲線で封筒を切ると面白い法則が見えてくる。図のように横幅がいつもaで、高さがhの図形の面積Sは、

$S = ah$　　　　　　（カバリエリの原理の項参照）

どんな三角形の面積も、平行四辺形の$\frac{1}{2}$であるから$\frac{1}{2}$×底辺×高さとなる。

8 多角形

三角形が他の多角形に比べて優れているのは、辺の長さを決めれば確定するからだ、という人がいる。たしかにそうだ。

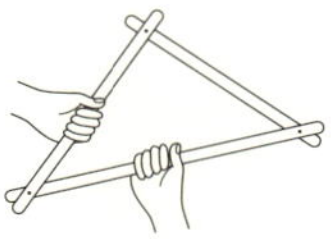

つまり、3辺を決めると、その三角形はもはやビクともしない。ところが他の多角形は、辺の長さを決めただけでは形が定まらない。たとえば、四角形でもフニャフニャ変形してしまう。

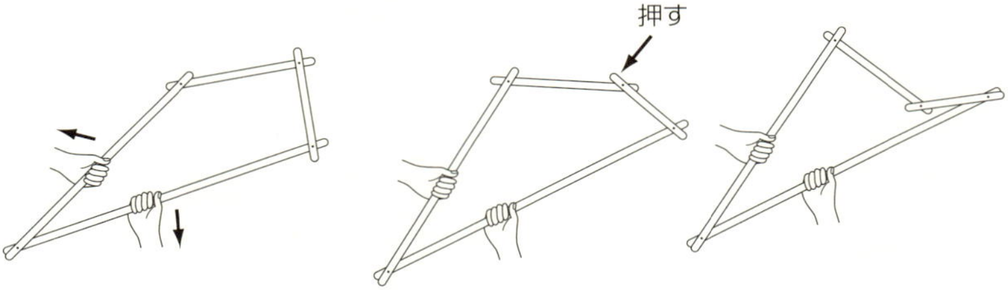

家を建てるとき、耐震、耐風用に使う、柱と柱をななめにつなぐ「すじかい」(筋交い)はそれが理由である。でき上がった家では壁で隠れてしまうが、どれだけ筋交いで三角形ができているかが丈夫な建物の保証になる。

さて、四角形にもいろいろな形がある。4つの内角も大きかったり小さかったり。ところがそれら和●＋▲＋★＋■は変わらない。

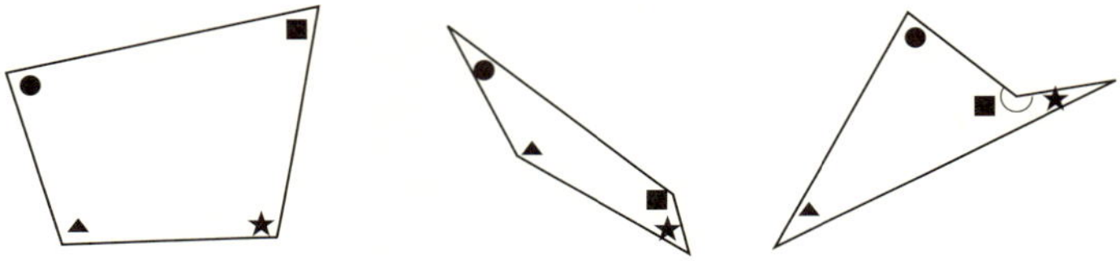

私「えっ、ほんと？」(と驚く)

はい、本当です。

私「なぜ？」

対角線で2つの三角形に分けます。三角形の内角の和はいつも180°だったから…。

私「2つ分で360°」

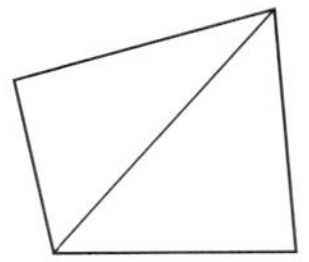

四角形の内角の和は
三角形の2つ分
$2 \times 180^\circ = 360^\circ$

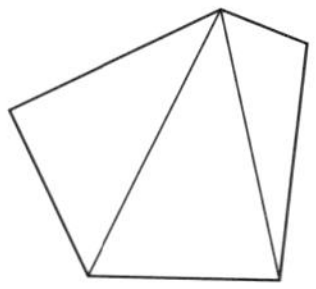

五角形の内角の和は
三角形の3つ分
$3 \times 180^\circ = 540^\circ$

そう。一般にm角形は、$m-2$個の三角形に分けられるので、m角形の内角の和は、$(m-2) \times 180^\circ$。

私「なーんだ、あたりまえだ」(と納得)

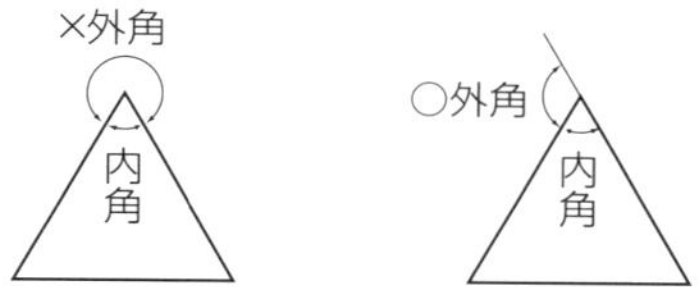

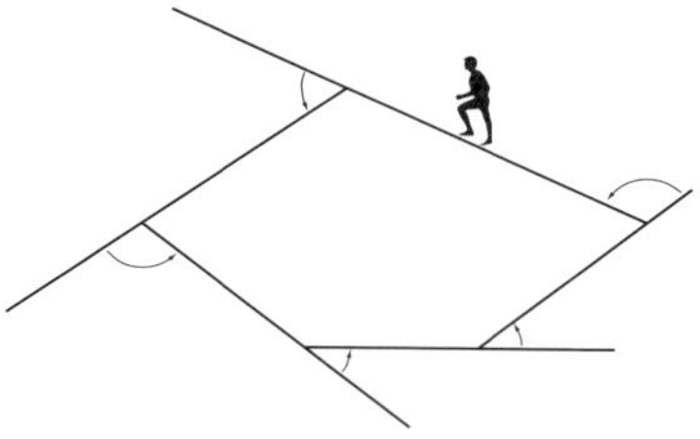

つぎに、外角(がいかく)。外(そと)の角だから左側の図の方が似合っているような気もするが、昔から右側の図の方を外角とよんでいる。つまり(180°－内角)のこと。

何角形であっても、外角の和はいつも360°になる。

その多角形を地面にかき、ひと回り歩いたと思えばよい。向きを変えた角の総和は360°であり、これが外角の和に他ならない。

(注)　前ページ右下図のような凹多角形では外角＝(180－内角)がマイナスになるところがあるけれど、それも含めて「外角の総和は360°」になる。ところで内角と外角の総和は、m角形なら$180^\circ \times m$。だから内角の和は$180^\circ \times m - 360^\circ = (m-2) \times 180^\circ$　(！)

9 平行線

図のように方向が等しい直線l、m、nは平行線とよばれる。平行な2直線は、いくら延長しても交わらない。もし交わったりするとその交点Pから2直線を逆に見ると、明らかに異なる方向の2直線と見なされてしまう。

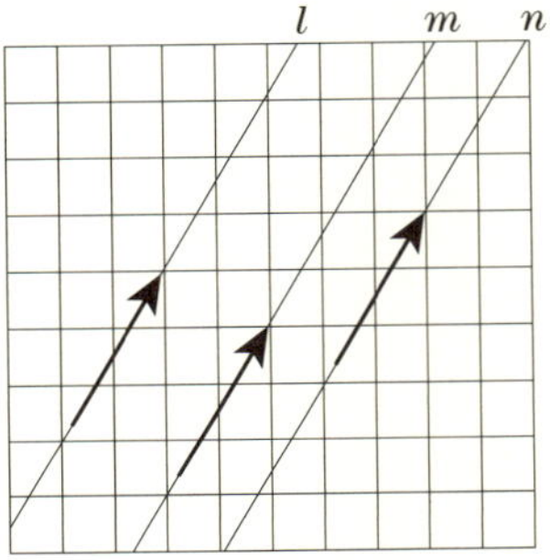

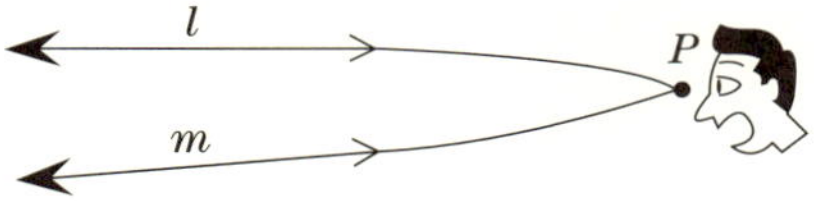

同じ形、同じ大きさの三角形の板をたくさん用意して、平面にならべると、次のようにきれいに敷き詰めることができる。しかも、3種類の平行線の群がうかびあがる。

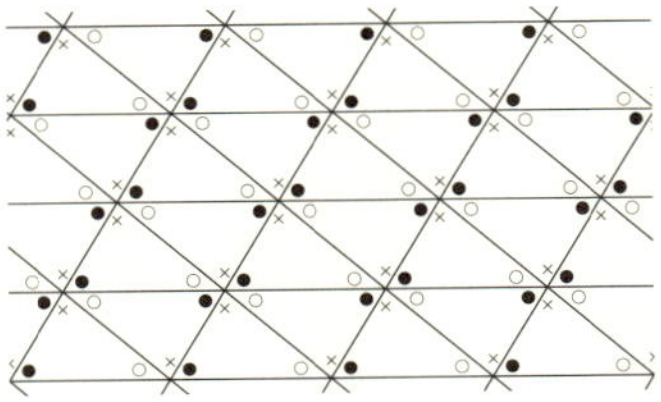

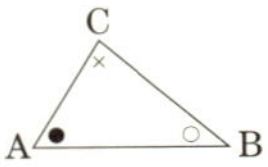

この図をじっとながめると自然に

$$\angle A + \angle B + \angle C = 180^\circ$$

すなわち「△ABCの内角の和が、180°である」ことがわかる。

下図のような2直線l、l'とその2直線と交わる直線mを考える。もしlとl'が平行ならば、それがmの同じ側で作る内角α、βの和は、ちょうど180°でなければならない。実際、どちらかの側で$\alpha + \beta < 180^\circ$となると、$l$と$l'$はそちら側で交わる（ユークリッドの公理にもある：378ページ参照）。

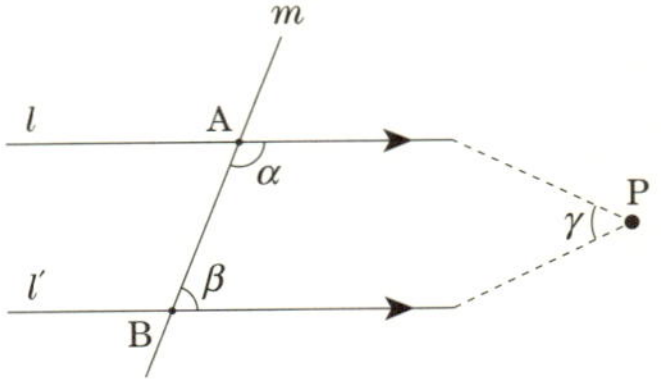

もしlとl'が平行でないとすると直線mのどちらかの側に交点Pができる。

△ABPの内角の和は180°だから$\alpha+\beta<180°$となる。いいかえれば、$\alpha+\beta=180°$の場合には、lとl'は平行になる。また、この逆も成り立つ。これより、

（平行な2直線）⇄（同側内角の和が180°）

がわかる。このことから直接、以下のことが導ける。

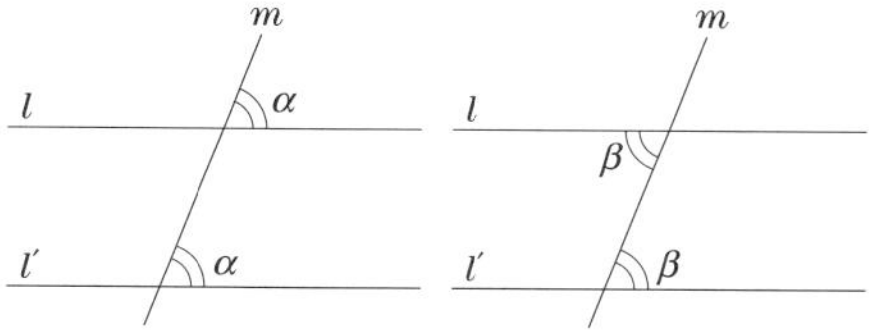

（同位角）　（錯　角）

$\begin{pmatrix}\text{平行な}\\ \text{2直線}\end{pmatrix}$ ⇄ $\begin{pmatrix}\text{同位角}\\ \text{錯角は}\\ \text{等しい}\end{pmatrix}$

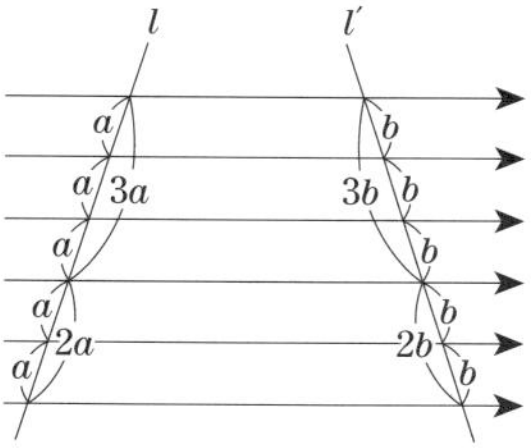

2直線l、l'とそれと交わる等間隔な平行線を考える。このとき、平行線によって切り取られる線分は等しいことは、明らかである。

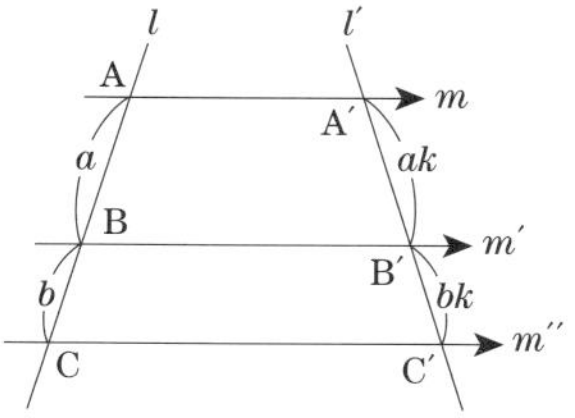

これより直線l上で3：2に分ける点は、平行線によって直線l'上でも3：2に分ける点に移っていることがわかる。一般に2直線l、l'とそれと交わる平行線m、m'、m''があるとき

AB：BC＝A′B′：B′C′

となる。これを「比例線定理」とよび、「平行線は比をはこぶ（保存する）」ということがある。

この定理を利用して、任意の線分をn等分することができる。

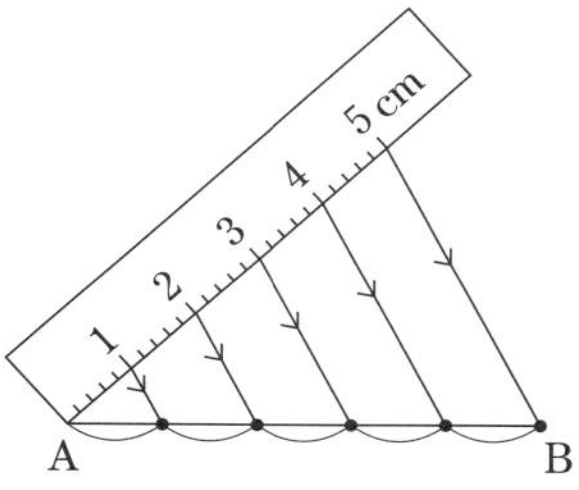

図のようにあらかじめ5等分した線分から線分ABに向かって平行線を引くと、みごと線分ABを5等分できる。

10 合同

2つの図形F、F′があって、Fを動かしてF′にぴったり重ねることができるとき、FとF′は合同であるといいF≡F′と表す。

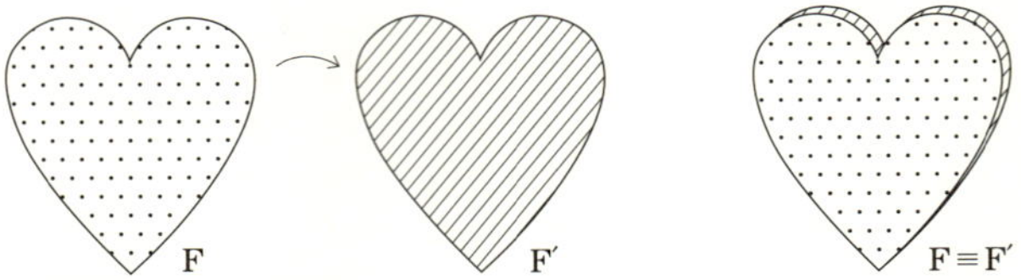

一番基本的な平面図形である三角形の合同条件について考えよう。

〈2辺夾角の合同条件〉

対応する辺－角－辺が等しければ、2つの折れ線CABとC′A′B′はぴったり重ねることができる。

よって、△ABC≡△A′B′C′となる。

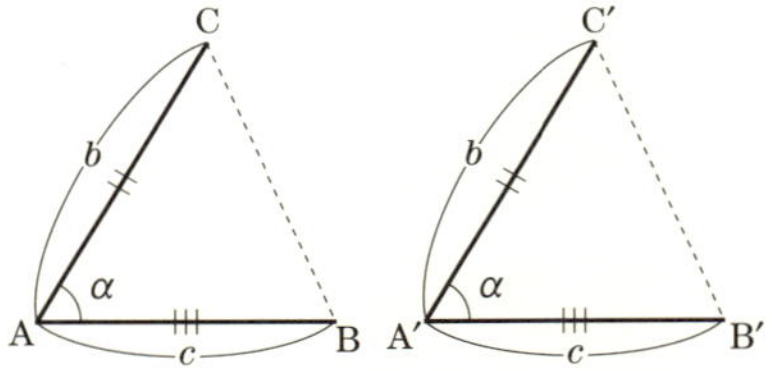

〈2角夾辺の合同条件〉

対応する角－辺－角が等しければ、2つの折れ線XABYとX′A′B′Q′はぴったり重ねることができるので△ABC≡△A′B′C′となる。

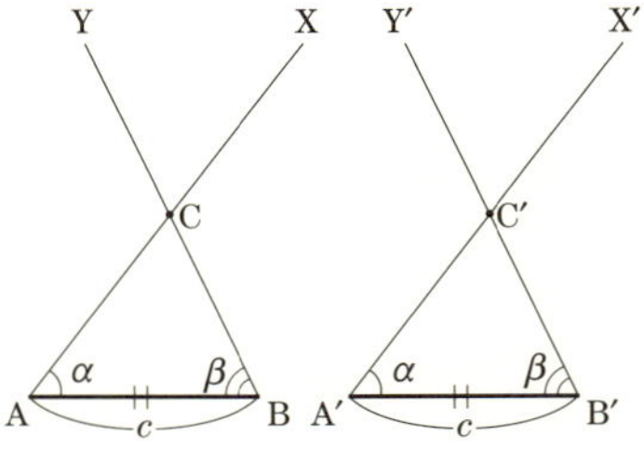

〈3辺の合同条件〉

対応する辺が等しい三角形は、次ページ図のように△A′B′C′をひっくり返してABとA′B′を重ねてみよう。すると△ACC′、△

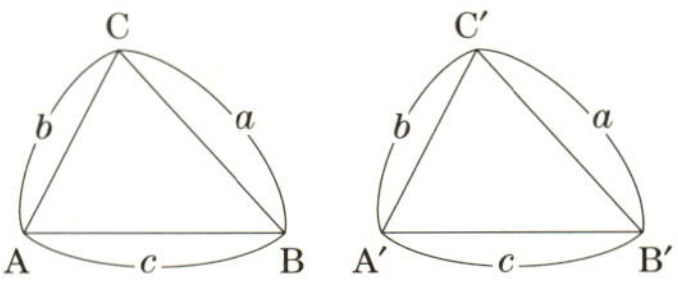

BCC'は二等辺三角形で

$\angle ACC' = \angle AC'C$, $\angle BCC' = \angle BC'C$ より

$\angle ACB = \angle A'C'B'$

2つの三角形の辺－角－辺が等しいので

$\triangle ABC \equiv \triangle A'B'C'$となる。

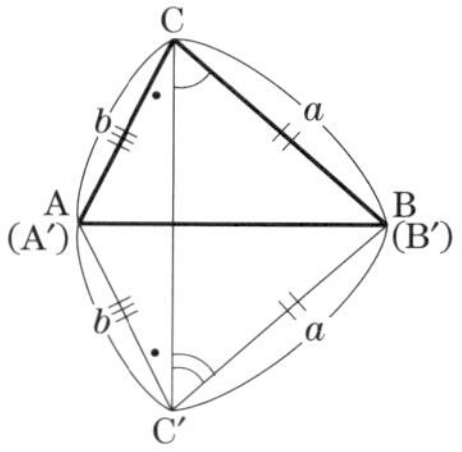

三角形の合同条件は、見方を変えると三角形の形と大きさを決定する条件とも考えることができる。

とくに、3辺の合同条件は、3辺の長さが与えられれば、三角形が完全に決まり、固定されてしまうことを意味し、この性質は、土木や建設で大いに利用されている。

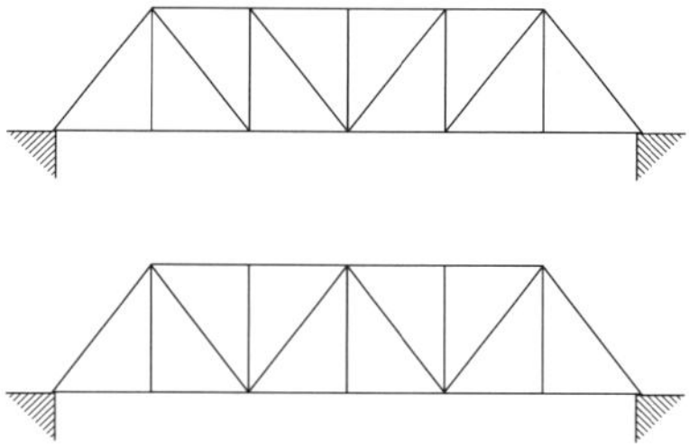

右図は、鉄橋の鉄材の組み方の例であるが、いずれにしても、橋を固定させるため、三角形を連ねた形をとっている。

また、下図のような、四角形状の組み木では、左右の力に対して容易に変形してしまう。4辺の長さを与えただけでは、四角形は決定できないからである。

固定するためには、400ページ「多角形」でも触れたようにすじかいを1本入れなければならない。

このすじかいを入れるということは、三角形を連ねた形を作ることに他ならない。

11 相似

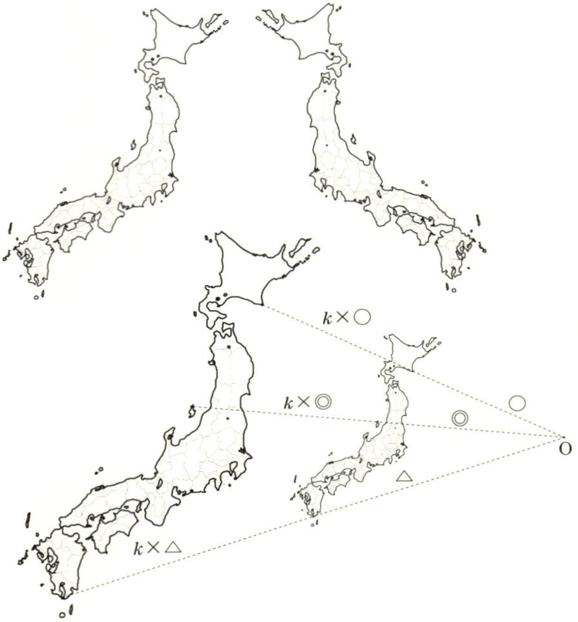

スペースの関係で沖縄が描けなかったが、日本の地図を描いてみた。

反転させているものも含めて、大きさを考えないと、どれも同じ形である。

このように、たてよこに同じ比率で拡大縮小した図形を相似という。相似形は適当な位置に置くと、二つの図形の対応する点を結ぶ直線がすべて1点で交わる。そこをOとすると、Oから対応する各々の点までの距離の比は同じになる。

●三角形の相似

三角形の相似条件は、中学でよく暗記させられる。それは次の3つ。

(1) ひとつの角とそれをはさむ辺の比が等しい　(2) 3辺各々の比が等しい　(3) 2角の各々が等しい

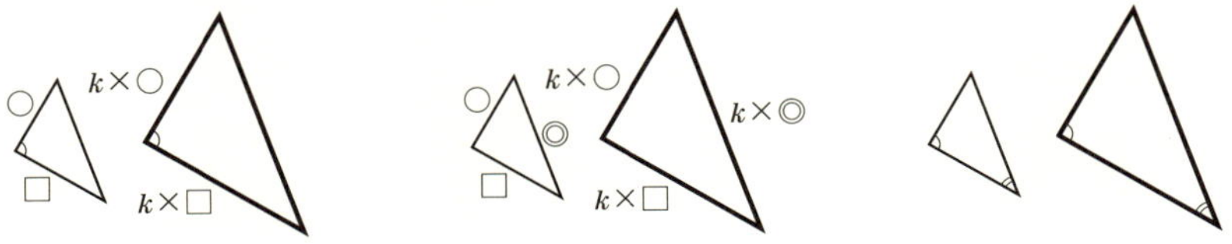

●相似形の面積比

コピー機の拡大縮小を選ぶときに、迷ったことはないだろうか。A3をA4へ、半分に縮小しようとすると、70.71%と表示してあったりする。これで、$\frac{1}{2}$になるのかなー？

正方形で説明すると、一辺が2倍になると、面積は$2^2=4$倍になり、一辺がk倍になると、面積はk^2倍になる。

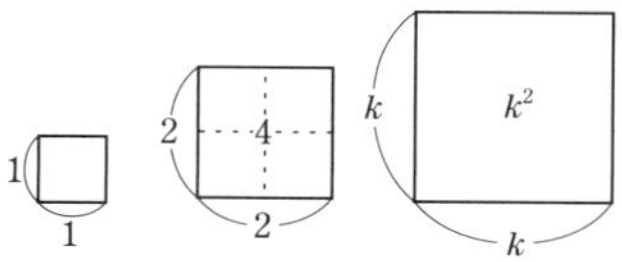

相似のとき、2つの図形の面積比は、長さの比が$1:k$なら

$$1:k^2$$

となる。だから、面積を$\frac{1}{2}$にしようとすると、辺の比は、$1:\sqrt{\frac{1}{2}}$となり、$\sqrt{\frac{1}{2}}=\sqrt{0.5}\fallingdotseq 0.7071$なので、コピー機は、70.71%と表示する。

面積比については、あとでもう一度扱う。

●エッホント！

日本地図を作ったついでに、大きさの違うふたつを、適当に重ねてみた。よくみると、福井県のあたりで両地図が一致している。

あるところだけが動いていないことになる。これは単なる偶然だろうか？

（550ページ「動かずの点」を参照）

12 円

「円がないと、世の中は混乱する」とある子どもが言ったことを聞いて感心したことがある。車、自転車、モーターetcあらゆるものが動かなくなる。そういえば、原始時代は、自然の丸いものの他は人工の円はなかった。

円とは、「一点から一定の距離にある点の軌跡。また、これに囲まれた平面の内部」と定義される。

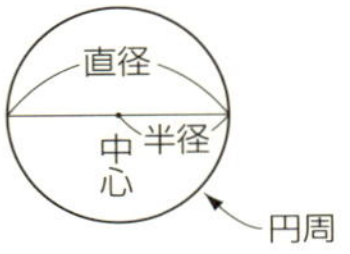

円周の長さは、直径の長さの何倍か？　というのが円周率π。すなわち、

$$\pi = \frac{円周}{直径}$$

次のようにすると簡単に円周率の近似値が求まる。

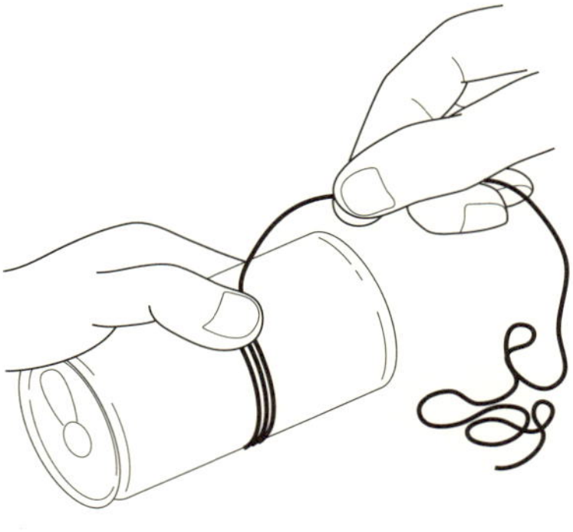

1）缶ビールの缶に、糸を3回転巻きつけ、丁度3回転のところで、上手に切る。
2）糸の長さと、缶の直径を測る。
3）糸の長さを缶の直径で割る。

実際に測ると、3回転で614mmで、一周は204.7mmで直径は65mmだった。204.7÷65≒3.1492となる。

ちなみに、πは小数点以下100桁までは次のようになる。

π＝3.14159265358979323846264338327950288419716939937510
5820974944592307816406286208998628034825342117 0679…

小学校で約5%値切って“円周率は3でもよい”というのは、消費税5%をしっかり取っている政府のいうことではない。

円の面積は、円周率×半径×半径＝πr^2。積分を学ぶまでに曲線に囲まれた面積を求めるのは、この式が唯一である。

次の図を見ると、少しは納得できるだろうか？

○半径rの円を10分割

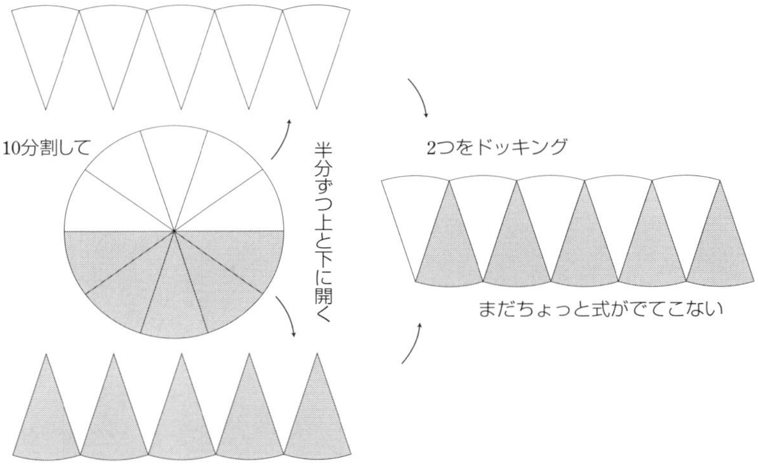
10分割して
半分ずつ上と下に開く
2つをドッキング
まだちょっと式がでてこない

○半径rの円を90分割

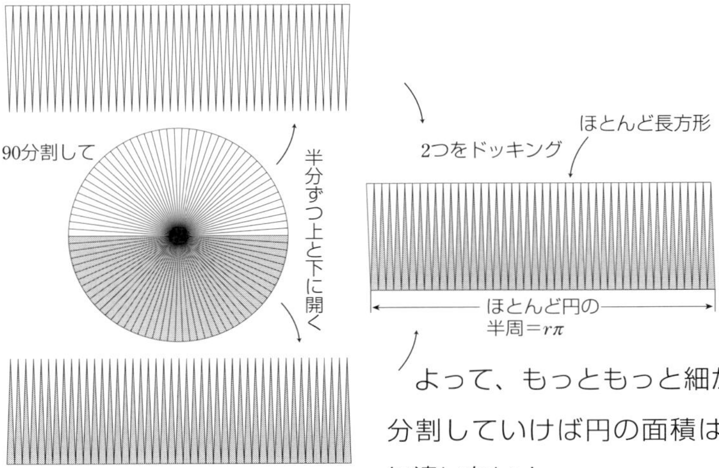
90分割して
半分ずつ上と下に開く
2つをドッキング
ほとんど長方形
ほとんど円の
半周＝$r\pi$

よって、もっともっと細かく分割していけば円の面積はπr^2に違いない！

13 円周角の定理

円の弧ABを固定する。PやQは円周上の点。このとき、∠APBや∠AQBのことを、弧ABに対する円周角(あるいは、弧ABの上に立つ円周角)という。

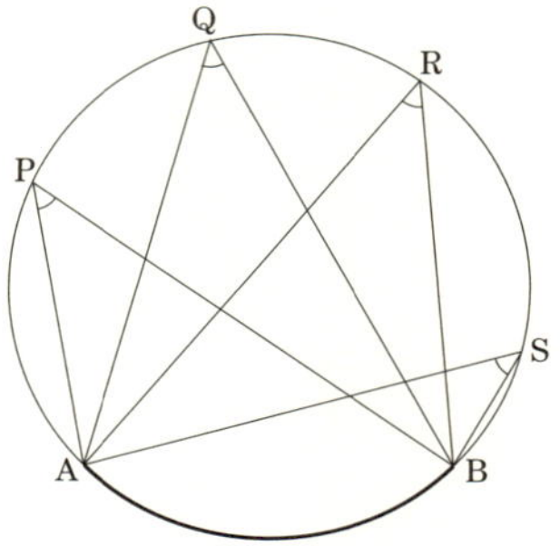

みんな同じ！！

これらがみんな等しい、というのが円周角の定理。虚心坦懐に見ればつくづく

「えっ、ほんとに等しいの？不思議だなあ」

と感動する。つづいて思わず

「なぜだろう」

と考える。そして自分なりの納得法を見出したい。これが本書の幾何学学習(楽習？)の一つの方法であった。

自分に対しての納得法は、他人に対しての説得法でもあるのだがそれが「証明」である。

円周角の定理の証明には、中心角を利用する。つまり、「Pがどこにあっても、円周角∠APBは、中心角∠AOBの半分である」ということに着目すればよい。

ここで補助線POが活躍し、

$$\angle \mathrm{APB} = \frac{1}{2} \angle \mathrm{AOB}(=一定)$$

がいえる。

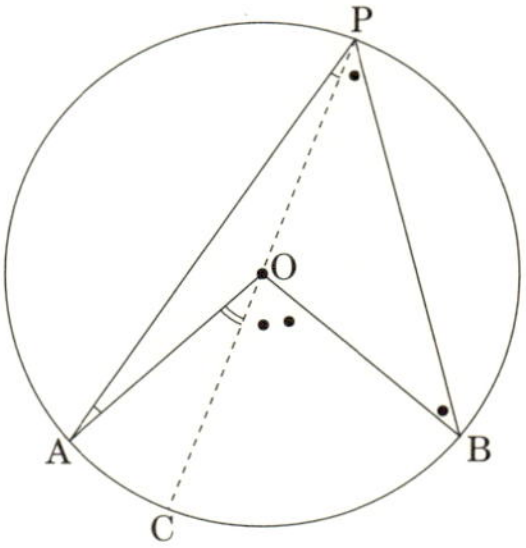

円周角$=\frac{1}{2}\times$中心角

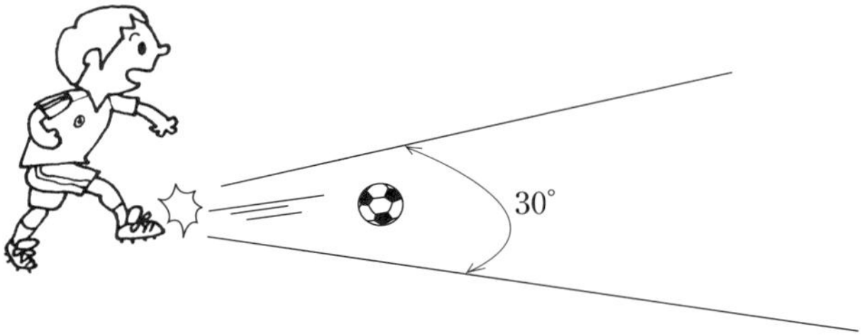

ゴールをねらうサッカー少年P君は、右のような円周上でキックすればシュートコース角度はいつも30°である。円の外の点Qでは∠AQB＜30°、円の中の点Rでは∠ARB＞30°となる。したがって、逆に考えれば、シュートコース角度がちょうど30°であるような点を集めていくと右図のような円ができる。

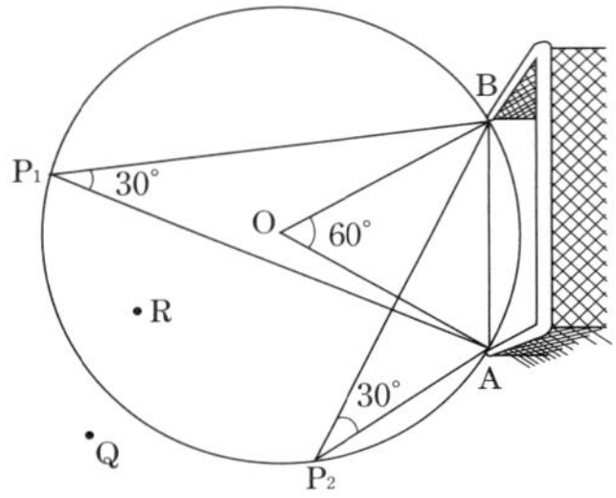

シュートコース角度30°

● 直径の上に立つ円周角

弧ABが半円になったとき、すなわち線分ABがちょうど直径の位置になったときは

円周角∠APB

$$=\frac{1}{2}\times 中心角∠AOB$$
$$=\frac{1}{2}\times 180^\circ = 90^\circ$$

すなわち、∠APBは直角になる。

これは円周角の中でも一番有名でよく応用される。

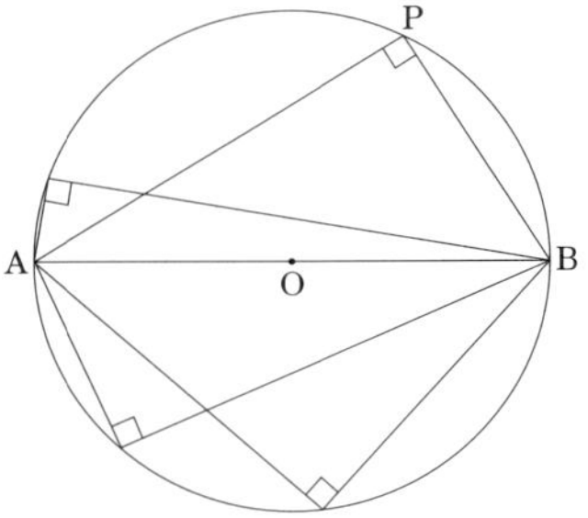

みんな直角

14 円と直線

平面上に1つの円と1本の直線をかいたとき、両者の位置関係は交わる点(交点または共有点という)の個数で次のように分類されることは明らかだ。

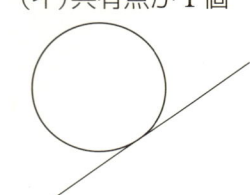

(ア)共有点が0個　(イ)共有点が1個　(ウ)共有点が2個

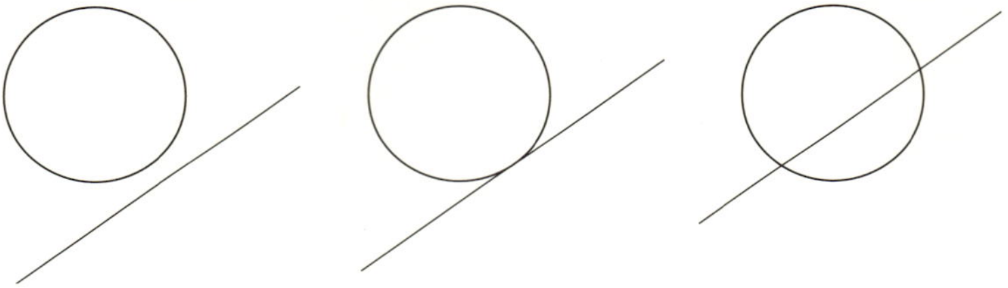

山のすそ野に太陽が沈むところを思い浮かべればよい。あるいは、野球の好きな人は円をボール、直線をバットと見なして、(ア)空振り、(イ)チップ、(ウ)ヒット(当たるという意味のヒット)だと思えばよい。

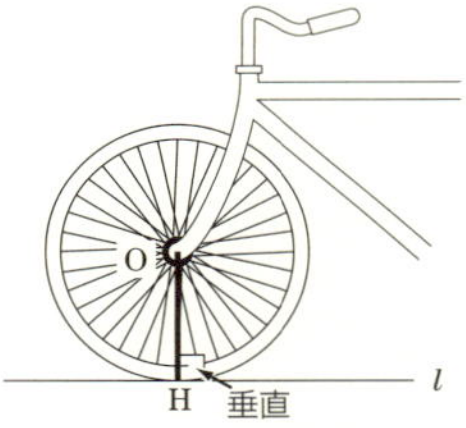

一番微妙なのが、(イ)の円と直線が接しているときである。

接点が唯一の共有点だが、一体接点はどこにあるのだろうか。

自転車の車軸の位置Oと、地面lとの接点Hはどこにあるのか?円の中心OとHを結んだ半径OHは、接線lと垂直になっているにちがいない。

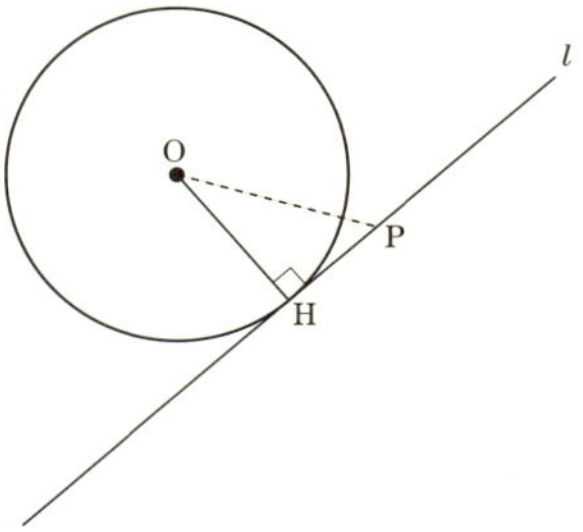

●円の接線の引き方

【問題1】円Oの円周上の点Hを接点とするような接線の引き方は？

答：点Hを通り半径OHに垂直な直線lを引けばよい。それが接線。

理論的に（理屈っぽく）いうと、l上にH以外の点Pをとると、△OHPは直角三角形だから斜辺OP＞OH（前ページ図）。そもそもこの円は中心Oからの距離がOHと等しい点の集まりだから、Pは円の外にある。つまり、円と直線lとの共有点はただ1個でHのみ。

【問題2】今度は、円Oの外側にある点Aから接線を引く方法は？

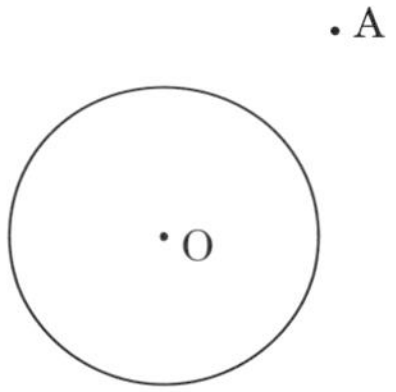

答：試行錯誤でAを通る直線をたくさん引けばそのうち半径に垂直なものが見つかるかもしれないが、やっぱり接点Hをきちんと確定してやりたい。ユークリッド原論では次のような工夫をしている。

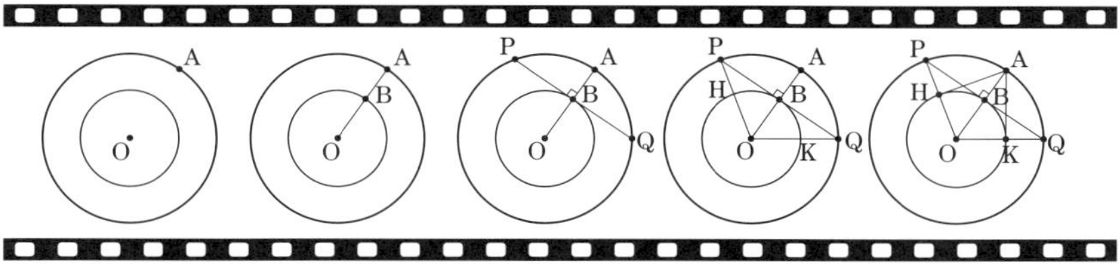

はじめに、Oを中心にAを通る円をかく。以下左から順に見ていくと何をしたかおわかりのことと思うが、最終的にHとKが求めたい接点。（一番右の図において、△OAHと△OPBが合同になるのでAHはOHと垂直になる。）他にも方法はあろうが、なかなか名案だ。

●接弦定理

直線XYが円Oに接していて、接点をBとする。このとき、図で∠ACB＝∠ABXが成り立つ。

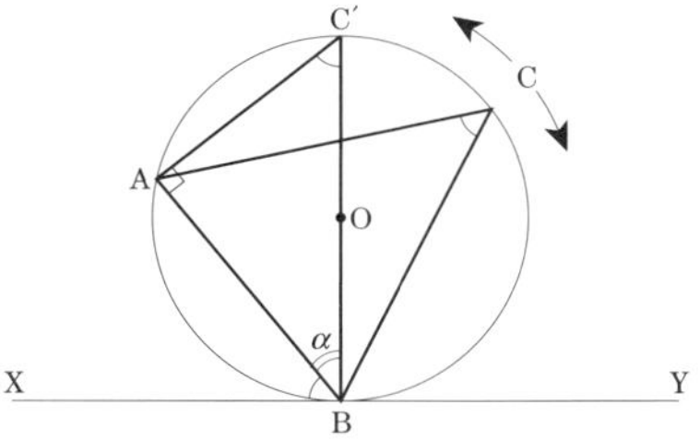

なぜなら、∠C＝∠C′であるからともに90°－αとなっている。

15 楕円

楕円は、円の兄弟ともよべる曲線で、円から簡単に作ることができる。たとえば、図のように円周上の点Pから直線lに立てた垂線PHの中点P′をとる。この作業をたくさんくり返すと、上下$\frac{1}{2}$倍に縮小された楕円ができあがる。

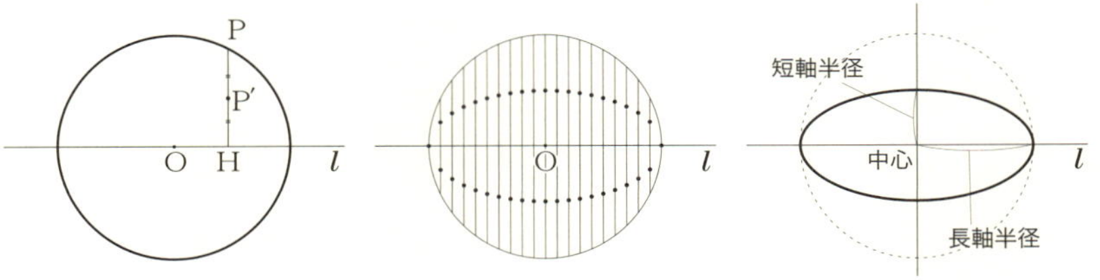

このように、円を1つの方向に縮小・拡大すると楕円ができあがる。

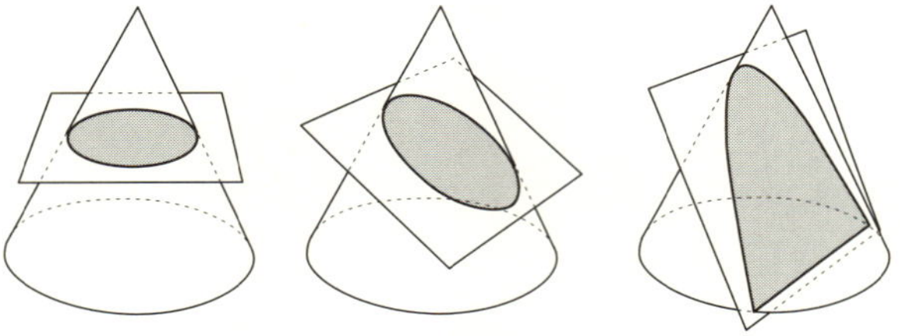

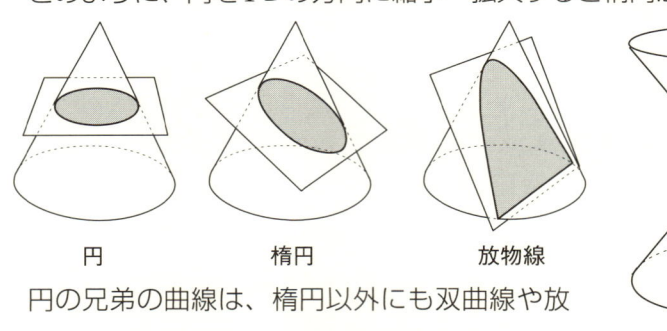

円　　楕円　　放物線

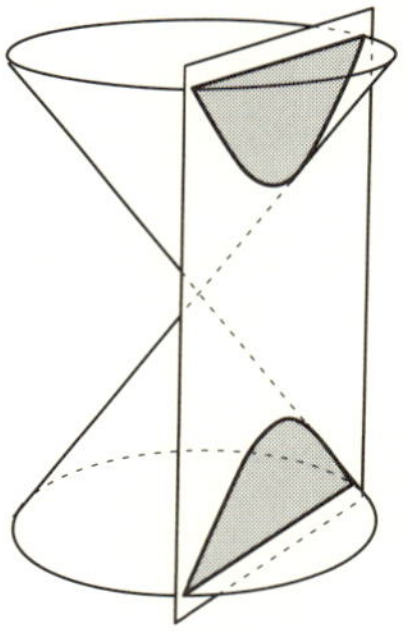

双曲線

円の兄弟の曲線は、楕円以外にも双曲線や放物線があるが、これらはすべて円錐を平面で切ったときにできる切り口の曲線である。

こうしたことから、これらの曲線は、円錐曲線とよばれ、ギリシャ時代からいろいろな性質が調べられてきた。

次のページの図のように、円錐を切った平面に内接する球を考えよう。内接する球S_1、S_2が平面と接する点をそれぞれF_1、F_2とし、円錐と接する円をC_1、C_2とする。

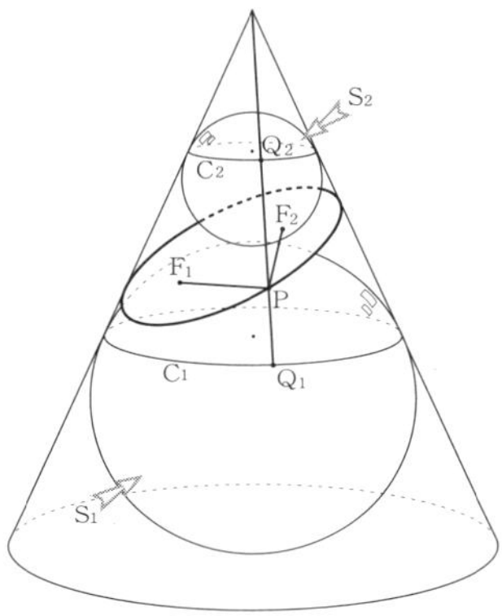

さて、楕円上の点PをとるとPQ_1とPF_1はどちらも球S_1の接線で点F_1、Q_1はその接点であるので

$$PF_1 = PQ_1$$

となる。同様にして

$$PF_2 = PQ_2$$

これより

$$PF_1 + PF_2 = PQ_1 + PQ_2 = Q_1Q_2$$

になる。Q_1Q_2は、円錐の表面にそってのC_1、C_2の距離で、点Pの位置に関係なく一定である。

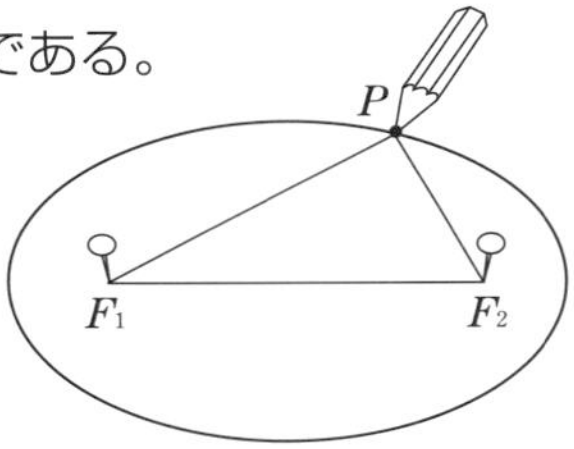

こうして、楕円の新しい定義が得られる。

楕円とは「2つの定点F_1、F_2からの距離の和$PF_1 + PF_2$が一定となるような動点Pの軌跡」である。

定点F_1、F_2を楕円の焦点という。このF_1とF_2に画びょうをさし、糸の輪で囲む。糸をピンと張りながら鉛筆を動かすときれいな楕円をかくことができる。

円錐曲線を一度に体験するには、円錐状のグラスを用意してワインを注ぐ。グラスを静かに傾けながらゆっくりワインを飲む。目の前に円→楕円→放物線→双曲線と変貌する円錐曲線が観察できるはずである。

16 ピタゴラスの定理

ピタゴラス（紀元前560頃－480頃）は、古代ギリシャの有名な学者。多くの弟子をもち「ピタゴラス学派」を設立、ピタゴラスが発見したとされる定理も弟子が発見したのかもしれない。当時は弟子の発見は師の発見とされたようだから（現在でも、そのようなことがあると耳にする）。

さて、「ピタゴラスの定理」とは、どのような直角三角形であっても、

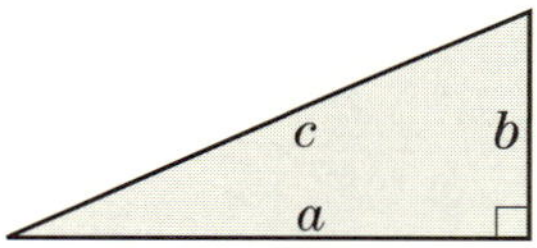

左図のように、斜辺の長さをc、底辺をa、高さをbで表すと

$$a^2+b^2=c^2$$

が成り立つという定理。三平方の定理ともいう。

早速証明してみよう。

［その1］

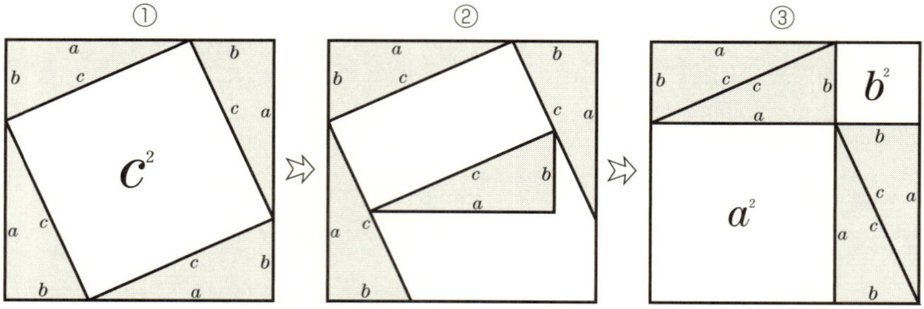

① このように、4つの同じ直角三角形を置くと、白の部分の面積はc^2である。

② 直角三角形を動かす。しかし、白の部分の面積は常にc^2になる。

③ 移動完了。白の部分が、a^2とb^2に分かれたが、両方ではやはり面積はc^2になっている。よって、$a^2+b^2=c^2$となる。

[その2]

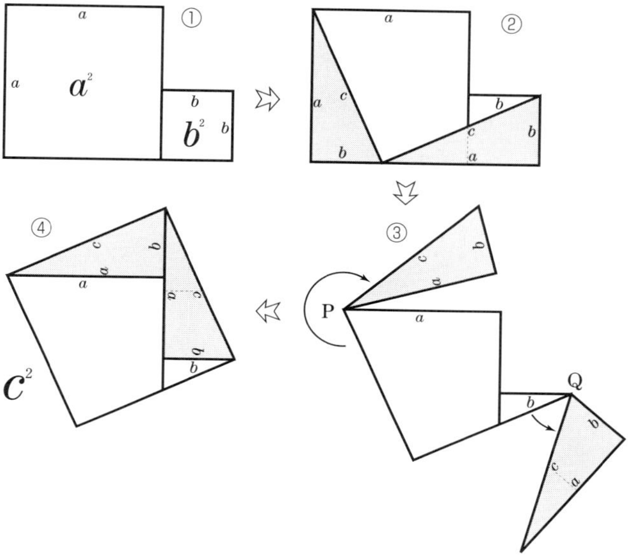

①　それぞれaとbを一辺とする正方形を描く。

②　直角三角形を図のように取る。

③　P, Qを中心に、それぞれの直角三角形を回転させる。

④　ピタッときまって、一辺cの正方形になる。

よって、$a^2+b^2=c^2$となる。

計算でもやってみよう。

[その3]

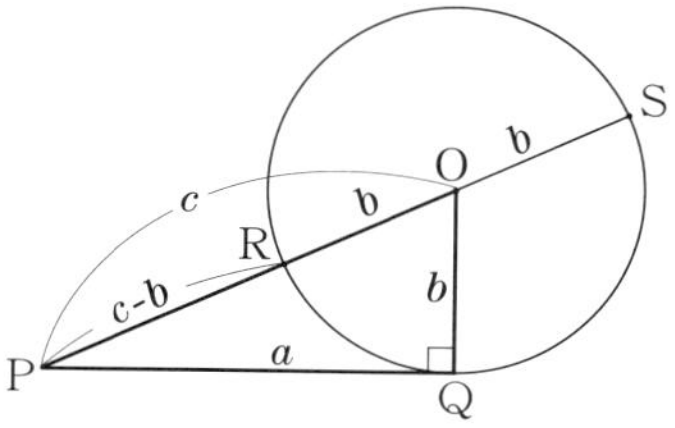

図のように直角三角形を置き、Oを中心に半径bの円を描くと、QでPQに接する。

ところで△PRQと△PQSが相似になるので、PQ：PR＝PS：PQより$PQ^2=PR\cdot PS$が成り立つ。これを「方べきの定理」という。

$$PQ^2=PR\cdot PS$$

これをa、b、cを使ってかくと、

$$a^2=(c-b)(c+b)=c^2-b^2$$

よって、$a^2+b^2=c^2$となる。

17 ピタゴラスの定理の拡張

ピタゴラスの定理は『斜辺上の正方形の面積＝他の二辺上の正方形の面積の和』だった。しかし正方形でなくても三辺上の図形が相似形であれば『斜辺上の図形の面積＝他の二辺上の図形の面積の和』となる。

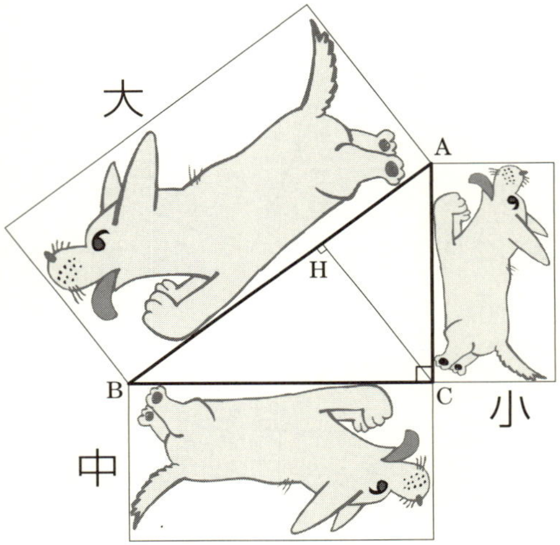

証明をしてみよう。

△ACH と △ABC は相似なので

$\dfrac{AH}{AC}=\dfrac{AC}{AB}$　　よって、 $AC^2=AH\cdot AB$……※1

ところで、相似形の面積の比は、対応する辺の 2 乗の比に等しいので、

$\dfrac{小の面積}{大の面積}=\dfrac{AC^2}{AB^2}=\dfrac{AH\cdot AB}{AB^2}=\dfrac{AH}{AB}$、よって小の面積＝$\dfrac{AH}{AB}$・大の面積

同様にして、

$\dfrac{中の面積}{大の面積}=\dfrac{BC^2}{AB^2}=\dfrac{HB}{AB}$、よって中の面積＝$\dfrac{HB}{AB}$・大の面積

これから

$$\text{小の面積}+\text{中の面積}=\left(\frac{\mathrm{AH}}{\mathrm{BA}}+\frac{\mathrm{HB}}{\mathrm{AB}}\right)\cdot\text{大の面積}=\frac{\mathrm{AB}}{\mathrm{AB}}\cdot\text{大の面積}$$

$$=\text{大の面積}$$

これで証明は終わり。これはピタゴラスの定理の証明にもなっている。

今度は、任意の三角形で考えてみよう。

△ABC において、

$\mathrm{AH}^2=b^2-\mathrm{CH}^2$、$c^2=\mathrm{AH}^2+(a-\mathrm{CH})^2$だから

$c^2=b^2-\mathrm{CH}^2+a^2-2a\cdot\mathrm{CH}+\mathrm{CH}^2$

$\quad=a^2+b^2-2a\cdot\mathrm{CH}$

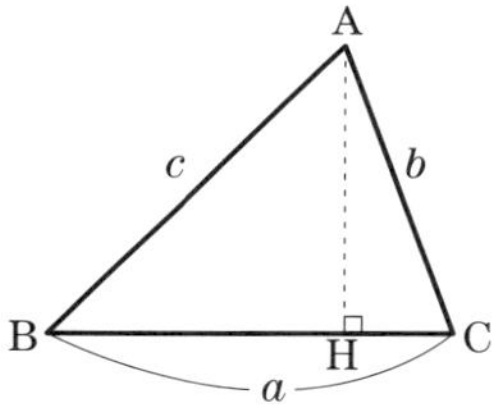

となる。$\mathrm{CH}=b\cos\mathrm{C}$ なので、

$c^2=a^2+b^2-2ab\cos\mathrm{C}$ ……※2

が成り立つ。余弦定理というが、$\mathrm{C}=90^\circ$ のとき、$c^2=a^2+b^2$となり、ピタゴラスの定理になる。しかし、※2を導くのに、ピタゴラスの定理を使ったので、これをピタゴラスの定理の証明に使ってはいけない。

もうひとつ。右図のようにAC、BCを延長して任意の平行四辺形①②を描く。そして、図のように点PをとりPC＝QRとし、辺がQRに平行になるように、平行四辺形③を描く。すると、

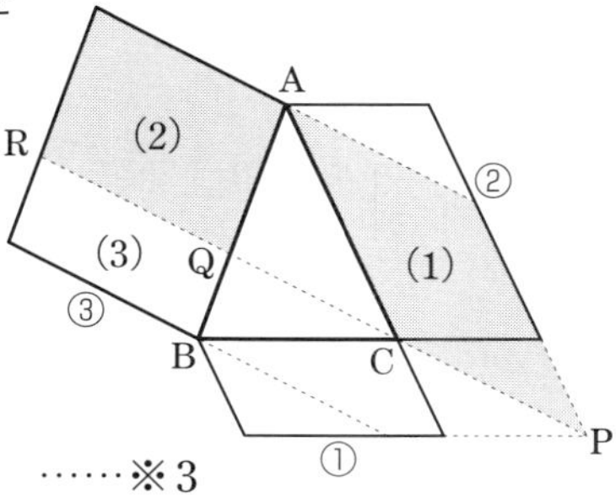

①の面積＋②の面積＝③の面積　　……※3

になる。簡単に説明すると、②とグレーの平行四辺形(1)の面積は等しく、(1)とグレーの平行四辺形(2)の面積も等しくなる。同様に、①と平行四辺形(3)の面積が等しい。

18 面積比

平面上に描いた図形や絵を、よこ方向だけを2倍、あるいはたて方向だけを2倍したのでは相似形にはならない。たてもよこも同時に2倍すると相似形になる。そしてこのとき、この面積に着目すると4倍になっている。

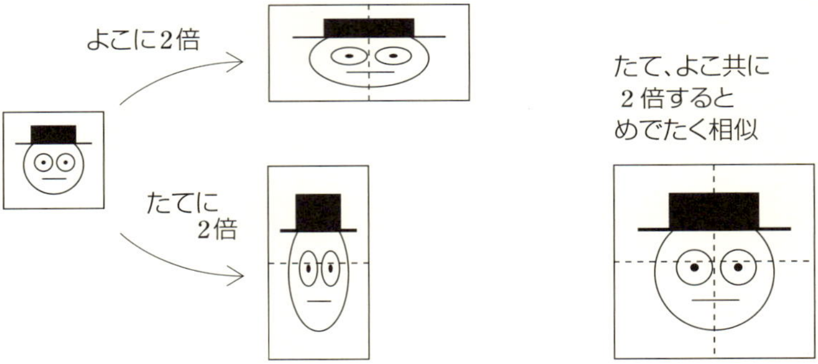

もし、たてとよこを共に3倍にすれば、面積は、$3 \times 3 = 9$倍の相似形ができる。一般にたてとよこを同時にk倍してできる相似形は相似比がk倍であるという。そして

相似比がk倍の平面図形の面積はk^2倍

になる。これを「面積比は、相似比の2乗になる」といういい方をすることもある。あるいは、相似比は、対応する線分の「長さの比」とみることができるので、「長さがk倍になると面積はk^2倍になる」と表現することもある。

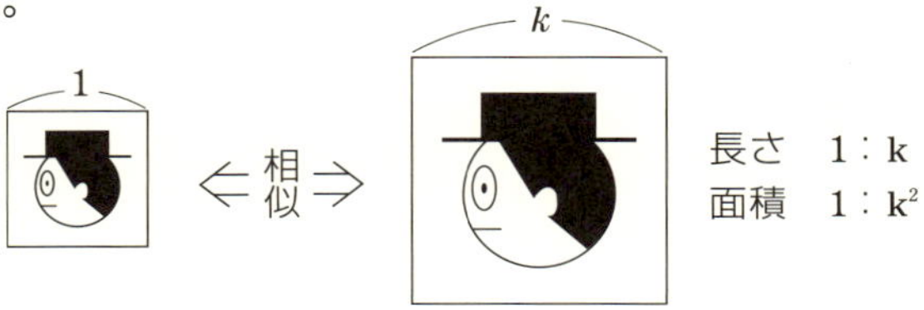

逆に、面積が2倍になっている相似形では長さは何倍になるか？

$$k^2=2 \text{ より } k=\sqrt{2}=1.414\cdots$$

である。また面積が半分になっているときは

$$k^2=\frac{1}{2} \text{ より }\quad k=\frac{1}{\sqrt{2}}=\frac{\sqrt{2}}{2}=0.7071\cdots$$

となる。この数字がコピー機の拡大・縮小のとき使われる。このことについては406ページ「相似」の項に書いたとおりである。

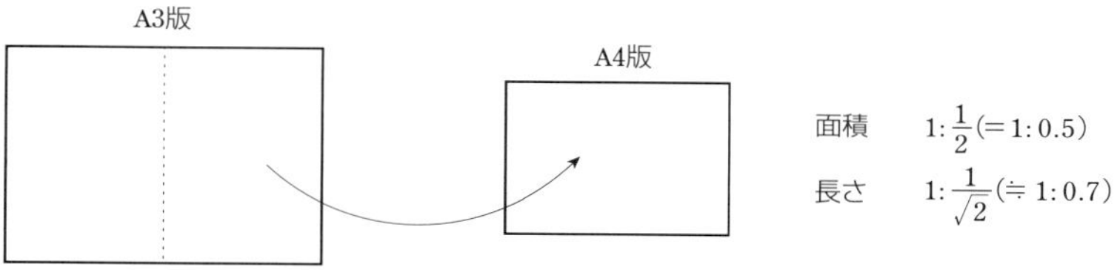

相似形の面積比についての以上の性質を前面に出して、ピタゴラスの定理を証明してみよう。

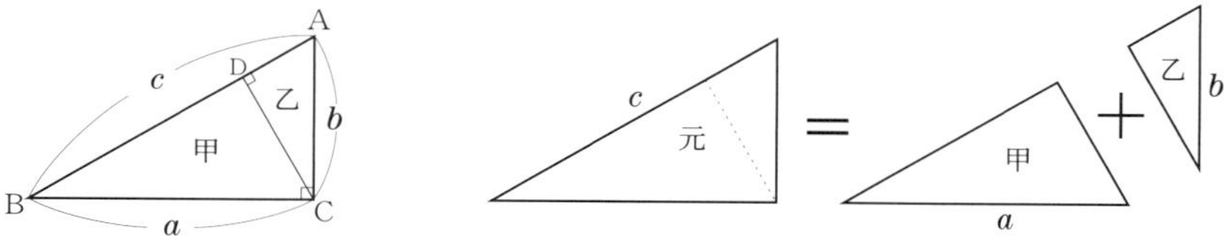

直角三角形ABCを垂線CDで2つの三角形甲と乙に分けると、これらはもとの△ABCと相似になる。

したがって3つの三角形の面積の比(元)：(甲)：(乙)は、対応する辺の長さの2乗の比c^2：a^2：b^2と等しくなる。

だから(元)$=c^2k$、(甲)$=a^2k$、(乙)$=b^2k$とかける。ところで(元)=(甲)+(乙)だから$c^2k=a^2k+b^2k$、つまり$c^2=a^2+b^2$が導ける。これはピタゴラスの定理に他ならない。

19 三角形の五心（1）

円には中心があるが、三角形にはそれらしきものが4つと親戚が1つ、合計5つの“中心もどき”がある。名前はそれぞれ外心、内心、重心、垂心、傍心といい、合わせて三角形の五心とよばれている。

（その1）外心

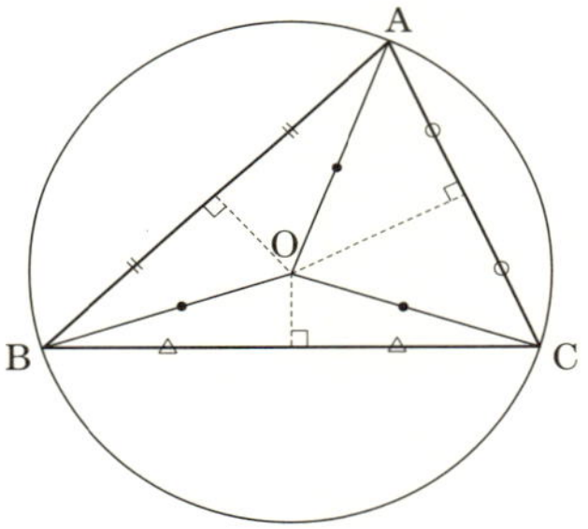

円の中心は、円周上のすべての点から等距離にある。三角形ABCの場合はすべての点から等距離にある点などあり得ない。どうしようか。そうだ、頂点A、B、Cから等距離にある点Oでガマンしよう。

この“中心もどき”第一号を外心という。また、Oを中心として3頂点A、B、Cを通る円を外接円という。

外心Oは3辺AB、BC、CAの垂直二等分線の交点になっている（図参照）。

（その2）内心

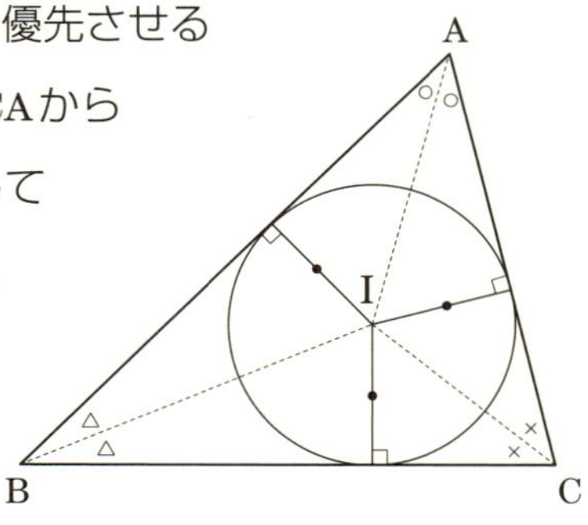

「外心は頂点を偏重しすぎ。辺こそ優先させるべき」ということで、3辺AB、BC、CAから等距離にある点Iを“中心もどき”として採用したのが内心である。Iを中心として△ABCに内接する円が描け、これを内接円という。

内心Iは△ABCの3つの内角それぞれの二等分線の交点になっている（図参照）。

（その3）重心

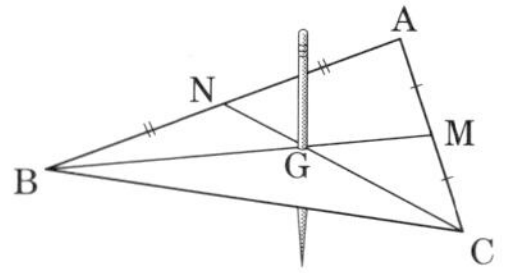

“中心もどき”競争で他に負けてはいないものに中線BM、CNの交点Gがある。何しろ三角形の厚紙を切りとり、Gに楊枝（ようじ）をさして回すとスムースに回る。これはGが三角形板の物理的な重心になっていることを示している。数学でもGを重心という。

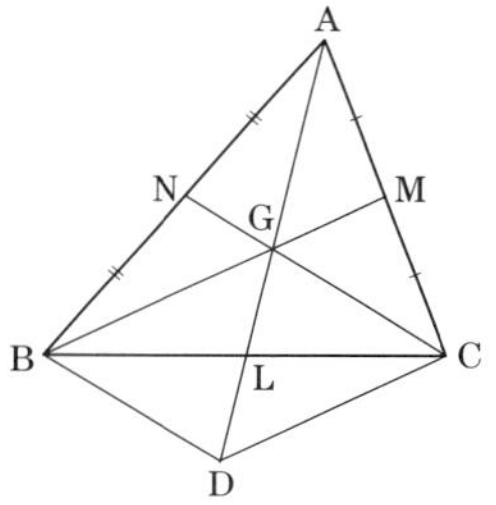

ところで2組の中線BM、CNの交点をGとしたとき、直線AGと辺BCとの交点をLとすると、Lも辺BCの中点になる。そのことはたとえば次のような流れで証明できる。

直線AG上にAG＝GDとなる点Dをとる⇒中点連結定理によりNG // BD、MG // CD⇒四辺形BDCGは平行四辺形⇒BL＝LC。

こうして三角形の重心とは、3中線の交点である。同時に図においてAG＝2GLだから「重心は中線を2：1に内分する点」でもある。

（その4）垂心

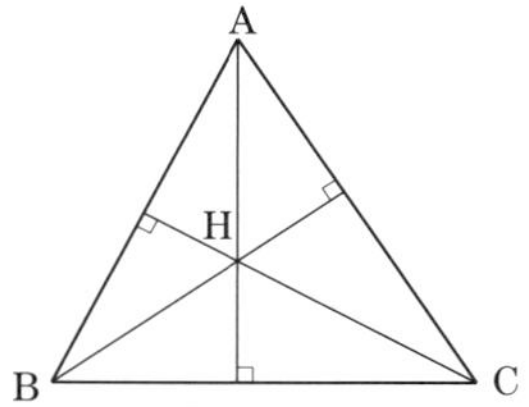

4つ目の“中心もどき”は各頂点から対辺に垂線を引き、その交点Hのことである。このHを垂心という。

△ABCが鈍角三角形のときは、頂点から垂線を対辺、またはその延長上に下すことにする。このときは垂心が△ABCの外側にくる。

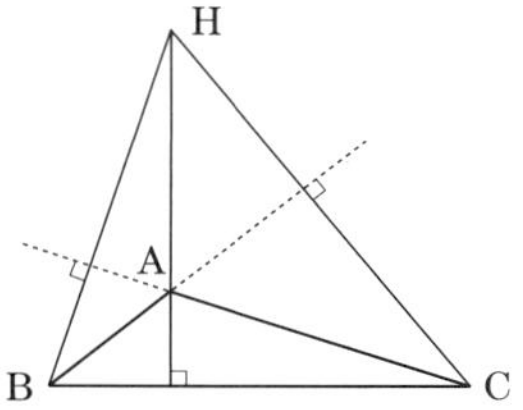

五心のうちのもう一つ、残った傍心は次項にまわす。

20 三角形の五心（2）

五心のうち前項で残った1つは傍心であるが、これはいわば内心の親戚。

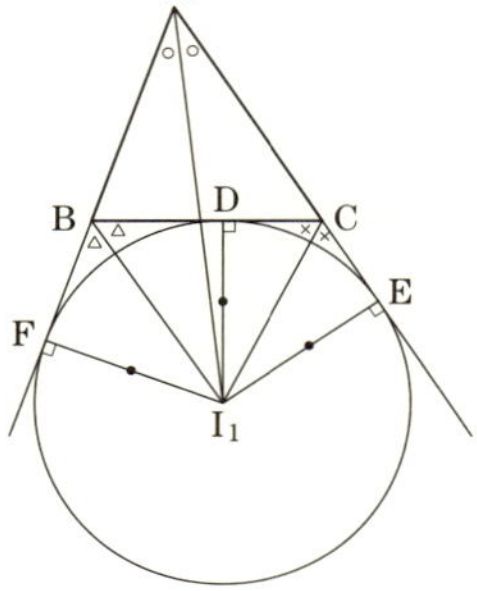

内心は△ABCの3つの内角それぞれの二等分線の交点であったが、傍心というのは1つの内角Aの二等分線と他の2角B、Cの外角の二等分線の交点I_1である。

点I_1は、直線AB、BC、CAから等距離にあるので、点I_1を中心とし3直線に接する円を描くことができ、この円を△ABCの傍接円という。

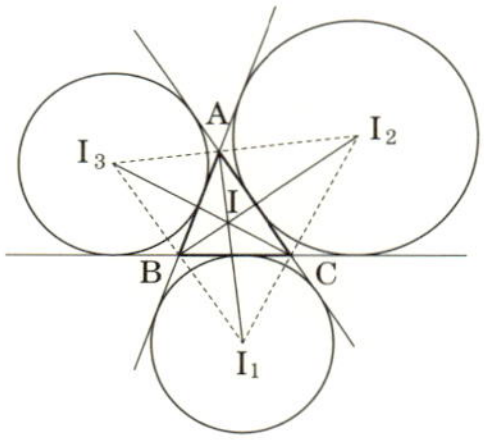

どの内角、どの外角をえらぶかで1つの三角形ごとに傍心は図のように3個ある。

●内接円の半径と三角形の面積

△ABCにおいて、内心をI、内接円の半径をrとすると、面積Sは

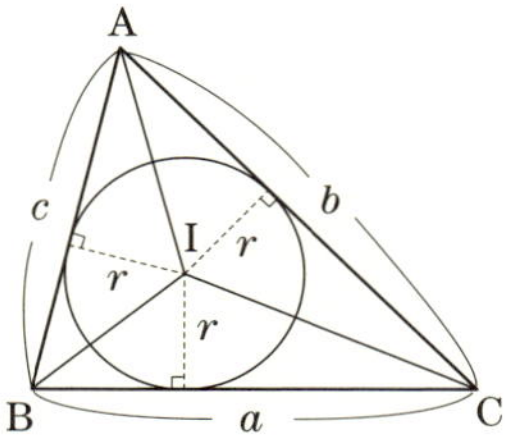

$$S = \triangle \mathrm{BCI} + \triangle \mathrm{CAI} + \triangle \mathrm{ABI}$$

$$= \frac{1}{2}ar + \frac{1}{2}br + \frac{1}{2}cr$$

$$= r \times \frac{a+b+c}{2}$$

となる。ここで$s = \dfrac{a+b+c}{2}$とおくと

$S = rs$　……①

という簡単な式で表せる。

●傍接円の半径と三角形の面積

つぎに、傍接円の半径r_1を使うと、同じく△ABCの面積Sが

$S = r_1(s - a)$……②

と表せる。以下それを示そう。

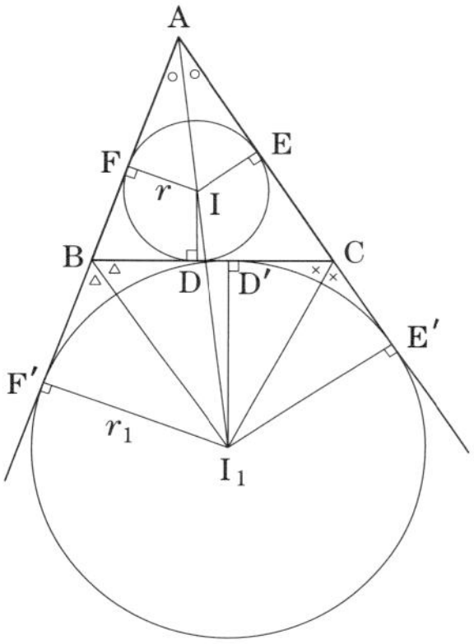

途中で、円外の点から円に引いた2つの接線において、接点までの長さは等しいという性質を何度も使う。

さっそくだが右図の△ABCの部分で

AE＝AF、BD＝BF、CD＝CE

だから　$AF + BD + CD = \dfrac{a + b + c}{2} = s$

したがって

$AF = s - (BD + CD) = s - BC = s - a$

となる。次に

$AE' = AF'$……（ⅰ）

$$AE' + AF' = (AC + CD') + (AB + BD')$$

$$= AB + AC + BC = a + b + c = 2s$$……（ⅱ）

（ⅰ）、（ⅱ）より　$AE' = AF' = s$

ここで△AFIと△AF′I_1　は相似だから

$$\frac{r}{s - a} = \frac{r_1}{s}$$　すなわち　$rs = r_1(s - a)$

こうして$S = r_1(s - a)$が導けた。もちろん別の傍接円I_2、I_3の半径をr_2、r_3とすれば　$S = r_2(s - b) = r_3(s - c)$も成り立つ。

21 ヘロンの公式

△ABCの3辺の長さが与えられた場合、面積Sを求めるときには、ヘロンの公式とよばれる次の式を使う。

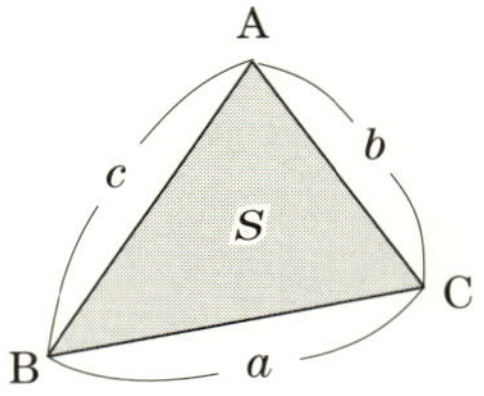

$s=\dfrac{a+b+c}{2}$ として

$S=\sqrt{s(s-a)(s-b)(s-c)}$

この公式には、1世紀頃の古代ギリシャの数学者ヘロンの名が冠されているが、本当はアルキメデスが発見者であるという説もある。ではヘロンの公式を証明してみよう。

右の図において、

AF′＝AE′＝s(前ページ参照)だから

BF′＝$s-c$

またBF＋AE＋EC＝sだから

BF＝$s-$AC＝$s-b$

△BFI∽△I_1′F′B　より

$$\frac{s-b}{r}=\frac{r_1}{s-c}$$

よって

$rr_1=(s-b)(s-c)\cdots(*)$

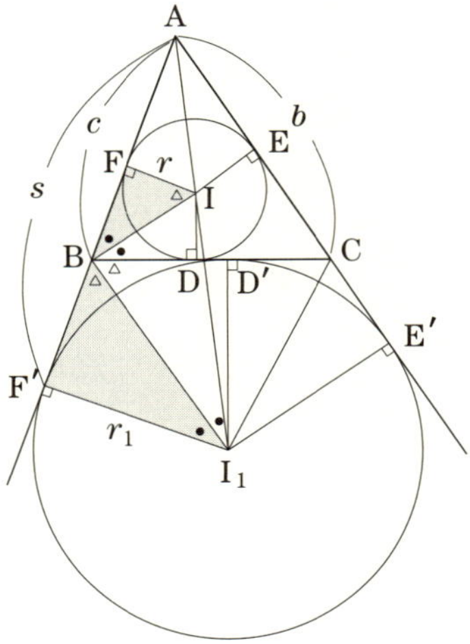

ところで前ページでみたように、

$S=rs$ ……①

$S=r_1(s-a)$ ……②

であった。

①、②の両辺をかけると

$$S^2 = rr_1 s(s-a)$$

（＊）を代入すると

$$S^2 = s(s-a)(s-b)(s-c)$$

よって

$$S = \sqrt{s(s-a)(s-b)(s-c)}$$

となり、ヘロンの公式が導けた。

なお、三角比の公式

$$S = \frac{1}{2}bc\sin A\text{、}\sin^2 A = 1-\cos^2 A\text{、}\cos A = \frac{b^2+c^2-a^2}{2bc}$$

を用いて計算でヘロンの公式を証明することもできるので、計算が得意な方は挑戦してみていただきたい。

このヘロンの公式は、角の大きさを知らなくても辺の長さだけで三角形の面積を計算できるので土地の面積を測量で求めるときには好都合である。たとえば、次の図のような四角形状の土地の面積は2つの三角形に分けて辺の長さを測定しそれぞれヘロンの公式で面積を求めて加えればよい。

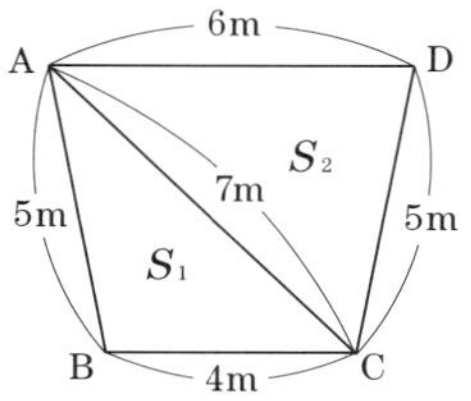

$$s_1 = \frac{4+7+5}{2} = 8$$

$$S_1 = \sqrt{8(8-4)(8-7)(8-5)} = \sqrt{8\cdot4\cdot1\cdot3} = 4\sqrt{6}$$

$$s_2 = \frac{5+6+7}{2} = 9$$

$$S_2 = \sqrt{9(9-5)(9-6)(9-7)} = \sqrt{9\cdot4\cdot3\cdot2} = 6\sqrt{6}$$

よって

（四角形 ABCD ）$= S_1 + S_2 = 4\sqrt{6} + 6\sqrt{6} = 10\sqrt{6}$（$m^2$）

すなわち、およそ　$24.49\,m^2$ になる。

22 オイラー線

「えっ、ほんと？」と驚き、「なんでだろう？」と考えてみたら理由が見つかって胸にストンと落ちて納得、という問題の代表的なものとして次の事実がある。

中点連結定理

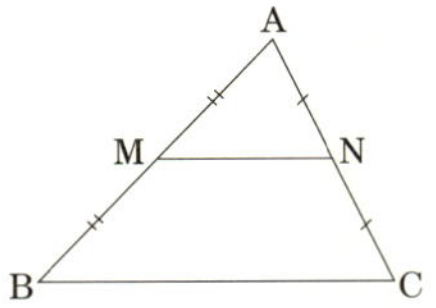

ABの中点をM、ACの中点をNとすると

$$MN /\!/ BC、MN=\frac{1}{2}BC$$

「どんな四辺形でも、各辺の中点を順に結んでいくと、平行四辺形になる。」

どんな四辺形でも、というところがすごい。もっとすごいものが「どんな四辺形」を「一直線上にないどんな4点」と変えてもよいところだ。

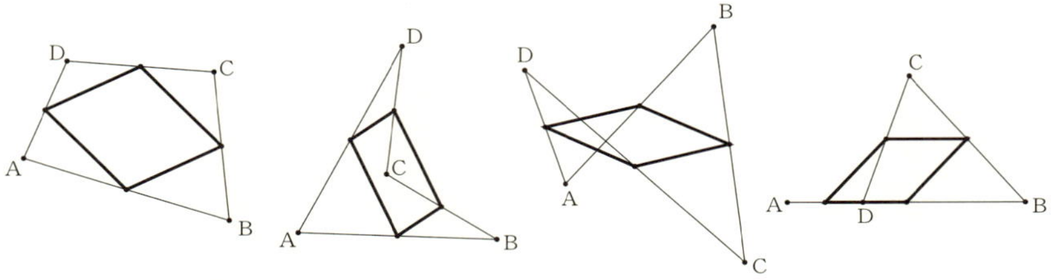

ところがどれも、線分ACを引くとたちまち理由がはっきりする。

△BCAと△ACDに分け、中点連結定理を使うと、PSもQRも両方ともCAに平行で長さもCAの半分。よってSP//RQで、しかもSP＝RQだから四辺形PQRSは平行四辺形。

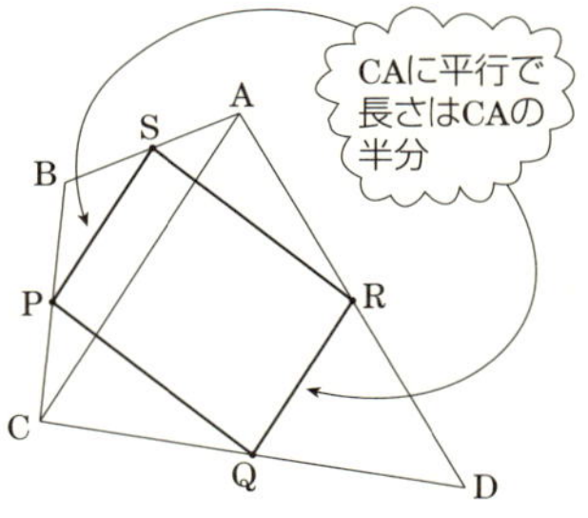

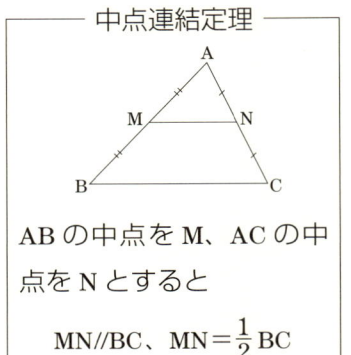

そういえば、「三角形の重心」や、次項「九点円」の証明でも中点連結定理は活躍している。

話は急に変わるが、スイスの数学者オイラー（1707 ～ 1783）はいろいろな分野で活躍した大数学者だが、三角形の外心と重心と垂心は一直線上にのっている、というシャレた定理を見つけた。

「えっ、ほんと？」

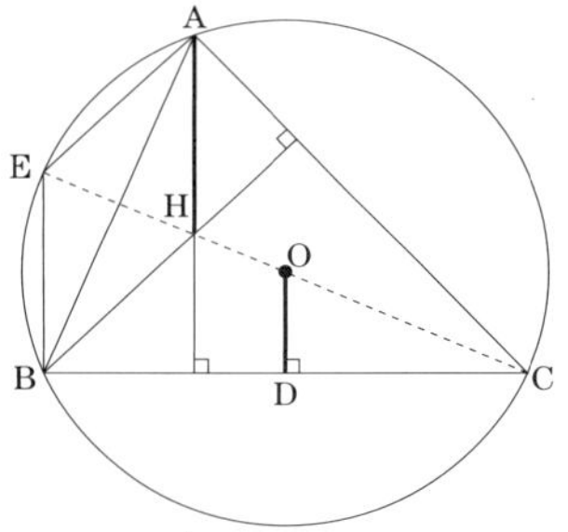

と驚く。ただし、前ページの話とちがって

「なぜ？」

の道中が長い。

第1段階は右上図で

AH＝2OD

を証明する。それには、中点連結定理も使いながら

EB＝2OD、EB//AH、EB＝AH

を示す。

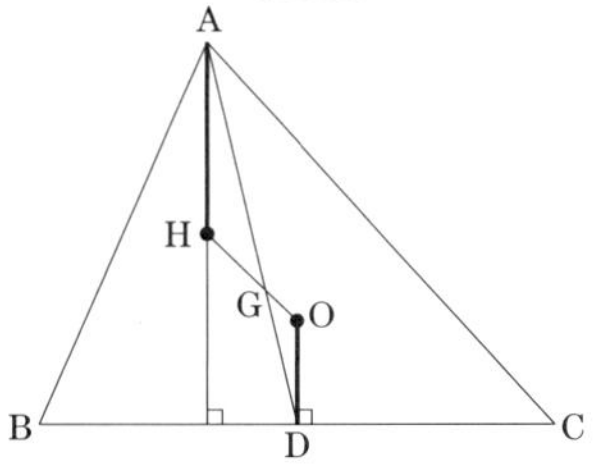

なんとかAH＝2ODがわかったら第2段階。

右下図でADとHOの交点が重心Gになる（中線を2：1に内分するから）。

これでめでたく外心O、重心G、垂心Hは一直線上にあることがいえる（しかもGH＝2OG）。この直線はオイラー線とよばれている。だからどうしたというのでもないが、幾何楽の一つ。

次項で扱う九点円はオイラー円ともいわれる。オイラー線、オイラー円と並べてみると、やっぱりすごい。

23 九点円

どうして気が付いたのだろう。九つの点が同じ円周上にあるというのを証明したのはオイラー。その定理とは…。

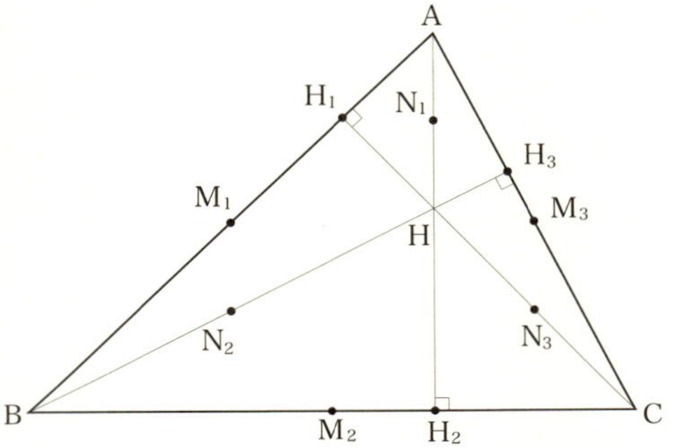

【九点円の定理】

三角形 ABC の各辺の中点 ………………………… 3点 (M_1, M_2, M_3)

各頂点から対辺におろした垂線の足 ……………… 3点 (H_1, H_2, H_3)

各頂点と垂心 H との中点 ………………………… 3点 (N_1, N_2, N_3)

計 9 点

これらの九点は同一円周上にある。

図を描いてみると、同一円周上にありそうだ。証明してみよう。

[証明]

△ABC と△AHC をみると、中点連結定理より、

$M_1M_2 \mathrel{\underline{/\!/}} \dfrac{1}{2}AC$, $N_1N_3 \mathrel{\underline{/\!/}} \dfrac{1}{2}AC$ だから

四角形 $M_1M_2N_3N_1$ は平行四辺形。

また、△ABH で中点連結定理より

$M_1N_1 /\!/ BH$。よって $M_1N_1 \perp N_1N_3$

だから四角形 $M_1M_2N_3N_1$ は

長方形になっているので、

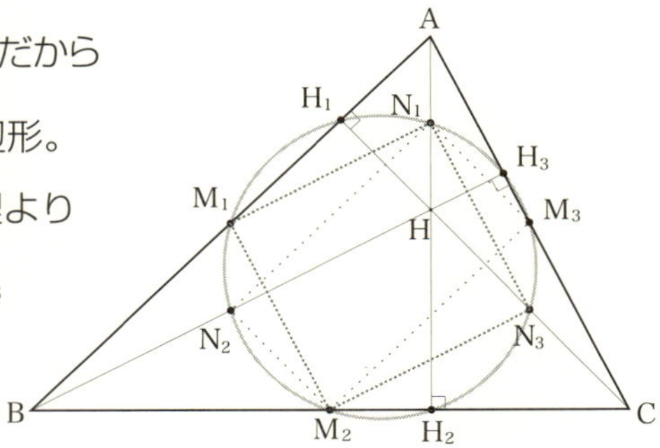

4点M_1、M_2、N_3、N_1は同じ円周上にあり、M_1N_3、N_1M_2はその直径になる。

同じように、四角形$N_1N_2M_2M_3$も長方形になる。よって、N_1、M_1、N_2、M_2、N_3、M_3は同一円周上にある。残るは、H_1とH_2とH_3の3点。

$\angle M_1H_1N_3$は90°だから、M_1N_3を直径とする円周上に、H_1はある。同じように、H_2、H_3も、N_1M_2、N_2M_3を直径とする円周上にある。これで、九点全部同じ円周上にあることがわかった。ホントなんだ。

じゃ中心はどこだ。

【九点円の中心と半径】

九点円の中心は、三角形ABCの外心Oと、垂心Hを結んだ線分の中点。そして半径は、外接円の半径Rの$\frac{1}{2}$。

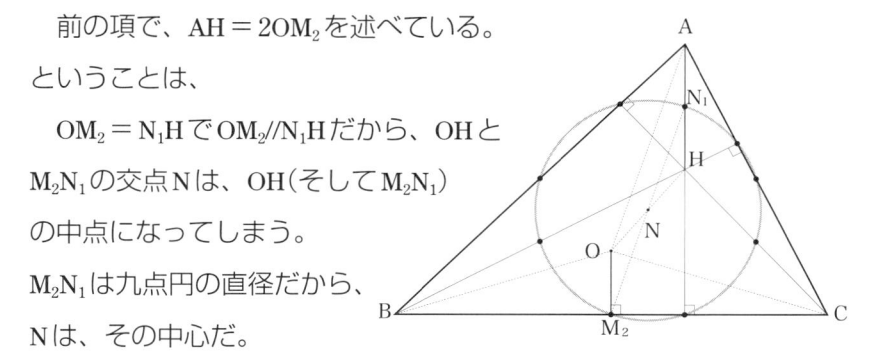

前の項で、$AH = 2OM_2$を述べている。

ということは、

$OM_2 = N_1H$で$OM_2 /\!/ N_1H$だから、OHとM_2N_1の交点Nは、OH(そしてM_2N_1)の中点になってしまう。

M_2N_1は九点円の直径だから、Nは、その中心だ。

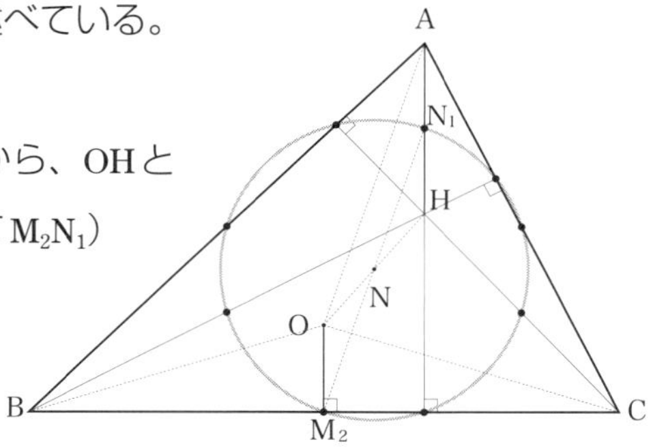

また、$OA = 2NN_1$で、$OA = R$だから、九点円の半径$= \frac{1}{2}R$。

九点円の定理を“キレイだなー”と思ったりしはじめると、幾何にはまる兆候がある。

実は、九点円は、三角形の内接円と傍接円と接している。オイラー線を考えると、九点円に、重心、内心、外心、垂心、傍心が揃いぶみしている。やはり、“キレイだなー”。

24 正多角形の面積

半径rの円に内接する正n角形の面積S_nを求めてみよう。たとえば正六角形の面積S_6は、次のようになる。

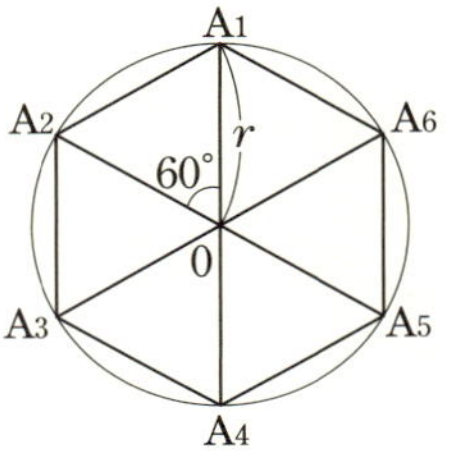

$S_6=(\triangle \mathrm{OA_1A_2})\times 6=\dfrac{1}{2}r^2\sin 60^\circ\times 6=\dfrac{3\sqrt{3}}{2}r^2$

一般にS_nは、次のようになる。

$$S_n=\frac{1}{2}nr^2\sin\frac{360^\circ}{n}$$

次に、半径rの円に外接する正n角形の面積T_nを求めてみよう。たとえば、正六角形の面積T_6は、次のようになる。

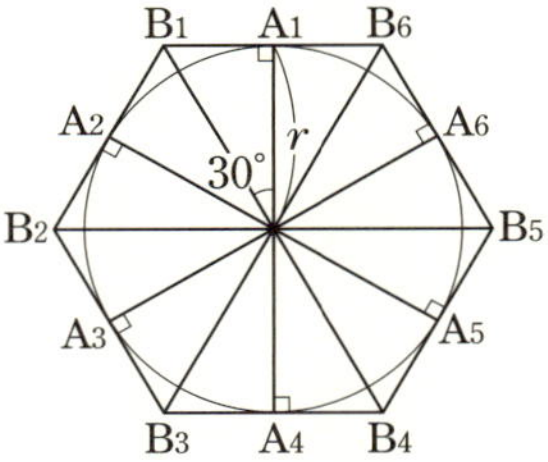

$T_6=(\triangle \mathrm{OA_1B_1})\times 12=\dfrac{1}{2}r^2\tan 30^\circ\times 12=2\sqrt{3}\,r^2$

一般にT_nは、次のようになる。

$$T_n=\ nr^2\tan\frac{180^\circ}{n}$$

半径rの円の面積をSとすると、

$$S_n<S<T_n$$

が成り立つ。ここで$S=\pi r^2$であるので、次の不等式が成り立つ。

$$\frac{1}{2}n\sin\frac{360^\circ}{n}<\pi<n\tan\frac{180^\circ}{n}$$

nを大きくすればするほど、S_nは大きく、T_nは小さくなるので円周率πのよい近似値が得られる。たとえば$n=180$とすると

$$\underline{3.14}0954\cdots<\pi<\underline{3.14}1911\cdots$$

アルキメデスは、$n=96$の場合を考察して、次の近似値を得た。

$$3\frac{10}{71}<\pi<3\frac{1}{7}$$

話は変わるが、三線チャートというグラフについて触れよう。

右図のように1辺がlの正三角形の内部の点Pから各辺への垂線の長さをh_1、h_2、h_3とし、正三角形の面積をSとする。このとき、

$$\triangle \mathrm{ABP}+\triangle \mathrm{BCP}+\triangle \mathrm{CAP}=\triangle \mathrm{ABC}$$

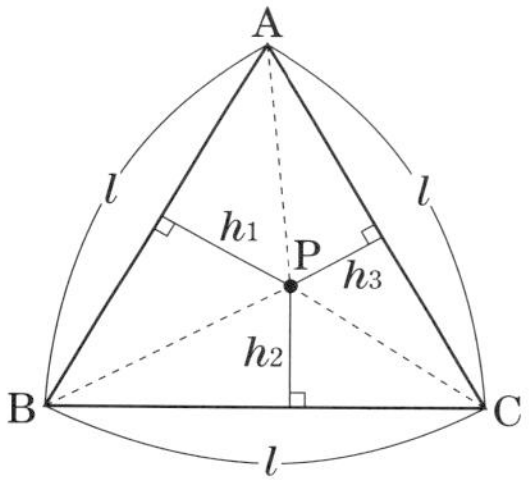

が成り立つので

$$\frac{1}{2}l\,h_1+\frac{1}{2}l\,h_2+\frac{1}{2}l\,h_3=S$$

これにより

$$h_1+h_2+h_3=\frac{2S}{l}\ (\text{一定})$$

となる。すなわち、点Pの位置によらず垂線の和は一定になる。この性質は、正三角形だけでなく、どんな正多角形でも成立する。

三線チャートとよばれるグラフは、この性質を利用してつくられる。たとえば、ある法案についての世論調査の結果が、次の表だとする。

	賛成	反対	無回答
A市	50%	30%	20%
B町	40%	20%	40%
C村	30%	60%	10%

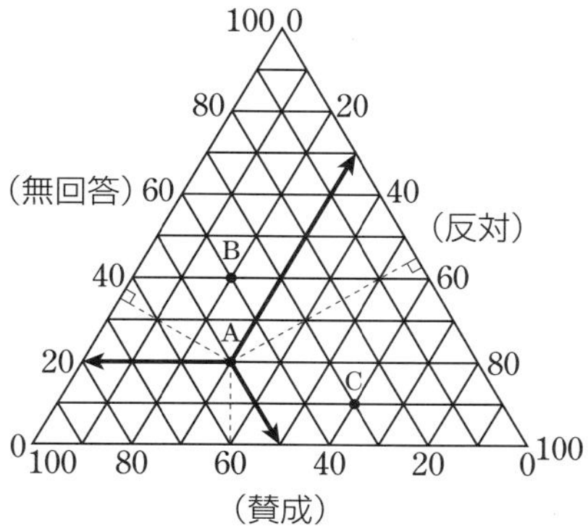

この法案に対する3つの市町村の態度は、右図のように表される。

25 敷き詰め

商店街の歩道をカラータイルで敷き詰めてあるのをよく見かける。平面は同じ正方形、同じ平行四辺形、同じ三角形で敷き詰められるのはわかる。では、任意の四辺形ではどうだろう。

●任意の四辺形で敷き詰める

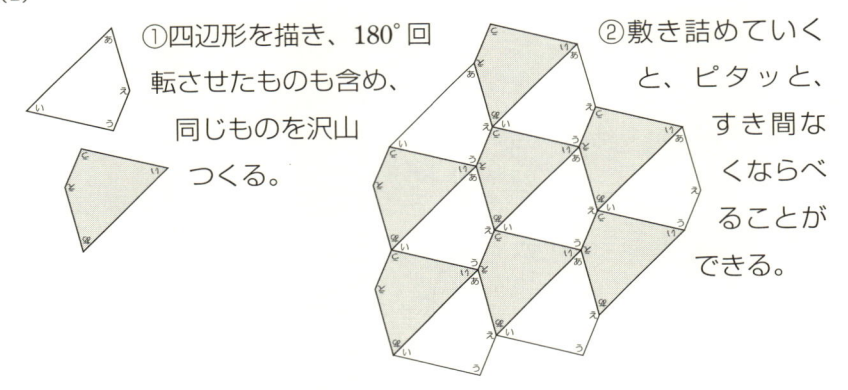

(1)

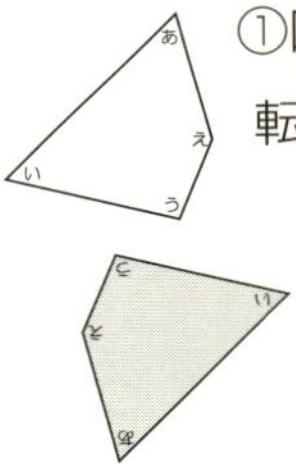

①四辺形を描き、180° 回転させたものも含め、同じものを沢山つくる。

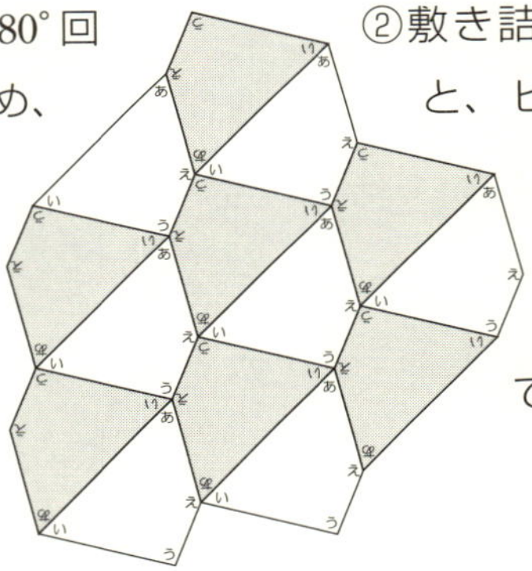

②敷き詰めていくと、ピタッと、すき間なくならべることができる。

(2)では、次のような四辺形でもできるのか？

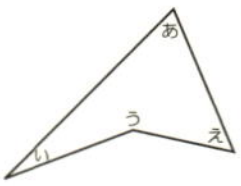

やってみると、やっぱりピタッと敷き詰めることができる。これらを見ると、四辺形の内角の和(あ＋い＋う＋え)が 360° になることも確かめられる。

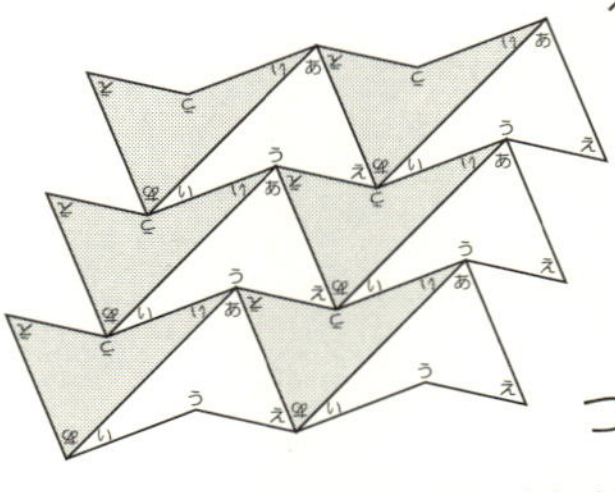

厚い紙で四辺形をひとつ作り、エンピツで、図のように同じ四辺形を描いていくと実感できる。

●敷き詰められる図を作る

もう少し複雑な図で平面を敷き詰めたいとき、どうすればいいか考えてみよう。

(1)長方形を基本とする

① 長方形に適当に図形を加え、これを単位とする。

② その図を平面に並べる。

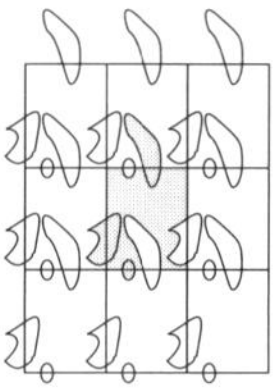

③ まん中の図で長方形に交わっている同じ図形のうち、一方をグレーにして、一方は白のままにする。

④ そしてグレー部分からできた図形で、敷き詰める。

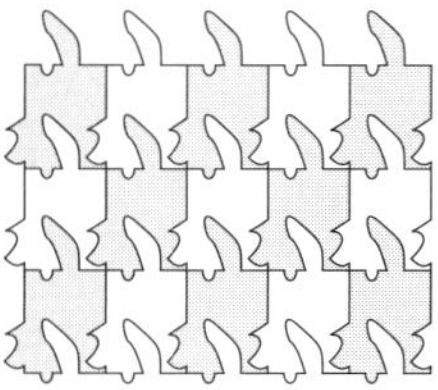

(2)任意の四辺形を基本とする。

① 四辺形に適当に図形を加え、これを単位とする。

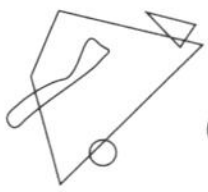

②その図を平面に並べる。

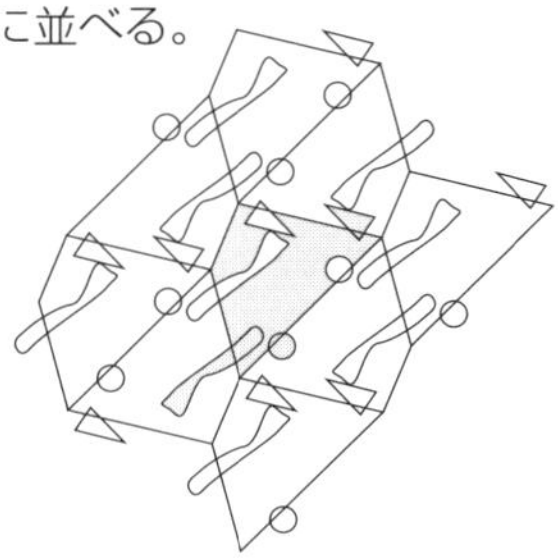

③ ②のまん中の図で交わっている同じ図形のうち一方をグレーにし、一方を白のままにする。

④ そして、グレー部分からできた図形で敷き詰める。

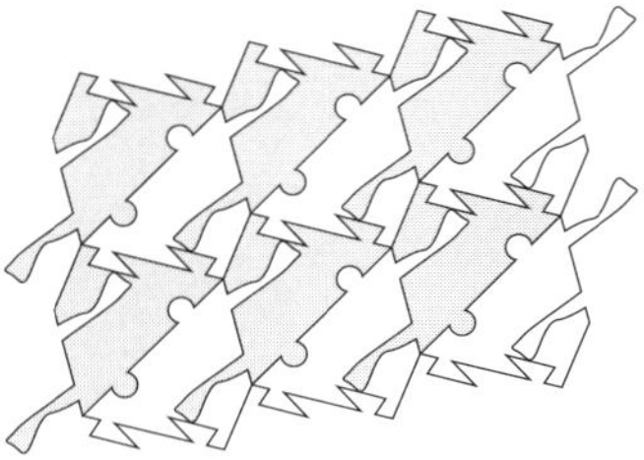

26 黄金比

まさにその名称が象徴するように、黄金比はギリシャ時代から脚光を浴びる存在だった。

紀元前300年頃、ユークリッドによって書かれた『原論』（日本語訳：中村幸四郎他訳『ユークリッド原論』共立出版）ではつぎのように定義される（同書訳による）。

“線分は、不等な部分に分けられ、全体が大きい部分に対するように、大きい部分が小さい部分に対するとき、外中比に分けられたといわれる”

この「外中比」というのが「黄金比」のこと。

定義をわかりやすくいいかえると次の通りである。

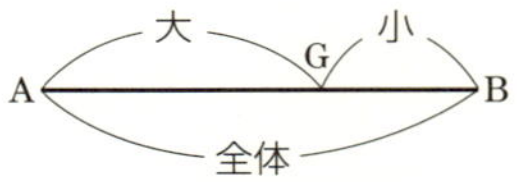

- 線分ABを、大小2つの部分に分ける。
- 全体ABと大きい方AGの比（全体：大）が、

大きい方AGと小さい方GBの比（大：小）と等しいとき、つまり

全体：大＝大：小　（AB：AG＝AG：GB）

のとき、ABはGによって黄金比に分けられたという。

小を1、大をxとおくと

$$(x+1):x=x:1$$

となり、整理した方程式

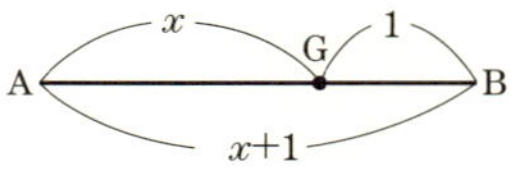

$$x^2-x-1=0$$

を解くと

$$x=\frac{1+\sqrt{5}}{2}=1.618\cdots。$$

だから黄金比は、ほぼ1.6：1である。

ギリシャ時代から脚光を浴びた理由は何といっても、正五角形の2本の対角線がお互いに黄金分割し合うことに起因する(右図で△CABと△GBCが相似であることを用いると「全体：大＝大：小」を示せる)。

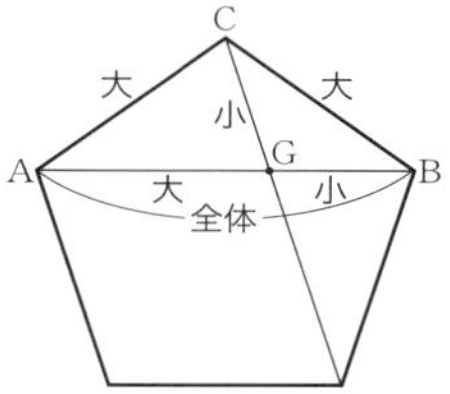

これをいいかえると、正五角形において

対角線：1辺

が黄金比になる。さらに右の太線部分をぬき出して考えると、正十角形とその外接円において

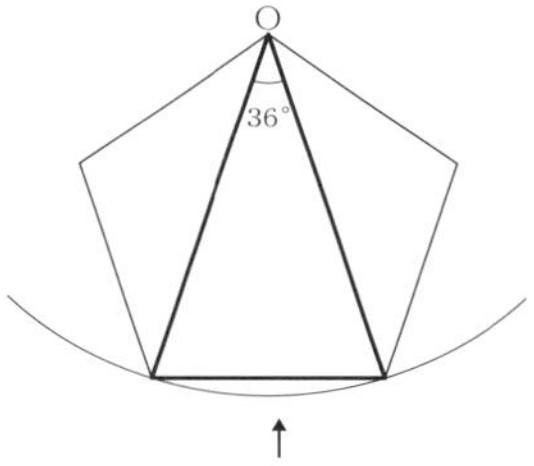

Oを中心とする円

外接円の半径：正十角形の1辺

も黄金比になる。

ちょっと話がはずれるが、『原論』では黄金比の性質を駆使して、次のようなとてつもない定理まで証明している。

同じ円に内接する正五角形、正六角形、正十角形において

$$(\text{正五角形の1辺})^2 = (\text{正六角形の1辺})^2 + (\text{正十角形の1辺})^2$$

が成り立つ(!!)

当時の研究のレベルの高さに驚く。

『原論』は最後に正十二面体と正二十面体の作図を扱うのだが、黄金比の研究もその基礎となっている。

なお、黄金比が脚光を浴びる他の理由に、フィボナッチ数列との関係、美術作品との関連、黄金比長方形の利用、らせんを近似する話題などがあるのだがこれらは、〈第2部 数と計算〉を参照していただけると幸いである。

27 アポロニウスの円

まず準備として角の2等分線と辺の比について考える。

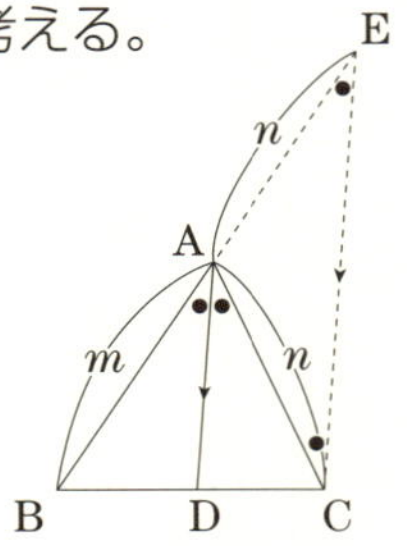

△ABCにおいて、AB：AC＝m：n

とする。∠Aの内角の2等分線とBCの交点をDとすると

BD：DC＝m：n

また、∠Aの外角の2等分線とBCの延長との交点をD′とすると

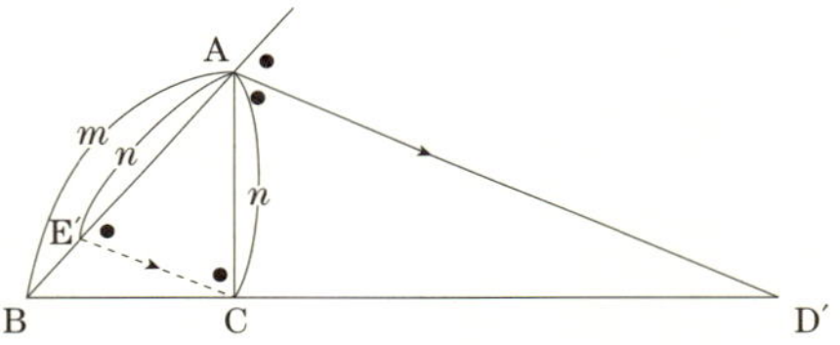

BD′：D′C＝m：n

となる。

では、2つの定点A、Bからの距離の比が3：1であるような点Pの軌跡を求めよう。

AP：PB＝3：1となる点Pをとる。

∠APBの2等分線とABの交点をCとすると

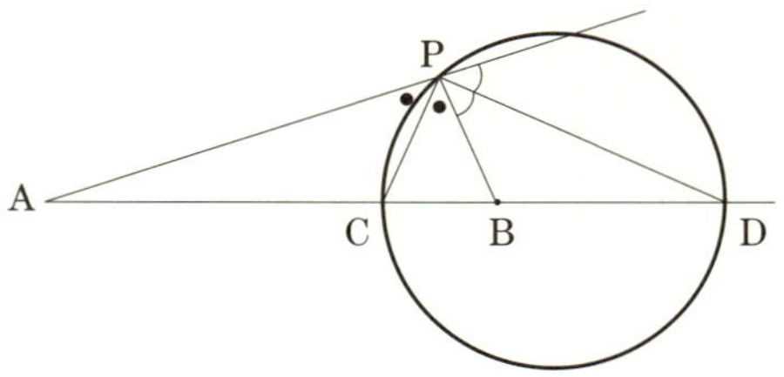

AC：CB＝3：1

となる。

また、∠APBの外角の2等分線とABとの交点をDとすると、AD：DB＝3：1となる。

ここで　∠CPD＝∠CPB＋∠BPD＝90°であるから、PはCDを直径とする円周上にある(411ページ参照)。

一般に2定点A、Bについて　PA：PB＝m：n（$m \neq n$）を満たす点Pの軌跡は1つの円となり、この円をアポロニウスの円という。

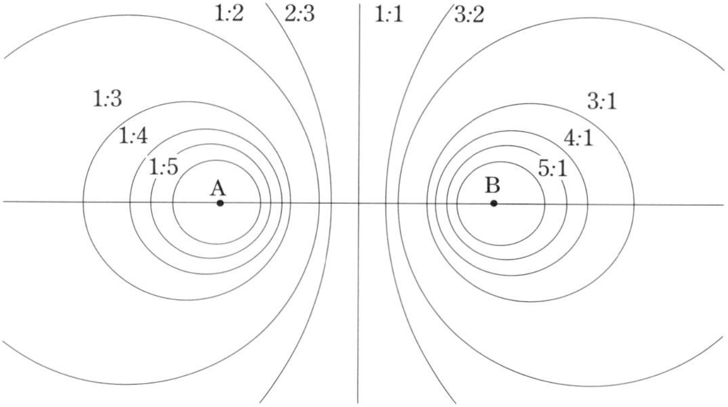

アポロニウスの円は、いろいろな場面で顔を出す。たとえば、図のような野球のグラウンドで、打球の早さが選手の走る速さの3倍のときの点Bにいる選手の守備範囲は点A、Bからの距離の比が3：1のアポロニウスの円の内部になる。

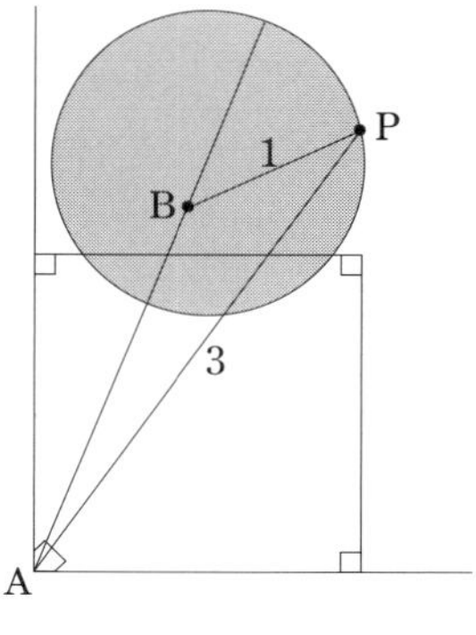

また、質量Mの地球と質量M'の月の引力がつりあう点Pでは、万有引力の法則により

$$\frac{M}{\mathrm{AP}^2}=\frac{M'}{\mathrm{BP}^2}\quad \text{すなわち}\quad \mathrm{AP}:\mathrm{BP}=\sqrt{M}:\sqrt{M'}$$

となる。M：M'≒81：1より月の引力圏は A、Bからの距離の比が 9：1のアポロニウスの円内になる。

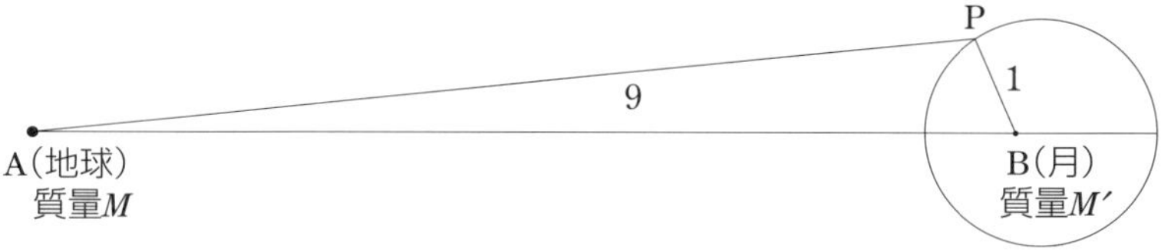

ちょっとひと息

アルキメデス(紀元前287頃〜212頃)はシチリア島の都市シラクサで生まれた、古代ギリシャ最大の数学者である。彼の業績でまず有名なのは、曲線図形の面積や回転体の体積を厳密な方法で求めたことで、特に円周率πの値について、現代の記法を借りると

$$3\frac{10}{71} < \pi < 3\frac{1}{7}$$

であることを証明し、今でも使われている近似値3.14を確定した。

力学・機械学にも長じていて、シラクサの王ヒエロンに「足場さえ与えてくれれば、地球だって動かしてみせる」と言ったとか、第2ポエニ戦役でシラクサに攻めてきたローマ軍をいろいろな武器で悩ませたのは有名な話であるし、また彼が発明した「(螺旋)揚水機」は、ある地方で2200年以上も後の今日使われている、という。「無類の天体観測者」ともよばれる一方で、「流体力学」を創造し、「静止した流体の表面は球であり、その中心は地球の中心に一致する」と述べた。また「流体の中の物体は、それが排除した流体の重さだけ軽くなる」という浮力の原理を発見した。

なお伝説によれば、アルキメデスはこの法則を入浴中に発見し、それでヒエロン王に出された「王冠の金の量を、王冠をこわさずに調べよ」という宿題が解けるために、喜びのあまり「わかった！　わかった！」と叫びながら裸のまま、家まで走って帰ったという。しかしウィトロウィウスによると、アルキメデスは「王冠を水に浸して排除した水の量からその体積を測り、比重を計算した結果、王冠は金だけでは作られていないと知った」のだそうである。それでは「浮力の原理」は使われていない！　彼が湯船で発見したのは、何だったのだろうか？

第3部

図形・空間の意味がわかる

第3章

空間図形

1 舞台は平面から空間に

2 空間の中の図形 ―― 実物で体感 ――

3 直線と直線

4 直線と平面

5 平面と平面

6 三垂線の定理

7 角柱、円柱

8 角錐、円錐

9 カバリエリの原理

10 多面体

11 正多面体

12 準正多面体

13 球

14 球面上の図形

15 球面幾何

16 体積比

人間の眼の網膜は、2次元の面なので、片目では1枚の写真と同じで、距離感がつかみにくい。片目でも「焦点を合わせる」機能や「立体的なものについての経験」を利用してある程度の距離感はつかめるが、基本的には「両眼に見える光景のずれ」に基づいて、脳の中に3次元的なイメージを作り出している。それを逆用すると、「平面的なものの立体視」や「錯覚による立体視」が実現できる。なお昔は「女子より男子のほうが立体認識が優れている」というデータがあり、その理由は「木登りなどで、同じものをいろいろな角度から見るのに慣れているから」だという説を聞いたことがある。しかし、木登りする環境が減ってしまった現代っ子はどうなのだろうか？　立体認識能力は低下したのか、それともテレビに出てくる「空飛ぶ魔女が見る風景」などを通して、逆に「高い能力を獲得している」のだろうか？

「もの作り」の世界では、空間図形の取り扱いは避けられない。建築でも、自動車の製造でも、空間的なものの設計図を紙（2次元！）の上に描くことから始める。しかもその図は、点と線からなるのだから、おもしろいものである。

空間独特のむずかしさは、「垂線を引く」ところにも現れる。これは平面ならばやさしいので、紙の上に描かれた直線Lと、その外の点Pがあるとして、その点Pから直線Lに、垂直に（つまり直角になるように）線を引くのは、いろいろな方法でできる――三角定規を使えば簡単で、図1のように点Pと直線Lに三角定規を当てればよい。また直線定規とコンパスだけでも、図2のようにすれば、正確な「垂線」を引くことができる。

図1

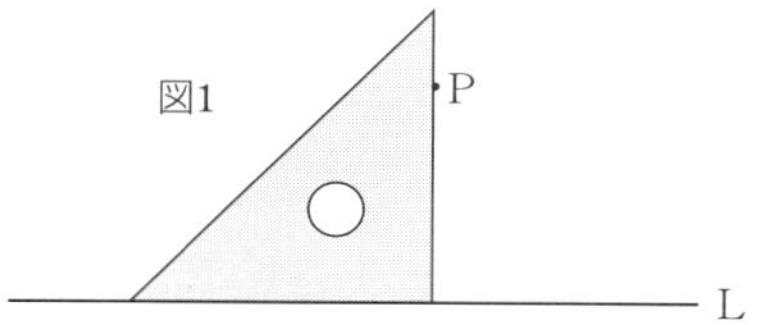

図2

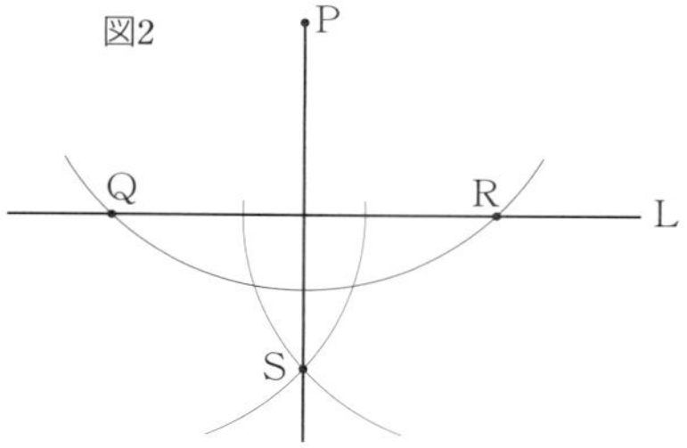

① 点Pを中心とする、直線Lと交わる円を描き、Lとの交点をQ、Rとする。

② Q、Rを中心とする、同じ半径の円を描き、その交点をSとする。

③ PとSを結ぶ直線は、Lと直角に交わる。

空間の点から直線に垂線を引くのも「その点と直線を含む平面」を考えれば(そしてその平面上で三角定規やコンパスが使えるなら)問題はない。しかし空間の点から、ある平面に垂線を引くことになると、話は違う。コンパスでは「空間内に円を描く」ことができないし、三角定規を「平面に、垂直に立てる」ことも正確にはできない。——そこで幾何学の定理が登場するのであるが、それをこの3章で扱う。

人間の直感の限界をちょっぴり超えて、3次元の空間を思い描くことは、4次元以上の空間を想像する、よい土台になる。「直線」や「(超)平面」は、3次元空間でも4次元以上の空間でも、よく似た性質を持っているからである。数学者でも「4次元空間が見える」という人はあまりいないので、空想力で補いながら、2次元・3次元で鍛えた直感を働かせているのである!

1 舞台は平面から空間に

0 次元空間	点
1 次元空間	直線
2 次元空間	平面
3 次元空間	空間

この章では、舞台が平面から空間に拡がる。

数学では、ややこしいことにここでいう舞台のことも空間というから、上の文は「この章では、空間が 2 次元から 3 次元に拡がる」といってもよい。

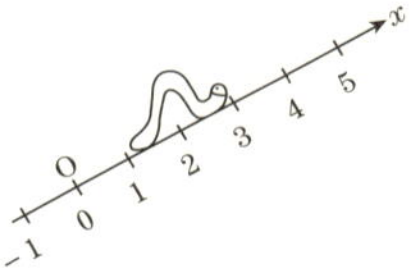

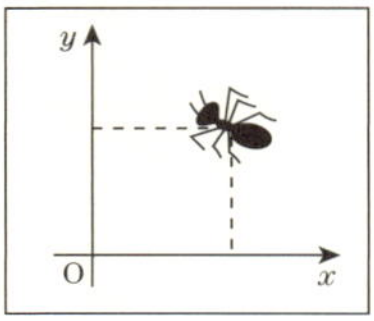

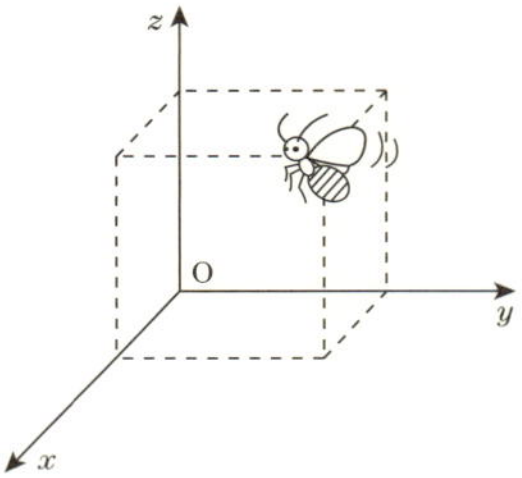

第4章「解析幾何学」で紹介する座標を使うと直線が舞台のときは、その上の点は 1 つの数に対応させることができ、平面が舞台のときは、$(x,\ y)$という 2 つの数字で表せる。そして空間の場合は$(x,\ y,\ z)$という 3 つの数の組で表せる。これが 1 次元、2 次元、3 次元という理由である。さらに点を 0 次元とよぶこともある。

それぞれバラバラではなく、埋め込まれていることを見るためにじゃがいもを包丁で切ってみた。平面は空間の断面、直線は平面の断面、点は直線の断面ということができる。

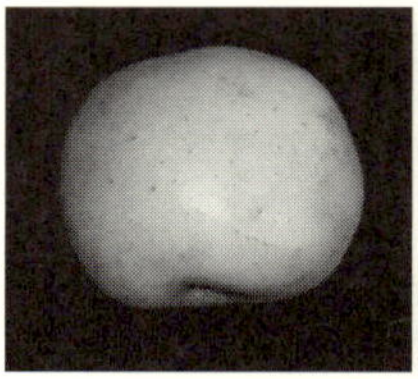
(1)

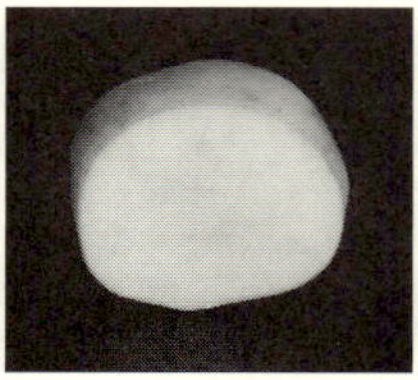
(2)

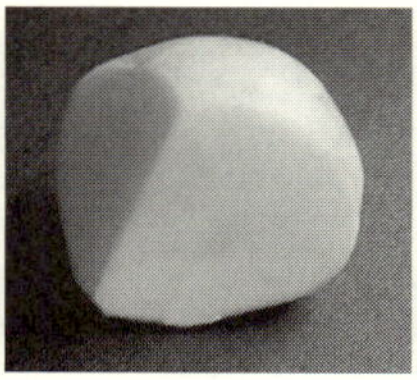
(3)

(4)

　また、写真(3)を見るとわかるように、空間内では 2 つの平面の共有点の集まりとして 1 つの直線が決定する。さらに写真(4)をみると、空間内の 3 つの平面の共有点として 1 つの点が決まる。

　台所で野菜をきざむとき、いちいちそんなことを意識しないが、意識以前のごく基本的な 3 次元空間の性質である。

●平面の決定

　舞台が空間に拡がると、平面はそこでの基本図形の 1 つになる。

　空間内に 3 点を決めると、それらを通る平面が 1 つ定まる。ただし、3 点は 1 直線上にないとする。

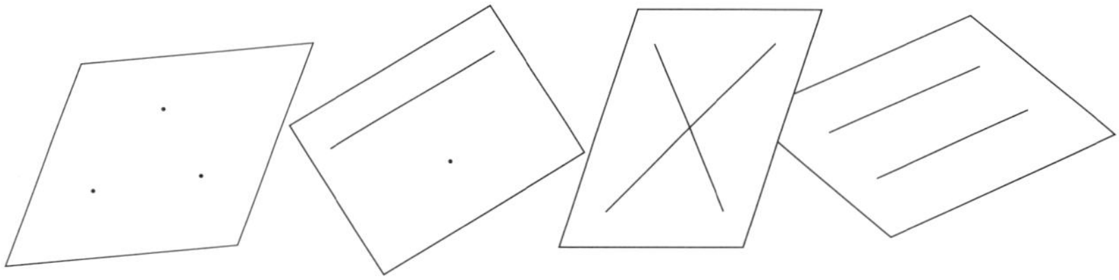

3 点　　1 直線と 1 点　　交わる 2 直線　　平行線

　同様に、1 直線とその上にない 1 点を通る平面、交わる 2 直線を通る平面、1 組の平行線を含む平面は 1 つ定まる。

　これらが空間内に平面を定めるときの条件になる。

　さらにあとで直線と平面の垂直について定義するが、1 直線に垂直で指定された点を通る平面も 1 つ定まる。

　空間内の直線と平面についてはあとでまとめて紹介し、扱いに慣れることにしよう。

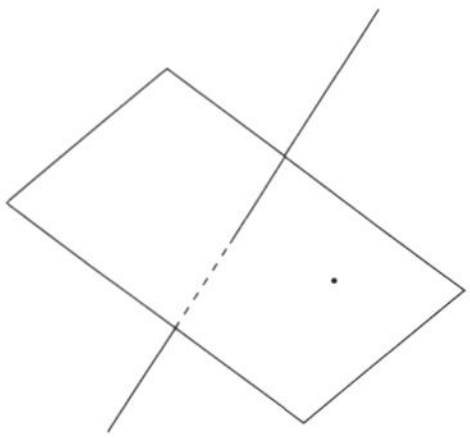

直線に垂直、点を通る

2 空間の中の図形 ― 実物で体感 ―

空間図形(立体図形)の代表的な例としては、立方体などの多面体がある。折り紙で作ってみよう。

●立方体

正六面体ともいう。ここで紹介するのは伝統折り紙として有名な「風船」。

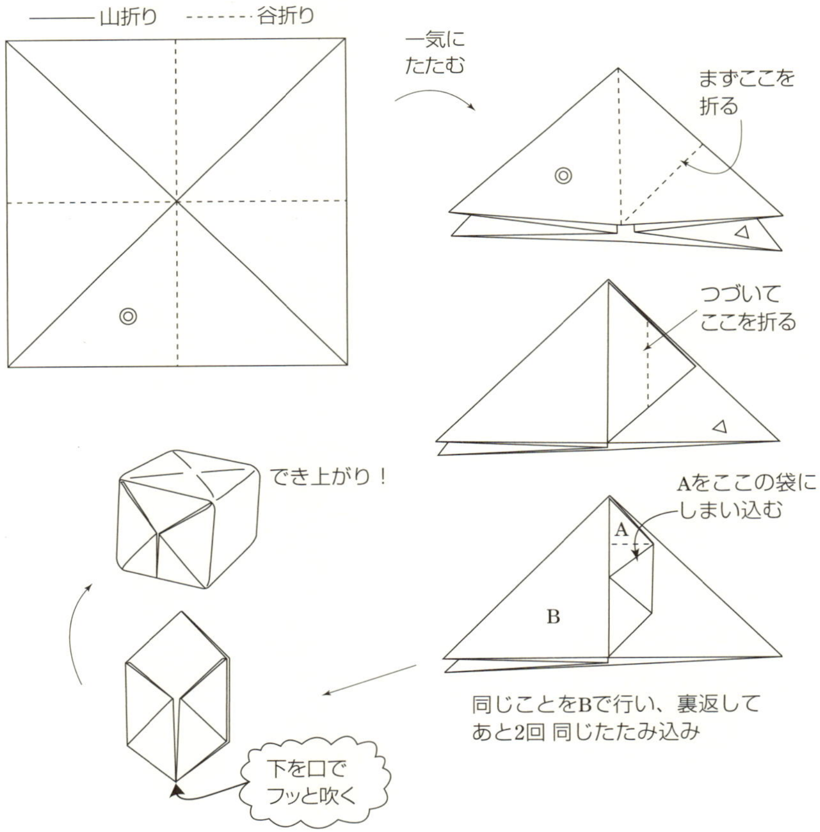

山折り
谷折り
一気にたたむ
まずここを折る
つづいてここを折る
Aをここの袋にしまい込む
A
B
同じことをBで行い、裏返して
あと2回 同じたたみ込み
下を口でフッと吹く
でき上がり！

●正八面体

今度は正六角形の折り紙を使う（正六角形折り紙は、自分で工夫して作ってください）。

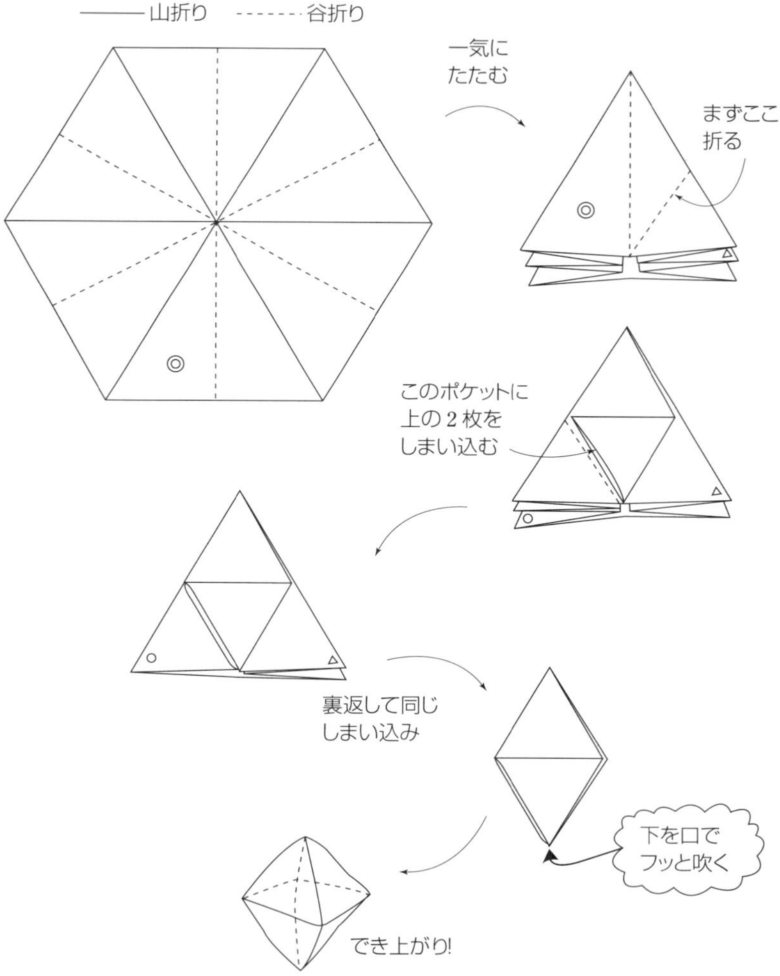
山折り
谷折り
一気に
たたむ
まずここを
折る
このポケットに
上の2枚を
しまい込む
裏返して同じ
しまい込み
下を口で
フッと吹く
でき上がり!

ぜひ一度挑戦して、立体の「実物」を手にしていただきたい。

3　直線と直線

空間の中の2直線の位置関係について考えてみよう。まず、2直線l、mが平行のときがある。このときは、直線lの方向を変えないように移動して（平行移動）直線mにぴったり重ねることができる。

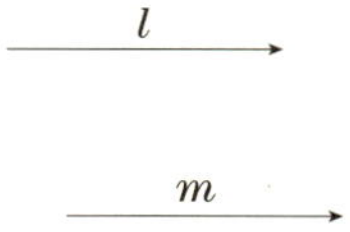

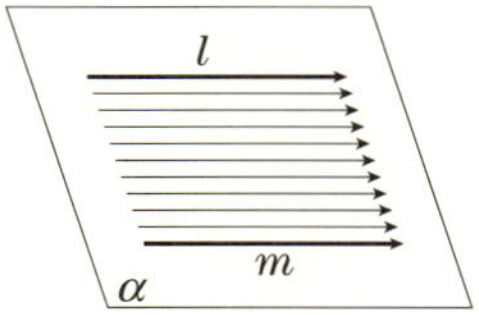

同じ方向の平行移動によりl、mを含む1つの平面αが決まる。

また、2直線l、mが1点Aで交わるときがある。このときは、直線l、m上にそれぞれ点Aと違う点B、Cをとると、3点A、B、Cによって1つの平面αが決まる。このαは、当然l、mを含んでいる。

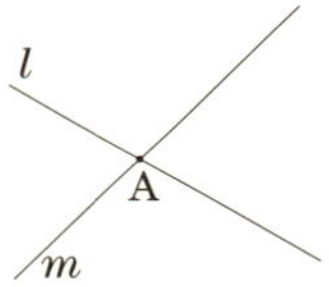

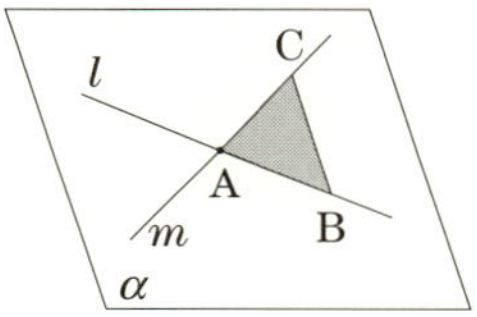

2直線l、mが平行でもないし、交わってもいないとき、この2直線はねじれの位置にあるという。

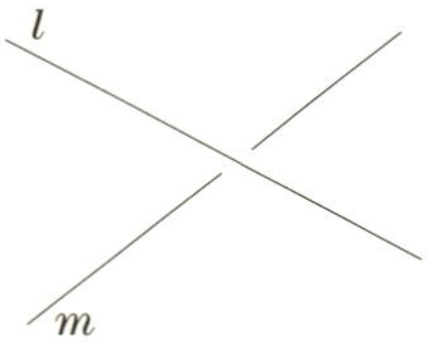

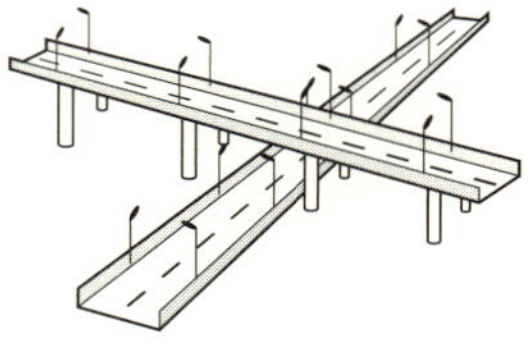

空間にランダムに2つの直線を引けば、圧倒的にねじれの位置になると思われる。

ねじれの位置は、立体交差の道路をイメージするとよい。

次に、2直線のなす角について考える。

まず、2直線l、mが交わる場合は、平面に

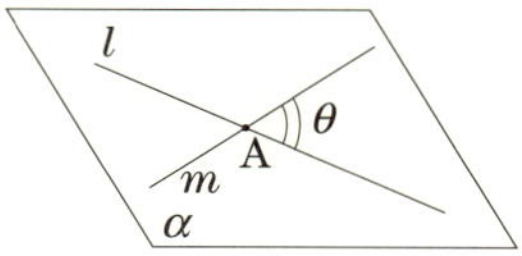

おける2直線のなす角θと同様に考えればよい。

2直線l、mがねじれの位置にある場合は、一方を他方の直線に交わるまで平行移動して、その2直線のなす角θを測ればよい。

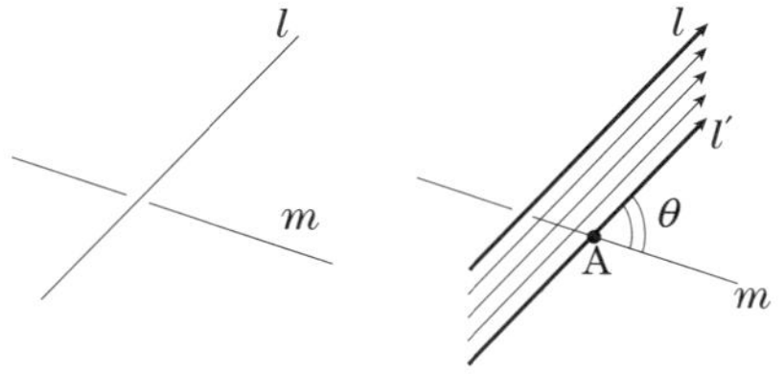

平行な2直線l、mは、平行移動してぴったり重ねることができるので、なす角は0°とみなす。すなわち

$$l \mathbin{/\mkern-5mu/} m \Leftrightarrow \theta = 0^\circ$$

また、2直線l、mのなす角が90°のとき、2直線l、mは垂直であるという。すなわち

$$l \perp m \Leftrightarrow \theta = 90^\circ$$

右図のような直方体ABCD-EFGHでは、ねじれの位置にある2つの辺は、すべて垂直になっている。たとえば

AB // EF、EF ⊥ FGよりAB ⊥ FG

となる。

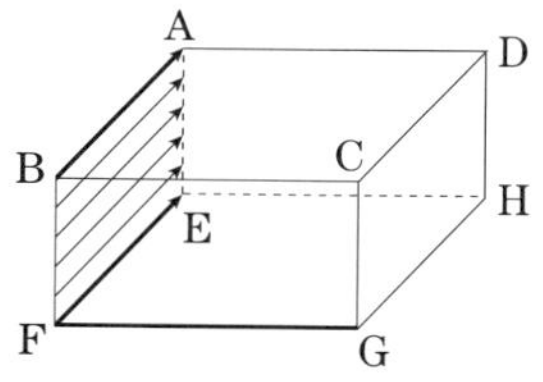

ねじれの位置にある2直線l、mの最短距離dについて考えよう。まず、直線lをmに交わるまで平行移動した直線l'とする。この2直線l'とmで1つの平面αが決まる。こうすると$l \mathbin{/\mkern-5mu/} \alpha$となる。次に、直線$l$上の点Bから平面$\alpha$に垂線BHを立てる。このBHが最短距離になる。

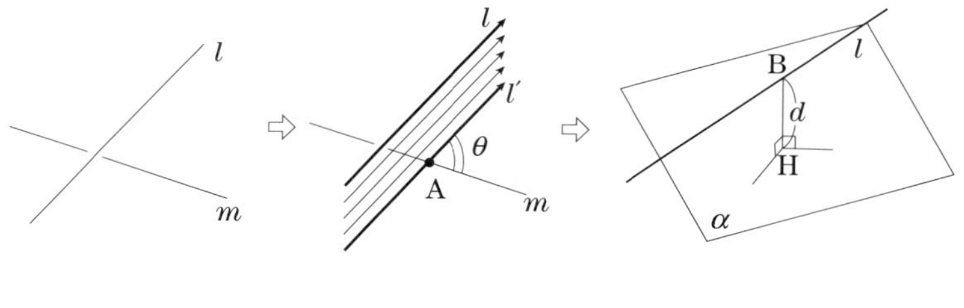

4 直線と平面

空間の中の直線と平面の位置関係は、大きく分ければ3通りある。

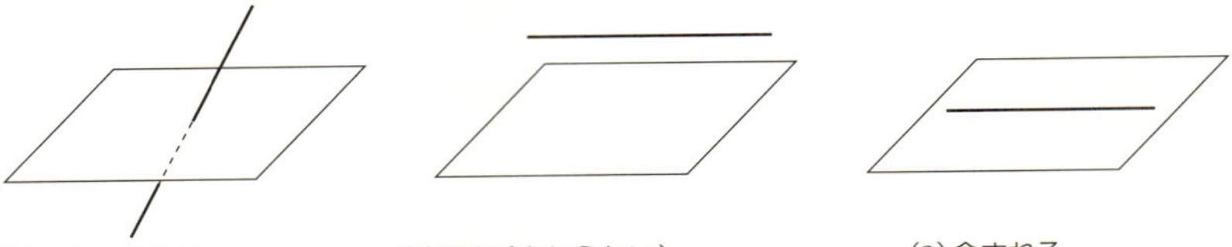

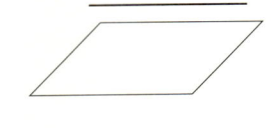

(1) 1点で交わる　(2) 平行(交わらない)　(3) 含まれる

たとえば、右図の直方体で底面EFGHを平面αとよび、3つのケースの例をあげてみると、

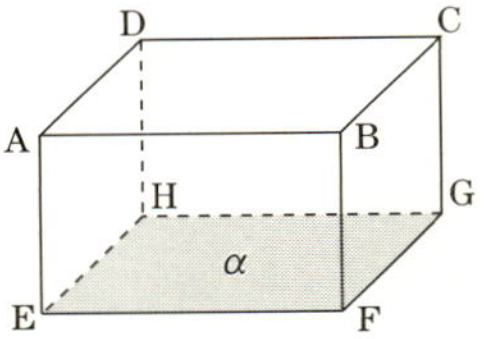

(1)の例　直線AEと平面α

(2)の例　直線ABと平面α

(3)の例　直線EFと平面α

などとなる。

● **直線と平面の垂直**

直線を平面にまっすぐ交わらせる方法を考えよう。

厚紙を図のように半分に折って、びょうぶのように机の上に立てれば直線PQは机の平面αに対してまっすぐ立つにちがいない。

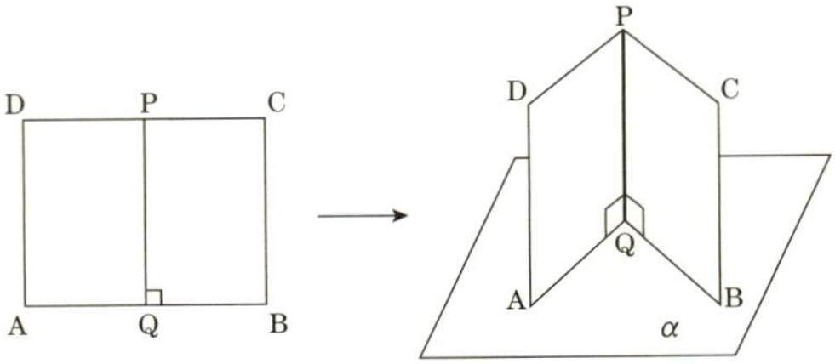

ここで「まっすぐ交わる」とか「まっすぐ立つ」という表現は「垂直に交わる」とか「垂直に立つ」といいたいところをガマンしている。というのは、直線と平面が垂直であるとは何かの定義をまだしていないか

らである。実はこのあたりの事情は次のような関係になっていて、一気に話は解決する。

(1) 前ページ図の直線PQは、平面α内の直線QA, QBと垂直であるが、そればかりでなく、PQはα内のすべての直線と垂直であることが証明できる。

(2) 一般に、直線lが、平面α内のすべての直線と垂直であるとき直線lと平面αは垂直であるという。(これが定義)

(3) (1)、(2)を合わせると、直線lが、平面α内の平行でない2つの直線と垂直であれば、lとαは垂直であるといってよい。

(1)の証明の方針

α内の任意の直線をgとする(PQとねじれの位置の場合は平行移動してQを通る位置に移す)。gとABの交点をRとし、PQの延長上にPQ＝QP′となる点P′をとる。

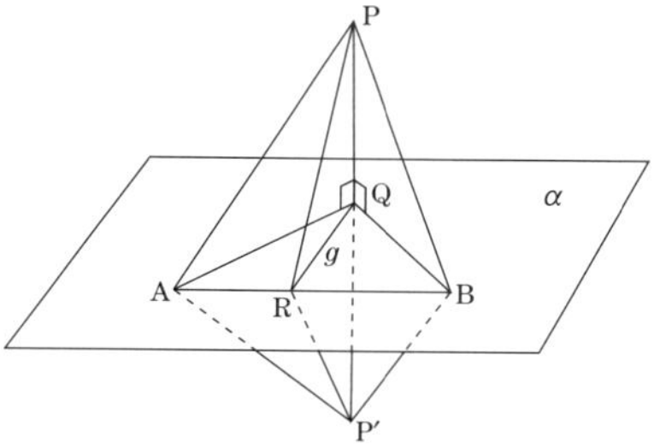

PR＝P′Rが証明できれば△PRQ≡△P′RQ(三辺合同)となり∠PQR＝90°がいえ証明は終わる。そこまで三角形の合同を次々と積み重ねていけばよいのだが、たとえば次のような順にいく。△APQ≡△AP′Q、△BPQ≡△BP′Q→△PAB≡△P′AB(結果として∠PAR＝∠P′ARが示せるので)→△PAR≡△P′AR。

以上、ややこしいことを述べたのは他でもない、前ページのようにPQ⊥QA、PQ⊥QBと2つの直線との垂直だけで完ぺきということを強調したかったからであり、だからこそ家を建てる大工さんも安心して垂直な柱を次々に立てることができる。

5 平面と平面

●平面と平面の位置関係

空間内の2つの平面α、βの位置関係は、次の2通りのいずれかである。

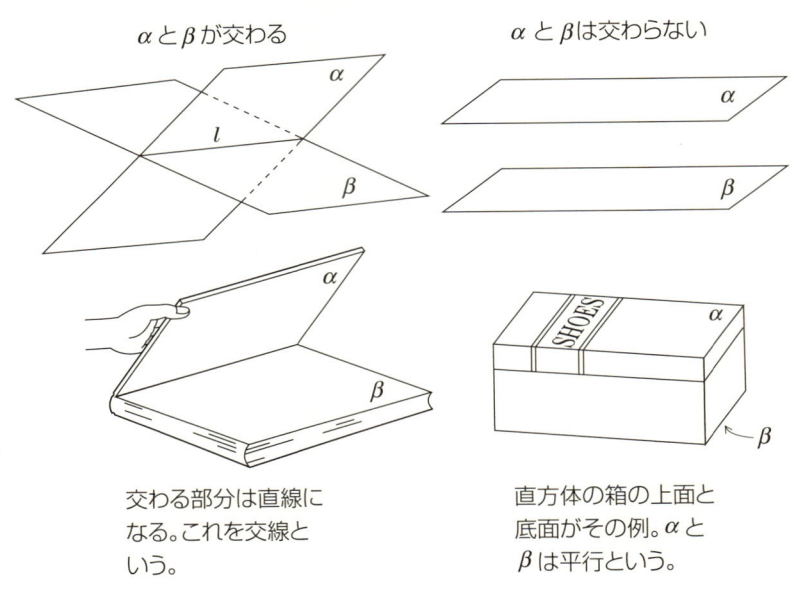

αとβが交わる

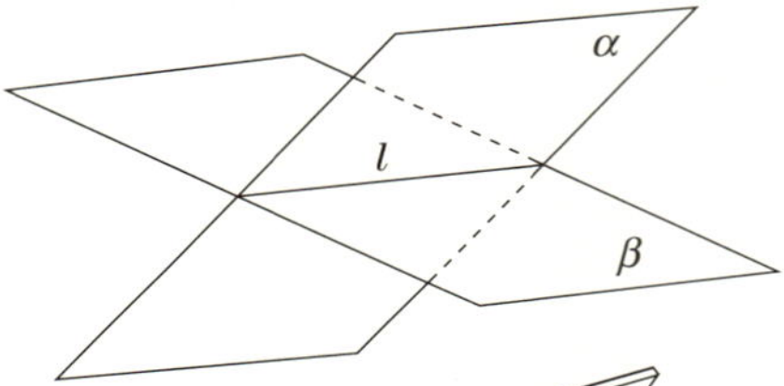

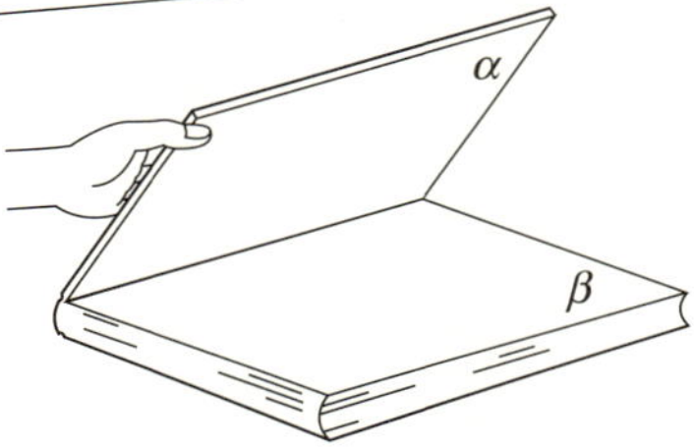

交わる部分は直線になる。これを交線という。

αとβは交わらない

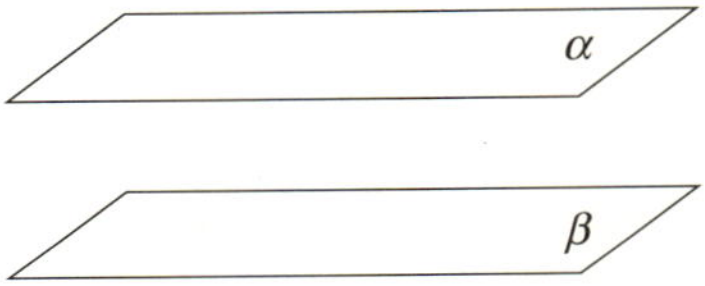

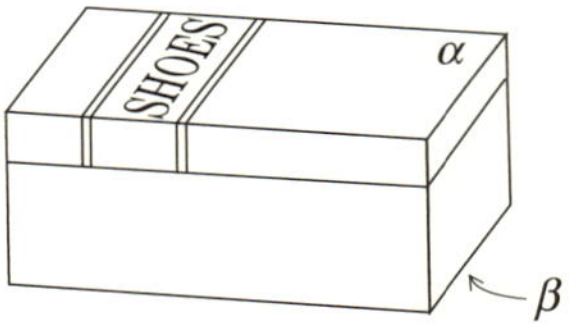

直方体の箱の上面と底面がその例。αとβは平行という。

●平面と平面の角

ゲレンデαと水平面βでいうと、直滑降のシュプールを使う。つまり、交線lに垂直なα上のAP、β上のBPを用いて、$\angle$APBを、2つの平面α、βのなす角とする。

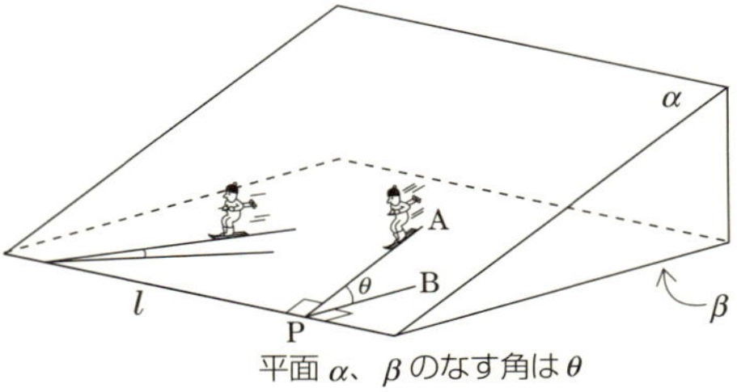

平面α、βのなす角はθ

斜滑降のシュプールだと角が定まらず、うまくいかない。

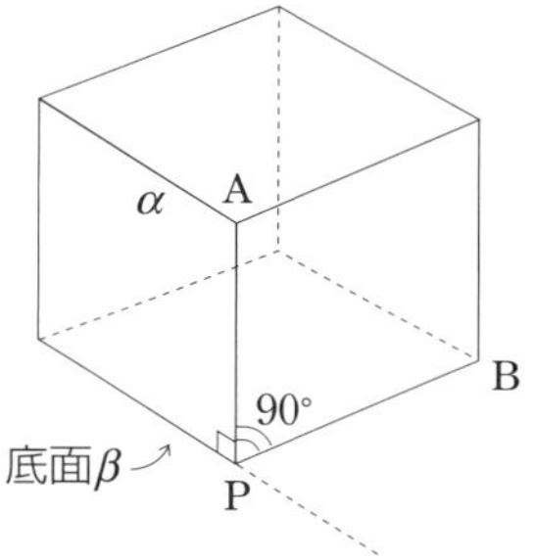

たとえば、同じ大きさの正方形を6枚使うと立方体ができるが、1つの側面αと底面βのなす角はもちろん90°、つまり直角になる。前ページのゲレンデの図でとったA、P、Bを、左図の位置にとったと思えばよい。

次に、やはり同じ大きさの正三角形を4枚使うと、正四面体といわれる立体ができる。この立体で図の平面αと底面βのなす角は右上図を見て60°と早合点してはいけない。Pの位置がこれでは反則。

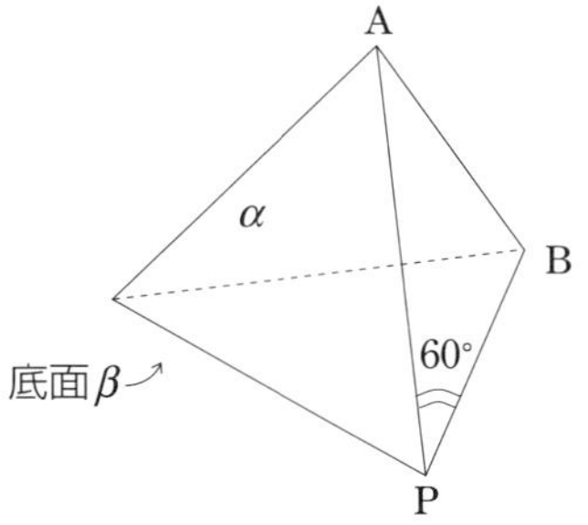

正しくは、Pを右下図の位置にとってθを求めなければいけない。

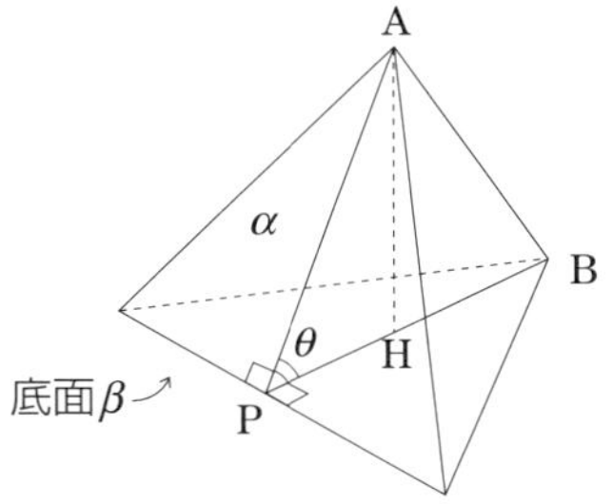

(注)ちなみに、正四面体の対称性により、点Aから底面におろした垂線の足Hは底面の三角形の重心となるので、$\cos\theta = \dfrac{1}{3}$が成り立つ。これを満たす角$\theta$を関数電卓などを用いて求めると、$\theta = 70.52\cdots$度となる。つまり、平面の$\alpha$と$\beta$のなす角は約70.5°である。

6 三垂線の定理

三垂線の定理は、空間の幾何学の中で最も基本的な定理の1つである。垂直にかかわる種々の性質がこの定理から導かれてくる。

三垂線の定理は、「点Pから直線に垂線をひく」ことはできるとして、平面上にない1点Pから平面に垂線をたてる方法を示すものととらえると考えやすい。

① 平面α上にない1点Pをとる。

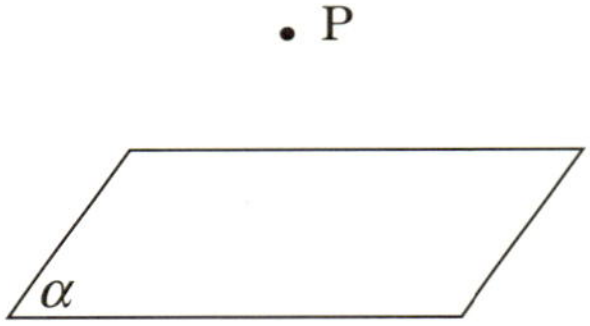

② 平面αに直線lを引き、lに点Pから垂線をおろし、その足をAとする。

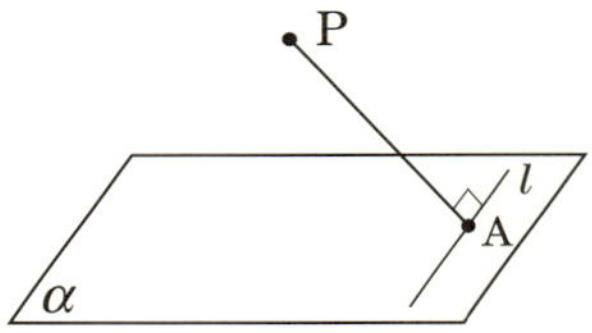

③ 平面α上に、点Aを通り、lに垂直な直線mを引く。

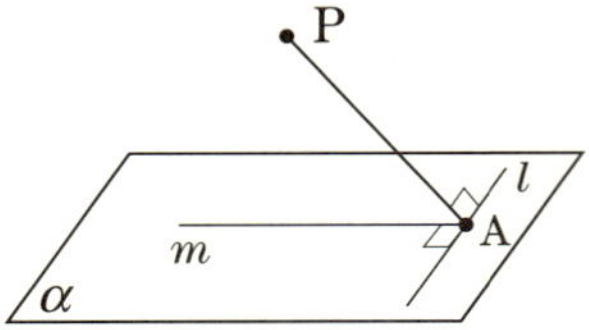

④ 平面α上のmに点Pから垂線をおろし、その足をBとする。

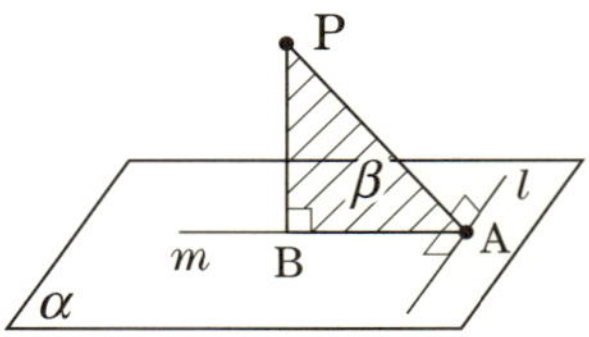

こうするとPBと平面αが垂直になる、というのが三垂線の定理。

すなわち

「$PA \perp l$、$l \perp m$、$m \perp PB$ならば$PB \perp \alpha$」

なぜならば、△PABを含む平面をβとすると$l \perp PA$、$l \perp m$より$l \perp \beta$。これより$PB \perp l$。また$PB \perp m$より$PB \perp \alpha$となる。

三垂線の定理を変形した次の系も成り立つ。

「$\mathrm{PB} \perp \alpha$、$l \perp \mathrm{BA}$ならば$\mathrm{PA} \perp l$」

「$\mathrm{PB} \perp \alpha$、$\mathrm{PA} \perp l$ならば$l \perp \mathrm{BA}$」

点Pから平面αにおろした垂線の足P′を、点Pの平面α上への正射影という。同様に図形Fの各点の正射影が作る平面α上の図形F′を、図形Fのαへの正射影という。

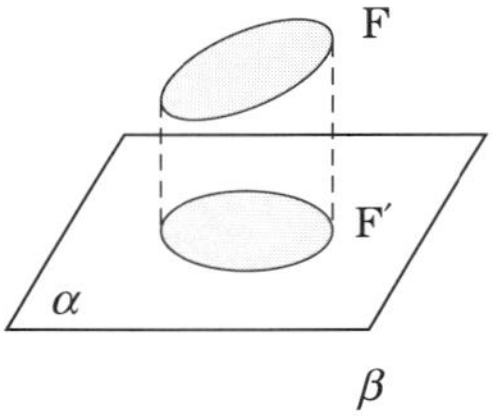

三垂線の定理を用いて、「直線の平面への正射影は直線になる」ことを示そう。

Pのα上への正射影をP′とすると

$\mathrm{PP'} \perp \alpha$

2直線lとPP′で決まる平面をβとし、βとαの交線をl'とする。また、mをP′を通り$l' \perp m$となる直線とすると

$m \perp \beta$

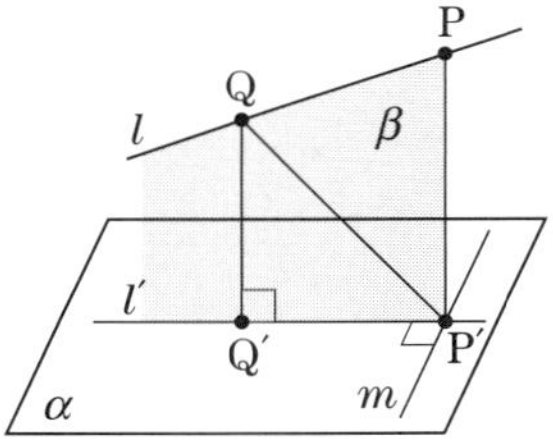

l上の任意の点Qをとり、Qからl'へおろした垂線の足をQ′とする。

$\mathrm{QQ'} \perp l'$、$\mathrm{QP'} \perp m$、$l' \perp m$であるので三垂線の定理より、$\mathrm{QQ'} \perp \alpha$となる。すなわちQ′はQの$\alpha$上への正射影になる。よって$l'$は$l$の正射影。

また「正四面体A-BCDにおいて$\mathrm{AC} \perp \mathrm{BD}$」を示そう。

△BCDを含む平面をαとし、点Aからαへの垂線の足をHとすると

$\mathrm{AH} \perp \alpha$

また、Hは△BCDの垂心でもあるのでCを通り$\mathrm{BD} \parallel l$となるようにlを引くと

$\mathrm{CH} \perp l$

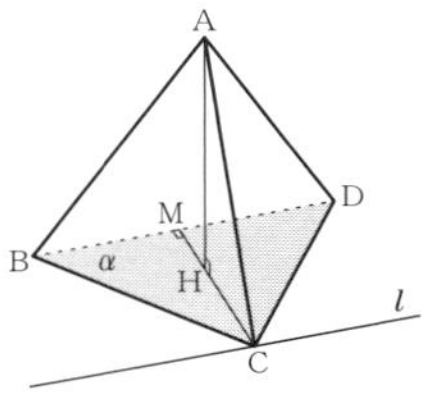

上の三垂線の定理の系より$\mathrm{AC} \perp l$。よって

$\mathrm{AC} \perp \mathrm{BD}$

7 角柱、円柱

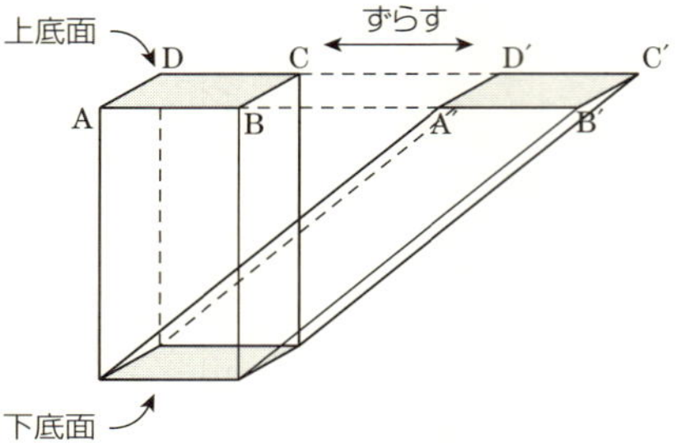

直方体の上底面ABCDを、その面を含む平面内で辺AB方向にずらして傾いた柱を作る。

すると、この2つの立体の体積は等しくなる。

なぜだろうか？

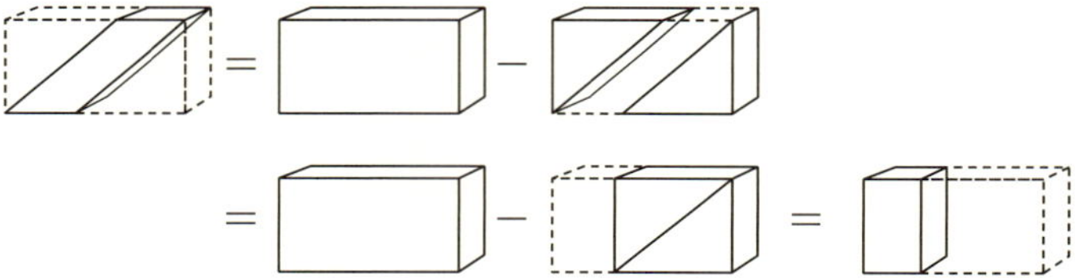

たとえば、上のような考え方をしてもよいし、下のような“ところてん”式に押し出すイメージを用いて、「押し出された体積」＝「できるすきまの体積」と考えるのもおもしろい。

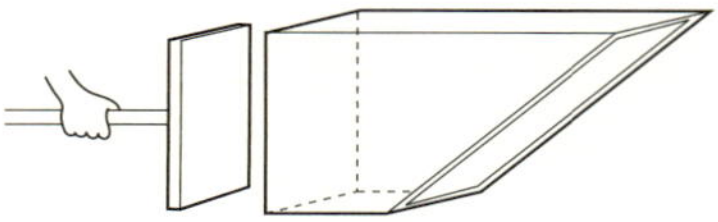

寒天状の物質をいっぱいに詰めておく

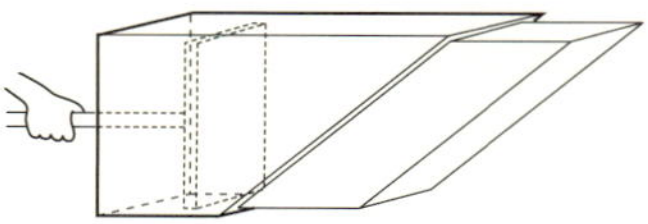

押し出す

柱は、もとが直方体である場合に限らず、三角柱でも五角柱でもよい(460ページ参照)。

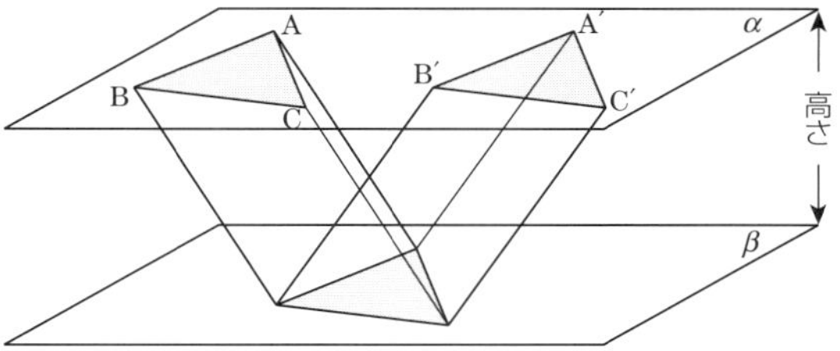

こうして、角柱の体積は、平面内での上底面のずれに影響されず、上底面を含む平面α、βの距離（これを角柱の高さという）を用いて

体積＝底面積×高さ

で求められる。

たとえば底面積がS（cm^2）のとき、高さが、1、2、3、…（cm）と増えるにしたがって、体積は$S\times1$、$S\times2$、$S\times3$、…（cm^3）と増えていく。

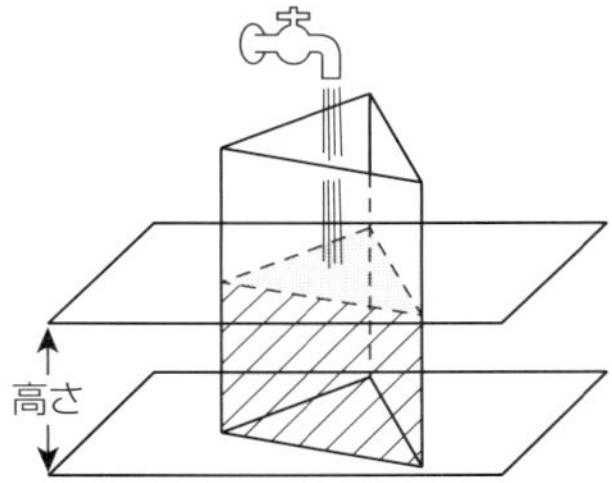

円柱の体積も同じで、たとえば底面の円の半径がrのとき面積はπr^2だから、高さがhならば、体積は$\pi r^2\times h$として求められる。右図のように上底面をずらして傾いた円柱の体積も同じである。

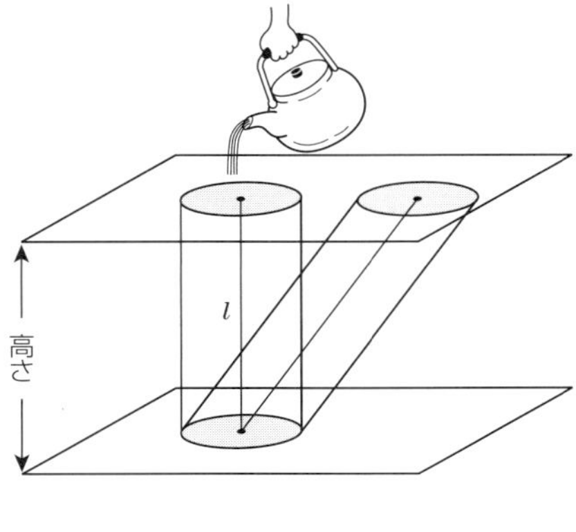

なお、上底と下底の円の中心を結んだ直線lが2つ平面に垂直なとき、直円柱という。ふつう「円柱」というと、「直円柱」を指すことが多い。

8 角錐、円錐

角錐、円錐、すなわち錐体の体積Vは、底面積S、高さhとして

$$V=\frac{1}{3}Sh$$

で求められる。積分を用いずにこの公式を導くことに挑戦してみよう。

1辺が1の立方体を図のように切ってバラすと、底面が1×1の立方体で高さが$\frac{1}{2}$の錐体が6個できる。

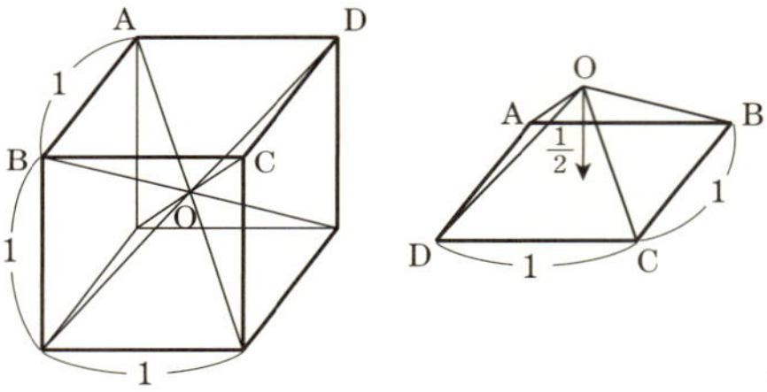

一方、立方体の体積は1だからこのひとつの錐体Aの体積は$\frac{1}{6}$になることがわかる。

さて、あらゆる物質は微小な原子が多数集まってできているように、あらゆる立体は微小な立方体（）が多数集まってできているとみなそう（みなして下さい！）。

右図のように錐体Aを上下方向に一様に$2h$倍に伸ばしたとすると、Aを構成している全ての微小立方体も$2h$倍になる。それに伴って錐体Bの体積も$2h$倍になるので体積は

$$\frac{1}{6}\times 2h=\frac{1}{3}h$$

となる。

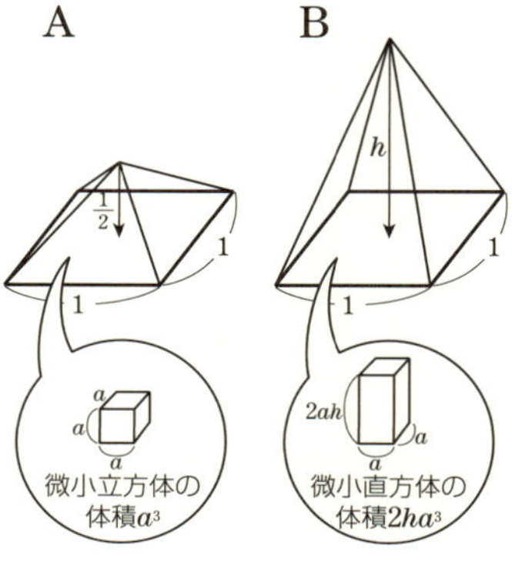

次に、前後方向と左右方向にそれぞれ一様にr倍すると、錐体Bを構成しているすべての微小立方体はr^2倍になり、それに伴って錐体Cの体積もr^2倍になる。そこでCの体積をVとすると

$$V=\frac{1}{3}r^2h$$

となり、底面の正方形の面積r^2をSとすると

$$V=\frac{1}{3}Sh$$

となる。

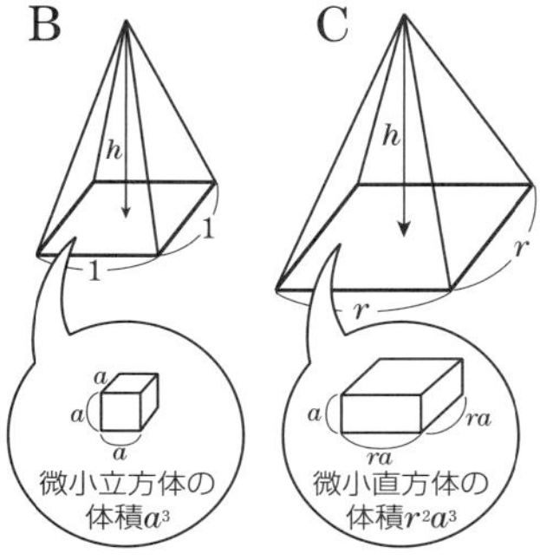

錐体Cを横方向にずらした錐体Dの体積を考えよう。

このときは、Cを構成しているすべての微小立方体は、底面積と高さの同じ平行六面体になるので体積は等しくなる。よって錐体Dの体積はCの体積と等しい。

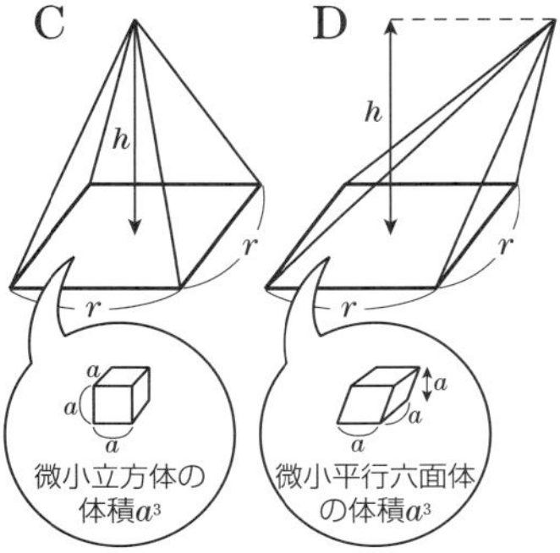

すなわち、ずらしによって体積は変わらないのである。

さて、いよいよ、底面積S、高さhの一般的な錐体Eの体積Vを求めてみよう。底面の図形は、微小な正方形(□)が多数集まっているとみなすことができると合意しよう(合意してください!)。

これらの正方形の面積をs_1、s_2、s_3…とすると$S=s_1+s_2+s_3+\cdots$となる。

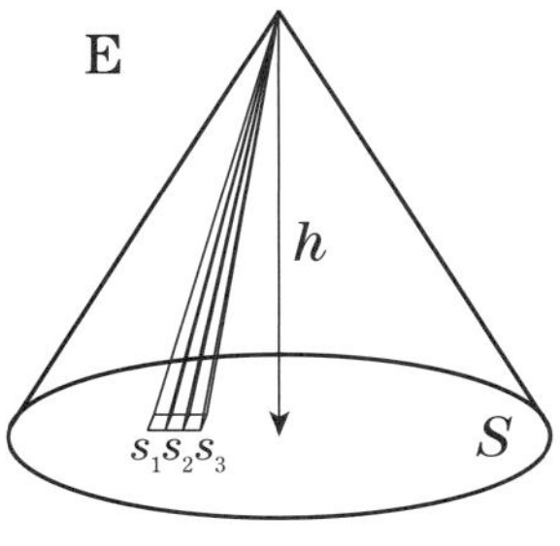

この1つの正方形と錐体Eの頂点とでできる錐体の体積は$\frac{1}{3}s_ih$となるので

$$\begin{aligned}V&=\frac{1}{3}s_1h+\frac{1}{3}s_2h+\frac{1}{3}s_3h+\cdots\\&=\frac{1}{3}(s_1+s_2+s_3+\cdots)h\\&=\frac{1}{3}Sh\end{aligned}$$

9 カバリエリの原理

高く積んだ年賀状の山。ちょっとずらして作った立体像。

先生「このオブジェの体積は、左側の直方体の体積と同じだ」

私「そういえばそんな気がします」

先生「1枚1枚のはがきの面積は変わらない」

私「その1枚1枚がちょっとずれただけですからね」

先生「そう。ガリレイの弟子でイタリアの数学者カバリエリ（1598～1647）が著書で紹介した原理はこれをもうちょっと一般化したものだ」

＜カバリエリの原理＞

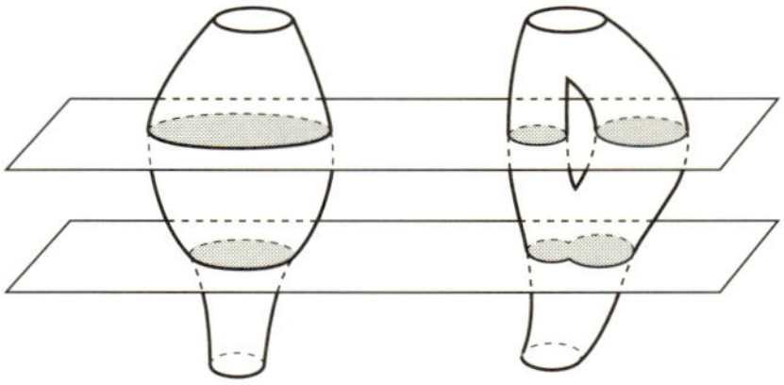

2つの立体を平行な平面で切った切り口を比べる。互いの面積がいつも等しいならば、この2つの立体の体積は等しい（456ページ参照）。

先生「はがきオブジェのときは、床と平行な平面で切った切り口は同じはがきだから形は長方形同士。切り口の面積さえ等しければ形は違ってもよかろう。そう思わないかね」

私「そういえばそんな気がします。それが集まって体積になるのでしょうから」

先生「カバリエリが亡くなった年の5年前にニュートンが生まれ、同じく前年にライプニッツが生まれた。後に2人が築いた微分積分学では、体積を求めるのに切り口の面積を積分するという方法をとる。だから今ではカバリエリの原理はいわば体積の定義から明らか」

私「保証つきになったのですね」

先生「微分積分を知らなくてもこの原理は経験的または直観的に認められるところがすぐれている。一度認めるとなかなか活躍する」

私「たとえば」

先生「きわめつきは、アルキメデスがこの原理を用いて導いた球の体積」

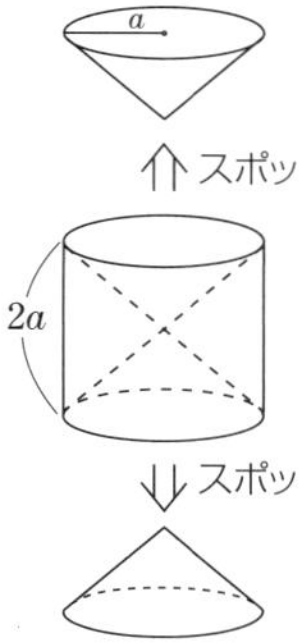

まず、半径aの円を底面とする高さ$2a$の円柱を考える。この円柱の上下から、半径aを底面とする高さaの円錐をスポッ、スポッと抜きとる。するとこの穴アキ円柱の体積は次のようになる。

$$\pi a^2\times 2a-2\times\pi a^2\times a\times\frac{1}{3}=\frac{4}{3}\pi a^3$$

（円柱）　　　（2×円錐）

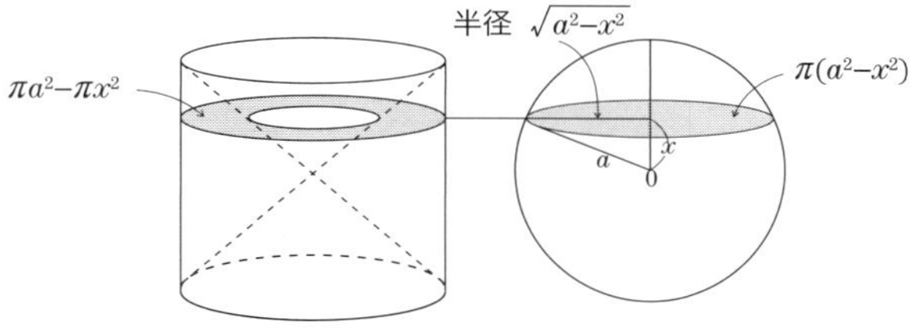

そしていよいよ球と並べて水平な平面で切った切り口の面積を比べる。球の中心Oからの距離xのところで切るとそれぞれの面積は$\pi a^2-\pi x^2$と$\pi\ (a^2-x^2)$となり、等しい!!　だから球の体積は前に求めておいた穴アキ円柱の体積$\frac{4}{3}\pi a^3$と等しくなる。

10 多面体

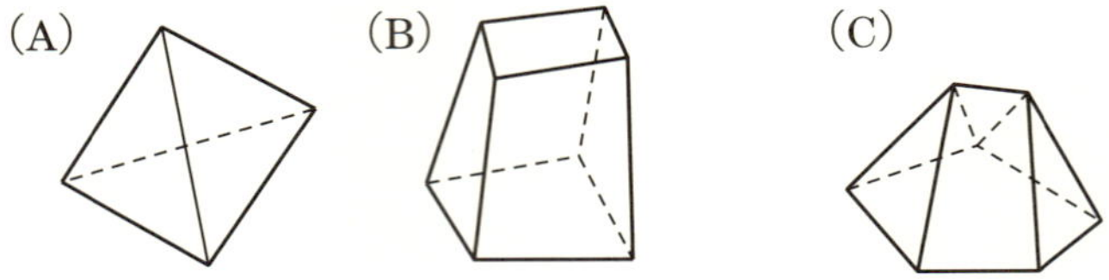

多角形で囲まれた立体を多面体という。

(A)は4つの三角形、(B)は6つの四角形、(C)は五角形1つ、四角形1つ、三角形5つでできている。

オイラー（1707 ～ 1783）は、多面体の頂点(*vertex*)、辺(*edge*)、面(*face*)の個数をそれぞれv、e、fとしたとき、必ず

$$v-e+f=2$$

が成り立つことを発見した(それより100年ほど前にデカルトがすでに気づいていたともいわれる)。

上の例で、v、e、fを数えてみると右図のようになり、たしかに、オイラーの公式とよばれるこの式を満たしている。

	頂点 v	辺 e	面 f
A	4	6	4
B	8	12	6
C	7	12	7

この式がなぜ成り立つかを説明するのに、各多面体を底面にごく近いところから透視して写生した次のような図を利用しよう。数字は面の番号だが、底面だけは外側に対応させ

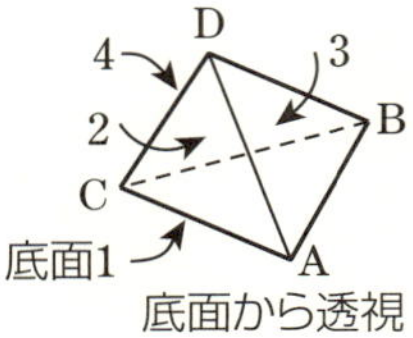

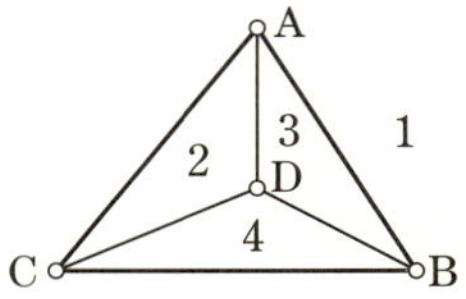

ておく。(B)、(C)も底面の近くから透視してみよう。

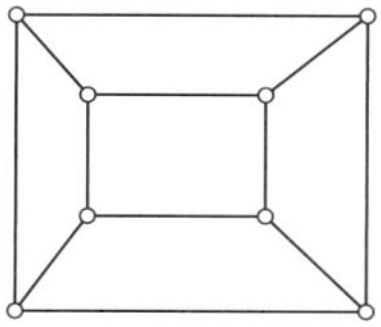

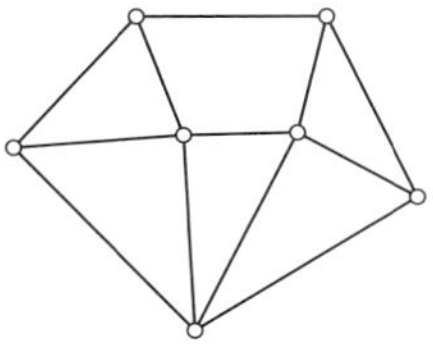

すると、平面上にある1つの多角形を固定し、その内部に点をとり、頂点を線で結ぶと、面がいくつになっていくか、という問題に還元される。

(ア) n角形があったとする。

$v=n$、$e=n$、$f=2$(内と外)

だから

$v-e+f=2$

(ア)

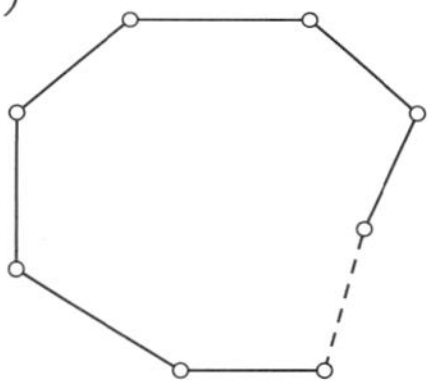

(イ)内部に新しい点をとって辺を作っていくときは、vとeは同数だけふえて、fは1つもふえていないので、$v-e$部分の増分は0、fの増分も0で

$v-e+f=2$が成り立ったまま。

(イ)

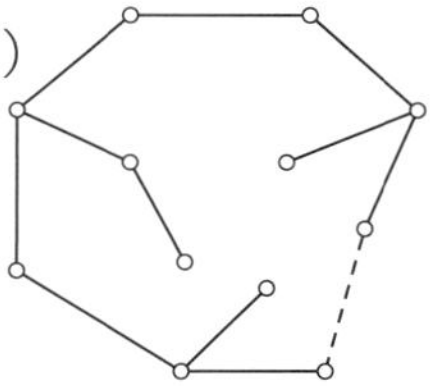

(ウ)既存の点を結んで辺を作っていくときは、vは変わらず、eが1つずつふえるので、$v-e$は1つずつ減るのだが、そのたびに面fが1つずつふえる。だから差し引きすると

$v-e+f=2$

が成り立ったまま進行!!

(ウ)

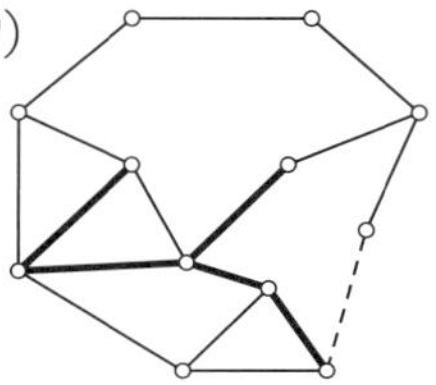

11 正多面体

次の条件を満たす多面体を正多面体という。

(1) 面はすべて合同な正多角形

(2) 頂点に集まる辺の数が等しい

古代ギリシャの哲学者プラトンは、正多面体が下の5種類あることを知っていた。だから、正多面体のことをプラトンの立体ともいう。

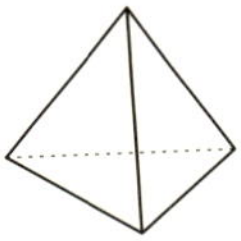

(正四面体)

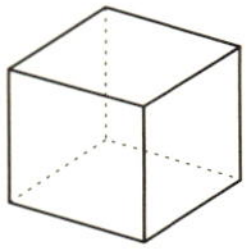

(正六面体)

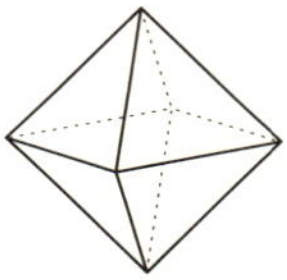

(正八面体)

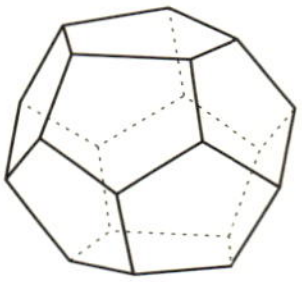

(正十二面体)

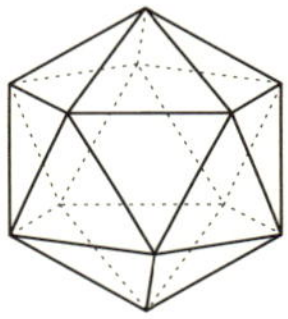

(正二十面体)

正多面体は、上の5種類しかないのだろうか。それを考えるには

- 多面体の頂点に会する多角形の内角の和は360°未満
- 多面体の頂点に集まる辺の数は3本以上

という事実を用いる。

(ァ) 頂点に 3 つの正三角形が会する場合

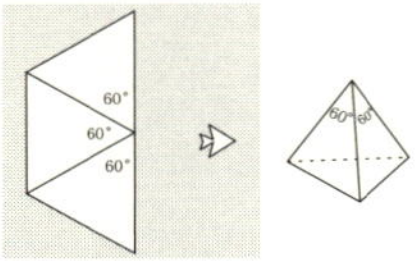

これは正四面体になる。

(ィ) 頂点に 4 つの正三角形が会する場合

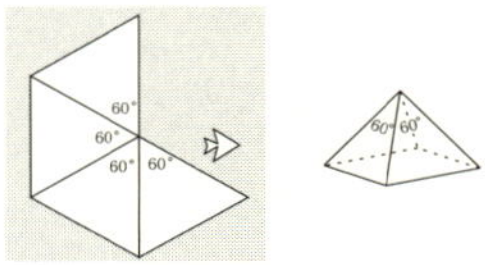

これは正八面体になる。

（ウ）頂点に 5 つの正三角形が会する場合

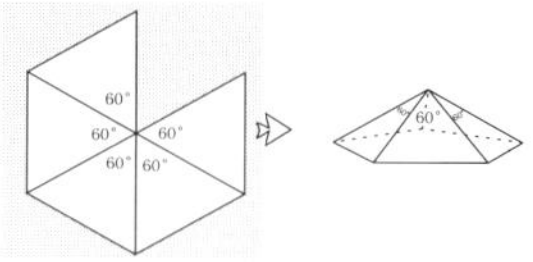

これは正二十面体になる

（エ）頂点に 3 つの正方形が会する場合

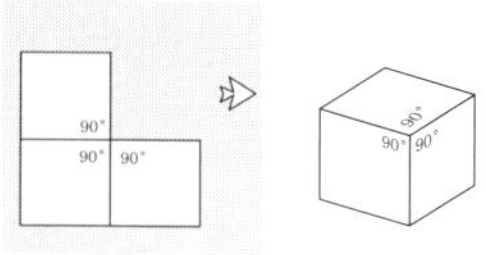

これは正六面体になる。

（オ）頂点に 3 つの正五角形が会する場合

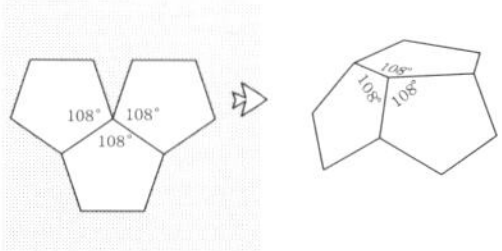

これは正十二面体になる

頂点に 6 つ以上の正三角形が会する場合、4 つ以上の正方形が会する場合、4 つ以上の正五角形が会する場合、3 つ以上の正六角形が会する場合は正多面体を作ることはできない。

以上により正多面体は、5種類しかないことがわかる。

それぞれの正多面体の各面の中心を結んでできる立体も図のようにまた正多面体になる。

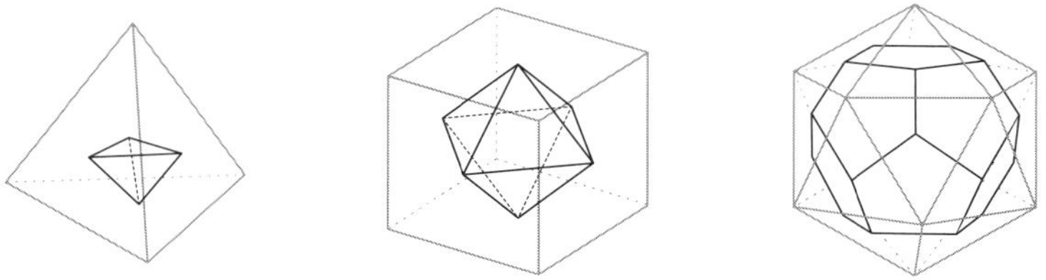

（正四面体⟷正四面体）（正六面体⟷正八面体）（正十二面体⟷正二十面体）

これより正六面体と正八面体、正十二面体と正二十面体は双対な正多面体という。また、正四面体は、自己双対な正多面体という。

多面体	v	e	f
正四面体	4	6	4
正六面体	8	12	6
正八面体	6	12	8
正十二面体	20	30	12
正二十面体	12	30	20

頂点、辺、面の数をそれぞれv、e、fとすると、表のようになる。

vとfを入れ換えた立体が双対な多面体になっている。

12 準正多面体

正二十面体の頂点をだんだんけずっていくと、おなじみサッカーボールになる。

正多面体は、各面がすべて同じ正多角形だが、これは正五角形と正六角形でできている。このサッカーボールのように

① 複数の種類の正多角形でできている

② 各頂点での多角錐はすべて合同

という条件を満たす凸多面体を準正多面体という。サッカーボールの場合、各頂点は、正五角形が1つと正六角形の2つが集まった錐を形づくっている。これを(5, 6, 6)と表すことにして、準正多面体の一覧を次ページに紹介した。全部で13個ある(証明は前項と同じように場合分けしていく)。どれも一辺の長さが同じ正多角形を貼り付けてできるのだから、折を見て工作に挑戦してみていただきたい。

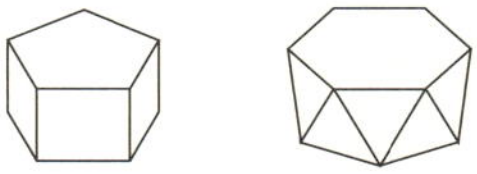

この13個を発見したのはアルキ

メデスであり、準正多面体のことをアルキメデスの多面体ともいう。

なお上の①②を満たすものには前ページ下のように上底下底が同じ正多角形になる容器状のものもあるがこれらは準正多面体には含めない。

1. 立方8面体
(3,4,3,4)

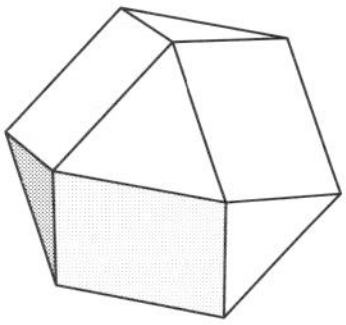

2. 20/12面体
(3,5,3,5)

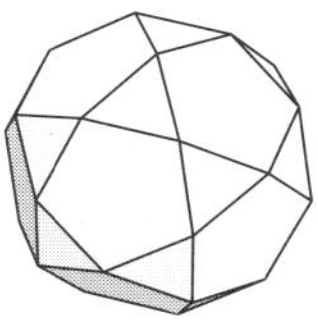

3. 切頂4面体
(3,6,6)

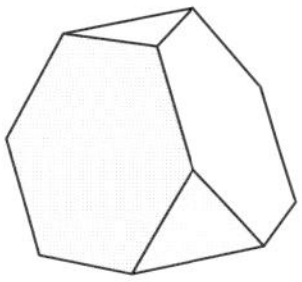

4. 切頂8面体
(4,6,6)

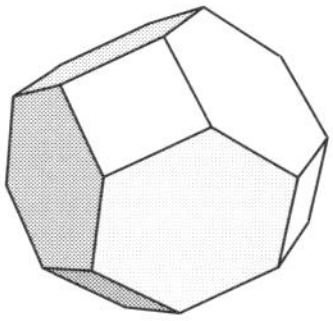

5. 切頂6面体
(3,8,8)

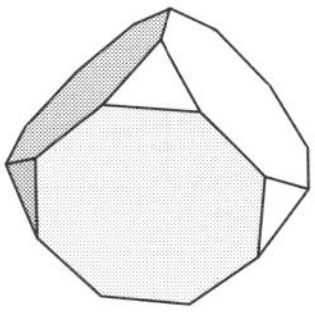

6. 切頂20面体
(5,6,6)

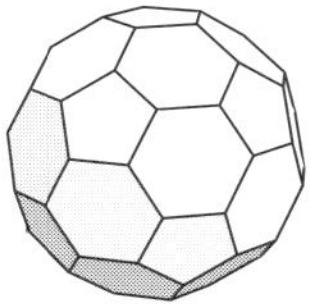

7. 切頂12面体
(3,10,10)

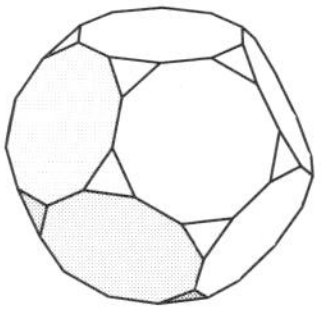

8. 斜方立方8面体
(3,4,4,4)

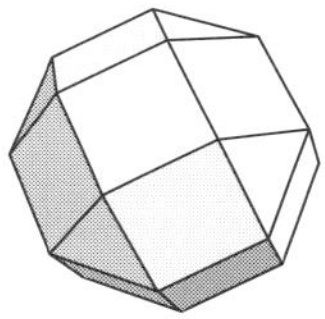

9. 斜方20/12面体
(3,4,5,4)

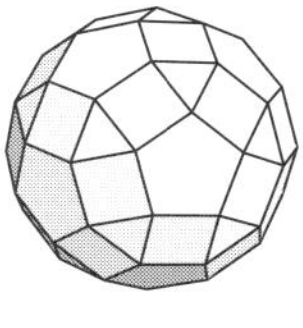

10. 斜方切頂立方8面体
(4,6,8)

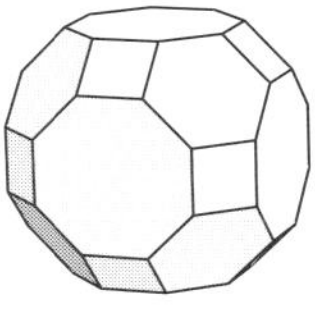

11. 斜方切頂20/12面体
(4,6,10)

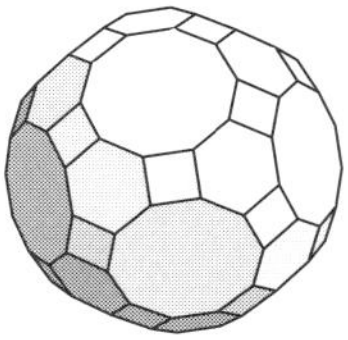

12. 変形立方体
(3,3,3,3,4)

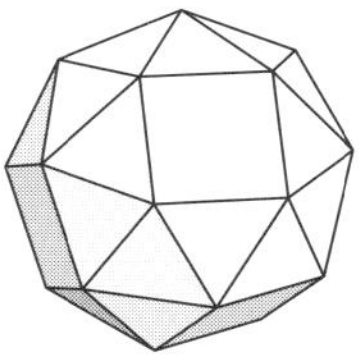

13. 変形12面体
(3,3,3,3,5)

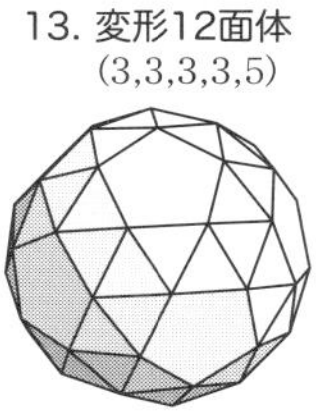

（注1）各準正多面体のよび方は統一的なものがなく、比較的多くの人が使っている名前をつけておいた。

（注2）8の上のフタ部分を45°回転したものも入れると計14個になる。さらに12と13の鏡映（鏡に映すと若干ちがう）も入れると計16個になる。

13 球

円とは、平面上で

1つの定点から一定の距離にある点の集まり

のことであった。このままの定義で、舞台を平面から空間にひろげると球になる。つまり、

球とは、空間内で

1つの定点から一定の距離にある点の集まり

のことである。

まん丸のうちわをクルクル回転させたと思ってもよい。円の中心が球の中心、円の半径がそのまま球の半径になる。

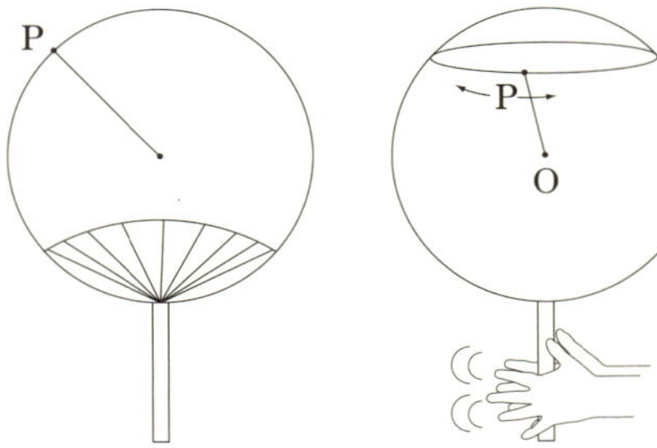

球と平面が交わっているとき、その交わりは円になる。そのことは、平面上で交わる円と直線を描き、それを回転させてみればわかりやすい。

球と球の交わりも円になる。たしかシャ

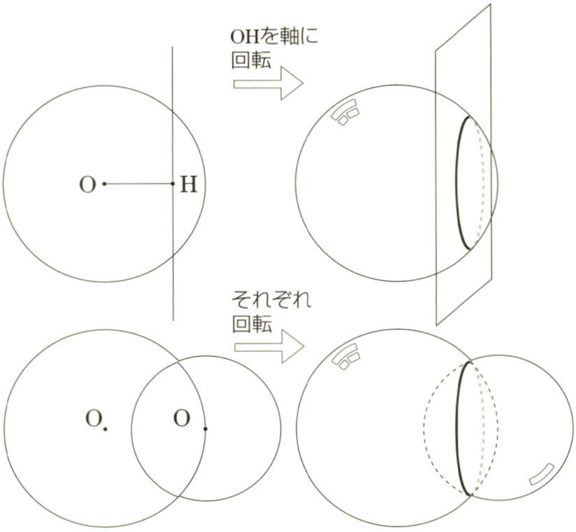

ボン玉でも時々こんな形ができた。

球がもう1つふえ、3個の球になるとわかりにくくなる。右のように3つの円があり、1つ1つを中心をずらさずクルクルと回転して球にする。その交わりはどうなるだろうか。

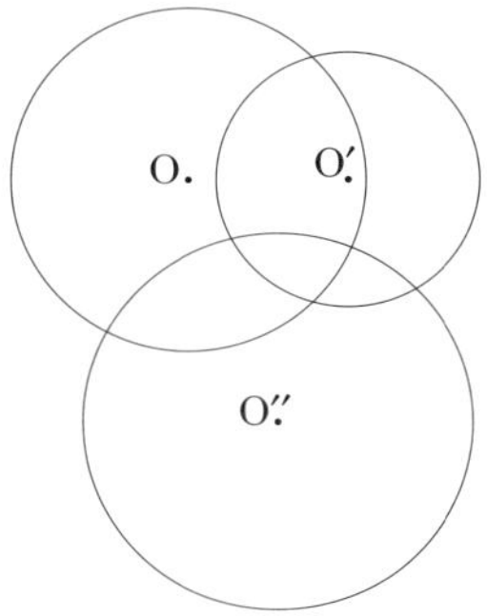

まず、球Oと球O′の交わりは前ページ右下図のような円になる。その円と、新しい球O″との交わりを求めればよいから、結局2つの点になる（下図のように球O″が、ほっぺたに丸いピアスをしたような位置関係になる）。

地震が発生したとき、地震計はP波、S波という2種類の時間差のある波を観測し、震源までの距離を計算することができる。そこで、観測地点が1ヶ所なら震源は球面上のどこか、2ヶ所なら震源は2つの球の交わりである円周上のどこか、そして3ヶ所なら2点を特定できることになる。

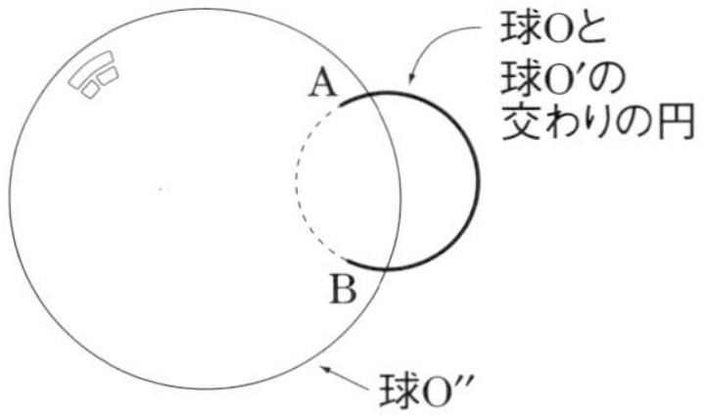

観測地点がすべて地球の表面なら、それらの2点のひとつは地下、ひとつは空中になるが、「震源は地下」なので、結局1点が特定できる！

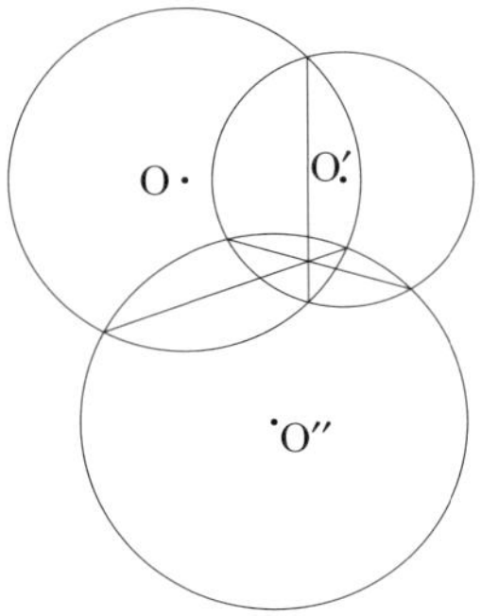

O、O′、O″を地球上の観測地点としたとき、震源は図の 3 直線の交点の真下にある。

14 球面上の図形

私たちは、地球というほぼ球体の上に住んでいるが、毎日生活している小さい範囲では、それを感じることはない。しかし、大きい範囲で行動する場合は、球面上にいることを十分考慮しなければならない。

平面上の2点間の最短距離は直線であるが、球面上での2点間の最短距離は、何になるだろうか。

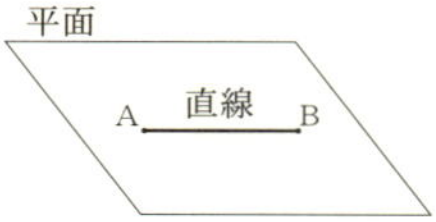

球を平面で切ると切り口はすべて円になる。このとき、球の中心を通るように切ると一番大きな円が得られる。この円を大円とよぶ。

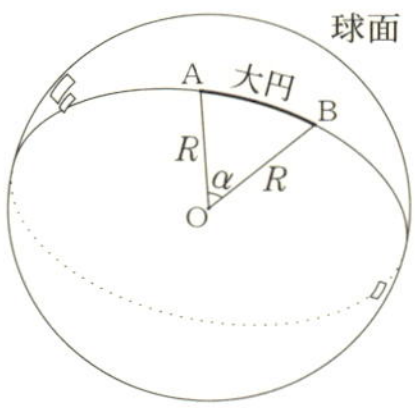

球面上の2点間の最短距離(これを単に2点間の距離という)は、この大円にそった長さになる。

球面上の2点間の距離 $\widehat{\mathrm{AB}}$ は、半径Rと中心角αがわかれば、

$$\widehat{\mathrm{AB}}=2\pi R\times\frac{\alpha}{360^\circ}=\frac{\pi R\alpha}{180^\circ}$$

で計算できる。地球の半径は6,370kmであり、たとえば東京とニューヨークの中心角は97.6°であるので

$$\frac{3.14\times6370\times97.6^\circ}{180^\circ}\fallingdotseq10{,}845\ \mathrm{km}$$

となる。また、東京とカイロの中心角は85.9°であるので距離は

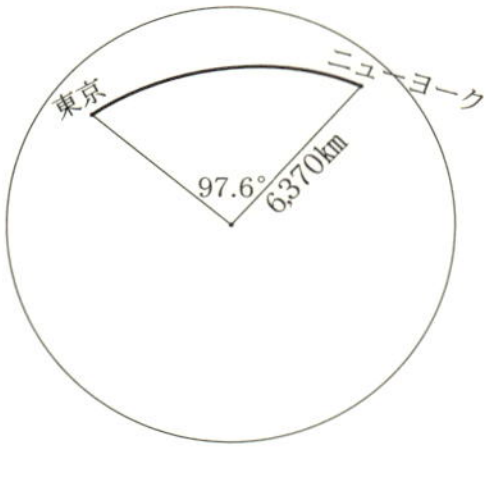

$$\frac{3.14\times6370\times85.9^\circ}{180^\circ}\fallingdotseq9{,}545\ \mathrm{km}$$

となる。カイロの方がずっと近い！

球面上の三角形(各辺は大円の一部)の面積を求める式を作ってみよ

う。そのため、まず、半径Rの球面上で角αで交差する2つの大円で囲まれた面積(二角形とよぼう)を求める。

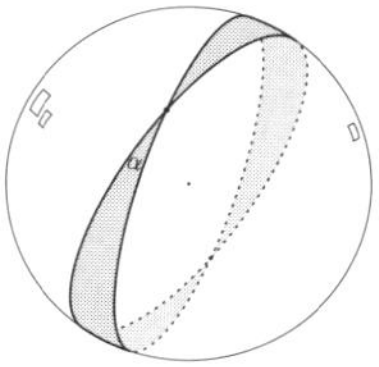

球の表面積は$4\pi R^2$であるので

$$\frac{2\alpha}{360^\circ}\times 4\pi R^2=\frac{\pi R^2\alpha}{45^\circ}$$

となる。

さて図のように、球面上の三角形ABCの3つの角をα、β、γとすると球の反対側のところにも角がα、β、γの合同な三角形△A′B′C′ができる。これらの面積をSとする。

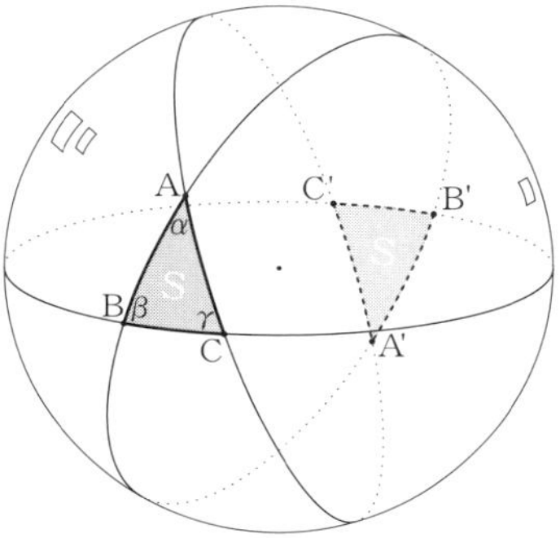

ここで角αで交差する二角形と角βで交差する二角形と角γで交差する二角形を重ね合わせる。

そうすると球面全体を覆ってしまうが、三角形の部分がそれぞれ3回重複してしまう。よって

$$\frac{\pi R^2\alpha}{45^\circ}+\frac{\pi R^2\beta}{45^\circ}+\frac{\pi R^2\gamma}{45^\circ}-4S=4\pi R^2$$

これより

$$S=\frac{\pi R^2}{180^\circ}(\alpha+\beta+\gamma-180^\circ)$$

が得られる。すなわち球面上の三角形の面積は角の大きさがわかれば求められる。また、この式を変形すると

$$\alpha+\beta+\gamma=180^\circ+\frac{180^\circ S}{\pi R^2}$$

となる。このことから、球面上の三角形では、三角形の内角の和は180°以上であり、面積が大きければ大きいほど大きくなることがわかる。

15 球面幾何

前項で「東京とカイロの中心角は85.9°であるので」と書いたが、そもそもそれはどのようにして求めればよいのだろうか。

3辺が大円の一部である球面上の三角形ABC（球面三角形という）を考える。

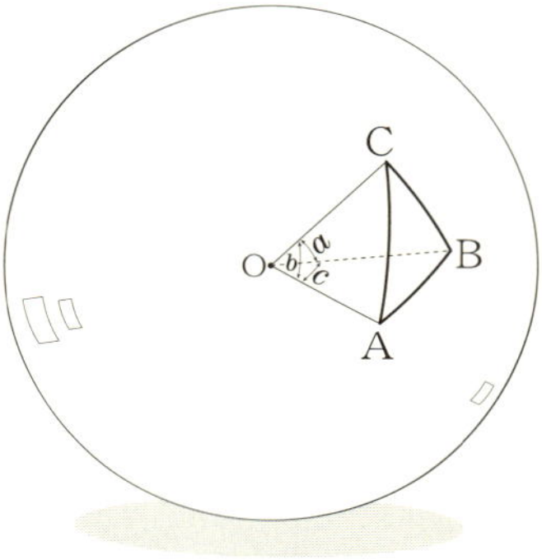

辺AB, BC, CAを見込む中心角をそれぞれc, a, bとしたとき、三角比(sinやcos)を用いて

$$\cos a = \cos b \cos c + \sin b \sin c \cos A$$

という公式が成り立つ(球面三角形の余弦定理という)。

サイン、コサインに慣れていないとわかりにくいかもしれないが、なぜこの公式が成り立つかを図で示しておく。

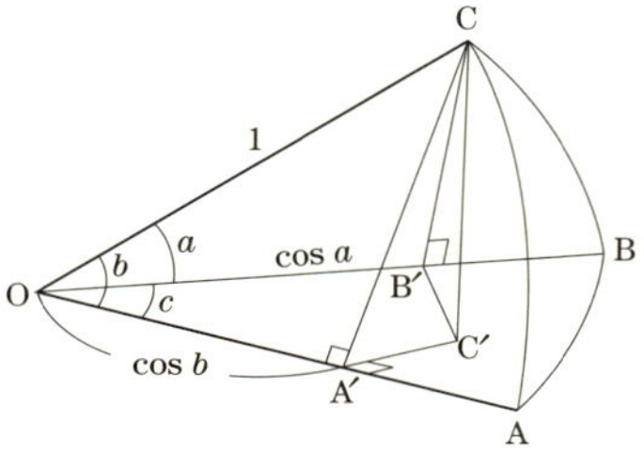

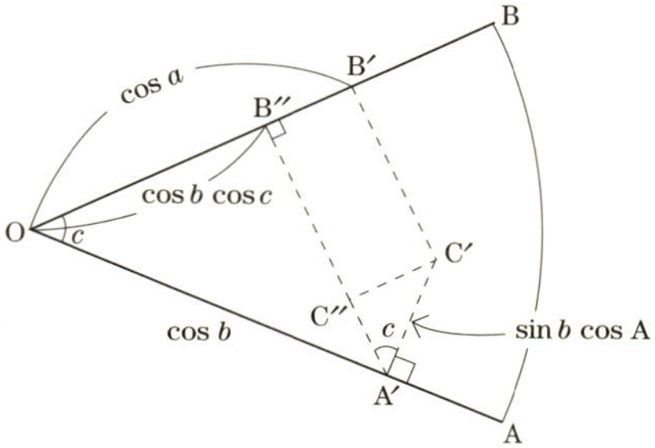

若干注釈をつけ加えておこう。

球面三角形ABCの角はA, B, Cで表すことが多い。上の公式の$\cos A$もそうである。ところで角AはAにおける$\overset{\frown}{\mathrm{AC}}$と$\overset{\frown}{\mathrm{AB}}$の接線のなす角

であり、平面COAと平面AOBのなす角でもある。したがって左側の図で$A'C = \sin b$、$A'C' = A'C \cos A = \sin b \cos A$となる。また右側の図は真上から見た平面AOB上の図であり、$B'B'' = C'C'' = \sin b \cos A \sin c$。$OB' = OB'' + B''B'$から公式が導ける。

さて東京とカイロの中心角を求めよう。ところで

東　京：（北緯35.7°、東経139.8°）

カイロ：（北緯30.1°、東経31.4°）

である。

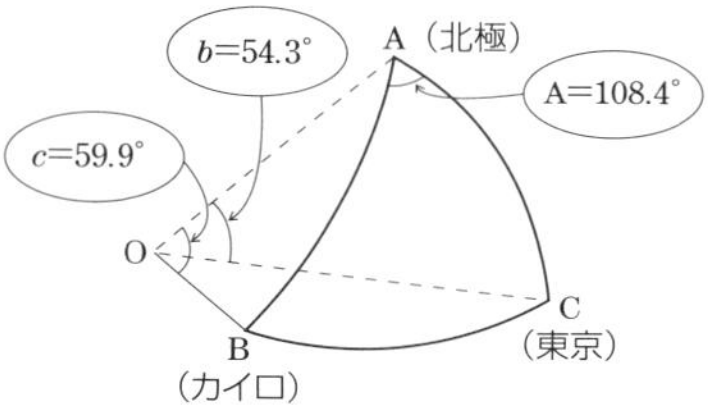

ここで、北極を利用して右のような球面三角形ABCを考える。すると緯度、経度の値より$b = 90° - 35.7° = 54.3°$、$c = 90° - 30.1° = 59.9°$、$A = 139.8° - 31.4° = 108.4°$となるので公式に代入すると

$$\cos a = \cos 54.3° \cos 59.9° + \sin 54.3° \sin 59.9° \cos 108.4°$$

となる。

あとは三角比の表のお世話になる（87ページ参照）。ただし、関数電卓を使うとより精密な値を求めることができる。

$$\cos a = 0.58354 \times 0.50151 + 0.81208 \times 0.86515 \times (-0.31565)$$
$$= 0.07088$$

さらに、表あるいは関数電卓の$\cos^{-1}$を用いて

$$a = 85.9°$$

が求まる。

他にも、$\dfrac{\sin a}{\sin A} = \dfrac{\sin b}{\sin B} = \dfrac{\sin c}{\sin C}$という公式（球面三角形の正弦定理）も証明できる。実際には、球面幾何学は地球上の応用よりも、天球を考える天文学で大活躍する。

16 体積比

立方体の各辺を2倍、3倍したら体積はどう変化するだろうか。

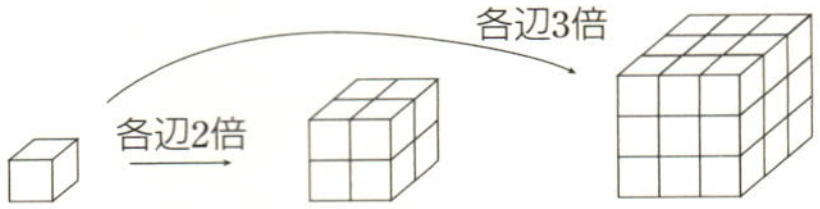

上の図のように、体積は8倍、27倍になる。同様にどんな立体でも形を変えないで長さを2倍、3倍と拡大すると体積は8倍、27倍になる。

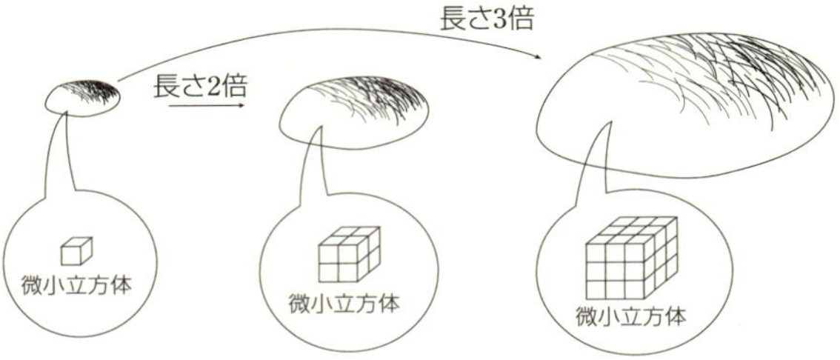

それは、立体を構成している微小立方体の体積の変化を追えばわかる。

一般に

相似比がk倍の立体の体積はk^3倍

になる。これは「体積比は、相似比の3乗になる」ということもでき、この「3乗」の感覚は、日常の感覚を超える傾向がある。

数ヶ月経て少し大きくなった赤ちゃんを抱くとその重さのちがいにびっくりすることがあった。

初め身長50cmの赤ちゃんが、63cmに成長(相似拡大)したとすると

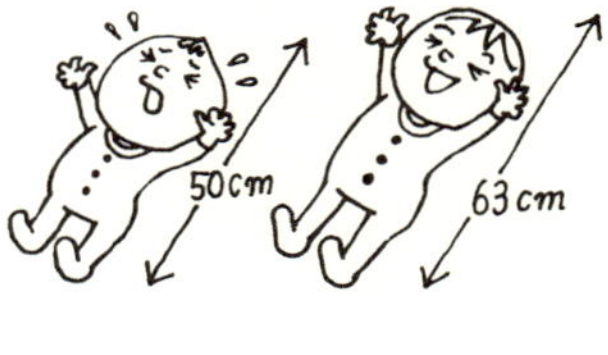

相似比：$\dfrac{63}{50}=1.26$倍

体積比：$1.26^3 \fallingdotseq 2.00$倍

となる。なんと体重は約2倍になっていた。

身長160cmの大人と80cmの子どもが一緒に風呂から上がってきたとする。ここで強引に大人と子どもが相似であるとみなして表面積比と体積比を求めてみよう（面積比は相似比の2乗になるのであった）。

	身長（L）	表面積（S）	体積（V）
大　人	2	4	8
子ども	1	1	1

体のもつ熱量は、体積Vに比例し、体から発散する熱量は表面積Sに比例するので、冷めやすさは$\dfrac{S}{V}$で表すことができる。

$$(\text{大人の冷めやすさ})=\frac{4}{8}=\frac{1}{2},\ (\text{子供の冷めやすさ})=\frac{1}{1}=1$$

より、この場合、子どもの方が2倍、冷めやすいということになる。風邪を引かせないよう、手早く衣服を着せなければならない。

ガリバー旅行記の中に、ブロブディンナグ（大人国）に行った話がある。その国では、サイズが12倍の巨人が暮らしているというがもし本当なら、巨人はどんな体格をしているのだろうか。

巨人の身長は12倍。

巨人の体重は、体積に比例すると考えると$12^3=1728$倍になる。ところで体重を支える骨の断面積は体重に比例し、骨の断面積はその太さの2乗に比例するはずなので骨の太さは、体重の平方根に比例することになる。よって巨人の骨の太さはガリバーの骨の太さの$\sqrt{1728}\fallingdotseq 41.57$倍になる。

これを巨人のサイズで考えるには$\dfrac{41.57}{12}=3.5$とする。すなわち、巨人の骨の身長に対する割合は、ガリバーの場合に比較して3.5倍太くなければならない。巨人たちのスタイルはガリバーとかなり違っているはずである。

ちょっとひと息

フランチェスコ・ボナヴェンチュラ・カヴァリエーリ（1598 ～ 1647）は、イタリアのイエズス会士・数学者である。最初は宗教教育を受けていたが、ガリレイの弟子カステリを通して数学に出会い、ミラノやパルマの修道院で働きながら研究を続けた。1626年にガリレイの尽力もあってボローニャ大学の教授となり、終生その地位にあった。

17世紀の微積分学の形成に貢献したとされる彼の面積計算法は、アルキメデスの厳密な「大小の値で挟み、誤差を明示する」方法とは異なり、「無限に薄く切って比較する」という直感的な原理に基づいていた。

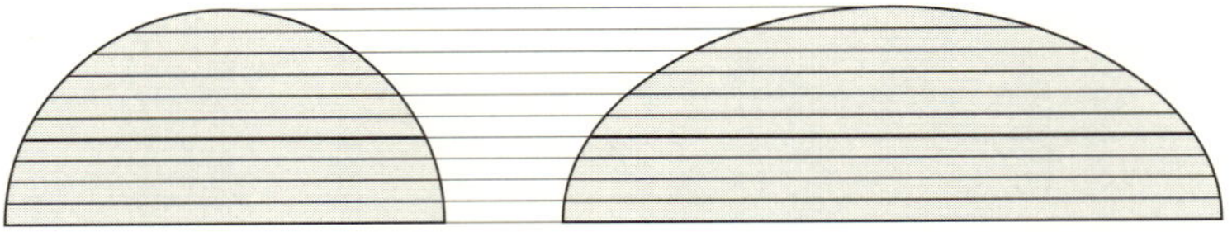

2つの図形を無数の平行線で切ったとき、切り口の長さがどの直線についても同じなら、全体の面積も等しい。長さの比がいつでもCなら、面積の比もCである――これが**カバリエリの原理**の一般形である。空間図形については、「断面ごとの面積が変わらなければ、全体の体積も変わらない。面積比がいつでもCなら、体積比もCである。」といえる。

カバリエリの原理は、楕円の面積や回転体の体積を手軽に計算できる、便利な方法である。厳密な証明は当時は与えられなかったけれど、かえって近代の「区分求積法」に近いところがある。ニュートン（1642 ～ 1727）やライプニッツ（1646 ～ 1716）の微分積分学が大輪の花を咲かせる以前に、多くの実を結んだ、よき時代の野の花であった。

第3部

図形・空間の意味がわかる

第4章
解析幾何学

ギリシャ幾何学のひとつの弱点は、「量が欠けている」ことだといわれる。たとえば面積の公式についても、数値の間の関係としての

$$\text{面積}=\frac{1}{2}\times\text{底辺}\times\text{高さ}\quad(*)$$

という公式はなく、ただ

① 三角形の面積は同じ底辺・同じ高さの平行四辺形の面積の半分である

② 平行四辺形の面積は、その底辺に比例し、その高さにも比例する

というふうに述べられているだけである。

どうしてだろうか？　それは整数と分数しか知らず、「実数」の概念がなかったからである。「量がない」というよりは「数の体系が不完全であった」ので、そのために理論的に潔癖なギリシャ人達は、数の関係を表す（＊）のような公式を、断固として拒否したのであった。図形としては目の前にある「高さ」でも、数では表せない――かも知れないのである！

しかし「面積が底辺に比例する」とは、「底辺が $\sqrt{2}$ 倍になれば面積も $\sqrt{2}$ 倍になる」ことを含んでいる。これを実数抜きで、実質的に整数倍だけで厳密に定義したのが、380ページに紹介したエウドクソスの仕事であった。そのおかげで「実数を使わない比例論」が作られたのである。

幸い実数は、10進位取り記数法に慣れ、無限小数を考えられるようになった現代人には、ごく自然な概念である。実数を自由に使っていくと、長さや面積を数の関係として、わかりやすく使いやすい

式で書けるようになる。また点の位置を「数(座標)で表す」のも可能になった。そこから

物体の運動を、数の間の関係として表現する

ことができるようになり、ニュートン力学につながっていくのだから、数の威力はたいしたものである。

幾何学の中でも、「数の組」としての座標を導入した「解析幾何学」は、数を積極的に活用する幾何学である。ここから4次元以上をも統一的・代数的に扱うことができる「線形代数学」が生まれた――私より古い世代では、大学初年級で「代数学と幾何学」という授業科目があり、そこで2次曲線の分類などを習っていたようであるが、今は線形代数に取って代わられた。微分積分学を活用して曲線や曲面の性質を調べる「微分幾何学」は、さらに内容豊富な分野である。ここでは微分幾何学の深いところまで触れられなかったが、解析幾何学の入り口のところで「数と図形の威力」を点描してみた。

1 座標の発明

ユークリッドの『原論』に代表される古典幾何は、17世紀、デカルトの座標の発明によって大きく変貌した。この発明のアイデアの核心は、平面や空間の点の位置を数で表現しようとすることにある。

直線上の点の位置は、基準点である原点Oからの移動距離で表される。

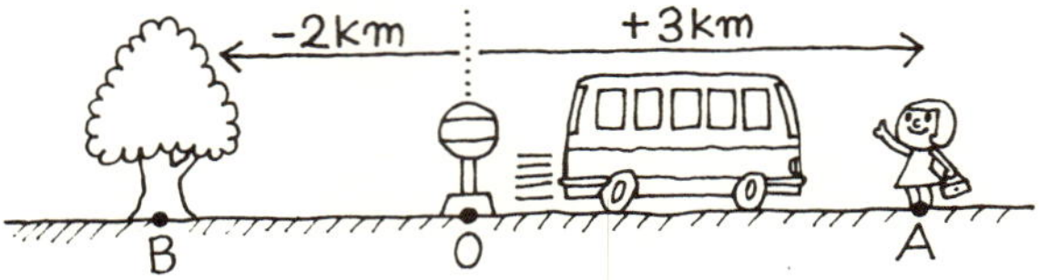

移動する方向は右と左(前と後)の2つあるので、どちらかをプラス、その反対方向をマイナスとしなければならない。

このようにして直線上の全ての点に1つの数を割り当てたものを数直線といい、この点に割り当てられた数を座標とよぶ。

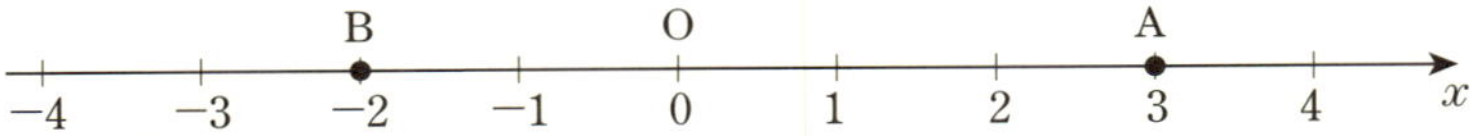

たとえば、点Aの座標が3であることを、A(3)と表す。B(−2)との距離は$AB = 3 - (-2) = 5$

となる。

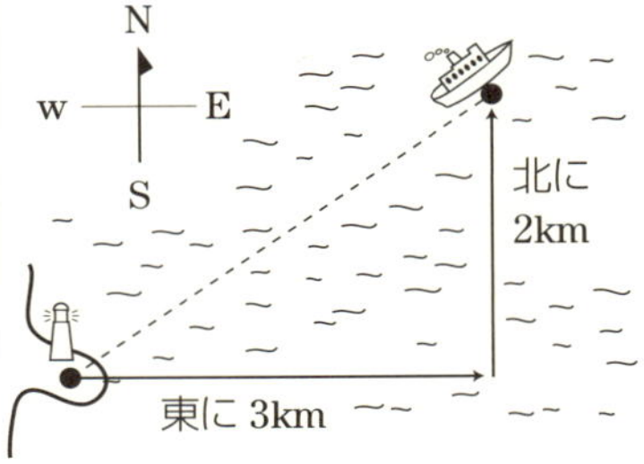

次に、平面上の点の位置を数で表すには、どうしたらよいだろうか。1つの方法として原点Oから東西方向の移動距離と南北方向の移動距離の2つの数で表すことが考えられる。

こうして、平面上の全ての点に2つの数の組(船は(3,2))を割り当てることができる。

この数の組のことを、平面上の点の座標とよぶ。「東西方向」と「南北方向」を決めるには、図のように原点Oで直交する2つの数直線を選び、横方向の数直線をx軸、縦方向の数直線をy軸と名前をつけることが多い。

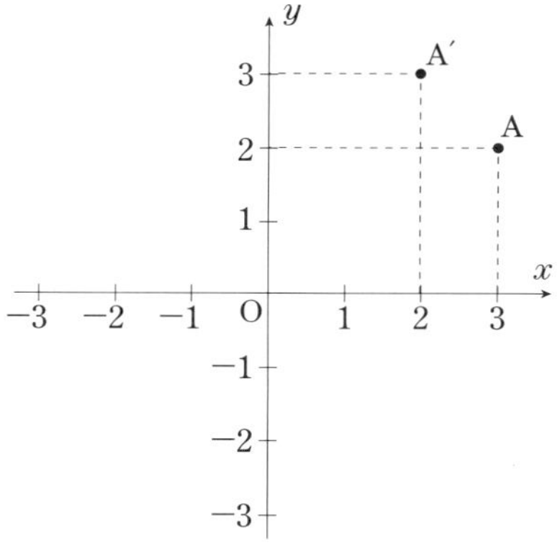

座標を記述するときには、x軸方向の移動距離(x座標)を初めに書き、次にy軸方向の移動距離(y座標)を書くという約束をする。この約束を守らないと図の点AとA′の位置がゴチャゴチャになってしまう。点Aの座標は(3, 2)、点A′の座標は(2, 3)であり、これをA (3, 2)、A′(2, 3)と表す。

この座標の発明によって点を数で表せるだけにとどまらず、図形を式で表すことができるようになり、図形の性質を調べるために、数や式の計算を利用できるようになった。

近代に登場した座標を使った新しい幾何学は、解析幾何学とよばれ、数学の各方面に応用されていった。

伝説によると、座標というすばらしいアイデアは、デカルトが旅先のホテルで目覚め、格子のはいった窓をうろうろしているハエをボーとながめていたときに浮かんだものだという。朝寝坊が得意で、ベッドの中で思索するのが好きだったデカルトらしい逸話である。

2　直線の式

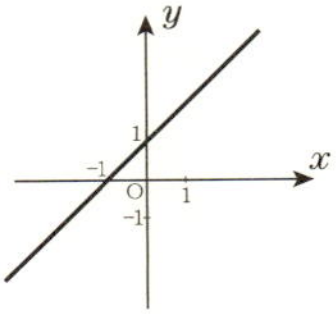

1 次式 $y=x+1$ は、図のような直線上の点(x, y)すべてにあてはまる関係式である。そこでこの式を、「図の直線を表す方程式」あるいは「この直線の式」という。

直線は通過する点と方向を指定すると決まってしまう。ところで直線の方向は、

$$\frac{(y\text{の増加分})}{(x\text{の増加分})}$$ すなわち傾き（勾配）で表すことができる。

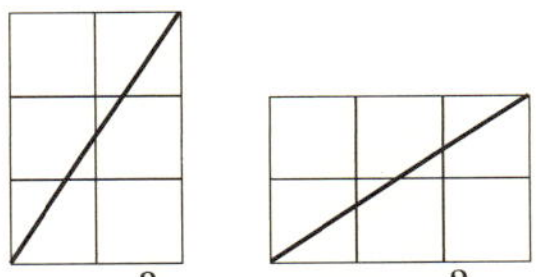

（傾き $\frac{3}{2}$）　（傾き $\frac{2}{3}$）

たとえば、点 A$(3, 1)$を通り傾き $\frac{2}{3}$ の直線 l の式は、次のようにして求めることができる。

直線 l 上の任意の点（お好みの点）P の座標を(x, y)とするとAP の傾きは $\frac{2}{3}$ であるので、$x \neq 3$ なら

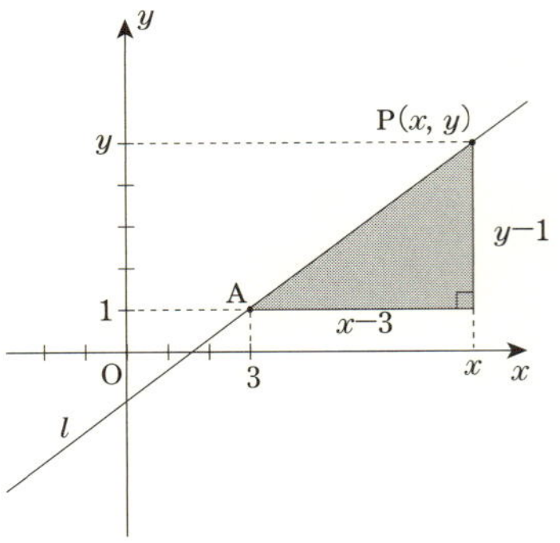

$$\frac{y-1}{x-3}=\frac{2}{3}$$

これより

$$y-1=\frac{2}{3}(x-3)$$

すなわち

$$y=\frac{2}{3}x-1$$

が得られる。これは$x=3$でも成り立つ。

一般に、点(x_1, y_1)を通り、傾きが m の直線の式は、

$$y-y_1=m(x-x_1)$$

となる。この式を整理すると

$y = mx + n$

すなわち

$y =$（x の 1 次式）……①

の形をしている。逆に、この形をしている式が直線になる。

では、x 軸や y 軸に平行な直線はどのように表されるだろうか。たと

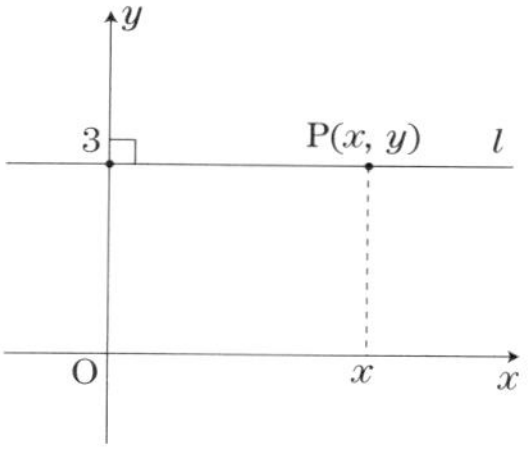

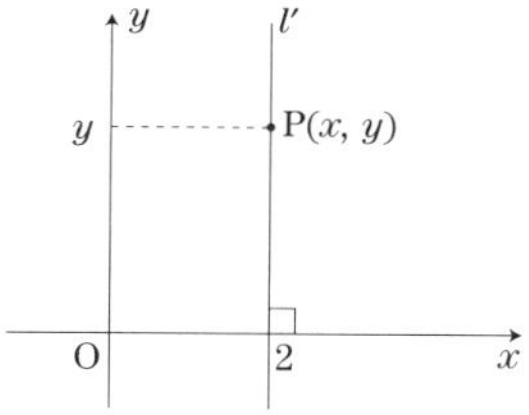

えば、点 B (0, 3)を通り x 軸に平行な直線 l 上の任意の点 P の座標を$(x,\ y)$とすると

$y = 3$　　　　が得られる。

また、点 C (2, 0) を通り y 軸に平行な直線 l' 上の任意の点 P の座標を$(x,\ y)$とすると

$x = 2$　　　　が得られる。

一般に、x 軸に平行な直線と y 軸に平行な直線はそれぞれ

$y =$（定数）…②、　$x =$（定数）…③

の形をしている。

直線がおかれている位置によって①、②、③と異なった式で表されるのは気分がよくない。そこで①、②、③を統合した直線の式

$ax + by + c = 0$ ……④

が現れる。④の式で

$a \neq 0$、$b \neq 0$ のときが　$y = -\dfrac{a}{b}x - \dfrac{c}{b}$

$a = 0$、$b \neq 0$ のときが　$y = -\dfrac{c}{b}$

$a \neq 0$、$b = 0$ のときが　$x = -\dfrac{c}{a}$

となる。すなわち、座標平面上の直線は

（$x,\ y$ の 1 次式）$= 0$

という式で表されることがわかる。

3 円の式

なんといっても一番身近な曲線は円だ。この円を表す式を求めてみよう。たとえば、原点(0, 0)を中心とする半径5の円の場合。

円周上の点Pの座標を$(x,\ y)$とすると

OP ＝ 5(一定)　　となる。

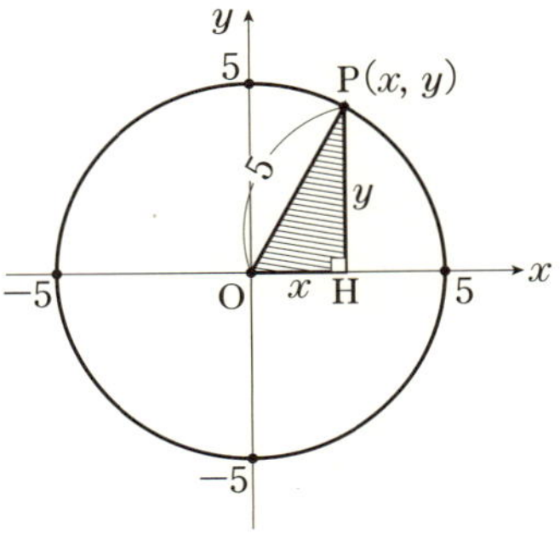

図の直角三角形OHPにピタゴラスの定理を用いて

$OH^2 + HP^2 = OP^2$　すなわち

$x^2 + y^2 = 25$　…①

これが求める円の式(円上の座標が満たす方程式)となる。逆に①の方程式を満たすような点$(x,\ y)$はすべてこの円周上にある。

ところで①の式が円を表すといわれても、今ひとつピンとこない人もいると思う。そのようなときは、①をyについて解いた

$y=\sqrt{25-x^2}$　…②　　　$y=-\sqrt{25-x^2}$　…②′

の振る舞いを調べてみることをおすすめする。②のxとyの対応表は、次のようになる。

x	−5	−4	−3	−2	−1	0
y	0	3	4	4.6	4.9	5

x	0	1	2	3	4	5
y	5	4.9	4.6	4	3	0

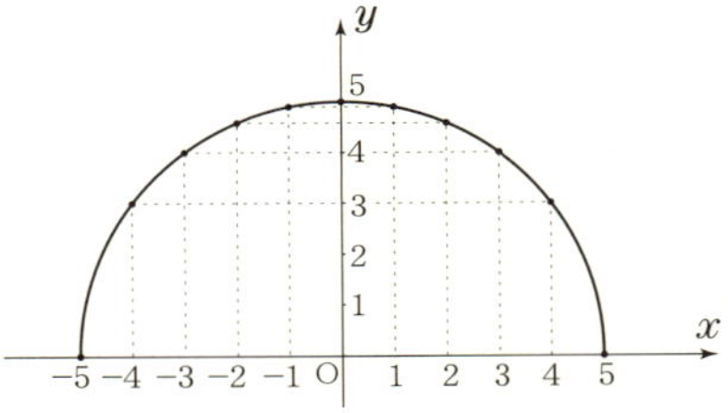

これより②は円の上半分、同様に②′は円の下半分を表し②と②′で全円を表すことがわかる。

一般に、中心が点 C $(a,\ b)$、半径 r の円の式は、円周上の点 P の座標を $(x,\ y)$ とし、図の直角三角形 CHP にピタゴラスの定理を用いて

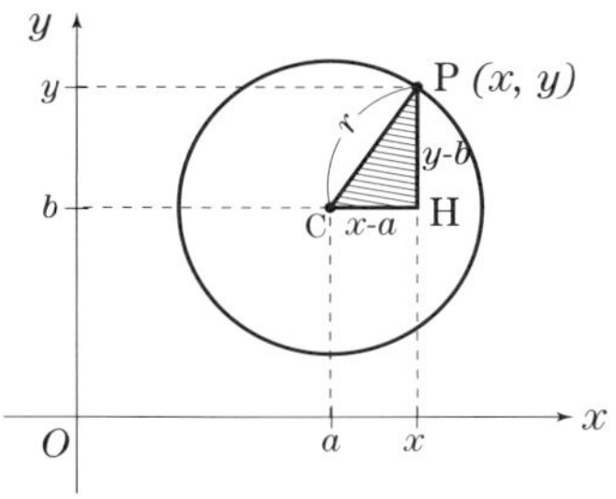

$(x-a)^2+(y-b)^2=r^2$　…③ となる。

③ の式を展開して整理すると

$$x^2+y^2+\mathrm{A}x+\mathrm{B}y+\mathrm{C}=0 \quad \cdots④$$

と変形され、円の別のタイプの式表現が得られる。

④ の式で係数 A、B、C を決めれば、円は完全に決まってしまう。この応用を紹介しよう。

3 点 $\mathrm{P}(1,\ -1)$、$\mathrm{Q}(3,\ 3)$、$\mathrm{R}(4,\ 2)$ を通る円の方程式を求める。

求める円の方程式を ④ とする。3 点 P、Q、R を通るので

$1^2+(-1)^2+\mathrm{A}\cdot 1+\mathrm{B}\cdot(-1)+\mathrm{C}=0$　すなわち　$\mathrm{A}-\mathrm{B}+\mathrm{C}=-2$　…(i)

$3^2+3^2+\mathrm{A}\cdot 3+\mathrm{B}\cdot 3+\mathrm{C}=0$　すなわち　$3\mathrm{A}+3\mathrm{B}+\mathrm{C}=-18$　…(ii)

$4^2+2^2+\mathrm{A}\cdot 4+\mathrm{B}\cdot 2+\mathrm{C}=0$　すなわち　$4\mathrm{A}+2\mathrm{B}+\mathrm{C}=-20$　…(iii)

(i)(ii)(iii)を連立して解くと

$$\mathrm{A}=-4、\mathrm{B}=-2、\mathrm{C}=0$$

よって、求める円の方程式は

$x^2+y^2-4x-2y=0$

$(x^2-4x+4)+(y^2-2y+1)=0+4+1$

$(x-2)^2+(y-1)^2=5$

これより、中心 $(2,\ 1)$、半径 $\sqrt{5}$ の円であることがわかる。

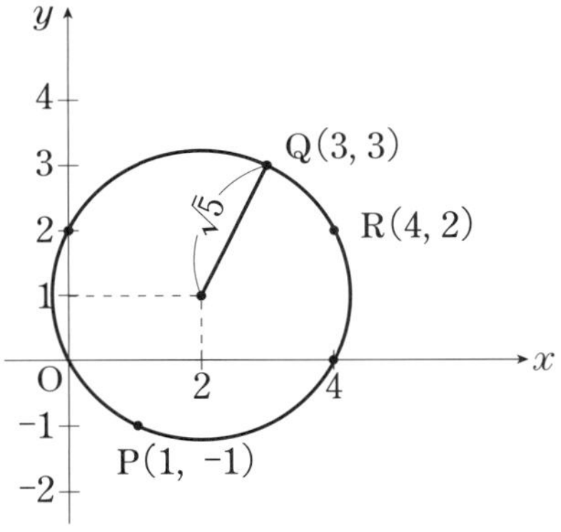

③の a、b、r を未知数とすると 2 次方程式になってしまうが、④の A、B、C なら連立1次方程式ですむ！

4 直線と円

同じ平面上の直線と円の位置関係は、右図のように 3 つの場合に分類される。

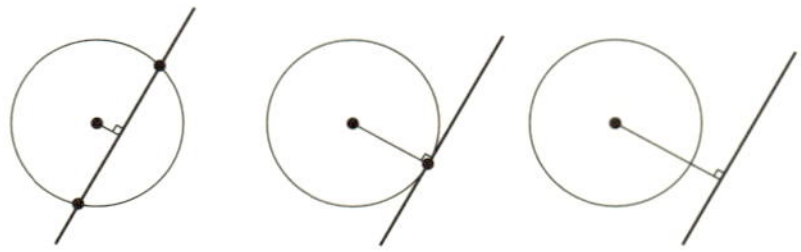

（2点で交わる）（接する）（出会わない）

まず、直線と円の交点を求める方法を考えてみよう。

直線 $x+y=1$ と円 $x^2+y^2=5$ の交点 A の座標を $(p,\ q)$ とすると、この点 $(p,\ q)$ では、直線と円の式を同時に満たしているはずだから

連立方程式

$$\begin{cases} p+q=1 & \cdots① \\ p^2+q^2=5 & \cdots② \end{cases}$$

が立式できる。① より

$$q=-p+1$$

を ② に代入して整理すると

$$p^2-p-2=0$$

これを解いて $p=-1,\ 2$

$$p=-1 \text{ のときは } q=2\text{、} p=2 \text{ のときは } q=-1$$

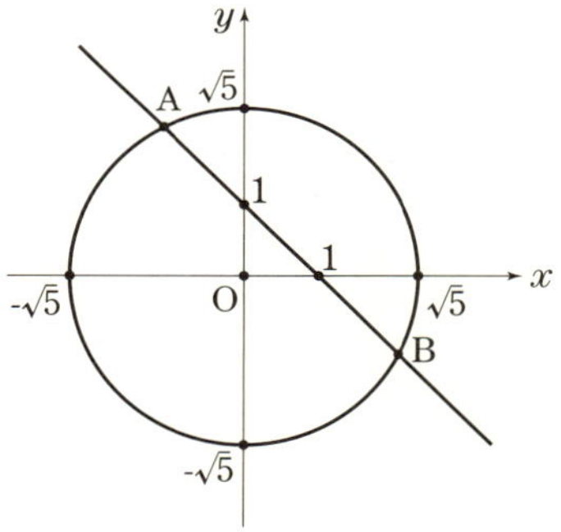

よって交点は A$(-1,\ 2)$、B$(2,\ -1)$ となる。

つまり交点を求めることは連立方程式を解くことに帰着される。

上の解法で変数 x、y と未知数 p、q というたくさんの文字を取り扱うのがつらいという人は、次のような便法がある。

$$\begin{cases} \text{直線}\ x+y=1 \\ \text{円}\quad x^2+y=5 \end{cases} \text{の交点} \Longleftrightarrow \text{連立方程式} \begin{cases} x+y=1 \\ x^2+y^2=5 \end{cases} \text{の解}$$

こちらの方が便利だからふつうそうするが、使用している文字が何を表しているかしっかり自覚していないと混乱するので要注意。

次に、円の接線の式を求めてみよう。

円 $x^2+y^2=r^2$ 上の点 $\mathrm{P}(x_1, y_1)$ を接点とする接線 l の式を求める。

図のように OP と l は直交するので

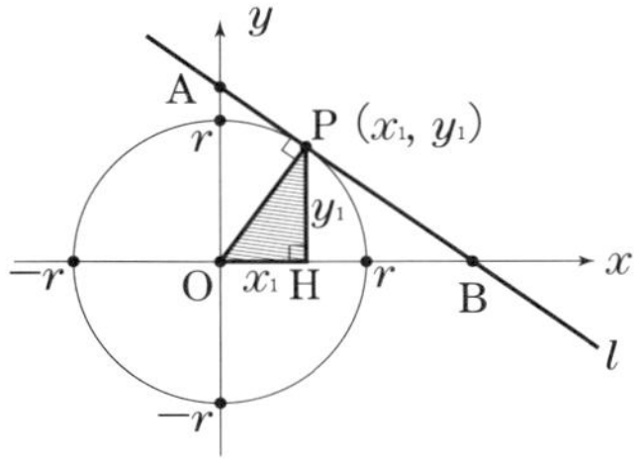

$$\triangle\mathrm{OHP} \backsim \triangle\mathrm{AOB}$$

となり

$$\mathrm{AO}:\mathrm{OB}=\mathrm{OH}:\mathrm{HP}=x_1:y_1$$

これより接線 l の傾きは $-\dfrac{x_1}{y_1}$ で点 $(x_1,\ y_1)$ を通るので、

$$y-y_1=-\frac{x_1}{y_1}(x-x_1)$$

これを整理して　$x_1x+y_1y=x_1^2+y_1^2$

$\mathrm{OP}^2=x_1^2+y_1^2=r^2$　であるので、求める接線 l の方程式は

$$x_1x+y_1y=r^2 \quad \cdots③$$

となる。この式によって極めて簡単に接線が求まる。たとえば

円 $x^2+y^2=25$、接点 $(3,\ 4)$ ⇒ 接線 $3x+4y=25$

この応用として、直線と原点Oとの距離を求めてみよう。

直線 $x+2y=4$ と原点 O との距離は、この直線に接する原点を中心とする円の半径 r に等しい。そこでこの直線を ③ と同じ形にする。

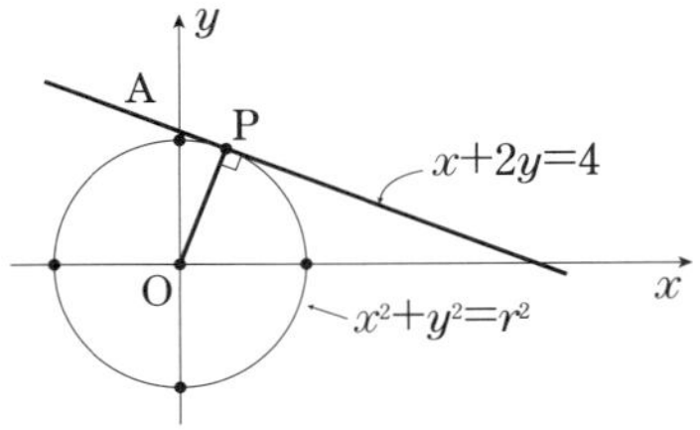

すなわち両辺を k 倍して

$kx+2ky=4k$ とする。

$x_1=k,\ y_1=2k,\ r^2=4k$ だから

$k^2+(2k)^2=4k$ となる k を求めると $k=\dfrac{4}{5}$ となる。よって求める接線の式は次のようになる。

$$\frac{4}{5}x+\frac{8}{5}y=\frac{16}{5}$$

したがって、この直線は接点 $\left(\dfrac{4}{5}, \dfrac{8}{5}\right)$ で、半径 $\dfrac{4}{\sqrt{5}}$ の円に接するので、直線と原点との距離は $\dfrac{4}{\sqrt{5}}$ となる。

5　2次曲線

図形の式が2次式になるとき、その図形を2次曲線という。円も1つの2次曲線であるが、この他に楕円、双曲線、放物線がある。

2定点 $F_1(c,\ 0)$、$F_2(-c,0)$ からの距離の和が $2a$（一定）になるような点 $P(x,\ y)$ の軌跡は、楕円になる。この式を求めてみよう。

$$PF_1+PF_2=2a\,(a>c)$$

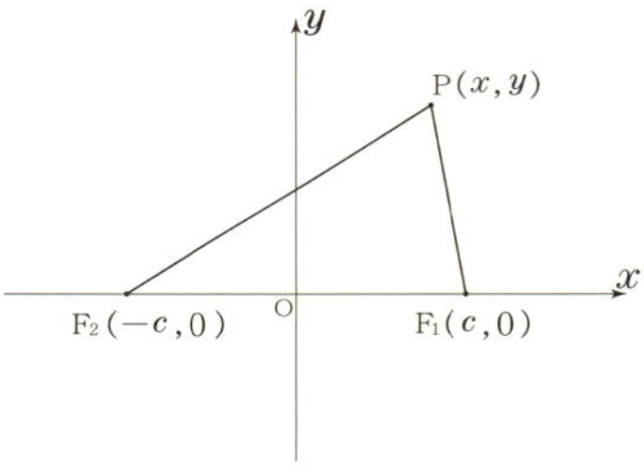

より

$$\sqrt{(x-c)^2+y^2}+\sqrt{(x+c)^2+y^2}=2a$$

上手に移項しながら、辺々を2乗して根号を1つずつ取り去ると

$$(a^2-c^2)x^2+a^2y^2=a^2(a^2-c^2)$$

$$\frac{x^2}{a^2}+\frac{y^2}{a^2-c^2}=1$$

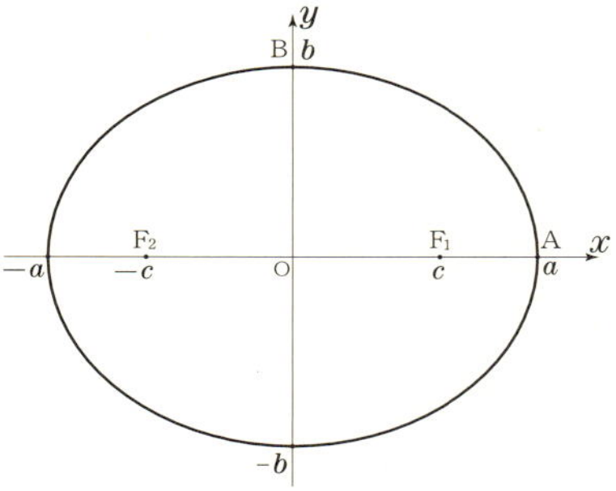

が得られる。$a>c$ より

$$a^2-c^2=b^2$$

とおくと、この式は

$$\frac{x^2}{a^2}+\frac{y^2}{b^2}=1$$

となる。

Oを楕円の中心、OAを長軸半径、OBを短軸半径という。また F_1、F_2 を焦点という。

2定点 $F_1(c,0)$、$F_2(-c,0)$ からの距離の差が $2a$（一定）になるような点 $P(x,\ y)$ の軌跡は、双曲線になる。この式を求めてみよう。

$$PF_1-PF_2=\pm 2a\ (a<c)$$

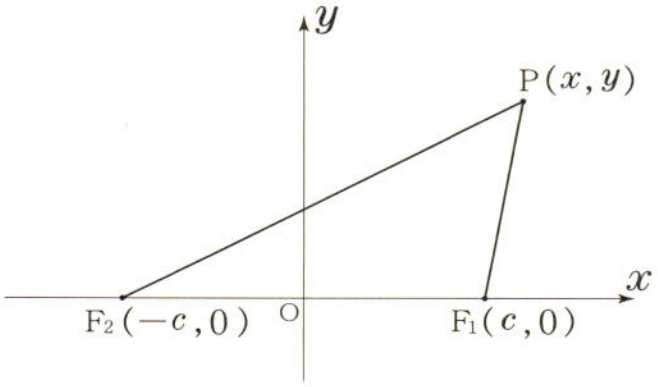

より

$$\sqrt{(x-c)^2+y^2}-\sqrt{(x+c)^2+y^2}=\pm 2a$$

楕円の場合と同様の変形をすると

$$\frac{x^2}{a^2}-\frac{y^2}{c^2-a^2}=1$$

が得られる。$a<c$ より

$$c^2-a^2=b^2$$

とおくと、この式は

$$\frac{x^2}{a^2}-\frac{y^2}{b^2}=1$$

となる。

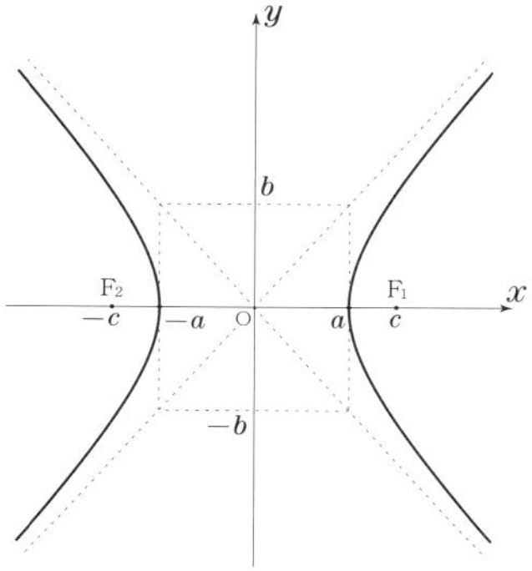

O を双曲線の中心、2 つの直線 $y=\frac{b}{a}x$ と $y=-\frac{b}{a}x$ を漸近線、また、F_1、F_2 を焦点という。

定点 F $(p, 0)$ と定直線 $x=-p$ からの距離が等しいような点 P (x, y) の軌跡は、放物線になる。

PF = PH より

$$\sqrt{(x-p)^2+y^2}=x+p$$

これを整理すると次の式が得られる。

$$y^2=4px$$

O を頂点、定直線 l を準線、F を焦点という。

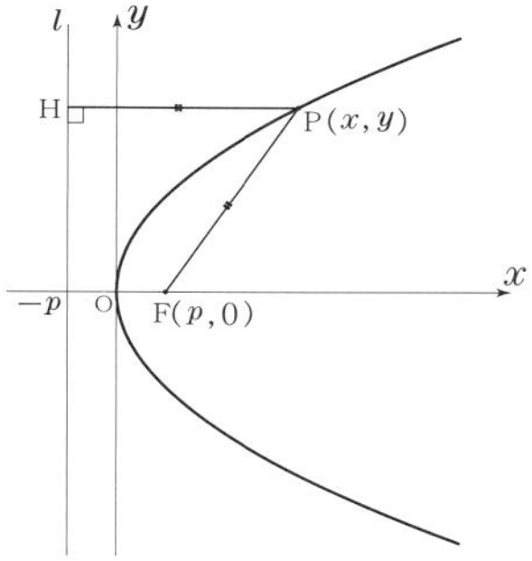

なお断面が2次曲線になる鏡に対して、光や音は下図のように焦点に集まるように進む。

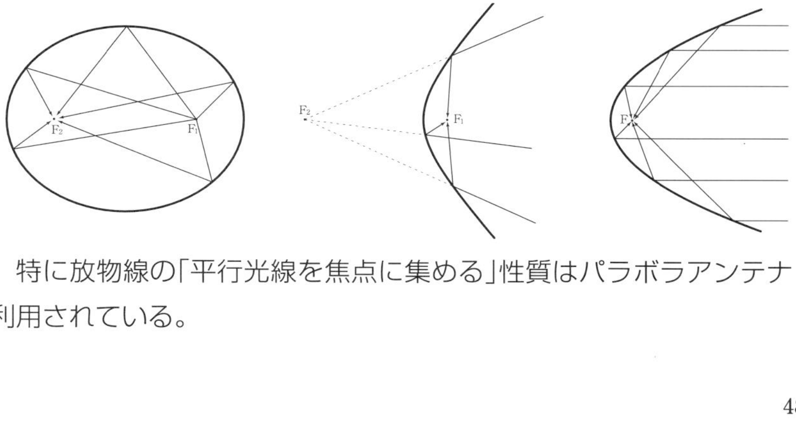

特に放物線の「平行光線を焦点に集める」性質はパラボラアンテナに利用されている。

6　曲線の鑑賞

2 次曲線は、楕円、双曲線、放物線の 3 種類の曲線が登場するが 3 次以上の曲線は、分類するのが難しいほど多彩な曲線が登場する。その曲線の一部を鑑賞しよう。

〈3 次曲線〉

$x^3 + y^3 = 3xy$

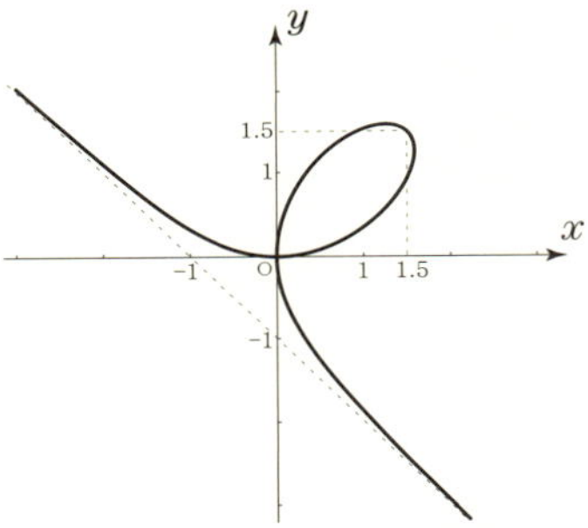

（デカルトの正葉形）

$y^2 = x^3 - x$

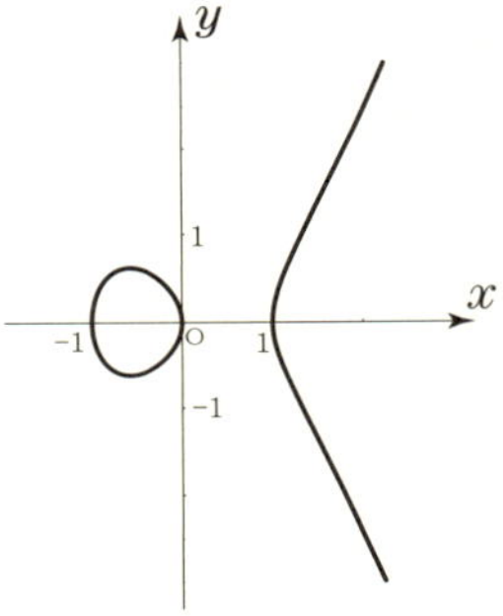

（楕円曲線）

$x^2y + y - 4x = 0$

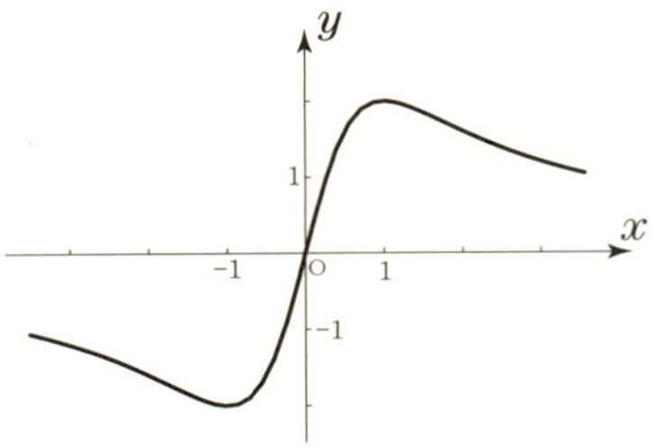

（ニュートンのヘビ形）

$x^2y + y = 1$

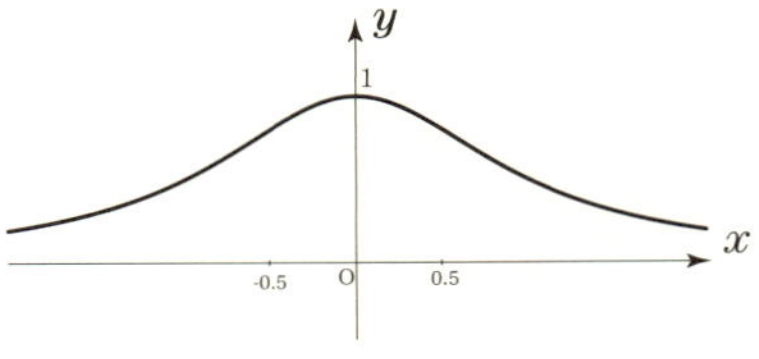

（アーネシーの魔女）

〈4 次曲線〉

$$(x^2+y^2+1)^2-4x^2=2$$

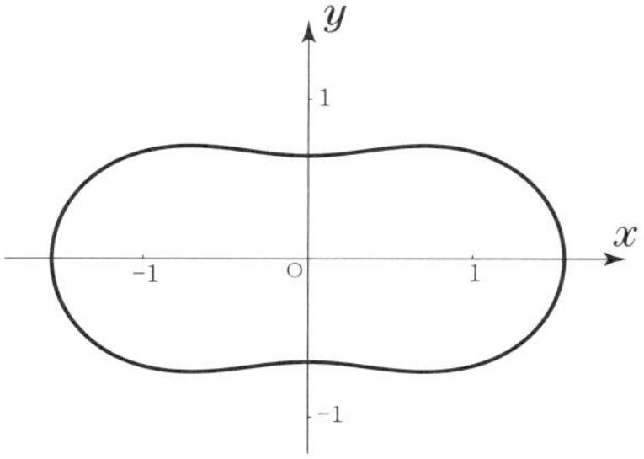

（カッシーニの卵形線）

$$(x^2+y^2+1)^2-4x^2=1$$

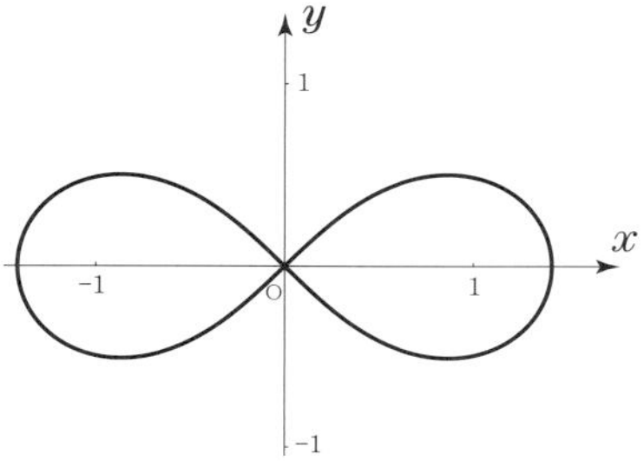

（レムニスケート・連珠形）

$$(x^2+y^2-2x)^2=x^2+y^2$$

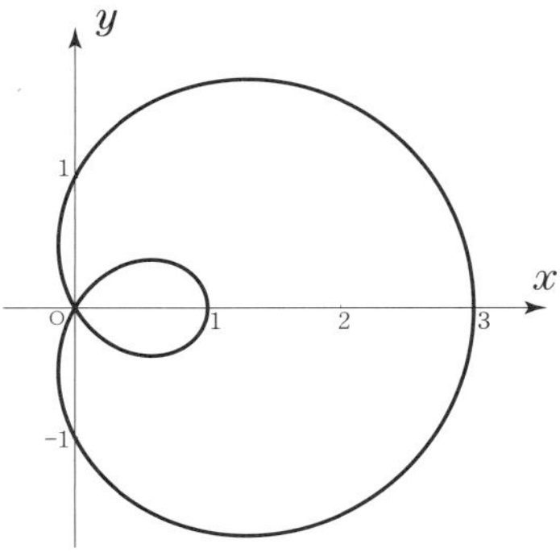

（パスカルのリマソン・蝸牛線）

$$(x^2+y^2-2x)^2=4(x^2+y^2)$$

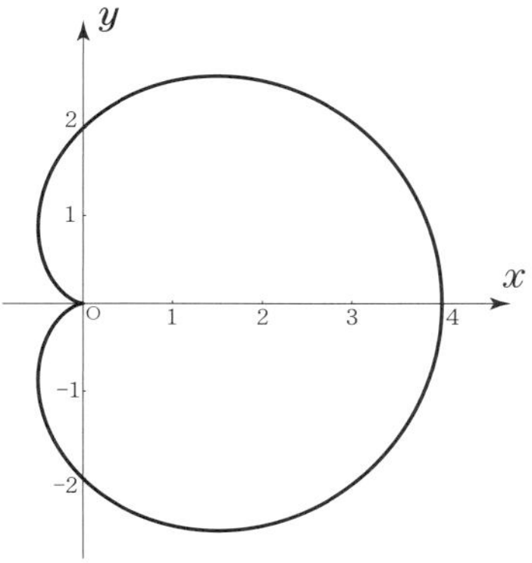

（カージオイド・心臓形）

7 空間座標

部屋の電灯の位置を指定するには、まず電灯の真下の床の位置を決め、そこからどれだけ高い所にあるか示せばよい。

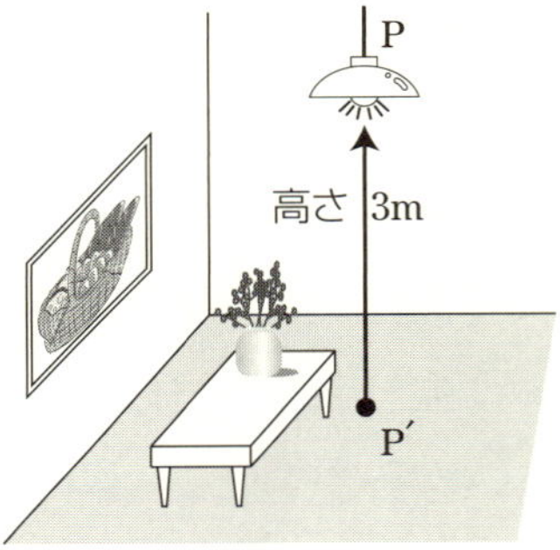

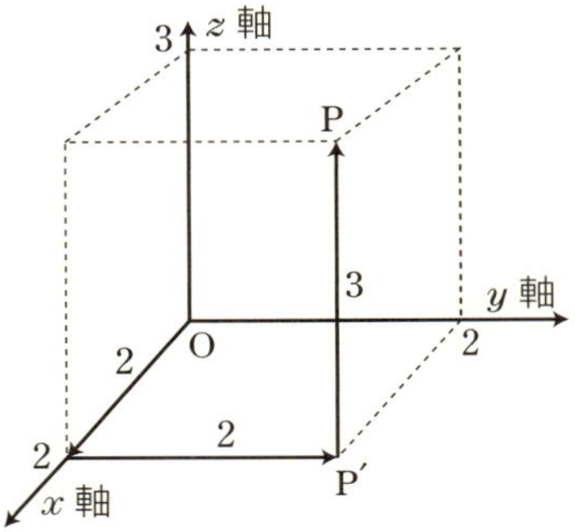

空間の点の位置を指定する場合も同様に x 軸と y 軸とで決まる平面(x-y 平面とよばれる)上の点 P′を決め、そこから上下方向すなわち z 軸方向に移動した分を指定すればよい。上の図の P の座標は

P(2, 2, 3)

と、平面の点の座標に z 軸の座標が付け加わった形で表される。さらに、P′は z 軸方向への移動した分が 0 (高さ 0)と考えることができるので

P′(2, 2, 0)

と表される。このようにして、空間内のすべての点は、(x, y, z)という形の座標で表すことができる。原点は、O(0, 0, 0)である。

x 軸と y 軸とで決まる平面(x-y 平面)上の点は、x、y がどんな値のときも z 座標は常に 0 であるので、この平面を

$z=0$

と表すことができる。

同様にして、y 軸と z 軸とで決まる平面(y-z 平面)は

$$x=0$$

z 軸と x 軸とで決められる平面(z-x 平面)は

$$y=0$$

と表す。

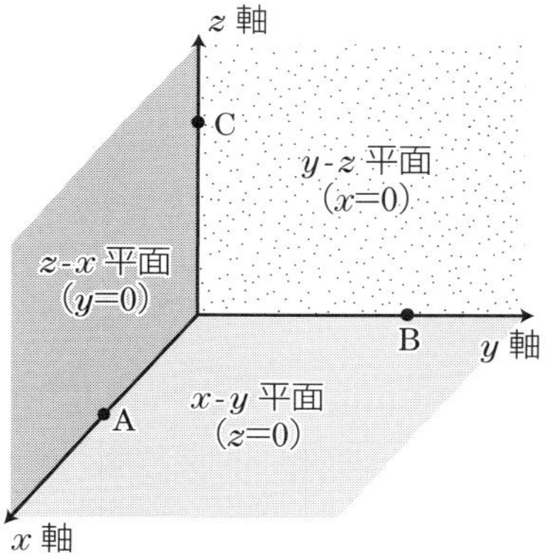

x 軸は、x-y 平面と z-x 平面の交線なので、その上の点 A は

$$\mathrm{A}(x,\ 0,\ 0)$$

と表される。同様に考えて y 軸上の点 B、z 軸上の点 C は

$$\mathrm{B}(0,\ y,\ 0)、\mathrm{C}(0,\ 0,\ z)$$

と表される。

空間座標は、視点をどこにとるかによって図が違ってくる。

原点を野球のホームベース、x 軸を一塁線、y 軸を三塁線とみなすと、上の図は、ライトの外野スタンドから見た図になっている。

この他に、バックネット裏側から見た図、一塁側、三塁側から見た図なども使われる。

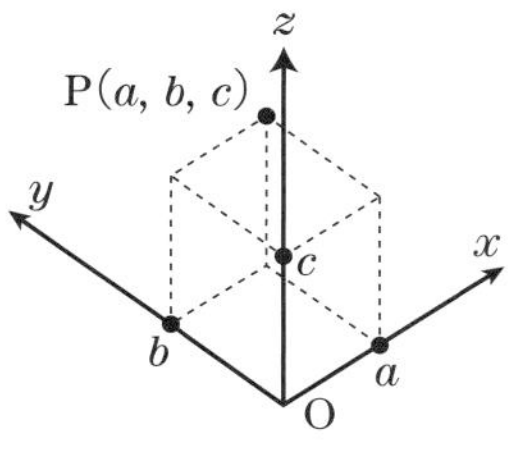

(バックネット裏型)

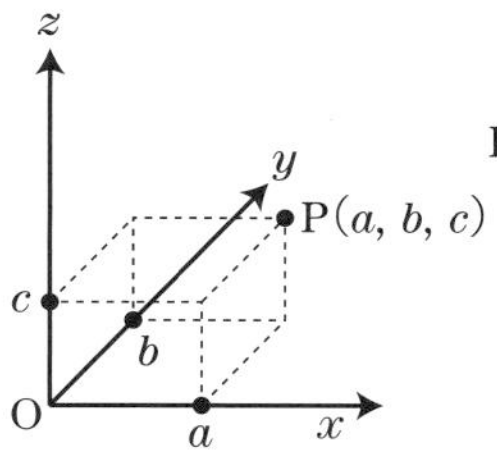

(一塁側型)

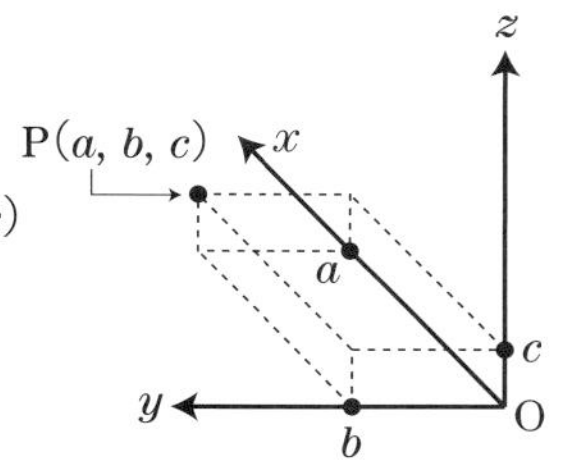

(三塁側型)

8 空間内の直線と式

平面上の 2 点 $A(x_1,\ y_1)$、$B(x_2,\ y_2)$ 間の距離は、右図の $\triangle ABC$ において三平方の定理を使って $AB^2 = AC^2 + BC^2$ だから

$$AB = \sqrt{AC^2 + BC^2}$$
$$= \sqrt{(x_2 - x_1)^2 + (y_2 - y_1)^2}$$

となる。

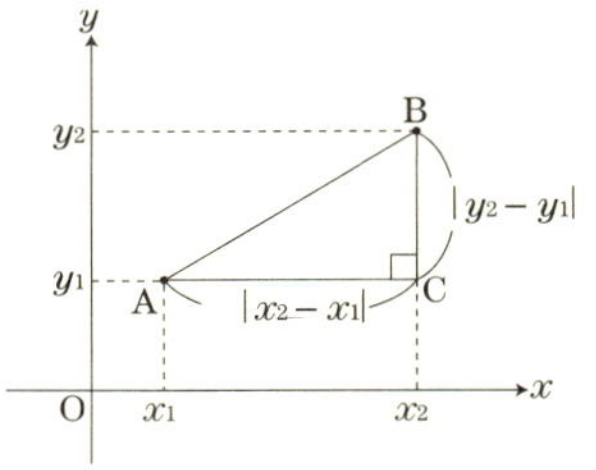

空間内の 2 点 $A(x_1,\ y_1,\ z_1)$、$B(x_2,\ y_2,\ z_2)$ 間の距離は、やはり三平方の定理を 2 度用いて $AB^2 = AD^2 + BD^2$、$AD^2 = AC^2 + CD^2$ より $AB^2 = AC^2 + CD^2 + BD^2$ となり

$$AB = \sqrt{AC^2 + CD^2 + BD^2}$$
$$= \sqrt{(x_2 - x_1)^2 + (y_2 - y_1)^2 + (z_2 - z_1)^2}$$

が導ける。

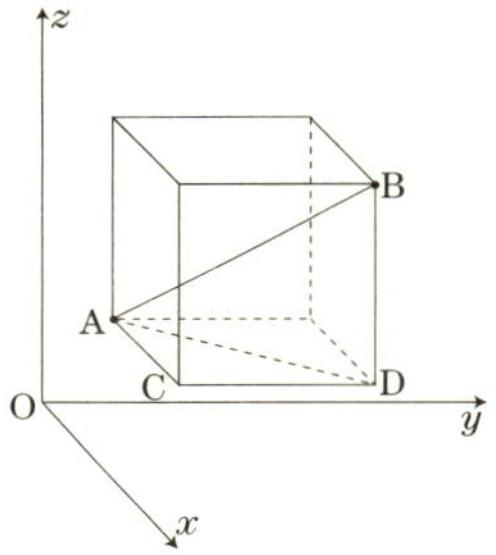

この 2 つの公式を比べてみると、3 次元(空間)と 2 次元(平面)の関係がわかる。3 次元の公式で z 座標関係を消しゴムで消すと 2 次元の公式になる。同様なことは、2 点 A、B を結ぶ線分 AB を $m : n$ に分ける点 P を求める公式でも味わうことができる。

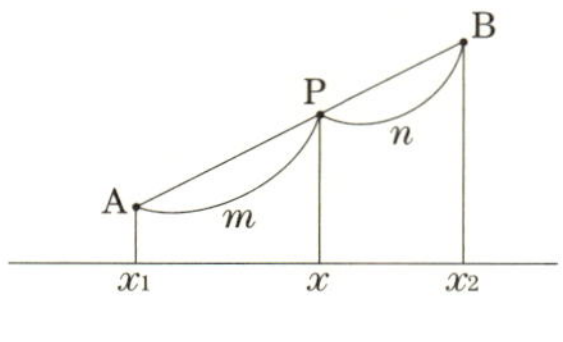

平面上に $A(x_1,\ y_1)$、$B(x_2,\ y_2)$があるとき

$$P\left(\frac{nx_1 + mx_2}{m + n},\ \frac{ny_1 + my_2}{m + n}\right)$$

となり、空間では $A(x_1,\ y_1,\ z_1)$、$B(x_2,\ y_2,\ z_2)$のとき

$$\mathrm{P}\left(\frac{nx_1+mx_2}{m+n},\ \frac{ny_1+my_2}{m+n},\ \frac{nz_1+mz_2}{m+n}\right)$$

と z 座標関係が増えるだけのちがいである。

なお、1次元(直線上)の場合は、$\mathrm{A}(x_1)$、$\mathrm{B}(x_2)$のとき

$$\mathrm{AB}=\sqrt{(x_2-x_1)^2}=|x_2-x_1|,\quad \mathrm{P}\left(\frac{nx_1+mx_2}{m+n}\right)$$

であるから、2次元のときの y 座標関係をやはり消しゴムで消す(！)。

次に直線の方程式を求めよう。

空間内の2定点 $\mathrm{A}\ (x_1,\ y_1,\ z_1)$、$\mathrm{B}\ (x_2,\ y_2,\ z_2)$を通る直線を l とする。

右図で $\mathrm{AP}=t\mathrm{AB}$ とすると

$$\begin{cases}\mathrm{AD}=t\mathrm{AC}\\ \mathrm{AF}=t\mathrm{AE}\\ \mathrm{AH}=t\mathrm{AG}\end{cases}$$

であるから、$\mathrm{P}(x,\ y,\ z)$とすると

$$\begin{cases}x-x_1=t\,(x_2-x_1)\\ y-y_1=t\,(y_2-y_1)\\ z-z_1=t\,(z_2-z_1)\end{cases}$$

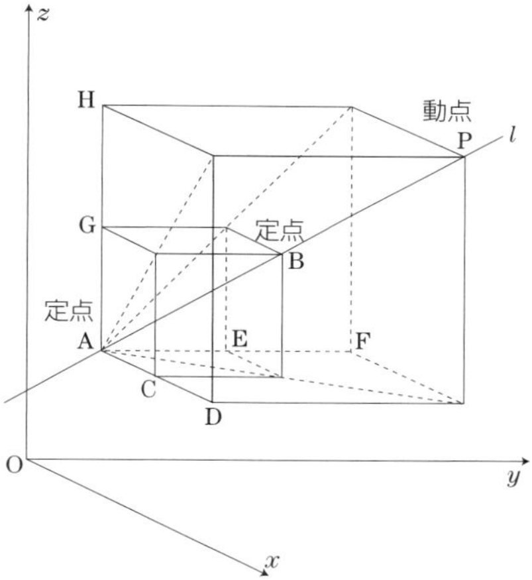

または、

$$\frac{x-x_1}{x_2-x_1}=\frac{y-y_1}{y_2-y_1}=\frac{z-z_1}{z_2-z_1}$$

という関係式ができる。これが直線 l の方程式である。

たとえば $\mathrm{A}(2,\ 1,\ 3)$、$\mathrm{B}(4,\ 7,\ 2)$のときは

$$\frac{x-2}{2}=\frac{y-1}{6}=\frac{z-3}{-1}$$

が求める方程式である。平面上の直線の場合は、z 座標関係を消しゴムで消す(！)。たとえば $\mathrm{A}(2,\ 1)$、$\mathrm{B}(4,\ 7)$を通る直線の方程式は：

$$\frac{x-2}{2}=\frac{y-1}{6}$$

9 空間内の平面と式

x, y, z についての 1 次の式

$$2x + 3y + 4z = 12 \quad \cdots ①$$

は、座標空間の中で、何を表しているか考えてみよう。これの x-y 平面、z-x 平面、y-z 平面による切片は、それぞれ

$z = 0$ として $2x + 3y = 12$ $\cdots ②$

$y = 0$ として $2x + 4z = 12$ $\cdots ③$

$x = 0$ として $3y + 4z = 12$ $\cdots ④$

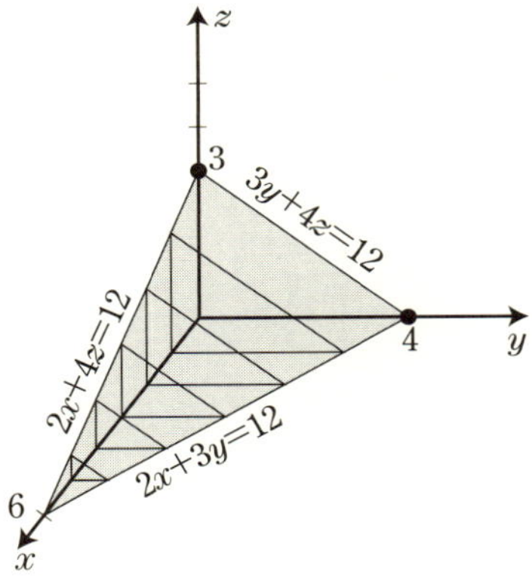

となるので①は、右図のように互いに交わる 3 直線②、③、④を含む図形になる。また

$x = 1$ として $3y + 4z = 10$ $\cdots ⑤$

$x = 2$ として $3y + 4z = 8$ $\cdots ⑥$

$x = 3$ として $3y + 4z = 6$ $\cdots ⑦$

$\cdots\cdots\cdots\cdots\cdots\cdots$

だから①は④、⑤、⑥、⑦などの平行な直線を含む図形であるので①は平面を表すことがわかる。

では、z の項が欠けている

$$2x + 3y = 12$$

は何を表すだろうか。これの x-y 平面、z-x 平面、y-z 平面による切片は、それぞれ

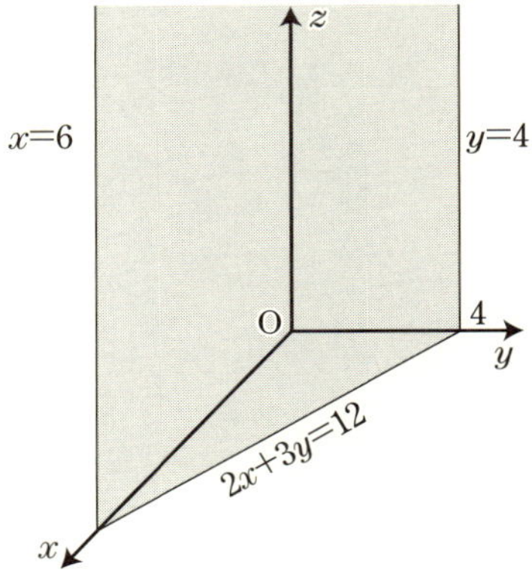

$z = 0$ として $2x + 3y = 12$

$y = 0$ として $x = 6$

$x=0$ として $y=4$

の3直線を含む図のような平面を表す。

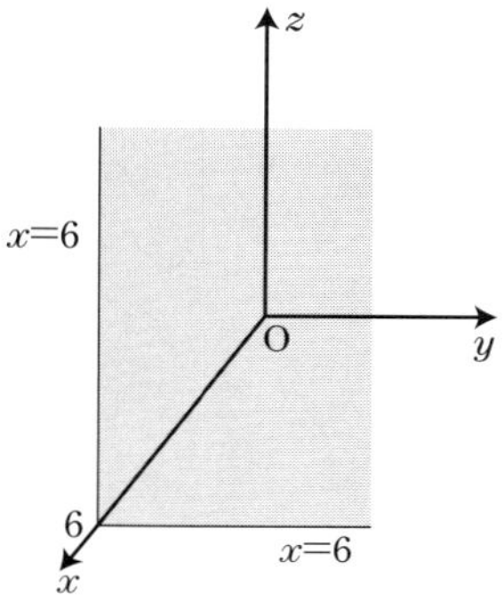

また、y, z の項が欠けている

$$x=6$$

は何を表すだろうか。これの x-y 平面、z-x 平面による切片は、それぞれ

$z=0$ として　$x=6$

$y=0$ として　$x=6$

となり、この2直線を含む図のような平面を表す。

これより、x, y, z についての1次の式

$ax+by+cz=d$　ただし $(a,\ b,\ c)\neq(0,\ 0,\ 0)$

は、平面を表すことがわかる。

次に、3点 A(6, 2, 1)、B(4, 4, 1)、C(1, 3, 3) を通る平面の式を求めよう。

求める平面の式を

$$ax+by+cz=d \quad \cdots(\mathrm{i})$$

とする。3点

(6, 2, 1)、(4, 4, 1)、(1, 3, 3)

を通るので

$$6a+2b+c=d \quad \cdots(\mathrm{ii})$$

$$4a+4b+c=d \quad \cdots(\mathrm{iii})$$

$$a+3b+3c=d \quad \cdots(\mathrm{iv})$$

(ii)(iii)(iv) を解いて

$$a=\frac{d}{10},\ b=\frac{d}{10},\ c=\frac{2}{10}d$$

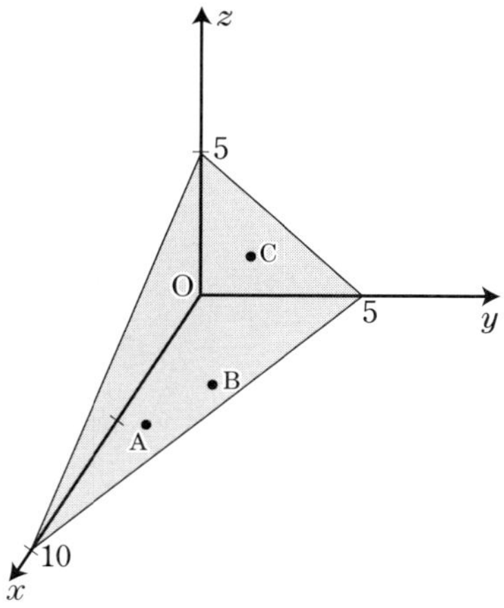

$d=10$ とおいて(i)にあてはめると

$$x+y+2z=10$$

10 ベクトル

平面上の直線、空間内の直線や平面などを考えるときには、ベクトルを利用するとよい。まずはその準備をしよう。

平面上で始点A$(x_1,\ y_1)$、終点$(x_2,\ y_2)$を結んだ変位$\overrightarrow{\mathrm{AB}}$は、2次元のベクトル

$\begin{pmatrix} x_2 - x_1 \\ y_2 - y_1 \end{pmatrix}$ ←x軸方向の変化 ←y軸方向の変化　で表すことができる。同様に、空間内のA(x_1, y_1, z_1)、B$(x_2,\ y_2,\ z_2)$を結んだ変位$\overrightarrow{\mathrm{AB}}$も、3次元のベクトル

$\begin{pmatrix} x_2 - x_1 \\ y_2 - y_1 \\ z_2 - z_1 \end{pmatrix}$ ←x軸方向に変化 ←y軸方向に変化 ←z軸方向に変化　で表せる。

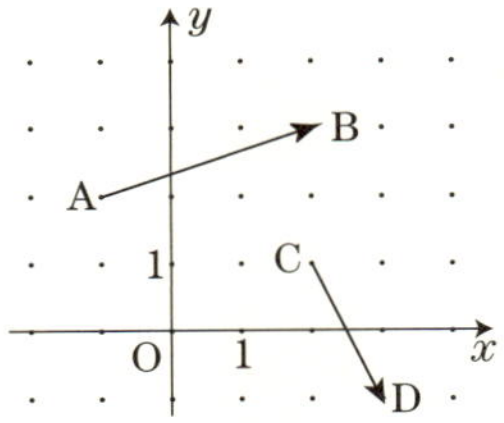

$\overrightarrow{\mathrm{AB}}=\begin{pmatrix} 3 \\ 1 \end{pmatrix}$

$\overrightarrow{\mathrm{CD}}=\begin{pmatrix} 1 \\ -2 \end{pmatrix}$

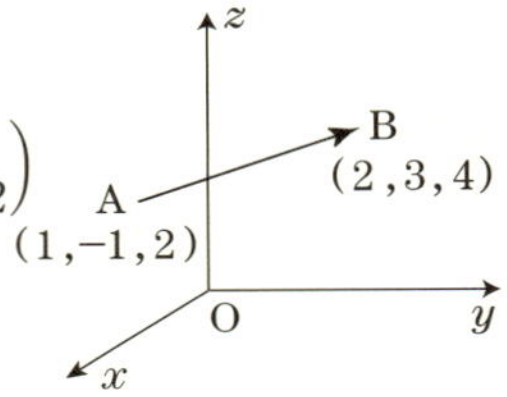

$\overrightarrow{\mathrm{AB}}=\begin{pmatrix} 1 \\ 4 \\ 2 \end{pmatrix}$

ベクトルの相等、加法、実数倍の矢線ベクトル表示は、平面内(2次元)と空間内(3次元)共通に次のように表せる。

〈相等〉ABCDが平行四辺形ならば

$\overrightarrow{\mathrm{AB}}=\overrightarrow{\mathrm{CD}}$

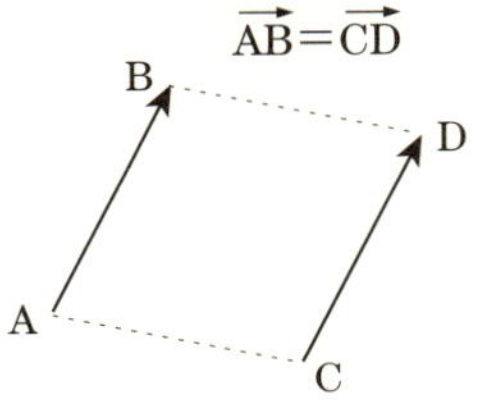

〈和〉$\overrightarrow{\mathrm{AB}}+\overrightarrow{\mathrm{BC}}=\overrightarrow{\mathrm{AC}}$

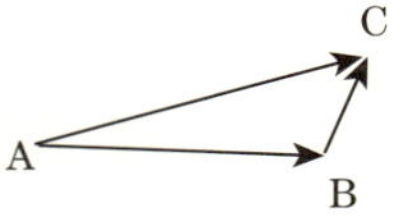

$\overrightarrow{\mathrm{AB}}+\overrightarrow{\mathrm{AD}}=\overrightarrow{\mathrm{AC}}$

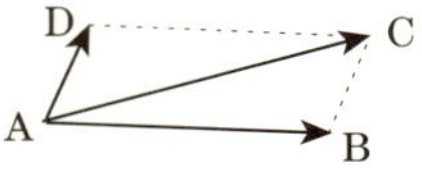

〈k倍〉

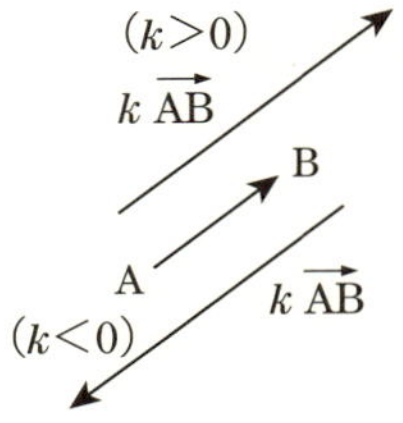

ベクトルにはもう一つ内積という演算がある。

〈内積〉ベクトル$\vec{a}$、$\vec{b}$の内積$\vec{a}\cdot\vec{b}$とは次のような値である。

$$\vec{a}=\begin{pmatrix}a_1\\a_2\\\vdots\\a_n\end{pmatrix}、\vec{b}=\begin{pmatrix}b_1\\b_2\\\vdots\\b_n\end{pmatrix}\quad のとき、\vec{a}\cdot\vec{b}=a_1b_1+a_2b_2+\cdots+a_nb_n$$

（例）

$$\begin{pmatrix}2\\3\end{pmatrix}\cdot\begin{pmatrix}-4\\5\end{pmatrix}=-8+15=7、\begin{pmatrix}6\\3\\-1\end{pmatrix}\cdot\begin{pmatrix}1\\-1\\3\end{pmatrix}=6-3-3=0$$

平面上または空間内の矢線ベクトルについて次の式が成り立つ。

$$\vec{a}\cdot\vec{b}=|\vec{a}|\ |\vec{b}|\cos\theta \qquad (※)$$

ここでθは$\vec{a}$、$\vec{b}$のなす角、$|\vec{a}|$はベクトルの大きさ（矢線の長さ）である。

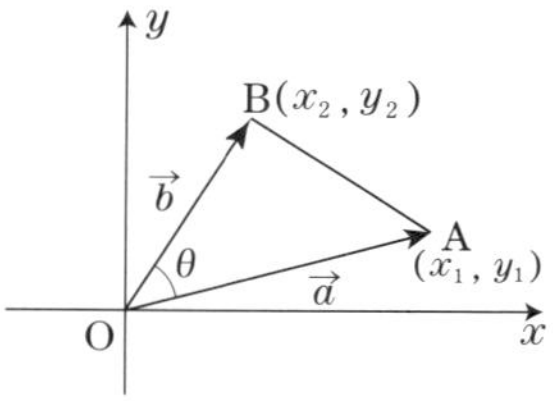

2次元の場合で証明しよう。

$\vec{a}=\begin{pmatrix}x_1\\y_1\end{pmatrix}$、$\vec{b}\begin{pmatrix}x_2\\y_2\end{pmatrix}$　を右図のようにとり

△OABに余弦定理$AB^2=OA^2+OB^2-2OA\cdot OB\cos\theta$を適用すると

$$(x_2-x_1)^2+(y_2-y_1)^2={x_1}^2+{y_1}^2+{x_2}^2+{y_2}^2-2OA\cdot OB\cos\theta$$

展開して整理すると$x_1x_2+y_1y_2=OA\cdot OB\ \cos\theta$、すなわち

$$\vec{a}\cdot\vec{b}=|\vec{a}|\ |\vec{b}|\cos\theta$$

となる（3次元の場合も同様にできる）。

$$|\vec{a}|\neq 0、|\vec{b}|\neq 0のとき、\vec{a}\cdot\vec{b}=0\leftrightarrows\vec{a}\perp\vec{b} \qquad (※※)$$

（※）からこの関係が導け、2つのベクトルの直交条件として大変重宝に使われる。その様子は次の項で見ることにしよう。

11 ベクトルと直線、平面

この節は、ベクトルを使った直線、平面の方程式再論である。

(その1)方向ベクトルと直線の式

定点Aを通り、ベクトル$\vec{v}$に平行な直線をlとする。この$\vec{v}$はlの方向を定めているので方向ベクトルという。

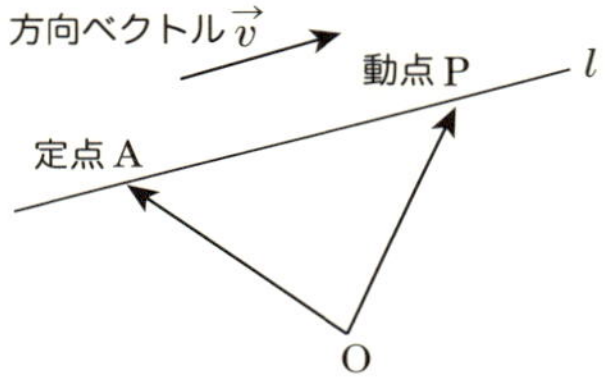

lの方程式を求めてみよう。

l上に任意の点Pをとると

$$\overrightarrow{OP}=\overrightarrow{OA}+t\vec{v}\ (t\text{は任意の実数})$$

という式が成り立つ。これをlのベクトル方程式という。成分では次のようになる。

〈平面上の直線のとき〉

いまA(2, 3)、$\vec{v}=\begin{pmatrix}4\\5\end{pmatrix}$、

$p(x,\ y)$とすると

$$\begin{pmatrix}x\\y\end{pmatrix}=\begin{pmatrix}2\\3\end{pmatrix}+t\begin{pmatrix}4\\5\end{pmatrix}$$

$$\begin{cases}x=2+4t\\y=3+5t\end{cases}$$

ここで

$$t=\frac{x-2}{4}\quad t=\frac{y-3}{5}$$

だからtを消去すると

$$\frac{x-2}{4}=\frac{y-3}{5}$$

となり、直線の方程式が求まる。

〈空間内の直線のとき〉

いま$A(x_1,\ y_1,\ z_1)$、$\vec{v}=\begin{pmatrix}p\\q\\r\end{pmatrix}$、

$P(x,\ y,\ z)$とすると

$$\begin{pmatrix}x\\y\\z\end{pmatrix}=\begin{pmatrix}x_1\\y_1\\z_1\end{pmatrix}+t\begin{pmatrix}p\\q\\r\end{pmatrix}$$

tを消去すると

$$\frac{x-x_1}{p}=\frac{y-y_1}{q}=\frac{z-z_1}{r}$$

が導け、これが空間内の直線の方程式である。

(その2)法線ベクトルと直線、平面の式

〈平面上の直線〉

平面上で、定点Aを通り、ベクトル$\vec{n}$に垂直な直線をlとする。lに垂直なこの$\vec{n}$はlの法線ベクトルとよばれる。

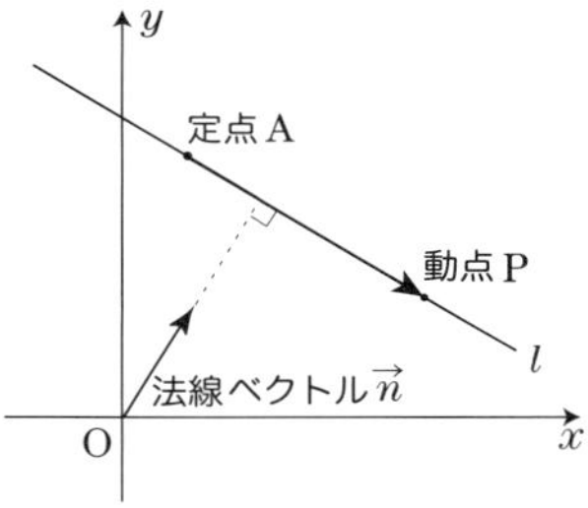

内積を使うと、lのベクトル方程式は

$$\vec{n}\cdot\overrightarrow{AP}=0$$

となる。

いま、A(3, 4)、$\vec{n}=\begin{pmatrix}2\\5\end{pmatrix}$、$p=(x, y)$とすると、$x$、$y$の式は

$$\begin{pmatrix}2\\5\end{pmatrix}\cdot\begin{pmatrix}x-3\\y-4\end{pmatrix}=0 \text{ すなわち} 2(x-3)+5(y-4)=0$$

とたちまち得られる。

〈空間内の平面〉

空間内で、定点Aを通り、ベクトル$\vec{n}$に垂直な平面をπとする。πに垂直なこの$\vec{n}$もやはりπの法線ベクトルという。

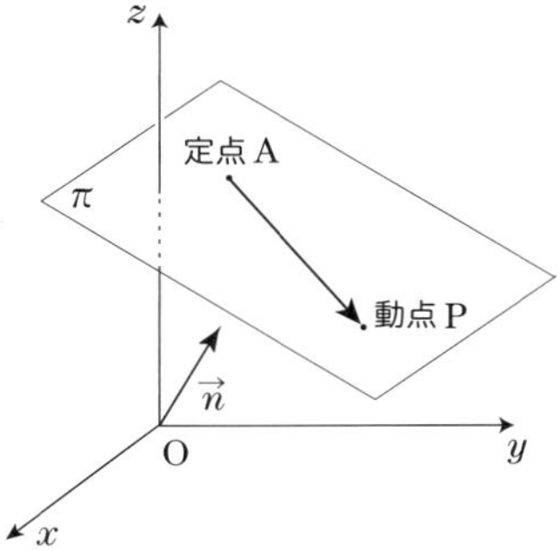

内積を使うと、πのベクトル方程式は

$$\vec{n}\cdot\overrightarrow{AP}=0$$

となる。

いま、$A(x_1, y_1, z_1)$、$\vec{n}=\begin{pmatrix}a\\b\\c\end{pmatrix}$、$P(x, y, z)$

とすると

$$\begin{pmatrix}a\\b\\c\end{pmatrix}\cdot\begin{pmatrix}x-x_1\\y-y_1\\z-z_1\end{pmatrix}=0 \quad \text{すなわち} a(x-x_1)+b(y-y_1)+c(z-z_1)=0$$

が導け、これが平面πの方程式である。

12 行列と1次変換

平面上で点P(x, y)を、点P$'(x', y')$に写すとき、とくに

$$\begin{cases} x' = ax + by \\ y' = cx + dy \end{cases} \quad \text{すなわち} \begin{pmatrix} x' \\ y' \end{pmatrix} = \begin{pmatrix} a & b \\ c & d \end{pmatrix} \begin{pmatrix} x \\ y \end{pmatrix}$$

という式で表される場合を1次変換という。

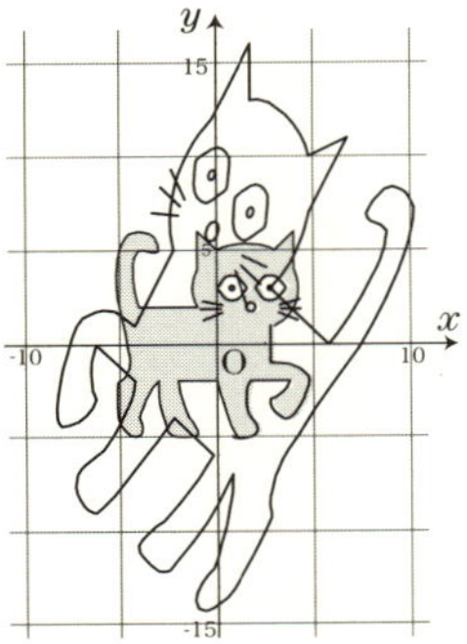

たとえば右の図は、1次変換

$$\begin{pmatrix} x' \\ y' \end{pmatrix} = \begin{pmatrix} -1 & 1 \\ 1 & 2 \end{pmatrix} \begin{pmatrix} x \\ y \end{pmatrix}$$

によって内側の猫を写したものである。1次変換の特徴は、行列をAとすると線型性

$$A(m\vec{x}_1 + n\vec{x}_2) = mA\vec{x}_1 + nA\vec{x}_2$$

が成り立つことで、正方形の格子が平行四辺形の格子に写る。

$$\begin{pmatrix} x' \\ y' \end{pmatrix} = \begin{pmatrix} a & b \\ c & d \end{pmatrix} \begin{pmatrix} x \\ y \end{pmatrix}$$

のとき

$$\begin{pmatrix} 1 \\ 0 \end{pmatrix} \to \begin{pmatrix} a \\ c \end{pmatrix}、\begin{pmatrix} 0 \\ 1 \end{pmatrix} \to \begin{pmatrix} b \\ d \end{pmatrix}$$

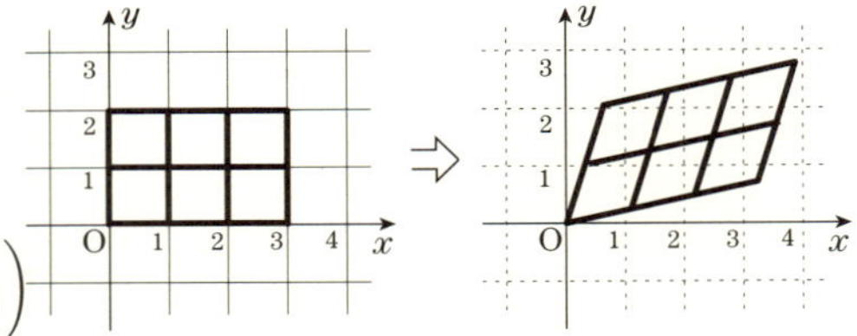

であることを利用して、次のような1次変換の代表的な例を作ることができる。

拡大・縮小$\begin{pmatrix} p & 0 \\ 0 & q \end{pmatrix}$　鏡映$\begin{pmatrix} 1 & 0 \\ 0 & -1 \end{pmatrix}$　回転$\begin{pmatrix} \cos\theta & -\sin\theta \\ \sin\theta & \cos\theta \end{pmatrix}$

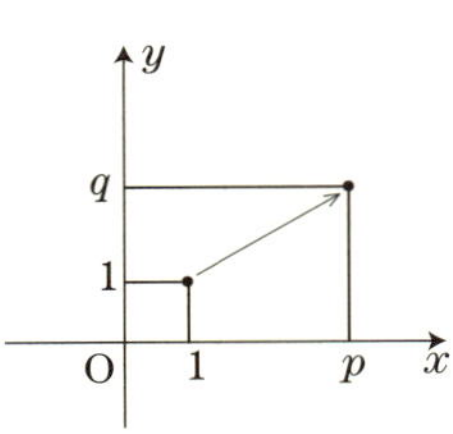

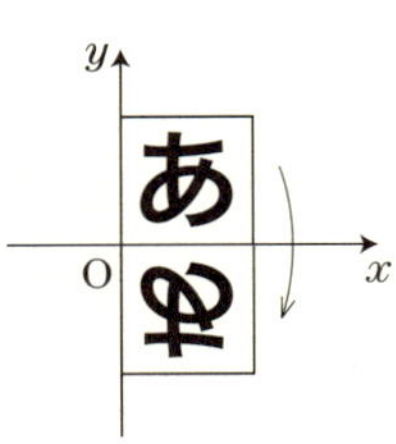

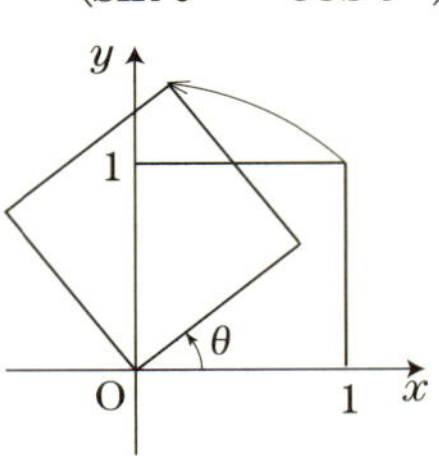

● 1次変換の合成と行列の積

いま$A=\begin{pmatrix} a & b \\ c & d \end{pmatrix}$、$B=\begin{pmatrix} e & f \\ g & h \end{pmatrix}$で表される1次変換があり、$\begin{pmatrix} x \\ y \end{pmatrix}$をはじめに$B$で写し、引きつづき$A$で写すと

$$\begin{pmatrix} x' \\ y' \end{pmatrix}=\begin{pmatrix} a & b \\ c & d \end{pmatrix}\left\{\begin{pmatrix} e & f \\ g & h \end{pmatrix}\begin{pmatrix} x \\ y \end{pmatrix}\right\}=\begin{pmatrix} a & b \\ c & d \end{pmatrix}\begin{pmatrix} ex+fy \\ gx+hy \end{pmatrix}$$

$$=\begin{pmatrix} a(ex+fy)+b(gx+hy) \\ c(ex+fy)+d(gx+hy) \end{pmatrix}=\begin{pmatrix} (ae+bg)x+(af+bh)y \\ (ce+dg)x+(cf+dh)y \end{pmatrix}$$

$$=\begin{pmatrix} ae+bg & af+bh \\ ce+dg & cf+dh \end{pmatrix}\begin{pmatrix} x \\ y \end{pmatrix}$$

という1次変換ができる。これを1次変換BとAの合成といい、

$\begin{pmatrix} ae+bg & af+bh \\ ce+dg & cf+dh \end{pmatrix}$を行列$A$、$B$の積といい$AB$で表す。

（例）

$$\begin{pmatrix} 1 & 2 \\ 3 & 4 \end{pmatrix}\begin{pmatrix} 5 & 6 \\ 7 & 8 \end{pmatrix}=\begin{pmatrix} 1\times5+2\times7 & 1\times6+2\times8 \\ 3\times5+4\times7 & 3\times6+4\times8 \end{pmatrix}=\begin{pmatrix} 19 & 22 \\ 43 & 50 \end{pmatrix}$$

● 逆変換と逆行列

1次変換$\begin{cases} x'=ax+by \\ y'=cx+dy \end{cases}$を$x$、$y$について解くと、$ad-bc \neq 0$のとき

$$\begin{cases} x=\dfrac{d}{ad-bc}x'-\dfrac{b}{ad-bc}y' \\ y=-\dfrac{c}{ad-bc}x'+\dfrac{a}{ad-bc}y' \end{cases}$$

となり、(x', y')を(x, y)に写す逆の変換

行列$\dfrac{1}{ad-bc}\begin{pmatrix} d & -b \\ -c & a \end{pmatrix}$が求まる。これを$A=\begin{pmatrix} a & b \\ c & d \end{pmatrix}$の逆行列といい、

A^{-1}と表す。

（例）

$$A=\begin{pmatrix} 2 & 1 \\ 3 & 4 \end{pmatrix}\text{のとき}\ A^{-1}=\frac{1}{2\times4-1\times3}\begin{pmatrix} 4 & -1 \\ -3 & 2 \end{pmatrix}=\begin{pmatrix} \frac{4}{5} & -\frac{1}{5} \\ -\frac{3}{5} & \frac{2}{5} \end{pmatrix}$$

13 行列式、外積

前項の1次変換の合成を回転移動に適用して、まず角θ_2だけ回転し、引きつづいて角θ_1を回転すれば結果的に$\theta_1+\theta_2$回転するから

$$\begin{pmatrix}\cos(\theta_1+\theta_2) & -\sin(\theta_1+\theta_2)\\ \sin(\theta_1+\theta_2) & \cos(\theta_1+\theta_2)\end{pmatrix}=\begin{pmatrix}\cos\theta_1 & -\sin\theta_1\\ \sin\theta_1 & \cos\theta_1\end{pmatrix}\begin{pmatrix}\cos\theta_2 & -\sin\theta_2\\ \sin\theta_2 & \cos\theta_2\end{pmatrix}$$

$$=\begin{pmatrix}\cos\theta_1\cos\theta_2-\sin\theta_1\sin\theta_2 & -\cos\theta_1\sin\theta_2-\sin\theta_1\cos\theta_2\\ \sin\theta_1\cos\theta_2+\cos\theta_1\sin\theta_2 & -\sin\theta_1\sin\theta_2+\cos\theta_1\cos\theta_2\end{pmatrix}$$

が成り立ち、次のような式が導ける。

$$\cos(\theta_1+\theta_2)=\cos\theta_1\cos\theta_2-\sin\theta_1\sin\theta_2$$

$$\sin(\theta_1+\theta_2)=\sin\theta_1\cos\theta_2+\cos\theta_1\sin\theta_2$$

θ_2を$-\theta_2$でおきかえると

$$\cos(\theta_1-\theta_2)=\cos\theta_1\cos\theta_2+\sin\theta_1\sin\theta_2$$

$$\sin(\theta_1-\theta_2)=\sin\theta_1\cos\theta_2-\cos\theta_1\sin\theta_2$$

となる。これらを三角関数の加法定理という。

次にやはり前項で$\begin{pmatrix}a & b\\ c & d\end{pmatrix}$の逆行列を求めるときに出てきた$ad-bc$という値についてだが、$\vec{u}=\begin{pmatrix}a\\ c\end{pmatrix}$、$\vec{v}=\begin{pmatrix}b\\ d\end{pmatrix}$を2辺とする平行四辺形OACBの面積$S$に他ならない。というのは、図のように$\alpha$、$\beta$をとると

$$\begin{cases}a=|\vec{u}|\cos\alpha\\ c=|\vec{u}|\sin\alpha\end{cases}、\begin{cases}b=|\vec{v}|\cos\beta\\ d=|\vec{v}|\sin\beta\end{cases}$$

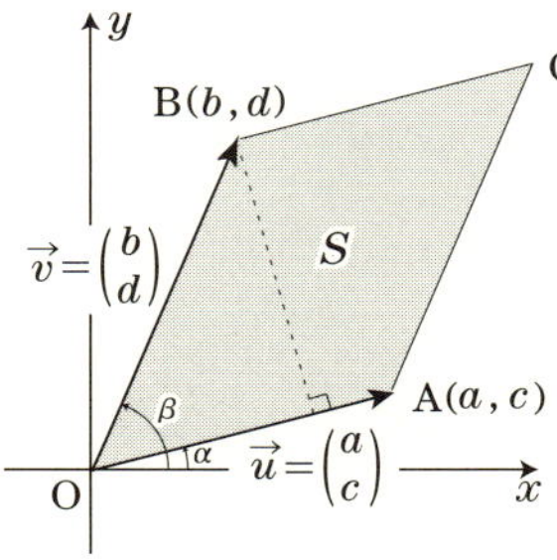

だから、計算の途中で上の加法定理を用いて次のように導ける。なお角α、βは0°から360°の間の角とする。

$$S=|\vec{u}|\ |\vec{v}|\ \sin(\beta-\alpha)$$

$$=|\vec{u}|\ |\vec{v}|\ (\sin\beta\cos\alpha-\cos\beta\sin\alpha)$$

$$=|\vec{u}|\cos\alpha\cdot|\vec{v}|\sin\beta-|\vec{v}|\cos\beta\cdot|\vec{u}|\sin\alpha$$

$$=ad-bc$$

ただし$\beta<\alpha$のときは$\sin(\beta-\alpha)<0$だから、正確にいうとこの$S=ad-bc$はプラス、マイナスの符号つきの面積であるが、これを行列$\begin{pmatrix}a & b\\ c & d\end{pmatrix}$の行列式といい$\begin{vmatrix}a & b\\ c & d\end{vmatrix}$と表す。

（例）　$\begin{vmatrix}2 & 1\\ 3 & 4\end{vmatrix}=2\times4-1\times3=5$、$\begin{vmatrix}-1 & 1\\ 1 & 2\end{vmatrix}=-1\times2-1\times1=-3$

今度は空間内にベクトル$\vec{u}$、$\vec{v}$があるとき右図のような平行四辺形OACBの面積Sを求めてみよう。

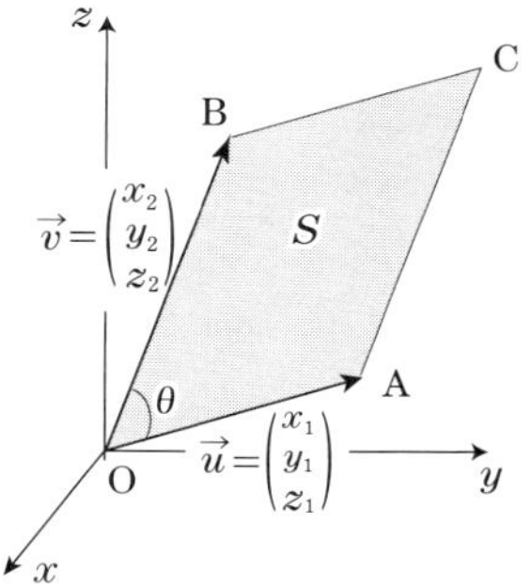

$$S=|\vec{u}|\,|\vec{v}|\sin\theta$$

$$S^2=|\vec{u}|^2|\vec{v}|^2\sin^2\theta=|\vec{u}|^2|\vec{v}|^2(1-\cos^2\theta)$$

$$=|\vec{u}|^2|\vec{v}|^2-|\vec{u}|^2|\vec{v}|^2\cos^2\theta$$

$$=|\vec{u}|^2|\vec{v}|^2-(\vec{u}\cdot\vec{v})^2$$

$$=(x_1{}^2+y_1{}^2+z_1{}^2)(x_2{}^2+y_2{}^2+z_2{}^2)-(x_1x_2+y_1y_2+z_1z_2)^2$$

$$=x_1{}^2y_2{}^2+x_2{}^2y_1{}^2+y_1{}^2z_2{}^2+y_2{}^2z_1{}^2+z_1{}^2x_2{}^2+z_2{}^2x_1{}^2$$

$$-2x_1x_2y_1y_2-2y_1y_2z_1z_2-2z_1z_2x_1x_2$$

$$=(y_1z_2-y_2z_1)^2+(z_1x_2-z_2x_1)^2+(x_1y_2-x_2y_1)^2$$

こうしてSは$\begin{pmatrix}y_1z_2-y_2z_1\\ z_1x_2-z_2x_1\\ x_1y_2-x_2y_1\end{pmatrix}$というベクトル$\vec{w}$の大きさ$|\vec{w}|$である。この$\vec{w}$は$\vec{u}$、$\vec{v}$の外積といわれ$\vec{u}\times\vec{v}$　と表す。$\vec{u}\cdot\vec{w}=0$、$\vec{v}\cdot\vec{w}=0$を確かめることができ、$\vec{u}\times\vec{v}$は平行四辺形に垂直なベクトルである。

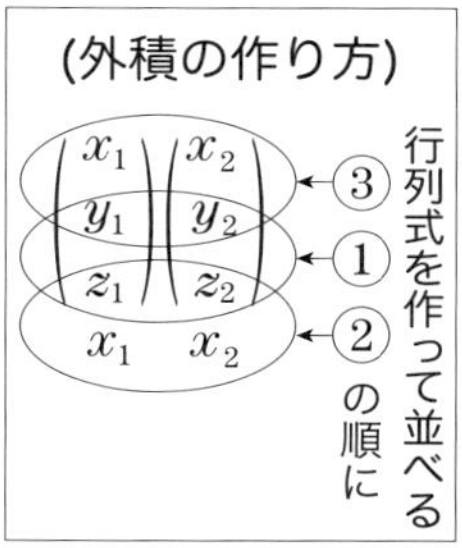

14 球の式

世の中で一番均整がとれて美しい立体は球であろう。この球の式を求めよう。

中心Cの座標が$(a,\ b,\ c)$で半径rの球の式は、次のように求められる。

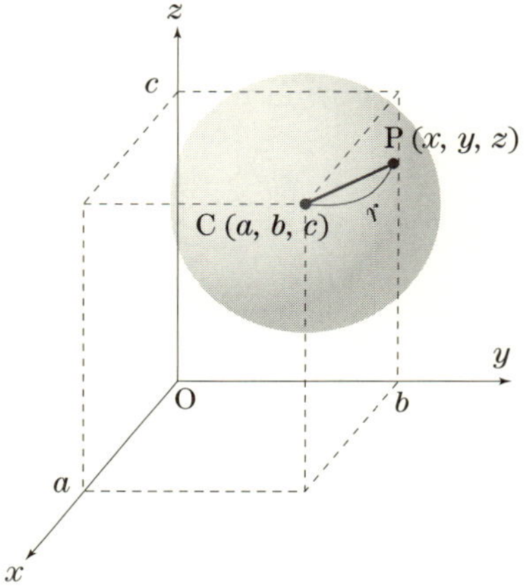

球面上の点$\mathrm{P}(x,\ y,\ z)$をとると

$\mathrm{CP}=r$（一定）

であるので

$$\sqrt{(x-a)^2+(y-b)^2+(z-c)^2}=r$$

両辺を2乗して

$$(x-a)^2+(y-b)^2+(z-c)^2=r^2$$

これが求める球の式である。

中心Cの座標が$(4,\ 5,\ 2)$で半径3の球がx-y平面によって切り取られる円を求めてみよう。

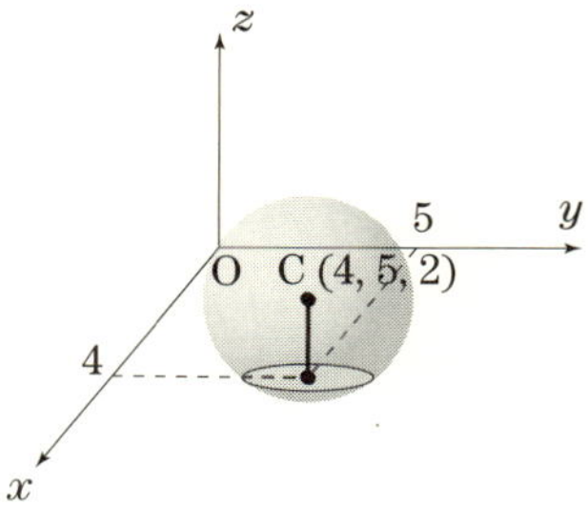

球の式は

$$(x-4)^2+(y-5)^2+(z-2)^2=9$$

であり、x-y平面は

$$z=0$$

であるので、これを球の式にあてはめて

$$(x-4)^2+(y-5)^2=5$$

これより、交線は中心$(4,\ 5,\ 0)$、半径$\sqrt{5}$の円になる。

次に、球$x^2+y^2+z^2=r^2$上の点$\mathrm{A}(x_1,\ y_1,\ z_1)$を接点とする接平面の式を求めてみよう。

接平面上の点を P $(x,\ y,\ z)$ とすると、接平面は線分 OA に直交しているので直角三角形 OAP にピタゴラスの定理を用いて

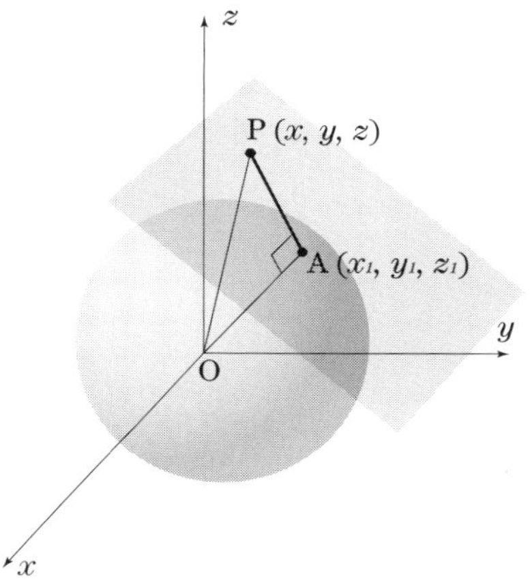

$$\mathrm{OP}^2 = \mathrm{OA}^2 + \mathrm{AP}^2$$

$$x^2 + y^2 + z^2 = {x_1}^2 + {y_1}^2 + {z_1}^2$$
$$+ (x - x_1)^2 + (y - y_1)^2 + (z - z_1)^2$$

整理すると

$$x_1x + y_1y + z_1z = {x_1}^2 + {y_1}^2 + {z_1}^2$$

点 $\mathrm{A}(x_1,\ y_1,\ z_1)$ は球上の点であるので

$$ {x_1}^2 + {y_1}^2 + {z_1}^2 = r^2$$

よって、求める接平面の式は、次のようになる。

$$x_1x + y_1y + z_1z = r^2$$

接平面がからむ問題を 1 つ解いてみよう。下図のような球面

$$x^2 + y^2 + z^2 = 29$$

上の点 A $(2,\ 3,\ 4)$ にいる小さいアリは球の外の点 B $(0,\ 0,\ 7)$ にいるクモが見えるだろうか？

このアリが見える範囲は点 A における接平面

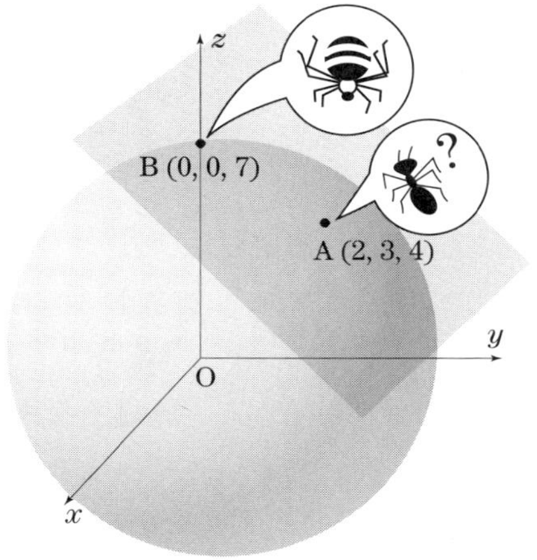

$$2x + 3y + 4z = 29$$

より上方である。点 B $(0,\ 0,\ 7)$ をあてはめると

$$2 \cdot 0 + 3 \cdot 0 + 4 \cdot 7 = 28 < 29$$

であるので、点 B にいるクモは残念ながら見えないことがわかる。

15 曲面の鑑賞

いろいろのなタイプの 2 次曲面を鑑賞してみよう。

（楕円面）

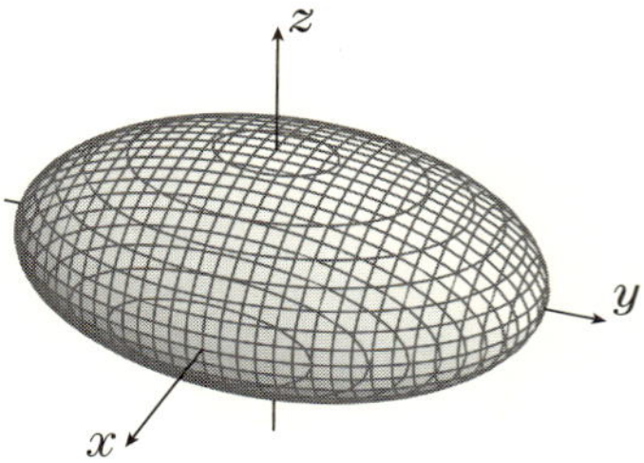

$$\frac{x^2}{a^2}+\frac{y^2}{b^2}+\frac{z^2}{c^2}=1$$

（一葉双曲面）

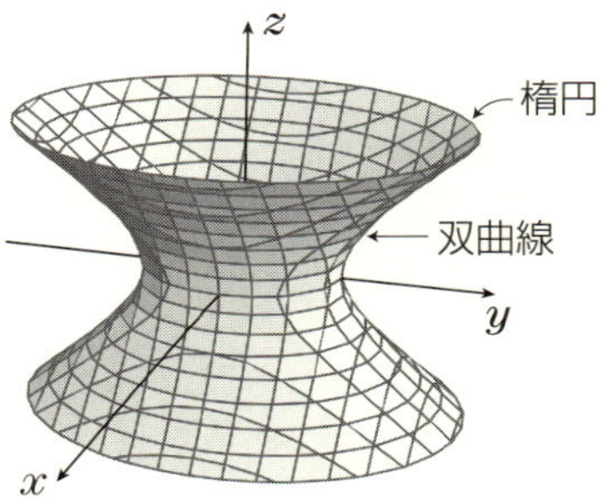

$$\frac{x^2}{a^2}+\frac{y^2}{b^2}-\frac{z^2}{c^2}=1$$

（二葉双曲線）

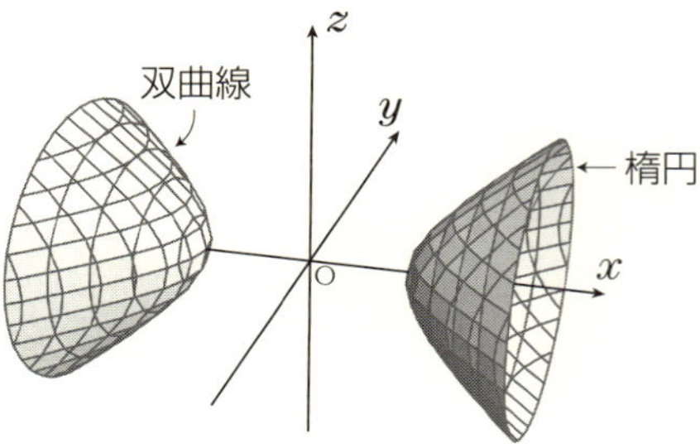

$$\frac{x^2}{a^2}-\frac{y^2}{b^2}-\frac{z^2}{c^2}=1$$

（楕円放物面）

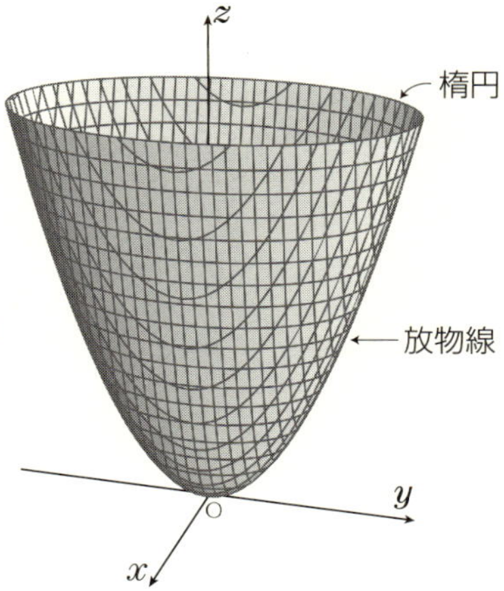

$$\frac{x^2}{a^2}+\frac{y^2}{b^2}=2cz$$

（双曲放物面）

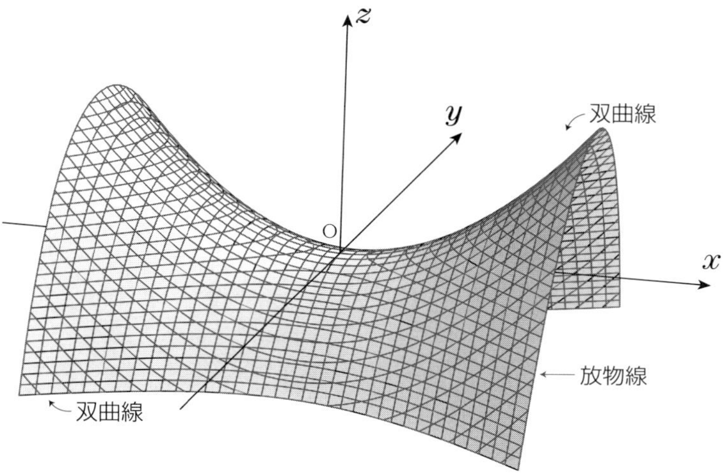

$$\frac{x^2}{a^2}-\frac{y^2}{b^2}=2cz$$

（楕円柱）

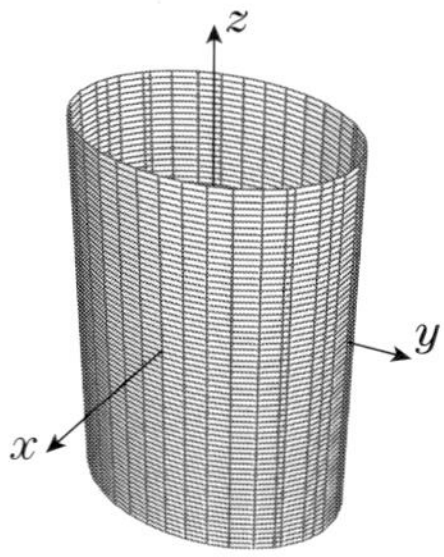

$$\frac{x^2}{a^2}+\frac{y^2}{b^2}=1$$

（双曲柱）

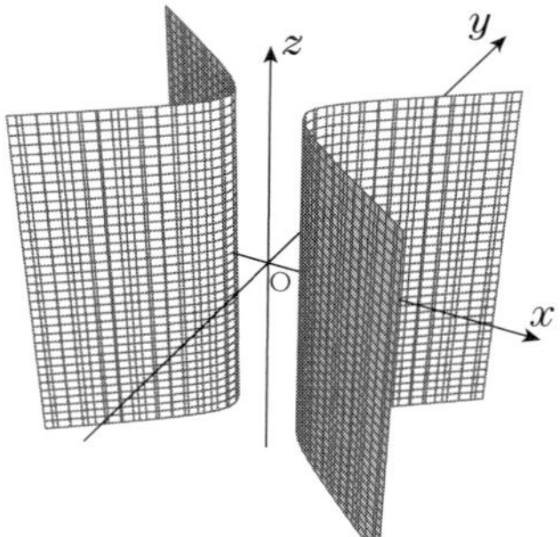

$$\frac{x^2}{a^2}-\frac{y^2}{b^2}=1$$

（放物柱）

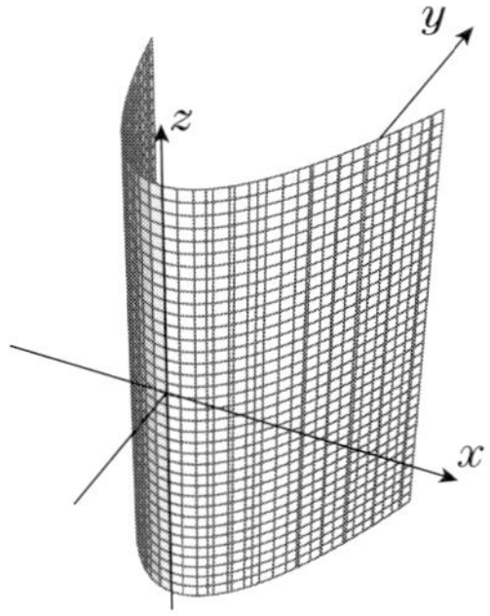

$$x^2=4py$$

16 いろいろな座標・極座標

平面上の点 P をとらえるのに、原点 O からの距離 r および始線 Ox からの回転角 θ を使って、$(r,\ \theta)$ と表す方法がある。北極や南極付近の経線、緯線の様子に似ているので、O を極とよび、このような座標を極座標という。

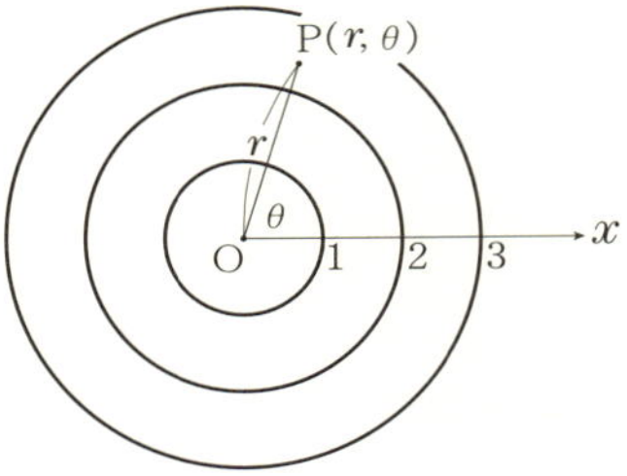

レーダーの画面のように　動径 OP がグルグル回る。そのとき θ の各値に対して OP $= r$ が $r = f(\theta)$ という式で決まるとする。つまり、OP が伸びたり縮んだりしながら回転する。このような曲線の場合に、極座標は便利である。

代表的な例に、螺線（らせん）がある。OP が回転し、その角 θ に比例して r が増えていくとすると

$r = a\theta$（a は定数）

という式ができる。蚊取り線香のような曲線である。

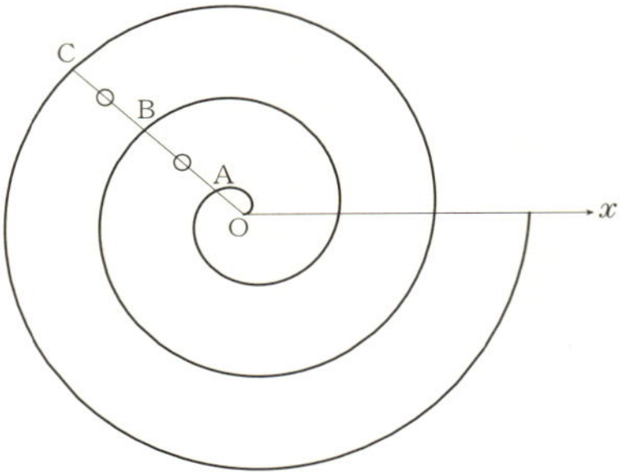

$$\mathrm{OA} \xrightarrow{+(一定)} \mathrm{OB} \xrightarrow{+(一定)} \mathrm{OC} \xrightarrow{+(一定)}$$

θ と r は比例しているので図のように、1 周するたびに同じ長さだけ遠ざかる。

この螺線についてはギリシャの数学者アルキメデスがいろいろ研究したため、今でもアルキメデスの螺線とよばれている。

もうひとつ、角 θ がだんだんふえていくとき r が θ の指数関数

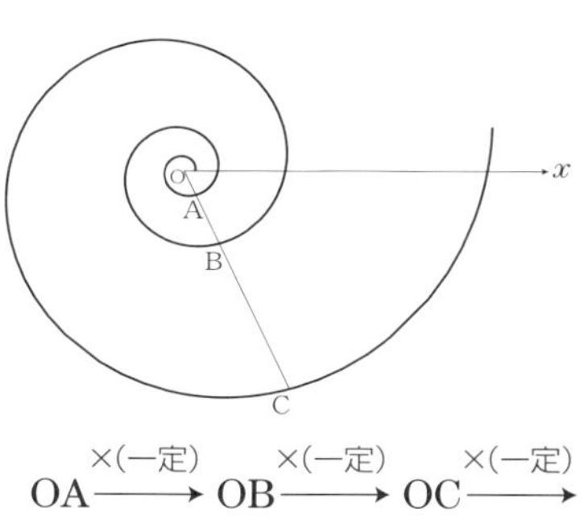

$$r = pe^{q\theta}$$

に従ってふえるような螺線が有名であり、対数螺線とよばれている。アルキメデスの螺線は一回転するたびに距離がいつも一定の値だけ加わる(等差数列的)ふえ方であったが、対数螺線では、一回転するごとに一定倍される(等比数列的)ふえ方をする。この曲線は現実世界にも見られ、オーム貝の断面は、対数螺線の曲線と一致する。

この他の、極座標表示された曲線の例として、正葉形といわれる木の葉のような形を2つ紹介しよう。

$r = a\cos 3\theta$

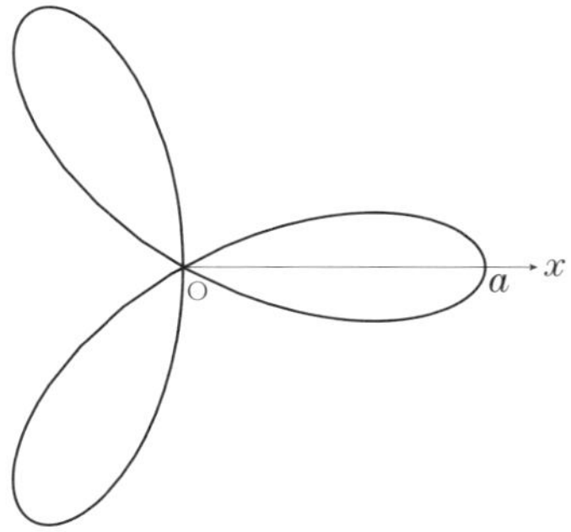

$r = a\cos 2\theta$

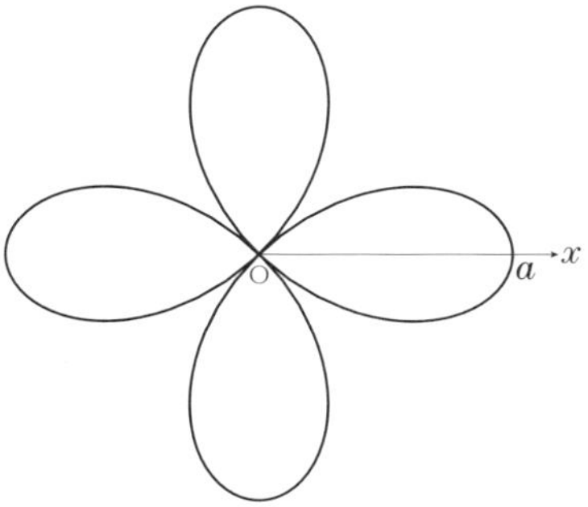

なお、極座標$(r,\ \theta)$と直交座標$(x,\ y)$は

$$\begin{cases} x = r\cos\theta \\ y = r\sin\theta \end{cases}、\quad \begin{cases} r = \sqrt{x^2 + y^2} \\ \tan\theta = \dfrac{y}{x} \end{cases}$$

という関係にあるから、時と場合により、いわば相互乗り入れすることができる。

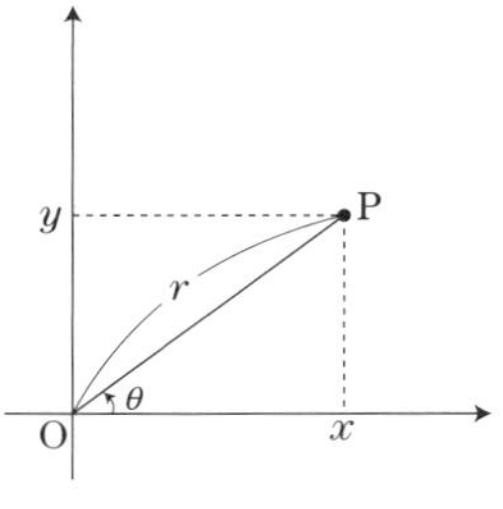

17 座標変換

図形を平行移動したり拡大したりしたとき、その図形を表す式がどのように変化するか調べてみよう。

たとえば、放物線 $y=x^2$ を x 軸方向に $+2$ だけ平行移動したとする。ところが、放物線の側から座標軸を見ると、x 軸が -2 だけ平行移動したと考えるだろう。この放物線の式は $y=(x-2)^2$ と表される。

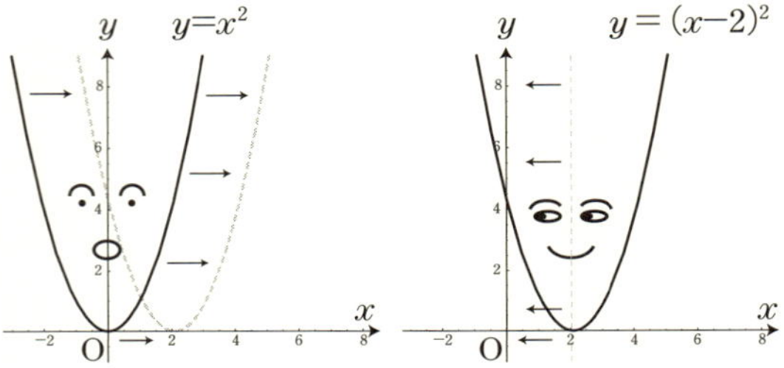

また、円 $x^2+y^2=1$ を 2 倍に相似拡大したとする。ところが、円から座標軸を見ると、x 軸、y 軸ともスケールが $\frac{1}{2}$ 倍になったように考えるだろう。

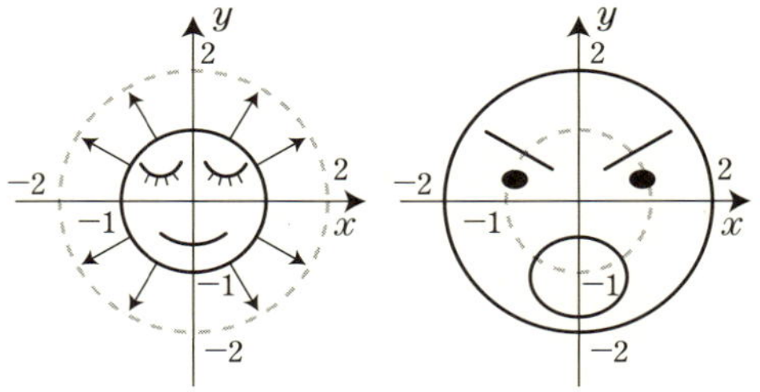

これは、寝ている間に急激に大きくなった人が目を覚ましたとき、自分の部屋のあらゆるものが小さくなったと感じる現象とよく似ている。この円の式は次のようになる。

$$\left(\frac{x}{2}\right)^2+\left(\frac{y}{2}\right)^2=1 \quad より \quad x^2+y^2=4$$

このように、変換した図形の式を求めるには、元の図形の式の x, y 座標に逆の変換をほどこしたと思えばよい。

図形の変換される前の変数を x, y、変換された後の変数を X, Y と区別することにすると、上の変換は次のように表される。

平行移動：$x=X-2$　　　拡大：$x=\dfrac{X}{2}$、$y=\dfrac{Y}{2}$

これらを座標変換の式とよぶ。

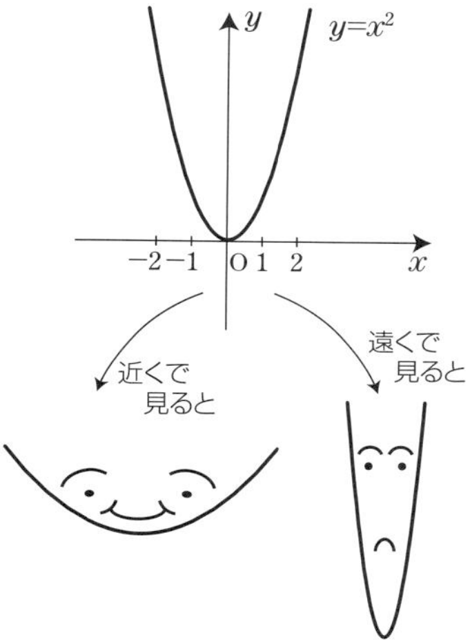

座標変換の考えを用いれば、図形の新しい見方ができるようになる。

放物線 $y=ax^2$ は、a の値によって、いろいろ異なった形になる。しかし、相似変換とよばれる

$$x=\frac{X}{a}、y=\frac{Y}{a}$$

で変数変換すると

$$\frac{Y}{a}=a\left(\frac{X}{a}\right)^2 \quad すなわち \quad Y=X^2$$

となる。このことは、いろいろな放物線の形は、放物線 $y=x^2$ を近くから見たり、遠くから見たりしたときに現れることを意味する。

また、楕円 $\dfrac{x^2}{a^2}+\dfrac{y^2}{b^2}=1$ は、a、b の値によって、いろいろ異なった形になる。しかし1次変換

$$x=aX、y=bY$$

で変数変換すると

$$X^2+Y^2=1$$

となる。だから、まん丸のお盆の影絵をつくると、いろいろな楕円ができる。

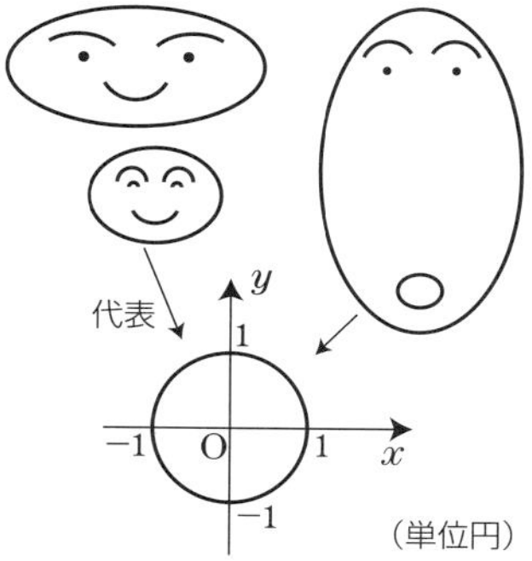

18 曲線と曲率

平面上に曲線があるとしよう。カーブの仕方の大小、つまり急カーブかなだらかなカーブかをどのように数量化すればよいのだろうか。

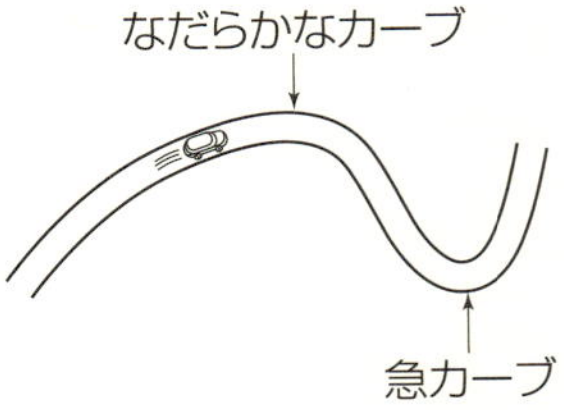

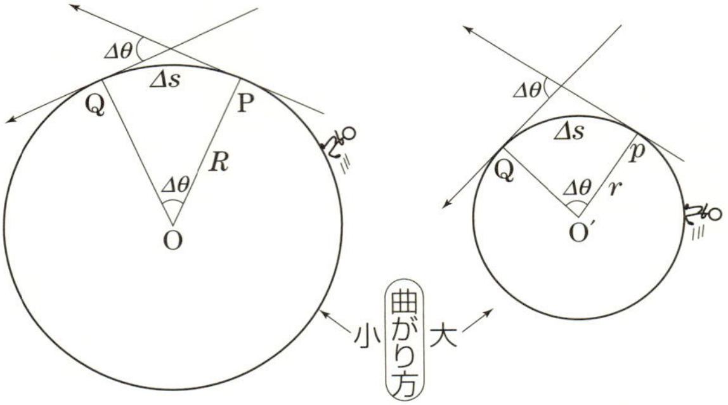

まず、曲線として、半径のちがう 2 つの円 O、O′を考える。

P から Q まで長さ Δs だけ進んだとき、接線の方向がどれだけ変化するか($\Delta\theta$)を調べると、曲線の曲がり方の大小がわかる。

そこで、曲線上を進んだときの方向角の変化率を求めるために微分を利用して

$k=\dfrac{d\theta}{ds}=\lim\limits_{\Delta s\to 0}\dfrac{\Delta\theta}{\Delta s}$（$\Delta s$を 0 に近づけたとき $\dfrac{\Delta\theta}{\Delta s}$ が近づいてゆく先の値）

を曲率という。カーブが急なほど曲率は大きい。

円の場合、方向角の変化$\Delta\theta$と∠POQは等しく、また円の半径をRとすると、弧度法(ラジアン)による角の定義から$\Delta\theta=\dfrac{\Delta s}{R}$、したがって

$k=\lim\limits_{\Delta s\to 0}\dfrac{\Delta\theta}{\Delta s}=\lim\limits_{\Delta s\to 0}\dfrac{1}{R}=\dfrac{1}{R}$ となる。

つまり、曲率は半径の逆数であり、たしかに円 O′の方が半径が小さいから曲率（＝曲がり方の度合）は逆に大きい。

次に平面上の一般の曲線の場合。

この場合は円とちがって、位置によって曲がり方の大小が変化するが、ある点 P における曲率として先ほどの定義

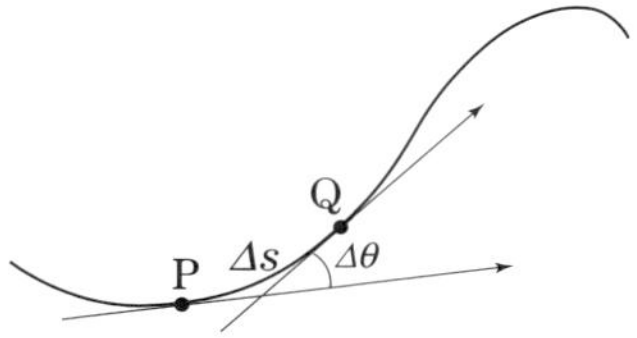

曲率 $k=\lim_{\Delta s\to 0}\dfrac{\Delta\theta}{\Delta s}=\dfrac{d\theta}{ds}$

をそのまま使用し、また $\dfrac{1}{k}$ を点 P における曲率半径という（ P において最良の接触円を作り、その円の半径だと思えばよい）。

なお、実際に曲率を計算するのは微分の計算が必要であり、とくに曲線が $y=f(x)$ で与えられたときは、

$$k=\frac{f''(x)}{\{1+(f'(x))^2\}^{\frac{3}{2}}}$$

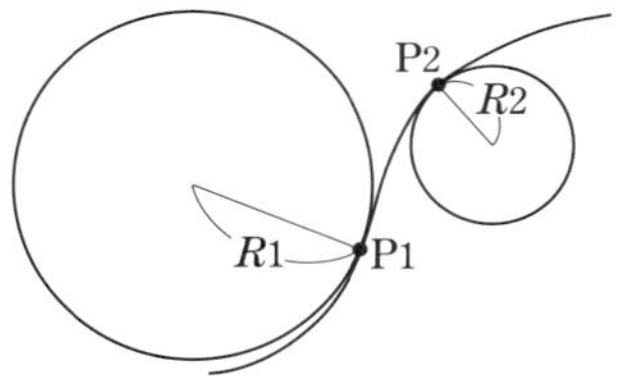

P_1 における曲率 $\dfrac{1}{R_1}$, P_2 における曲率 $\dfrac{1}{R_2}$
（符号まで考えて $\dfrac{1}{R_2}<0$ とする場合もある）

となることが導ける

$\left(f'(x)=\tan\theta、\dfrac{d\theta}{ds}=\dfrac{d\theta}{dx}\cdot\dfrac{dx}{ds}、\dfrac{ds}{dx}=\sqrt{1+(f'(x)^2)}\right.$ 等々、微分法のいろいろな公式を使う）。

また、空間内の曲線（たとえば、いわゆる「キレながら飛ぶホームランの球の軌跡」のように一平面上には乗らない曲線）も、その曲線に接触する平面内で同じように曲率を計算する。ただし、その接触する平面が $\Delta\alpha$ だけ傾くとき、$\lim_{\Delta s\to 0}\dfrac{\Delta\alpha}{\Delta s}$ を捩率（れいりつ）といって、曲線の「ねじれ具合」を表す量として使用する。たとえばバネ状のつるまき線は曲率も捩率も一定である。

19 曲面論

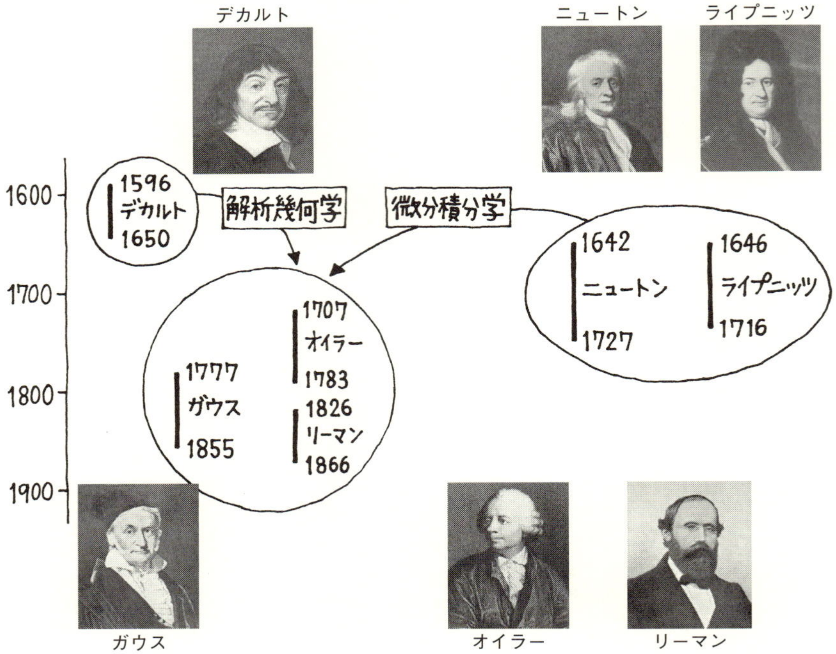

17 世紀前半デカルトが提起した解析幾何学は、幾何学的図形を式表現することを可能にした。さらにニュートンとライプニッツが関数の変化を解析する微分積分学を構築したのも同じ 17 世紀の後半であった。こうして、2 つの材料はそろい、レールは敷かれた。

18 世紀、19 世紀とそのレールを突走ったのは、オイラー、ガウス、リーマン等、数学史上に輝く天才達であった。

そもそも 3 次元ユークリッド空間内の曲面はどんな式で表せるのだろうか。すぐに頭に浮かぶ球面でいうと

$$x^2+y^2+z^2=a^2$$

と表すか、あるいは右のように 2 つの角を媒介変数として用いて

$$\begin{cases} x = a\sin u\ \cos v \\ y = a\sin u\ \sin v \\ z = a\cos u \end{cases}$$

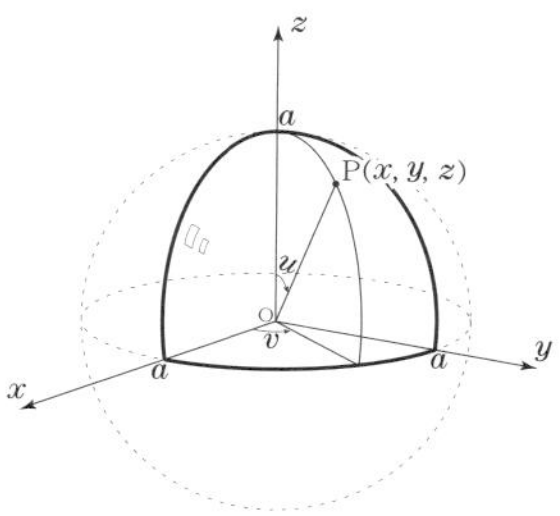

とすることもできる。後者のように曲面を

$$x = x(u, v)、y = y(u, v)、z = z(u, v)$$

と、2 変数 u, v の 3 個の関数で表す方法を、ガウスのパラメータ表示とよぶ。さらに、曲面上の曲線(図の P″ Q″)を考えるためには、もう 1 つのパラメータ(t)が必要となり、

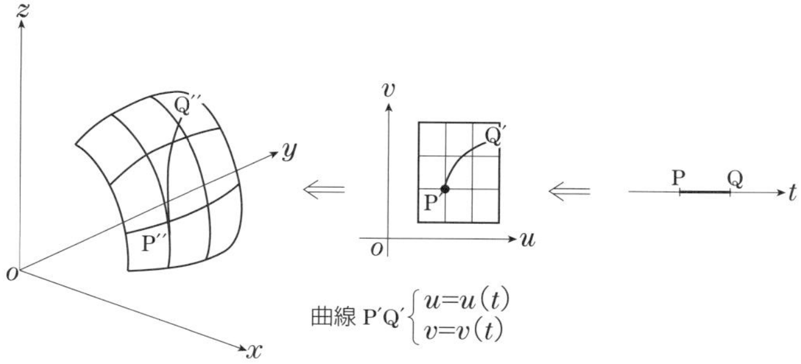

$$x = x(u(t),\ v(t))、y = y(u(t),\ v(t))、z = z(u(t),\ v(t))$$

という形で表せることになる。そしてこの曲線の P″ における接線ベクトルの x、y、z 成分は次のようになる。なにぶん、2 変数の関数の微分(偏微分)、さらに合成関数の微分がからむから、これだけでも話は複雑であり、ここで詳しく説明することは省略する。しかしこれがいわゆる微分幾何学の曲面論を展開していくためのスタートとなった。

$$\begin{cases} \dfrac{dx}{dt} = \dfrac{\partial x}{\partial u}\ \dfrac{du}{dt} + \dfrac{\partial x}{\partial v}\ \dfrac{dv}{dt} \\ \dfrac{dy}{dt} = \dfrac{\partial y}{\partial u}\ \dfrac{du}{dt} + \dfrac{\partial y}{\partial v}\ \dfrac{dv}{dt} \\ \dfrac{dz}{dt} = \dfrac{\partial z}{\partial u}\ \dfrac{du}{dt} + \dfrac{\partial z}{\partial v}\ \dfrac{dv}{dt} \end{cases}$$

そしてその成果の上に立って、リーマンは曲面という図形を n 次元多様体にまで高め、その後の幾何学発展のターニングポイントを築くことになった。そしてこの「多様体の幾何学」(リーマン幾何学)が、のちにアインシュタインによって一般相対性理論の記述に活かされたのである。

ちょっとひと息

リーマン(1826 ～ 1866)は、ドイツの片田舎で生まれた数学者である。父は聖職者で、リーマンも同じ道を進むつもりでゲッティンゲン大学に入学したが、そこでガウスに数学を学び、さらにベルリン大学に留学してヤコビやディリクレの講義を受けて、とうとう数学を専攻することになった。

彼の仕事はいろいろな分野にまたがり、物理学にもおよんでいる。ひじょうにセンスのよい人で、「晩年のガウスを感嘆させた」ような、深い意味のある仕事をたくさん残しているが、惜しくも 40 歳の誕生日の少し前に早逝した。ついでながら岩波数学事典(第 3 版、1985)の索引に現れる数学者の仕事の引用回数では、第 1 位のヒルベルト(1862 ～ 1943、121 回)に次いで、リーマンが第 2 位(83 回)であった。これはリーマンの評価が没後もますます高まり、現代数学にも大きな影響を及ぼしていることを端的に表している。

彼の仕事のうち、わかりやすい例を挙げると「リーマン型の非ユークリッド空間」の提示がある。これは「平行線が存在しない」世界で、球面上の大円(球面を、中心を含む平面で切った切り口——球面上の直径最大の円)を「直線」とみなしたときの幾何学と思えばよい。ただしそれだと、「 2 点を通る直線はただひとつに限る」という性質も成り立たなくなる——地球上でいうと「北極と南極を通る直線は無数にある」からである。これを救うには、「北極と南極(のように、正反対に位置する 2 点)は、同一の点と見なす」という、射影幾何学の考え方が必要になる。

そのほか素数の分布に関連する「リーマン予想」が有名で、未だに解決されていない。ロマンチストのヒルベルトは「もし私が千年後に目覚めるとしたら、まっさきに“リーマン予想は解けたか？”と聞くだろう」と言った、とか。

第3部

図形・空間の意味がわかる

第5章

幾何学玉手箱

1 4次元図形とは

2 射影幾何

3 射影幾何を彩った華麗な定理

4 メネラウスの定理

5 ロバチェフスキーの幾何

6 リーマンの幾何

7 相対性理論と幾何

8 グニャグニャ変形の問題

9 立体視を作って見よう

10 円錐曲線の実物を見よう

11 きれいな円錐曲線

12 ピタゴラムであそぼう

13 角錐を作ろう

14 丸い鏡に映すと

15 動かずの点

数学は自由である。どんな空想も許されるので、「ゆがんだ空間」や「グニャグニャと距離や形が定まらない図形」も研究対象になる。前者の例が非ユークリッド幾何学であるが、これが現実の宇宙空間と結びついたのだから、おもしろいものである。後者は位相幾何学で、「グラフ」がその具体例である。

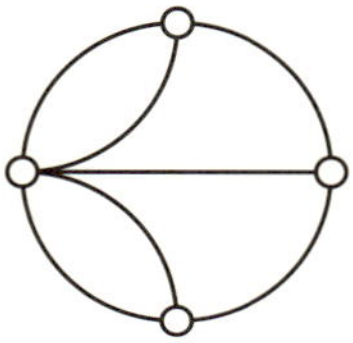

図（ア）

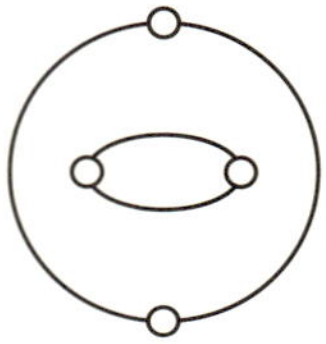

（イ）

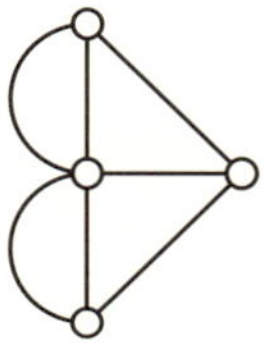

（ウ）

ここでいうグラフとは、たとえば上の図に示すような、いくつかの点とそれらをつなぐ線から成る図形のことである。ただし線の長さや形は無視して、「つながり方」が同じであれば「同じグラフである」とみなす。だから図（ア）と図（ウ）は同じグラフである。

このようなグラフは、鉄道路線図を表すのに便利である。線路の形や長さより、「どこで乗り換えればよいか」（どんなふうにつながっているか）が重要だからである。また「一筆書き」の問題図の表現にもちょうどいい。実際オイラーは、「ケーニヒスベルクの7つの橋」の相互関係を表すのに（ア）のような図を描き、位相幾何学の先駆けとなった。

ついでながら「一筆書き」が可能であるためには、問題のグラフが連結（つながっている——上の図の（ア）、（ウ）は連結で、（イ）は連結でない）で、しかも「奇数個の線が集まっている点が 2 個以下である」ことが必要十分である：この事実は多くの本で「オイラーの定理」と書かれているが、オイラーは必要性を指摘しただけで、十分性はずっとあとにヒールホルファーという人が証明したのだそうである。

平面あるいは曲面上に、線が交差しないように描かれたグラフについての「オイラーの指標」もおもしろい。点の数を p、線の数を q、線で囲まれた領域の数を r とすると、

1）平面上の有限のグラフでは　　$p-q+r=1$、

2）球面全体を覆うグラフでは　　$p-q+r=2$、

3）ドーナツ面全体を覆うグラフは　　$p-q+r=0$、

なのである。ここから $(p-q+r)$ が、曲面の性質を特徴づけるだいじな指標であることがわかる。

なお 2）は463ページで直接証明されているが、1）を先に証明しておけば、いかにも位相幾何学らしい、次のような証明もある：球面がゴム膜であるとして、一つの領域をエイヤーッと拡げ、ぺちゃんこにする。すると平面上のグラフが見えるが、1）から $p-q+r=1$、しかし裏にもうひとつ面が隠れているので、実は $p-q+r=2$ である！

1　4次元図形とは

1 次元空間は線上の世界、2 次元空間は面の世界、そして 3 次元空間は立体の中の世界である。

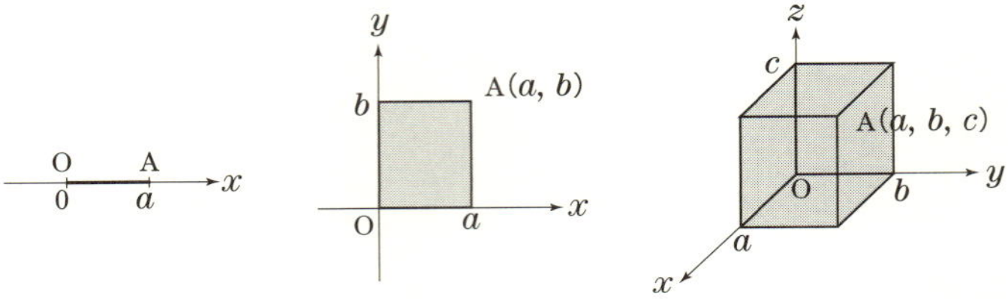

点の位置は、1次元では1つの座標、2次元では2つの座標、3次元では3つの座標で表される。どうやら4次元空間の点は4つの座標で表されるらしい。でも、この4番目の座標は何を表しているのだろうか？

3 次元空間の 3 つの座標は、前・後、左・右、上・下の動きを表していた。これらと独立したもう 1 つの動きとして自然に思い浮かぶのが過去・未来の時間に沿った動きである。これを 4 番目の座標に仕立てたのが、4 次元空間の一例である。この「時空間」の点の座標は

$$(x,\ y,\ z,\ t)$$

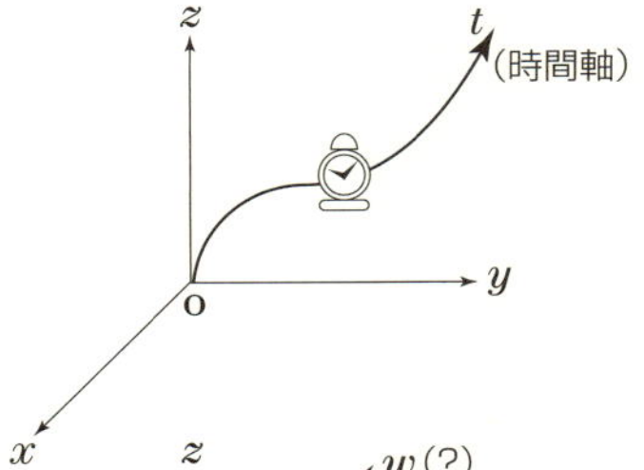

と空間の位置を表す3つの数と時刻を表す1つの数の4つの組を1セットにする。

一般の 4 次元空間の点の座標は

$$(x,\ y,\ z,\ w)$$

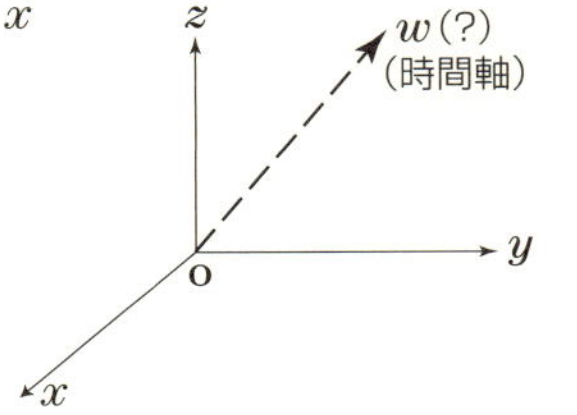

と、すべての座標が同格でなければならない。そんな空間内の図形を考えられるだろうか？ x、y、zと独立したw軸を考えるのはとても困難であ

る。そこで、w軸を時間軸とみなした3次元空間のイメージを土台にして4次元の図形を考えることにする。

まず、直方体を考えよう。この直方体が一斉にある所まで縮んだとして、その時間的な動きを図形で表すことにする。

頂点が動いて辺になり、辺が動いて面になり、面が動いて立体（境界多面体とよぼう）になり、図のような奇妙な立体が得られる。これが4次元の直方体（超立体）である8胞体の見取り図である。

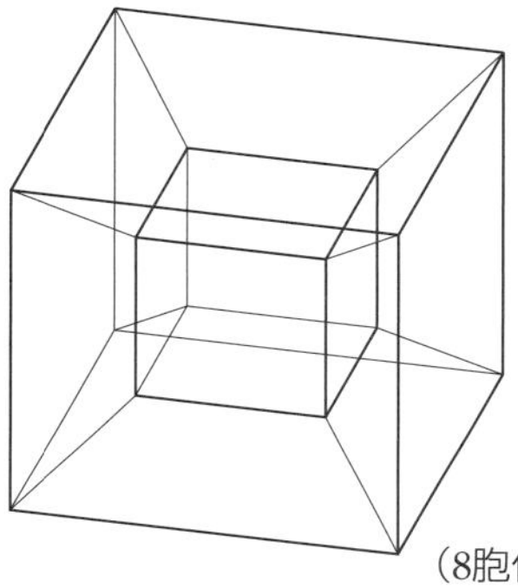

（8胞体）

この超立体の頂点の数 N_0、辺の数 N_1、面の数 N_2、境界多面体の数 N_3を数えると、次のようになる。

$$N_0 = 16、N_1 = 32、N_2 = 24、N_3 = 8$$

（注）N_3 は、踏み台状の立体 6 個と、

内外 2 つの直方体 2 個で計 8 。

同様に、四面体の頂点を一斉に一点に縮めてしまったのが右の図である。これも 4 次元の超立体である 5 胞体の見取り図になっている。

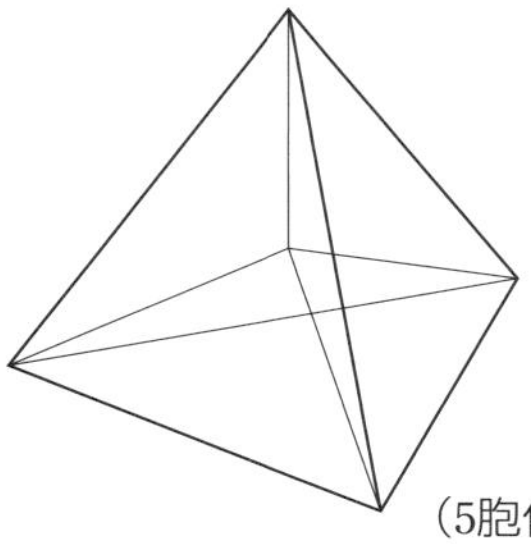

（5胞体）

この場合は

$$N_0 = 5、N_1 = 10、N_2 = 10、N_3 = 5$$

となる。

4 次元の超立体についてオイラーの多面体公式と同様のシュレーフリの 4 次元公式

$$N_0 - N_1 + N_2 - N_3 = 0$$

が成り立つ（シュレーフリはスイスの数学者。1814 ～ 1895）。

2 射影幾何

絵をかくとき、もともと平行な直線でもキャンバスの上では平行にならないのが普通である。

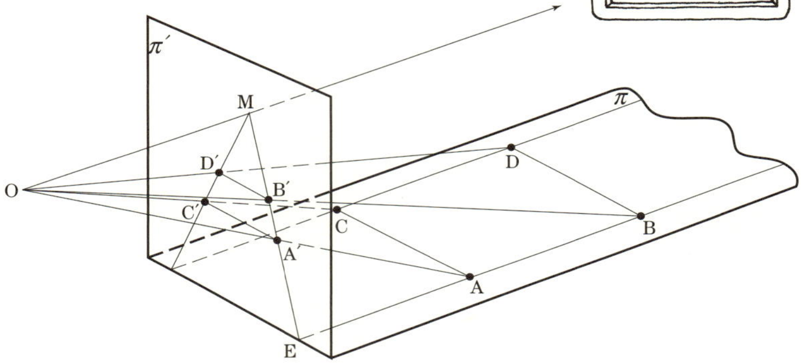

視点が O にあったとして、平面 π 上の平行線 AB、CD が、キャンバスの平面 π′ 上に A′B′、C′D′ として写されたとき、たしかに A′B′ と C′D′ は平行線にはならない。点 O を中心として、π 上の点や図形が π′ 上にどのように射影されるのだろうか？ この疑問に、積極的にとりくんだルネサンスの芸術家に、レオナルド・ダ・ビンチ(1452 ～ 1519) やアルブレヒト・デューラー (1471 ～ 1528)がいた。彼等は遠近法や透視図の研究をした。また、デザルグ(1593 ～ 1662)とパスカル(1623 ～ 1662)は、この疑問を数学的に解決するのに欠くことのできない材料(次項の定理)を提供した。そして 19 世紀に一世を風靡したいわば絢爛豪華な体系である射影幾何学を体系立てたのはフランスの数学者ポンスレー(1788 ～ 1867)だった。

射影幾何では、前ページの図のように、ある点 O を中心として平面 π から別の平面 π' への射影を駆使してさまざまな定理を証明していく。基本になることをいくつかあげてみる。

1. 直線は直線に写る（ただし、無限に伸びる直線が有限の直線に写ることはある）。
2. 2 直線の交点は、写った 2 直線の交点に写る。
3. 平行線は平行線に写るとは限らない。
4. 直線上の 2 つの長さの比は保存されない（前ページで EA＝AB なのに、EA′≠A′B′）。ところが、一般に直線上の 4 点 A、B、C、D に対して、複比とよばれる

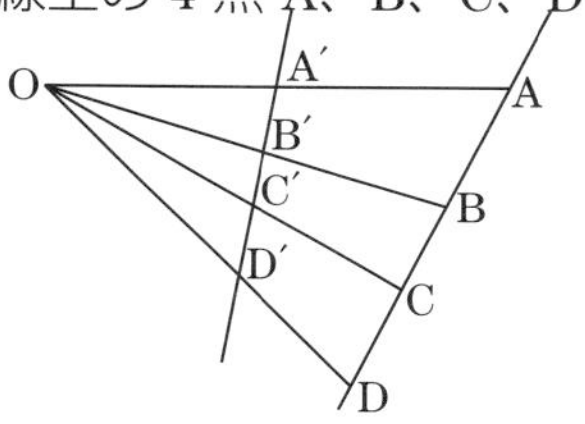

$$\frac{CA}{CB}\Big/\frac{DA}{DB}$$

は保存される。

$$CA:CB=\triangle OCA:\triangle OCB$$
$$=\frac{1}{2}OC\cdot OA\sin\angle AOC:\frac{1}{2}OC\cdot OB\sin\angle BOC$$

を用いて、上の比は

$$\frac{\sin\angle COA}{\sin\angle COB}\Big/\frac{\sin\angle DOA}{\sin\angle DOB}$$

と表せ、A′、B′、C′、D′ の複比も等しくなることがわかる。

5. 前ページ図の点 M に対応する π 上の点として、「無限遠点」が存在することを仮定する。すると、平行線も含めて平面上のどんな 2 直線も必ず 1 点で交わる。
6. 「2 点を通る直線」に対して「2 直線の交点」を対応させると、前者に関する定理が成り立てば自動的に後者の定理も成り立つという双対（そうつい）の原理がはたらく（527ページ参照）。

等々。

3 射影幾何を彩った華麗な定理

19世紀イギリスの数学者ケーリー（1821 ～ 1895）は当時の射影幾何の研究の華々しさを見て“射影幾何は幾何学のすべてである”と言ったという。しかし栄枯盛衰のたとえに似て、20世紀になってしばらくすると射影幾何学の熱はさめ、幾何学でいうと位相幾何学やリーマン幾何学に焦点は移っていく。

ただし、射影幾何学で扱われていた定理にはその美しさ、証明のみごとさなどの点で素晴らしいものがいくつもある。その中から3つを紹介する。なお、証明は射影幾何学の中ではやさしいのだが射影幾何学の体系そのものがめんどうで、かといってユークリッド幾何で証明しようとすると大変むずかしい。いつかの機会に挑戦してみていただきたい。

● デザルグの定理

［デザルグ（1593 ～ 1662）フランスの建築技師・数学者］

△ABC、△A′B′C′があり、AA′、BB′、CC′が1点Oで交わるとする。

ABとA′B′との交点をP、BCとB′C′との交点をQ、CAとC′A′との交点をRとしたとき3点P、Q、Rは一直線上にある。

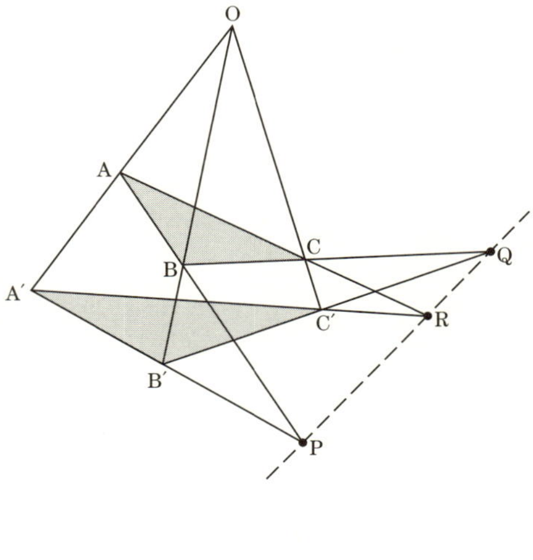

逆も成り立つ。

● パスカルの定理

［パスカル（1623 ～ 1662）フランスの天才数学者］

A、B、…、Fが円錐曲線上の点とする。

ABとDEの交点をP、BCとEFの交点をQ、CDとFAの交点をRとしたとき3点P、Q、Rは一直線上にある。

逆も成り立つ。

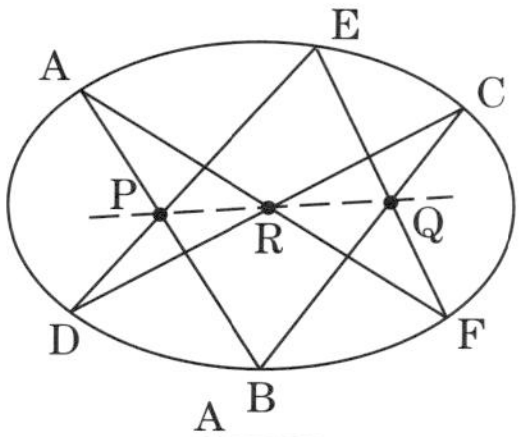

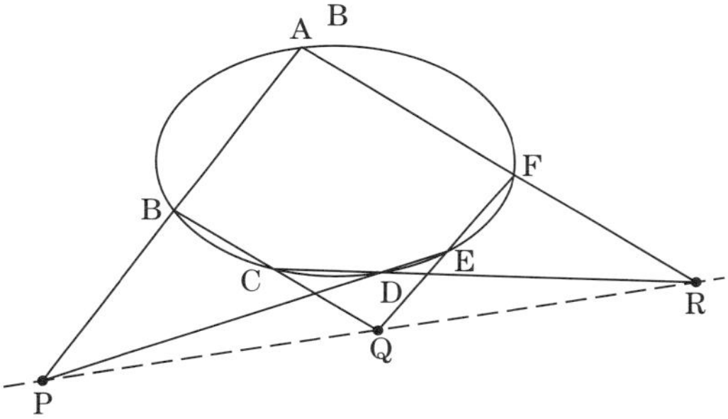

● ブリアンションの定理

［ブリアンション（1785 ～ 1864）フランスの数学者］

l_1、l_2、…、l_6が円錐曲線に接しているとする。

l_1とl_2の交点をA、l_2とl_3の交点をB、…、l_6とl_1の交点をFとしたとき3直線AD、BE、CFは一点で交わる。

逆も成り立つ。

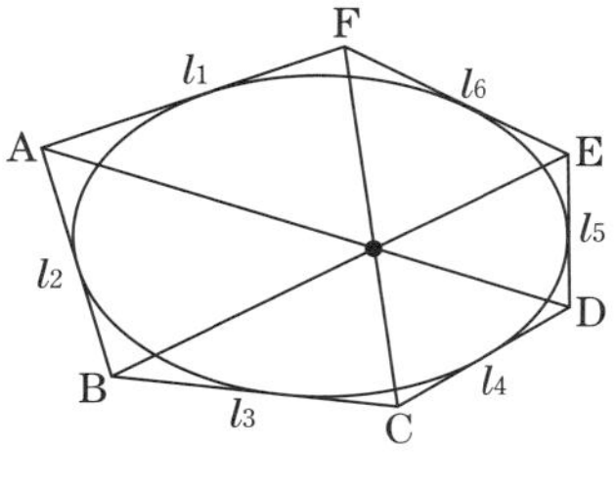

〈注意〉　パスカルの定理の点を接線におきかえ、「2点を結ぶ直線」と「2直線の交点」とを入れかえ、結論の「3点は同一直線上」を「3直線が1点で交わる」におきかえると、ブリアンションの定理になる——前項で触れた「双対の原理」の一例である。

4 メネラウスの定理

ユークリッド幾何から射影幾何へ至る道で、多くの数学者がユニークな定理を見つけた。そのいくつかを紹介しよう。

紀元100年頃のアレキサンドリアのメネラウスは、著書『球面学』の中で、彼の名を冠した次の定理を述べている。

〈メネラウスの定理〉

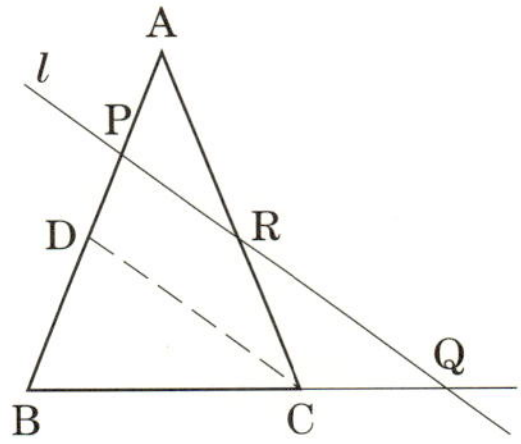

直線lが△ABCの辺AB、BC、CAまたはその延長との交点P、Q、Rで交わるとすると

$$\frac{AP}{PB}\cdot\frac{BQ}{QC}\cdot\frac{CR}{RA}=1 \quad \cdots ①$$

この証明は次のようにする。

点Cから直線lに平行線を引き、ABとの交点をDとすると

$$\frac{BQ}{QC}=\frac{BP}{PD},\ \frac{CR}{RA}=\frac{DP}{PA} \text{ よって } \frac{AP}{PB}\cdot\frac{BQ}{QC}\cdot\frac{CR}{RA}=\frac{AP}{BP}\cdot\frac{BP}{PD}\cdot\frac{DP}{PA}=1$$

この定理の逆も成立する。すなわち3辺AB、BC、CAまたはその延長上に点P、Q、Rをとったとき、①を満たすならば、P、Q、Rは一直線上にある。

メネラウスは、この定理をさらに球面上の図形に拡張した。

〈球面上のメネラウスの定理〉

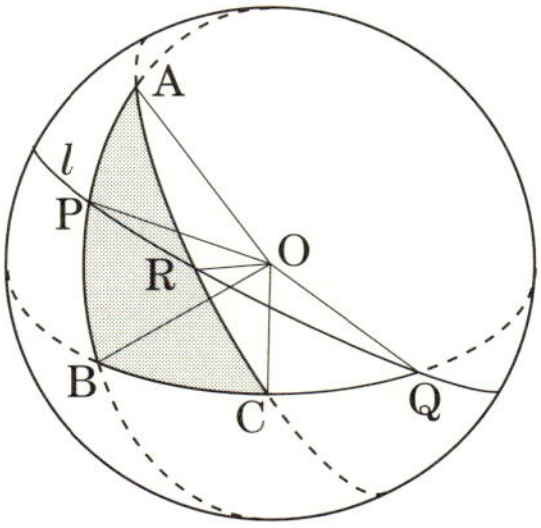

球面上で大円弧AB、BC、CAで作られる三角形ABCと大円lが図のように点P、Q、Rで交わるとき、球の中心をOとして

$$\frac{\sin\angle AOP}{\sin\angle POB}\cdot\frac{\sin\angle BOQ}{\sin\angle QOC}\cdot\frac{\sin\angle COR}{\sin\angle ROA}=1$$

紀元300年頃のアレキサンドリアのパップスは著書『集成』で、彼の名を不朽にした次の定理を述べている。

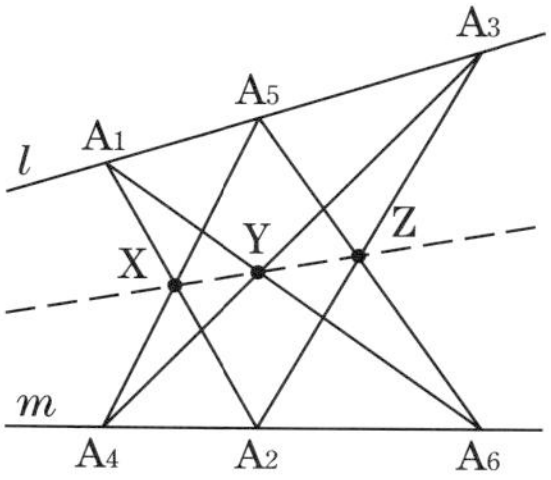

〈パップスの定理〉

直線l上に3点A_1、A_3、A_5を、直線m上に3点A_2、A_4、A_6がある。

A_1A_2とA_4A_5、A_1A_6とA_3A_4、A_2A_3とA_5A_6の交点をそれぞれX、Y、Zとする。

このとき、点X、Y、Zは一直線上にある。

この定理はメネラウスの定理を用いて証明することができる。興味がある人は挑戦してみよう（前項のパスカルの定理はこのパップスの定理の一般化である）。

時代は流れ、17世紀になるとイタリアのチェバが非常に応用の広い次の定理を見つけた。

〈チェバの定理〉

△ABCの内部あるいは外部に点Oをとり、直線CO、AO、BOと辺AB、BC、CAまたはその延長との交点をそれぞれP、Q、Rとすると、

$$\frac{AP}{PB}\cdot\frac{BQ}{QC}\cdot\frac{CR}{RA}=1 \quad \cdots ②$$

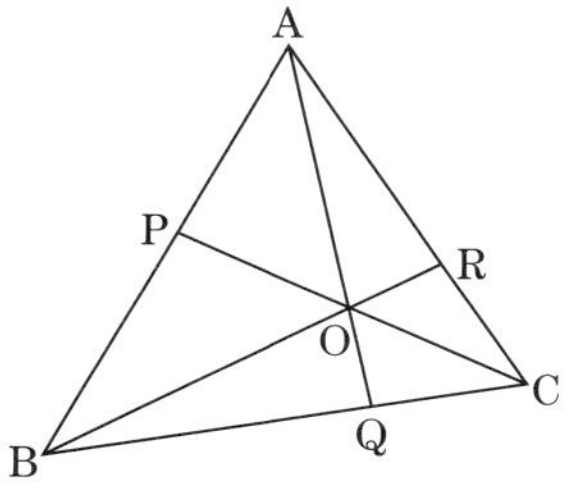

逆に、3辺または延長上に点P、Q、Rをとったとき②が成り立てばCP、AQ、BRは1点で交わる。

この定理もメネラウスの定理を用いて証明することができる。

メネラウスの切り開いた道は、どこまでも続くようである。

5 ロバチェフスキーの幾何

ユークリッド幾何の平行線公理は「ある直線とその上にない点があるとき、その点を通り直線と平行な直線は 1 本しかない」ことを主張している。

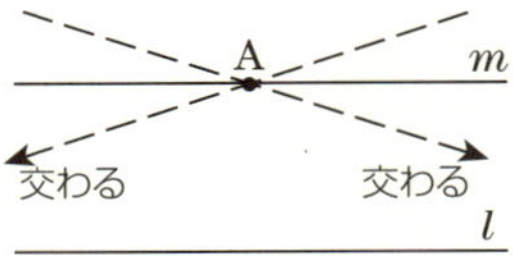

この公理は大変長期にわたって絶対的な真実であると思われていたが、19 世紀になると、この公理を否定しても論理的に矛盾しない幾何の体系が作られるのではないかと考えられるようになった。1830 年頃ついにロシアのロバチェフスキーとハンガリーのボヤイによって、そのような幾何学の体系が発表され後世に大きなインパクトを与えた。非ユークリッド幾何の誕生である。

ロバチェフスキーの幾何では、ユークリッドの幾何と異なる不思議な性質がある。その性質は、ポアンカレの半平面モデルで考えるとわかりやすい。

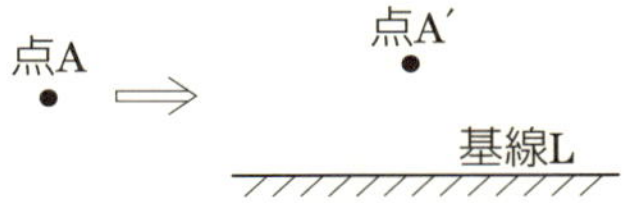

これは外国語の翻訳と似ている。ロバチェフスキーの幾何の点は、モデルでは基線Lより上方の半平面上の点に翻訳される。

同様に直線は、モデルでは基線に直交する円あるいは直線に翻訳される。また角 θ は、円や直線のなす角 θ に翻訳される(ただし、2 円の角は、交点の接線の角と考える)。

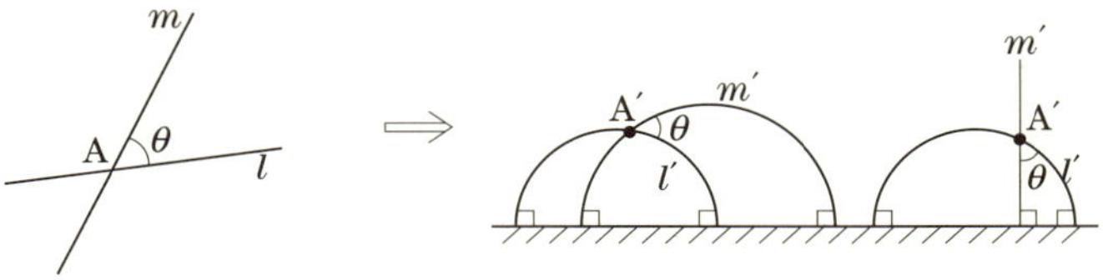

すると、直線 l（実は半円）とその上にない点 A が与えられたとき、「Aを通り l と交わらない直線（半円）」は無数に描ける。これがロバチェフスキーの空間である。

（注）本書では「交わらない2直線」をすべて「平行」とよんできたが、ロバチェフスキーは「2 つの直線（半円）が L で接する」場合だけを「平行」とよび、それ以外の（まったく離れて）「交わらない」場合を「超平行」とよんだ。すると「A を通り l と平行な直線（半円）はいつでも2本ある」ことになり、これがロバチェフスキーの平行線公理とされる。

ロバチェフスキーの幾何の重要な定理「三角形の内角の和は 180° より小さい」を、特殊な場合について示してみよう。

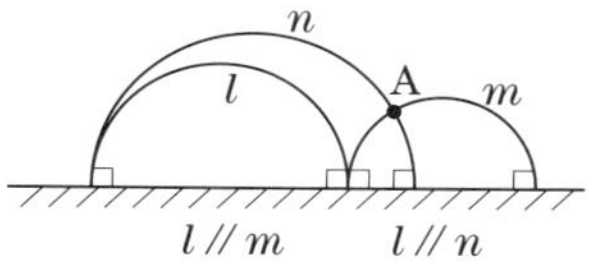

ここでは、一辺 BC が点 M で基線 L に直交する直線の一部分で、半円（の一部）CA が BC と直交するような、直角三角形 ABC について考える。点 A において、

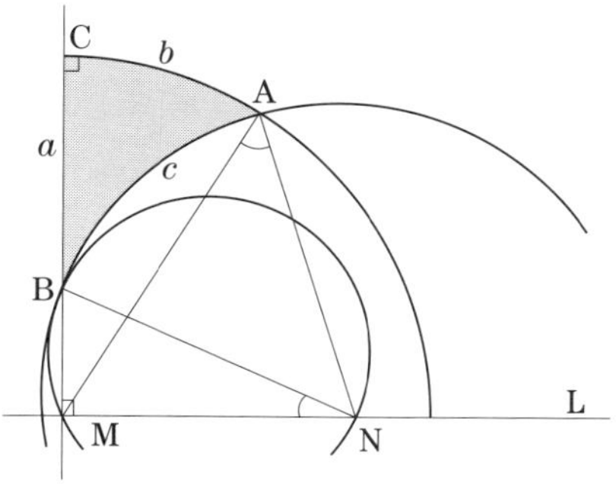

AM ⊥ b（⊥は「直交」を表す）、

AN ⊥ c より

∠A ＝ ∠MAN

点 B において、BN ⊥ c より

∠B ＝ ∠BNM

線分 BN を直径にして円 q を描くと、点 A は円 q の外にあるのがわかる。したがって

∠A ＜ ∠MBN。これより

∠A ＋ ∠B ＋ ∠C ＜ ∠MBN ＋ ∠BNM ＋ ∠BMN ＝ 180°

がいえる。

6 リーマンの幾何

ロバチェフスキーの非ユークリッド幾何は「1 点を通り、ある直線に交わらない直線が何本でも引ける」という公理を採用した幾何の体系であった。

反対に「1 点を通り、ある直線に交わらない直線はない」という公理をもつ非ユークリッド幾何を構成することができる。この幾何のモデルを地図投影法の一種の中心射影を使って作ることにする。

半径 R の球面を「世界」として、その上の点を考える。2 つの点 P、Q 間の最短コースは、球の中心 O と 2 点 P、Q を含む平面でその球を切った切り口 —— いわゆる「大円」になる。そこで大円を、この世界での「直線」と考えることにしよう。するとどんな 2 直線(大円)も、必ず 2 点で交わるから、平行線は存在しない。

ただこれだと「2 点を通る直線はただひとつである」という性質が成り立たない —— ずいぶんお粗末な性質の幾何学ができてしまう。そこで「中心射影」、つまり「中心に視点を置いて、そこから同一直線上に見える点は同一視する」ことにすれば、北極と南極など正反対に位置する「対蹠点」は同一視されるので、都合がよい。もっとわかりやすくするには、球の代わりに半球(赤道の東半分を含む、南半球)を考えるとよい。この上の 2 点を通る直線はいつでもひとつだけで、2 つの直線はいつでも 1 点で交わる —— ユークリッドの平行線公理だけが成り立たず、ほかの公理はすべて保存される「リーマン幾何学」の誕生である。

なお細かくいうと赤道は、東経 0 度から東経 180 度未満の範囲に限る(日付変更線との交点は含まない)。またこの半球面上の点 P_1 を、球の中心 O を通る直線によって、「南極点で球に接する平面」上の点 P に射影すれば、球面上の「直線」(大円)はふつうの意味での直線になるから、さらに考えやすいかもしれない(中心射影、図1参照)。ただしその場合、赤道上の点の行く先としての「無限遠点」をつけ加え、それらを通る「無限直線」を考えるとか、距離や角度は球面に戻して測定しなければならない(図2, 3参照)など、面倒な問題が残る。

図1

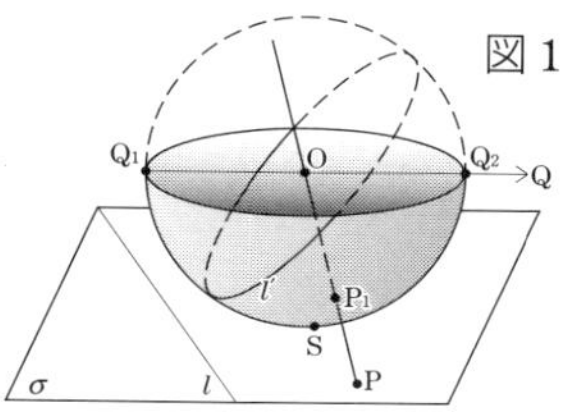

図2

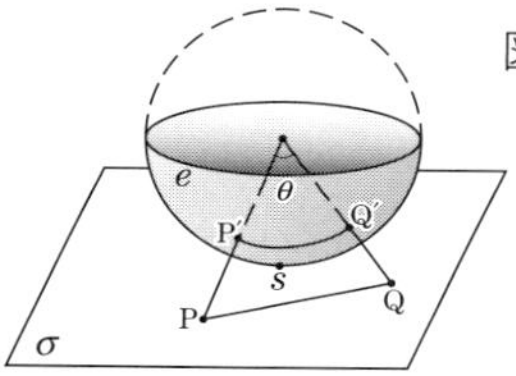

図3

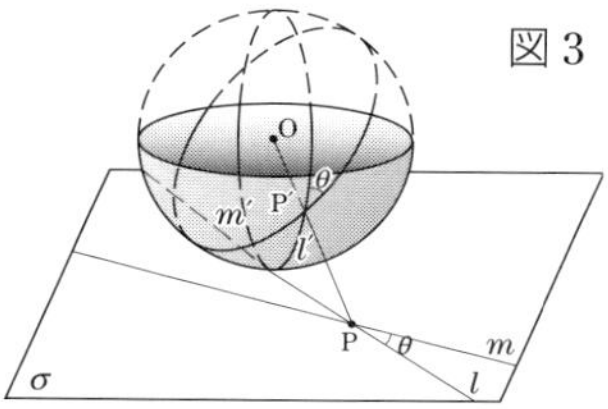

逆にイメージがぼやけてよければ、

定点Oを通る直線を「点」、

定点Oを含む平面を「直線」

とよぶことにすると、

異なる2「点」を通る直線はただひとつでしかも

2「直線」は必ず1「点」で交わる

ことがすぐわかる。

前に戻ると、半球面上の図形については、球面幾何の成果がそのまま使える。三角形ABCの内角をα、β、γ、面積をSとすると

$$\alpha+\beta+\gamma=180^\circ+\frac{180^\circ S}{\pi r^2}>180^\circ$$

という、リーマンの幾何の重要な命題が示せる。

リーマンの幾何、ユークリッド幾何、ロバチェフスキーの幾何をまとめてみよう。

平行線の数	0本	1本	2本（以上）
名称 (別称)	リーマンの幾何 (楕円幾何)	ユークリッド幾何 (放物幾何)	ロバチェフスキーの幾何 (双曲幾何)

(注)ここでいう「リーマンの幾何」は、新しい「距離」の概念に基づく「リーマン幾何学」の特殊な一例にすぎない。

7 相対性理論と幾何

アインシュタインが1905年に発表した特殊相対性理論は従来の時間や空間の概念の変更をせまるものだった。この理論の中核になっているローレンツ変換について考える。

今、直線上を動きまわるUFOを、原点に静止している観測者Aと、原点から出発して一定の早さvで運動する宇宙船に乗っている観測者Bが調べている。

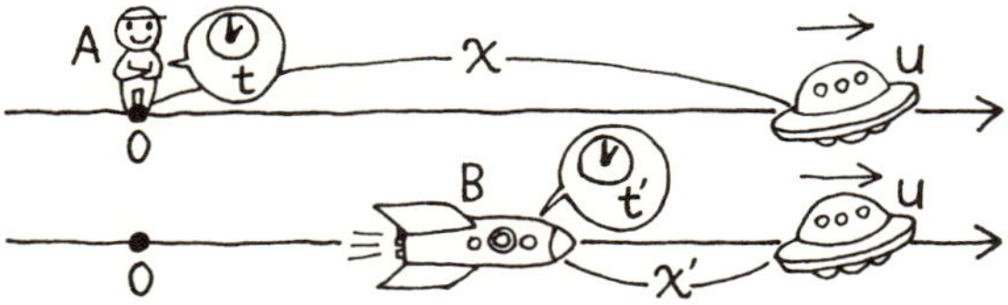

A、BからUFOを観測したときの時刻・位置をそれぞれ(t, x)、(t', x')とすると、この座標変換の式は

$$x' = x - vt、\ t' = t$$

となるはずである。ところが宇宙船が光速cに近づくとこの式は使えなくなる。「光の速度はA、Bどちらから観測しても一定である」からである。そこで生まれてきたのが、ローレンツ変換である。

$$x' = \frac{1}{p}(x - vt)、\ t' = \frac{1}{p}\left(t - \frac{vx}{c^2}\right) \quad \text{ただし}\ p = \sqrt{1 - \left(\frac{v}{c}\right)^2}$$

これによると、速度vで運動している宇宙船は静止しているAから見ると長さが進行方向にp倍縮み、時間は$\frac{1}{p}$倍だけ遅れるように見えることになる。なお、この変換の式では

$$x'^2 - c^2t'^2 = x^2 - c^2t^2 \quad \cdots①$$

が成り立つことが確かめられる。

このことは、宇宙船から観測すると、距離だけでなく時間もズレてしまい、しかも距離と時間のズレ方がお互いにからみ合っていることを意味する。そこで時間と空間をまとめて表現するものとしてミンコフスキーの世界が考えられた。

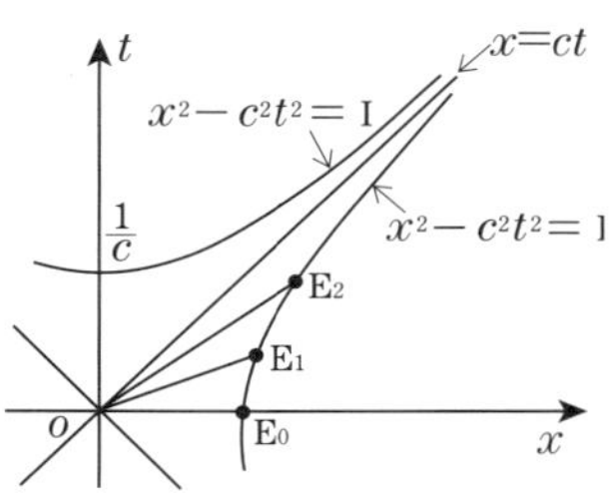

2次元のミンコフスキーの世界は、空間軸xと時間軸tからなり、物体の運動の経歴は、世界線とよばれる線で表される。たとえば原点Oから発した光の世界線は

$$x=ct$$

で表される。

また、この世界におけるO(0, 0)、とA (x, t)の間隔dを次のように決める。

$$d^2=x^2-c^2t^2$$

このdは①より、ローレンツ変換で不変な量でユークリッド幾何における距離にあたるものになる。上の図の双曲線上の点E_0、E_1、E_2について$d\,(OE_0)=d\,(OE_1)=d\,(OE_2)$となる。

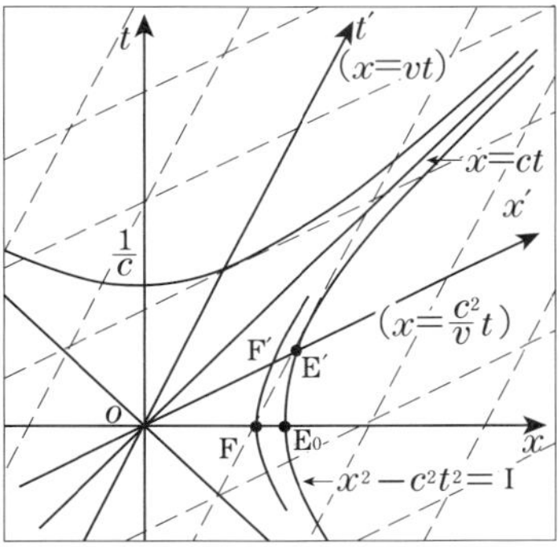

原点を出発し速度vで運動する宇宙船のx'-t'座標系は、上図のように描ける：ここでt'軸は宇宙船の世界線$(x'=0)$であり、x'軸は宇宙船からみた時間軸の0点$(t'=0)$の分布である。

このように座標軸$x'=0$, $t'=0$が直線になるのは、宇宙船が等速運動をしている(加速度0)場合である。加速度があると、もはや特殊相対性理論では扱えず、一般相対性理論の領域に入る――そこでは曲線座標系が必要になり、アインシュタインはリーマン幾何学を採用した。そこでは「重力とは時空の曲がりに他ならない」といわれるが、これ以上の説明は著者たちの力量を超えるので、断念する。

8 グニャグニャ変形の問題

「同じかたちをかきましょう」という問題を出したところ、このようないろいろな答えが出たとします。

問題の図形　　　答　①　　　②　③　④

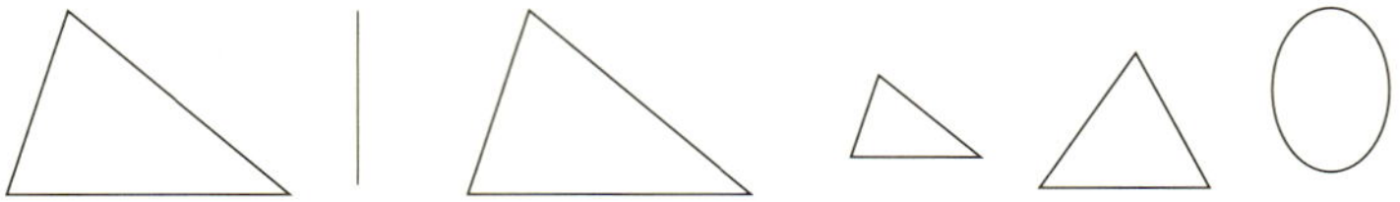

あなたなら、どれを正解にするだろうか。

① と ② は、合同および相似だからまあいいだろう。正解。

③ はちょっと形がちがう。でも三角形だから大まけにまけて正解としよう。

④ はいくら何でもダメ。

こんなところが相場だろう。

実は ③ は射影幾何学の中では堂々たる正解。そして、位相幾何学の立場からみると ④ も正解になる。

位相幾何は、いわば図形のつながり具合を問題にする。立体の例でいうと、立方体は球と同じ、ドーナツ型はコーヒーカップと「位相的に」同じになる。

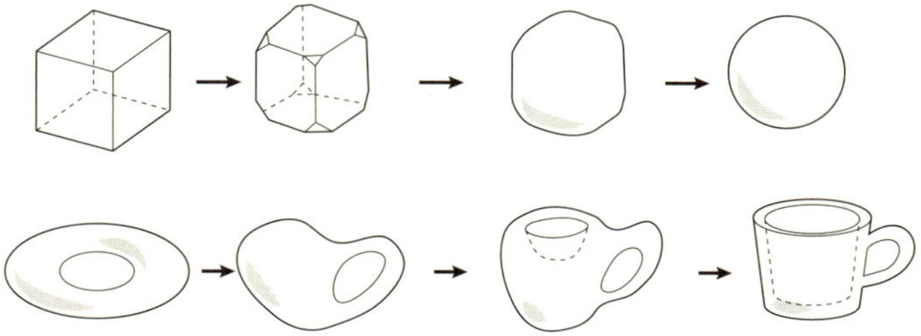

ちなみに、この粘土のような物質は、伸縮自在でいくらでも伸ばしたり縮めたりできるとする。ただし、ちぎったり向こう側まで突き抜ける穴を空けたり、さらに別のところの2点をくっつけてしまうことはできないとする。

さて、問題2つ。左の立体を右の立体に変形してください。

(1)

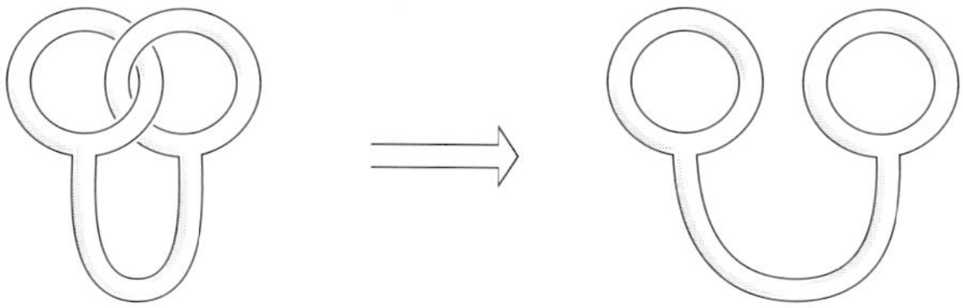

(2)

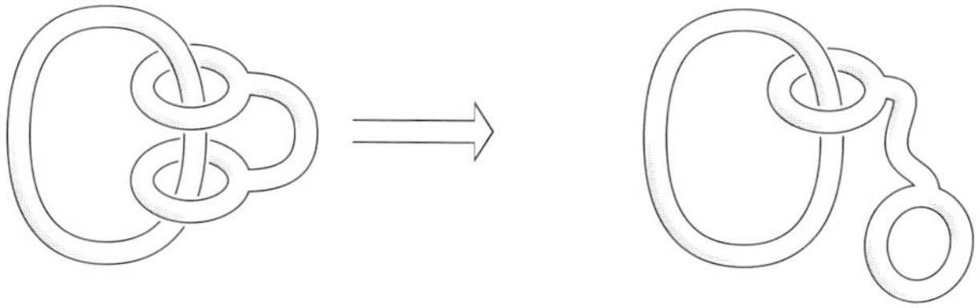

「ウッソー！」

と思われるだろう。ところがこれらは有名な変形可能立体である。(1)の解答例だけ紹介する。(2)は挑戦していただきたい。12時間以内にできれば早い方です。

―――――― (1)の解答例 ――――――

9 立体視を作って見よう

ごく簡単に立体視の原理を説明しよう。

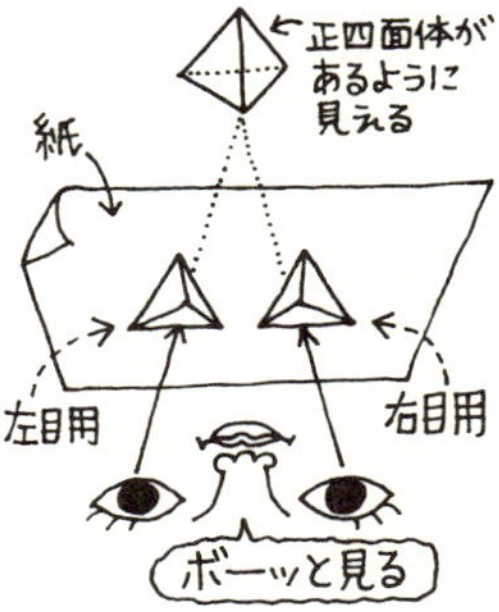

図のように、正四面体を見ると、

左目の像は・図形のでっぱりは、少し右へ

右目の像は・図形のでっぱりは、少し左へ

となる。

①

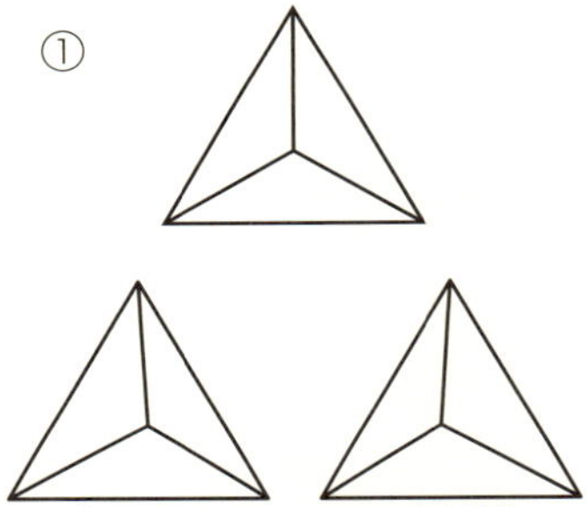

左目用
近くの点を
ちょっと右へ

右目用
近くの点を
ちょっと左へ

言い換えると、近くの点の左目と右目の、紙上の像の距離は、遠くの点の左目と右目の像の距離より短い。そうなるように図を描くと、脳がだまされて、立体があるように見える。

目に力を入れないで見てほしい。慣れると、すぐ見えるようになる。さっそく、手作り作品の紹介。すべて手作り…といっても、パソコンの“お絵かきソフト”を利用し、目分量にマウスを動かして作ったもの。

②

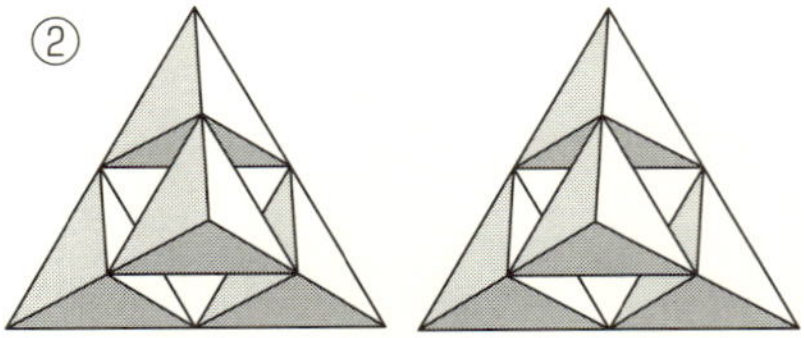

① を利用

③

② をドンドン利用
3 次元のフラクタル
（自己相似形）

④

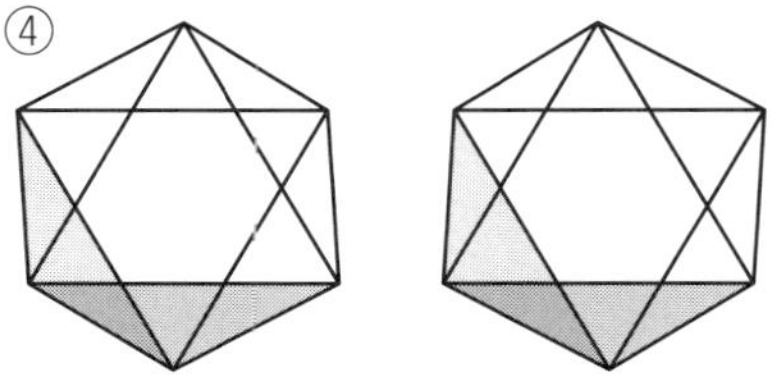

正八面体（② の中の空洞）

⑤

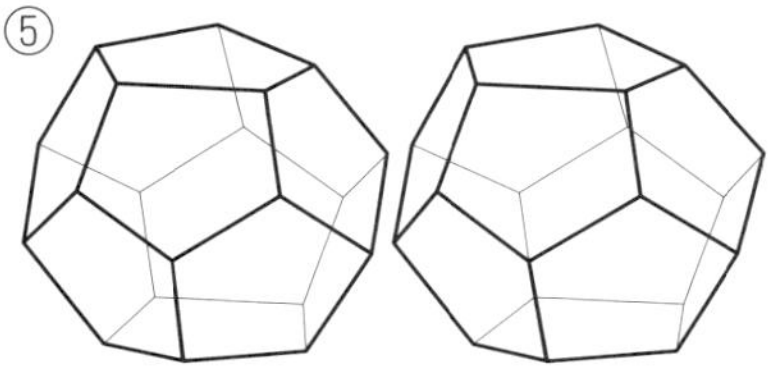

正十二面体

⑥

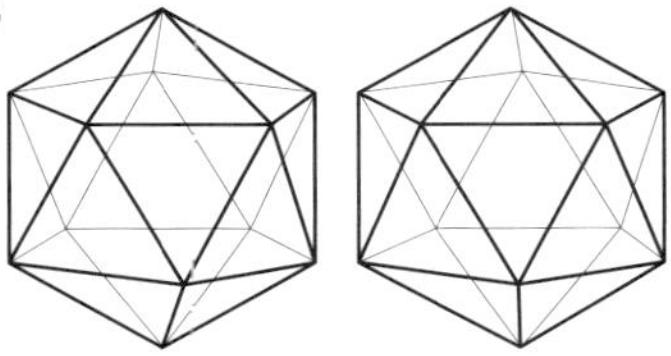

正二十面体

⑦

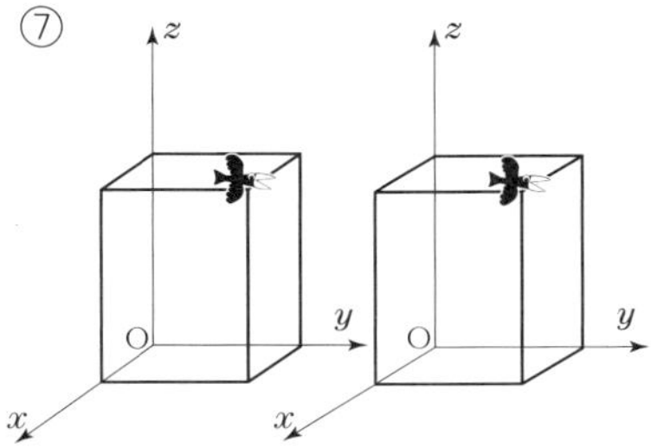

3 次元空間
カラスがかわいい？

⑧

③ を使って、平面を敷詰めた。上の 2 つの三角を立体視するつもりで見るとワー！
2 つの図の立体視の発展型。原理は、1 つの図が左目用と右目用として利用されている。

10 円錐曲線の実物を見よう

円錐を平面で切ったときに、楕円、放物線、双曲線ができる。とはいっても、実際に意識して見ることはない。

まず立体視で、実物を見ている気になろう。

楕円

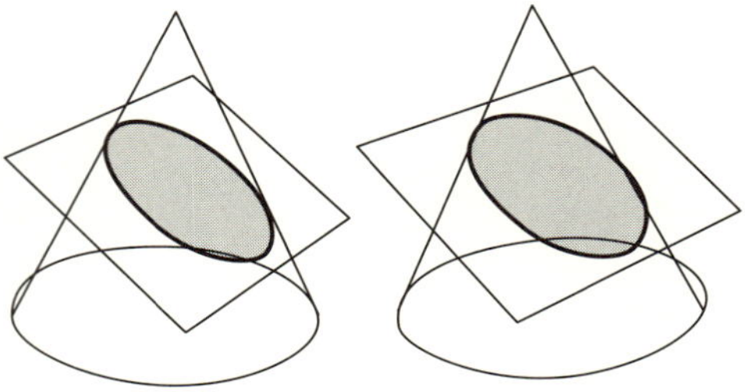

放物線

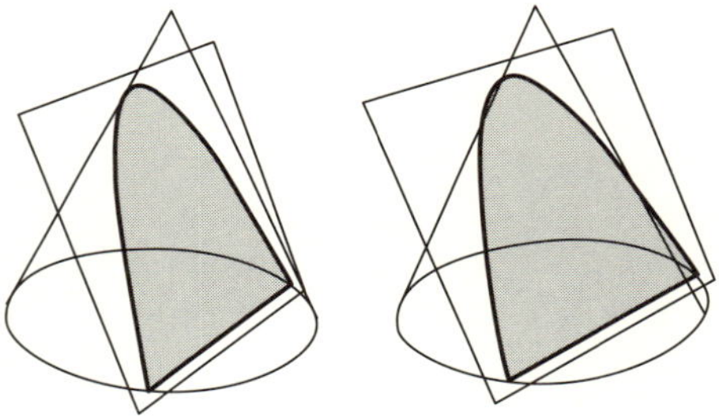

双曲線

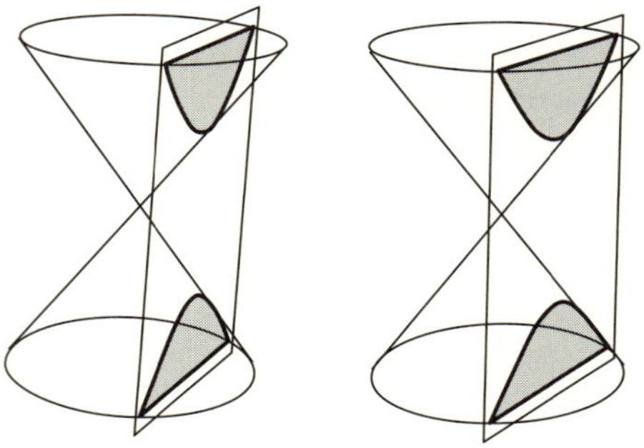

● 展開図から円錐を作る

下図を、OHPフィルム（コピー用）にコピーして、円錐を作ると、楕円、放物線、双曲線が見える。この展開図の曲線の描き方はちょっとむずかしかった。

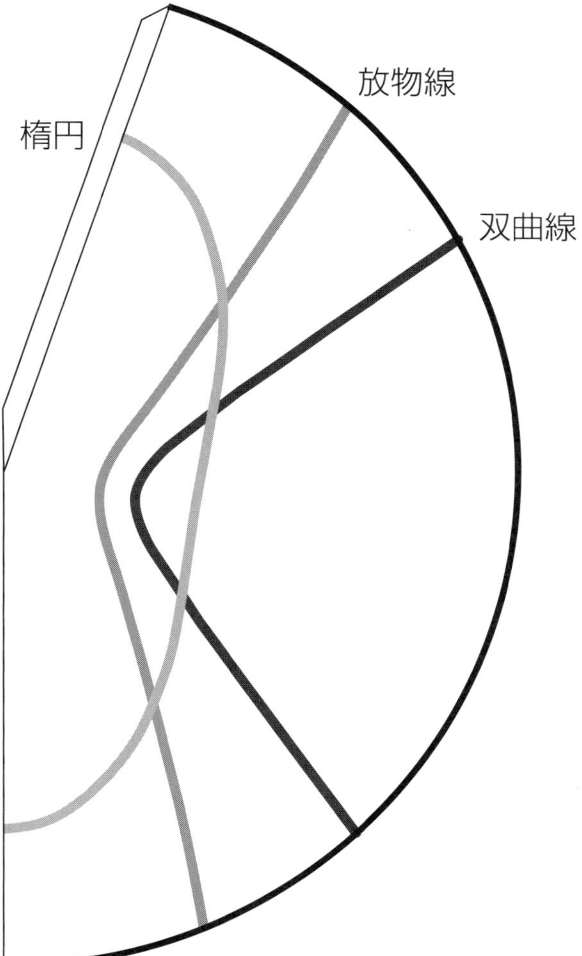

11 きれいな円錐曲線

放物線

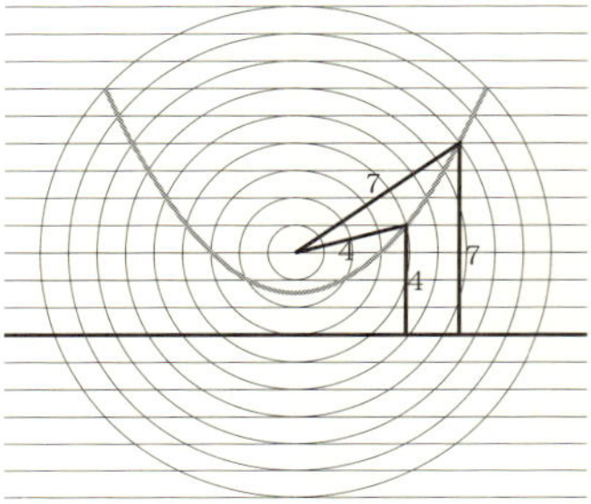

線ではなく面で円錐曲線を描いて見よう。

●放物線は、1 つの定点と定直線（準線）からの距離が等しい点の軌跡だった。

左図のように、同じ間隔の同心円と平行線をかき、平行四辺形似の図形をつぎつぎに通って線を描くと放物線になる。そこで平行四辺形似につぎつぎに同色を塗ると、ワーッきれい。

楕円

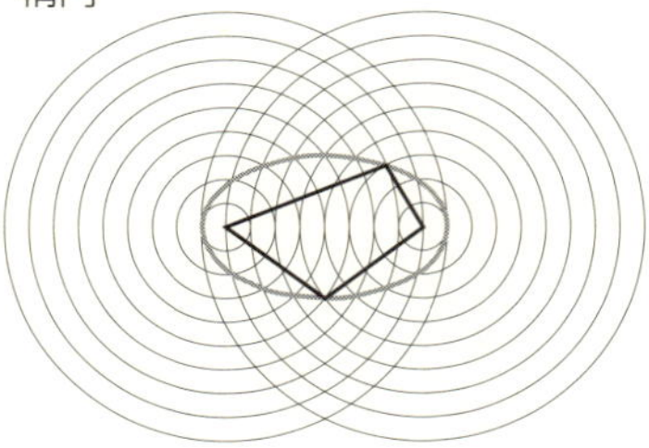

●楕円は、2 点からの距離の和が一定の点の軌跡だった。そこで、左のような、2 つの同心円群でたとえば、2 点からの距離の和が 10 になる点を通っていくと楕円が描ける。

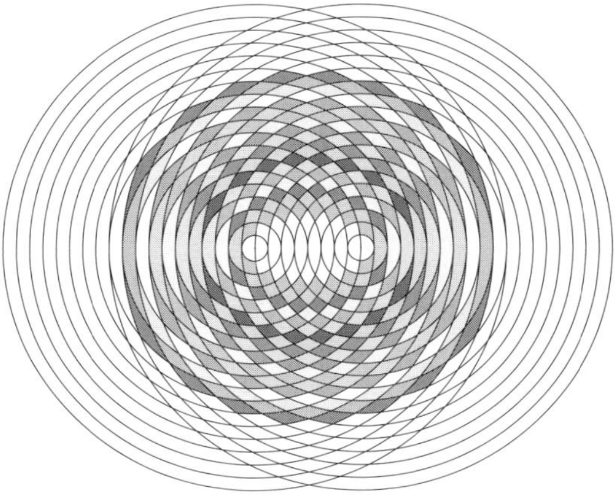

そこでまた、平行四辺形似につぎつぎと同色を塗ると、やはりキレイ！

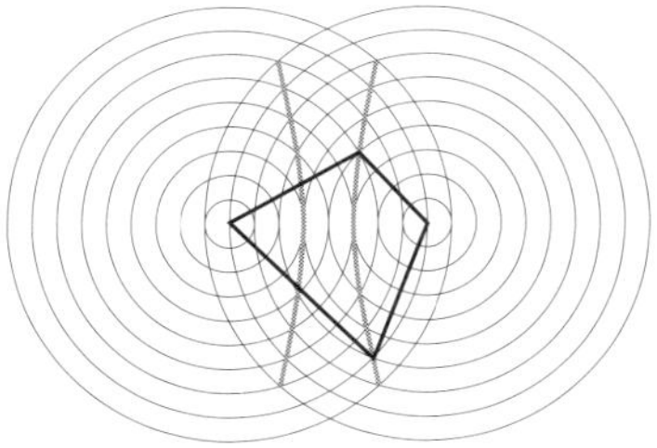

双曲線

●双曲線は、2 点までの距離の差が一定の点の軌跡だった。楕円のときと同じ同心円群を使う。たとえば、2 点までの距離の差が 2 になる点を通っていくと双曲線が描ける。そこで色を塗ると、これもきれい。

12 ピタゴラムで遊ぼう

正方形に納まった猫。コピーして下図のようにはさみで 11 個のピースに分ける。そして問題。ピースを並べかえて順に

① 4 個の正方形→② 3 個の正方形→③ 2 個の正方形を作ろう。

どうしてもできないときは以下の正解を見てください。

①　4個

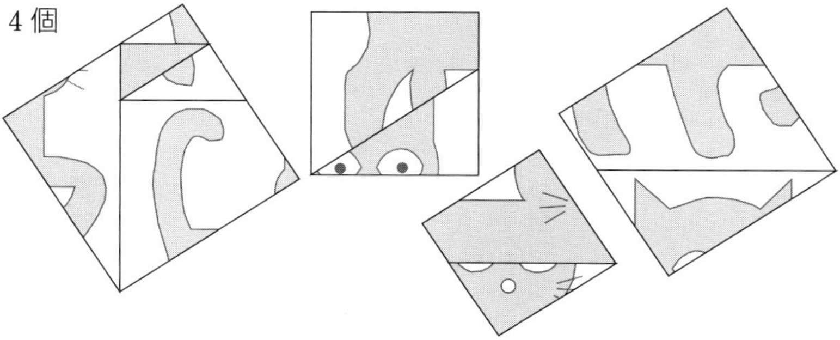

②　3個

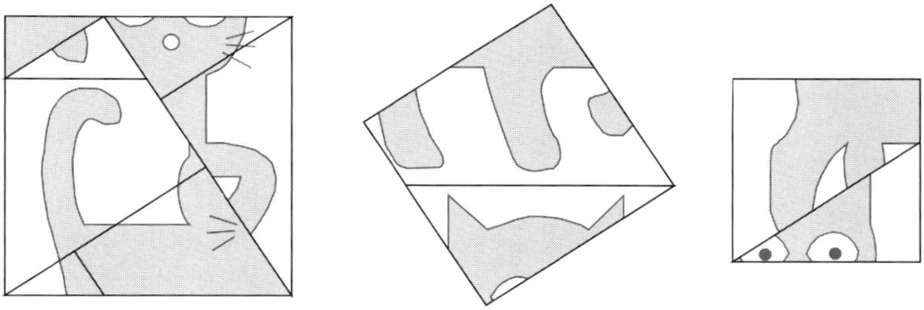

③　2個

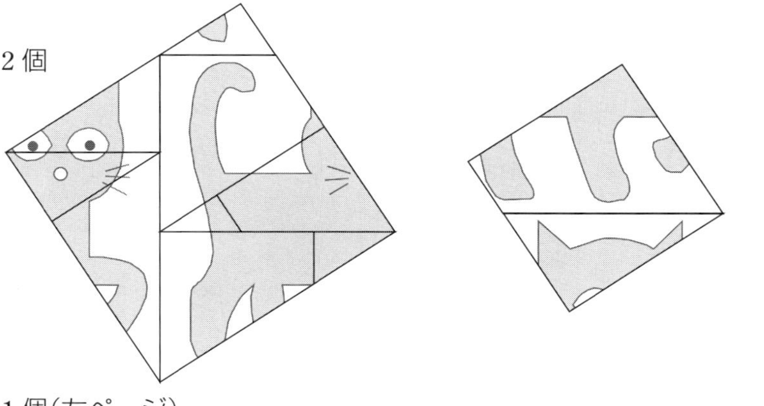

④　1個(左ページ)

このゲームはピタゴラスの定理の応用として著者の1人が作成したもので、ピタゴラムという名前がつけられている(5個、6個の正方形ができる、もっとむずかしいのもできる)。

13 角錐を作ろう

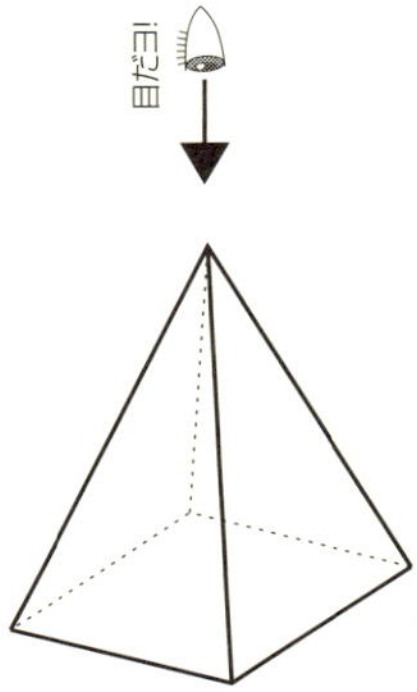

四角錐や五角錐を実際に作ったりしたことはないでしょう。展開図を描いて作ればいいのだが、ただ作っただけでは面白くない。そこで、できた四角錐を上から見ると、たとえばピタゴラスの顔がふつうに見えるような展開図を作りたい。どうすればよいか？

実は、そんなに難しくはない。図1の中心の正方形に、目的の絵を描く。そして、その$\frac{1}{4}$の三角形の中の図を対応する上下左右の伸ばした三角形の中に、座標が対応するように描く。その4つをくっつけて展開図にして四角錐を作るとよい。ぜひ、左図を拡大コピーして、自由な図を描いて実際に作ってほしい。

ピタゴラス

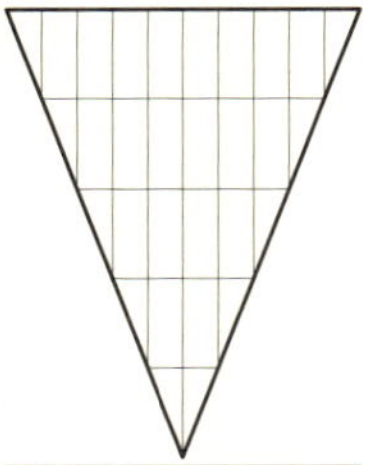
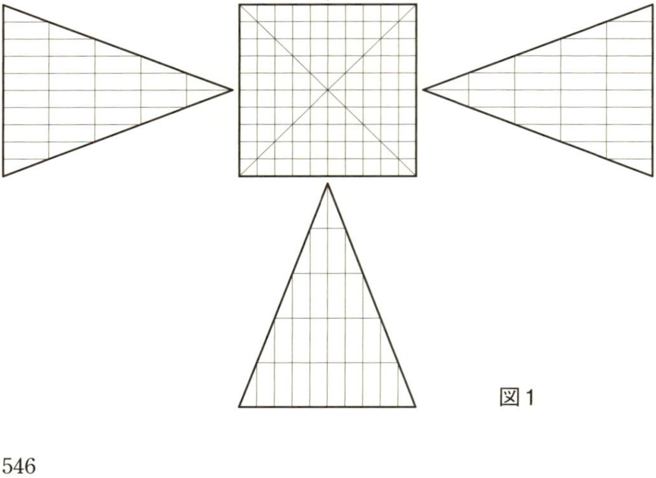

図1

● 四角錐の展開図

これは、パソコンの図を描くソフトの「伸ばし機能」を使って作っている。

● 五角錐の展開図

この五角錐を上からみると…。

これを想像するのは楽かな。

14 丸い鏡に映すと

大きなビルなどに、大きな丸い柱があることがある。それがピカピカだったりすると、床の模様は大いに変形して映っている。反対に、円柱に正常に映るようにするには、床にどんな図を描けばいいだろうか。右図のように、正方形の中に絵を描き、極座標平面に、絵を対応させてかくとよい。そして左図のように、円筒の鏡を置くとちゃんと見える。

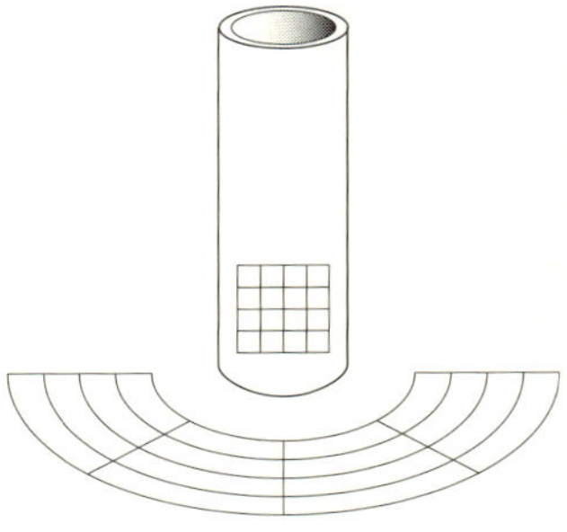

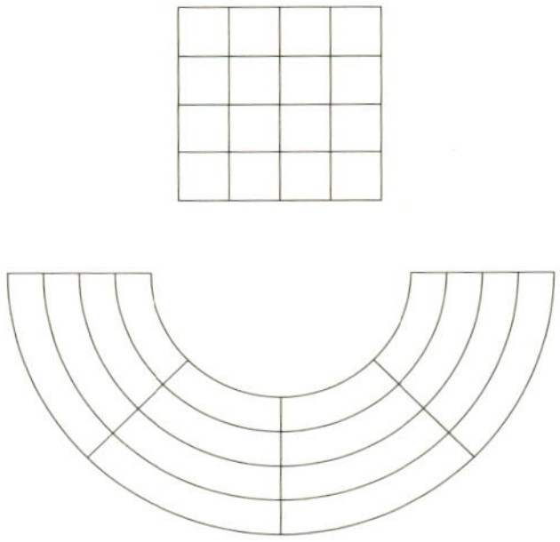

円筒の鏡がない？　台所の円筒の「アルミホイル」を使えば、バッチリ。

● 作品 1

● 作品 2

● 作品 3

（作品 2、3 の原図は Yoh 氏作）

15 動かずの点

物を動かすと、物は動く。しごく当然のこと。ところが、平面を適当に動かしても、一点は動いていない場所がある！（信じられますか）

そこで、正方形を描き、その中に文字や記号で場所に名前をつけた。そして…

＜名前付き平面＞

100 × 100

⇒

同じものを透明板にコピーして適当に重ねた。

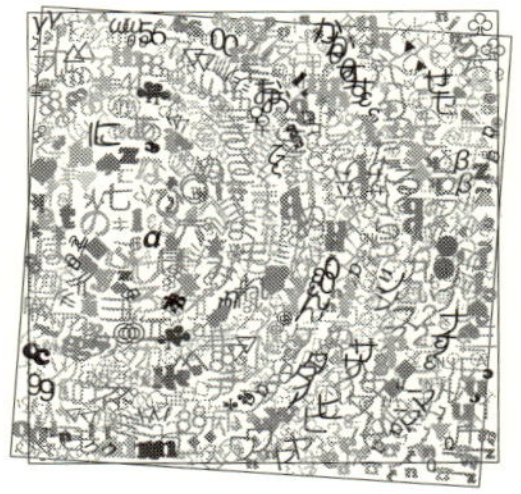

「七」の下のあたりは動いていない。そして、そこを中心とする同心円ができた。

何回も何回も適当に重ねても結果は同じ（平行移動のときはなし）。そこで、相似形のときはどうなるかと、よことたてを 90% にしたものを 100 × 100 に重ねた。

90 × 90

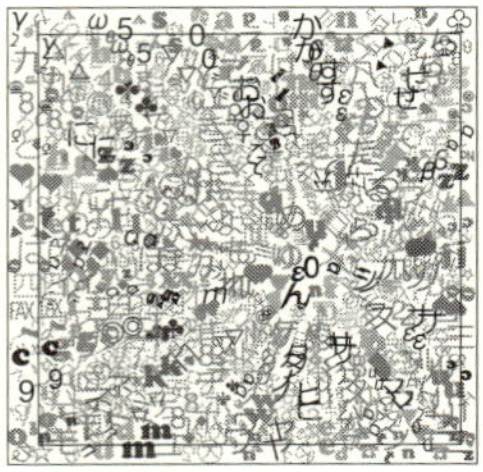

平行に重ねた。「0」番地が動いていない。

今度は「♀」のあたりが動いていない。らせんがあざやか。

こうなれば、相似変換でなくてもいいのではと、よこ 110 %たて 90%にして 100 × 100 に重ねた。

110 × 90

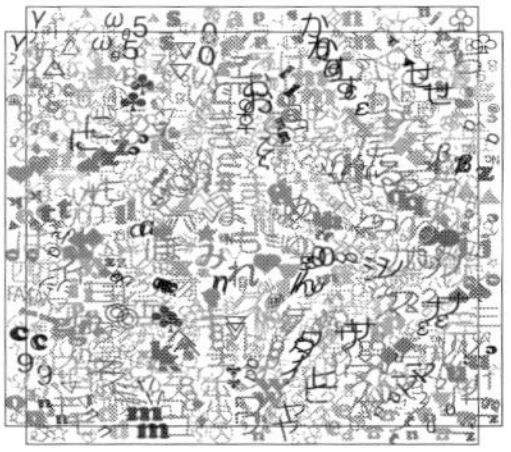

「れ」の頭のあたりが動いていない。なんと、双曲線が見える。

「ゆ」の頭あたり。今度は楕円が見える。

「相似」の項（406ページ）で、福井県のあたりが動かなかったのには、この法則があったからだ。

今度はもっと適当に変形すれば、もう動かずの点はないだろうと、やってみた。

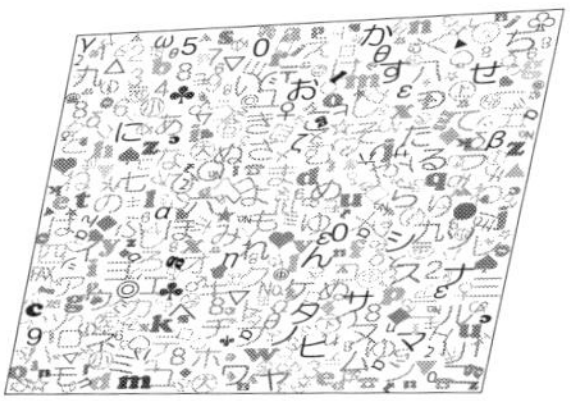

適当に変形

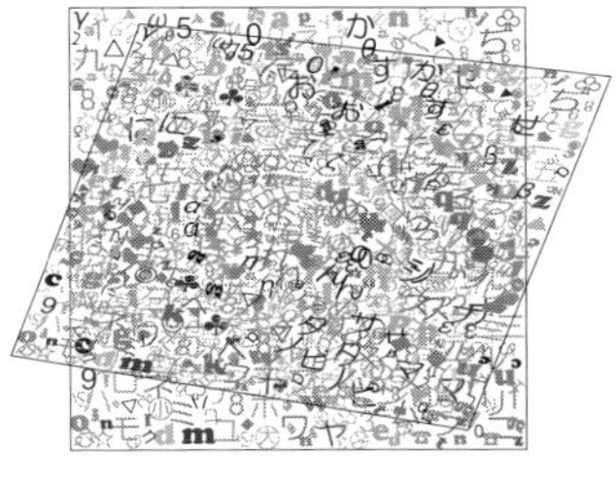

「ゆ」のあたりが動いていない。そして、うずが見える。

ブラウワー（Brouwer）の「有界な凸閉集合なら、連続写像は、少なくとも 1 つの不動点を持つ」という凄い定理があるが、これらは、その特殊で親類のような法則である（外にはみでる場合があると、「平行移動」だけではない例外的な場合が出てくるけれど、かなり広い範囲の「適当」について成り立つ）。

是非、透明板にコピーして自ら確かめてほしい。

ちょっとひと息

早熟の天才パスカル(1623 ～ 1662)は16歳のときに発表した「円錐曲線試論」の中で、ふしぎな定理を述べている：簡単な形で述べると、「円に内接する任意の六角形 ABCDEF の、向かい合う辺 AB(を含む直線、以下同様)と DE の交点、BC と EF の交点 CD と FA の交点は、同一直線上にある」というのである(527 ページ参照)。

まずふしぎなのは、「内接するのが正六角形だと、向かい合う辺が平行になり、交点がない」など、すぐに例外的な場合が見つかることである――これは「平行な直線は、無限遠点で交わる」、「どの無限遠点も“無限遠直線”上にある」と考えると、一応受け入れられる。

もちろん証明できるのだから、事実は(無限遠点を考えた上で)正しい。しかも「円」を「楕円」におきかえてもよいし、「放物線」や「双曲線」、一般に円錐曲線でもよい。さらには 2 次曲線 $f(x,\ y)=0$ の上の任意の 6 点 ABCDEF でもよいし、その 2 次曲線として

$$f(x,\ y)=(2x-5y+1)(x+y-1)=0$$

のような(実質)2 直線を考えてもよい。それが529ページに紹介されている、パップスの定理である。

パスカルの定理を使うと、2 次曲線上の 5 つの点 A, B, C, D, E と、E を通る直線 L が与えられたとき、その 2 次曲線と L との交点 F を A, …, E と L だけから、定規だけで作図できる。

① AB と DE の交点を P とする。

② BC と L の交点を Q とする。

③ CD と PQ の交点を R とする。

④ AR と L の交点が、求める F である。

L を変えることによって、2 次曲線上の点が次々と、いくらでも求められる！

第4部

統計・確率の意味がわかる

第1章
現在を読む

この章は、データを表やグラフの形に整理する方法から始めて、統計の初歩をゆっくり説明している。やさしすぎるところは、どうぞ気楽に読み流していただきたい。それでも、毎年

1所帯あたりの平均貯蓄額は□□□□万円を越えている

などという新聞記事を見るたびに、「うちはそんなにないよ」と心配なさる方もおありかと思う。そういう方は「代表値」のところで、平均値の弱点を学ばれれば、安心されることだろう。

ところでこの章のひとつの核心は、「ばらつきの評価」である。これは統計の「初歩」から「中級」に進むためにまず理解しなければならない、だいじなポイントであるから、計算法も含めて、かなりていねいに説明しておいた。ではどうして「ばらつき」が、そんなにだいじなのだろうか？

あなたが責任をもっている3つの部署 X、Y、Z が、赤字に転落しないよう、重点的な対策を講じたい。どこが一番危ないだろうか？

これまで5年間の黒字の平均は、

X …… 2千万円、Y …… 4千万円、Z …… 6千万円

であったとする。それならXが一番危ない——と思うのは早トチリで、それぞれの部署について、

① 特定の傾向はないか

② 不安定な要素はどれくらいか

を吟味しなければならない。②でいう「不安定」とはまさに「黒字のばらつき」のことなので、それを定量的に示す

“分散”あるいは“標準偏差”

の概念が役に立つ(説明はここではしません：578ページ参照)。たとえばこれまで5年間の黒字の「ばらつき」(標準偏差)が

X…… 5百万円、Y…… 2千万円、Z…… 5千万円

だとしよう。すると最も危ないのはZで、その次がY、そして

「Xは最も安定していて、赤字に転落する危険が一番小さい」

と(これだけのデータから判断する限り)考えられる。

なお「ジリ貧」とか「ほぼ一定のところでフラついている」など、一定の傾向を読みとるためには「回帰曲線」の技法が参考になる(594ページ参照)。

やや先走りになるが、「ばらつき」の“確率的”評価は、「株の上手な買い方」にも関係がある。株価は不安定に変動するものであるから、「儲けを大きくする」ことだけを狙うのは、リスクが大きい。そこでリスクを減らすために、よさそうな銘柄を「複数個、組合せて買う」ことがすすめられる——その組合せをポートフォリオという。

さてあるポートフォリオについて、儲けの見込みを計算するには

予想される儲けの“確率的平均”(期待値)

が使われる。また「リスクの見積もり」には

予想される儲けの“確率的ばらつき”(分散・標準偏差)

が使われる——これらの概念は第2章で説明するが、この章で確率ぬきの“平均”と“標準偏差”をしっかり理解しておけば、後がひじょうにラクになることは保証できる。これが

「統計をまずとりあげた」

最大の理由である。

1 データの整理（1）

「戦後」といってもすでに70年近く経つが、科学技術の進歩、情報社会の到来で、私たちはますます複雑なデータの山に囲まれることになった。

データ〔data〕とは、広く判断や推論のもとになるあらゆる資料や情報を指すことばである。狭い意味では、数値で表現したものを指す。それにしても対象は多岐にわたるから、できる限り妥当な処理をして、正しい判断をめざす必要が起こる。

ここではまず数値データの処理の最も基本的な方法を紹介する。取り上げる資料は限られるが、読者の皆様は「基本的手法」を身につけて他の場面に応用したり、データを見る目を豊かにしていただきたい。

〈注〉なお以下の文章の中で、データを「資料」とよぶこともある。

まずは「戦後」の若者の体格の様子から話をはじめよう。右の表は文部科学省の統計による17歳男子のものである。なるほど、身長も体重も目を見はるほどの変化を見せている。

17歳男子平均身長の推移

年	身長(cm)
1950	161.8
1955	163.4
1960	165.0
1965	166.8
1970	167.8
1975	168.8
1980	169.7
1985	170.2
1990	170.4
1995	170.8
2000	170.8
2005	170.8
2010	170.7

17歳男子平均体重の推移

年	体重(kg)
1950	52.6
1955	54.5
1960	56.1
1965	57.5
1970	58.7
1975	59.2
1980	60.6
1985	61.5
1990	62.0
1995	63.0
2000	62.6
2005	63.8
2010	63.1

変化の様子は折れ線グラフにして見るとわかりやすい。

17歳男子平均身長の推移

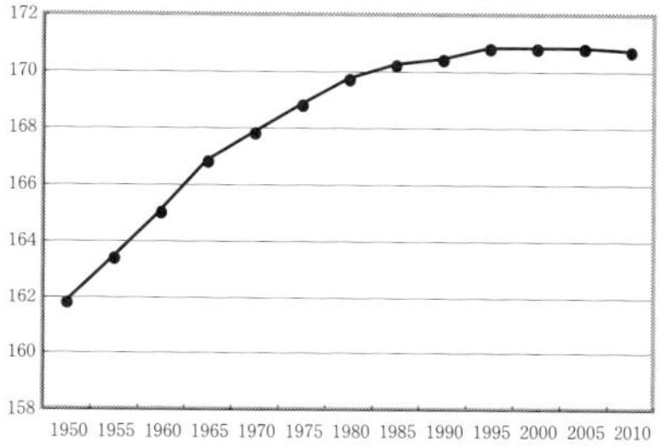

17歳男子平均体重の推移

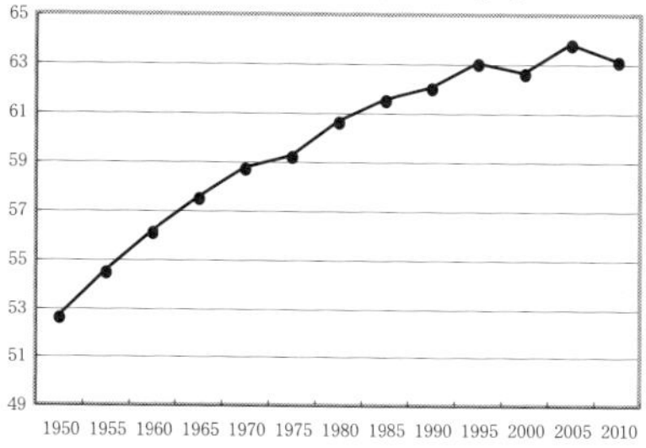

縦軸では狭い範囲を拡大して表しているので、「変化」が強調されている。しかし全体を見ることも大切なので、身長や体重の目盛りを0から出発させると次のようになる。

17歳男子平均身長の推移

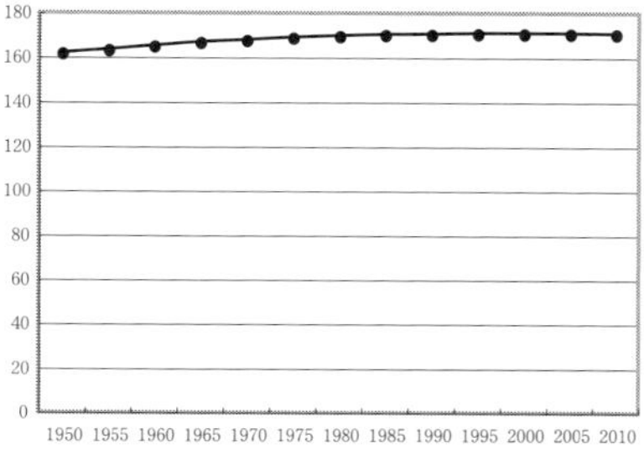

17歳男子平均体重の推移

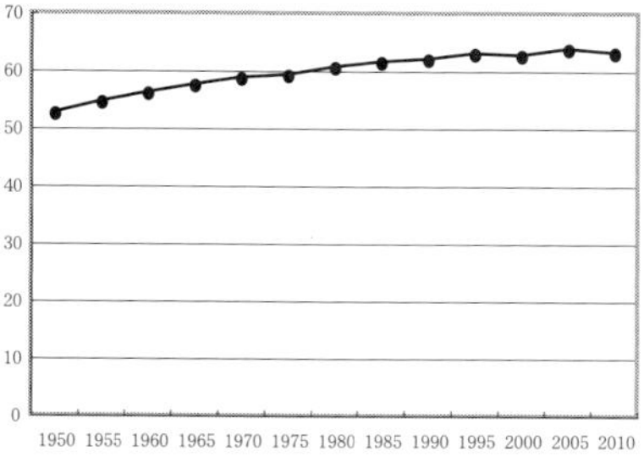

筆者は、次のことに興味をもった。

現在働いている社会人の全体的な傾向、身長と体重の様子は一体どうなっているのだろうか？

2 データの整理（2）

現在働いている社会人の身長と体重の様子を知りたいと思っていたところ、あるデータバンクから思ってもみなかった資料を提供していただいた。それが右ページの数字である——どちらも2001年5月のデータである、とのことである。左が17歳の男子高校生28人、右がある企業で働く男性会社員34人の生（なま）のデータである。

高校生の名前は 1 から28、会社員の名前は101から134のそれぞれ数字で表されている。たとえば、高校生 5 の身長は174.6cm、体重は94.0kg、会社員115の身長は175.5cm、体重は60.2kgである。

身長と体重の平均を見ると、高校生は171.4cm、64.8kgであり、文部科学省統計の2000年度の170.8cm、62.6kgより少し上になっていて、会社員は170.6cm、69.2kgであるから身長は少し下だが体重はだいぶ上まわっているところがわかる。

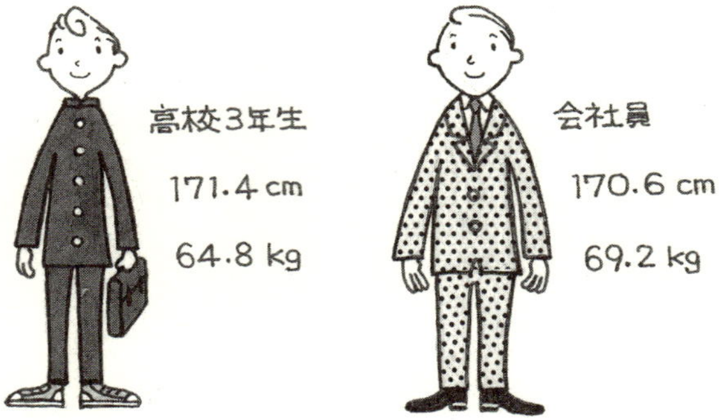

このデータは、後でときどき利用する。

ある高校３年クラスの男子

名前	年齢	身長	体重
1	17	169.6	57.0
2	17	173.7	50.5
3	17	175.6	60.8
4	17	175.1	58.3
5	17	174.6	94.0
6	17	165.5	60.0
7	17	169.3	49.5
8	17	166.3	106.0
9	17	171.0	53.0
10	17	176.0	90.0
11	17	175.3	63.0
12	17	169.9	45.3
13	17	169.0	63.0
14	17	171.0	53.0
15	17	167.1	73.5
16	17	174.7	59.0
17	17	169.4	54.9
18	17	162.0	47.5
19	17	176.4	67.0
20	17	178.6	79.3
21	17	169.3	48.0
22	17	169.7	63.5
23	17	177.2	77.0
24	17	171.4	60.0
25	17	177.0	71.5
26	17	165.2	58.5
27	17	166.5	92.0
28	17	172.6	58.2
平均		171.4	64.8

ある会社の社員

名前	年齢	身長	体重
101	44	170.4	66.9
102	39	179.0	91.0
103	49	177.6	95.3
104	54	165.1	46.2
105	36	175.5	74.5
106	50	182.2	81.2
107	39	177.5	61.3
108	51	165.0	62.5
109	59	169.1	61.7
110	55	164.4	53.7
111	51	154.3	56.8
112	50	171.5	55.4
113	46	173.8	81.7
114	31	179.0	80.0
115	35	175.5	60.2
116	41	166.5	75.7
117	30	171.0	63.4
118	55	178.6	70.0
119	57	169.4	66.5
120	35	164.5	64.8
121	56	164.0	60.3
122	32	173.4	63.8
123	32	170.0	69.2
124	43	178.5	96.7
125	44	174.4	79.0
126	51	173.7	77.7
127	36	174.8	79.6
128	40	174.5	65.8
129	38	172.1	52.9
130	41	165.3	71.6
131	38	155.7	67.9
132	52	167.0	66.6
133	47	164.0	68.1
134	31	162.5	63.4
平均	43.8	170.6	69.2

3 データの整理(3)

● 階級と階級値

前ページの生データのままでは、全体の傾向や特徴がつかみにくいので、整理してみよう。

まず、身長と体重を次のような段階に分ける。

	身長		体重
1	150以上155未満	1	40以上 50未満
2	155 － 160	2	50 － 60
3	160 － 165	3	60 － 70
4	165 － 170	4	70 － 80
5	170 － 175	5	80 － 90
6	175 － 180	6	90 － 100
7	180 － 185	7	100 － 110

これらの段階は「階級」とよばれる。

身長の場合は5cmの幅、体重の場合は10kgの幅にしたが、この幅を階級の幅といい、また階級の中央の値を階級値という(下の表参照)。

● 度数分布表

各階級に含まれる人数(一般には度数という)を数えて表にすると次のようになる。これを度数分布表という。

階級	身　長	階級値	高校3年	会社員
1	150以上 155未満	152.5	0	1
2	155 160	157.5	0	1
3	160 165	162.5	1	5
4	165 170	167.5	12	7
5	170 175	172.5	7	11
6	175 180	177.5	8	8
7	180 185	182.5	0	1
合計			28	34

階級	体　重	階級値	高校3年	会社員
1	40以上 50未満	45	4	1
2	50 60	55	9	4
3	60 70	65	7	16
4	70 80	75	4	7
5	80 90	85	0	3
6	90 100	95	3	3
7	100 110	105	1	0
合計			28	34

これを柱状グラフで表すと、それぞれ次のようになる。

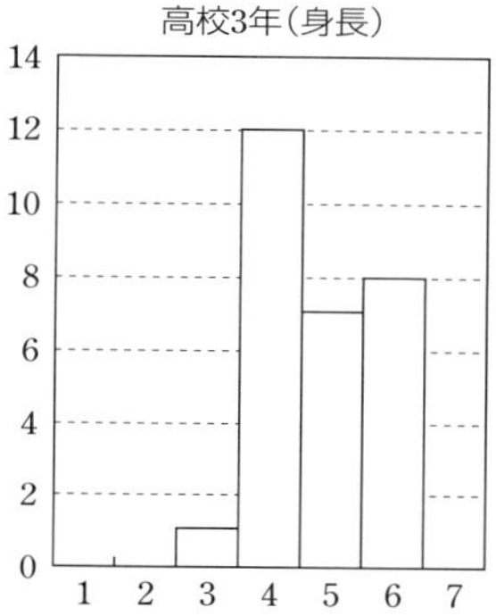

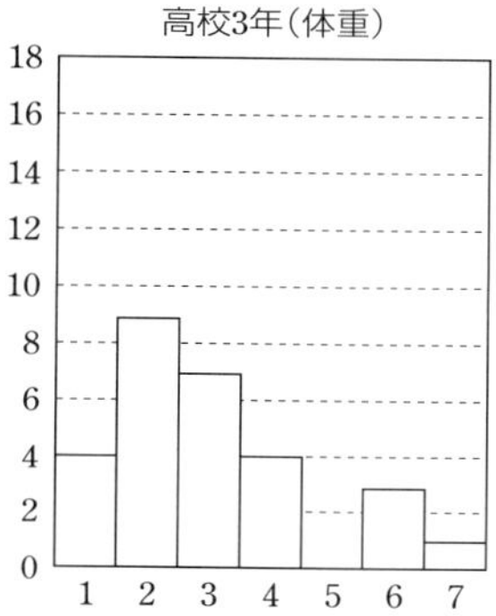

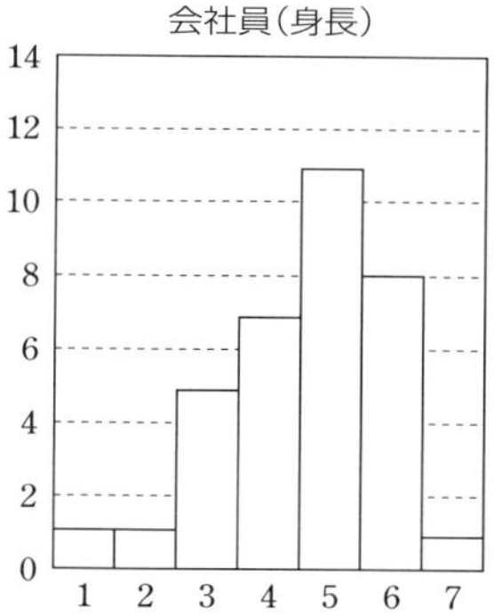

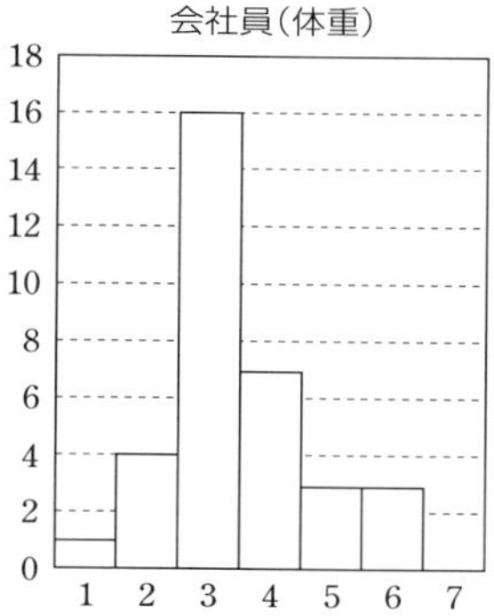

上下を見比べるとさまざまな傾向を読み取ることができる。

なお、総人数の違いをなくすために度数のかわりに割合（度数の合計に対する割合、相対度数）の表にしたものを相対度数分布表という。

階級	身　長	階級値	高校3年	会社員
1	150以上　155未満	152.5	0.0%	2.9%
2	155　160	157.5	0.0%	2.9%
3	160　165	162.5	3.6%	14.7%
4	165　170	167.5	42.9%	20.6%
5	170　175	172.5	25.0%	32.4%
6	175　180	177.5	28.6%	23.5%
7	180　185	182.5	0.0%	2.9%

階級	体　重	階級値	高校3年	会社員
1	40以上　50未満	45	14.3%	2.9%
2	50　60	55	32.1%	11.8%
3	60　70	65	25.0%	47.1%
4	70　80	75	14.3%	20.6%
5	80　90	85	0.0%	8.8%
6	90　100	95	10.7%	8.8%
7	100　110	105	3.6%	0.0%

4 いろいろなグラフ

データの特徴をとらえるには、目で見えるようにするのがよい。そのために、各種のグラフが考えられてきた。

右表は、ベレ自動車北海道営業所のスタッフの販売台数の実績である。このデータを各種のグラフで表してみよう。

	2007年	2008年	2009年	2010年
イズモリ	17	14	22	14
イトウ	5	11	2	5
オザワ	12	10	10	10
シンタニ	2	4	8	16
ノザキ	14	16	18	20
計	50台	55台	60台	65台

データの量や数の大小を比較するには、柱状グラフが適している。2007年と2010年の販売台数の柱状グラフは、次の通りである。

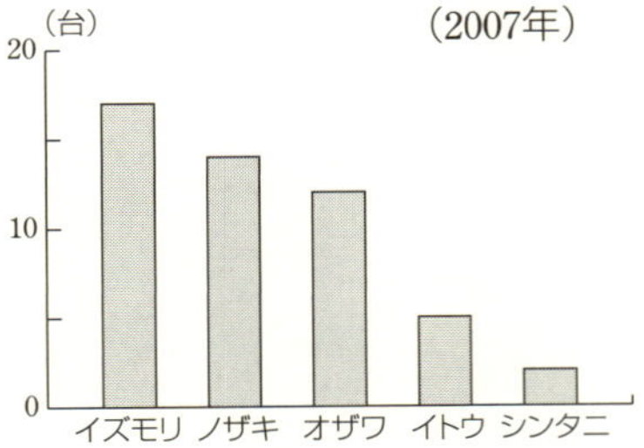

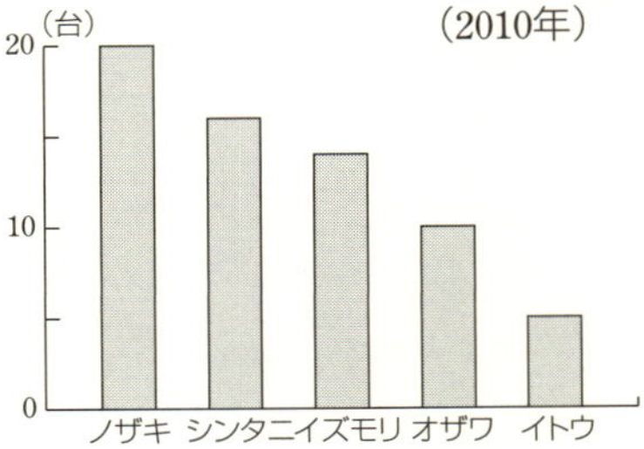

2007年ではイズモリ、ノザキが、2010年ではノザキ、シンタニが全体の半数以上を販売したことなどが視覚的にもよくわかる。

〈注〉柱状グラフは、よく「棒グラフ」とよばれるが、専門書では「ヒストグラム」(histogram)ともよばれる。本書では「柱状グラフ」で統一した。

また、データの量や数の変化をとらえるには、柱状グラフや折れ線グラフがよい。ノザキ、シンタニの販売台数の変化の柱状グラフと折れ線グラフは、次の通りである。

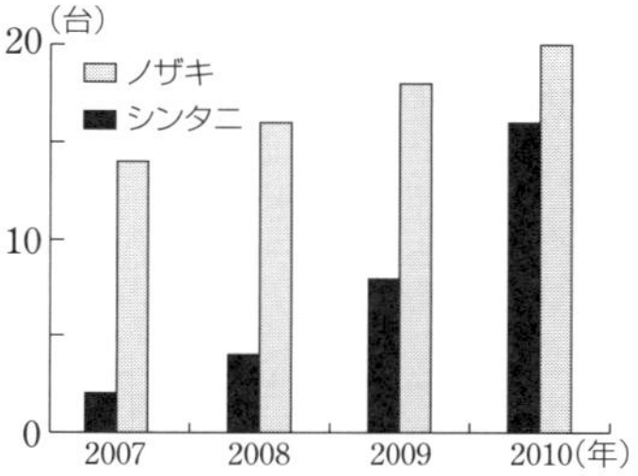

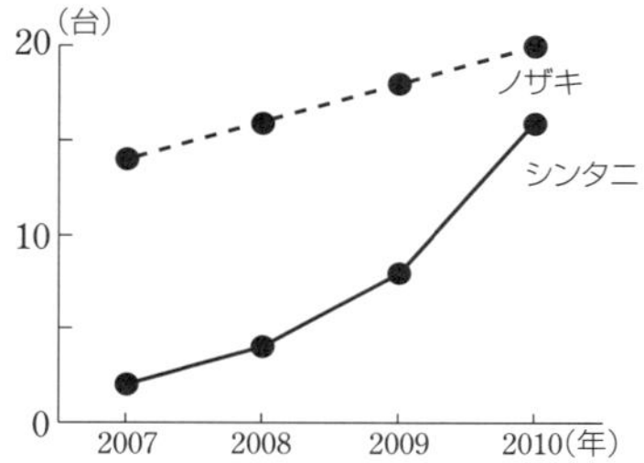

年を追って販売台数が変化した様子がよくわかると思う。

データの比率やパーセントを比較するには、円グラフや帯グラフが適している。2009年の販売台数の円グラフは、右の通りである。

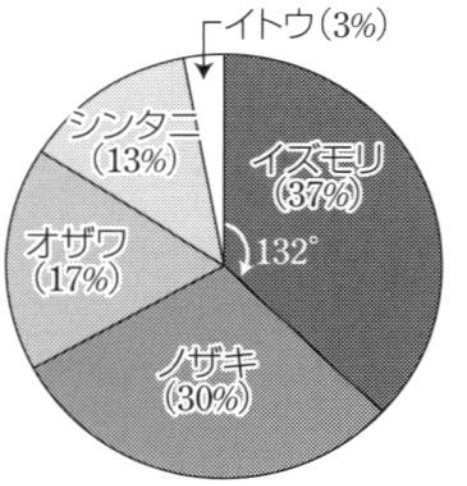

円グラフの中心角は360°×(データの比率)で求める。たとえば、イズモリの場合は、次の通り計算すればよい。

$$360^\circ \times \frac{22}{60} = 360^\circ \times 0.366\cdots \fallingdotseq 132^\circ$$

この年の販売台数に占める5人の実績の比率がよくわかると思う。

2007年と2010年について、販売台数の比率の変化を帯グラフにしてみた。

帯グラフは、(帯の長さ)×(データの比率)に従って分ける。

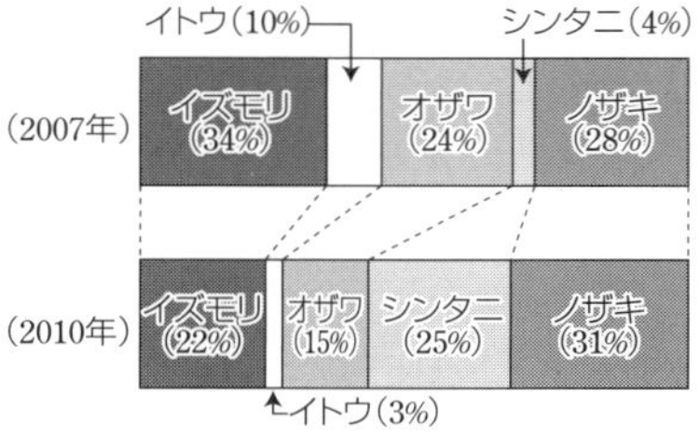

たとえば、帯の長さ12cmのとき、ノザキの帯の幅は、次のように求める。

$$12\text{cm} \times \frac{20}{65} \fallingdotseq 3.7\text{cm}$$

5　分布の型を見よう

度数分布表をグラフにしてながめてみると、データの特徴が見やすくなる。次に柱状グラフから見てとれる分布の「型」を示すと…。

(1) 山型分布

スーパーで、卵3パックを買ってきて、重さを測ってみると、つぎのようになった。

65g、　68g、　67g、　71g、　67g、　65g、
67g、　68g、　64g、　70g、　66g、　69g、
66g、　67g、　67g、　68g、　67g、　70g、
70g、　67g、　68g、　69g、　69g、　68g、
69g、　72g、　71g、　66g、　66g、　67g

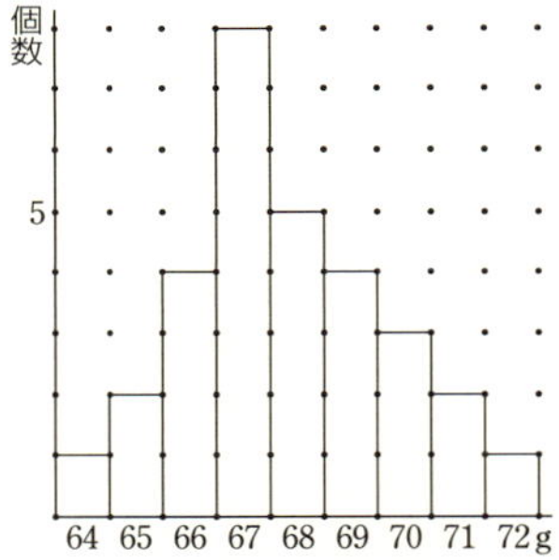

山型分布

	重さg	個数(度数)
1	64	1
2	65	2
3	66	4
4	67	8
5	68	5
6	69	4
7	70	3
8	71	2
9	72	1
計		30

この卵パックには『サイズいろいろお得なタマゴ、10*eggs* = 640g ± 30g』と記されていた。この業者は良心的なのか？

山型分布になるものは、たくさんの企業の収益や個人の所得、身長、体重など数多くある。

(2) 一様型分布

「どんなものがある」といわれると、「？」と思うが、カンタンな実験で、すぐに見ることができる。手持ちのサイコロを150回ふってみると次のようになった。このように各階級の度数が、どれもたいして変わらない分布になるとき、一様型分布という。

	度数
⚀	27
⚁	31
⚂	20
⚃	26
⚄	25
⚅	21
計 150	

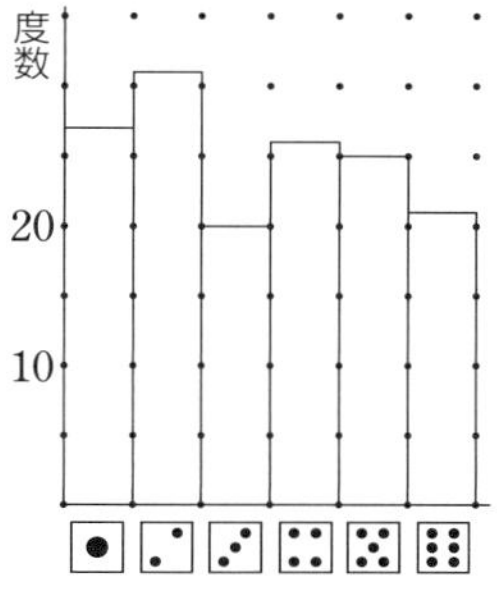

一様型分布

「サイコロの目」などは一様型分布のよい例で、150回くらいだとまだ相当怪しいが、回数をもっともっと増やせば、次第と一様になる。

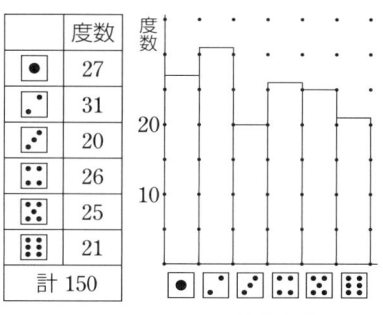

(3) L型分布

有名な「馬にけられて死んだ兵士の数」というボルトクヴィッチ(1868 ～ 1931)の資料がある。プロシャ騎兵連隊で20年間、延べ200連隊について、1連隊で一年間に馬にけられて死んだ兵士の数を調べたもの。これは度数分布のグラフにすると、L型分布になる。

死亡数	度数
0	109
1	65
2	22
3	3
4	1
5	0
計	200

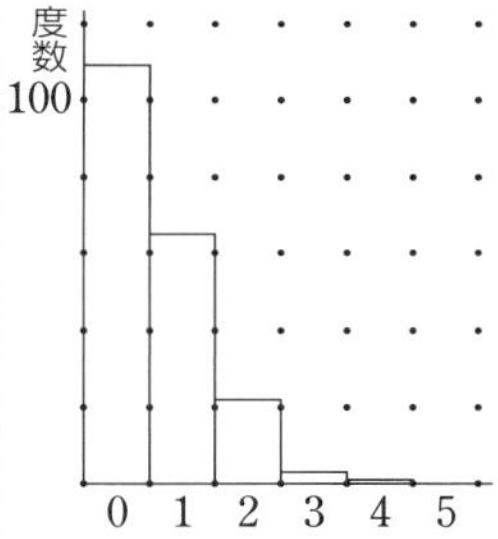

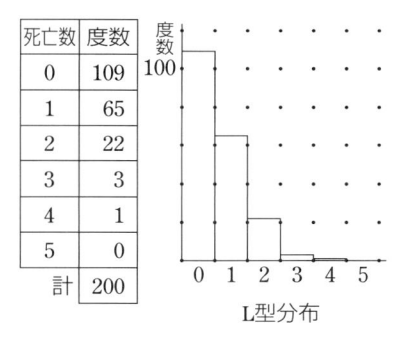

L型分布

(4) U型分布

気象庁は、毎日の雲の量を測定している。0は雲なし、10はすべて雲におおわれているというように。これは、場所によって異なるが、U型分布になるところが多いといわれる。

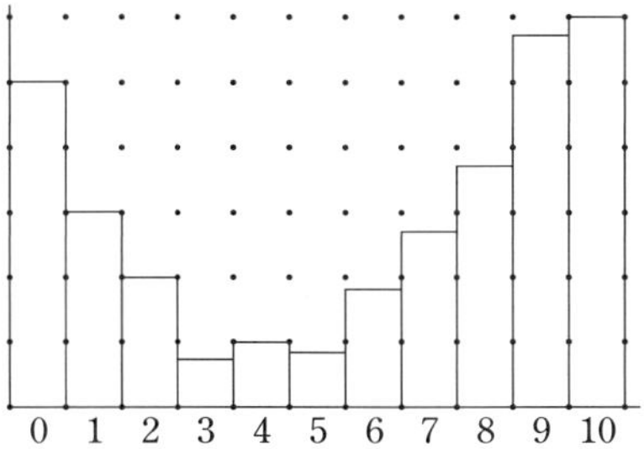

U型分布

6 柱の描きかた

● 相対度数柱状グラフ

資料の数が異なる2つの分布を比較するときは、相対度数(割合)で比べた方がよい。右図の下側が、相対度数をグラフ化したものである。

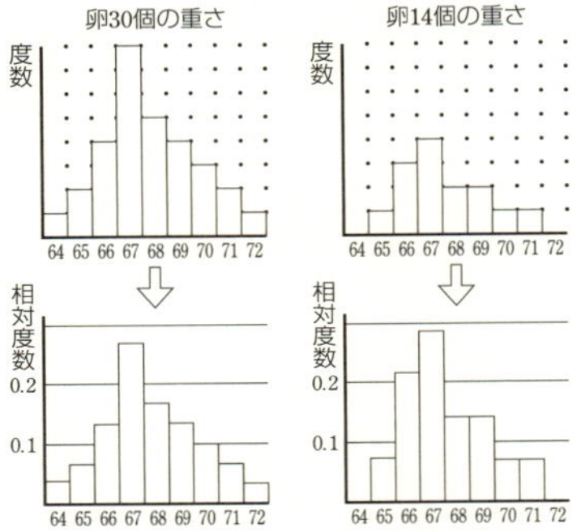

● 面積による柱状グラフ

少し現実的な話。平成21年度の勤労者世帯(2人以上)の貯蓄高の分布表は左下のようになっている。これは、3535世帯集計し抽出率調整して10000世帯にしている。

平成21年貯蓄現在高階級別世帯数分布
(二人以上の勤労者世帯)

貯蓄現在高 階級(単位 万円)	平均 貯蓄高	世帯数 分布 (単位 世帯)
100未満	30万円	1266
100 ～ 200	144万円	784
200 ～ 300	240万円	720
300 ～ 400	341万円	649
400 ～ 500	446万円	617
500 ～ 600	543万円	477
600 ～ 700	644万円	461
700 ～ 800	745万円	397
800 ～ 900	843万円	419
900 ～ 1000	947万円	380
1000 ～ 1200	1085万円	655
1200 ～ 1400	1289万円	444
1400 ～ 1600	1498万円	344
1600 ～ 1800	1687万円	309
1800 ～ 2000	1894万円	230
2000 ～ 2500	2212万円	499
2500 ～ 3000	2729万円	343
3000 ～ 4000	3438万円	462
4000以上	5987万円	545
		10001

(総務省統計局の資料より)

さて、これを柱状グラフにしたのが右ページの上のグラフである。

4000万円以上の階級は何万円までかはわからないが、ここでは「最高8000万円」として図を描いた。

〈注〉平均5978万円がまん中だとすれば、上限は5978＋(5978－4000)

＝7974(万円)

このグラフをみると、少し変だ。視覚的にも、大金持ちばっかりの感じがする。それは、階級の幅が100万円と200万円と500万円などがあるのに、度数だけで高さをきめているからである。

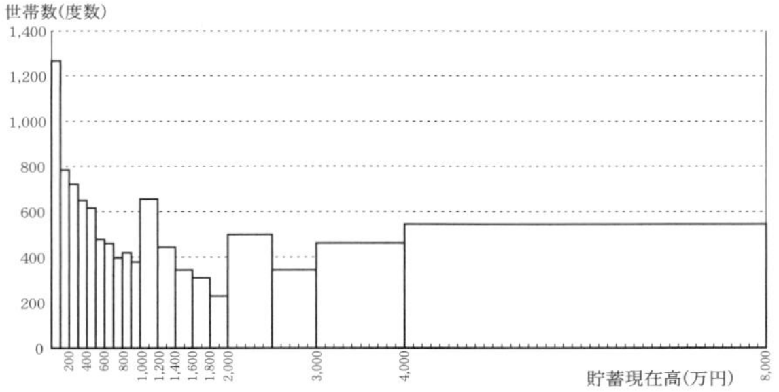

幅の不公平をなくすには、

「幅100万円」

に合わせるために、たとえば

「1000 ～ 1200」万円

の階級は、前半「1000 ～ 1100」と後半「1100 ～ 1200」に半分ずつ入っているとみて、高さを半分にすべきであろう。そこで、思い切って高さは

$$\frac{\text{各階級の度数}}{\text{各階級の幅}}$$

にして描いたのが下のグラフ。

こうすると各長方形の面積 $= \text{幅} \times \dfrac{\text{度数}}{\text{幅}} =$ 度数となっていて、面積で、度数が表されている。

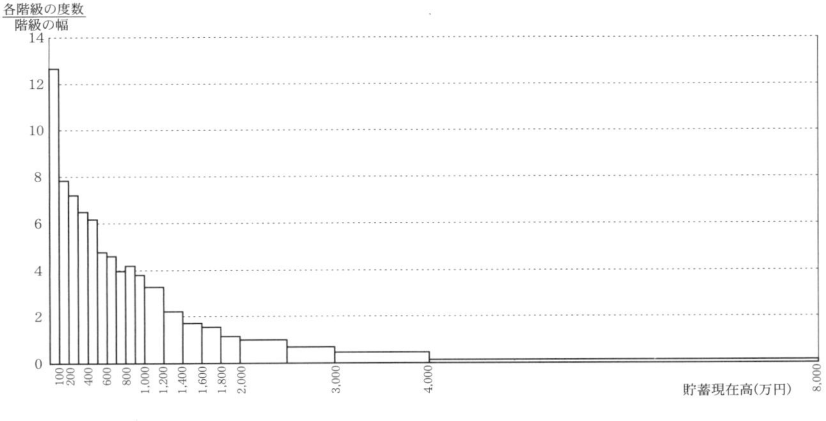

7　10cmに切る

見せられた資料だけで考えるのは、つまらないといわないまでも、実感がわかない。

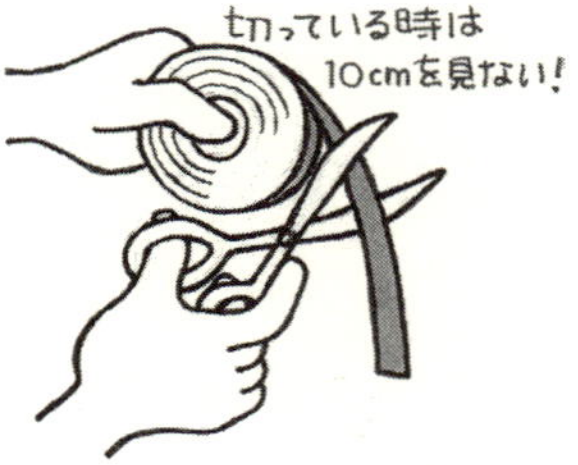

ぜひ一度、テープの10cm切りをしてほしい。紙テープを文具店で買い、そして

(1) 次ページの10cmの長さをじっくり、しっかり見て10cmの長さを頭にたたき込む。

(2) そして、本を閉じて、紙テープを「ここが10cm」と思うところで、チョッキンチョッキンと切っていく。

(3) 100本位切ったら、次ページ(コピーをとって使った方がよい)の左側にあるものさしで測り、該当する階級のひとマスを塗り柱状グラフを作る。

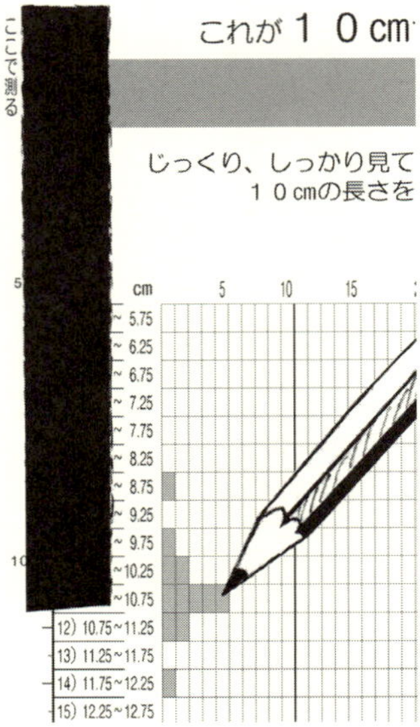

さあ、これであなたの性格がわかる?

筆者はある大学の教室で130人の学生さんにやってもらった。多くは山型分布になったが、高い山、低い山とその形はさまざま。また、ふたこぶラクダのように山が2つある分布の学生もいた。切ったテープを後で一斉に投げ上げたら、すごくキレイだった。

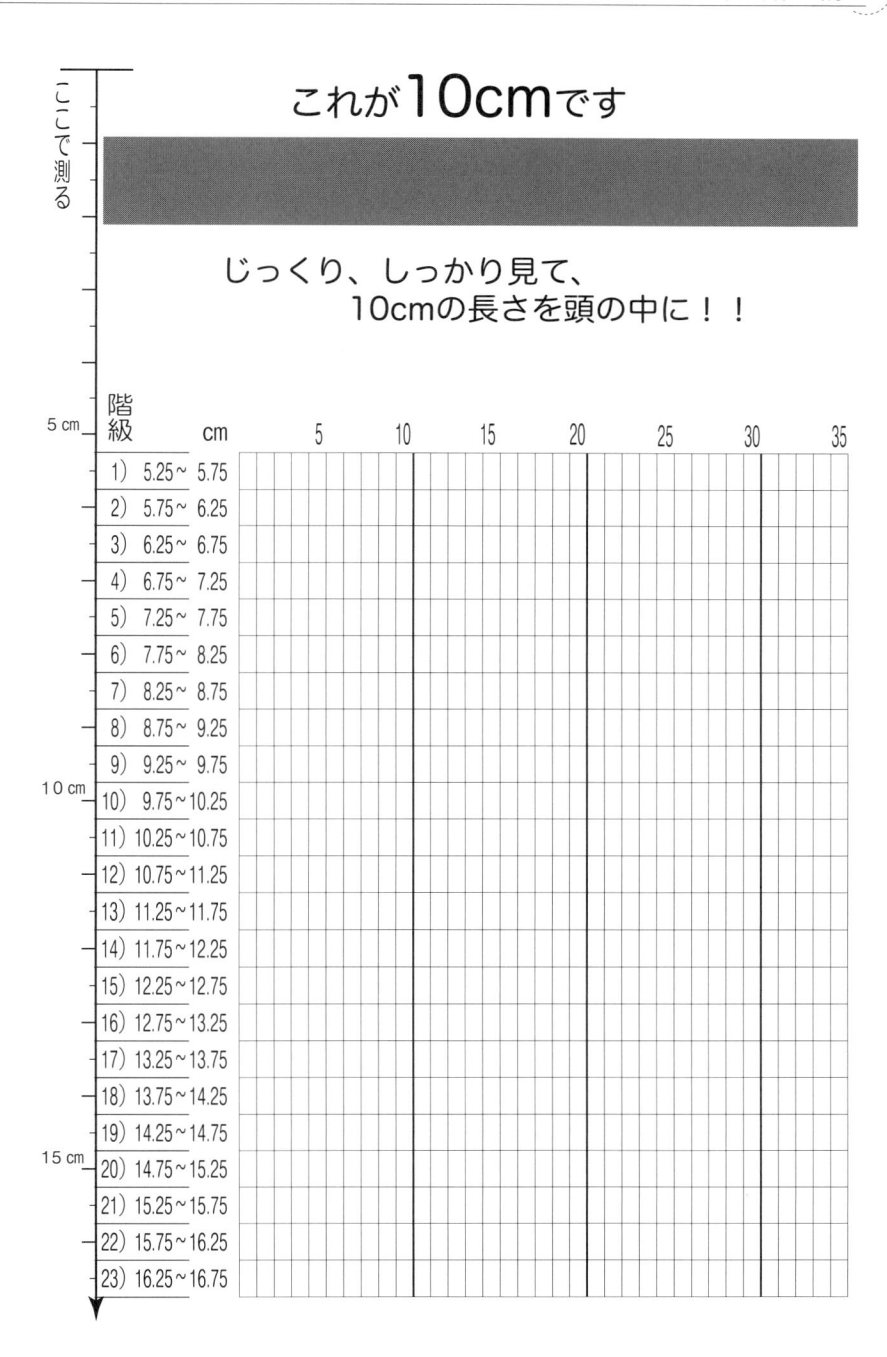

これが10cmです

じっくり、しっかり見て、
10cmの長さを頭の中に！！

ここで測る

5 cm

10 cm

15 cm

階級	cm	5	10	15	20	25	30	35
1）	5.25～ 5.75							
2）	5.75～ 6.25							
3）	6.25～ 6.75							
4）	6.75～ 7.25							
5）	7.25～ 7.75							
6）	7.75～ 8.25							
7）	8.25～ 8.75							
8）	8.75～ 9.25							
9）	9.25～ 9.75							
10）	9.75～10.25							
11）	10.25～10.75							
12）	10.75～11.25							
13）	11.25～11.75							
14）	11.75～12.25							
15）	12.25～12.75							
16）	12.75～13.25							
17）	13.25～13.75							
18）	13.75～14.25							
19）	14.25～14.75							
20）	14.75～15.25							
21）	15.25～15.75							
22）	15.75～16.25							
23）	16.25～16.75							

8 代表値

資料の性質をひとことで言い表すために、一つの数値を目安として使うことがある。その数値を代表値という。

ふつう使われる代表値としては次の3つがある。

① 平均値（mean）

資料の数値の合計を資料の総数で割ったもので、たとえば

55, 80, 80, 85, 90, 100

の平均値 m（単に平均 m ともいう）は

$$m = \frac{55+80+80+85+90+100}{6} \fallingdotseq 81.7$$

のように計算される。テストの平均点などでおなじみである。

計算しやすさや公平さという特徴があるので、多くの山型分布の資料にはよい目安となる。しかし、極端に大きい値や小さい値が入っているとそれにひきずられるので、そういうデータの代表値としてはあまり向いていない。むしろ次の並み値とよばれる代表値がよい。

② 並み値（最頻値またはモード mode）

度数分布表を作り、度数が一番大きな階級の階級値。

たとえば、558ページで扱った高校3年生の体重の場合でいうと、並み値は55kgとなる（ちなみ

階級	体重（kg）	階級値	高校3年
1	40以上 50未満	45	4
2	50 60	55	9
3	60 70	65	7
4	70 80	75	4
5	80 90	85	0
6	90 100	95	3
7	100 110	105	1
合計			28

高校3年（体重）

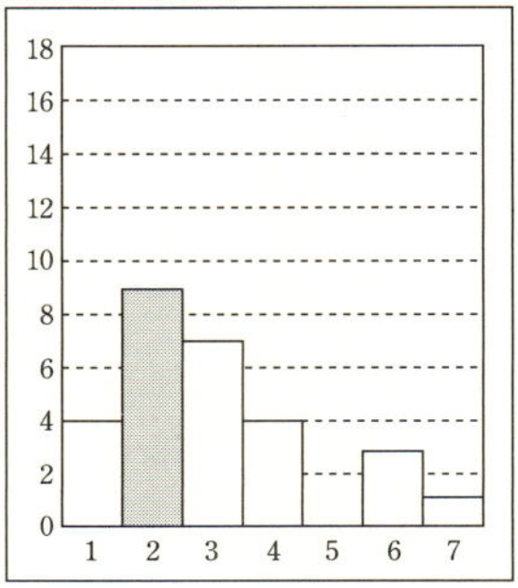

に平均値は64.8kgであった）。

しかし、階級2と3の度数はたった2人しか違わない。このようなちょっとした違いで並み値は10kgも違ってしまうので、この資料の代表値として並み値が適当かどうかは疑わしい。

③ 中央値（メジアン）

もう一つよく使われる代表値として、「すべての数値を小さい方から順に並べたときのまん中の値」を使うことがある。これを中央値、あるいはメジアン（median）という。

ある高校3年クラスの男子

名前	体重
1	57.0
2	50.5
3	60.8
4	58.3
5	94.0
6	60.0
7	49.5
8	106.0
9	53.0
10	90.0
11	63.0
12	45.3
13	63.0
14	53.0
15	73.5
16	59.0
17	54.9
18	47.5
19	67.0
20	79.3
21	48.0
22	63.5
23	77.0
24	60.0
25	71.5
26	58.5
27	92.0
28	58.2
平均	64.8

⇨並べ替え

順番	名前	体重
1	12	45.3
2	18	47.5
3	21	48.0
4	7	49.5
5	2	50.5
6	9	53.0
7	14	53.0
8	17	54.9
9	1	57.0
10	28	58.2
11	4	58.3
12	26	58.5
13	16	59.0
14	6	60.0
15	24	60.0
16	3	60.8
17	11	63.0
18	13	63.0
19	22	63.5
20	19	67.0
21	25	71.5
22	15	73.5
23	23	77.0
24	20	79.3
25	10	90.0
26	27	92.0
27	5	94.0
28	8	106.0
	平均	64.8

上の表の例では、「ちょうどまん中」がないので、小さい順で14番目と15番目の平均をとり、それを中央値とする。この例では2人とも60.0kgなので、60.0kgが中央値となる。

前の並み値と同じ資料を用いたのだが、この資料の代表値としては中央値の方が妥当であろう。

9 貯蓄高の代表値

566ページの貯蓄高の代表値を求めてみよう。

● 平均値

各階級の平均貯蓄高（それが不明のときは階級値）×世帯数の合計を求め、総世帯数（10000）で割ればよい。

$$合計 = 30 \times 1266 + 144 \times 784 + \cdots + 5987 \times 545 = 12031216$$

よって、平均値＝12031216÷10000≒1203.1（万円）

「私はそんなに貯蓄していないよ！」という人が多いのでは？

● 並み値

最頻値ともいわれる並み値は、ただ表から度数が一番多い数としてはいけない。ここは階級の幅との調整が必要となる。そこで、567ページの「面積で度数を表した柱状グラフ」の高さを見れば、並み値は30万円ということになる。

平成12年は43.2万円だった。

平成21年貯蓄現在高階級別世帯数分布(二人以上の勤労者世帯)

貯蓄現在高 階級(単位 万円)	平均 貯蓄高	世帯数 分布 (単位 世帯)	累積世帯数 (単位 世帯)
100未満	30万円	1266	1266
100 ～ 200	144万円	784	2050
200 ～ 300	240万円	720	2770
300 ～ 400	341万円	649	3419
400 ～ 500	446万円	617	4036
500 ～ 600	543万円	477	4513
600 ～ 700	644万円	461	4974
700 ～ 800	745万円	397	5371
800 ～ 900	843万円	419	5790
900 ～ 1000	947万円	380	6170
1000 ～ 1200	1085万円	655	6825
1200 ～ 1400	1289万円	444	7269
1400 ～ 1600	1498万円	344	7613
1600 ～ 1800	1687万円	309	7922
1800 ～ 2000	1894万円	230	8152
2000 ～ 2500	2212万円	499	8651
2500 ～ 3000	2729万円	343	8994
3000 ～ 4000	3438万円	462	9456
4000以上	5987万円	545	10001
		10001	

（総務省統計局の資料より）

● 中央値

少ない額から並べて、まん中はいくらになるかということで、ここでは10000 ÷ 2 = 5000番目の貯蓄高を求める。

左ページの分布表の「累積世帯数」の欄を見ると、“5000番目の世帯”は700万円～ 800万円の間にいる――正確にいえば、その中の397世帯のうち、（5000 − 4974 =）26番目の世帯である。

そこで、右図のように、700万円から800万円の中に397世帯が“まんべんなく”散らばっていると考えると、

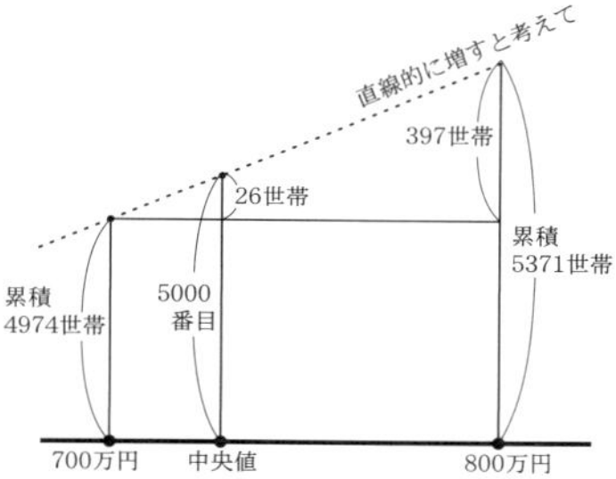

1世帯につき $\dfrac{100万円}{397}$ ずつ上がっていくのだから、26番目の世帯の収入は

$$700万円 + \frac{100万円}{397} \times 26 = 700万円 + 6.5万円 = 706.5万円$$

と推定される（平成12年は886.2万円だった）。

50%の世帯が、706.5万円以下の貯蓄高ということになる。

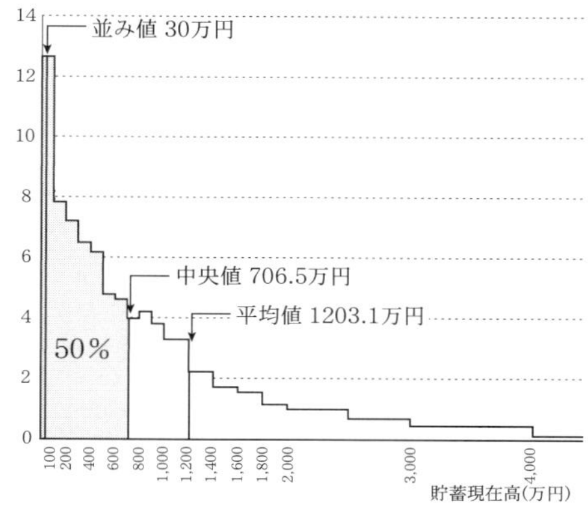

平均値の1203.1万円を見て「半分の人はそんなにあるのか」と思うのは、大きな間違いであることがわかる。資料を見ると $\dfrac{2}{3}$ の世帯は平均値以下である。

10 平均値の意味

次のデータは、ベレ自動車の北海道営業所のスタッフの給料（単位万円）である。

イチロー 10、ジロー 10、サブロー 10、シロー 20、ゴロー 20、

ロクロー 30、シチロー 30、ハナエ 30、クミコ 40、テンコ 50

このデータを使って平均値の意味を考えてみよう。まず、一人ひとりの給料についての柱状グラフは下の図のようになる。

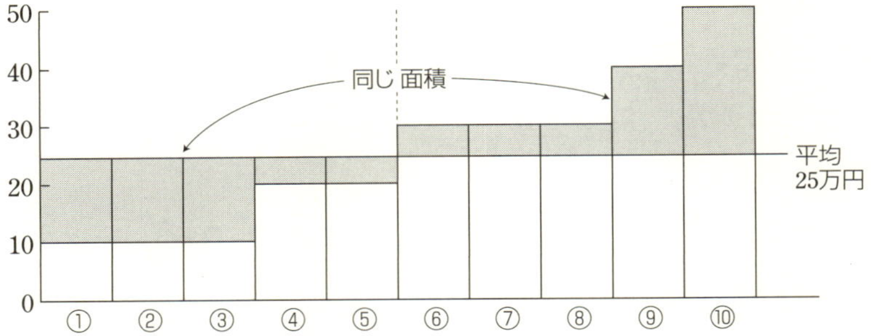

10人のスタッフの給料の平均値は

$$m = \frac{10+10+10+20+20+30+30+30+40+50}{10} = \frac{250}{10} = 25\text{（万円）}$$

となる。この平均 m は、上の柱状グラフをならして平たんにしたときの高さを表している。

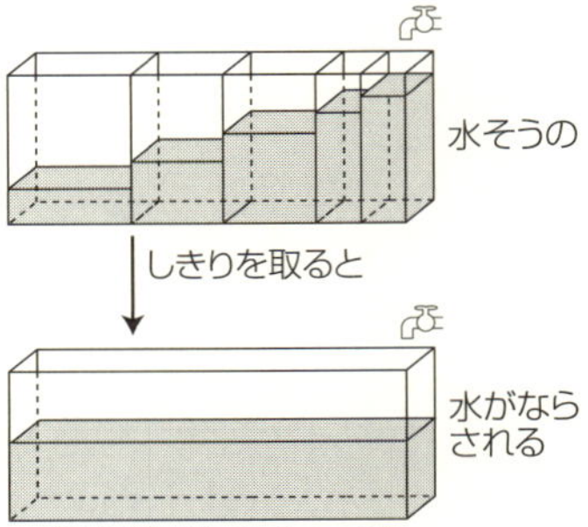

（これが平均のイメージ）

たしかに

（平均値より下の部分）

$=(25-10)\times 3+(25-20)\times 2=55$

（平均値より上の部分）

＝(30－25)×3＋(40－25)＋(50－25)＝55

と2つの面積は等しい。こうして柱状グラフの平均値は、凹凸を「ならした高さ」を表している。

また、データを度数分布表にまとめて柱状グラフを描けば、次のようになる。

階級値（万円）	10	20	30	40	50	計
度数（人数）	3	2	3	1	1	10

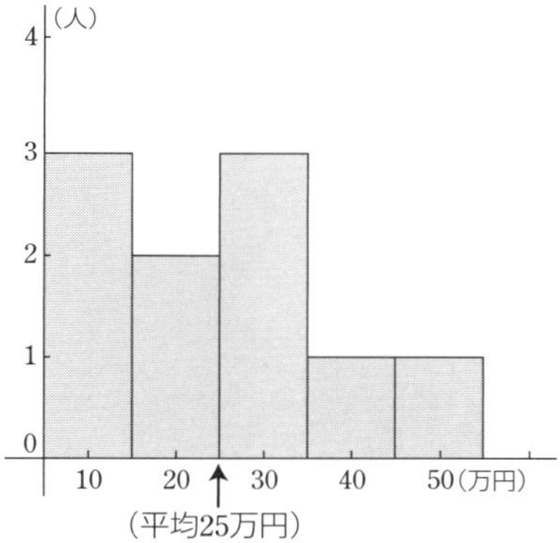

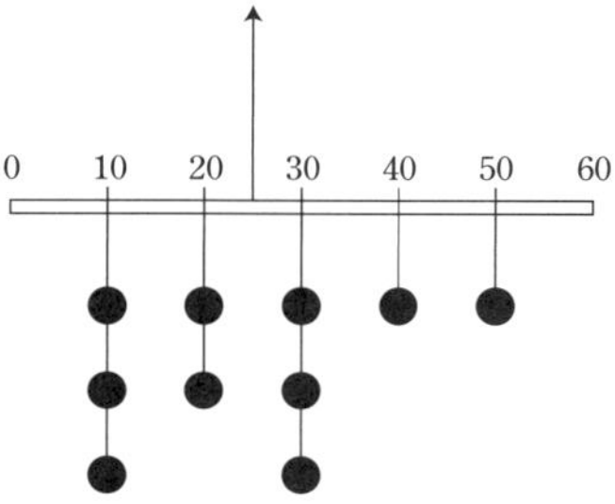

（左の平均はこの重心と同じこと）

この度数分布における平均 m は、左右のバランスをとる点すなわち重心の位置を表している。実際、

（平均 m より左の部分のモーメント）

＝(25－10)×3＋(25－20)×2＝55,

（平均 m より右の部分のモーメント）

＝(30－25)×3＋(40－25)＋(50－25)＝55

と一致している。

このように度数分布の柱状グラフの平均値は左右の「バランスをとる点」にあたる。

11 平均値の性質

ベレ自動車北海道営業所の給料の度数分布表は次の通りであった。

x（万円）	10	20	30	40	50	計
f（人数）	3	2	3	1	1	10

この平均値を$E(x)$とすると

$$E(x)=\frac{10\times 3+20\times 2+30\times 3+40\times 1+50\times 1}{10}=\frac{250}{10}=25\text{(万円)}$$

である。この営業所の実績が大いに上がったので、全員の給料を一率に5万円アップすることにした。

$x+5$（万円）	15	25	35	45	55	計
f（人数）	3	2	3	1	1	10

この平均値を$E(x+5)$とすると

$$E(x+5)=\frac{15\times 3+25\times 2+35\times 3+45\times 1+55\times 1}{10}=\frac{300}{10}=30\text{(万円)}$$

であるが、

$$E(x+5)=E(x)+5=25+5=30\text{(万円)}$$

と考えてもよいことがわかる。

ところが、この営業所の実績が大幅に下がったので、全員の給料をもとにもどし、さらに一率半分にダウンすることにした。

$\frac{1}{2}x$（万円）	5	10	15	20	25	計
f（人数）	3	2	3	1	1	10

この平均値を$E\left(\frac{1}{2}x\right)$とすると

$$E\left(\frac{1}{2}x\right)=\frac{5\times3+10\times2+15\times3+20\times1+25\times1}{10}=\frac{125}{10}=12.5(\text{万円})$$

であるが、

$$E\left(\frac{1}{2}x\right)=\frac{1}{2}E(x)=\frac{1}{2}\times25=12.5(\text{万円})$$

と考えてもよい。

一般に階級値 x を一斉に a 倍して b を加えた階級値 $ax+b$ の平均 $E(ax+b)$ は

$$E(ax+b)=aE(x)+b$$

で計算できる。

この性質を使って、平均値を簡単に求めることができる。

x	f	x'	x''	$f\cdot x''$
10	3	−10	−1	−3
20	2	0	0	0
30	3	10	1	3
40	1	20	2	2
50	1	30	3	3
計	10			5

まず、仮の平均を20として

$$x'=x-20$$

の値を計算する。次に、

$$x''=\frac{1}{10}x'$$

を計算する。

それから x'' の平均値を計算する。

$f\cdot x''$ の合計 $\div\,10=\dfrac{5}{10}$（これなら計算しやすい！）

さて $x=20+x'$, $x'=10x''$ であるので

$$x=20+10x''$$

よって

$$\begin{aligned}E(x)&=E(20+10x'')\\&=20+10E(x'')\\&=20+10\times\frac{5}{10}\\&=20+5=25(\text{万円})\end{aligned}$$

12 かたよりとばらつき

A君

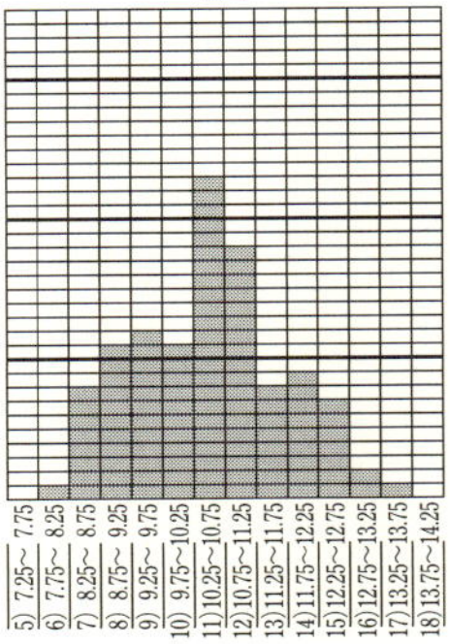

Bさん

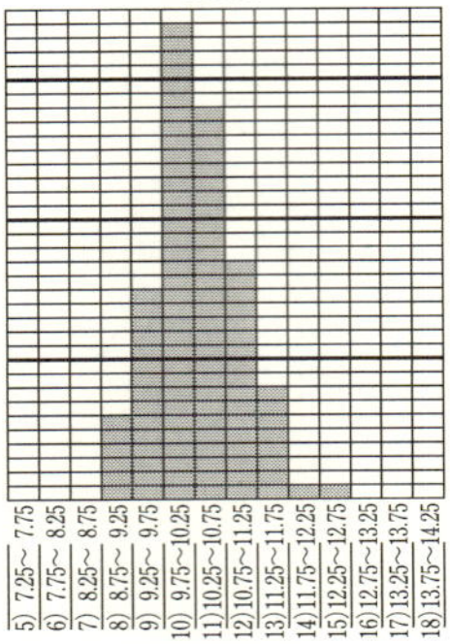

		A君		Bさん	
階級	階級値cm	度数	階級値×度数	度数	階級値×度数
6	8.0	1	8		0
7	8.5	8	68		0
8	9.0	11	99	6	54
9	9.5	12	114	15	142.5
10	10.0	11	110	34	340
11	10.5	23	241.5	28	294
12	11.0	18	198	17	187
13	11.5	8	92	8	92
14	12.0	9	108	1	12
15	12.5	7	87.5	1	12.5
16	13.0	2	26		0
17	13.5	1	13.5		0
	計	111	1165.5	110	1134

568ページで10cm切りをした人は、当然平均値を求めたくなるだろう。平均値は次ページの下の表を利用すると便利。階級の範囲のまん中の値を階級値とすると、全テープの長さの和は

（階級値×度数）の総和

で求められる。これを、総度数（テープの本数）で割ると、それが平均値。

前に述べた、学生130人のうちの A 君と B さんの分布表とグラフは上のようになった。そこで

A君の平均　　1165.5 ÷ 111 = 10.5cm

Bさんの平均　　1134 ÷ 110 = 10.31cm

平均値 − 10cmを「かたより」とすると、

A君のかたより　　10.5 − 10 = 0.5

Bさんのかたより 10.31 − 10 = 0.31

B：「かたよりが0.31で、あなたの0.5より小さいことは自慢できる。

その上、グラフの形を見れば、私の方が正確ですワ」

A：「そうはいっても、形だけでは微妙なこともあるんじゃ…ムニャ」

そこで、二人は、切った各テープと平均値の差の平均

（各テープの長さ－平均値）の合計÷本数　　※

で、平均からの「ちらばり具合」あるいは「ばらつき」が数値で表せると思い、計算した。

A・B：「あれっ！ 0 になっちゃった！」

※ は必ず 0 になってしまう。なぜかというと、

{（テープ$_1$－平均）＋（テープ$_2$－平均）＋……＋（テープ$_n$－平均）}÷本数

＝（テープ$_1$＋テープ$_2$＋……＋テープ$_n$）÷本数－平均×本数÷本数

＝平均－平均

となるので、0 になってしまう。これは困った。

B：「（テープの長さ－平均値）を2乗してしまったら、みんなプラスになるから、たしても 0 にはならないワ」

そこで、次項へ。

階級	階級限界cm	階級値cm	度数	階級値×度数
1	2.25～ 5.75	5.5		
2	5.75～ 6.25	6		
3	6.25～ 6.75	6.5		
4	6.75～ 7.25	7		
5	7.25～ 7.75	7.5		
6	7.75～ 8.25	8		
7	8.25～ 8.75	8.5		
8	8.75～ 9.25	9		
9	9.25～ 9.75	9.5		
10	9.75～10.25	10		
11	10.25～10.75	10.5		
12	10.75～11.25	11		
13	11.25～11.75	11.5		
14	11.75～12.25	12		
15	12.25～12.75	12.5		
16	12.75～13.25	13		
17	13.25～13.75	13.5		
18	13.75～14.25	14		
19	14.25～14.75	14.5		
20	14.75～15.25	15		
21	15.25～15.75	15.5		
22	15.75～16.25	16		
23	16.25～16.75	16.5		
		計		

13 分散

資料の値の分布がどんな“ばらつき”をしているかを、数値で表すことを考えよう。前項のテープ$_1$、テープ$_2$、……、テープ$_n$を一般化して、資料の値を

$$x_1,\ x_2,\ x_3,\ \cdots\cdots,\ x_n$$

とし、それらの平均値を m とする。各値が、平均値からどれだけはなれているかを表す数値の平均を考えれば、ばらつきの大きさがわかるように思う。そこで計算すると、前ページで見たように

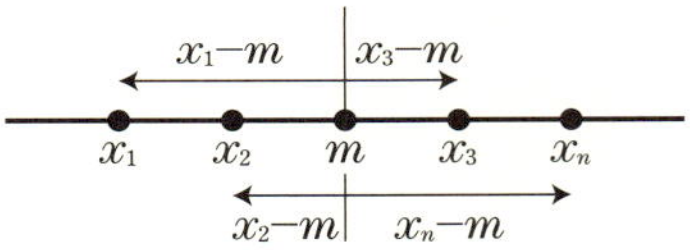

$$\frac{(\text{値}-\text{平均値})\text{の合計}}{n}=\frac{(x_1-m)+(x_2-m)+(x_3-m)+\cdots+(x_n-m)}{n}$$

$$=\frac{(x_1+x_2+\cdots+x_n)-nm}{n}=\frac{x_1+\cdots+x_n}{n}-m \qquad ※$$

ところが$m=\dfrac{x_1+x_2+\cdots+x_n}{n}$なので、※は常に0になってしまう。

これではダメだ。そこで、(値−平均値)^2 の平均を考えると、絶対にマイナスにならないのでうまくいくはずだ、ということで……

$$V=\frac{(x_1-m)^2+(x_2-m)^2+(x_3-m)^2+\cdots+(x_n-m)^2}{n}$$

という量 V を考える。まったくばらつきがないときは $x_1=x_2=\cdots=x_n=m$ であるから $V=0$ となるし、平均値 m からかけはなれた x_k があれば$(x_k-m)^2$ が大きい値になり、V の値も大きくなる。この V を資料の分散(variance)という。

たとえば、5つの資料の数値が

3, 4, 6, 6, 7

とすると、

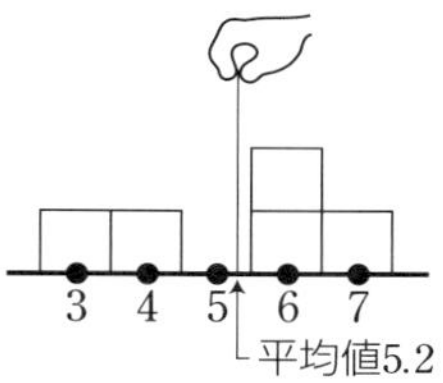

$$平均値\,m=\frac{3+4+6+6+7}{5}=\frac{26}{5}=5.2$$

$$分散\,V=\frac{(3-5.2)^2+(4-5.2)^2+(6-5.2)^2\times 2+(7-5.2)^2}{5}=\frac{10.8}{5}=2.16$$

ここで上の式を、(　)の中を計算せず展開してみる。

$$V=\frac{3^2-2\cdot 3\cdot 5.2+5.2^2+4^2-2\cdot 4\cdot 5.2+5.2^2+(6^2-2\cdot 6\cdot 5.2+5.2^2)\times 2+7^2-2\cdot 7\cdot 5.2+5.2^2}{5}$$

$$=\frac{3^2+4^2+6^2+6^2+7^2}{5}-2\cdot 5.2\,\frac{(3+4+6+6+7)}{5}+5.2^2$$

$$=\frac{3^2+4^2+6^2+6^2+7^2}{5}-5.2^2$$

となる。だから、$V=$(2乗の平均)－(平均の2乗)で計算してもよい！

次に、度数分布表から、分散を計算する要領を示そう。下のような表に従って計算するとよい。

A君の平均値は10.5cmだったので

$$A君の分散=\frac{12397.75}{111}-10.5^2$$

$$=1.441$$

Bさんの平均値は10.31cmだったので

$$Bさんの分散=\frac{11742}{110}-10.31^2$$

$$=0.468$$

数値で、Bさんの方がばらつきが小さいことが示された。

		A君		Bさん		あなた	
階級	階級値	度数	階級値^2×度数	度数	階級値^2×度数	度数	階級値^2×度数
1	5.5		0		0		
2	6.0		0		0		
3	6.5		0		0		
4	7.0		0		0		
5	7.5		0		0		
6	8.0	1	64		0		
7	8.5	8	578		0		
8	9.0	11	891	6	486		
9	9.5	12	1083	15	1353.75		
10	10.0	11	1100	34	3400		
11	10.5	23	2535.75	28	3087		
12	11.0	18	2178	17	2057		
13	11.5	8	1058	8	1058		
14	12.0	9	1296	1	144		
15	12.5	7	1093.75	1	156.25		
16	13.0	2	338		0		
17	13.5	1	182.25		0		
18	14.0		0		0		
19	14.5		0		0		
20	15.0		0		0		
21	15.5		0		0		
22	16.0		0		0		
23	16.5		0		0		
	計	111	12397.75	110	11742		

14 分散の計算例：生データを使うとき

n 個の資料

$x_1,\ x_2,\ \cdots\cdots,\ x_n$

の分散 V とは、ばらつきを表す尺度で、次のように計算される（ m は平均を表す）。

$$V=\frac{(x_1-m)^2+(x_2-m)^2+\cdots+(x_n-m)^2}{n} \tag{1}$$

$$=\frac{{x_1}^2+{x_2}^2+\cdots+{x_n}^2}{n}-m^2 \tag{2}$$

前項では度数分布表から、式(2)を使って、分散を計算する要領を説明した。ここでは生データから、式(1)どおりに計算する要領を説明しよう。

データとしては、558ページで用いた「高校生と会社員の体重」を使う。柱状グラフを見ると、あきらかにばらつき具合が違う――高校3年生の方が、ばらつきが大きい。しかしその差を定量的に比較するには、それぞれの分散を計算してみるとよい。その手順を右ページの表で示す。

〈注〉このような計算は、今はパソコンがやってくれるが、一度は中味をながめておくとよい。

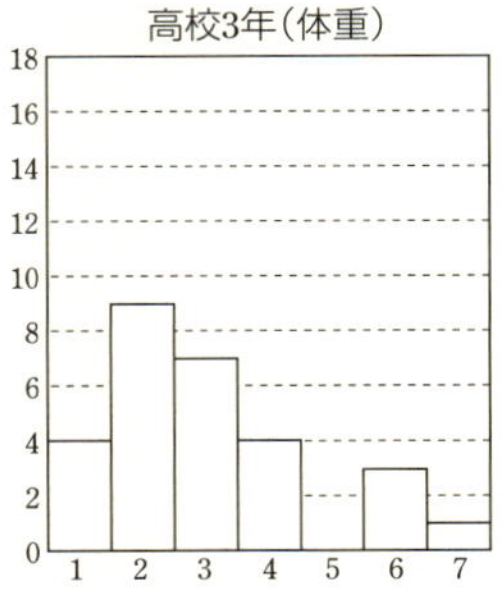

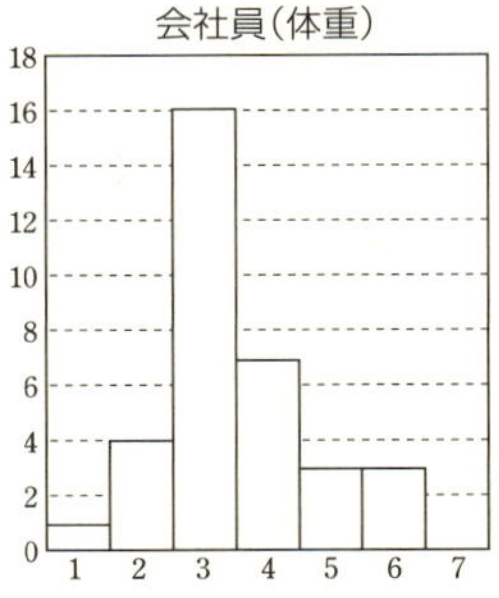

ある高校３年クラスの男子

名前	体重	$x_i - m$	$(x_i - m)^2$
1	57.0	− 7.8	60.84
2	50.5	− 14.3	204.49
3	60.8	− 4	16
4	58.3	− 6.5	42.25
5	94.0	29.2	852.64
6	60.0	− 4.8	23.04
7	49.5	− 15.3	234.09
8	106.0	41.2	1697.44
9	53.0	− 11.8	139.24
10	90.0	25.2	635.04
11	63.0	− 1.8	3.24
12	45.3	− 19.5	380.25
13	63.0	− 1.8	3.24
14	53.0	− 11.8	139.24
15	73.5	8.7	75.69
16	59.0	− 5.8	33.64
17	54.9	− 9.9	98.01
18	47.5	− 17.3	299.29
19	67.0	2.2	4.84
20	79.3	14.5	210.25
21	48.0	− 16.8	282.24
22	63.5	− 1.3	1.69
23	77.0	12.2	148.84
24	60.0	− 4.8	23.04
25	71.5	6.7	44.89
26	58.5	− 6.3	39.69
27	92.0	27.2	739.84
28	58.2	− 6.6	43.56
平均	64.8	合計	6476.55
		÷ 28	231.305

ある会社の社員

名前	体重	$x_i - m$	$(x_i - m)^2$
101	66.9	− 2.3	5.29
102	91.0	21.8	475.24
103	95.3	26.1	681.21
104	46.2	− 23	529
105	74.5	5.3	28.09
106	81.2	12	144
107	61.3	− 7.9	62.41
108	62.5	− 6.7	44.89
109	61.7	− 7.5	56.25
110	53.7	− 15.5	240.25
111	56.8	− 12.4	153.76
112	55.4	− 13.8	190.44
113	81.7	12.5	156.25
114	80.0	10.8	116.64
115	60.2	− 9	81
116	75.7	6.5	42.25
117	63.4	− 5.8	33.64
118	70.0	0.8	0.64
119	66.5	− 2.7	7.29
120	64.8	− 4.4	19.36
121	60.3	− 8.9	79.21
122	63.8	− 5.4	29.16
123	69.2	0	0
124	96.7	27.5	756.25
125	79.0	9.8	96.04
126	77.7	8.5	72.25
127	79.6	10.4	108.16
128	65.8	− 3.4	11.56
129	52.9	− 16.3	265.69
130	71.6	2.4	5.76
131	67.9	− 1.3	1.69
132	66.6	− 2.6	6.76
133	68.1	− 1.1	1.21
134	63.4	− 5.8	33.64
平均	69.2	合計	4535.28
		÷ 34	133.391

分散は、それぞれ231.3 と 133.4 となり、ばらつきの違いが定量的に示せた。

15 標準偏差

正の数 a に対して、「2 乗して a になる数」を a の平方根とよび、正の平方根を $\sqrt{a}$（ルート・エーと読む）で表す。たとえば $5^2=25$ であるから、$\sqrt{25}=5$ である。

$\sqrt{a}$ とは右図のように、面積が a である正方形の一辺の長さと考えてもよい。

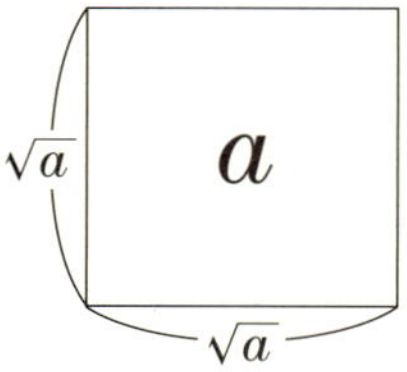

平方根 $\sqrt{a}$ の値は、簡単に求まる場合もあるが、そうでない場合もある。たとえば

$$\sqrt{100}=10,\quad \sqrt{0.01}=0.1$$

であるが、$\sqrt{2}$ や $\sqrt{3.14}$ などは平方根表や $\sqrt{\ }$ キー付き電卓の力を借りて値を求めた方がよい。8桁電卓で計算すると

$$\sqrt{2}=1.4142136,\quad \sqrt{3.14}=1.7720045$$

となる。これらは平方根の近似値であるが、

$$1.4142136^2=2.0000001,\quad 1.7720045^2=3.1399999$$

なので、ほぼ正確な値であることがわかる（$\sqrt{2}=1.41421356\cdots$ 以下、無限に続く）。

さて、データ $x_1,\ x_2,\ x_3,\ \cdots,\ x_n$ の平均を m とするときのデータの分散 V は

$$V=\frac{(x_1-m)^2+(x_2-m)^2+(x_3-m)^2+\cdots+(x_n-m)^2}{n}$$

であった。

このデータの標準偏差 σ とは、分散 V の平方根である。

$$\sigma=\sqrt{V}$$（σ はギリシャ文字でシグマと読む）

たとえば、3 種類のデータの分散が

$$V_1 = 0.5,\quad V_2 = 1.4,\quad V_3 = 1.9$$

であるなら、それらの標準偏差は

$$\sigma_1 = \sqrt{0.5} \fallingdotseq 0.7,\quad \sigma_2 = \sqrt{1.4} \fallingdotseq 1.2,\qquad \sigma_2 = \sqrt{1.9} \fallingdotseq 1.4$$

となるので

$$V_1 < V_2 < V_3 \longleftrightarrow \sigma_1 < \sigma_2 < \sigma_3$$

このように標準偏差の大小関係は、分散の大小関係と同じであるから、分散のかわりにばらつきの尺度として標準偏差を用いてもよい。

しかし、なぜわざわざ分散に、平方根という難しい記号をかぶせたのだろうか。

582ページの「社員の体重の分散」を例に考えてみよう。社員 1 人ひとりの体重 $x_1,\ x_2,\ x_3\ \cdots$ と平均体重 m の単位(ディメンジョン)は kg であるから、分散 V の単位は

$$V = \frac{(x_1 - m)^2 + (x_2 - m)^2 + \cdots + (x_{34} - m)^2}{34} \fallingdotseq 133.4(\mathrm{kg}^2)$$

となる。もちろん、体重のちらばり具合は kg^2 (体重^2)でも比較は可能であるが、日常こんな単位は使わないので、気持ちが悪い。

ところが、分散 V の平方根をとった標準偏差 $\sqrt{V}$ の単位は、もとの kg になる。

つまり、与えられたデータと単位(ディメンジョン)をそろえるためには、分散の平方根(標準偏差)を使うとよいのである。

一般に、理論的分析には分散 V が扱いやすく、検定や推定など実用面では標準偏差 σ が活躍する。

16 標準偏差の計算

ベレ電気南店の2009年の1月から6月のテレビの販売台数は、次の通りである。

	1月	2月	3月	4月	5月	6月
x（台）	6	3	5	6	5	5

このデータから販売台数 x の標準偏差を求めてみよう。

まず、平均 $E(x)$ は

$$E(x)=\frac{6+3+5+6+5+5}{6}=\frac{30}{6}=5(\text{台})$$

次に分散 $V(x)$ は

$$V(x)=\frac{(6-5)^2+(3-5)^2+(5-5)^2+(6-5)^2+(5-5)^2+(5-5)^2}{6}=\frac{6}{6}=1$$

よって、標準偏差 $\sigma(x)$ は

$$\sigma(x)=\sqrt{V(x)}=\sqrt{1}=1(\text{台})$$

度数分布表を作ってから求めた方が、効率的な場合もある。

x（台）	3	4	5	6	計
f（度数）	1	0	3	2	6

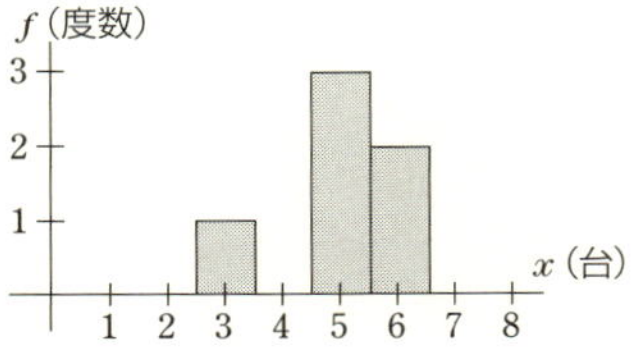

まず、平均 $E(x)$ は

$$E(x)=\frac{3\times1+4\times0+5\times3+6\times2}{6}=\frac{30}{6}=5(\text{台})$$

そして、分散 $V(x)$ は

$$V(x)=\frac{(3-5)^2\times1+(4-5)^2\times0+(5-5)^2\times3+(6-5)^2\times2}{6}=\frac{6}{6}=1$$

よって、標準偏差 $\sigma(x)$ は

$$\sigma(x)=\sqrt{V(x)}=\sqrt{1}=1(\text{台})$$

2010年の同期のテレビの販売台数は、前年にくらべて、各月とも3 台ずつ増加したという。この販売台数$x+3$の標準偏差を求めてみよう。

まず、平均 $E(x+3)$は

$$E(x+3)=E(x)+3=5+3=8(\text{台})$$

	1月	2月	3月	4月	5月	6月
x+3(台)	9	6	8	9	8	8

次に分散 $V(x+3)$は

$$V(x+3)=\frac{(9-8)^2+(6-8)^2+(8-8)^2+(9-8)^2+(8-8)^2+(8-8)^2}{6}=\frac{6}{6}=1$$

これより標準偏差　$\sigma(x+3)=\sqrt{V(x+3)}=\sqrt{1}=1$ であるので

$$V(x+3)=V(x),\quad \sigma(x+3)=\sigma(x)$$

であることがわかる。「ばらつき」は、＋3のような「一定のズレ」に影響されないのである。

2011年の同期のテレビの販売台数は、地デジ化もあり一昨年にくらべて、各月とも2 倍に増加したという。この販売台数 $2x$ の標準偏差を求めてみよう。

	1月	2月	3月	4月	5月	6月
$2x$(台)	12	6	10	12	10	10

まず、平均 $E(2x)$は

$$E(2x)=2E(x)=2\times 5=10(\text{台})$$

次に分散 $V(2x)$は

$$V(2x)=\frac{(12-10)^2+(6-10)^2+(10-10)^2+(12-10)^2+(10-10)^2+(10-10)^2}{6}=\frac{24}{6}=4$$

これより標準偏差 $\sigma(2x)=\sqrt{V(2x)}=\sqrt{4}=2$であるので

$$V(2x)=4V(x),\quad \sigma(2x)=2\sigma(x)$$

であることがわかる。

一般に、データ x を一斉に a 倍して b を加えた $ax+b$ について、

$$E(ax+b)=aE(x)+b,\quad V(ax+b)=a^2V(x),\quad \sigma(ax+b)=|a|\sigma(x)$$

となることがいえる。

17 多変量のグラフ化

ひとつの資料が、たとえば「身長と体重」「顧客数と粗利益」のような、複数種類の数値の組合せからなっているとき、多変量の資料という。

● 小学一年生の身長と体重

小学一年生29人の身長、体重を調べると右表になった。そこで描いたのが左の分布グラフ。横軸に身長、縦軸に体重をとりあ(115.3, 22.5)、い(111.6, 20.2)…をこの座標系の点(•)として描いていく――このような図を散布図という。点の「ちらばり方」を見ると身長と体重にはいくらか関係がありそうだ。

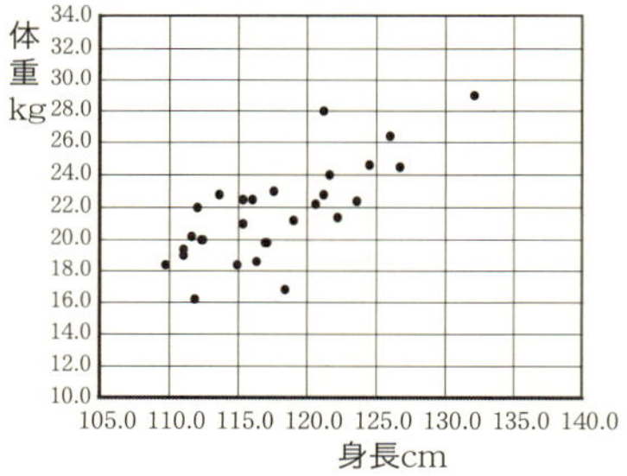

小学1年生29人

	身長cm	体重kg
あ	115.3	22.5
い	111.6	20.2
う	118.4	16.8
え	126.7	24.5
お	116.0	22.5
か	117.1	19.8
き	115.3	21.0
く	109.7	18.4
け	121.2	28.0
こ	112.4	20.0
さ	111.0	19.0
し	114.9	18.4
す	116.3	18.6
せ	121.2	22.8
そ	120.6	22.2
た	112.0	22.0
ち	122.2	21.4
つ	111.8	16.2
て	111.0	19.4
と	132.1	29.0
な	123.6	22.4
に	126.0	26.4
ぬ	119.0	21.2
ね	116.9	19.8
の	117.6	23.0
は	124.5	24.6
ひ	121.6	24.0
ふ	113.6	22.8
へ	112.3	20.0

● 交通事故の資料

日本の1960～2008年の自動車台数・事故件数・死亡者数・負傷者数が右の表。散布図1を見ると、事故件数が多いと、負傷者が多い傾

西暦	自動車台数 (単位1000)	事故件数	死亡者数	負傷者数
1960	3302	449917	12055	289156
1965	8797	567286	12484	425666
1970	18587	718080	16765	981096
1975	28934	472938	10792	622467
1980	38939	476677	8760	598719
1985	48268	552788	9261	681346
1990	60651	643097	11227	790295
1995	70074	761789	10679	922677
2000	75865	931934	9066	1155697
2003	77581	947993	7702	1181431
2004	78091	952191	7358	1183120
2005	79207	933828	6871	1156633
2006	79453	886864	6352	1098199
2007	79371	832454	5744	1034445
2008	79237	766147	5155	945504

総理府統計局

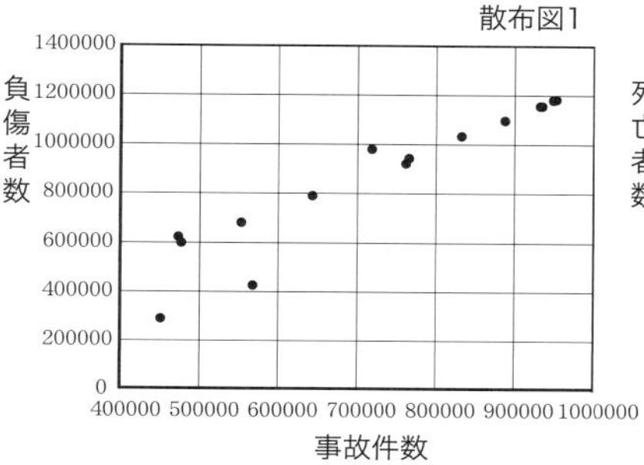

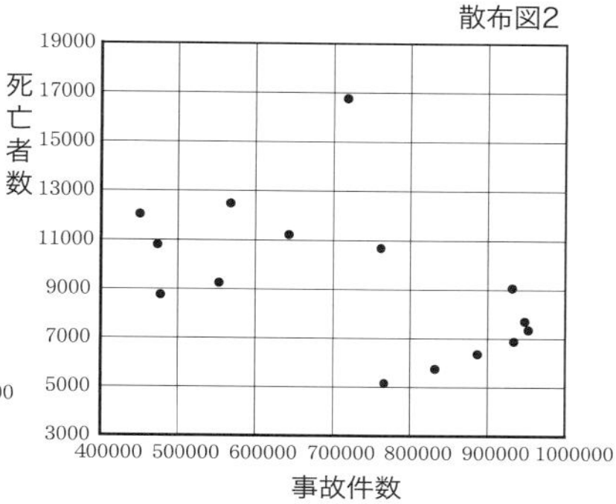

向で、「当然！」という気分になる。散布図2を見ると、事故件数が多くなっても、死亡者数は、増えているとはいえない。かえって事故が多いほど死亡者が減る傾向さえ見える。これはどういうことか！

● 人口動態

人間が多いほど、生まれてくる赤ちゃんの数は多い！　と思うのはふつう。ところが、日本の場合、そうではない。人口が増えるにつれて、出生児数が減っている。

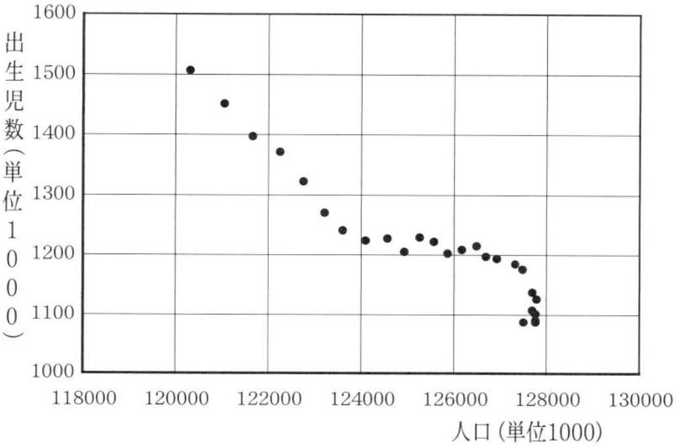

日本の人口動態

西暦	人口（単位1000）	出生児数（単位1000）
1984	120305	1507
1985	121049	1452
1986	121660	1397
1987	122239	1372
1988	122745	1323
1989	123205	1270
1990	123611	1241
1991	124101	1224
1992	124567	1228
1993	124938	1205
1994	125265	1229
1995	125570	1222
1996	125864	1203
1997	126166	1209
1998	126486	1215
1999	126686	1197
2000	126926	1194
2001	127316	1185
2002	127486	1176
2003	127694	1138
2004	127787	1126
2005	127768	1087
2006	127770	1090
2007	127771	1101
2008	127692	1108
2009	127510	1087

総理府統計局

18 相関係数

2つの変量 x, y の関係を調べるには、座標平面上に点$(x,\ y)$をしるした図を観察すればよい。たとえば、あるクラスの生徒の期末テストの、数学の成績と化学、古典、家庭の成績を散布図(前ページ参照)に表したら、下のようになったとする。

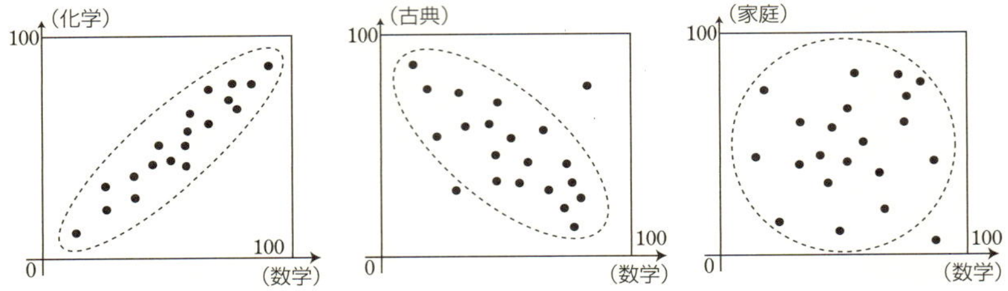

まず、数学の成績が高くなると化学の成績も高くなる傾向があることがわかる。このようなとき、数学と化学は「正の相関がある」という。次に、数学の成績が高くなると古典の成績が低くなる傾向があるといえそうである。このようなとき、数学と古典は「負の相関がある」という。そして、数学の成績が高い低いと家庭の成績とは関係がなさそうである。このようなとき、数学と家庭は「無相関である」という。

散布図の観察では、およその関係しかとらえることができないので、定量的にとらえるために相関係数が考えられた。

一般に、$(x_1,\ y_1)$, $(x_2,\ y_2)$, ……, $(x_n,\ y_n)$、平均$(\bar{x},\ \bar{y})$の相関係数 r は、次の式で計算される。

$$r=\frac{(x_1-\bar{x})(y_1-\bar{y})+(x_2-\bar{x})(y_2-\bar{y})+\cdots+(x_n-\bar{x})(y_n-\bar{y})}{\sqrt{(x_1-\bar{x})^2+(x_2-\bar{x})^2+\cdots+(x_n-\bar{x})^2}\sqrt{(y_1-\bar{y})^2+(y_2-\bar{y})^2+\cdots+(y_n-\bar{y})^2}}$$

この式の意味をざっと紹介しよう。

たとえば、数学の平均点が40、化学の平均点が60であったとして、散布図を右のように4つの領域に分ける。ある生徒の(数学、化学)の成績が$(x,\ y)$であったとしたとき、式

$$(x-40)(y-60)$$

$(x-40)(y-60)$の正負

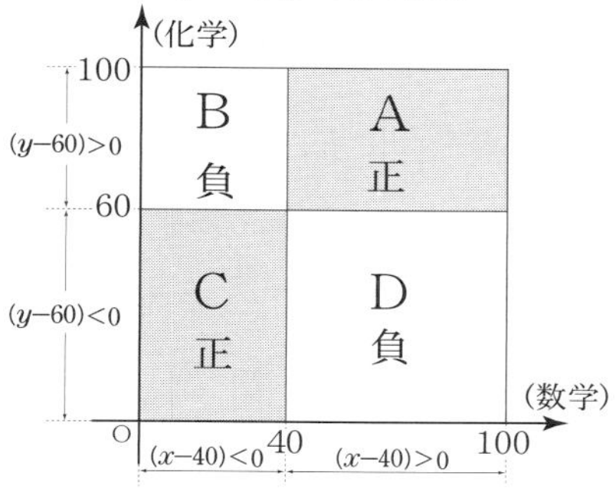

の符号は、$(x,\ y)$がAの領域にあれば$x-40>0,\ y-60>0$だから正となり、Cの領域にあっても$x-40<0,\ y-60<0$だから正となる。同じように考えて、BとDの領域にあればこの式の符号は負となる。すべての生徒についてこの式を計算して、それらの平均を求めた

$$\frac{(x_1-40)(y_1-60)+(x_2-40)(y_2-60)+\cdots+(x_n-40)(y_n-60)}{n}$$

を、共分散という。生徒がA, Cに多くいれば共分散は正、B, Dに多くいれば負、A, B, C, Dにちらばっていれば0に近くなる。共分散の値の大小で相関の強さ、弱さが表される。

さらに、数学と化学の成績のそれぞれを標準偏差で割ることにより標準化したのが相関係数である。

〈注〉ここでは詳述できないが、相関係数rの式は、ベクトル

$$(x_1-\bar{x},\ x_2-\bar{x},\cdots,\ x_n-\bar{x}),(y_1-\bar{y},\ y_2-\bar{y},\cdots,\ y_n-\bar{y})$$

のなす角をθとしたときの$\cos\theta$にあたり

$$-1\leqq r\leqq 1$$

であることが証明できる。

θ	0°…………	90°…………	180°
r	1 …………	0 …………	−1
程度	正の相関	無相関	負の相関

19 相関係数の計算例

再び高校3年生と会社員のデータに戻ろう。

高校3年生の身長、体重の相関より、会社員の身長、体重の相関の方がいくらか強いようだ。

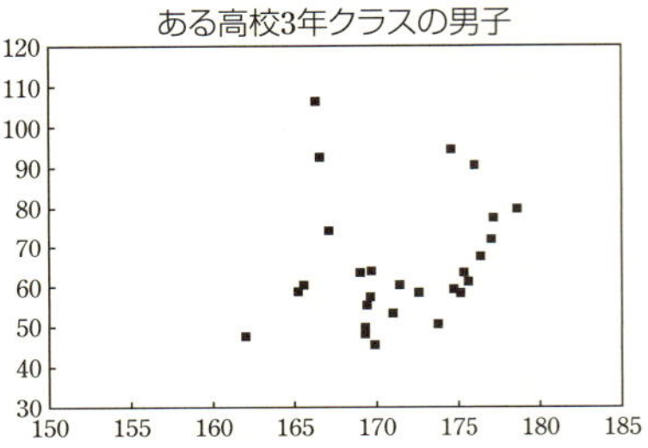

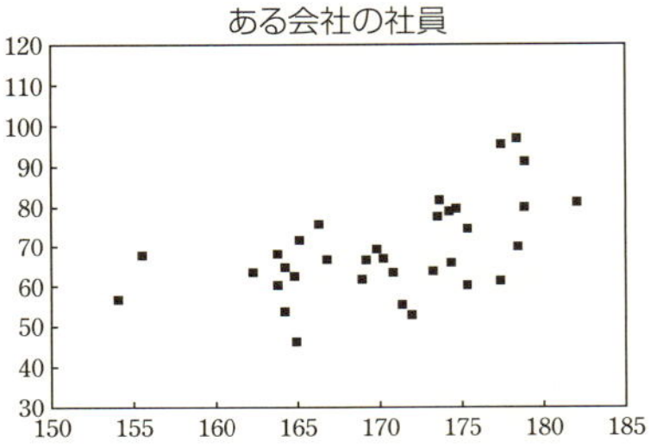

前項の相関係数の定義

$$r=\frac{(x_1-\overline{x})(y_1-\overline{y})+(x_2-\overline{x})(y_2-\overline{y})+\cdots+(x_n-\overline{x})(y_n-\overline{y})}{\sqrt{(x_1-\overline{x})^2+(x_2-\overline{x})^2+\cdots+(x_n-\overline{x})^2}\sqrt{(y_1-\overline{y})^2+(y_2-\overline{y})^2+\cdots+(y_n-\overline{y})^2}}$$

を使って計算すると、高校3年生は右ページの表を作って

$$r=\frac{320.88}{\sqrt{494.8}\sqrt{6476.55}}=0.1792\cdots$$

会社員も同様にして（表は省略）

$$r=\frac{1432.82}{\sqrt{1464.56}\sqrt{4535.28}}=0.5559\cdots$$

となった。

ともに、さほど相関は強い方ではないが、相対的にはやはり会社員の方が相関係数が大きくなった。

ある高校3年クラスの男子

				A	B	AB	Aの2乗	Bの2乗
名前	年齢	身長x	体重y	$x-171.4$	$y-64.8$	積		
1	17	169.6	57.0	−1.8	−7.8	14.04	3.24	60.84
2	17	173.7	50.5	2.3	−14.3	−32.89	5.29	204.49
3	17	175.6	60.8	4.2	−4	−16.80	17.64	16
4	17	175.1	58.3	3.7	−6.5	−24.05	13.69	42.25
5	17	174.6	94.0	3.2	29.2	93.44	10.24	852.64
6	17	165.5	60.0	−5.9	−4.8	28.32	34.81	23.04
7	17	169.3	49.5	−2.1	−15.3	32.13	4.41	234.09
8	17	166.3	106.0	−5.1	41.2	−210.12	26.01	1697.44
9	17	171.0	53.0	−0.4	−11.8	4.72	0.16	139.24
10	17	176.0	90.0	4.6	25.2	115.92	21.16	635.04
11	17	175.3	63.0	3.9	−1.8	−7.02	15.21	3.24
12	17	169.9	45.3	−1.5	−19.5	29.25	2.25	380.25
13	17	169.0	63.0	−2.4	−1.8	4.32	5.76	3.24
14	17	171.0	53.0	−0.4	−11.8	4.72	0.16	139.24
15	17	167.1	73.5	−4.3	8.7	−37.41	18.49	75.69
16	17	174.7	59.0	3.3	−5.8	−19.14	10.89	33.64
17	17	169.4	54.9	−2	−9.9	19.80	4	98.01
18	17	162.0	47.5	−9.4	−17.3	162.62	88.36	299.29
19	17	176.4	67.0	5	2.2	11	25	4.84
20	17	178.6	79.3	7.2	14.5	104.40	51.84	210.25
21	17	169.3	48.0	−2.1	−16.8	35.28	4.41	282.24
22	17	169.7	63.5	−1.7	−1.3	2.21	2.89	1.69
23	17	177.2	77.0	5.8	12.2	70.76	33.64	148.84
24	17	171.4	60.0	0	−4.8	0	0	23.04
25	17	177.0	71.5	5.6	6.7	37.52	31.36	44.89
26	17	165.2	58.5	−6.2	−6.3	39.06	38.44	39.69
27	17	166.5	92.0	−4.9	27.2	−133.28	24.01	739.84
28	17	172.6	58.2	1.2	−6.6	−7.92	1.44	43.56
平均		171.4	64.8		合計	320.88	494.8	6476.55

$$(x_1-\overline{x})(y_1-\overline{y})+(x_2-\overline{x})(y_2-\overline{y})+\cdots+(x_n-\overline{x})(y_n-\overline{y})$$

$$(x_1-\overline{x})^2+(x_2-\overline{x})^2+\cdots+(x_n-\overline{x})^2$$

〈注〉732ページ参照。

$$(y_1-\overline{y})^2+(y_2-\overline{y})^2+\cdots+(y_n-\overline{y})^2$$

20 回帰曲線

2つの変量 x と y の間に

$$y = ax + b$$

という関係があるのは、x, y の散布図において、点が直線上に並んでいるときであり、こんなことはめったにない。それでも、それらの点の並び方の傾向を1本の直線で代表させると便利な場合がある。たくさんの点を1本の線で代表させることを回帰といい、とくに直線で代表させることを直線回帰という。

社員名	入社時x	1年後y
A	4	3
B	6	6
C	7	8
D	7	7
E	4	5
F	9	8
G	5	5
H	5	7
I	8	7
J	3	3

たとえば、ある会社に10人の社員が入社し、入社時の成績が10段階評価されたものを x、1年後の成績をやはり10段階評価したものを y としたところ、上の表のようになったとしよう。

このデータの散布図において直線回帰を行った図が右図である。

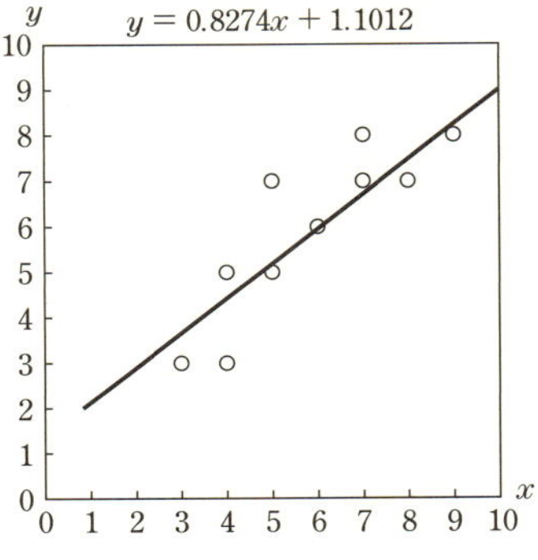

この直線は、回帰直線とよばれる。「大体このあたりにひけばほぼ近似できるだろう」と目の子で「エイヤーッ」とひくのも一つの手だろうが、それではあまりにも気がひける。

そこで使われる方法は、最小2乗法とよばれる方法である。すなわち、$y = ax + b$ 上の点（右図の黒丸）と実際の点（白丸）との差

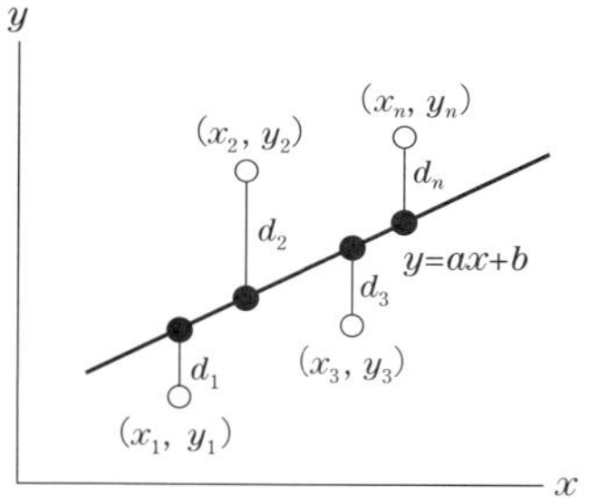

$d_1 = y_1 - (ax_1 + b)$

$d_2 = y_2 - (ax_2 + b)$

……

$d_n = y_n - (ax_n + b)$

を2乗して合計した

$$S = {d_1}^2 + {d_2}^2 + \cdots\cdots + {d_n}^2$$

が一番小さければ、全体として近いだろうと考える。Sが最小となるaとbを求めれば、回帰直線が確定する（次の項で、実際にaとbを求める最小2乗法の原理を解説している）。

なお、データによっては、直線（1次関数）ではなく2次関数や指数関数で近似した方がいい場合もある。それらをまとめて回帰曲線という。最近のパソコンの表計算ソフト（たとえばエクセル）では、いろいろな曲線で瞬時に近似できる。

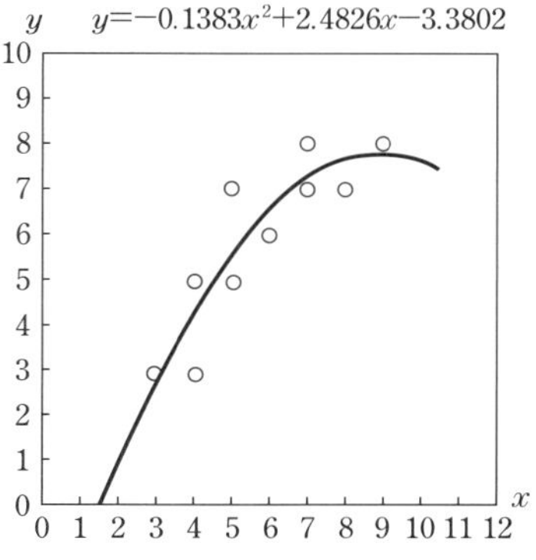

2次関数で近似

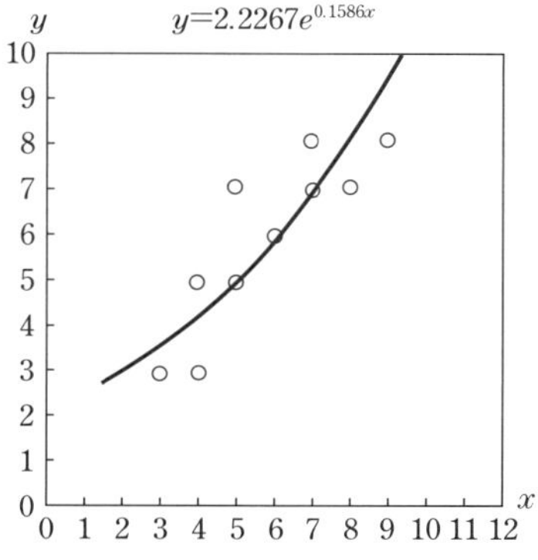

指数関数で近似

21 Σを使ってみよう

統計に限らず、数学ではΣ(シグマ)という記号を用いて

$x_1+x_2+\cdots+x_n=\sum_{i=1}^{n}x_i$

$$\sum_{i=1}^{n}x_i=\underset{i=1から}{\overset{nまで}{和}}x_i$$

と表す。たとえば

$\sum_{i=1}^{n}(2x_i+3)$

は、「$(2x_i+3)$ のiに1からnを順に代入して得られる項の総和」を表すから

$(2x_1+3)+(2x_2+3)+\cdots+(2x_n+3)$

$=2(x_1+x_2+\cdots+x_n)+(3+3+\cdots+3)$

$=2\sum_{i=1}^{n}x_i+3n$

となる。なお一般に

$\sum_{i=1}^{n}(a_i+b_i)=\sum_{i=1}^{n}a_i+\sum_{i=1}^{n}b_i,\quad \sum_{i=1}^{n}ka_i=k\sum_{i=1}^{n}a_i,\quad \sum_{i=1}^{n}k=kn$

が成り立つ。

これまで出てきた式をΣを用いると、次のようになる。

平均$\bar{x}=\frac{1}{n}\sum_{i=1}^{n}x_i$, 分散$V=\frac{1}{n}\sum_{i=1}^{n}(x_i-\bar{x})^2$, 標準偏差 $\sigma=\sqrt{V}$

相関係数 $r=\dfrac{\sum_{i=1}^{n}(x_i-\bar{x})(y_i-\bar{y})}{\sqrt{\sum_{i=1}^{n}(x_i-\bar{x})^2}\sqrt{\sum_{i=1}^{n}(y_i-\bar{y})^2}}=\dfrac{\frac{1}{n}\sum_{i=1}^{n}(x_i-\bar{x})(y_i-\bar{y})}{\sigma_x\ \sigma_y}$

また、次のような計算ができる(Σの上下の$i=1$, nを省いている)。

$V=\frac{1}{n}\Sigma(x_i-\bar{x})^2=\frac{1}{n}\Sigma(x_i^2-2x_i\bar{x}+\bar{x}^2)$

$=\frac{1}{n}\Sigma x_i^2-2\bar{x}\times\frac{1}{n}\Sigma x_i+\frac{1}{n}\times n\bar{x}^2$

$=\frac{1}{n}\Sigma x_i^2-2\bar{x}^2+\bar{x}^2=\frac{1}{n}\Sigma x_i^2-\bar{x}^2$ 　(ア)

これが581ページで見たV＝(2乗の平均)－(平均の2乗)。

相関係数の分子の部分を n で割ったものを共分散というがこれは次のように変形できる。

$$\frac{1}{n}\Sigma\ (x_i-\bar{x})\ (y_i-\bar{y})=\frac{1}{n}\Sigma\ (x_iy_i-\bar{x}y_i-\bar{y}x_i+\bar{x}\bar{y})$$

$$=\frac{1}{n}\Sigma x_iy_i-\bar{x}\times\frac{1}{n}\Sigma y_i-\bar{y}\times\frac{1}{n}\Sigma x_i+\frac{1}{n}\times n\bar{x}\bar{y}$$

$$=\frac{1}{n}\Sigma x_iy_i-\bar{x}\bar{y}-\bar{x}\bar{y}+\bar{x}\bar{y}=\frac{1}{n}\Sigma x_iy_i-\bar{x}\bar{y} \qquad \text{（イ）}$$

● 最小2乗法と回帰直線

回帰直線は、それぞれの変量の平均 $\bar{x}$, $\bar{y}$、標準偏差 σ_x, σ_y および相関係数 r によって、次のように表される。

$$y-\bar{y}=r\cdot\frac{\sigma_y}{\sigma_x}\ (x-\bar{x}) \qquad \text{（ウ）}$$

これを導くには、偏微分の知識が必要であるが、道筋だけ紹介しておこう。

$S=\Sigma\,(y_i-ax_i-b)^2$ を最小にするためには、これを a, b の関数とみて、a および b で偏微分したものが、どちらも0でなければならない。

$$\frac{\partial S}{\partial a}=\Sigma\,2\,(y_i-ax_i-b)\cdot(-x_i)=0$$

$$\frac{\partial S}{\partial b}=\Sigma\,2\,(y_i-ax_i-b)\cdot(-1)=0$$

整理すると

$$\Sigma\,x_iy_i-a\Sigma\,x_i^2-b\,\Sigma\,x_i=0,\quad \Sigma\,y_i-a\,\Sigma\,x_i-b\,\Sigma\,1=0$$

つまり未知数 a、b についての連立1次方程式が得られる。

$$\Sigma\,x_iy_i-a\Sigma\,x_i^2-nb\,\bar{x}=0 \qquad ①$$

$$n\bar{y}-na\bar{x}-nb=0 \qquad ②$$

これを未知数 a, b について解き、（ア）（イ）を利用して式変形を行うと、（ウ）が導かれる。

22 主成分分析

多変量のデータをただボーッと見ていても、個々のデータの特徴はなかなかつかめない。

今、ノート型パソコンA, B, C を30点満点で採点してみた。総合点を付けようとして、各得点を加えるとAもBもCも、60点になってしまう。

	処理速度①	重量（軽さ）②	価格（安さ）③	$①-②+\frac{1}{2}③$
A	30	10	20	30
B	20	30	10	−5
C	10	20	30	5

そこで、たとえば、

速度－重量＋ $\frac{1}{2}$ 価格

を計算すると、Aが30、Bが−5、Cが5と“ばらつき”がでて、それなりの特徴が見える。なるべくばらついて見えるように、新しい変量を定める技法が、主成分分析といわれる。

小学1年生の身長と体重の2変量で考えてみよう。

右のグラフを、固君の方向から見たのでは、かたまって見える。散君の方向からは、ばらついて見える。

そこで、身長を x、体重を y とし、次の新しい変量 u を考える。

$$u = ax + by$$

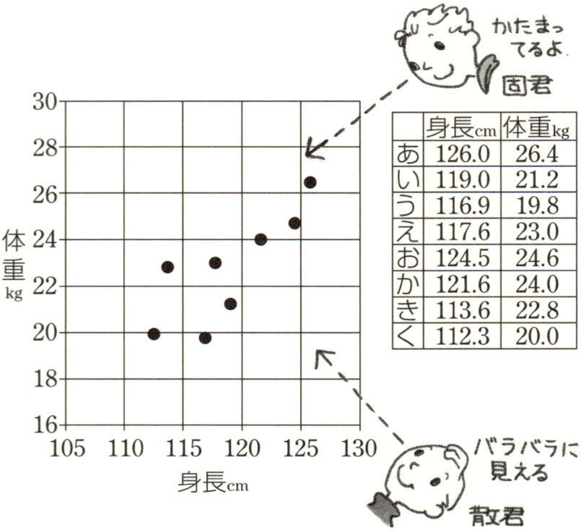

	身長cm	体重kg
あ	126.0	26.4
い	119.0	21.2
う	116.9	19.8
え	117.6	23.0
お	124.5	24.6
か	121.6	24.0
き	113.6	22.8
く	112.3	20.0

この変量 u の分散が最大になるように、定数 $a,\ b$ を求めてみよう。ただし、$a,\ b$ の値に制限をつけないと、いくらでも u の分散を大きくできるので、$a^2+b^2=1$ とする。

$u,\ x,\ y$ の分散をそれぞれ $V_u,\ V_x,\ V_y$ とし、またそれぞれの平均を $\bar{u}$, $\bar{x},\ \bar{y}$ とする。$u_{\text{あ}}=ax_{\text{あ}}+by_{\text{あ}},\ \cdots,\ u_{\text{く}}=ax_{\text{く}}+by_{\text{く}}$ とすると

$$V_u=\frac{(u_{\text{あ}}-\bar{u})^2+(u_{\text{い}}-\bar{u})^2+\cdots+(u_{\text{く}}-\bar{u})^2}{8}$$

$$=\frac{(ax_{\text{あ}}+by_{\text{あ}}-a\bar{x}-b\bar{y})^2+\cdots+(ax_{\text{く}}+by_{\text{く}}-a\bar{x}-b\bar{y})^2}{8}$$

$$=\frac{\{a(x_{\text{あ}}-\bar{x})+b(y_{\text{あ}}-\bar{y})\}^2+\cdots+\{a(x_{\text{く}}-\bar{x})+b(y_{\text{く}}-\bar{y})\}^2}{8}$$

$$=\frac{a^2\{(x_{\text{あ}}-\bar{x})^2+\cdots+(x_{\text{く}}-\bar{x})^2\}}{8}+\frac{b^2\{(y_{\text{あ}}-\bar{y})^2+\cdots+(y_{\text{く}}-\bar{y})^2\}}{8}$$

$$+\frac{2ab\{(x_{\text{あ}}-\bar{x})(y_{\text{あ}}-\bar{y})+\cdots+(x_{\text{く}}-\bar{x})(y_{\text{く}}-\bar{y})\}}{8}$$

$$=a^2V_x+b^2V_y+2abV_{xy}\qquad\text{（ここで}V_{xy}\text{は共分散）}$$

となる。この分散 V_u が最大になる $a,\ b$ を求めるには、偏微分の知識が必要である。しかし、結論をいえば

$$aV_x+bV_{xy}=\lambda a,\quad aV_{xy}+bV_y=\lambda b$$

となる $a,\ b$ と λ を求めるとよい。これは、行列の固有値問題で、λ を固有値といい、少しややこしい。とにかく、小学1年生の身長･体重では

$V_x=20.8,\ V_y=4.63,\ V_{xy}=62.96$ なので、エイヤッと解くと、

$$a=0.7508,\ b=0.6605,\ \lambda=76.194$$

となる。これで主成分

$$u=0.7508x+0.6605y$$

が求まった。この $x,\ y$ に、あ君から、く君の値を入れると、主成分 u の値で、それぞれの特徴を見ることができる。

ちょっとひと息

統計は(ねつ造でなければ)「正直な現状報告」であるが、そこからとんでもない結論がひらめいてしまうことがある。

＜統計＞この町では昨年度、牛乳の消費量とガンによる死亡者の数が急増した。

＜ひらめき＞牛乳はガンによくない(誤り！)

＜ほんとうの原因＞この町には昨年の春、大きな団地ができて、人口が急増した。

だから牛乳ばかりかお米や電気の消費量、ガンや交通事故で亡くなる人の数も増えたのである。こういうことがあるから、対策を考えるときには「因果関係」の検討が必要である。

しかし、因果関係がわからなければ「何も手を打たない」というのも、人命がかかわる場合には避けるべきである。たとえば「水俣病」が現れたとき、「工場排水が原因ではないか」と推定できても、排水と病気の間の因果関係はなかなか解明されず、対策がおくれて被害者を増やしてしまった。

一方、ハンガリーの医師ゼンメルヴァイス(1818 ～ 1865)は、統計だけから適切な対策を取り、成功した。彼は「医学生が出入りする産科の病棟で、妊婦の死亡率が異常に高い」ことに頭を悩ませ、病原菌の存在は知られていなかったのに「医学生が他の病棟から何かを運んでいるのではないか」と考えて、学生たちに産科の病室に入る前に「手を洗う」ことを奨励した。その結果、妊婦の死亡率が激減したという。

ついでながら彼は、のちに「消毒法の父」とよばれるイギリスの医師リスター(1827 ～ 1912)と同じことを、早くから提唱していながら認められず、47才の若さで精神病院で没している。時代を先駆けすぎた人の悲運であろう。

第4部

統計・確率の意味がわかる

第2章

現在から未来へ

この章では、高校の教科書でもあつかう、確率の初歩のおさらいをする。「常識でわかる範囲」ともいえるが、「まちがえやすい」ところでもあるので、十分な知識のある方は別として、「だいたいはわかっている」と思われる方でも、ひととおり目を通しておかれるとよい。

「まちがえやすい」理由は、単純で明白のように思える計算法則が、実は「無条件では使えない」ためではなかろうか？ 「あわせる」のなら「たす」…という感覚は小学校以来、ひじょうに強いようであるが、確率の計算では、そうとは限らないのである。

＜例1＞サイコロをふって、1の目が出る確率は $\frac{1}{6}$。

だからサイコロを6回ふれば、1の目が出る確率は

$$\frac{1}{6}+\frac{1}{6}+\frac{1}{6}+\frac{1}{6}+\frac{1}{6}+\frac{1}{6}=1$$

したがって、6回サイコロをふれば必ず1の目が出る(!?)。

これを主張する学生さんに「でも、10回ふったって1の目が出ないことだってあるでしょう」と注意したら、「ええ、だから数学は役に立たないんです」という返事であった！

この学生さんの誤りは、上のようなたし算が「無条件で使える」と思っていたところと、「自分の考えに間違いはない」という、過大な自信である。確率のたし算は「同時にはけっして起こらないこと」、確率論の用語でいえば「排反な事象」に限って許される(619ページ参照)。サイコロは、ふっている間に「同じ目が出る」こともあるので、うっかり「たしてはいけない」のであった。なお「6回ふって1の目が出る確率」の正しい答は

$$1-\left(\frac{5}{6}\right)^{6}=0.6651\cdots$$

である(なぜでしょう？)。

＜例２＞火星に生物はいるだろうか？　人間(に似た生物)がいる確率を仮に0.0001とし、サル、トリ、イヌ…など、またゴキブリ、マツタケ、ゾウリムシ…がいる確率も、同じ0.0001ということにしておく。すると火星にこれらのひとつ、たとえば人間が「いない」確率は

$$1-0.0001=0.9999$$

で(サル、ゴキブリ…も同じ)、どれもいない確率 p は

$$p=0.9999\times 0.9999\times 0.9999\times\cdots$$

と表される。10万種の生物を考えるとすれば

p ＝ 10万個の0.9999の積 ≒ 0.000045…

なので、「火星には何か、生物がいる」と断言できる(！？)。

ある種が「いる」確率を0.0001と見積もるのはもちろん乱暴であるが、それはまあ大目に見るとしよう。すると人間(サル、ゴキブリ…に似た生物)が「いない」確率は、たしかに

$$1-0.0001=0.9999$$

になる。しかし「それらがどれもいない」確率を

$$0.9999\times 0.9999\times 0.9999\times\cdots$$

のようにかけ算で求めることは、無条件ではできない。確率のかけ算は「お互いに影響を及ぼさない、無関係な」(独立な)できごとでなければ、許されないのである(620ページ)。ゾウリムシもいないのに、イヌとか人間がいるとは思えないから、いろいろな種が「いる」とか「いない」という確率は、無関係(独立)とはいえない！

1 起こりやすさの数量化

秋になると枯葉がハラハラと落ちるが、これは必然的な事象である。しかし、通りかかった君の帽子にうまい具合に乗ることは、偶然的な事象であり、予測がつかない。

ところで、偶然的な事象であっても、いくらか予測を立てたいときもある。

あきら君のところには40枚ぐらいお年玉つき年賀はがきがくる。100枚につき3枚の割合で当たる5等が、「1枚ぐらいは当たる」とあてにしてよいだろうか。

このとき、どんな答が予測されるか考えてみよう。

① 絶対まちがいない。　② まず、まちがいない。

③ たぶん、当たる。　④ 何ともいえない。

このような予測をするとき、問題にしているできごとの起こりやすさを、数量的にいい表すことが望ましい。そして、家族に「当たったはがきを1枚やる」と約束してよいかどうかなど、後の判断に役立てることができる。

100枚につき3枚の割合で当たるときの当たりの比率0.03を

「当たる確率が0.03である」

という。

日本の統計では、男子の出生率は51%、女子の出生率は49%で、毎年ほとんど一定である。この場合、

「生まれる子供が男子である確率は0.51である」

といってもよい。

このように、ある事象が起こる確率が p とは、それが起こる割合のことである。したがって、その値は、

$$0 \leqq p \leqq 1$$

の範囲にある。特に、$p=1$ は、それが必ず起こることを意味する。

確率はまた、常識的な判断によって定められることもある。たとえば、10円玉を投げて表が出るか裏が出るかは、同じ程度に起こりやすいと考えられる。そこで、ふつうは

　表が出る確率は　0.5

　裏が出る確率は　0.5

と考えてよい。また、均質なサイコロをふったとき1から6までのどの目が出ることも、同じ程度に起こりやすいと考えられる。そこで、ふつうどの目が出る確率も

$$\frac{1}{6} = 0.1666\cdots$$

として議論をすすめる。

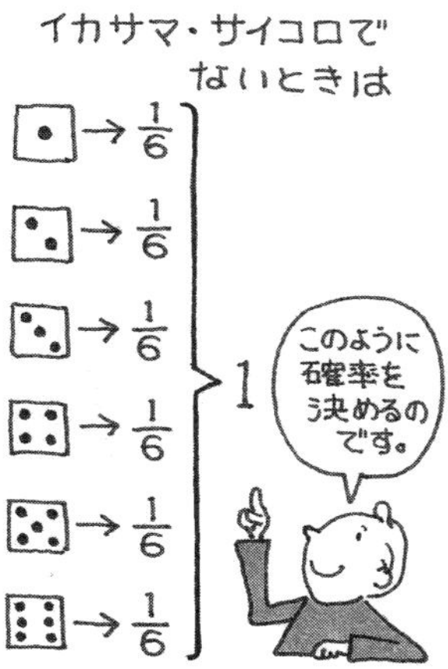

確率を常識的に定めようとするとき大切なことは、いくつかの基本的な事象が同じ程度で起こりやすいかどうかの判断である。次の事象は同じ程度で起こると考えてよいだろうか？

① 6角柱の鉛筆をころがしたとき、どの面が上になるか

② 小泉君と志位君が将棋をさしたとき、どちらが勝つか

③ 2枚の10円玉を投げたとき「2枚とも表」「2枚とも裏」「1枚は表、1枚は裏」

2 割合とは

「問題 1. 均質なサイコロをふったとき ⊡ がでる確率は？」

全員：「$\frac{1}{6}$ で～す」

「問題 2. 確率 $\frac{1}{6}$ とはどういうことですか？」

$\frac{2}{3}$ の人：「6回投げると、⊡ が1回は出ることでーす」

$\frac{1}{3}$ 位の人：「6回投げると、⊡ が1回くらい出る可能性があることで～す」

ほんの少数：「何回も何回も投げて、本当に多数回投げると ⊡ が出る割合が $\frac{1}{6}$ に近づく」

これは、大学の数学科の3年生との問答。前ページの「1から6までのどの目も同じ程度に起こりやすい」というのを「同じ程度起こる」→「同じだけ起こる」と勘違いしてはいけない。

$\frac{2}{3}$ の学生が答えたように「6回投げると ⊡ が1回はでる」であれば、5回投げたところで、⊡ が出なければ、6回目は絶対に、⊡ が出ることになる。「1回位でる可能性がある」というのも、下のような変形サイコロでもいえるので正しくない。

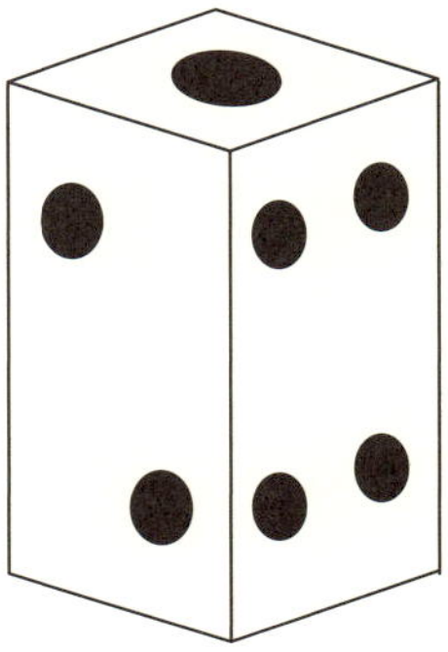

“確率”と聞いたら“割合”。“割合”と聞いたら、“非常に多くの実験資料での割合”と考えておくとよさそうだ。ということで、右ページの表を使って手持ちのサイコロをふって、各目がどんな出方をするか実感しよう。

サイコロ集計表

											出た目の回数					
投げた回数	1	2	3	4	5	6	7	8	9	10	⚀	⚁	⚂	⚃	⚄	⚅
(1)																
(2)																
(3)																
(4)																
(5)																
(6)																
(7)																
(8)																
(9)																
(10)																
(11)																
(12)																
(13)																
(14)																
(15)																
(16)																
(17)																
(18)																
(19)																
(20)																
										合計						

3 変形サイコロ

変形サイコロ

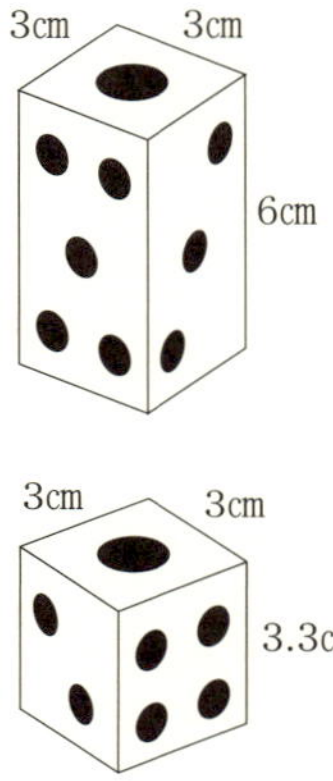

工作用紙で右のように細長いサイコロを作ってみた。実際に投げてみると、コロコロと転がらず、ドタッと倒れてしまうので、サイドタと名付けた。これはものの役に立たなかった。

次に、縦が1割だけ長いものを作った。今度はうまい具合にコロコロと転がる。

一体、⊡ はどのくらいの割合で出てくるのだろうかと興味をもち、2日がかりで実験してみた。

N 回投げて r 回1の目が出たとき、この割合 $\frac{r}{N}$ を相対度数(相対頻度)という。実験は1000回を2度行った(腕が痛くなり空しくなった)。

途中回数	100	200	300	400	500	600	700	800	900	1000
1回目	7	14	25	33	42	53	61	71	78	87
2回目	9	19	26	38	56	64	71	78	88	96

相対頻度の変化の様子をグラフにしたら右のようになった。

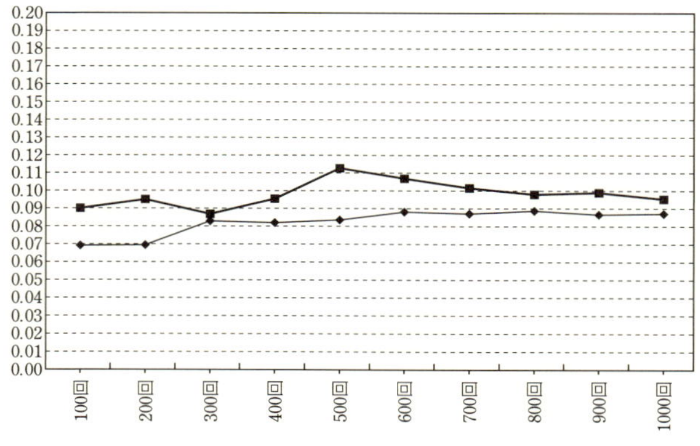

どうやら $\frac{r}{N}$ は、N を大きくしていくと0.09あたりに近づい

ていくらしい。1の目が出る確率は、ほぼ0.09としてよいであろう。

一般に、N を限りなく大きくすると、相対度数（＝その事象の起こる割合）$\dfrac{r}{N}$ は、ある特定の値に限りなく近づくという性質があり、これは**大数の法則**とよばれる。

そしてその値が確率である。

大勢で実験するときは、同じサイコロをいくつか作り、各班で相対頻度を途中計算しながら一つのグラフにしてみるとよい。

右のグラフは、10班で、各班とも500回このサイコロを投げた結果である。

途中の100回と300回、そして500回のときの ⚀ の割合を計算した。やはり0.09あたりに近づく様子が見える。

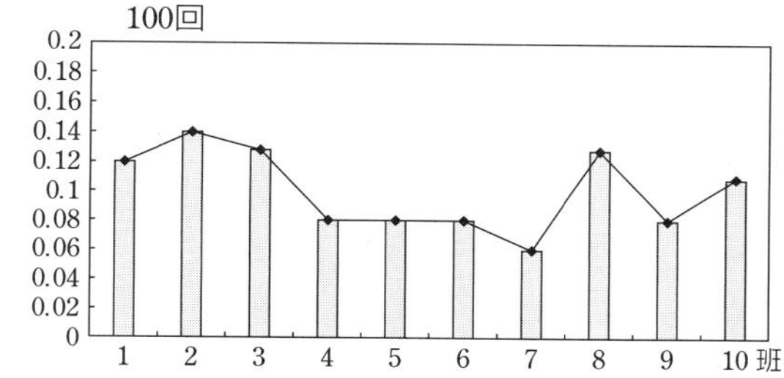

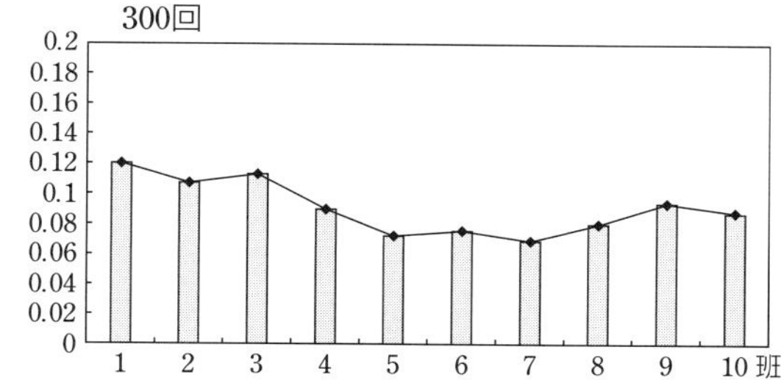

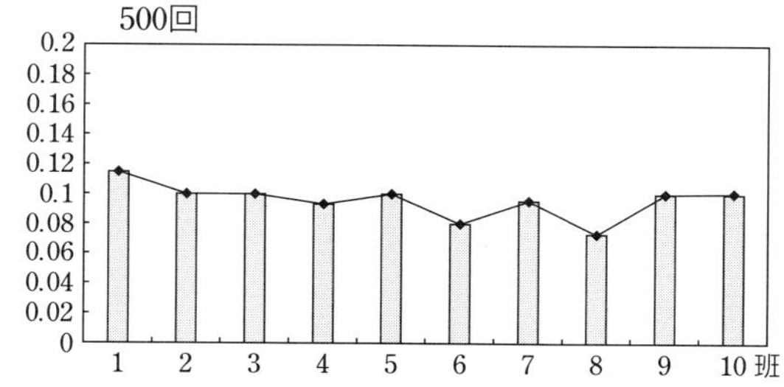

＜注＞「大数の法則」（657ページ）参照。

4　平均余命

日本は長寿国になって久しい。平成20年で、平均寿命は男性で79.29歳、女性は86.05歳となっている。

60歳の女性なら、86.05－60＝26.05年の余命があるように思われがちだ。そうであるなら

「わたしゃ、90歳なんで、余命は86.05－90＝－3.95年？　ホントは死んでいるんじゃ」

なんてことになる。一般にいわれている「平均寿命」は0歳の赤ちゃんの平均余命のことで、厚生労働省の発表（表）によれば、90歳の女性の平均余命は5.71年となっている。

表を見て、自分の平均余命をたしかめると、少しだけホッとする。

主な年齢の平均余命
<平成20年>（単位 年）

年齢	男	女
0歳	79.29	86.05
5歳	74.57	81.33
10歳	69.61	76.36
15歳	64.65	71.39
20歳	59.75	66.45
25歳	54.92	61.54
30歳	50.09	56.64
35歳	45.27	51.75
40歳	40.49	46.89
45歳	35.79	42.08
50歳	31.21	37.34
55歳	26.79	32.69
60歳	22.58	28.12
65歳	18.60	23.64
70歳	14.84	19.29
75歳	11.40	15.18
80歳	8.49	11.43
85歳	6.13	8.21
90歳	4.36	5.71
95歳	3.15	3.97
100歳	2.31	2.77

● 平均余命の計算

その年の死亡する状況が変化しないとして、各年齢の人が1年以内に死亡する確率などをもとにして、あと何年生きられるかという平均値を計算するもの。

たとえば、x 歳の人の死亡率は40%

$x+1$ 歳の人の死亡率は50%

$x+2$ 歳の人の死亡率は100%

とする。極端だけど気にせずに！　そこで、x 歳が10万人いたとすると、1年間に均等

に40%の4万人が死亡する。この4万人の平均余命は0.5年と考えるのが自然。

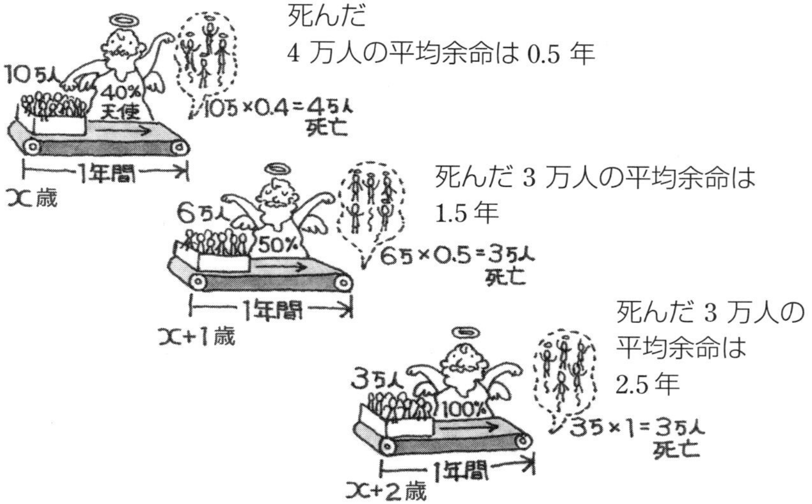

死んだ

死んだ 3 万人の平均余命は
1.5 年

死んだ 3 万人の
平均余命は
2.5 年

そこで、x歳10万人の平均余命は

$$\frac{10万人の生きる総合計年数}{10万人}$$

$$= \frac{0.5 \times 4万 + 1.5 \times 3万 + 2.5 \times 3万}{10万人}$$

＝1.45(年)と計算できる。

この考えを基本に、0歳から100歳までの死亡率(病気・事故etc)のデータからくわしく平均余命を毎年計算している。

主な年齢の死亡率
＜平成20年＞

年齢	男	女
0歳	0.00266	0.00247
5歳	0.00012	0.00009
10歳	0.00008	0.00007
15歳	0.00020	0.00012
20歳	0.00052	0.00026
25歳	0.00062	0.00031
30歳	0.00071	0.00037
35歳	0.00089	0.00048
40歳	0.00134	0.00073
45歳	0.00201	0.00109
50歳	0.00333	0.00168
55歳	0.00527	0.00242
60歳	0.00833	0.00358
65歳	0.01264	0.00498
70歳	0.01925	0.00821
75歳	0.03294	0.01456
80歳	0.05722	0.02724
85歳	0.09543	0.05405
90歳	0.15716	0.10278
95歳	0.23256	0.17234
100歳	0.32000	0.26099

5 事象と確率

● 試行と事象

「硬貨を投げる」「サイコロをふる」などの実験や観察のことをまとめて試行(trial)という。また、その結果起こる「表が出る」「偶数の目が出る」などのできごとを事象(event)という。

試　行	事象の例
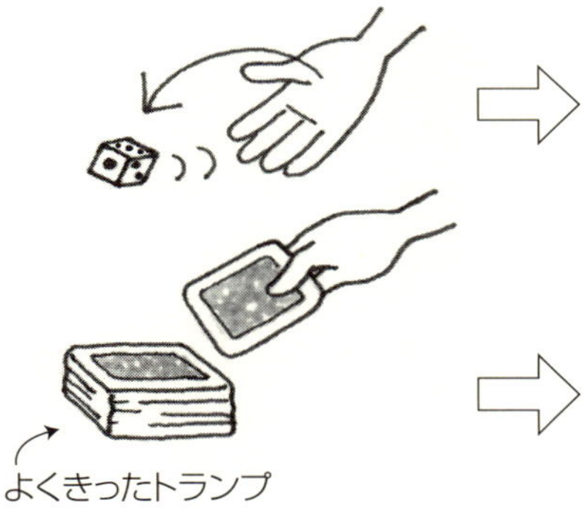	奇数の目が出る {⚀, ⚂, ⚄} 1の目が出る {⚀} 1または6の目が出る {⚀, ⚅} スペードが出る 絵札が出る スペードのエース ハートまたはダイヤ

● 事象とその確率

サイコロを投げれば、6 種類の目のどれか 1 つが必ず出る。

{⚀}　{⚁}　{⚂}　{⚃}　{⚄}　{⚅}

この6個の、一番素朴な事象を根元事象という。いかさまサイコロでなければ、この6種類のどれもが同じ程度に起こりやすいと考えてよいから、それぞれの起こる確率は $\frac{1}{6}$ である。

「偶数の目が出る」という事象 K は、上の6個のうち

{⚁, ⚃, ⚅}

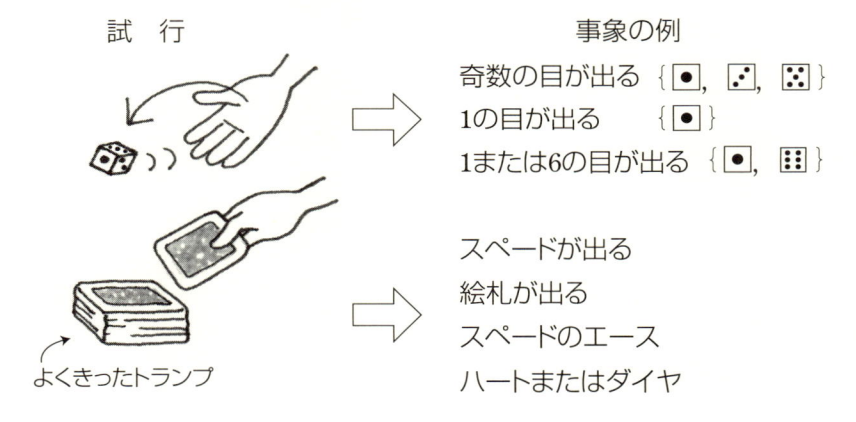

という3個分であるから、その確率は $\frac{3}{6}=\frac{1}{2}$ と考えられる。

事象Kが起こる確率を $P(K)$ で表すと、$P(K)=\frac{1}{2}$ である。

確率（Probability）→ P　　K ← 事象

ジョーカーを除いたトランプ1組52枚のカードをよくきって、1枚を抜き出すときの根元事象は52通りで、どれも同じ程度に起こりやすいと考えられる。

「エースが出る」という事象 J は、52枚のうちスペード、ハート、ダイヤ、クラブの4枚のエースのどれかが出ることだから

$$P(J)=\frac{4}{52}=\frac{1}{13}$$

となる。また「ハートが出る」という事象 H の場合は

$$P(H)=\frac{13}{52}=\frac{1}{4}$$

である。

● 同じ程度に起こりやすいこと

根元事象のどれもが「同じ程度に起こりやすい」という条件がないと、以上のように $\frac{\text{事象に含まれる根元事象の数}}{\text{根元事象の総数}}$ として計算するわけにはいかない。たとえば相撲をすれば、

{勝つ} {負ける}

の2種類だろうが、相手が本物の関取だったら私はとても $\frac{1}{2}$ の確率では勝てない。また、608ページの変形サイコロ（サイドタ）の根元事象は 1 の目から 6 の目までの 6 種類だけれど、それぞれの確率が $\frac{1}{6}$ とはいえないので、⚀か⚁が出る確率は $\frac{2}{6}$ となるわけではない。「同じ程度に起こりやすい」という条件はとても大切な条件。

6 くじを引く順番

当たりくじ2本、はずれくじ3本の計5本のくじをよくかき混ぜて、3人が順番に1本ずつくじを引くことを考えよう。このとき、くじの当たりやすさはくじを引く順番によって違うだろうか？ 「善は急げ」ということで、はじめの方が当たる確率が高いだろうか？ それとも「のこりものには福がある」ということで、後の方が当たる確率が高いだろうか？

1組のくじから何回かつづけてくじを引く場合、引いたくじを元に戻す「復元抽出法」と、引いたくじを元に戻さない「非復元抽出法」の2つの方法がある。

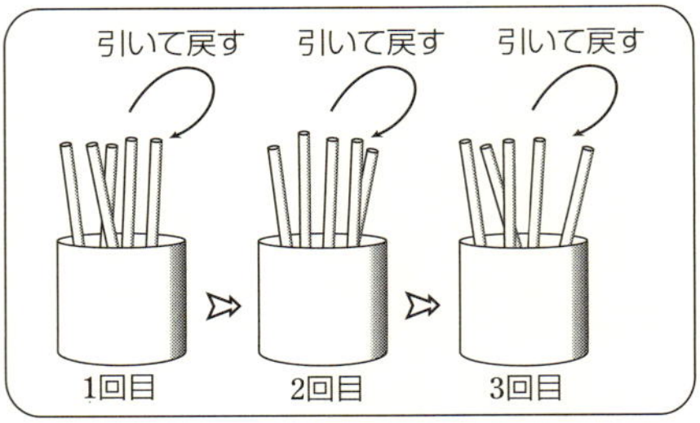

〈復元抽出法〉

1回目にくじを引いたときの当たる確率は

$$\frac{(\text{当たりくじ})}{(\text{くじの本数})} = \frac{2}{5}$$

である。引いたくじは、また元に戻されるので2回目以後も当たる確率は $\frac{2}{5}$ で、くじを引く順番によって確率が変わることはない。

〈非復元抽出法〉

1回目にくじを引いたときの当たる確率は $\frac{2}{5}$ である。

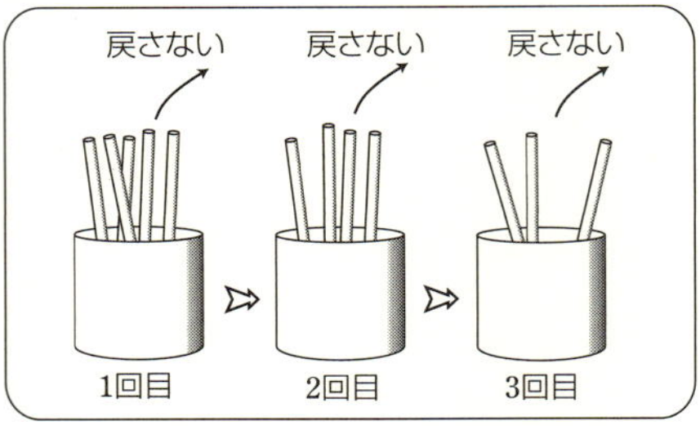

ところが、2回目にくじを引くとき、1回目に引いたくじを元に戻さないため、状況が2つに分かれる。1回目に当たりくじを引いたときは、

当たりくじ1本、はずれくじ3本の計4本残るが、1回目にはずれくじを引いたときは、当たりくじ2本、はずれくじ2本の計4本が残っている。このことから、2回目に当たる確率は1回目のそれと違ってくるような気もする。しかし樹形図を描いて、1つひとつの事象をたんねんに追うと、1回目と変わりないことがわかる。

全事象5×4＝20通りの中で

2回目に当たる事象は8通り

2回目にはずれる事象は12通り

であるので、2回目に当たる確率は

$$\frac{8}{20}=\frac{2}{5}$$

となる。これは、1回目に当たる確率と等しい。

また、3回目のくじを引く全事象

5×4×3＝60通りの中で

3回目に当たる事象は24通り

3回目にはずれる事象は36通り

であるので、3回目に当たる確率は

$$\frac{24}{60}=\frac{2}{5}$$

となり、1回目、2回目の当たる確率に等しい。

一般に、復元抽出法でも、非復元抽出法でも当たる確率は、くじを引く順番によらず一定になる。

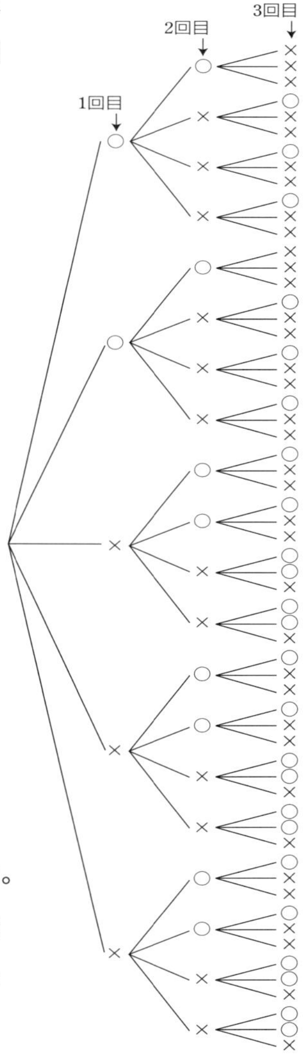

（○印が当たり、×印がはずれ）

7　2枚のコインを投げる

2枚の10円玉をポケットから出し、それを机の上に投げる。2つは、下には落ちずに、コロコロパタッと机上に止まった。

2枚とも表になる確率は？

1）2枚とも表

2）表と裏と1枚ずつ

3）2枚とも裏

裏　　　　表

と分け、つい2枚とも表になる確率は $\frac{1}{3}$ と考えてしまいそう。その理由は、1）、2）、3）とも“同程度に起こりやすい”と思ってしまい、他の場合分けに気がつかないため。

そこで、2枚を“綺麗な10円玉”と“汚い10円玉”とすると、

1）綺10円玉が表で汚10円玉も表

2）綺10円玉が表で汚10円玉は裏

3）綺10円玉が裏で汚10円玉は表

4）綺10円玉が裏で汚10円玉も裏

となり、4通りの場合分けができる。

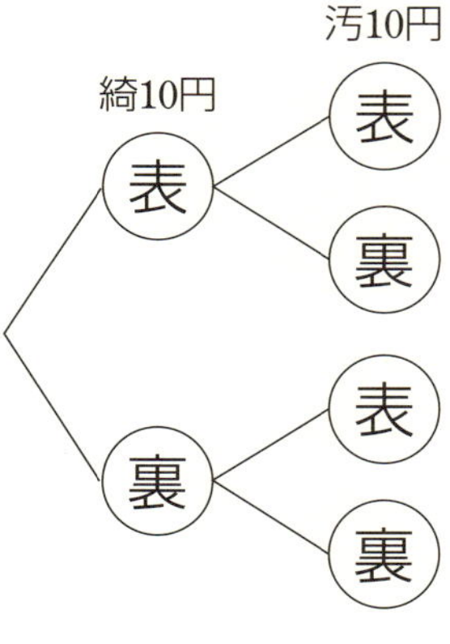

この場合1）～4）は実験をしなくても、“同程度に起こりやすい”と考えてよいだろう。そこで、2枚とも表になる確率 p は

$$p = \frac{\text{表になる事象の根元事象の数}}{\text{根元事象の総数}} = \frac{1}{4}$$ となる。

ポケットの中をさぐったら、1枚しか10円玉がなかった。そこで2

回投げて、2回とも表になる確率を求めてみる。

今度は、別の考え方をしてみよう。

まず、10円玉を投げて

表になる確率は $\dfrac{1}{2}$

裏になる確率も $\dfrac{1}{2}$

右図のように考えると、1回目が表で2回目も表になるのは

$$\frac{1}{2} \times \frac{1}{2} = \frac{1}{4}$$

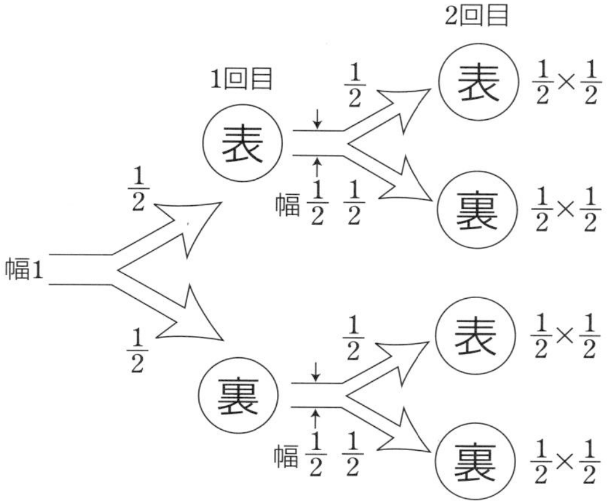

と考えてもよさそうだ。実験で確かめてみた。(表、裏)と書いてあるのは、1回目表、2回目裏を表している。実験回数は120回。

(裏，裏)	(表，裏)	(裏，裏)	(表，表)	(表，裏)	(裏，表)
(表，裏)	(表，裏)	(裏，表)	(表，裏)	(表，表)	(表，裏)
(裏，表)	(表，表)	(裏，表)	(裏，裏)	(裏，裏)	(表，表)
(表，表)	(表，裏)	(表，裏)	(裏，裏)	(裏，表)	(裏，裏)
(表，裏)	(表，表)	(裏，裏)	(裏，裏)	(表，表)	(裏，表)
(表，裏)	(表，表)	(表，表)	(裏，表)	(表，表)	(裏，裏)
(裏，裏)	(表，表)	(表，裏)	(表，裏)	(表，裏)	(表，表)
(表，表)	(裏，表)	(裏，裏)	(表，裏)	(裏，裏)	(裏，表)
(裏，表)	(表，裏)	(表，裏)	(裏，裏)	(表，表)	(裏，表)
(表，表)	(裏，裏)	(裏，裏)	(表，裏)	(裏，裏)	(裏，表)
(表，裏)	(表，裏)	(裏，表)	(表，裏)	(表，裏)	(裏，表)
(裏，裏)	(表，表)	(表，裏)	(表，表)	(裏，裏)	(表，裏)
(裏，表)	(表，裏)	(表，裏)	(裏，裏)	(裏，表)	(表，裏)
(裏，裏)	(裏，裏)	(表，表)	(裏，表)	(表，裏)	(表，裏)
(裏，裏)	(裏，裏)	(裏，表)	(表，表)	(表，表)	(裏，裏)
(裏，裏)	(裏，裏)	(表，裏)	(裏，表)	(裏，表)	(表，表)
(表，裏)	(表，表)	(裏，裏)	(裏，表)	(裏，裏)	(表，表)
(表，裏)	(裏，表)	(裏，表)	(表，表)	(裏，裏)	(表，表)
(裏，裏)	(裏，裏)	(表，裏)	(表，表)	(裏，裏)	(表，表)
(表，裏)	(裏，裏)	(裏，裏)	(表，表)	(裏，裏)	(表，表)

グレーにした1回目が表になった回数は62回で、相対度数は $\dfrac{62}{120}$。

その62回中で2回目が表になったのは29回で相対度数は $\dfrac{29}{62}$。

よって $\dfrac{62}{120} \times \dfrac{29}{62} \fallingdotseq 0.2416$　で、大体 $\dfrac{1}{4}$ に近づいている。

8 確率の和の法則

● 和事象とその確率

2つの事象 A、B に対して、それらをひとまとめにした

A または B

という事象を、A と B の和事象という。たとえば、サイコロを投げて

事象C：偶数の目が出る　{⚁, ⚃, ⚅}

事象D：3の目が出る　{⚂}

事象E：4以上の目が出る　{⚃, ⚄, ⚅}

とすると、

CとDの和事象：偶数または3の目が出る　{⚁, ⚃, ⚅, ⚂}

DとEの和事象：3以上の目が出る　{⚂, ⚃, ⚄, ⚅}

CとEの和事象：偶数または4以上の目が出る　{⚁, ⚃, ⚄, ⚅}

である。すると、

$$P(C) = \frac{3}{6} = \frac{1}{2},\ P(D) = \frac{1}{6}$$

であり、

$$P(C\text{または}D) = \frac{4}{6} = \frac{2}{3}$$

である。ここで $\frac{3}{6} + \frac{1}{6} = \frac{4}{6}$ であるから

$$P(C\text{または}D) = P(C) + P(D)$$

が成り立っている。これは**確率の和の法則**が成り立つ例である。

$$P(D) = \frac{1}{6},\quad P(E) = \frac{3}{6},\quad P(D\text{または}E) = \frac{4}{6}$$

についてもやはり

$$P(D\text{または}E) = P(D) + P(E)$$

となっていて、和の法則が成り立つ。

● 排反事象と非排反事象

ところが、C と E の和事象の場合は少々話が違ってくる。つまり

$P(C) = \dfrac{3}{6}$,　$P(E) = \dfrac{3}{6}$,　$P(C\text{または}E) = \dfrac{4}{6}$ だから

$$P(C\text{または}E) = P(C) + P(E)$$

は成り立たない。それもそのはず、$P(C) + P(E)$ という計算では、⚃と⚅ が二重に数えられている。

一般に、2つの事象の両方が同時に起こらないとき、これらは互いに排反であるという。そして和の法則

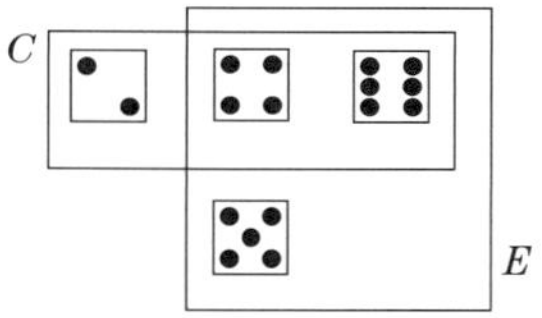

$$P(A\text{または}B) = P(A) + P(B)$$

が成り立つのは、A と B が互いに排反のときである。

A と B が排反でないときは、重なったところを引けばよい：

$$P(A\ \text{または}\ B) = P(A) + P(B) - P(A\ \text{かつ}\ B)$$

● 余事象とその確率

事象 A に対して、「A が起こらない」ことを1つの事象と考え、A の余事象という。記号で $\overline{A}$ と表す。A と $\overline{A}$ は互いに排反であるから $P(A\ \text{または}\ \overline{A}) = P(A) + P(\overline{A})$ が成り立ち、しかも A と $\overline{A}$ のどちらかは必ず起こるので $P(A\text{または}\ \overline{A}) = P(A) + P(\overline{A}) = 1$ である。

そこで

$$P(\overline{A}) = 1 - P(A)$$

という公式ができる。

9 確率の積の法則

日本人の血液型はA型がもっとも多く、約40%といわれている。また、早生まれの人はおよそ25%である。

〈日本人の血液型〉

O型	30%
A型	40%
B型	20%
AB型	10%

では、職場の中から誰か1人を選んだとき、その人が

「血液型がA型で、しかも早生まれ」

である確率はどれくらいだろうか。

早生まれであるか、遅生まれであるかがその人の血液型に何の影響も及ぼさないと考えると、早生まれの人のうちの40%がA型であるとみなせる。したがって、A型で早生まれの人は、全体の

$$0.25 \times 0.4 = 0.1$$

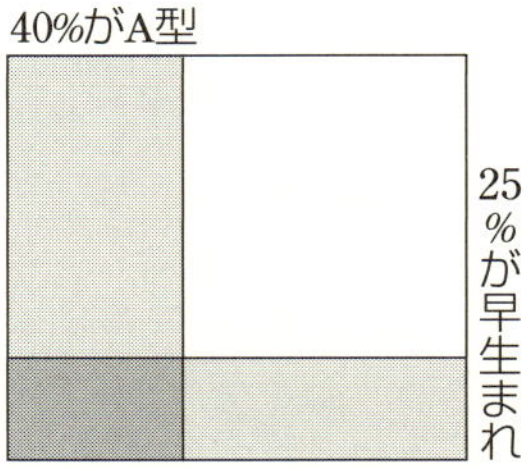

となる。つまり、誰か1人を選ぶとき、その人がA型の早生まれである確率は0.1である。

一般に、ある事象 A の起こり方が、他の事象 B の起こり方にまったく影響を及ぼさないとき、これらの事象 A と B とが互いに独立であるといい、

$$P(A \text{かつ} B) = P(A) \cdot P(B)$$

が成り立つ。これを、**確率の積の法則**という。

3つ以上の事象についても、それらの起こり方が互いに影響を及ぼさないとき、確率の積の法則が成り立つ。

3人の子どもがいる家庭で、3人とも男の子である確率を求めてみよう。

簡単にするため、男女の出生率をどちらも $\frac{1}{2}$ とする。また、前の

子の性別は、後の子の性別にまったく影響を及ぼさないと仮定する。そうすると、第1子、第2子、第3子がすべて男の子である確率は、

$$\frac{1}{2}\times\frac{1}{2}\times\frac{1}{2}=\frac{1}{8}$$

である。この計算は右のような確率つきの樹形図をつくり、求める事象の枝にそって確率をかけていけばよい。

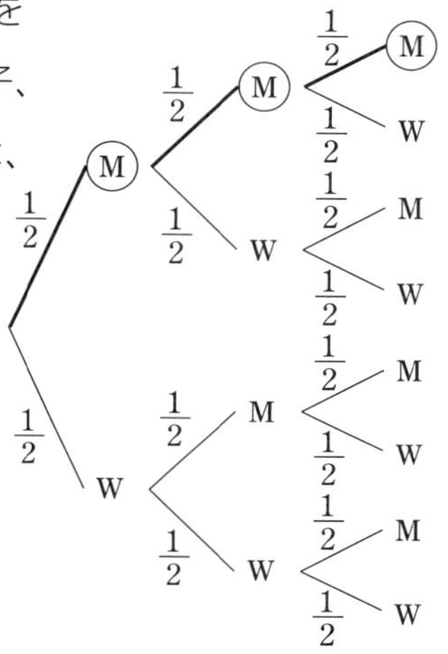

（M=男,　W=女）

ちなみに、3人の子どもがいる家庭で、少なくとも1人が女の子である確率はどうなるだろうか。上の図の樹形図で考えれば

MMW、MWM、MWW、WMM、WMW、WWM、WWW

の7つの事象の起こる確率の和になる。これらのどの事象の確率も

$$\frac{1}{2}\times\frac{1}{2}\times\frac{1}{2}=\frac{1}{8}$$

であるので、少なくとも1人が女の子である確率は

$$\frac{1}{8}+\frac{1}{8}+\frac{1}{8}+\frac{1}{8}+\frac{1}{8}+\frac{1}{8}+\frac{1}{8}=\frac{7}{8}$$

である。

しかし、この確率は、次のようにして求めることもできる。

少なくとも1人が女の子であることは、みな男の子ということの余事象であるから、求める確率は

$$1-\frac{1}{8}=\frac{7}{8}$$

である。

10 4枚のコインを投げる

1枚の500円玉を投げて表になる確率は $\frac{1}{2}$。

では、4枚の500円玉を投げて、表が2枚出る確率は？

$$\frac{1}{2}$$

とトッサにいいたくなる。

とりあえず、根元事象を求めてみよう。ポイントは500円玉にも“人格？”を認めること。

すると、右表のように、根元事象は16通りとなる。この中で、表が2枚、裏が2枚になっているのは6通り。

500円玉 A君	500円玉 Bさん	500円玉 C君	500円玉 Dさん
表	表	表	表
表	表	表	裏
表	表	裏	表
表	表	裏	裏
表	裏	表	表
表	裏	表	裏
表	裏	裏	表
表	裏	裏	裏
裏	表	表	表
裏	表	表	裏
裏	表	裏	表
裏	表	裏	裏
裏	裏	表	表
裏	裏	表	裏
裏	裏	裏	表
裏	裏	裏	裏

そこで、確率は

$$\frac{6}{16} = \frac{3}{8}$$

$\frac{1}{2}$ ではないんだ！

別の考え方もしてみよう！

A 君 B さんは表、C 君 D さんは裏、となる確率は、積の法則から

$$\frac{1}{2}\times\frac{1}{2}\times\frac{1}{2}\times\frac{1}{2}=\frac{1}{16}$$

となる。でも、表になるのは、A 君と B さんではなく、A 君と C 君のこともある。右上表は、表になる場合のみを○で表した。すると、6通りの場合がある。このどの場合も、確率は $\frac{1}{16}$ だから、和の法則で、

500円玉 A君	500円玉 Bさん	500円玉 C君	500円玉 Dさん
○	○		
○		○	
○			○
	○	○	
	○		○
		○	○

$$\frac{1}{16}+\frac{1}{16}+\frac{1}{16}+\frac{1}{16}+\frac{1}{16}+\frac{1}{16}=\frac{1}{16}\times 6=\frac{3}{8}$$

となる。

5枚の500円玉を投げて2枚表になる確率はどうだろう。A, B だけ表の確率は、

$$\frac{1}{2}\times\frac{1}{2}\times\frac{1}{2}\times\frac{1}{2}\times\frac{1}{2}=\frac{1}{32}$$

右表のように、2枚が表になる場合は10通りになるから、確率は、

$$\frac{10}{32}=\frac{5}{16}$$

となる。10枚投げて、3枚表になる確率は…という問題は後で解決しよう。

500円玉				
A	B	C	D	E
○	○			
○		○		
○			○	
○				○
	○	○		
	○		○	
	○			○
		○	○	
		○		○
			○	○

11 2個のサイコロを投げる

今度は2個のサイコロを同時に投げたときに起こるいろいろな確率を求めてみよう。

	1	2	3	4	5	6
1	⚀⚀	⚀⚁	⚀⚂	⚀⚃	⚀⚄	⚀⚅
2	⚁⚀	⚁⚁	⚁⚂	⚁⚃	⚁⚄	⚁⚅
3	⚂⚀	⚂⚁	⚂⚂	⚂⚃	⚂⚄	⚂⚅
4	⚃⚀	⚃⚁	⚃⚂	⚃⚃	⚃⚄	⚃⚅
5	⚄⚀	⚄⚁	⚄⚂	⚄⚃	⚄⚄	⚄⚅
6	⚅⚀	⚅⚁	⚅⚂	⚅⚃	⚅⚄	⚅⚅

このときの全事象は、右図の通り6×6＝36通りである。2つのサイコロが均質であれば、この36通りは、同程度に起こりやすいと考えてよい。

したがって、たとえば、⚁と⚂の目が出る確率は、⚁⚂か⚂⚁のどちらでもよいので、$\frac{2}{36}=\frac{1}{18}$である。

また、ゾロ目⚀⚀、⚁⚁、⚂⚂、⚃⚃、⚄⚄ ⚅⚅の出る確率は

$\frac{1}{36}+\frac{1}{36}+\frac{1}{36}+\frac{1}{36}+\frac{1}{36}+\frac{1}{36}=\frac{6}{36}=\frac{1}{6}$である。

目の和が2の倍数になる確率は右図の2の倍数のマスを数えて

（2の倍数）

18通り

（目の和）

	1	2	3	4	5	6
1	2	3	4	5	6	7
2	3	4	5	6	7	8
3	4	5	6	7	8	9
4	5	6	7	8	9	10
5	6	7	8	9	10	11
6	7	8	9	10	11	12

$\frac{18}{36}=\frac{1}{2}$である。

目の和が2の倍数すなわち偶数になる事象は「丁」、その余事象すなわち奇数になる事象を「半」とよぶこともある。つまり

$$丁になる確率は\ \frac{1}{2}、半になる確率は\ \frac{1}{2}$$

である。

目の和が3の倍数になる確率、4の倍数になる確率も、図のマスをそれぞれ数えて、

（3の倍数）

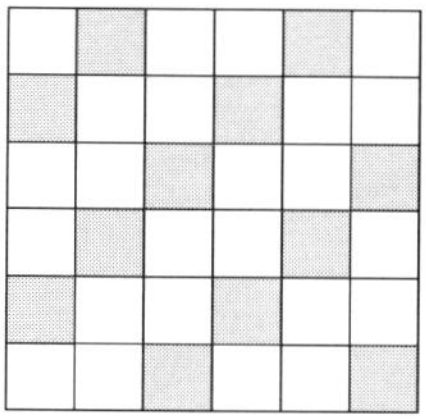

12通り

（4の倍数）

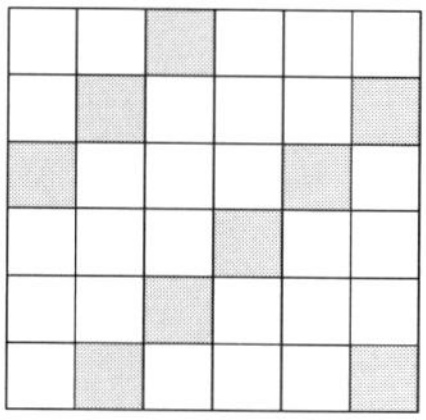

9通り

$$（3の倍数になる確率）=\frac{12}{36}=\frac{1}{3},（4の倍数になる確率）=\frac{9}{36}=\frac{1}{4}$$

となる（では、5の倍数になる確率、6の倍数になる確率は $\frac{1}{5}$，$\frac{1}{6}$ だろうか？）。

目の和が5以上になる確率は？　5以上のマスを数えて、

（5以上）

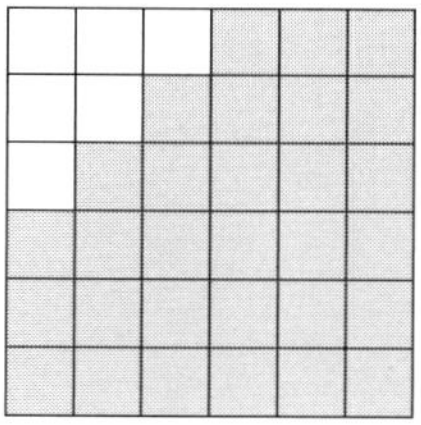

30通り

（5未満）

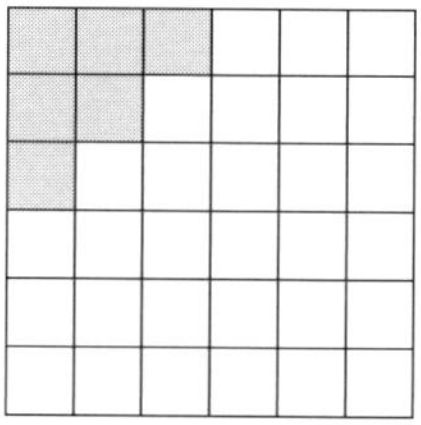

6通り

$$（5以上の目が出る確率）=\frac{30}{36}=\frac{5}{6}$$

としてもよいし、余事象の5未満のマスを数えて

$$（5以上の目が出る確率）=1-\frac{6}{36}=1-\frac{1}{6}=\frac{5}{6}$$

としてもよい。

12 並べ方の確率

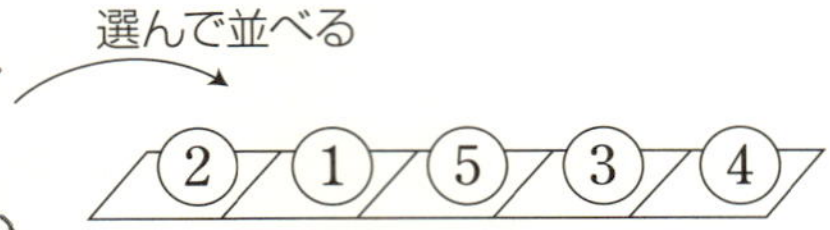

手ざわりが同じ小さな玉に 1 から 5 までの数字を書いて、袋の中に入れる。この袋からでたらめに 1 個ずつ取って全部並べた。

このとき、並べられた玉が ②①⑤③④ である確率は？

まず、並べ方が何通りあるか考える。

もれなく並べ方の総数を数えるのは樹形図がよい。

一番目に並ぶのは①、②、③、④、⑤のどれかで 5 通り。

二番目に並ぶのは、①～⑤のどれが一番目でも、残りの 4 つのどれかでそれぞれ 4 通り。

三番目に並ぶのは、一番目、二番目に並んでいる以外の 3 つのどれかで、それぞれ 3 通り。

四番目は、残りの 2 つのどちらかで、それぞれ 2 通り。

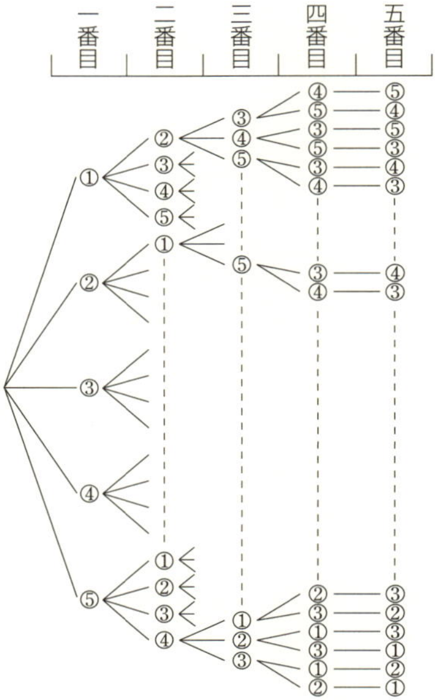

五番目は、残り 1 つで 1 通り。

そこで、並べ方の総数は、

$5 \times 4 \times 3 \times 2 \times 1 = 120$ 通り

あることになる。$5 \times 4 \times 3 \times 2 \times 1$ のように“階段状”にかけていった数のことを“階乗”といい、5! と書く。そこで、

②①⑤③④ と並ぶ確率は、$\dfrac{1}{5!} = \dfrac{1}{120}$ となる。

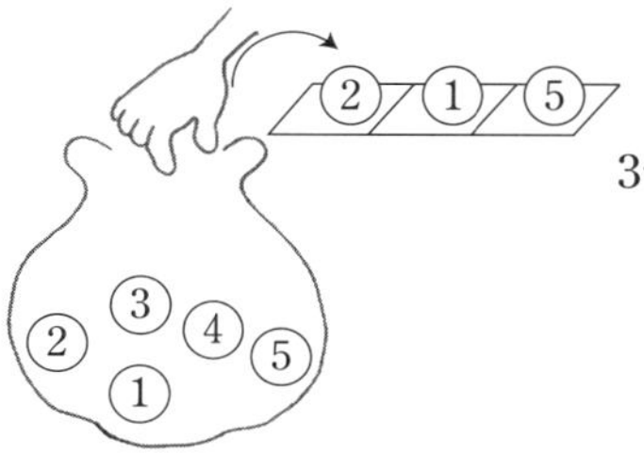

今度は、でたらめに1個ずつ取りだして、3個並べた。このとき、並べられた玉が

②①⑤

である確率は？

これも樹形図を描いて考える。

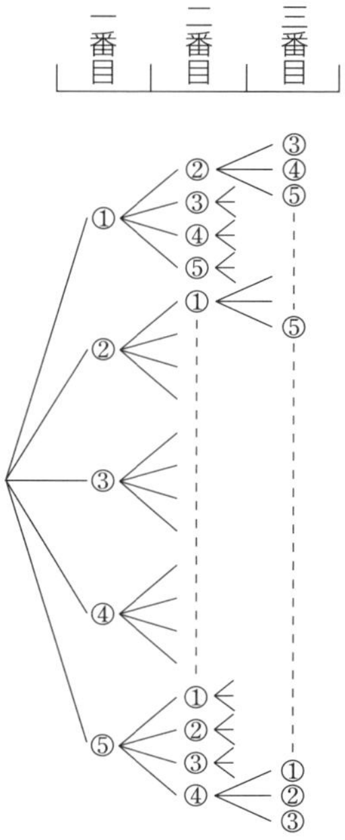

三番目までで終わりにするとよいので、

$5 \times 4 \times 3 = 60$ 通り

となり、②①⑤ と並ぶ確率は、$\dfrac{1}{60}$ となる。このように「異なる5個から 3 個取って並べるしかた」を、“5個から3 個とる順列”といい、その総数を

$${}_5P_3 = \overbrace{5 \times 4 \times 3}^{3コ} = 60$$

と書く。${}_5P_3$ は、5! のときの残り2つを並べない（同一と考える）ともいえるので

$${}_5P_3 = \frac{5!}{2!} = \frac{5 \times 4 \times 3 \times 2 \times 1}{2 \times 1} = 60$$

と考えてもよい。

13 選び方の確率

手ざわりが同じ小さな玉に1から5までの数字を書いて、中が見えない袋の中に入れる。この袋に手を入れて、でたらめに3個選ぶことにしよう。

このとき、選ばれる玉が①②③である確率は？

この問題は、そもそも3個の玉の出方は全部で何通りあるかがわかればよい。なぜなら、どの3個の出方、たとえば①②⑤とか②④⑤といった出方はどれも同じ程度に出やすいと考えられるから、もしこのような出方が N 通りあれば、答はそのうちの1通りだから $\frac{1}{N}$ となる。

この N の求め方であるが、前ページの並べ方の総数を上手に利用すればよい。

並べ方（順列）の場合は、3個の玉が①と②と③であってもその順番まで考えて数えたから右のように6通り（$= 3!$ 通り）を別に勘定した。

ところが選び方のときは並べ方は考えずにメンバーだけが問題だから、この6通りは結局1通りになってしまう。

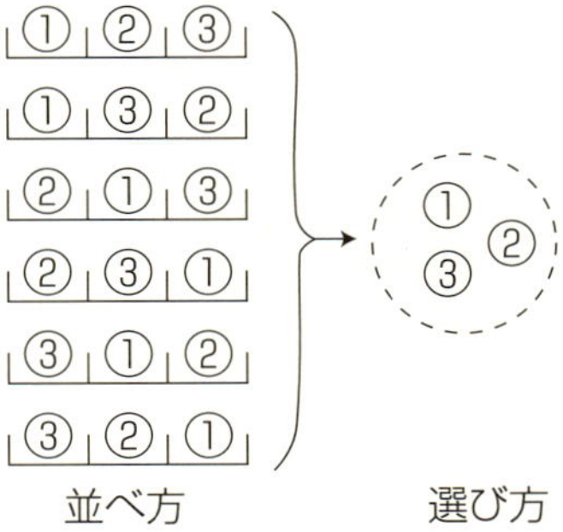

逆に考えると、選び方の1通りが、並べ方（順列）では3! ＝6通りになる。したがって

$$N\times 3! = {}_5\mathrm{P}_3$$

すなわち

$$N = \frac{{}_5\mathrm{P}_3}{3!} = \frac{5\cdot 4\cdot 3}{3\cdot 2\cdot 1} = 10$$

となる。

一般に、異なる n 個のものから r 個を選ぶことを、n 個から r 個取る組合せといい、その総数を記号で ${}_n\mathrm{C}_r$ と書く。これは

$${}_n\mathrm{C}_r = \frac{{}_n\mathrm{P}_r}{r!} = \frac{n(n-1)(n-2)\cdots(n-r+1)}{r(r-1)(r-2)\cdots\cdots\cdots 1}$$

で計算できる。だから、最初の確率の問題は

$$\frac{1}{{}_5\mathrm{C}_3} = \frac{1}{10}$$

として解ける。

順　列	組合せ
並べ方	選び方
${}_n\mathrm{P}r$	${}_n\mathrm{C}r$

$\div\, r!$

〈注〉${}_n\mathrm{C}_r$ は $\dfrac{n!}{r!(n-r)!}$ と表すこともできる。

では同じ袋からでたらめに2個を選び、選ばれる玉が④⑤である確率は？

（答）${}_5\mathrm{C}_2 = \dfrac{{}_5\mathrm{P}_2}{2!} = \dfrac{5\cdot 4}{2\cdot 1} = 10$

であるから、求める確率は $\dfrac{1}{10}$ である。

アレッ？　同じ答になってしまった。

組合せについては ${}_5\mathrm{C}_3 = {}_5\mathrm{C}_2$,　${}_{100}\mathrm{C}_{98} = {}_{100}\mathrm{C}_2\cdots$ のように、一般に ${}_n\mathrm{C}_r = {}_n\mathrm{C}_{n-r}$ が成り立つ。選んだ残りに着目すれば納得！

14 並べ方・選び方

ここでちょっと、順列・組合せの整理をしておこう。

● 全部並べる（階乗）

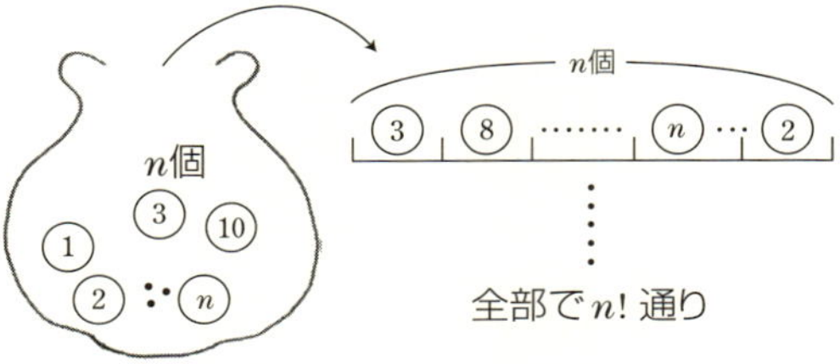

12人を一列に並べる方法は479001600通り。

このすべての並び方を12人で試みるとする。

1秒に1通りの方法を試みるとして、不眠不休でどの位の時間がかかるだろうか？

1分で60通り、1時間で3600通り……何と、15年間もかかってしまう。だから！マーク(？)。

$1! = 1$

$2! = 2$

$3! = 6$

$4! = 24$

$5! = 120$

$6! = 720$

$7! = 5040$

$8! = 40320$

$9! = 362880$

$10! = 3628800$

$11! = 39916800$

$12! = 479001600$

● 選んで並べる（順列）

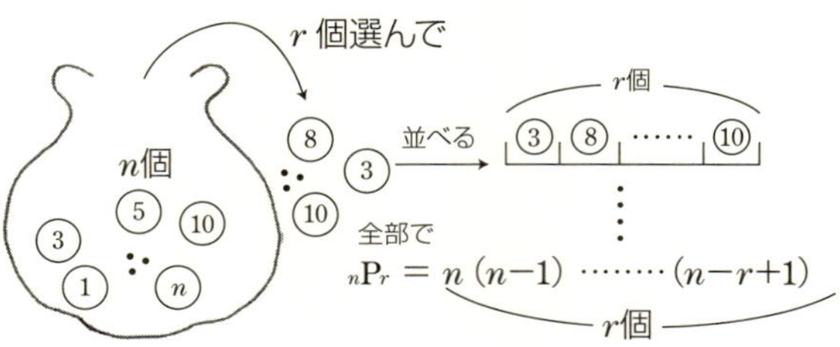

${}_5P_3 = 5 \times 4 \times 3 = 60$

${}_6P_3 = 6 \times 5 \times 4 = 120$

${}_{100}P_3 = 100 \times 99 \times 98$

$= 970200$

${}_{12}P_{12} = 12! = 479001600$

$_{100}P_3$ は100!の中の、後の97個を消せばよいので

$_{100}P_3 = \dfrac{100!}{97!}$ とも書ける。

一般的には、$_nP_r = \dfrac{n!}{(n-r)!}$ となる。すると、

$_nP_n = \dfrac{n!}{0!}$ となるが、$_nP_n = n!$ だから、$0! = 1$ ということにする。

$0! = 1$ といわれて「？」と思う方は、

誰も並ばない状態は

一通り

と考えればよい。

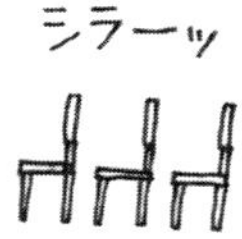

● 選ぶ（組合せ）

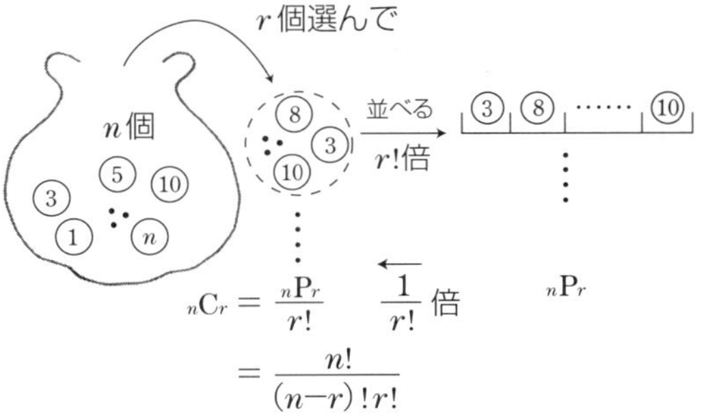

$_5C_3 = \dfrac{5 \times 4 \times 3}{3!} = 10$

$_6C_3 = \dfrac{6 \times 5 \times 4}{3!} = 20$

$_{100}C_3 = \dfrac{_{100}P_3}{3!} = 161700$

$_{12}C_{12} = \dfrac{_{12}P_{12}}{12!} = 1$

$_{12}C_{12}$ は、12人から12人を選ぶ方法だから、当然1通り。

$_{12}C_0$ は、12人から誰も選ばない状態だから、当然（？）1通り。

そこで、$_nC_0 = 1$

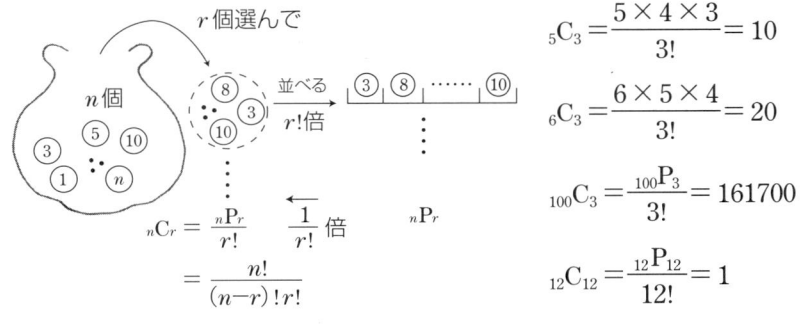

15 ポーカーの役の確率

トランプのポーカーの役の出現する確率について調べてみよう。ジョーカーを除く52枚のカードから5枚を選んだときの組合せの総数は

$${}_{52}C_5 = \frac{52 \times 51 \times 50 \times 49 \times 48}{5 \times 4 \times 3 \times 2 \times 1} = 2598960\text{(通り)}$$

という途方もない数になる。この中に役はどれ位あるのだろうか。

(1)「ロイヤルストレートフラッシュ」とは、同じマークのカード10JQKAが出たときの役で、マークの種類だけしかないので、その組合せの数は4通りである。

(2)「ストレートフラッシュ」とは、同じマークのカードが数字の順に並ぶ役である((1)を除く)。マークは4種類、数の組合せはA2345, 23456, ……, 910JQKの9通りなので、全部で$4 \times 9 = 36$通りある。

(3)「フォーカード」とは、同じ数字のカードが4枚出たときの役である。そろう4枚のカードが13通り、もう1枚のカードは残りの48枚から選ぶので、組合せの数は$13 \times 48 = 624$通りである。

(4)「フルハウス」とは、同じ数字のカードが3枚と2枚出たときの役であり、組合せの数は3744通りになる(${}_4C_3 \times 13 \times {}_4C_2 \times 12$)。

(5)「フラッシュ」とは、5枚とも同じマークのカードが出たときで、ただし(1)、(2)を除く役であり、組合せの数は5108通りである。

$({}_{13}C_5 \times 4 - 4 - 36)$。

(6)「ストレート」とは、5枚のカードが数字の順に並ぶときのうち(1)、(2)を除く役であり、組合せの数は10200通りである$(10 \times 4^5 - 4 - 36)$。

(7)「スリーカード」とは、同じ数字のカードがちょうど3枚ある役で、その組合せの数は、54912通りである$({}_4C_3 \times 13 \times {}_{48}C_2 - 3744)$。

(8)「ツーペア」とは、同じ数字のペアが2組ある役で、その組合せの数は123552通りである(${}_{13}C_2 \times {}_4C_2 \times {}_4C_2 \times$〈同じ数を除いた残り$52-8$〉)。

(9)「ワンペア」とは、同じ数字のペアが1組ある役で、その組合せの数は1098240通りである$(13 \times {}_4C_2 \times {}_{12}C_3 \times 4 \times 4 \times 4)$。

役の名前	組合せの数	確　率
ロイヤルストレートフラッシュ	4	0.0000015
ストレートフラッシュ	36	0.0000139
フォーカード	624	0.0002401
フルハウス	3744	0.0014406
フラッシュ	5108	0.0019654
ストレート	10200	0.0039246
スリーカード	54912	0.0211285
ツーペア	123552	0.0475390
ワンペア	1098240	0.4225690

このように、ポーカーで用いられる役の優劣は、確率の順にピッタリ一致していることがわかる。昔から多数のばくち打ちが、長い間かけて経験的に確立したルールが数学的な確率のルールに従っているというのは驚きである。

〈注〉イギリス式では「ねらいやすさ」を考慮して、フラッシュがストレートの下におかれている。なおA2345も10JQKAもストレートであるが、…KA2…はストレートとは認められない。

16 ポーカーの役作り

ポーカーではふつう、5枚配られてから、何枚かをかえて役をめざすことができる。

ここでは、一人でポーカー遊びをするとして、役作りの確率を考えてみよう。[2] のワンペアになったとして…

(1)「ワンペア」→3枚捨てて、3枚もらい→「フルハウス」となる確率

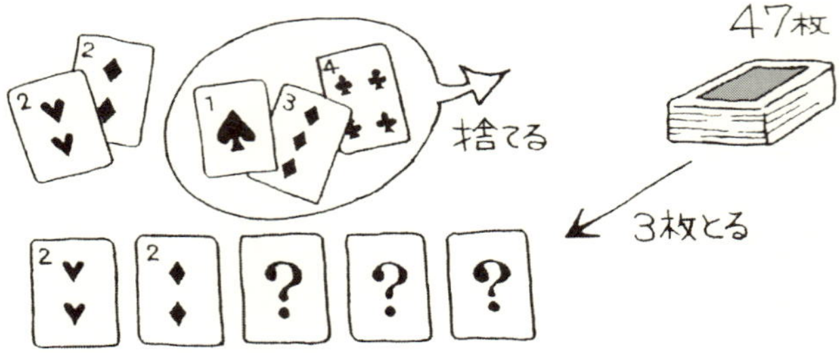

まず、残り47枚から、3枚を選ぶ組合せの総数は

$$_{47}C_3 = \frac{47 \times 46 \times 45}{3 \times 2 \times 1} = 16215$$

1. 1枚が [2] で、ほかに2枚同じカードが出る場合

[2] の出方は、残り2枚の1枚だから $_2C_1$ 通り

イ) [1][3][4] のどれかが2枚になる場合は、それぞれ

$_3C_2$ 通りだから　$3 \times {_3C_2}$ 通り

ロ) [1][3][4] 以外のカード(9種類)のどれかが2枚になる場合は、

$9 \times {_4C_2}$ 通り

よって、$_2C_1 \times (3 \times {_3C_2} + 9 \times {_4C_2}) = 2 \times (9 + 9 \times 6) = 126$ 通り

2. $\boxed{1}\boxed{3}\boxed{4}$ のどれかひとつが、3枚出る。それぞれ ${}_3C_3$ だから、

$3 \times {}_3C_3 = 3$ 通り

3. $\boxed{1}\boxed{3}\boxed{4}$ 以外のカード(9種類)のどれかが、3枚同じカードになる場合は、それぞれ ${}_4C_3$ 通りだから、$9 \times {}_4C_3 = 9 \times 4 = 36$ 通り

よって、3枚もらって、フルハウスになる場合は、

$126 + 3 + 36 = 165$ 通り

だから、確率は

$$\frac{165}{16215} = 0.0101757\cdots$$ となる。

(2)「ワンペア」→ 3枚捨て、3枚もらい →「ツーペア」となる確率

1. $\boxed{1}\boxed{3}\boxed{4}$ のどれかが2枚出て、違う1枚が出るのは

$3 \times {}_3C_2 \times 42 = 378$ 通り

2. $\boxed{1}\boxed{3}\boxed{4}$ 以外のどれかが2枚出て、違う1枚が出るのは

$9 \times {}_4C_2 \times 41 = 2214$ 通り

3枚もらって、ツーペアになる場合は、$378 + 2214 = 2592$

だから、確率は

$$\frac{2592}{16215} = 0.159851\cdots$$

(3)「ワンペア」→ 3枚捨て、3枚もらい →「フォーカード」

$\boxed{2}$ が2枚出るのは1通り、後の1枚が2以外になるのは45通りだから

$$\frac{45}{16215} = 0.0027752\cdots$$ となる。

他の役になる確率に挑戦してみては？　念のため結果。

(4)「ワンペア」→ 3枚捨て、3枚もらい →「スリーカード」

0.114338⋯

(5)「ワンペア」→ 3枚捨て、3枚もらい →「ワンペア」のまま

0.712859⋯

17 条件付確率

ある病院で、その冬にかぜをひいている人の傾向を調べたところ、悪質なかぜ A 型の人が30%、それ以外の人が70%だった。

さらに、38°以上の高熱になる人は、A 型のかぜをひいた人のうちの60%、それ以外のかぜをひいた人の場合は20%であった。

この様子は、右のような図にしてみると、わかりやすいであろう。

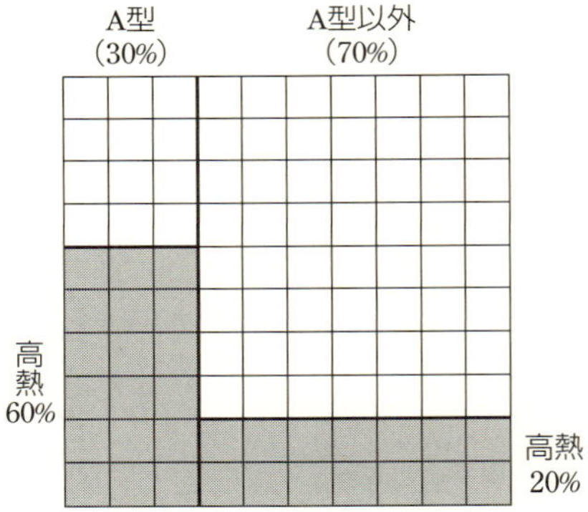

いま、その病院のかぜをひいている人を任意に1人選んだときに、その人が、

「A 型のかぜである」事象を A

「A 型以外」を $\overline{A}$

「高熱である」を K

で表すと、図の小さなマスの比率を考えて

$$P(A)=\frac{3}{10},\quad P(\overline{A})=\frac{7}{10},\quad P(K)=\frac{32}{100}=\frac{8}{25}$$

と考えられる。さらに

(1) A 型であるという条件のもとで高熱である確率は $\frac{6}{10}=\frac{3}{5}$

(2) A 型以外のかぜであるという条件のもとで高熱である確率は

$\frac{2}{10}=\frac{1}{5}$　である。

この(1)、(2)のような確率を条件付確率といい、それぞれ次のような記号で表す。

$$(1)P_A(K)=\frac{3}{5}\qquad (2)P_{\bar{A}}(K)=\frac{1}{5}$$

この例では、$P_A(K)$と$P(K)$が一致しない。これは「AとKが独立ではない」ことを意味している。

一般に事象E, Fが独立であれば

$$P_E(F)=P_{\bar{E}}(F)=P(F),$$

$$P_F(E)=P_{\bar{F}}(E)=P(E)$$

が成り立つ。逆にこれらの等号のどれかひとつが成り立つならEとFは独立なので、条件つき確率の計算から独立性を判定できる場合がある。

独立の例は本書の中にもいろいろ登場する（たとえば622ページ）。

上の例にもどって、

(3) A型であってかつ高熱の確率

すなわち、確率

$$P(A\text{かつ}K)=\frac{18}{100}=\frac{9}{50}$$

は、全体の中で30%がAで、その中の60%のことだから

$$P(A\text{かつ}K)=P(A)\times P_A(K)=\frac{3}{10}\times\frac{3}{5}=\frac{9}{50}$$

として計算することができる。一般に

$$P(E\text{かつ}F)=P(E)\times P_E(F)$$

である。これはまた、次のようにも書ける：

$$P_E(F)=\frac{P(E\text{かつ}F)}{P(E)}$$

18 賞金と確率

ほとんど当たらないとわかりつつ、ついつい期待を込めて買ってしまうのが宝くじである。

(2010年年末ジャンボ宝くじ)

右の年末ジャンボ宝くじの賞金とその当たる確率を調べてみよう。

この宝くじの1ユニット1000万本のうちの賞金と本数は、次の通りである。

等　級	当せん金	本数
1　等	200,000,000円	1本
2　等	100,000,000円	5本
3　等	1,000,000円	100本
4　等	10,000円	10,000本
5　等	3,000円	30,000本
6　等	300円	1,000,000本

ただし、1等の前後賞と組違い賞、ラッキー賞は除いてある。

各等級の当たる確率は、次のようになる。

1等　0.0000001　　2等　0.0000005

3等　0.00001　　4等　0.001

5等　0.003　　6等　0.1

1等の当たる確率は、ほとんど0といってもよい数で、非常に起こりにくいため、さすが2億円もの賞金が用意されている。それに対して6等の当たる確率は0.1と少々高いので、賞金はたったの300円である。

では賞金は、確率の大きさに反比例して決められているのだろうか。宝くじ1本は300円で、1ユニット10,000,000本の売り上げは

300円×10,000,000本＝3,000,000,000円

である。この43%を1等から6等までの賞金にまわすとすると（次頁参照）

3,000,000,000円×0.43＝1,290,000,000円

この金額を、確率の大きさに反比例して配分し、宝くじ1本あたりの賞金を計算すると次の表の通りになる。

等　級	確率	計算上の当せん金	実際の当せん金
1　等	0.0000001	215,000,000円	200,000,000円
2　等	0.0000005	43,000,000円	100,000,000円
3　等	0.00001	2,150,000円	1,000,000円
4　等	0.001	21,500円	10,000円
5　等	0.003	7,167円	3,000円
6　等	0.1	215円	300円

この表を見ると、1等と6等の賞金は大体のところ、確率に反比例して決められているようである。しかし、3等と4等、5等が低くおさえられている反面、2等が手厚く設定されていることがわかる。営業上の配慮であろう。

19 平均値と期待値

イトウ君は、晴れの日は、8000円／日の室外仕事、曇りの日は4000円／日の室内の仕事、雨の日はどういう訳か、仕事がないということだった。晴れになる確率は50%、曇りになる確率は20%、雨になる確率は30%とするとき、一日のバイト料の平均を考えよう。

このときは、

$$8000 \times 0.5 + 4000 \times 0.2 + 0 \times 0.3$$
$$= 4000 + 800 = 4800 (円)$$

	晴れ	曇り	雨
バイト料X	8000円	4000円	0円
確率P	50%	20%	30%

と、考えるのが自然。たとえば1000日も働けば、だいたい1000×0.5日が晴れで1000×0.2日は曇りであろう（大数の法則）。だからバイト料の合計は

$$8000 \times (1000 \times 0.5) + 4000 \times (1000 \times 0.2) + 0 \times (1000 \times 0.3)$$

になる。これを1000で割って「1日あたりの平均」に直せば、さっきの式に戻る。しかし、これは「ものごとが確率どおりに進行したときの平均値」なので、“これから期待される値”ということで、期待値ともいう。

イトウ君の場合、バイト料 X はその値によって、確率が違う。このような変数を、確率変数という。

確率変数X	c_1	c_2	c_3	……	c_n
確率P	p_1	p_2	p_3	……	p_n

一般に、c_1, c_2, c_3, ……, c_n

という値をとる確率変数 X があって、それぞれの値をとる確率が p_1, p_2, p_3, ……, p_nのとき、変数 X の期待値 $E(X)$は

$$E(X) = c_1 p_1 + c_2 p_2 + c_3 p_3 + \cdots + c_n p_n$$

となる。前項の2010年年末ジャンボ宝くじの期待値を求めてみると…

$$E(X) = 200000000 \times \frac{1}{10^7} + 100000000 \times \frac{5}{10^7} + 1000000 \times \frac{1}{10^5}$$

$$+ 10000 \times \frac{1}{10^3} + 3000 \times \frac{3}{10^3} + 300 \times \frac{1}{10} = 129(\text{円})$$

300円を払って、期待値はなんと、129円！　たった43%の還元率。前後賞、組違い賞、ラッキー賞が入っても47.7%の還元率。

ところでイトウ君はこの宝くじを1枚買っていた。抽選の日のバイト料 X と、後でもらえる賞金 Y との合計 $X+Y$ について、その期待値を考えてみよう。その値は

抽選の日が晴れで、1等が当たる場合

から

その日が雨で、くじがはずれた場合

までのすべての場合の金額 $X+Y$ と確率 p をリストアップすれば、計算できる。しかしもっと単純に考えて、

バイト料 X の期待値＋賞金 Y の期待値

$= 4800 + 129 = 4929(\text{円})$

のように計算しても、正しい答が得られる。式で書けば

$$E(X+Y) = E(X) + E(Y)$$

なのである。一般に、確率変数 X, Y, Z …… とその合計 $X+Y+Z+\cdots$ の期待値について、次の公式が成り立つ：

E の加法性　$E(X+Y+Z+\cdots) = E(X) + E(Y) + E(Z) + \cdots$

また X と Y が独立であれば、次の公式も成り立つ：

$$E(X \cdot Y) = E(X) \cdot E(Y)$$

20 賞金のばらつき［確率変数の分散］

あなたは次のどちらのくじが好みだろうか？

くじA

	賞金X	確率
1等	10,000円	$\frac{1}{10}$
2等	5,000円	$\frac{2}{10}$
3等	0円	$\frac{7}{10}$
		1

くじB

	賞金X	確率
1等	5,000円	$\frac{1}{5}$
2等	2,000円	$\frac{2}{5}$
3等	500円	$\frac{2}{5}$
		1

ちなみに、期待値（平均値）はともに2,000円である。

$$\mathrm{A}：E(X)=10{,}000\times\frac{1}{10}+5{,}000\times\frac{2}{10}+0\times\frac{7}{10}=2{,}000\text{円}$$

$$\mathrm{B}：E(X)=5{,}000\times\frac{1}{5}+2{,}000\times\frac{2}{5}+500\times\frac{2}{5}=2{,}000\text{円}$$

A はめったに当たらないが当たると大きい。B は A に比べると安全性が大きいが賞金はさほど高くない。賞金のばらつき具合の違いといってよいだろう。これを表すのに「平均金額との差を2乗して平均」すなわち第1章で学んだ分散を利用する。

仮にくじの本数を合計100本とすると、A の場合の分散は

$$\frac{1}{100}\{(10{,}000-2{,}000)^2\times10+(5{,}000-2{,}000)^2\times20+(0-2{,}000)^2\times70\}$$

$$=(10{,}000-2{,}000)^2\times\frac{1}{10}+(5{,}000-2{,}000)^2\times\frac{2}{10}+(0-2{,}000)^2\times\frac{7}{10}$$

$$=64{,}000{,}000\times\frac{1}{10}+9{,}000{,}000\times\frac{2}{10}+4{,}000{,}000\times\frac{7}{10}$$

$$=11{,}000{,}000$$

これは仮に考えたくじの総本数100本とは無関係に決まる。

Bの場合の分散は、同様に考えて

$$(5{,}000-2{,}000)^2\times\frac{1}{5}+(2{,}000-2{,}000)^2\times\frac{2}{5}+(500-2{,}000)^2\times\frac{2}{5}$$

$$=9{,}000{,}000\times\frac{1}{5}+0+2{,}250{,}000\times\frac{2}{5}$$

$$=2{,}700{,}000$$

である。

一般に、確率変数 X の確率 P が右のような表で与えられたとき、

$$V(X)=(x_1-E(X))^2p_1\ +(x_2-E(X))^2p_2+\cdots+(x_n-E(X))^2p_n$$

を、確率変数 X の分散という。また、

$$\sigma(X)=\sqrt{V(X)}$$

を X の標準偏差という。

X	P
x_1	p_1
x_2	p_2
⋮	⋮
x_n	p_n
合計	1

確率分布表

くじA, Bの標準偏差はそれぞれ

$$\sqrt{11{,}000{,}000}\fallingdotseq 3316.6$$

$$\sqrt{2{,}700{,}000}\fallingdotseq 1643.2$$

となる。大まかにいえば、慎重型の人はくじB、冒険型の人はくじAを好むだろう。

なお確率変数 X の分散 $V(X)$ は、次のように表すこともできる：

$$V(X)=E(X^2)-E(X)^2$$

また確率変数 X, Y, Z ……とそれらの和の分散について、各変数の値の取り方がまったく独立である場合、次の公式が成り立つ。

独立な確率変数についての　V の加法性:

$$V(X+Y+Z+\cdots)=V(X)+V(Y)+V(Z)+\cdots$$

21 期待値と分散の例

確率変数 X の期待値と分散は

$$E(X) = x_1p_1 + x_2p_2 + \cdots + x_np_n$$

$$V(X) = (x_1 - E(X))^2p_1 + (x_2 - E(X))^2p_2 + \cdots + (x_n - E(X))^2p_n$$

X	P
x_1	p_1
x_2	p_2
$\vdots$	$\vdots$
x_n	p_n
合計	1

であった。

対象のものごとによって、確率変数 X はいろいろな種類の量や数を表す。たとえば宝くじのときは金額（円）であるが、あるときは長さになったり温度になったり、サイコロの1から6までの目の数字であったりする。

いくつかの例で、期待値と分散を計算してみよう。

〈例 1〉○か×を入れる問題が3問あり、1題10点とする。もしまったくでたらめに○×を入れたとすると、当たりはずれは8通り考えられるので、次のような確率分布表ができる。したがって

$$E(X) = 30 \times \frac{1}{8} + 20 \times \frac{3}{8} + 10 \times \frac{3}{8} + 0 \times \frac{1}{8} = \frac{120}{8} = 15(点)$$

$$V(X) = (30 - 15)^2 \times \frac{1}{8} + (20 - 15)^2 \times \frac{3}{8} + (10 - 15)^2 \times \frac{3}{8} + (0 - 15)^2 \times \frac{1}{8} = 75$$

点数 X	確率 P
30点	$\frac{1}{8}$
20点	$\frac{3}{8}$
10点	$\frac{3}{8}$
0点	$\frac{1}{8}$
合計	1

	問1	問2	問3	
①	当	当	当	30点
②	当	当	は	20点
③	当	は	当	20点
④	は	当	当	20点
⑤	当	は	は	10点
⑥	は	当	は	10点
⑦	は	は	当	10点
⑧	は	は	は	0点

〈例2〉サイコロをふって出る目の数 X の場合。

点数 X	確率 P
1	$\frac{1}{6}$
2	$\frac{1}{6}$
3	$\frac{1}{6}$
4	$\frac{1}{6}$
5	$\frac{1}{6}$
6	$\frac{1}{6}$
合計	1

$$
\begin{aligned}
E(X) &= 1\times\frac{1}{6}+2\times\frac{1}{6}+3\times\frac{1}{6}\\
&\quad+4\times\frac{1}{6}+5\times\frac{1}{6}+6\times\frac{1}{6}\\
&=\frac{21}{6}=\frac{7}{2}=3.5\\
V(X) &= \left(1-\frac{7}{2}\right)^2\times\frac{1}{6}+\left(2-\frac{7}{2}\right)^2\times\frac{1}{6}\\
&\quad+\left(3-\frac{7}{2}\right)^2\times\frac{1}{6}+\left(4-\frac{7}{2}\right)^2\times\frac{1}{6}\\
&\quad+\left(5-\frac{7}{2}\right)^2\times\frac{1}{6}+\left(6-\frac{7}{2}\right)^2\times\frac{1}{6}\\
&=\frac{25+9+1+1+9+25}{24}=\frac{70}{24}=\frac{35}{12}
\end{aligned}
$$

〈例3〉確率 p で起こる事柄 A に対して、確率変数 X として

A が起こったら 1,

A が起こらなかったら 0

という数値を対応させる。すると、

	X	P
A が起こる	1	p
A が起こらない	0	$1-p$
合計		1

$$
\begin{aligned}
E(X) &= 1\times p+0\times(1-p)=p\\
V(X) &= (1-p)^2p+(0-p)^2(1-p)=(1-p)^2p+p^2(1-p)\\
&=(1-p)p(1-p+p)=p(1-p)
\end{aligned}
$$

標準偏差は $\sqrt{V}$ であったから、上の3つの例でいえば、それぞれ

$$\sqrt{75}\fallingdotseq 8.66,\qquad \sqrt{\frac{35}{12}}\fallingdotseq 1.7,\qquad \sqrt{p(1-p)}$$

である。

ちょっとひと息

この章のまえがきで「慎重に」という面を強調したので、ここには「大胆に、前向きに」ということを書いておこう。いい例が確率論の創始者、ブレーズ・パスカル(1623 ～ 1662)である。

パスカルは早熟の天才で、16才で「パスカルの定理」を含む『円錐曲線試論』を著した。流体力学の「パスカルの原理」や、台風情報でおなじみの気圧の単位「パスカル」にも彼の名前が残っている。

彼は病弱のせいもあってか、宗教的な傾向がとても強い人だった。けれども彼としては、どの方面にも純粋に、大胆に、前向きに突進したのだと思う。世俗的な面でも、徴税の仕事をしていたお父さんのために歯車式計算機を製作したほか、のちには慈善事業の資金をかせぐために、パリで最初の乗り合い馬車の会社を設立している。

彼はパリのサロンに出入りしていた時期に、騎士アントワヌ・メレ(1607 ～ 1684)と知りあい、「教養ある清廉な男」の生き方に開眼したという。おもしろいことに、この清廉な騎士・メレさんはサイコロ賭博の大家で、計算の心得もあったが、彼の計算と経験とが合わないところがあった。そこで相談を持ちかけられたパスカルが、友人のフェルマー（1601 ～ 1666)と手紙をやりとりしながら、正しい確率計算の基礎を築きあげた。

ついでながらその手紙の中で、パスカルは「数学的なことを書くには、フランス語はダメ」(ラテン語に限る)とか、「メレはがんこで、正しい計算をなかなか理解してくれない」とこぼしている。パイオニアはつらいのである！

第4部

統計・確率の意味がわかる

第3章

未来を読む

この章のテーマは、「繰り返し」(独立試行)の分析である。そこから推定とか検定などの応用への道が開かれる。道具としては「二項分布」が基本であるが、「連続変数の確率分布」も重要である。ここで「確率密度」という新しい尺度が入ってくるが、これは

　　確率を高さで表すと、区間を狭めて精密にすればするほど、
　　みなほとんど0になってしまう

という難点を解決するための「苦しまぎれのアイデア」と思ってもよい。しかしこれは大成功だったので、確率論が積分、ひいては解析学と結びつき、強力な武器をいろいろ手にすることができた。

「強力な武器」のひとつが「正規分布」である。実際、二項分布が正規分布で近似できることから、いろいろな計算が簡単にできるようになった。たとえば

　　ある賭けをn回くり返す。勝つ確率はいつもpであるとして、
　　勝つ回数がk回以下である確率を求めよ

というような問題は、二項分布の計算をすれば解ける。しかしこれはかなり面倒である上、あらかじめ数表を作っておこうとすると、

　　n, k, pの値ごとに答を読みとれる表

を作らなければならない——pをたとえば「2桁まで」と限っても、nを制限しないと無限に多くの表がいる。一方、正規分布によれば

$$T=\frac{k-np}{\sqrt{np(1-p)}}$$ (662ページで説明します)

に対して、

　　Tの値ごとに答を読みとれる表(巻末の正規分布表)

を用意すればよい。何と、1枚の表で間に合うのである!

実際にはTを計算する式の右辺の分子は、

$$(k+0.5)-np$$

の方がよい(半数補正)。またpが未知の場合の扱い方など、精密にやろうとするといろいろな技法が必要になる。しかしパソコンがあれば「二項分布による精密計算をやってしまう」という手もあるので、ここでは計算精度の問題には深入りせず、単純な方法で推定や検定の「考え方」を中心に説明することにした。

ところで推定には誤差がつきものであるが、誤差の「傾向」には注意がいる。たとえば10万人の収入を調べるのに、「全部調べるのはたいへんだから」とサンプル500人だけを調べたとする。このとき、サンプルの統計的平均・分散は、全体の平均・分散に比べて、どんな傾向(かたより)があるだろうか?――実はサンプルの分散は、全体の分散より小さめになりやすいというかたよりがある(全体の平均からのズレのかわりに、サンプルの平均からのズレを計算しているためである)。一方「サンプルの平均の期待値」を計算すると、全体の平均にぴったり一致する。だからサンプルの平均は、誤差はもちろんあるだろうが「かたよりはない」といわれる。

ではどうしたらよいか。実は「10万人中の500人」という比率はこの場合問題にならず、かたよりの程度は、サンプルが広範囲から公平に選ばれていさえすれば、その大きさ「500」だけで決まる。しかも500というのは十分な数で、分散のかたよりは0.2パーセント程度であるから、上の例についてはあまり心配しなくてよい――のであるが、詳しいことを知りたい方は676ページをご覧いただきたい。

1　独立試行

勝率6割のテニスチームが5試合したとき

5試合で3勝する確率

を求めてみよう。ただし、前の試合の勝敗は、あとの試合に影響を及ぼさないものとする。

いま、このテニスチームが、1回の試合に

勝つという事象………○

負けるという事象……×

と表すことにすると

$P(\bigcirc)=0.6,\quad P(\times)=1-0.6=0.4$　となる。

5試合したとき、はじめに3連勝して、それから2連敗した事象を○○○××で表すと、

$$\begin{aligned} P(\bigcirc\bigcirc\bigcirc\times\times) &= P(\bigcirc)P(\bigcirc)P(\bigcirc)P(\times)P(\times) \\ &= 0.6\times0.6\times0.6\times0.4\times0.4 \\ &= 0.6^3\times0.4^2 \end{aligned}$$

と計算できる。

××○○○は、まず2連敗して、それから3連勝したことを表し

$$\begin{aligned} P(\times\times\bigcirc\bigcirc\bigcirc) &= P(\times)P(\times)P(\bigcirc)P(\bigcirc)P(\bigcirc) \\ &= 0.4\times0.4\times0.6\times0.6\times0.6 \\ &= 0.6^3\times0.4^2 \end{aligned}$$

となり、前の $P(\bigcirc\bigcirc\bigcirc\times\times)$ と同じになる。このように、ある特定の順序で3勝2敗となる確率は、いつでも$0.6^3\times0.4^2$となる。

では、勝ち負けの順序を問わないで、とにかく5試合中にちょうど

①	②	③	④	⑤
○	○	○	×	×
○	○	×	○	×
○	○	×	×	○
○	×	○	○	×
○	×	○	×	○
○	×	×	○	○
×	○	○	○	×
×	○	○	×	○
×	○	×	○	○
×	×	○	○	○

3勝2敗になる確率はどうなるだろうか。

それを求めるには、5試合中3勝2敗となる場合が全部で何通りあるかを数えればよい。それは、右の表の通り10通りである。この10は、

5試合の中から、勝ち試合3つを選ぶ組合せの数だから

$$_5C_3 = \frac{5 \times 4 \times 3}{3 \times 2 \times 1} = 10$$

として求めてもよい。これらは互いに排反で、そのどれもが$0.6^3 \times 0.4^2$の確率で起こるから、求める確率は次のようになる。

$$_5C_3 \times 0.6^3 \times 0.4^2 = 10 \times 0.6^3 \times 0.4^2 = 0.3456$$

すなわち、およそ35%の確率であることがわかる。

一般に、独立な作業(実験、試合、一般に「試行」)を何回かくり返したときの確率について、次のことが成り立つ。

1回の試行で確率 p で起こる事象 A がある。この試行を、n 回くり返したとき A がちょうど r 回起こる確率は

$$_nC_r p^r q^{n-r} \quad \text{ただし} q = 1 - p$$

である。

たとえば、10円玉を2回投げたとき、表が1回、裏が1回出る確率は

$$_2C_1 \times 0.5 \times 0.5 = 2 \times 0.5 \times 0.5 = 0.5$$

10円玉を4回投げたとき、表が2回、裏が2回出る確率は

$$_4C_2 \times 0.5^2 \times 0.5^2 = 6 \times 0.5^2 \times 0.5^2 = 0.375$$

10円玉を6回投げたとき、表が3回、裏が3回出る確率は

$_6C_3 \times 0.5^3 \times 0.5^3 = 20 \times 0.5^3 \times 0.5^3 = 0.3125$　などとなる。

2 二項分布

「親父、今日予備校で、どこの大学を受けても合格率は30%しかないといわれた。もうだめだ。」

「息子よ、よかったな。合格したのも同然ダ！」

「？？？」

さて、「5校受験したとき、3校合格する確率」を求めてみよう。合格を○、不合格を×とすると、

1校に合格する確率　　　$P(○) = 0.3$

1校に不合格になる確率　$P(×) = 1 - 0.3 = 0.7$

となる。A, B, C, D, E校の5校を受験し、A校○，B校○，C校○，D校×，E校×となる確率は、各受験は独立だから

$$P(○○○××) = 0.3 \times 0.3 \times 0.3 \times 0.7 \times 0.7$$
$$= 0.3^3 \times 0.7^2$$

となる。

ところが、AとBとDが合格、CとEが不合格の場合も

$$P(○○×○×) = 0.3 \times 0.3 \times 0.7 \times 0.3 \times 0.7$$
$$= 0.3^3 \times 0.7^2$$

となる。どの学校3校が合格しても確率は$0.3^2 \times 0.7^2$になる。

表1

	A校	B校	C校	D校	E校
1	○	○	○	×	×
2	○	○	×	○	×
3	○	○	×	×	○
4	○	×	○	○	×
5	○	×	○	×	○
6	○	×	×	○	○
7	×	○	○	○	×
8	×	○	○	×	○
9	×	○	×	○	○
10	×	×	○	○	○

そこで、3校合格する場合は、表1のように書くと10通りあるので、「3校合格、2校不合格」となるのは

$$10\times0.3^3\times0.7^2 = 0.1323$$

となる。ここで、「5校受験して3校合格する」場合の総数は前項と同じく「5つの中から○を付けるところを3つ選ぶ」組合せの数と考えることができるから ${}_5C_3 = \dfrac{5\cdot4\cdot3}{3!} = 10$ と計算できる。

そこで、合格校数を X とすると、各々の場合の確率は表2のようになる。全校不合格になるのは $0.7^5 = 0.16807$ なので、少なくとも1校は合格するのは0.83193で80%以上の確率だ！　7校も受ければ少なくとも1校合格するのは $1-0.7^7 \fallingdotseq 0.91765$ で約92%の確率ということになる。もう合格したも同然!?

表2

X	確率		
0校合格	0.7^5	=	0.16807
1校合格	${}_5C_1\,0.3\cdot0.7^4$	=	0.36015
2校合格	${}_5C_2\,0.3^2\cdot0.7^3$	=	0.30870
3校合格	${}_5C_3\,0.3^3\cdot0.7^2$	=	0.13230
4校合格	${}_5C_4\,0.3^4\cdot0.7$	=	0.02835
5校合格	0.3^5	=	0.00243

一般に、確率 p の事象 A が、n 回の独立試行で起こる回数を X とし、$q=1-p$ とすると、X の確率分布は、右表のようになる。

X	確率
0	q^n
1	${}_nC_1pq^{n-1}$
2	${}_nC_2p^2q^{n-2}$
………………	
k	${}_nC_kp^kq^{n-k}$
………………	
$n-1$	${}_nC_{n-1}p^{n-1}q$
n	p^n

ご覧のように、確率の欄には $(q+p)^n$ を展開した

$$q^n + {}_nC_1pq^{n-1} + \cdots + {}_nC_kp^kq^{n-k} + \cdots + p^n$$

の各項が並ぶ。この展開公式を二項定理というので、このような確率分布を二項分布という。

3 二項分布のグラフ

硬貨を投げて、表が出るという事象を A とする。硬貨を n 回投げたとき A が起こる回数(つまり表が出る回数)を X とすると、その確率は二項分布になる。これをグラフで表したのが下の図である。一番左の図は $n=6$ のとき、中央は $n=10$ のとき、右は $n=20$ のときである。

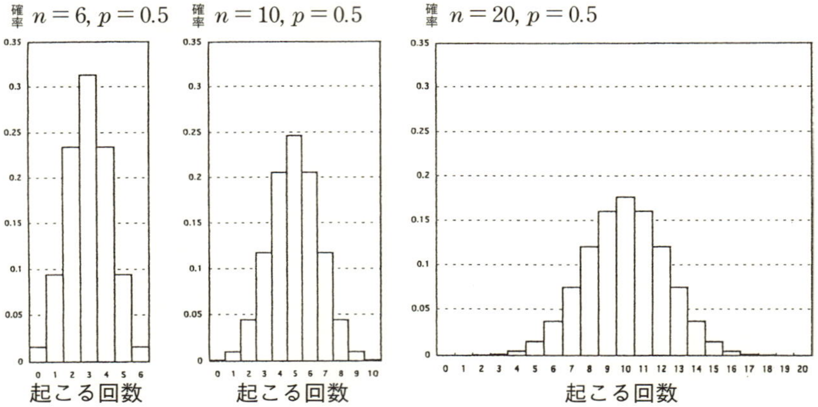

虚心坦懐に「6回投げればやっぱり3回位表が出そうだな」という感覚が大切である。

右のグラフは上の3つを折れ線グラフで一緒に表したもの。

これらのグラフは、A が起こる確率が $\frac{1}{2}$ だから、左右対称のきれいな山型になる。

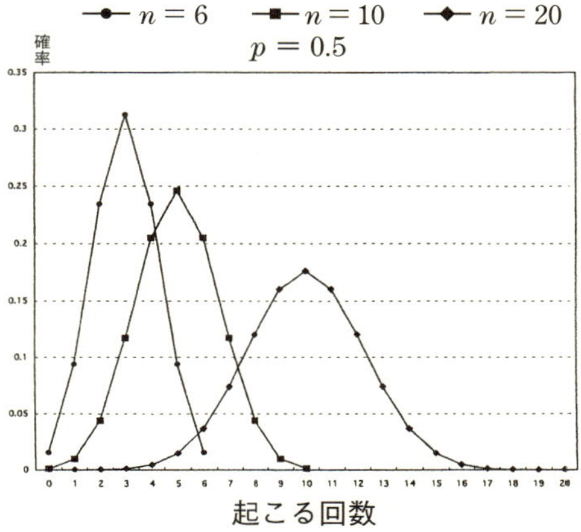

サイコロを20回投げて、1の目が何回出るかをXとして二項分布のグラフを描くと、右上のようになる。今度は歪んだ山型になる。

2番目は左ページと同じ$p=\dfrac{1}{2}$のとき。$n=20$。

3番目は、$p=0.65$でやはり20回試行したときの二項分布のグラフ。

一番下は、以上の3つを折れ線グラフで一緒に表したものである。

ここでも、サイコロを20回投げれば、1の目は何回出る可能性が一番大きいかな？　と素直に考えてみよう。

1回につき$\dfrac{1}{6}$だから、20回だと$\dfrac{20}{6} \fallingdotseq 3$回位だろうという見当がつく。

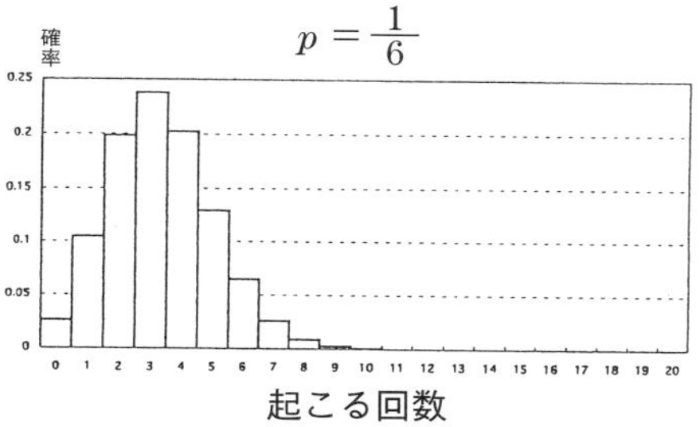

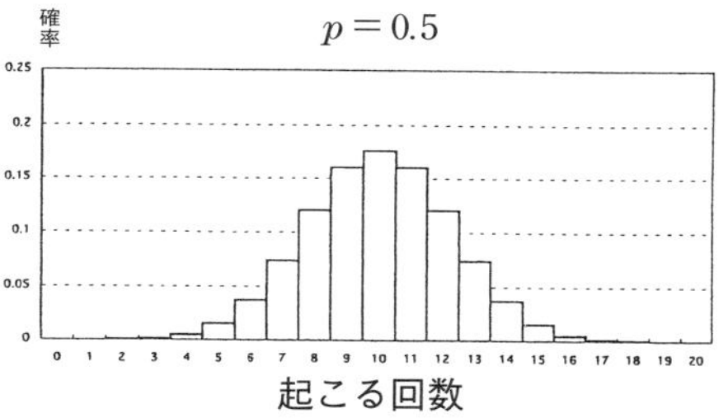

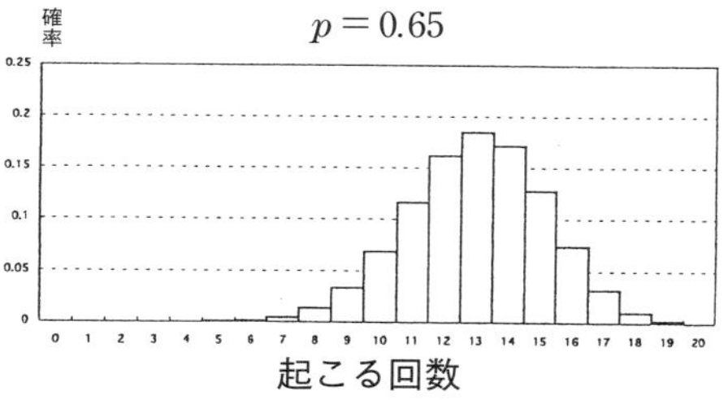

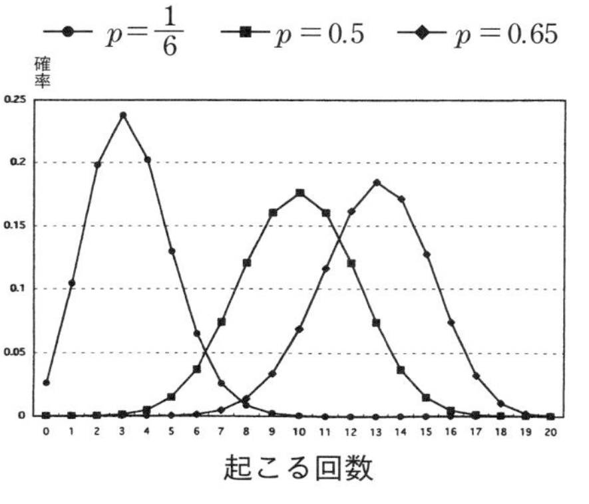

4　二項分布の平均と分散

確率 p の事象 A が、n 回の独立試行で起こる回数を X とする。この X の平均（期待値）$E(X)$ と分散 $V(X)$ を求めてみよう。

X（回数）	3	2	1	0
P（確率）	p^3	$3p^2q$	$3pq^2$	q^3

$n = 3$ とすると X の二項分布は、右の表のようになる。ただし、$q = 1 - p$ である。このとき、平均は

$$E(X) = 3 \cdot p^3 + 2 \cdot 3p^2q + 1 \cdot 3pq^2 + 0 \cdot q^3$$
$$= 3p^3 + 3p^2q + 3p^2q + 3pq^2$$
$$= 3p^2(p + q) + 3pq(p + q)$$
$$= 3p^2 + 3pq$$
$$= 3p(p + q)$$
$$= 3p$$

これは641ページの公式（E の加法性）を使うと、次のように簡単に計算できる：

j 回目に起こる（1）か起こらない（0）かを変数 X_j で表すと、

$$E(X_j) = p,\ V(X_j) = p(1 - p) = pq$$

である（645ページ）。さらに $X = X_1 + X_2 + X_3$ から、

$$E(X) = E(X_1 + X_2 + X_3) = E(X_1) + E(X_2) + E(X_3) = 3p$$

また、$X = X_1 + X_2 + X_3$ の分散は、上の表から定義に従って計算することもできるが、変数 $X_1,\ X_2,\ X_3$ が独立であることから、643ページの公式（V の加法性）を使えば、答がすぐ求まる：

$$V(X) = V(X_1 + X_2 + X_3) = V(X_1) + V(X_2) + V(X_3) = 3pq$$

一般の n に対しては、公式からあきらかに

平均 $E(X) = np$, 分散 $V(X) = npq$

となる。また標準偏差 $\sigma(X) = \sqrt{npq}$ である。たとえば、1 つのサイコロを60回ふったとき、1 の目が出る回数 X の平均と分散は：

$$E(X) = 60 \times \frac{1}{6} = 10,\ V(X) = 60 \times \frac{1}{6} \times \frac{5}{6} = \frac{25}{3} \fallingdotseq 8.3$$

また、1つのサイコロを120回ふったときの1の目の出る回数 X の平均と分散は次の通りである。

$$E(X) = 120 \times \frac{1}{6} = 20,\ V(X) = 120 \times \frac{1}{6} \times \frac{5}{6} = \frac{50}{3} \fallingdotseq 16.7$$

サイコロをふる回数 n が大きくなるにつれて分散も大きくなり、グラフの山もなだらかに広がってゆくことがわかる。

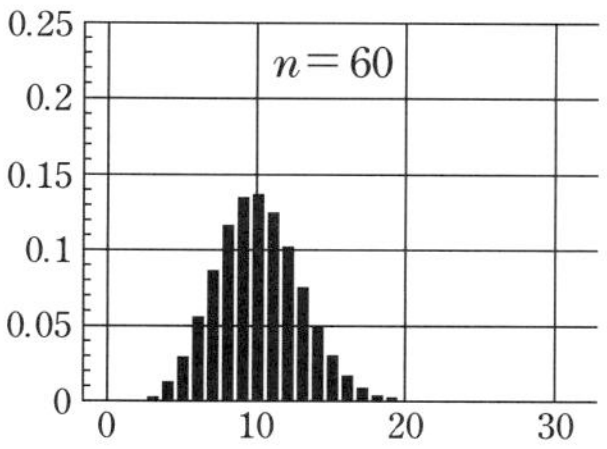

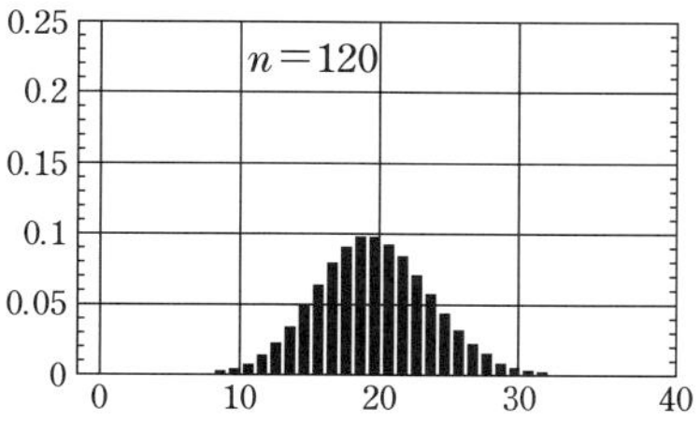

次に、回数 X を n で割った相対度数 $\dfrac{X}{n}$ の平均（期待値）と標準偏差を求めてみよう。$E(X)$ と $\sigma(X)$ の性質（587、644、645ページ）より

$$E\left(\frac{X}{n}\right) = \frac{1}{n}E(X) = \frac{1}{n} \cdot np = p$$

$$\sigma\left(\frac{X}{n}\right) = \frac{1}{n}\sigma(X) = \frac{1}{n} \cdot \sqrt{npq} = \sqrt{\frac{pq}{n}}$$

これらのことは、次のように解釈できる**（大数の法則）**。

(1) n 回の試行のうち r 回だけ A が起こったとすると、相対度数 $\dfrac{r}{n}$ は、0 以上1以下のいろいろな値を取りうるが、その平均は p に一致する。

(2) 相対度数 $\dfrac{X}{n}$ の標準偏差は、n が大きいほど小さい。いいかえれば、n が大きいほど確実に、相対度数 $\dfrac{r}{n}$ の値は p に近くなる。

5 チェビシェフの不等式

テープの10cm切り（578ページ）をしたA君のデータは下表で、その

平均値 $m = 10.5\text{cm}$

分散 $V = 1.441$

だった。標準偏差 σ は

$\sigma = \sqrt{1.441} \fallingdotseq 1.2$

となる。

ここで

（平均値－2×標準偏差）から（平均値＋2×標準偏差）の間にある、テープ数の割合を考えてみよう。

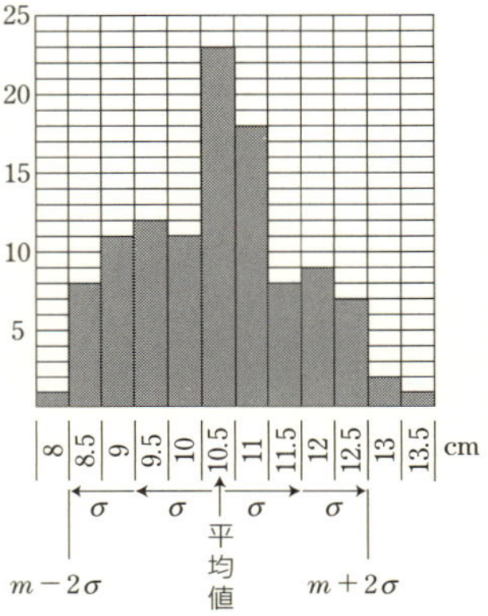

A君	
階級値cm	度数
8.0	1
8.5	8
9.0	11
9.5	12
10.0	11
10.5	23
11.0	18
11.5	8
12.0	9
12.5	7
13.0	2
13.5	1
計	111

$10.5 - 2 \times 1.2 \leqq$ テープの長さ $\leqq 10.5 + 2 \times 1.2$

となるテープの度数の割合は、少なくとも

$$1 - \frac{1}{2^2} = 0.75$$

はあるという法則がある。データの表より、この区間内の度数を数えると107だから、割合は $\dfrac{107}{111} = 0.9639$ となり、確かに

$0.9639 > 0.75$

となっている。

一般的に n 個のデータ $x_1,\ x_2,\ \cdots,\ x_n$ の平均値を m、標準偏差を σ とする。このとき、$k > 0$ とするとき

$m - k\sigma \leqq x_i \leqq m + k\sigma$

となるデータが N 個あったとき

$$\frac{N}{n} > 1 - \frac{1}{k^2} \qquad ※$$

が成り立つ。これをチェビシェフの不等式という。

このチェビシェフの不等式のすごいところは、「分布の形はどんなものでもいい」ということと「平均と標準偏差だけで分布の割合が判断できる」というところにある。標準偏差が“ばらつき”を測るという意味はここにもある。

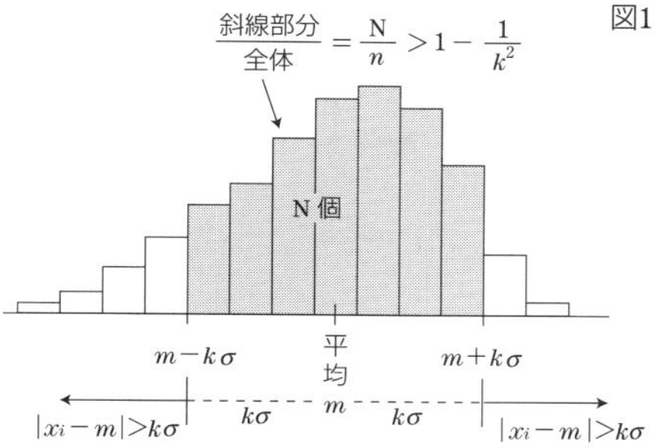

図1

ちょっと計算をしてみよう。300人に数学のテストをしたら、平均点は52点、標準偏差は3点だったという。46点以上、58点以下の生徒は何人より多いか？

$$46 = 52 - 2 \times 3 \leqq x_i \leqq 52 + 2 \times 3 = 58$$

となる x_i の数である。人数は、※式より

$$N > 300\left(1 - \frac{1}{2^2}\right) = 225$$

となる。よって、225人より多いということになる。

〈この不等式の証明〉データの $n-N$ 個は図1のように $|x_i - m| > k\sigma$

分散の式より

$$n\sigma^2 = (x_1 - m)^2 + (x_2 - m)^2 + \cdots + (x_n - m)^2$$

この中の $|x_i - m| > k\sigma$ のところにある $n-N$ 個の和は

$$n\sigma^2 \geqq (x'_1 - m)^2 + (x'_2 - m)^2 + \cdots + (x'_{n-N} - m)^2 > (n-N)k^2\sigma^2$$

これより $\dfrac{N}{n} > 1 - \dfrac{1}{k^2}$ となる。

〈注〉正規分布にしたがうデータについては、もっと強いことがいえる。

6 連続変数と確率分布

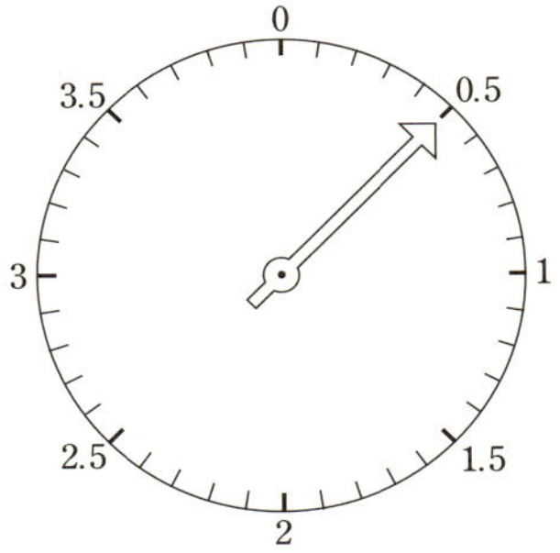

健ちゃんは針がなめらかに回るルーレットを持っていたが、具合が悪くなって針が止まる位置が均等ではなくなってしまった。そこで、右図のように止まる位置に目盛りをつけて調べてみたところ、次のような確率が現れた。

階級	位置x	確率P
1	$0 \leqq x < 1$	$\frac{1}{8}$
2	$1 \leqq x < 2$	$\frac{4}{8}$
3	$2 \leqq x < 3$	$\frac{2}{8}$
4	$3 \leqq x < 4$	$\frac{1}{8}$
		1

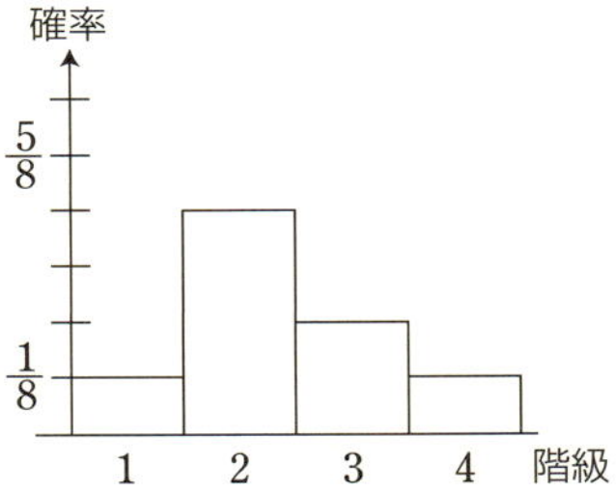

どうやら階級2と3の位置に何らかのまさつがあるらしい。そこで階級の幅をもっと細かくして調べてみた。

階級	位置x	確率P
1	$0 \leqq x < 0.5$	$\frac{1}{16}$
2	$0.5 \leqq x < 1$	$\frac{1}{16}$
3	$1 \leqq x < 1.5$	$\frac{4}{16}$
4	$1.5 \leqq x < 2$	$\frac{4}{16}$
5	$2 \leqq x < 2.5$	$\frac{3}{16}$
6	$2.5 \leqq x < 3$	$\frac{1}{16}$
7	$3 \leqq x < 3.5$	$\frac{1}{16}$
8	$3.5 \leqq x < 4$	$\frac{1}{16}$
		1

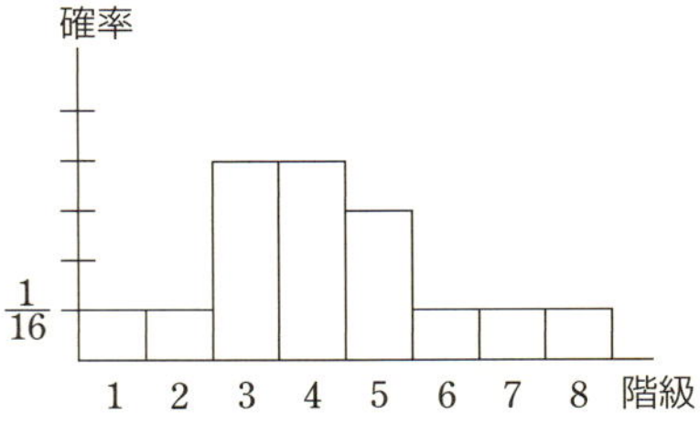

健ちゃんは考えた。もっともっと階級を増やしていけば、右図のように横軸に針が止まる位置 x そのものを目盛ったグラフができるのではないか。

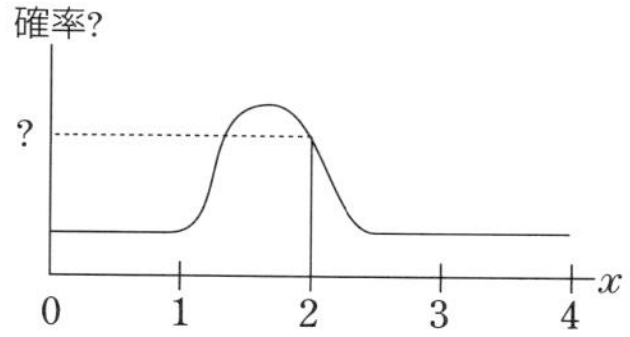

● 確率密度

健ちゃんのアイデアはなかなかいいのだが、大きな難点がある。階級の幅をどんどん狭くしていくと、その中に針が落ちる確率はどんどん小さくなり、どこもほとんど 0 になってしまう。そこで566ページの考え方にならって、

確率＝柱の高さ×柱の幅

としてみよう。この「柱の高さ」を確率密度という。もっと理想的なことをいえば、区間の $a \leqq x < b$ に針が止まる確率を

$$P(a \leqq x < b)$$

と表すことにして、右図の灰色部の面積がその確率 $P(a \leqq x < b)$ を表すようにすればよいだろう。

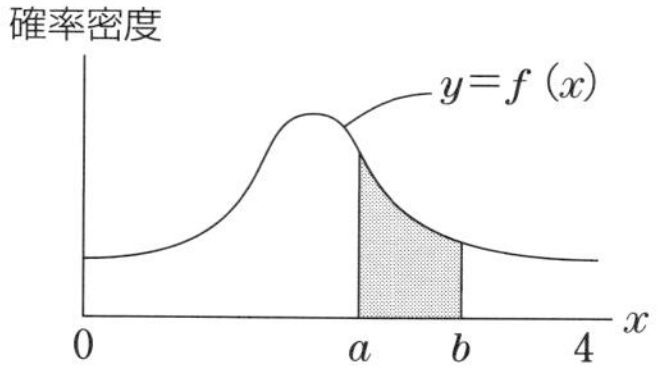

そのように作られた曲線の式 $y = f(x)$ を確率密度関数という。

連続変数 x の平均は、x が取りうる値の範囲を多数の階級に分けて、

$E(x)$＝「階級値×（ x がその階級に入る確率）」の総和

で計算すればよい――厳密には確率密度関数 $f(x)$ に基づき、積分によって、次のように定義する。

$$E(x) = \int x f(x)\,dx$$

また x の分散は、次のように定義できる：

$$V(x) = E(x^2) - E(x)^2$$

7 正規分布

連続変数の確率密度の中でとくに重要なのは、図 1 のような左右対称の山型の曲線である。

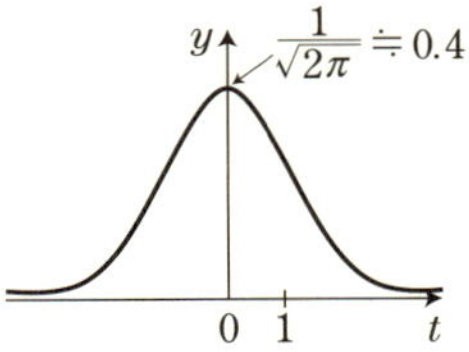

図1　正規分布曲線

この曲線は

$$y = \frac{1}{\sqrt{2\pi}}\, e^{-\frac{t^2}{2}}$$

のグラフで、正規分布曲線とよばれる。ここで e は、自然対数の底として使われる定数で

$$e = 2.718281828459 \cdots\cdots$$

である。このような確率密度をもつ確率変数は、標準正規分布にしたがうといわれる。

確率変数 T が標準正規分布にしたがうとき、ある定数 a について $T \leqq a$ となる確率 $P\,(T \leqq a)$は、図2の灰色の部分の面積に等しい。この面積を、記号 $I(a)$で表すことにしよう。

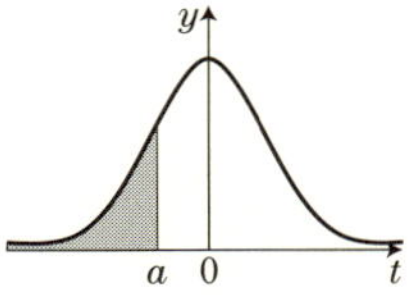

図2　P(T$\leqq a$)

$I(a)$の値は、巻末の表で求めるとよい。

たとえば

$$I(-1.96) = 0.025$$

$$I(1.96) = 0.975$$

であることがわかる。なお、

$$P(-1.96 \leqq T \leqq 1.96)$$

$$= I(1.96) - I(-1.96)$$

$$= 0.975 - 0.025 = 0.95$$

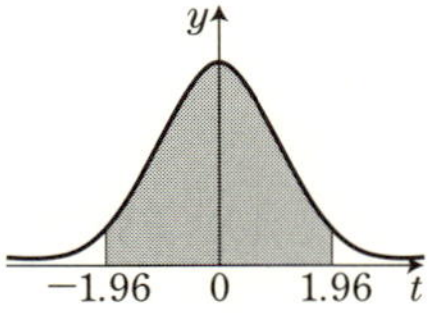

図3

$I\,(1.96) - I\,(-1.96) = 0.95$

のような計算もできる。

確率変数 X が二項分布にしたがうとき、そのグラフは山型になるが、そのなだらかさや山頂の位置は、n, p の大きさによって異なる。657ページで述べたように

$$E(X) = np$$

$$\sigma(X) = \sqrt{npq}$$

であるから、n が大きいほど山頂は右による。

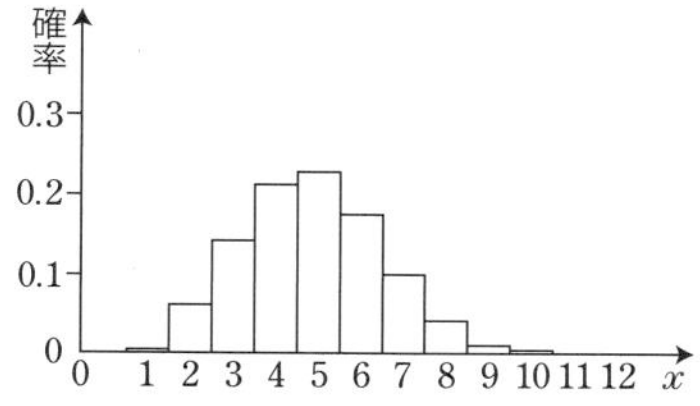

図4　$n=12$, $p=0.4$の場合

しかし、いま

$$T = \frac{X-np}{\sqrt{npq}}$$

とおいて、新しい確率変数Tの確率密度のグラフを描いてみると、どのグラフも、正規分布曲線とよく似た形になる。

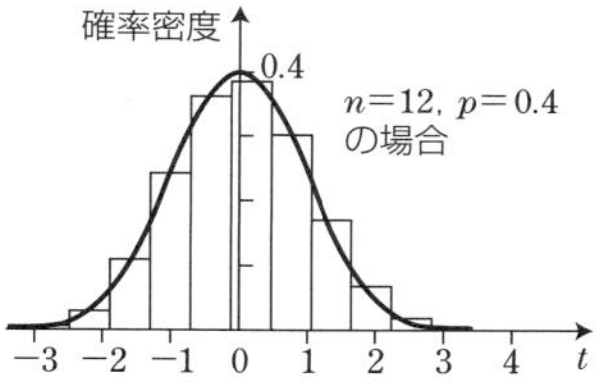

図5　tのグラフと正規分布曲線の比較

n をさらに大きくしていくと、T の確率密度のグラフは、正規分布曲線にいくらでも近づいていく。いいかえれば、n がある程度大きいとき、Tは、ほぼ標準正規分布とみなしてよい。

また、T の平均$E(T)$と標準偏差$\sigma(T)$を求めてみると、

$$E(T) = E\left(\frac{X-np}{\sqrt{npq}}\right) = \frac{1}{\sqrt{npq}}\left\{E(X) - np\right\} = 0$$

$$\sigma(T) = \sigma\left(\frac{X-np}{\sqrt{npq}}\right) = \frac{1}{\sqrt{npq}}\,\sigma(X) = 1$$

となる。これからも見当がつくが、標準正規分布の平均は 0、標準偏差は1である。

8 一般の正規分布

確率変数 X について、平均が m で、標準偏差が σ であることがわかっているとしよう。これらに二項分布の場合と同じように、

$$T=\frac{X-m}{\sigma}$$

という変換を行うと、確率変数 T の平均は 0、標準偏差は 1 となる。

このTが、標準正規分布にしたがうならば、もとの変数 X は

平均 m、標準偏差 σ の正規分布にしたがう

といわれる。

正規分布にしたがう変数の例は数多く知られている。たとえば身長は、多数の人間について調べれば、ほぼ正規分布にしたがうことが知られている。そこで、次の問題を考えてみよう。

「ある国の人々はかなり背が高く、大人の平均身長は184cmで、標準偏差は8cmであるという。その国からやってくる来客が、社長の身長172cmより背が低い確率はいくらか？」

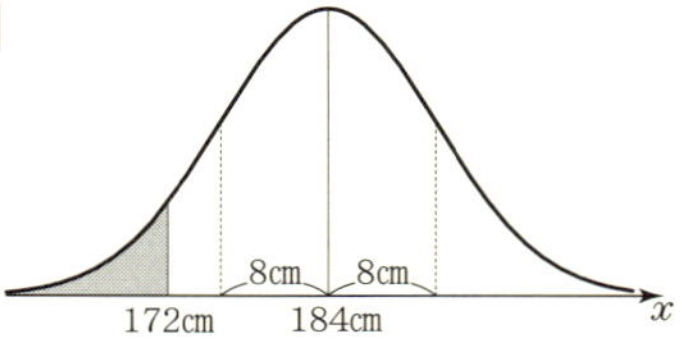

その国の大人の身長を X として

$$T=\frac{X-184}{8}$$

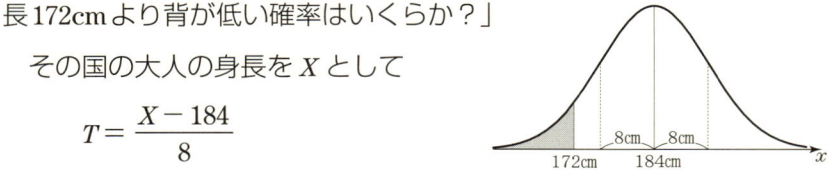

とおくと T はほぼ標準正規分布にしたがう。また、

$$X<172 \text{ とは } T<\frac{172-184}{8}=-1.5$$

を意味する。したがって、求める確率は

$$P(X<172)=P(T<-1.5)\fallingdotseq I(-1.5)=0.06681$$

すなわち、来客の方が背が低い確率は、約 7 %である。

また、二項分布にしたがう確率変数 X も、多数回の試行であればほぼ正規分布にしたがうと考えてよいのであった。そこで、問題。

「○×式の100問のテストに、デタラメに答えて60問以上当たる確率はいくらか？」

正解の数を X とすると、当たる確率は0.5、はずれる確率は0.5であるので、X の平均 m と標準偏差 σ は、次のようになる。

$$m = 100 \times 0.5 = 50$$

$$\sigma = \sqrt{100 \times 0.5 \times 0.5} = \sqrt{25} = 5$$

ここで、

$$T = \frac{X-50}{5}$$

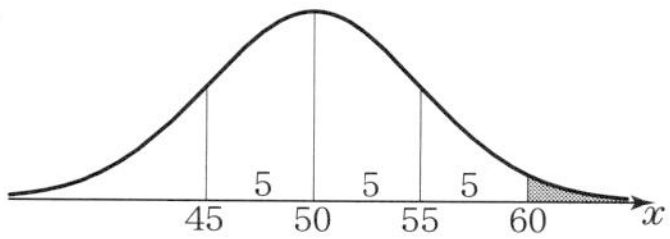

とおくと、T はほぼ標準正規分布にしたがう。また

$$X \geqq 60 \text{ とは} \quad T \geqq \frac{60-50}{5} = 2$$

を意味する。したがって、求める確率は

$$P(X \geqq 60) = P(T \geqq 2)$$
$$\fallingdotseq 1 - I(2)$$
$$= 1 - 0.97725 = 0.02275$$

すなわち、60問以上当たる確率は、約2％で、100問もあれば、まぐれ当たりで高得点は出にくいということである。

正規分布にしたがう例は、この他にも

　(1)測定誤差　(2)手作りの製品の長さ

などが、知られている。一般に「多数の独立な要因の積み重ねで現れる変動」は、個々の要因の分布に関係なく、正規分布に近づくことが証明されている**（中心極限定理）**。

9 指数分布

サイコロ1個を1の目が出るまでふるとしよう。

1回目に1の目が出る確率　$\dfrac{1}{6}$

2回目に1の目が出る確率　$\dfrac{5}{6}\cdot\dfrac{1}{6}$

3回目に1の目が出る確率　$\left(\dfrac{5}{6}\right)^2\cdot\dfrac{1}{6}$

…………………………………………………

x 回目に1の目が出る確率　$\left(\dfrac{5}{6}\right)^{x-1}\cdot\dfrac{1}{6}$

であるので、「1の目が出るまでの回数」x の確率分布 $f(x)$ は

$$f(x)=\left(\frac{5}{6}\right)^{x-1}\cdot\frac{1}{6}$$

で表される。この確率分布は、次の図のように確率が指数関数に従って減少するので指数分布(離散型の場合は幾何分布)とよばれる。

一般に、成功の確率 p、失敗の確率 $q=1-p$ の試行で x 回目に初めて成功する確率は $q^{x-1}\cdot p$ であるので、この確率分布 $f(x)$ は

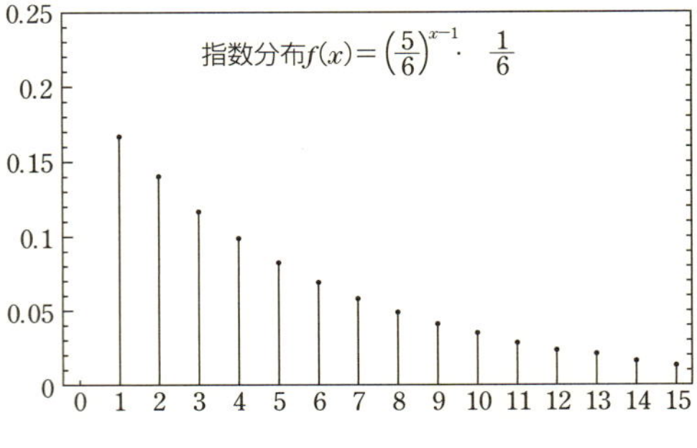

$$f(x)=q^{x-1}\cdot p$$

となる。

この分布の平均は $\dfrac{1}{p}$ であることが知られている。上のサイコロの例では $p=\dfrac{1}{6}$ であるので、$\dfrac{1}{p}=6$、すなわち初めて1の目が出るま

でに必要な試行回数は、平均的に 6 回であるということになる。

1 回の試行を行うために 1 単位時間必要であると考えると

$$f(x) = q^{x-1} \cdot p$$

の x は、初めて成功するまでの時間とみなすことができる。このとき、平均の $\dfrac{1}{p}$ は、成功するまでの平均待ち時間になる。

機械の部品などは“偶発的故障”によって、次々と寿命がつきていく傾向がある。1 単位時間における故障の確率を p、故障しない確率を q とすると、部品が x 単位時間までに故障して寿命がつきる確率 $f(x)$ は、上と同じ式で与えられる。

このとき $f(x)$ の平均 $\dfrac{1}{p}$ は、平均寿命とよばれる。また x 単位時間までに故障を起こさない確率 q^x は信頼度といい、どちらも部品の品質を表す重要な尺度になる。

たとえば、100 時間で 5% の故障が起きる部品の指数分布を考えてみよう。

100 時間を 1 単位時間にとると、単位時間あたりの故障の確率 p は $p = 0.05$、故障しない確率 q は $q = 0.95$ となる。この部品の指数分布は、右の図のようになる。

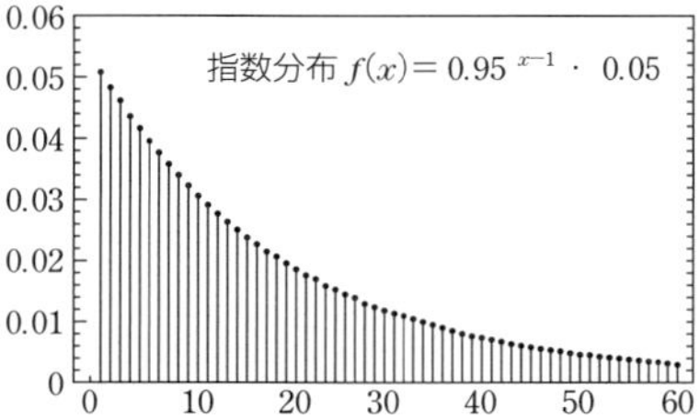

このとき平均寿命は

$$\frac{1}{p} = \frac{1}{0.05} = 20 \text{(単位時間)}$$

であるので、2000 時間。

また、平均寿命時間使うときの信頼度は

$$q^{20} = 0.95^{20} \fallingdotseq 0.36$$

さらに無理して、この 2 倍の時間を使うときの信頼度は

$$q^{40} = 0.95^{40} \fallingdotseq 0.13$$

となり、かなり低くなることがわかる。

10 ロケット弾V2は恐い

第2次世界大戦のとき、ドイツ軍はロンドンに向けて飛行ロケット弾V2を大量に打ち込んだ。ロンドン市民は爆弾を「赤い目」とよんで恐怖に陥った。そして、「ドイツのスパイがいる区域は爆弾が飛んでこない」というような噂がまことしやかにとびかった。

命中数	区画数
0	229
1	211
2	93
3	35
4	7
5～	1
	576

統計学者クラルケ(Clarke)は、ロンドン市南部を$\dfrac{1}{2}$km四方の576区画に分け、1発も命中しなかった区画はいくつあるか、1発命中した区画はいくつあるか……と調べたところ、上の表のようになった。なお、爆弾の合計は537発である。

さて、もしもスパイ説が嘘で、1発ごとに576区画のどこに落ちるかがまったくでたらめだとしたら、特定の区画に落ちる確率は$\dfrac{1}{576}$である。これが537回くり返される。

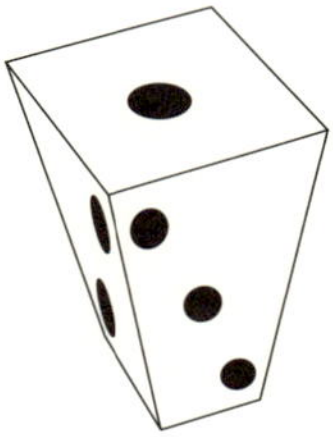

わかりやすくいえば、⊡の目が出る確率が$\dfrac{1}{576}$のサイコロ(たぶん右図のような形で、めったにその目は出ない)を537回投げることに相当する。

二項分布の計算をして、命中数に対する確率を求めてみよう。

$$0\text{発命中}\quad {}_{537}C_0\times\left(\frac{1}{576}\right)^0\left(\frac{575}{576}\right)^{537}=0.3933\cdots$$

$$1\text{発命中}\quad {}_{537}C_1\times\left(\frac{1}{576}\right)^1\left(\frac{575}{576}\right)^{536}=0.3673\cdots$$

2発命中　$_{537}C_2 \times \left(\dfrac{1}{576}\right)^2 \left(\dfrac{575}{576}\right)^{535} = 0.1712\cdots$

3発命中　$_{537}C_3 \times \left(\dfrac{1}{576}\right)^3 \left(\dfrac{575}{576}\right)^{534} = 0.0531\cdots$

4発命中　$_{537}C_4 \times \left(\dfrac{1}{576}\right)^4 \left(\dfrac{575}{576}\right)^{533} = 0.0123\cdots$

5発以上命中　以上の和を1からひいて約0.0027

576区画をこの割合で配分するために、各値に576をかけると

0発命中	226.6
1発命中	211.6
2発命中	98.6
3発命中	30.6
4発命中	7.1
5発以上命中	1.6
	576.1

という区画数の理論値が求まる。

はじめの実際の区画数と大変近いことにお気づきであろう。

こうして、スパイ説は否定され、ロケットはランダムに打ち込まれたと考えてよいことがわかる。

例としては今後二度とあってほしくない恐ろしい題材であるが、歴史が生んだ確率の大実験であったことになる。

ところで、

$$_{537}C_r \times \left(\frac{1}{576}\right)^r \left(\frac{575}{576}\right)^{537-r}$$

の計算の結果をいとも簡単に書いたが、実際にやってみると、電卓を使ってもかなり大変である。この点について、次のポアソン分布に話をつなげることにしよう。

11 ポアソン分布

1回の試行で、ある事象 A の起こる確率が p であるとする。これを n 回くり返す試行で、A が r 回起こる確率を求めると、

$$ {}_{n}\mathrm{C}_{r}\, p^{r}(1-p)^{n-r} \qquad ① $$

となる。これが二項分布の確率であった。前のページで

$$ {}_{537}\mathrm{C}_{r}\left(\frac{1}{576}\right)^{r}\left(\frac{575}{576}\right)^{537-r} $$

という例が出てきた。このように、n が大変大きく、p が非常に0に近いときは、

$$ e^{-m}\cdot\frac{m^{r}}{r!} \qquad (m\ \text{は平均値}) $$

という式で近似することができる。

以下その証明を紹介するが、わかりにくいところはとばして、いつか他の機会に補完していただきたい。

二項分布①の平均値 m は657ページで見たように

$$ m=np,\ \ \text{したがって}\quad p=\frac{m}{n} $$

である。また、629ページで見たように

$$ {}_{n}C_{r}=\frac{n(n-1)\cdots(n-r+1)}{r!} $$

である。したがって①は次のように書きかえられる。

$$ \frac{n(n-1)\cdots(n-r+1)}{r!}\left(\frac{m}{n}\right)^{r}\left(1-\frac{m}{n}\right)^{n-r} $$

これを整理すると

$$ \frac{m^{r}}{r!}\cdot\frac{n}{n}\cdot\frac{n-1}{n}\cdots\frac{n-r+1}{n}\left(1-\frac{m}{n}\right)^{n}\left(1-\frac{m}{n}\right)^{-r} $$

ここで $n\to\infty$ のとき

$$\frac{n}{n}\to 1,\ \frac{n-1}{n}\to 1,\ \cdots,\ \frac{n-r+1}{n}\to 1,\ \left(1-\frac{m}{n}\right)^{-r}\to 1$$

さらに、$-\dfrac{m}{n}=h$ とおくと $\left(1-\dfrac{m}{n}\right)^{n}=(1+h)^{-\frac{m}{h}}=\left\{(1+h)^{\frac{1}{h}}\right\}^{-m}$ $\to e^{-m}$ である。（109ページ）

こうして全体として $e^{-m}\cdot\dfrac{m^r}{r!}$ に近づく。（証明終わり）

この $e^{-m}\cdot\dfrac{m^r}{r!}$ という式で表される確率分布をポアソン分布という（ポアソン：Poisson　1781～1840）。

前項の「ロケット弾V2は恐い」の例をポアソン分布として確率を計算してみよう。

$$m=np=537\times\frac{1}{576}\doteqdot 0.9323,\ e^{-0.9323}\doteqdot 0.3936\ \text{だから}$$

0発命中　$0.3936\times\dfrac{0.9323^0}{0!}\doteqdot 0.3936$

1発命中　$0.3936\times\dfrac{0.9323^1}{1!}\doteqdot 0.3670$

2発命中　$0.3936\times\dfrac{0.9323^2}{2!}\doteqdot 0.1710$

3発命中　$0.3936\times\dfrac{0.9323^3}{3!}\doteqdot 0.0532$

4発命中　$0.3936\times\dfrac{0.9323^4}{4!}\doteqdot 0.0124$

5発以上命中　1－（以上の和）$\doteqdot$ 0.0028

$e^{-0.9323}$ は関数電卓を使わないとすぐには出ないが、あとはふつうの電卓で次々に求められる。前項の数字とほぼ一致している。

なお、簡単なポアソン分布表の数値を巻末に載せてある。

12 カイ2乗分布

連続変数の確率密度の中で、応用上でよく使われるのが図1のような χ^2 分布曲線である。

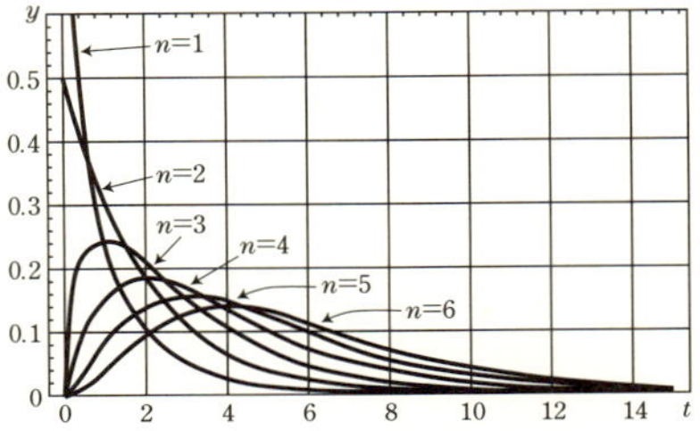

図1　χ^2 分布曲線

χ はギリシャ文字で「カイ」と発音する。

この曲線は

$$y = \frac{1}{2^{\frac{n}{2}}\Gamma\left(\frac{n}{2}\right)}\ t^{\frac{n}{2}-1}e^{-\frac{t}{2}}$$

のグラフで、自由度 n の χ^2 分布曲線とよばれる。ここで、n が偶数のときは

$$\Gamma\left(\frac{n}{2}\right)=\left(\frac{n}{2}-1\right)\times\left(\frac{n}{2}-2\right)\times\cdots\times 1$$

とし、nが奇数のときは

$$\Gamma\left(\frac{n}{2}\right)=\left(\frac{n}{2}-1\right)\times\left(\frac{n}{2}-2\right)\times\cdots\times\frac{1}{2}\sqrt{\pi}$$

とする。

χ^2 分布は、理論と実際の観測結果の当てはまり具合の程度を調べるときに登場する。

ある確率の実験を N 回行ったとき、次の表のような結果になったとする：ここで、期待度数というのは、確率の理論から計算される回数のことである。

さて、観測結果と期待度数のくい違いの大きさは、次の χ^2 の値によって表される：

事　象	①	②	……	ⓝ	計
観測度数	f_1	f_2	……	f_n	N
期待度数	F_1	F_2	……	F_n	N

$$\chi^2 = \frac{(f_1 - F_1)^2}{F_1} + \frac{(f_2 - F_2)^2}{F_2} + \cdots + \frac{(f_n - F_n)^2}{F_n}$$

この χ^2 は、期待度数 F_i が観測度数 f_i とは無関係に計算できる場合、近似的に自由度 $n-1$ の χ^2 分布に従うことがしられている。

ところで自由度とは、互いに独立した変数 f_i の数であるが

$$f_1 + f_2 + \cdots\cdots + f_n = N$$

であるので、f_n は f_1 から f_{n-1} までで表されてしまうので、この場合の自由度は 1 減って $n-1$ となると考えてよい。ただし期待度数の計算に観測度数が使われる場合、自由度はさらに減る（686ページ参照）。

χ^2 分布を使ってサイコロが均質かイカサマか判断してみよう。

サイコロ 1 個を60回ふって、右の表のような結果が得られたとする。ここで期待度数は、均質なサイコロをふったときにそれぞれの目が出ると期待される回数のことで、$60 \times \frac{1}{6} = 10$（回）となる。自由度は $6-1=5$ であるので、χ^2 分布のグラフは図2のようになる。χ^2 の値を計算しよう。

	1の目	2の目	3の目	4の目	5の目	6の目	計
観測度数	7	11	6	14	8	14	60
期待度数	10	10	10	10	10	10	60
差	−3	1	−4	4	−2	4	0

$$\chi^2 = \frac{(-3)^2}{10} + \frac{1^2}{10} + \frac{(-4)^2}{10} + \frac{4^2}{10} + \frac{(-2)^2}{10} + \frac{4^2}{10} = \frac{62}{10} = 6.2$$

$P(\chi^2 \geqq 6.2)$ となる確率は、図 2 の灰色の部分の面積に等しい。この値はおよそ0.3なので「サイコロが均質であっても、10回に3回くらいは上の表と同程度か、それ以上のくい違いが出る」のである。だから、少々怪しいかもしれないが、イカサマとは断定できないことがわかる。

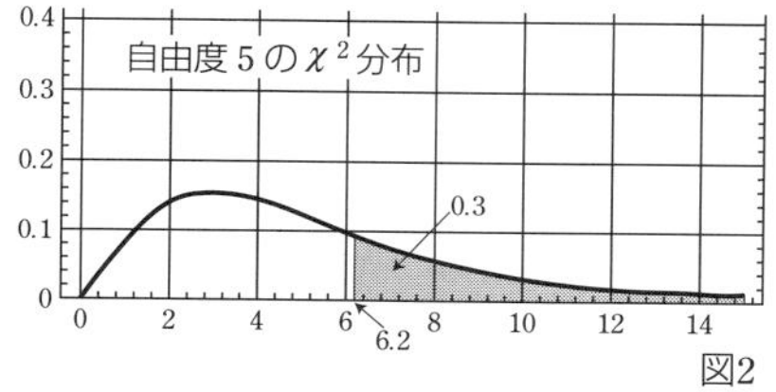

図2

13 標本調査

市場調査、世論調査、製品検査など、様々な調査や検査が“未来を読む”ために行われる。統計学が活躍する場である。

政党支持率の調査でいうと、対象は本来有権者全員であり、これを母集団という。実際には母集団から一部の人たちを選び出して調べる。

この抜き出される人たちを、標本という。

標本を抜き出し、それを調べることによってもとの母集団の特徴を推定する。このような調査法が標本調査であり、抜きとり検査とかサンプリング調査ともいう。

このとき、抽出される標本はできるだけかたよりがないようにしなければならない。何の作為もなく、でたらめ(random)に選んだ方がよい。

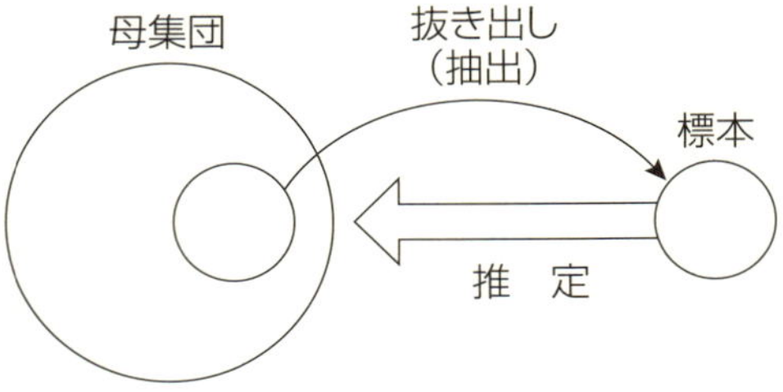

この無作為抽出の方法として、サイコロをふったり、乱数表を使ったりする。乱数表というのは、右ページにあるような、数字を無作為に並べた表のことである。たとえば 50 人から 5 人をランダムに選ぶとしたら、まず50人に 1 番から 50 番までの番号をつける。つぎにこの乱数表のある行を選ぶ。たとえば 8 行であったらその行の数字を 2 つずつに区切って、33、94、24、20、28、62…と書き出し、51以上の数は無視し、また重複したら除いて 5

つの数を選ぶ。こうして 5 人の人が選ばれる。

1	46 86	80 97	78 65	12 64	64 70	58 41	05 49	08 68	68 88	54 00
2	90 72	92 93	10 09	12 81	93 63	69 30	02 04	26 92	36 48	69 45
3	66 21	41 77	60 99	35 72	61 22	52 40	74 67	29 97	50 71	39 79
4	37 05	46 52	76 89	96 34	22 37	27 11	57 04	19 57	93 08	35 69
5	46 90	61 03	06 89	85 33	22 80	34 89	12 29	37 44	71 38	40 37
6	11 88	53 06	09 81	83 33	98 29	91 27	59 43	09 70	72 51	49 73
7	11 05	92 06	97 68	82 34	08 83	25 40	58 40	64 56	42 78	54 06
8	33 94	24 20	28 62	42 07	12 63	30 39	02 92	31 80	61 68	44 19
9	24 89	74 75	61 61	02 73	36 85	67 28	50 49	85 37	79 95	02 66
10	15 19	74 67	23 61	38 93	73 68	76 23	15 58	20 35	36 82	82 59
11	05 64	12 70	88 80	58 35	06 88	73 48	27 39	43 43	40 13	35 45
12	57 49	36 44	06 74	93 55	39 26	27 70	98 76	68 78	36 26	24 06
13	77 82	96 96	97 60	42 17	18 48	16 34	92 19	52 98	84 48	42 92
14	24 10	70 06	51 59	62 37	95 42	53 67	14 95	29 84	65 43	07 30
15	50 00	07 78	23 49	54 36	85 14	18 50	54 18	82 23	79 80	71 37
16	25 19	64 82	84 62	74 29	92 24	61 03	91 22	48 64	94 63	15 07
	23 02	41 46	04 44	31		06	03 09	34 19	83 80	
	55 85	66 96	28 28				62 42	45 13	08	
	45	19 69					26	39 59		

なお、場合によっては男子、女子とか、年齢別に前もって分けておいた方がよいこともある。前もって分けるグループを層といい、このような標本の選び方を層化抽出という。

新聞の世論調査の標本数などを見て、その数が意外に小さいのに気づいた方もいると思う。

「小さな標本から、どうして全体のことが推定できるのか」

と問われて

「大きな釜にいっぱいのスープを味見するのに、スープを半分以上も飲む必要はありません。よくかきまぜておけば、味見はスプーン一杯でよいのです。」

という名答をした人がいるそうである。

この「よくかきまぜる」ことが、無作為抽出のねらいである。

味見はスプーン一杯で

14 不偏分散

ここは、理論的な話なので、とばしてもよい。

母集団から、無作為抽出で n 個の標本

$x_1,\ x_2,\ \cdots\cdots,\ x_n$　　　　　※

を取り出す。母平均を m、母分散を σ^2、標本平均を $\bar{x}$、標本分散を s^2 とすると、標本のデータから m と σ^2 を推定するとき、次の 2 通りのアイデアが浮かぶ。

(Ⅰ) 標本は、十分かきまぜたスープをスプーンですくった、と考えて、$m=\bar{x}$、$\sigma^2=s^2$ と思っていいだろう。

(Ⅱ) ちょっと待って。1 つの標本を取るだけでは何となく心配。無作為抽出を何度も行ったと考え、各標本の平均 $\overline{X}$ の平均 $E(\overline{X})$ と m、各標本の分散 S^2 の平均 $E(S^2)$ と σ^2 の関係を調べた方が安全。

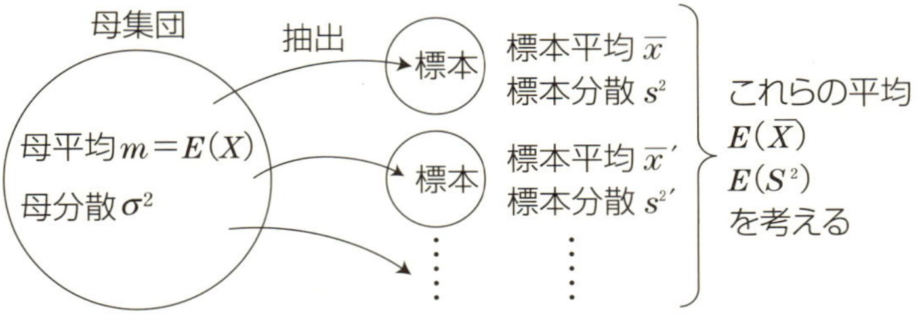

(Ⅱ) の考え方をすると、冒頭の※は、確率変数の組 $(X_1,\ X_2,\ \cdots,\ X_n)$ の 1 つの実現値にすぎないことになると考えて

$$E(\overline{X})=E\left(\frac{X_1+X_2+\cdots+X_n}{n}\right)=\frac{1}{n}\{E(X_1)+E(X_2)+\cdots+E(X_n)\}$$

ここで、無作為に標本が選ばれていれば $E(X_i)=m$ と考えられるので

$$E(\bar{X}) = \frac{1}{n} \times n \times m = m = E(X)$$

が成り立つ。これで、平均については一安心。

次に分散。

$$E(S^2) = E\left\{\frac{1}{n}\Sigma(X_i-\bar{X})^2\right\} = E\left\{\frac{1}{n}\Sigma(X_i^2) - \bar{X}^2\right\}$$

$$= \frac{1}{n}\ \Sigma E(X_i^2) - E(\bar{X}^2) \qquad ①$$

ここで

$$E(X_i^2) = E(X^2),\quad \sigma^2 = E\left\{(X-m)^2\right\} = E(X^2) - m^2$$

より

$$E(X_i^2) = \sigma^2 + m^2 \qquad ②$$

また、$\bar{X}$の分散 $V(\bar{X})$ について、$V(X_i) = \sigma^2$と考えて

$$V(\bar{X}) = V\left(\frac{X_1+X_2+\cdots+X_n}{n}\right) = \frac{1}{n^2}\left\{V(X_1)+V(X_2)+\cdots+V(X_n)\right\}$$

$$= \frac{1}{n^2} \times n\sigma^2 = \frac{\sigma^2}{n}$$

一方 $V(\bar{X}) = E\left\{(\bar{X}-m)^2\right\} = E(\bar{X}^2) - m^2$ だから

$$E(\bar{X}^2) = \frac{\sigma^2}{n} + m^2 \qquad ③$$

②、③を①に代入すると

$$E(S^2) = \frac{1}{n}\Sigma(\sigma^2+m^2) - \left(\frac{\sigma^2}{n} + m^2\right)$$

$$= \frac{1}{n}(n\sigma^2+nm^2) - \frac{\sigma^2}{n} - m^2 = \frac{n-1}{n}\sigma^2$$

惜しいところで $E(S^2)$ とσ^2は、ほんの少しくい違う。

いいかえると　$\sigma^2 = \dfrac{n}{n-1}E(S^2) = E\left(\dfrac{nS^2}{n-1}\right)$

そこで、標本調査では用心して（ n が小さいとき） s^2 のかわりに

$$\frac{n}{n-1}\ s^2 = \frac{\sum_{i=1}^{n}(x_i-\bar{x})^2}{n-1}$$

を使う。これを不偏分散という。これなら平均が σ^2 に一致する。

15 比率の推定

次のような問題を考えてみよう。

ある県の全世帯の中から、標本400世帯を無作為抽出し、ある製薬会社の薬品ヨクナールを使っているかを調べたところ、24世帯がヨクナールを愛用していた。

全体として、どのくらいの比率(割合)と推定されるか？

$\dfrac{\text{ヨクナール愛用世帯}}{\text{その県の全世帯数}}=p$ とおくと、この p の値が求めたい比率である。

ここで、400世帯の無作為抽出が十分うまくできていると考えると

$$p=\frac{24}{400}=0.06$$

と推定できる。このような推定を**点推定**という。

ところで見方を変えると、任意に1世帯を選んだとき、その家がヨクナールを愛用している確率が p だと考えることができる。したがって、400世帯のうち $X=r$ 世帯がその愛用世帯数である確率は

$$P(X=r)={}_{400}\mathrm{C}_r p^r(1-p)^{400-r}$$

という二項分布にしたがう。なお、X の標準偏差 σ は

$$\sigma=\sqrt{400p(1-p)}$$

であるが、ここで上の点推定の $p=0.06$ を使ってしまえば

$$\sigma \fallingdotseq \sqrt{400\times0.06\times0.94} \fallingdotseq 4.749\cdots$$

となる。この二項分布を

$$T=\frac{X-m}{\sigma},\quad m=400p$$

とおいて X を"標準化"する。T はほぼ標準正規分布にしたがうので

$$P(|T| \leqq 1.96) = 0.95$$

であることを用いると、次のことがいえる。

X のある値について $\left|\dfrac{X-m}{\sigma}\right| \leqq 1.96$ をみたす確率は95%。

冒頭の問題では $X=24,\ m=400p$ であるから、不等式を変形すると

$$-1.96\sigma \leqq m-24 \leqq 1.96\sigma$$

$$24-1.96\sigma \leqq m \leqq 24+1.96\sigma$$

$$24-1.96\sigma \leqq 400p \leqq 24+1.96\sigma$$

$$\frac{24}{400}-1.96\times\frac{\sigma}{400} \leqq p \leqq \frac{24}{400}+1.96\times\frac{\sigma}{400}$$

これに $\sigma = 4.7$ を代入すると、次の不等式が得られる。

$$0.037 \leqq p \leqq 0.083$$

このような推定を**区間推定**という。

ところでこの不等式が成り立つ確率は95%であった。この95%を、この区間推定の**信頼度**という。つまり、信頼度95%で、ヨクナール愛用世帯の比率は0.037と0.083の間にある、ということである。

なお、標準正規分布表を調べると、

信頼度を99%にしたければ、上の1.96を2.58に

信頼度を90%にしたければ、上の1.96を1.65に

それぞれ置きかえればよいことがわかる。

一般に、n 個の標本のうち、r 個がある条件を満たしていたとすると、95%の信頼度で母集団内のその条件を満たすものの比率 p は

$$\frac{r}{n}-1.96\times\frac{\sigma}{n} \leqq p \leqq \frac{r}{n}+1.96\times\frac{\sigma}{n}$$

と区間推定できる。ただし σ としては $\sqrt{n\cdot\dfrac{r}{n}\left(1-\dfrac{r}{n}\right)}$ を用いる。

信頼度を低めた場合はせまい区間で推定される。また、n の数が増えると、やはり推定の幅を狭めることができる。

16 平均値の推定

潤ちゃんのりんご園の今日の収穫は約500個だった。その中から30個をランダムに取り出して重さを測ったところ、平均値(標本平均という)は326(g)、標準偏差は3.1(g)であった。

この日の、リンゴの重さの全体の平均値(母平均という)m を信頼度95%で区間推定してみよう。

標本として取り出された30個のリンゴの重さを

$$X_1,\quad X_2, \cdots\cdots,\quad X_{30}$$

とする。標本平均 M は

$$M = \frac{X_1 + X_2 + \cdots + X_{30}}{30}$$

である。問題にある標本の場合は $M = 326$ (g)であったが、別に30個の標本を選べば M の値は変化する。そこで M を新しい確率変数と考えて、M の平均 $E(M)$ と分散 $V(M)$ を求めてみる。

$$E(M) = E\left(\frac{X_1 + X_2 + \cdots + X_{30}}{30}\right) = \frac{1}{30}\{E(X_1) + E(X_2) + \cdots + E(X_{30})\}$$

それぞれの標本の X の値は独立で、$E(X_i) =$ 全体の平均 m と考えてよいので

$$E(M) = \frac{1}{30} \times 30m = m \qquad ①$$

次に、分散についても $V(X_i) =$ 全体の分散 v と考えることにすれば

$$V(M) = V\left(\frac{X_1 + X_2 + \cdots + X_{30}}{30}\right) = \frac{1}{30^2}\{V(X_1) + V(X_2) + \cdots + V(X_{30})\}$$

$$= \frac{1}{30^2} \times 30v = \frac{1}{30}v \qquad ②$$

ところで標本平均 M は、ほぼ正規分布にしたがうことがしられている。そこで、前項と同じく、“標準化”して正規分布表を調べると

$$P\left(\left|\frac{M-m}{\sqrt{V(M)}}\right| \leqq 1.96\right) = 0.95$$

となる。$M=326$ とし、$\sqrt{v}=3.1$ とみなして、不等式を整理してみよう。

$$\left|\frac{326-m}{\sqrt{\dfrac{v}{30}}}\right| = \left|\frac{326-m}{\dfrac{3.1}{\sqrt{30}}}\right| \leqq 1.96$$

$$326-1.96\times\frac{3.1}{\sqrt{30}} \leqq m \leqq 326+1.96\times\frac{3.1}{\sqrt{30}}$$

$$324.9 \leqq m \leqq 327.1$$

こうして、信頼度95%で区間推定が得られた。

一般に、ある母集団から、無作為に n 個を取り出した標本で、標本平均が M、標本の不偏分散が W のとき、母平均 m は95%の信頼度で次のように推定できる。

$$M-1.96\times\frac{\sqrt{W}}{\sqrt{n}} \leqq m \leqq M+1.96\times\frac{\sqrt{W}}{\sqrt{n}}$$

1.96を2.58, 1.65に変えると、信頼度はそれぞれ99%，90%となる。

〈注〉全体の分散 v を標本の分散（不偏分散）でおきかえたときは、標準化した量 M は、正確には「自由度 $n-1$ の t 分布」に従うので、t 分布表から $P(|T|>c)=0.05$ となる c を求めて区間推定を行った方がよい（自由度 $n-1=29$ のときは、$c=2.045$ になる）。しかし上の例では、$c=1.96$ で計算してもほとんど変わらない。

17 検定の考え

この世は確率的現象で満ちているので、状況判断し行動を決定するためには、比較的小さい確率を無視することはよくある。

たとえば、降水確率が10%の天気予報の日に、傘を持っていくだろうか。用心深い人は持っていくかもしれないが、たいていの人は「まあいいか」と、この確率を無視して持っていかないと思う。もちろん無視するということは、雨に濡れるという危険をともなうのであるが……。

雨に濡れる程度ならたいしたことではないが、人の命にかかわることになると慎重に判断しなければならない。毎日自動車で通勤する人にとっては、交通事故は心配の種である。たとえば、日々の通勤の交通事故の確率が0.03%だったらどうだろうか。これは、ほぼ10年に1回程度、事故にあう確率だから、あまり気にかけずに自動車を運転するかもしれない。

ところが、この確率が2%になったら大変である。この確率のもとでは 2 ヶ月に1回程度事故を起こしてしまう。これではたまらないので、たいていの人は自動車をやめ、電車やバスに切りかえると思う。

このように状況によって、判断をかえるターニングポイントの確率は違ってくる。

友人のA君が「ボクは超能力があるらしい」と話しかけてきた。よくきった1組のトランプから1枚を取り出し、裏返してテーブルの上にのせる。そのトランプのスペード、ハート、クラブ、ダイヤのマークを透視して当てるというのである。そして実際にやってみると連続して4回とも当たった。これはどう考えたらよいだろうか。

そのために、まず仮説を立てる。

〈仮説〉1回ごとの当たる確率は $\frac{1}{4}$ である：彼には超能力なんかないので、偶然に4回続けて当たっただけである。

次に、「これより確率が小さいことは無視しよう」というターニングポイント α を決める。ここではかりに0.001としておこう。それから仮説にもとづいて、「4連続当たり」の確率 p を計算する：

$$p=\left(\frac{1}{4}\right)^4=\frac{1}{256}=0.0039\cdots$$

これは、さっき決めたターニングポイント α より大きいから、仮説が正しいことは無視できない。したがって「A君は超能力なんかない」(運がよかっただけ)という仮説は、このデータからは否定できない。

ターニングポイントの確率は有意水準とか危険率とよばれ、ふつう5%, 1%, 0.1%などが選ばれることが多い。

なお、「超能力がある・ない」というようなことを、確率の面だけから考えることには、実は問題がある。かりに p が α より小さかったとしても、何かトリックがしくまれているという可能性も考えなければならない。また逆に、「運がよかっただけ」という可能性があるとしても、「超能力がない」と断定するわけにもいかない。

18 仮説の検定

良子さんは、商店街の大売り出しで買物をして、5本中3本が当たるという福引をひいた。ところが12本もひいたのに、4本しか当たらなかった。この福引は正しく作られているのだろうか？

この福引が正しく作られている、つまり

当たる確率　$p = 0.6$

と仮定して(これを仮説として)、当たる回数は「ふつうはこれくらい」という範囲を計算してみよう、そして良子さんの当たった回数4が、

その範囲からはずれていたら、「仮定は誤りである」と判断し、

その範囲内にあれば「仮定は否定できない」と判断する

ことにする。これが「仮説の(確率的)検定」である。

「仮定は誤りと判断する」ことをよく「仮説を捨てる」という：絶対的に間違いとはいえないが「確率的に考えにくい」として認めないのである。一方、「否定できない」からといって、積極的に肯定するわけではない：この方法には肯定する力はない。検定の対象となる「否定したい仮説」を「帰無仮説」とよぶ人もいる。

「ふつう」といってもアイマイなので「95パーセントの確率で」と考えてみよう。当たりくじをひく回数をXとして、

$$T = \frac{X - 12 \times 0.6}{\sqrt{12 \times 0.6 \times 0.4}} = \frac{X - 7.2}{\sqrt{2.88}}$$

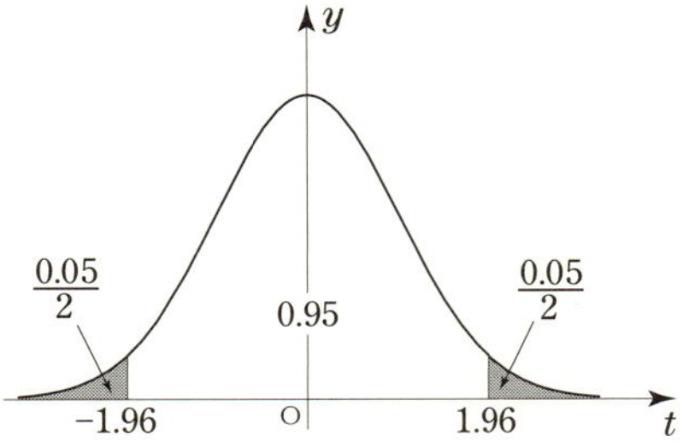

とおくと、Tはほぼ標準正規分布に

従うので、95パーセントの確率で

$$-1.96 < T < 1.96 \cdots\cdots (1)$$

が成り立つ。良子さんの場合は、X に 4 を代入すると

$$T = \frac{4-7.2}{\sqrt{2.88}} \fallingdotseq -1.89$$

で、上の範囲に何とかおさまっている。だから「良子さんは運が悪かっただけ」という可能性も無視できないので、仮説は捨てられない。

＜注＞　定数 1.96 は、巻末の表でたしかめられる。

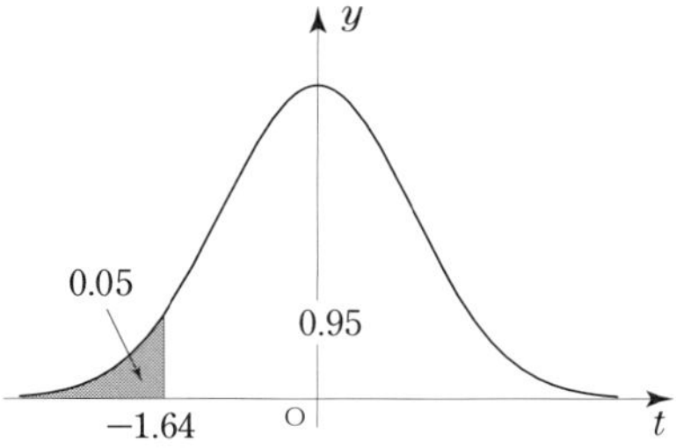

なお最初の仮定を $p \geqq 0.6$ にすると、T はいくら大きくしてもかまわない。だから、巻末の表を用いて95パーセントの確率で

$$-1.64 < T \cdots\cdots (2)$$

が成り立つ、という事実を利用すると、良子さんの場合の $T \fallingdotseq -1.89$ はこの範囲にないので、「仮説 $p \geqq 0.6$ は誤り」と判断する。

なお「ふつうの範囲」を、今度の(2)のように片側だけおさえているのを片側検定といい、前の(1)のように両側でおさえている場合を両側検定という。上の例では「当たる率 p が宣伝より小さいのではないか」という疑問から出発しているので、片側検定の方がよい。

＜補足＞　「ふつうでない」とき「仮定は誤りであると判断する」といったが、その判断が誤りである可能性もある。「ふつう」とは上の例では「95パーセント」なので、5パーセントのできごとは「ありえない」と捨てられてしまうことになる。そこで捨ててしまう5パーセントを、前項でも述べたように危険率という。

19 カイ2乗検定

「ロケット弾 V2 は恐い」のデータがポアソン分布に本当に適合しているのかを、カイ 2 乗分布を利用して調べてみよう。

ロケット弾の命中数 x に対するポアソン分布の確率 $P(x)$ は

$$P(x)=e^{-0.9323}\cdot\frac{0.9323^{x}}{x!}$$

であるが、これに総区画数の576をかけて、期待度数を求め、次の表を作る。そして

$$\frac{(\text{観測度数}-\text{期待度数})^{2}}{\text{期待度数}}$$

の和 Z を計算すると

$Z=1.1903$

となる。

命中数	観測度数(f)	期待度数(F)	$(f-F)^2/F$
0	229	226.7	0.0233
1	211	211.4	0.0008
2	93	98.5	0.3071
3	35	30.6	0.6327
4	7	7.1	0.0014
5～	1	1.6	0.2250
計	576	576	1.1903

ところでこの Z は、「自由度4のカイ2乗分布」にしたがうことがしられている(「自由度」は「階級数－データから決めたパラメーターの個数－1」のことであるが、ここでは説明省略)。さらにその分布については

$P(Z\geqq 13.28)=0.01$

となる(巻末の表)。だから、Z が13.28より大きければ「こんなめずらしいことが起こるとは考えにくい。命中数の分布はポアソン分布ではないだろう」と判断してよい(危険率 1 パーセントの検定)。しかしこの場合は $Z=1.19$ なので、やっぱりロケット弾 V2 の命中数の分布は、ポアソン分布に適合すると判断してよかったのである。

次に、薬のききめについて検定することを考えてみよう。この検定を行うために、2 つの患者グループの一方に新薬を与え、他方に見た目はまったく同じで、害にも益にもならない偽薬（プラシーボ）を与えて、効果を調べる。その結果

新薬を与えた40人中、25人に効果あり

偽薬を与えた40人中、13人に効果あり

だったとする。

ここで仮説を、「新薬と偽薬の効果の差がない」として、期待度数を求め、次の表を作る。（　）内の数は、期待度数。

	効果あり	効果なし	計
新薬	25（19）	15（21）	40人
偽薬	13（19）	27（21）	40人
計	38人	42人	80人

ここで、Z の値

$$\frac{(\text{観測度数}-\text{期待度数})^2}{\text{期待度数}} \text{の和}$$

を求めると、次のようになる。

$$Z=\frac{6^2}{19}+\frac{6^2}{19}+\frac{6^2}{21}+\frac{6^2}{21}\fallingdotseq 7.22$$

この Z は自由度 1 のカイ 2 乗分布に従う。

さて、巻末の表から、

$$P(Z \geqq 6.63)=0.01$$

となる。$Z=7.22$ という値は 6.63 より大きいので、「新薬と偽薬の効果は差がない」とは考えにくい。だからこの仮説は危険率 1 パーセントで捨てられる。すなわち、新薬の効果があると判断してよい。

20 有意差の検定…t 検定

A 国の成人男性の平均身長は175cmであるという。この国から親善バスケットボールの試合のために、10名の選手がやってきた。彼らの身長は、次の通りである(単位cm)。

171, 174, 176, 179, 180, 180, 183, 183, 185, 189

ずいぶん背が高い人たちであるが、A 国の中でも背が高い人たちなのだろうか。A 国の平均身長と、この選手たちの平均身長の差に「意味がある」、すなわち「単なる偶然ではなく、特に背が高い人たちが選ばれている」かどうかを検定してみよう。そこで次の仮説を立てる。

〈仮説〉 選手の平均身長が180cmであるのは、単なる偶然である。

この仮説を検定するために、まず10人の選手の平均身長を求める。

$$x = \frac{171+174+176+179+180+180+183+183+185+189}{10}$$

$$= 180$$

また、不偏分散 W(677ページ)は次のようになる：

$$W = \frac{(-9)^2+(-6)^2+(-4)^2+(-1)^2+0^2+0^2+3^2+3^2+5^2+9^2}{10-1}$$

$$\fallingdotseq 28.67$$

ここでもし A 国の人の身長の標準偏差 σ がわかっていれば、681ページで述べたように、データの平均 x を“標準化”した量

$$X = \frac{x-175}{\frac{\sigma}{\sqrt{n}}} = \frac{\sqrt{n}\cdot(x-175)}{\sigma}$$

は標準正規分布に従う(n はここでは人数10)。しかし σ がわかっていない場合には、$\sqrt{W}$ で代用すると、

$$T=\frac{\sqrt{n}\cdot(x-175)}{\sqrt{W}}$$

は、標準正規分布によく似た図のような分布にしたがう。この分布を、自由度 $n-1$ の t 分布という。そこで上のデータから T を計算してみると

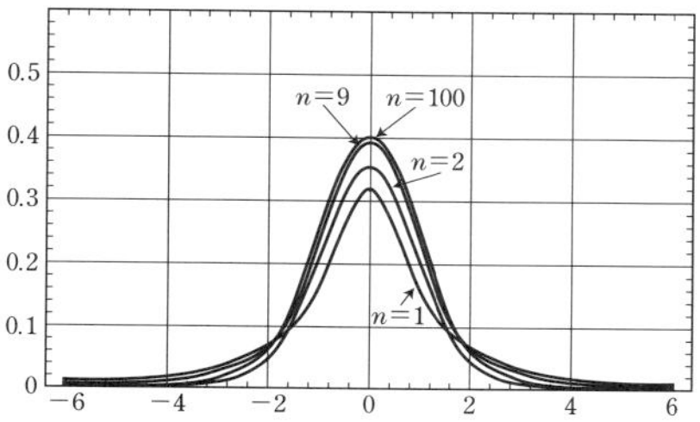

$$T=\frac{\sqrt{10}\cdot(180-175)}{\sqrt{28.67}}=2.95$$

となる。巻末の t 分布表によれば、自由度 9 の t 分布にしたがう変数 T について

$$P(|T|>2.262)=0.05$$

なので、$T=2.95$ という値は「5%しか起こらない」範囲にある。これは少々考えにくいので、「選手の平均身長が180cmなのは単なる偶然」という仮説は（危険率5パーセントで）捨ててよい。やはりこの選手たちは、A 国の中でも背が高い人たちであった！

＜補足＞ 巻末の表では、危険率 α に対して $P(|T|>c)=\alpha$ となる c の値が、自由度ごとにすぐ引ける。両側検定のときは「$|T|>c$ なら仮説を捨てる」のであるが、片側検定のときは次のようにする。

1) $P(|T|>c)=2\alpha$ となる c を求める。

2a) 仮説が $x\geqq\cdots$ なら、$T<-c$ のとき仮説を捨てる。

2b) 仮説が $x\leqq\cdots$ なら、$T>c$ のとき仮説を捨てる。

ちょっとひと息

662ページの「正規分布」で現れた式

$$g(x) = \frac{1}{\sqrt{2\pi}}\, e^{-\frac{1}{2}x^2}$$

には、おなじみの円周率 π とか、謎の定数

$$e = 2.718281828459045\cdots\cdots$$

が含まれている。ややこしい式なので「２度と見たくない」と思う人もいるかもしれないが、別に人を噛んだりはしないので、恐がることはない。

この式を誤差の理論から導いたのは、ドイツの数学者ガウス(1777～1855)である。そのため多くの本で、正規分布を「ガウス分布」とよんでいる。彼は測定誤差の研究から、誤差 x の確率密度 $g(x)$ の性質を考察した。そして「極端に大きな誤差は稀である」、「誤差は正負について対称である：$g(x) = g(-x)$」および「未知の値 V の推定量として、観測値 v_1, v_2, …, v_n の平均値が妥当である」という仮定から、実に巧妙な方法で(記法は違うが)微分方程式

$$\frac{g'(x)}{x \cdot g(x)} = 一定$$

を導いた――ここからは(解析学の知識があれば)一本道で、上の式が得られる。

ガウスは早熟の天才で、整数論・複素関数論・楕円関数論のほか、天文学・測地学・電磁気学でもすばらしい業績をあげ、磁気の単位「ガウス」にもその名を残している。

第4部

統 計 ・ 確 率 の 意 味 が わ か る

第4章

確率論玉手箱

ここは「玉手箱」なので、何が出るかはお楽しみのバラエティ番組である。しかしひとつの核心は「時間とともに変化する確率変数」、つまり「確率過程」である。

確率過程の簡単な例に「ランダムウォーク」（でたらめ歩き）がある。昔の人はこれを酔っぱらいの歩き方にたとえて、「酔歩」というしゃれた名前でよんでいた。酔っぱらいでも男だと「生酔い本性違わず」で「女性の方にはよろけるが、おまわりさんには近寄らない」など、はっきりしたかたよりがあるけれど、ここでは単純に「左右に同じ確率、同じ歩幅 c で 1 歩進む」と考えよう。東西に続く一本道をふらつく酔っぱらいについて、東を＋、西を－とすると、第 t 歩 $S(t)$ は

確率 $\dfrac{1}{2}$ で、$+c$ または $-c$ となる確率変数である

といってもよい。なお数値は

確率0.4で $+c$、確率0.6で $-c$

のようにかえてもよいし、

$S(t)$ ＝第 t 回目の賭けの結果（＋が勝ち、－は負け）

と解釈してもよい。

さて、最初の位置（あるいは所持金）を $S(0)$ とすると、$t-1$ 歩まで歩いた（ふらついた？）結果は

$$W(t)=S(0)+S(1)+\cdots+S(t-1)$$

で表される。これが典型的な「酔歩」である。

1 人の酔っぱらいの動きは、予測しがたい。しかし大勢の酔っぱらいの動きなら、かなり予測できる。たとえば広い野原の中央に大勢の酔っぱらいがいて、ある時刻に一斉にふらつき始めたとしよう。いつも中央付近が一番混雑しているが、しだいに散らばりはじめ、混ん

でいる範囲も最先端の酔っぱらいの位置も、拡がっていく。そのようすは二項分布で表されるので、ばらつき(標準偏差)を計算すると、

　全体の約70パーセントがいる範囲は、時間の平方根に比例して拡がっていく

などのことが示せる。これは「水面にインクを落としたときの拡がり方」など「拡散過程」の典型例で、いろいろな物理現象とつながっている(714ページ)。

酔歩はデジタルな動きであるが、これをアナログ化(連続化)した運動は、ブラウン運動とよばれ、それを数学的に表現した確率過程は、アメリカの数学者ウィーナーにちなんで「ウィーナー過程」とよばれる。これは金融工学にも登場するむずかしい概念であるが、

　「実体は酔歩のようなもの」

と考えて、さしつかえない。

〈付記〉 S を W で表すこともできる：$t>0$ に対して

$$S(t)=\Delta W(t)=W(t+1)-W(t)$$

このように「最終位置(通算成績)」を表す W と、個々のステップを表す S とには、次のような関係がある：

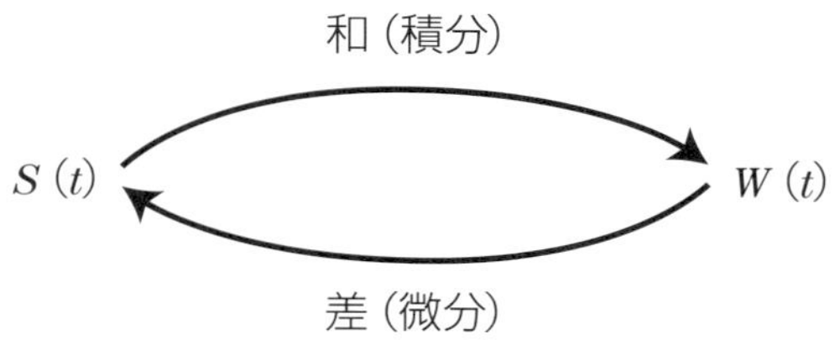

括弧内にある「微分・積分」は、t が時間を表す連続変数に拡張された場合に必要になる。

1 統計で人をだます方法

統計で人にだまされないようにするには、統計で人をだます法を知ることがよい。

● グラフでだます

下のグラフは、東西住宅の 5 年間の住宅着工戸数の推移を表している。左のグラフは、着工戸数はわずかではあるが着実に増えていることがわかるが、どうも“地味”である。

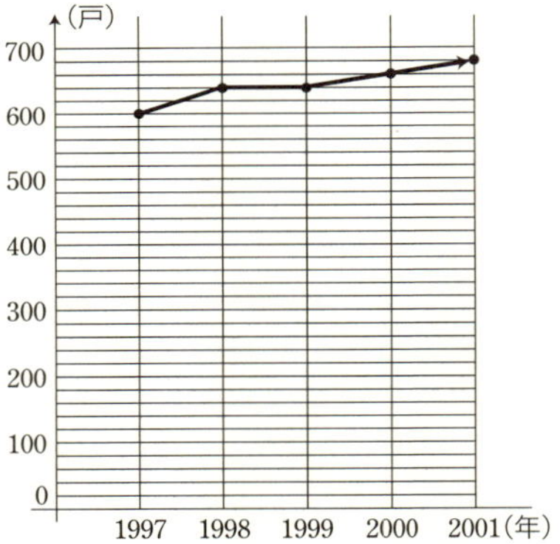

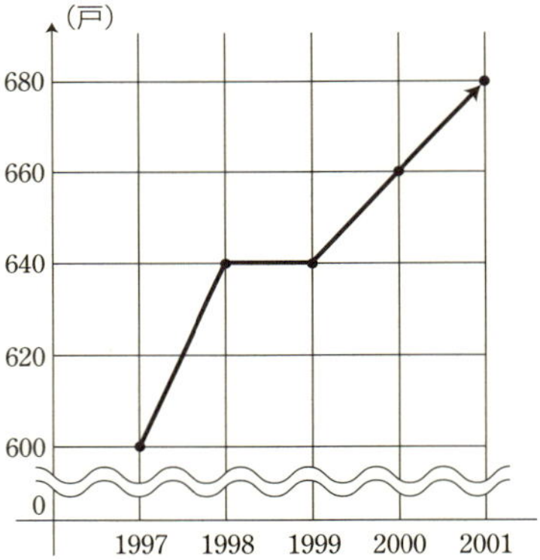

そこで縦軸の目盛りをかえると、あら不思議、急激に増加しているように見えてしまう。会社の実績の宣伝はこれに限る。

● 絵グラフでだます

東西住宅のマンション着工件数は、1985年に 8 件だったのに対して1995年には16件に増えた。

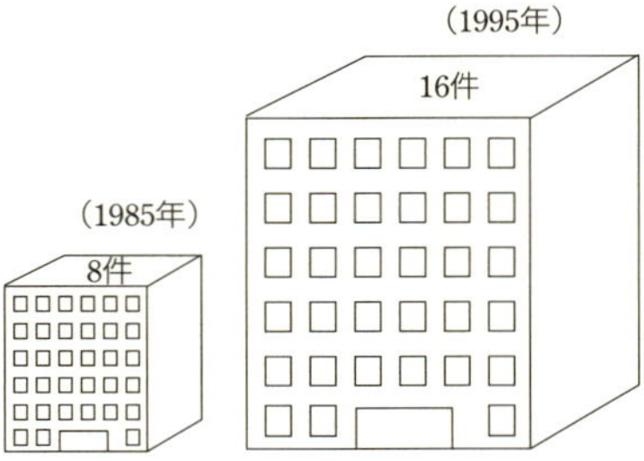

これは、2倍の伸びであるが、このような、高さが2倍の絵グラ

フを描くと、受ける印象がだんぜん違ってくる。この絵グラフを見た人は、2倍どころか2×2×2の8倍に伸びたように錯覚してしまう。

● 平均でだます

東西住宅の社員は、若い社員が多いうえに、平均給与は40万円だという。この魅力的データにひかれて、毎年多くの新入社員が応募するという。しかし、実態は……。

〈給与の度数分布グラフ〉

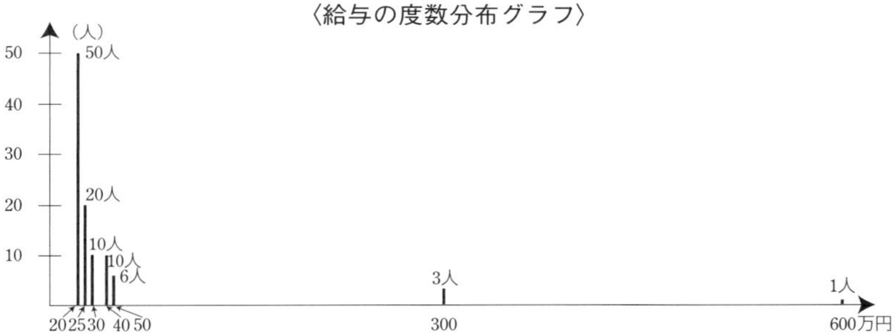

上の表の通り、高い給与は重役ばかりで、平均給与以下の社員が8割もいるという会社だった。平均を無条件で信じてはいけない。

● 比率でだます

「昨年度H高校を卒業した女子生徒の25%が、その学校の男性教師と結婚する」という記事が新聞に出たら、みんな驚いてしまうだろう。

しかし、事情を聞くと……。

「その年のH高校の女子の卒業生は4人」で、その中の1人が教師と結婚したというのである。

比率だけでなく、実際の数をたしかめてみなければ危ないのである。

2　確率で人にだまされない法

　確率で人をだます法を分析して、確率で人にだまされないようにしたいものだ。

● 平等視の原理

　もしその事象が起こるか起こらないかの根拠がまったく見つからないならば、そのどちらにも等しい確率を割りあてるというのが、平等視の原理である。一見合理的であるが、へたに使うと不合理なパラドックスをひき起こしてしまう。

　「火星に生物が存在する確率はどれだけでしょうか？」

　「ウーム、$\frac{1}{2}$ かな」

　「では、火星に、原始的な植物が存在しない確率は？」

　「やはり、$\frac{1}{2}$ でしょう」

　「じゃ、火星に、原始的な動物が存在しない確率は？」

　「当然、$\frac{1}{2}$ でしょう」

　「そうすると、火星に、原始的な植物も原始的な動物もいない確率は、$\frac{1}{2} \times \frac{1}{2} = \frac{1}{4}$ となりますね。ということは、火星に何らかの生物が存在する確率は、$1 - \frac{1}{4} = \frac{3}{4}$　となりますが……」

　「あれ、生物の存在する確率が上がってしまったぞ！？」

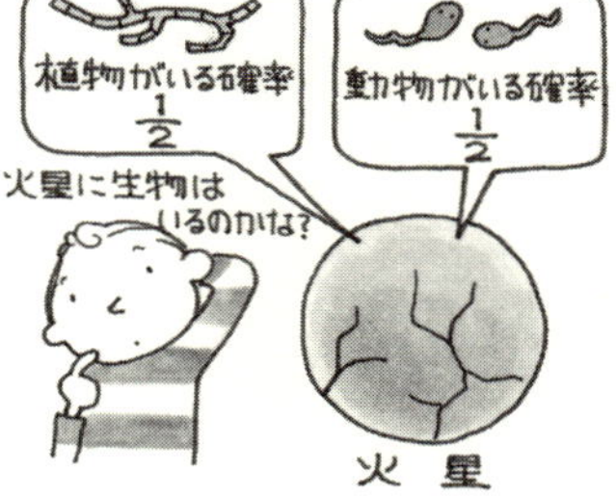

　この原理が正しく適用できるのは、10 円玉のように、裏表が平等に出ることがきちんと保障されているときだけである。

● 変わる確率・変わらない確率

「さあー、1、2、3 のどのドアを選びますか？ このドアの一つに景品の自動車が入っていますよ」

「エーっと、じゃ 3 番にします」

「そうですか、では特別、今回限りのサービスで、2 番のドアをオープンして見せます。はい、2 番ははずれでした」

「ということは、1 番か 3 番に自動車があるわけですね！」

これで当たる確率は $\frac{1}{2}$ になった……!?　と勘違いしてはいけない。ドアを選んでしまった後に「はずれのドア」を一つ教えてもらっても、当たる確率が $\frac{1}{3}$ で、はずれる確率が $\frac{2}{3}$ であることは変わらない。

「さあ、ラストチャンスです。あなたは、1 度だけ変更できます。1 番に変更しても良いのですよ。もちろん、そのままでも良いのです。さあ、どうしますか？」

「1 番のドアがオープンされたとしても、当たる確率は変わらない。だから選んだドアを変更してもしなくても同じだ。」と考えるとしたら、それがまた落とし穴。司会者は、はずれとわかっているドアを、選んでオープンするのだから、図からわかるように移ったとき、はずれる確率が $\frac{1}{3}$ で、当たる確率は $\frac{2}{3}$ である。よって、変更した方がトクである！

はじめ選んだのはドア３。はずれのドアをひとつオープンしてくれる。

この問題はモンティ・ホール問題といわれている。

3 ビュッフォンの針

大きい紙に、10cm幅の平行線を引き、少し離れて長さ6.5cmのようじをその紙めがけて投げた。

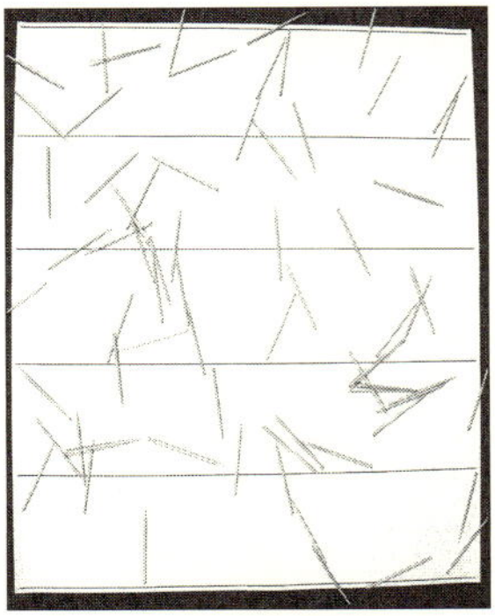

紙からはずれたものは除き、全部で68本。

数えると平行線と交わった本数は30本。交わっていないのは38本。

よって相対度数は $\dfrac{30}{68}=0.44117\cdots$ となる。

さて、ここから円周率の近似値を求めてみよう。

● **最初に…**

ごく短い針1本を投げて、平行線と交わる確率を p とする。そして、同じ長さの針5本を同時に

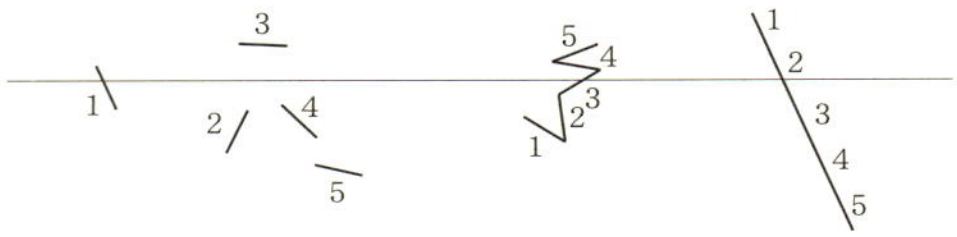

図1

投げることを何回もやったとき、この短い針が平行線と交わる回数の平均値(期待値)を求める。そのために、1番から5番までの針が、それぞれ「交われば1、交わらなければ0」という確率変数 $X_1,\ X_2,\ X_3,\ X_4,\ X_5$ を考えると

期待値　$E(X_1+X_2+X_3+X_4+X_5)$

$$=E(X_1)+E(X_2)+E(X_3)+E(X_4)+E(X_5)=5p$$

となる。同様に n 本の針を同時に投げたとき、平行線と交わる期待値は

$$E(X_1+X_2+\cdots+X_n)=E(X_1)+E(X_2)+\cdots+E(X_n)=np$$

となる。ところが、この式は、確率変数 $X_1, \cdots, X_5$ が独立でなくても成り立つ。これは、5 本の針が図 1 のようにくっついて 1 本のまがった針になっても大丈夫、ということである。だからさっきの式は、

　　針の長さが n 倍になると、期待値は n 倍

になること、いいかえれば、

　　針の長さと期待値は比例する　　※

ことをいっている。

● さて…

　短い短い針をつないでできている「直径 h の円」形の針を考える。この針の長さは πh である。これを間隔 h の平行線へ投げると、必ず2ヶ所で交わるから

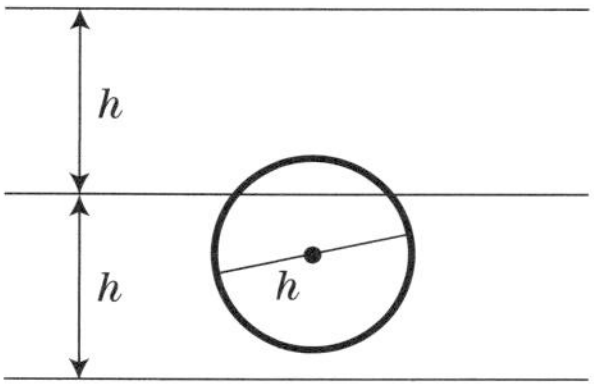

　E(長さ πh の円の針が交わる回数 X)$=2$

となる。ここで※のことから

　E(長さ l の針が交わる回数 X)$=\dfrac{2l}{\pi h}$

となる。ところで、$l < h$ なら、長さ l の針が交わる確率を p とすると、せいぜい 1 ヶ所でしか交わらないので

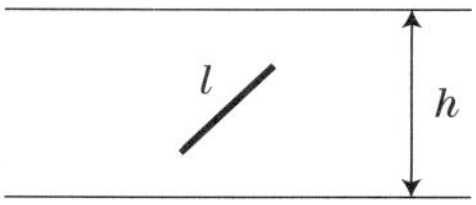

　$E(X) = 1 \cdot p + 0 \cdot (l - p) = p$　となり

$$p = \frac{2l}{\pi h}$$

　ここで、$h = 10$cm、$l = 6.5$cmとし、さっきの実験

$$p \fallingdotseq 0.441$$

と比べると、円周率 π の近似値が求まる：

$$\pi \fallingdotseq \frac{2 \times 6.5}{0.441 \times 10} = 2.947\cdots$$

　500本、1000本とやってみたくなった。

　これを、ビュッフォンの針の問題という。

4 情報量とエントロピー

不確定であいまいな事柄を確定して明白にするには、情報がほしい。不確定さの程度が大きければ大きいほど、たくさんの情報がほしい。このことから情報量は、不確定の程度によって定められる必要があることがわかる。

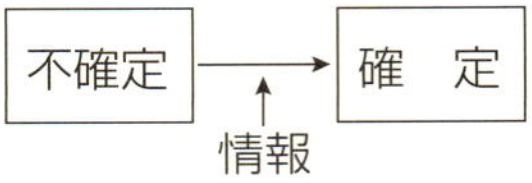

今、1号から n 号まで並んだ n 軒長屋で人さがしをすることを考える。目当ての人は長屋のどこにいるか、まったくわからない(すなわち等確率)。そこで、管理人に質問するのだが、管理人は「Yes」か「No」でしか答えないとする。順に「1号ですか？」「2号ですか？」……と聞いていけば、最大 $n-1$ 回の質問で目当ての人の場所がわかるが、質問をうまく工夫すれば、もっと少ない回数でも確実にわかってしまう。この質問回数を $f(n)$ としよう。

1軒長屋(？)のときは、質問はいらないので $f(1)=0$

2軒長屋のときは、たとえば「1号ですか?」の質問の答でわかるので

$$f(2)=1$$

4軒長屋のときは、まず「2号以下ですか？」の質問をし「Yes」、「No」の答をもらえば、あとは2軒長屋と同じであるので

$$f(4)=1+f(2)=1+1=2$$

8軒長屋のときは、まず「4号以下ですか？」の質問をし「Yes」、「No」の答をもらえば、あとは4軒長屋と同じであるので

$$f(8)=1+f(4)=1+2=3$$

こうして、2^k 軒長屋なら k 回の質問でよいことがわかる。一般に n 軒長屋での質問回数 $f(n)$ は、$\log_2 n$ 程度と考えてよい。

この式で$f(3)=\log_2 3 \fallingdotseq 1.6$であるので、3軒長屋のときは、平均1.6回の質問が必要である。この$\log_2 n$は、「n軒長屋の人さがしの情報量」とよばれ、対数の底が2なので「ビット」という単位をつける。

前に戻って、たとえば4軒長屋で「1号ですか？」という質問をされたときに、得られる情報量を考えてみよう。この「人さがし」の情報量は$\log_2 4=2$（ビット）である。もし「1号ですか？」「はい」という答であれば、1回の質問でまるまる2ビットの情報が得られたことになる。しかし答が「いいえ」だと、まだ残り3軒のどこにいるかはわからない。それでも「人さがし」の情報量は$\log_2 3 \fallingdotseq 1.6$に減ったので、減った分$2-1.6=0.4$だけの情報量が、「いいえ」という答によって得られた、と考えられる。「はい」の確率が$\dfrac{1}{4}$、「いいえ」の確率が$\dfrac{3}{4}$であるとすると、この質問で得られる情報量の期待値は

$$\frac{1}{4}\times 2+\frac{3}{4}\times 0.4=0.8$$

になる。これを平均情報量、あるいはエントロピーという（エントロピーは、「人さがしの情報量」のように、「不確かさの尺度」としての情報量に対してよく使われる）。

ところで、文字や数字は、コンピュータの中では0と1の組合せで表現される。ふつう、ひとつの英字（数字、句読点を含む）1文字は、8個の0,1の組合せで表す。たとえば、Aは「1000001」であるが、これは$2^8=256$通りの中から1つを確定する情報量に等しいので、

$$\log_2 256=8\text{（ビット）}$$

の情報ということになる。英字などの1文字分の情報8ビットを1バイトという。ハードディスクの容量が10ギガバイトとは、10×10^9バイト$=10^{10}$バイト、すなわち、文字にして100億個分の情報量を記憶できるということである。

5 シミュレーションと確率

株価の日経平均の変化を日毎に記録してみた。株価は当然、さまざまな社会的要因があって上下する。また、“サイコロ指数”といって12日間中、前日より高くなった日が何日あったかという指数で株を売ったり買ったりすることもある。9日上がっていると指数は75%で利食い売りが出て、株価は下落するという。サイコロはあのサイコロではなくサイコロジカル（psychological 心理的）からきている。

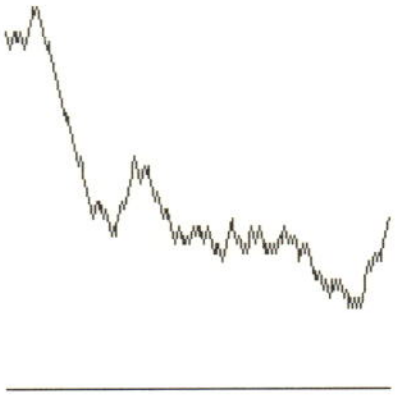

さて、図のもうひとつは、$\frac{1}{2}$の確率で、日毎に＋1、もしくは－1して描いたもの。しょせん、株価はランダムウォーク（別項）と同じなのか？これについては専門家の間でも論争があるので、ここでは常識的に、「株価は大きなうねりと小さな波と、それにランダムウォークの重ね合わせである」と考えることにしておこう。

こんどは、本物のサイコロ200個で、放射性元素の崩壊のシミュレーションをしてみた。

放射性元素は一定時間で、放射線を出して自壊し、別の元素に変化していく。一個一個の放射性元素が、いつ崩壊するのかはわからないが、一定時間で崩壊する確率は、物質によってわかっている。

1日に崩壊する確率が $\frac{1}{6}$ とすると、⊡の目が出たサイコロが崩壊したとするとよい。そこで、200個をバラバラと投げて、⊡の目になったサイコロを取り除いていく。その結果、右の表のようになった。理論的には、

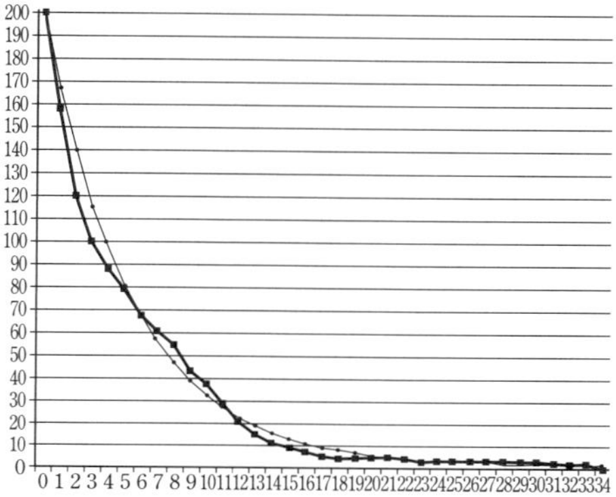

$$y = 200\left(\frac{5}{6}\right)^{x}$$

になるので、そのグラフ(細い線)と重ねて描いた。200個の模擬原子でもこれだけ近いグラフになるので、1000個のサイコロでやればもっとピタッと重なるだろう。ましてや実際の原子数は膨大なのでなおさらである。

回数	理論値	実験値
0	200.0	200
1	166.7	157
2	138.9	120
3	115.7	100
4	90.5	88
5	80.4	79
6	67.0	67
7	55.8	60
8	46.5	54
9	38.8	43
10	32.3	37
11	26.9	29
12	22.4	21
13	16.7	16
14	15.6	11
15	13.0	10
16	10.8	7
17	9.0	5
18	7.5	4
19	6.3	4
20	5.2	4
21	4.3	4
22	3.6	4
23	3.0	3
24	2.5	3

シミュレーションは、工業界や経済界で幅広く使われている。しかしいくら大規模なシミュレーションでも、その結果を過信してはならない。基礎にあるモデル、前提としている確率分布、必要なデータの収集などに問題が多く、実際には「よくわからんのでエイヤーっと決めて、やってみた」という場合もあるのだから。

6　確率のパラドックス

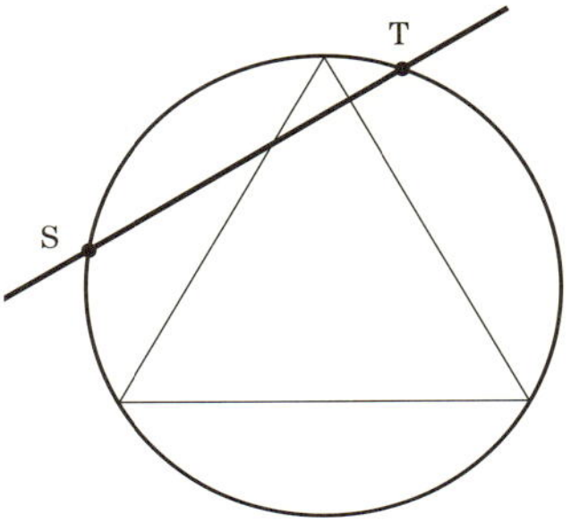

宿題：半径1の円を描いて、その上に長い棒をランダムに投げる。円との交点をS, Tとしたとき、STの長さが内接正三角形の一辺の長さ以上になる確率はいくらか。

ただし、棒が円と交差しないときは除く。

次の時間のはじめに、学生全員から宿題を集めパラパラと見て、

「ジュン君、黒板で君の答を説明して」

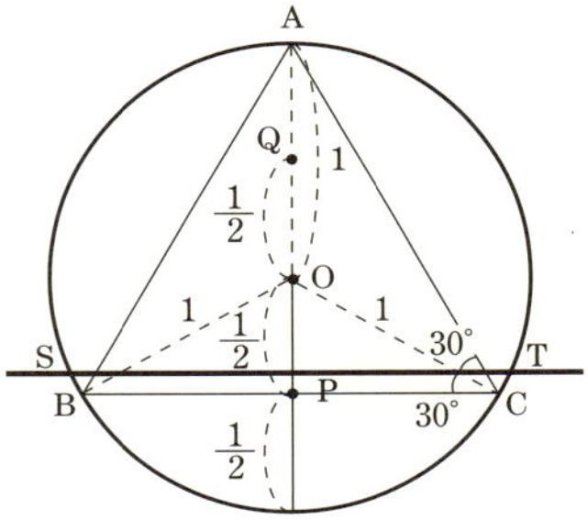

ジュン君：

まず、内接正三角形ということから $\mathrm{OP} = \dfrac{1}{2}$ となる。

さて、BCに平行な棒だけを考えても一般性は失われない。

図よりあきらかなように、棒がPQの間にあれば、ST > BCである。よって、確率は

$$\frac{\mathrm{PQ}}{直径} = \frac{1}{2} \qquad （終わり）$$

「パチパチパチ」「納得した」

「では、次ケン君。せっかく書いたのだから説明してヨ」

ケン君：

円周の一点を通る棒だけを考えても一般性は大丈夫だ。点Aでの円

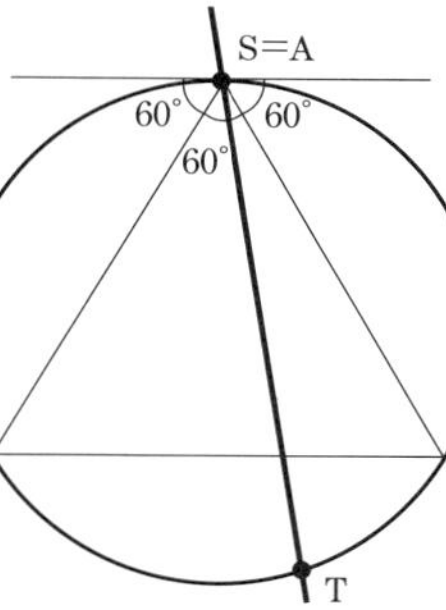

に対する接線を引くと、図のように、3つの角が60°になる。

ST＞ABになるのは∠BACの中をSTが通るときである。

したがって求める確率は

$$\frac{60^\circ}{180^\circ}=\frac{1}{3}$$　（終わり）

「合っているよなー」「パチパチパチ」「納得したなー」

「じゃついでに、ジン君もやって」

ジン君：

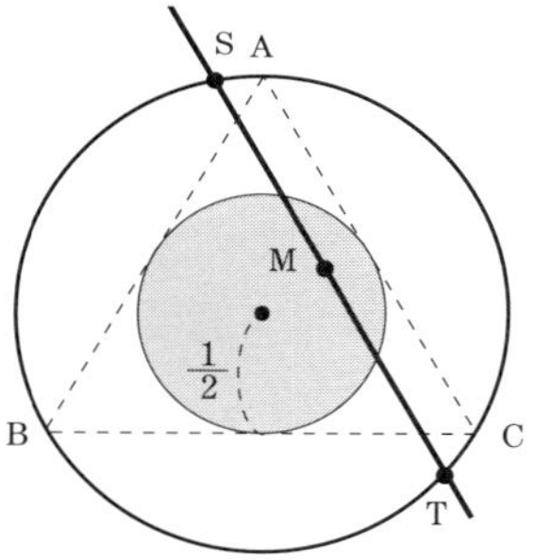

STの中点Mに注目する。中点Mは、円の内部のどこかにランダムに位置する。

図よりあきらかなように、内接正三角形の内接円の内部に点MがあればST＞ACとなる。

$$\text{求める確率は}\quad\frac{\text{小円の面積}}{\text{円の面積}}=\frac{\pi\times\left(\frac{1}{2}\right)^2}{\pi\times1^2}=\frac{1}{4}$$　（終わり）

「えっ」「パチパチパチ」「納得できるよなー」

「私ネ、答がでなかったから実験したの。円を描いて、手前からシャープペンの芯をころがして。100回やったら46回長くなったよ」

「じゃ、$\frac{1}{2}$が正解だ」「イヤ、それは実験の方法が」あとは大騒ぎ。

これを、ベルトランのパラドックスという。実は、少し工夫するとどんな答でも出せる。そう、0と1の間なら。あなたはどの答が好きですか？

7 ギャンブルに必勝法はあるか

必勝法などあるはずがないと思っていても、流布している種々の必勝法に出会うと心がゆさぶられるのは、人の業であろうか。

その1つに、パチンコの「2倍法」がある。つまり、はじめの持ち玉が2倍になったら潔くやめるという方法である。

たしかに、パチンコをプレイすると、持ち玉の増減のパターンは千変万化である。だからそのうち、持ち玉がはじめの2倍になるときが確実にやってきそうである。そのときにやめさえすれば、いつでも勝つことができる。これはもう立派な“必勝法”ではないか。

プレイ中の各瞬間の持ち玉の増加する確率も減少する確率も0.5であると仮定して考えてみよう。

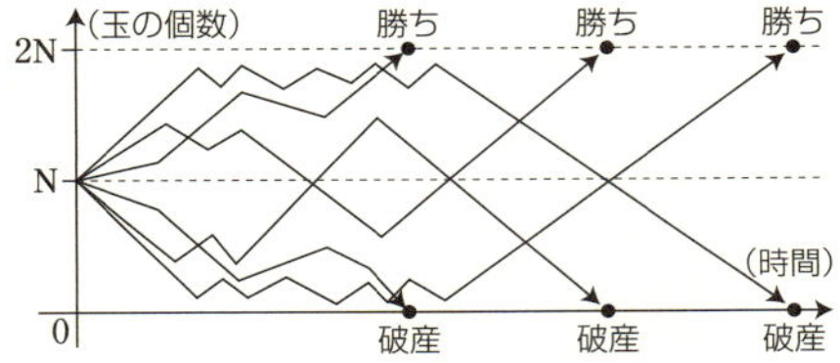

増加と減少のパターンは対称になるはず。図のように、勝つのと同じくらい、破産するのである。もちろん、はじめの持ち玉を十分多くすれば、破産寸前まで減っても、そのうち盛り返して勝ちになる場合も増えるかもしれない。しかしその逆の変動のパターンもありうるので破産するケースが減ることはない。だから「2倍法」は必勝法ではない。

なお、はじめの持ち玉を、2倍、3倍にすれば、破産するまでの平均プレイ時間が、4倍、9倍に伸びて、せいぜい長く遊べるだけである。

流布しているもう1つの必勝法に「倍賭け法」というのがある。つまり、負けたら次の勝負で前回の2倍の金額を賭けるのである。そして、勝ったらすぐやめるという方法である。

1回の勝つ確率も負ける確率も0.5である賭けで、この方法を検討してみよう。なお、「勝ったら賭け金の2倍が戻り、負けたら何も戻らない」とする——公平な賭けで、期待値は0である。

1回目……賭金 1 円。勝ったら 1 円の得。負けたら 1 円の損。

2回目……賭金 2 円。勝ったら $2-1=1$ 円の得。負けたら、通算 $1+2=3$ 円の損。

3回目……賭金 2^2 円。勝ったら $2^2-3=1$ 円の得。負けたら、通算 $1+2+2^2=7$ 円の損。

4回目……賭金 2^3 円。勝ったら $2^3-7=1$ 円の得。負けたら、通算 $1+2+2^2+3^2=15$ 円の損。

以下同様である。ご覧のとおり、勝ったときやめれば、確実に1円儲かる。これは“完全な必勝法”ではないか。

しかし、問題は、負け続けたときに急激に増える損である。n 回続けて負ければ

$$1+2+2^2+\cdots+2^{n-1}=2^n-1\text{(円)}$$

のお金を払わないといけない。たとえ、100万円の賭け金を用意しても、20回負け続ければ破産してしまう。つまり、この賭けに確実に勝つためには、無限大の賭け金を用意しなければならない。これは不可能である。ただし「さいごに勝ってやめる」(1円儲かる)確率は、最初の持ち金が大きければ、いくらでも1に近づく。そのかわり損をするときには、大損をするので、期待値0は変わらない。やはり、この方法も残念ながら必勝法にはならない。

8 ペテルスブルグのパラドックス

次のような奇妙な賭けがある。

「コインを何回か投げる。1回でも表が出たら勝負は終りで賞金が払われる。1回目に表が出たら賞金は20円、1回目が裏で2回目に表が出たら40円、1，2回目が裏で3回目に表が出たら80円、このように裏が出るたびに賞金を2倍にしてゆく。」

この賭けの“公平”な参加料を設定するために、期待値を計算すると、

$$20\times\frac{1}{2}+40\times\frac{1}{4}+80\times\frac{1}{8}+160\times\frac{1}{16}+\cdots\cdots$$

$$=10+10+10+10+\cdots\cdots(\text{円})$$

何と、期待値は無限大ではないか？　これをペテルスブルグのパラドックスという。「賞金の期待値無限大」とは、お客にとって絶対トクで「100万円払ってもこの賭けに参加した方がよい」ということである。しかしこれは「100万円も払っては大損だ」という我々の直観に反する。これがパラドックス（逆理）とよばれる理由である。なおこの問題は、17世紀の数学者ダニエル・ベルヌーイがペテルスブルグのアカデミーの紀要に発表してから有名になった。

上の期待値の計算では、「胴元がどんなに高い賞金でも払う」ことを前提にしている。実際には20回も続けて裏が出ると、

$$20\times2^{20}=20,\ 971,\ 520$$

から、賞金は2000万円を越える。そこで「そうなったら胴元は逃げ出すので賭けは終わり、賞金はパー（0）になる」とすると、期待値はたったの200円になる！

$$20(\text{円})\times\frac{1}{2}+40\times\frac{1}{4}+80\times\frac{1}{8}+\cdots+10\cdot 2^{20}\times\frac{1}{2^{20}}=200(\text{円})$$

ではルールを修正して

コイン投げは最大で20回、20回続けて裏が出たら賞金は0

として、参加料を200円にしたらどうだろうか。これなら胴元にもお客にも公平——に見える。たしかに「期待値」という点では公平であるが、次の「くじ」は公平といえるだろうか？

100万枚のくじがある。1枚200円で、当たりは1等2億円が1枚、そのほかはみんなはずれ。誰かが1枚買うと、その場で当たりかどうかをたしかめ、そのくじをもとに戻す（枚数は減らない）。

期待値はたしかに2億×0.000001＝200（円）だから公平であるが、100枚や1000枚買ったところで、まず当たらない。「めずらしいことは無視する」という仮説検定の考え方からすると、1日に1万枚程度を売るのなら、危険率1パーセントで「胴元の丸儲け」である。これは「公平」といえるだろうか？

最初の儲けに戻ると、「ルールを変えずに参加料200円」としても、お客が確実に元を取ろうとしたら参加料の2^{20}回分ぐらい、つまり元手を40億円ぐらい用意しないといけない。「庶民には、損をするようにできている」といってもいい賭けなのであった。

なお、1万円持っているお客が100人来て、どのお客も残ったお金が200円を切るまで賭け続けるとしよう。胴元は1000万円持っていたとして、賭けの成り行きをコンピュータでシミュレーションしてみたら、胴元は全勝、989220円を儲けた。胴元の所持金を100万円にしてみたら、49人目のお客で破産した！

9 マルコフ過程

時間の経過とともに次々と結果を生み出す試行のつながりを扱う確率論の中に、マルコフ過程（あるいはマルコフ連鎖）という一分野がある。きちんと定義して数学的に整理する仕事はかなり進んでいるが、ここではどんな対象をどんな方法で処理するかをざっと紹介しよう。

ある国の冬は次の規則でめまぐるしく天候が変わる。そして、天候は、直前の日のみの天候の影響を受け、次のようになっているとする。

(1) 晴天は 2 日と続かない。翌日には雨、雪の確率が $\frac{1}{3}$, $\frac{2}{3}$。

(2) 雨の日の翌日は雨、晴れ、雪の確率が $\frac{1}{2}$, $\frac{1}{8}$, $\frac{3}{8}$。雪の日の翌日は雪、晴れ、雨の確率が $\frac{1}{2}$, $\frac{1}{6}$, $\frac{2}{6}$。

わかりやすく図示すると次の通りである。

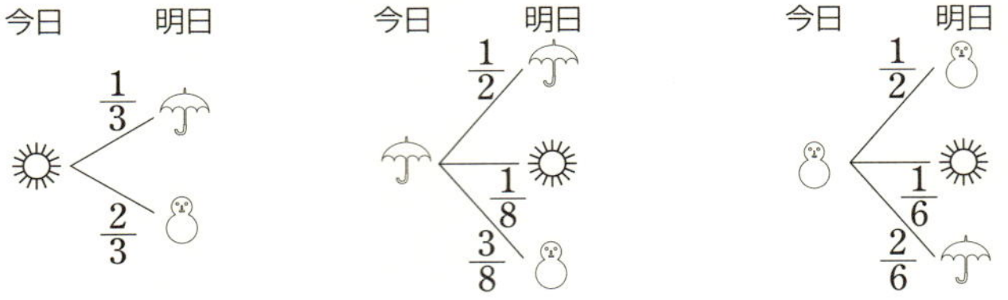

まだわかりにくい。そこで右のように書き表してみる。

これでずっとはっきりする。

今日＼明日				計
	0	$\frac{1}{3}$	$\frac{2}{3}$	1
	$\frac{1}{8}$	$\frac{1}{2}$	$\frac{3}{8}$	1
	$\frac{1}{6}$	$\frac{2}{6}$	$\frac{1}{2}$	1

さて、ある日が雨だとして、その 2 日後の各天候の確率を求めてみよう。

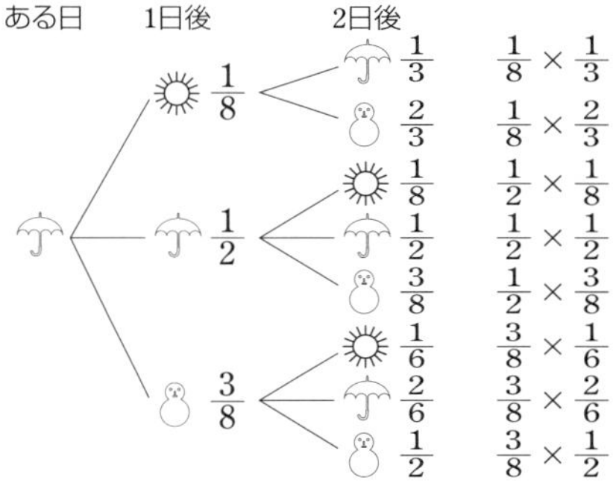

2日後の天候の確率は、右のようになる。

☀ $\frac{1}{2}\times\frac{1}{8}+\frac{3}{8}\times\frac{1}{6}$ ㋐

☂ $\frac{1}{8}\times\frac{1}{3}+\frac{1}{2}\times\frac{1}{2}+\frac{3}{8}\times\frac{2}{6}$ ㋑

☃ $\frac{1}{8}\times\frac{2}{3}+\frac{1}{2}\times\frac{3}{8}+\frac{3}{8}\times\frac{1}{2}$ ㋒

じつはこの計算は、行列のかけ算

$$\begin{pmatrix} 0 & \frac{1}{3} & \frac{2}{3} \\ \frac{1}{8} & \frac{1}{2} & \frac{3}{8} \\ \frac{1}{6} & \frac{2}{6} & \frac{1}{2} \end{pmatrix}\begin{pmatrix} 0 & \frac{1}{3} & \frac{2}{3} \\ \frac{1}{8} & \frac{1}{2} & \frac{3}{8} \\ \frac{1}{6} & \frac{2}{6} & \frac{1}{2} \end{pmatrix} = \text{☂}\begin{pmatrix} \bullet & \bullet & \bullet \\ \text{㋐} & \text{㋑} & \text{㋒} \\ \bullet & \bullet & \bullet \end{pmatrix}$$

（右辺の行列の列の上に ☀ ☂ ☃）

に対応する（ある日を ☀ または ☃ としてみると、残った ● の部分も行列のかけ算の結果と一致する。確かめてみていただきたい）。

ここに出てくる行列を、推移確率行列という。また、このような行列で変化を表せる確率過程を、マルコフ過程という。

行列論の上にうまく確率の話を乗せるこの手法は、気体の拡散の理論や遺伝学、さらに社会科学などに応用されている。

10 ランダムウォーク

町の広場の中央で、街灯の柱によりかかっている酔っぱらいがいる。彼は、突然、どことなく歩きだそうと決心したようである。ある方向へ1歩、歩きだしたが、次には別の方向へ踏みだし、また次には別の方向へ、ジグザグな道をたどっている。酔っぱらいの運動の結果はどうなるだろうか。

このような、酔っぱらいの迷い歩きと同様の運動は、自然や社会の中でたびたび現れるので、酔歩運動とかランダムウォークの問題とよばれ、研究されてきた。

まず、数直線上を、次のようなルールで迷い歩くゲームを考えよう。わが酔っぱらい、ジン君のいる位置を X で表す。最初は $X=0$, つまりジン君は原点にいる。コイン1枚を投げて、表が出れば X は1増え（1歩前進）、裏が出れば1減る（1歩後退）。これをくり返す。たとえばコインが裏・表・表・表・裏の順に出れば、

$$X=(-1)+(+1)+(+1)+(+1)+(-1)=+1$$

なので、ジン君は原点から右へ 1 歩のところにいる。コインを n 回投げれば、ジン君は n 歩ふらつく。k 歩目の動きを X_k とすれば、ジン君の最後の位置は

$$X = X_1 + X_2 + X_3 + \cdots + X_n$$

で表される。

ところで 1 回のふらつき X_k についていえば、

平均 $E(X_k) = 1 \cdot 0.5 + (-1) \cdot 0.5 = 0$

分散 $V(X_k) = (1-0)^2 \cdot 0.5 + (-1-0)^2 \cdot 0.5 = 1$

である。だから最終的な位置 X の平均は

$$E(X) = E(X_1) + E(X_2) + E(X_3) + \cdots + E(X_n)$$
$$= 0 + 0 + 0 + \cdots + 0 = 0$$

であり、分散は

$$V(X) = V(X_1) + V(X_2) + V(X_3) + \cdots + V(X_n)$$
$$= n$$

となる。これは

X は平均的には 0 であるが、標準偏差は $\sqrt{n}$ であり、

バラツキは n の平方根に比例して大きくなる

ということである。これはもっと詳しく、次のようにもいえる。

① 平均的には $X = 0$

② 確率0.68で、$-\sqrt{n} < X < \sqrt{n}$ の範囲にいる

③ $X = n$ とか $X = -n$ もありうるが、その確率はきわめて小さい

$X = 0$ は「おとなしい場合」、$X = \sqrt{n}$ は「よくある場合」、$X = n$ は「まずありえない場合」と考えてよい。

酔っぱらいが100歩ふらついても、平均的には1歩も進んでおらず、「よくある場合」でも $\sqrt{100} = 10$ 歩しか距離をかせげない。急ぐときは酔っぱらってはいけないことがよくわかる。

なお以上は「数直線上」で議論したが、平面上、あるいは空間的な酔っぱらいを考えても、原点付近が「おとなしい場合」で、原点から $\sqrt{n}$ 程度移動するのが「よくある場合」と考えてさしつかえない。

11 インクの拡散

水の中に浮かんでいる小さな花粉の粒を顕微鏡で観察すると、あたかも動物のようにせわしなく動き回るのに気がつくと思う。この不思議な現象は、イギリスの植物学者ロバート・ブラウンによって1827年に研究され、彼の名にちなんで、ブラウン運動とよばれるようになった。

この運動が、花粉の意思による運動でなく、水の分子運動の効果によるものであることが後に示された。

水の分子は、あらゆる方向から不規則に衝突し、その結果花粉は、いろいろな方向に動き回るのである。これは、一種のランダムウォークと見なすことができる。

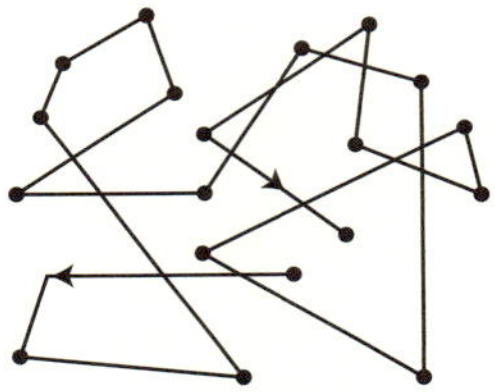

（ブラウン運動）

話を簡単にするために、ある微粒子の左右の動きだけに注目して考えることにしよう。水の分子はその微粒子の左右に、一定時間ごとに衝突し、右または左に等確率で一定距離 c だけ動かすとすると、微粒子は前項で述べたようなランダムウォークを行う。だから n 回の衝突によってその微粒子が移動した距離 X は「よくある場合」(前項参照)

$$X=\sqrt{n}\cdot c \qquad ①$$

と考えてよい。さらに水の分子の秒速をvとし、1秒間にぶつかってくる分子の個数が $\dfrac{v}{c}$ であると仮定すると、t 秒間には $n=\dfrac{v}{c}\cdot t$ 回の衝突が起こる。したがって「よくある場合」には

$$X=\sqrt{vc}\cdot\sqrt{t} \qquad ②$$

という見積もりができる。

さて、コップの中に静かにインクを落としてみよう。青インクは落とされた表面近くから沈んでいく。しかしコップを温めたり、かきまわしたりしないでじっと見守ると、インクが四方八方にじわじわと拡がっていくのが観察できる。下の方に沈んでいくのは重力の影響であるが、前後左右に拡がっていくのはインクの分子のブラウン運動の結果と考えることができる。水の中では

$c = 0.0000005(\mathrm{cm})$

$v = 5000(\mathrm{cm}／秒)$

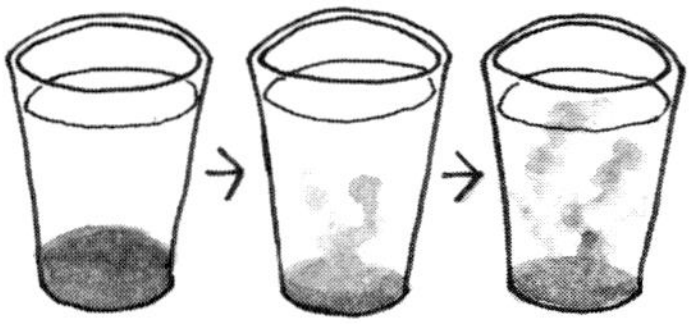

とすると左右の動きは、②から

$X = 0.05\sqrt{t}$

となる。100秒でやっと5ミリの移動であるから、実際にはもう少し速いとしても、水の分子の秒速50mに比べて、桁違いに遅い。だから、コーヒーに砂糖を入れたときは、砂糖の分子のブラウン運動による拡散を待たずに、スプーンでかきまぜたほうがよい。

もうひとつ、壮大な例をあげよう。

太陽の中心近くで、核融合反応によってできた光子は、ブラウン運動をする。だから太陽の半径 7×10^{10} (cm)だけ進んで表面に達するまでの時間 t は、②の式で $X = 7 \times 10^{10}$, $c = 1$ (cm), $v = 3 \times 10^{10}$ (cm／秒)とおけば求められる：$t = 16 \times 10^{10}$ (秒)で約5千年。我々が今見ている光には、5千年以上も前に生まれたものがたくさん混ざっているのである。

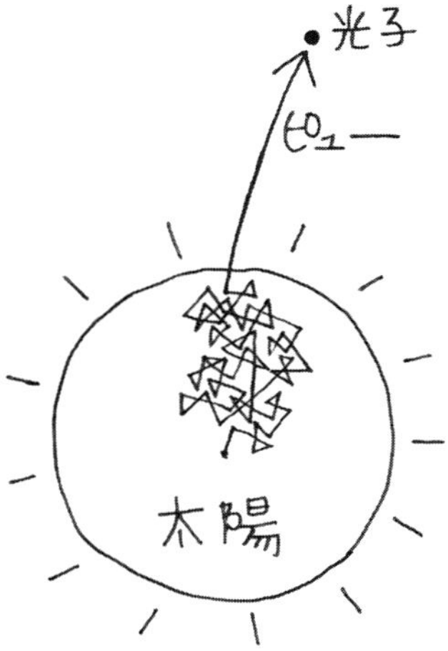

12 未来の予測と方程式

注目する銘柄の、株価予測について考えてみよう。まず基準になる時刻(たとえば 2011 年 1 月 1 日午前 0 時 0 分)を 0 で表し、時刻0における株価を $y(0)$、時間 t 後の株価を $y(t)$ で表すことにする。

$y(0)$ が140円であったとして(初期条件)、それ以後の変化に注目してみよう：時間が t から Δt (＝1日、あるいは1秒など) だけ経過して $t+\Delta t$ になる間に、株価は

$$\Delta y(t) = y(t+\Delta t) - y(t)$$

だけ増える(実質的に「減る」場合は $\Delta y<0$)。この $\Delta y(t)$ について、たとえば「定額上昇」を表す

$$\Delta y(t) = 5 \cdot \Delta t \qquad \cdots\cdots (1)$$

や、「定率上昇」を表す

$$\Delta y(t) = 5 \cdot y(t)\,\Delta t \qquad \cdots\cdots (2)$$

などの方程式が考えられる。なお式(2)は、Δt がひじょうに小さいときには、いわゆる「微分方程式」

$$\frac{dy(t)}{dt} = 5 \cdot y(t) \qquad \cdots\cdots (3)$$

におきかえられる。

ところで t の 1 次式

$$y(t) = 5t + 140$$

は、方程式(1)をみたす「(1)の解」である。微分方程式(3)の解は次のようになる。

$$y(t) = 140 \cdot e^{5t}$$

（係数140は、初期条件 $y(0) = 140$ に基づく）

このように解 $y(t)$ が具体的にわかると、グラフが描ける。しかしこれらのグラフは、現実の株価の動きとは似ても似つかない（702ページ参照）。株価には必ず「確率的なふらつき」が伴うからである。

株価の「ふらつき」を取り入れるには、次のような方程式を考えるとよい：

$$\Delta y(t) = V \cdot \Delta t + W \cdot \Delta B(t) \quad \cdots\cdots (4)$$

右辺の第1項は「安定した傾向」（trend）を表す部分でトレンド項とよばれる。第2項が「ふらつき」を表すために導入された項で、揺動項（volatility）などとよばれる。

V, W は y と t の式（関数）で、確率的な要素を含まないが、さいごの $\Delta B(t)$ がただものではなく、時間 t を含む確率変数、つまり確率過程である。すると $y(t)$ も、やはり確率過程にならざるをえない。方程式(1)、(3)の解は

「株価 y を時間 t で表す式」（関数）

であるが、(4)の解は

「株価 $y(t)$ の確率的な見積もり」（確率過程）

である。だから(4)を解いても、$y(10) = 190$ のような確定的なことはいえないので、たとえば

$185 \leqq y(10) < 195$ である確率は0.6

のような推定しかできない！

13 確率微分方程式とその応用

前ページで示した方程式

$$\Delta y(t) = V \cdot \Delta t + W \cdot \Delta B(t) \qquad \cdots\cdots (4)$$

の中の $\Delta B(t)$ は、いろいろな不確定要因の寄せ集めであるが、

多数の独立な要因の寄せ集めは正規分布にしたがう

というすごい定理（中心極限定理）がある。そこで平均値は（0 でなければ）$V \cdot \Delta t$ の方に移し、分散はWの中に取り込んでしまえば

$\Delta B(t)$ は平均 0、分散 1の標準正規分布にしたがう

と考えられる（ただし $\Delta t=1$ に対して、金融工学の基本仮定）。すると $\Delta B(t)$ の積み重ね（総和、積分）$B(t)$ は、ブラウン運動とよばれる、よく知られた変量になる。

＜注＞一般の $\Delta t>1$ に対して、$\Delta B(t)$ の分散は Δt になる。

Δt をどんどん小さくして、この方程式 (4) を

$$dy(t) = V \cdot dt + W \cdot dB(t) \qquad \cdots\cdots (5)$$

のように書くことがある。これを確率微分方程式という。しかしその解釈はひじょうにむずかしく、ここでは深入りしない（$B(t)$は微分できないが、積分を使って意味づけができる）。しかし次の点は注意しておこう。

確率微分方程式の「解」とは、ひとつの確率過程で、

「可能な多数の道筋の、確率的な記述」でしかない。

確定的で正確な予測など、そもそも不可能なのである。それでも解がわかれば（あるいは基本式(4)から）、「ありうるひとつの道筋」（見本過程）をコンピュータ・シミュレーションによって、いろいろ描いて

みることはできる。また次のような計算もできる。

「ベレ東北旅行」の株価 y によって決まる、新しい金融派生商品(いわゆるデリバティブ)「東北オプション」の適正価格 $f(y)$について考える。まず机上の実験であるが、「東北オプション」を1単位だけ買い、ベレ東北旅行の株を k だけ売ったとしよう。すると投資額 T は

$$T=f(y(t))-k\cdot y(t)$$

であるが、時間 Δt 後の差益 ΔT は

$$\Delta T=\{f(y(t+\Delta t))-k\cdot y(t+\Delta t)\}$$
$$-\{f(y(t))-k\cdot f(y(t))\}$$

で表せる。これをある場合（$k=\dfrac{\Delta f}{\Delta t}$ の場合）について詳しく計算してみると、$\Delta B(t)$がうまく消えて、ふらつく部分のない「安定した投資」であることがわかる（ついでながら、ここのところで「伊藤（清）の公式」が大活躍する）。またその場合、単位時間あたりの利益率

$$r=\Delta T/(T\cdot\Delta t)$$

がわかっているとして式を変形すると、確率に関係ない「安定した方程式」を導くことができる。それがブラック・ショールズの基本方程式(の特殊な場合)で、それを解いて $f(y)$を求めれば、「東北オプションの適正な価格」を決定できる。

このように確率微分方程式は、金融商品の適正な価格設定などに、強力な枠組みを与えてくれる。しかし具体的な計算のためには V や W の内容、また r の値など、過去のデータから決定しなければならない要素が多く、専門家でもカンに頼って推定する部分があるに違いない（ブラックとショールズは、けっこう乱暴な仮定で計算をしている！）。

14 確率の歴史

西暦79年にベスビオス火山の大噴火で、ポンペイの町は、厚い灰にうもれた。千数百年後に発掘されたポンペイは、今の都会と同じような街並みをしている。その一角に居酒屋があるが、そこからイカサマサイコロがでてきたということを聞いた。

確率の歴史は賭博の歴史と同じといえるかもしれない。しかし、数学としての確率はずっと後になって芽ばえてきた。

あの有名なガリレオもサイコロの賭けごとについて書いたりしているが、パスカル(1623 ~ 1662)とフェルマー（1601 ~ 1665)の手紙のやりとりが“確率論”のはじめといわれている。博打うちの貴族メレが、パスカルに問題を聞いたのがそのはじまり。

少々脚色すると…

「パスカルさん、サイコロを4回投げるうち1回でも ⚀ がでれば私の勝ち、1回もでなかったら相手の勝ちという勝負をやっていて気がついたことがあるんだ」

「何に？」

「割合として、1296回中671回勝って、私に分がいいのだ」

「そう」

「ところが、みんな気づいて相手にしなくなったので、サイコロ2個を24回投げるうちに、1回でも ⚀⚀ になれば、私の勝ちにしたんだ。⚀⚀ となるのは36回中1回の割合だから、1回で ⚀ となる割合の $\frac{1}{6}$ なので、$4 \times 6 = 24$ 回なら、私に分があると思って」

「それで」

「ところが、どうも私に分が悪い。そんなことはないはずダ」

これが“偶然の法則”の研究のはじまりといわれる。

それにしても割合として「1296 回中 671 回勝って」というのは合っているのだろうか。4 回サイコロを投げて少なくとも1回は ⚀ が出るのは、

$$1-\left(\frac{5}{6}\right)^4=\frac{671}{1296}$$

となるので、確かに合っている。これを、計算でなく多数回の勝負で見つけたのならオドロキ。2 個のサイコロを 24 回投げて、少なくとも 1 回は ⚀⚀ となるのは

$$1-\left(\frac{35}{36}\right)^{24}=0.491404\cdots$$

となり、たしかに、ほんの少し貴族に分が悪い。何回勝負をして気がついたのだろう。

現代確率論は、「公理論的確率論」(次項)を打ちだしたコルモゴロフ(ロシア・1903 ～ 1987)にはじまり、その後は急速な進歩をしている。

しかし、確率には不思議なところがたくさんある。「まるでわからない」という人もけっこう上手に使っている。「よくわかっている」つもりの人でも、案外よく間違える。そんなとき、“実技”が役に立つことがある。

確率論は今後も“実技”と“理論”が協力して進んでいくのだろう。

15 公理論的確率論

19世紀末から20世紀にかけて、それまでの数学を

集合＋公理系

という形で再編成する「公理主義」という立場が盛んになった。

これはカントールが創始した集合論の影響を受けたもので、確率論にもそれが及んだ。

現在よく知られている公理論的確率論として、コルモゴロフの『確率論の基礎概念』（初版が1933年、第2版が1973年）がある。

公理主義の大きな特徴は抽象性にあるから、私たち一人一人が抱いている確率のイメージとはかなりかけ離れるが、次のようなものである（東京図書、根本伸司訳による）。

Ω を要素 ω の集合とし、$\mathscr{F}$ を Ω の部分集合を要素とする集合族とする。このとき、ω を根元事象といい、$\mathscr{F}$ の要素を確率事象（または単に事象）、Ω を標本空間という。

Ⅰ．$\mathscr{F}$ は集合体である。

Ⅱ．$\mathscr{F}$ は各集合 A に、非負の実数 $P(A)$ が定められている。この $P(A)$ を事象 A の確率という。

Ⅲ．$P(\Omega)=1$。

Ⅳ．A と B とが共通の要素をもたないとき

$$P(A+B)=P(A)+P(B)$$

が成り立つ。

公理Ⅰ－Ⅳを満たす$(\Omega, \mathscr{F}, P)$を総称して、確率空間という。

Ⅴ．（連続性の公理）

$\mathscr{F}$の減少事象列

(1) $A_1 \supseteq A_2 \supseteq \cdots\cdots \supseteq A_n \supseteq \cdots\cdots$

において

(2) $\bigcap_n A_n = \emptyset$

ならば、次の等式が成り立つ。

(3) $\lim_n P(A_n) = 0$

（このⅤは、無限確率空間のためにつけ加えられる。）

以上がコルモゴロフの公理系である。

コルモゴロフはこの公理系を出発点にして、いろいろな定理を証明していく。

こうして、無矛盾な純粋数学の理論として確率論が構築されてからは、「確率とは何か、どのように確率を定めるのか」についての哲学的な議論や現場の判断と、数学的な議論との境界線が明確になり、数学者は数学だけに専念できるようになった。現在私たちが手にする確率論のテキストは、多かれ少なかれこの公理論的な展開の考え方や手法を取り入れている。

しかし、集合族とか集合体といった集合論における用語や、その他の記号などが使われるので、慣れないと意味がつかみにくい。

そして何より、私たちが確率を考えるときは、公理化の側面よりも日常の経験的な事実との関連が大切なことがらになるので、そのあたりは「しっかりと良識で判断する」必要がある。

ちょっとひと息

水に花粉を浮かべると、破裂してたくさんの微粒子が出るが、それを顕微鏡で観察すると、生き物のように活発な動きをする。これは1740年頃にすでに、イギリスのニーダムが観察している。

イギリスの植物学者ロバート・ブラウン(1773〜1853)もずっと遅れて、この現象を観察した(1827年)。彼もこれが命あるものの運動かと思って、植物の「受精」を研究するつもりだった。ところがアルコール漬けの死んだ植物の微粒子も、さらには「煤」や金属の微粒子も、同じふるまいをすることがわかった。

ほんとうの原因は、水の分子運動であった。全体としては静止している水でも、分子レベルでは激しい熱運動をしていて、その速度は時速1800キロにもなるという。小さな粒子はこれに突き動かされて、ひじょうに不規則な運動をするのである。

その後、かのアインシュタイン(1879〜1955)が「ブラウン運動」を研究して、経験的に得られた法則と「分子運動の理論」との関係をあきらかにした。これは「当時まだ仮説でしかなかった分子運動論の間接的証明」でもあった。また日本の数学者・伊藤清(1915〜2008)は、ブラウン運動の本質を「確率微分方程式」によって定式化し、個別的な例(見本過程)についての微積分学を建設するのに成功した(1942〜1950年)。その結果は1970年頃から、金融工学でも活用されている。

ブラウン運動の歴史には、「地道な実験と抽象的な理論の幸福な結婚」が見られる。「目先の応用だけにとらわれてはいけない」という、よい例でもあると思う。

第4部

統計・確率の意味がわかる

第5章

表計算ソフト活用法

1　表計算ソフト

2　平均値の計算

3　分散・標準偏差

4　相関係数

5　グラフ

6　表計算ソフトとのつき合い方

7　確率分布を扱う関数

8　分析ツールで多変量解析

1 表計算ソフト

パソコンが普及し、ワープロのソフトと表計算のソフトは一番よく使われている。

表計算ソフトにもいろいろあり、また次々にバージョンアップされていくから、手近にあるパソコンで、手に入りやすいソフトの使い方に慣れていく以外ない。

以下では、マイクロソフトエクセルというソフトを例にして、統計的処理の方法を紹介する。バージョンが違っても基本的には方法は同じ。

● 表計算ソフトの画面

どの表計算ソフトでもそうだが、それを開くと上の縁にA, B, C, ……、左端に1, 2, 3, ……と書かれた下のような枠が表示される。

「これは何だ？」

	A	B	C	D	E	F	G	H
1								
2								
3								
4								
5								
6								
7								
8								
9								
10								
11								
12								
13								
14								
15								
16								
17								
18								
19								
20								
21								
22								
23								
24								

一つ一つの長方形（セルという）に文字や数字を入れ、数字の合計を求めたり、その数字をもとにグラフを描いたりする。

「なるほど。データを整理するのに便利そうだから、統計に使えそうだね。」

そう、極端にいえば、表計算ソフトは統計処理のために作られたといっていいくらいだ。

● データの入力

マウスでセルを選択して、そこに文字や数字を入れる。

たとえば、右の図では、セル A1 に「名前」、セル A2 に「足立」……、セル B2 に「160.5」、……と入れていった。

	A	B	C	D	E	F
1	名　前	身長				
2	足　立	160.5				
3	内　森	173.7				
4	伊　藤	175.6				
5	上　垣	175.1				
6	内　田	170.6				
7	小　澤	169.5				
8	大久保	184.6				
9	小　林	173.2				
10	近　藤	165				
11	新　海	167.5				
12	新　谷	175.3				
13	多　田	169.9				
14	田　中	165.3				
15	棚　橋	171				
16	中　出	173.1				
17	西　谷	164.7				
18	野　崎	168.4				
19	部　礼	159.6				
20	亀　井	172.4				
21	脇　山	163.6				
22						
23						
24						

文字や数字の書き方は、ワープロと同じ。

もしうまくいかなかったら、近くの人に聞いてみるのが一番早い。これはパソコンを使うときの鉄則といってもよい。マニュアル本ではなかなかわからないことが多い。

もう一つの鉄則は、トライアンドエラー、つまり恐がらないでいろいろやってみるのがよい。

「きれいな表ができたね。」

これからこの表を使って、基本的な処理をしていこう。

2　平均値の計算

● 和を求める

20 人全員の身長を加えて 20 で割れば平均値が求められる。

加えるときは、電卓やそろばんを使わなくてもよい。そこが表計算ソフトのすごいところで、あっという間に和を出してくれる。

	A	B	C	D	E	F
1	名　前	身長				
2	足　立	160.5				
3	内　森	173.7				
4	伊　藤	175.6				
5	上　垣	175.1				
6	内　田	170.6				
7	小　澤	169.5				
8	大久保	184.6				
9	小　林	173.2				
10	近　藤	165				
11	新　海	167.5				
12	新　谷	175.3				
13	多　田	169.9				
14	田　中	165.3				
15	棚　橋	171				
16	中　出	173.1				
17	西　谷	164.7				
18	野　崎	168.4				
19	部　礼	159.6				
20	亀　井	172.4				
21	脇　山	163.6				
22		3398.6	⇦	=SUM(B2:B21)		
23		169.93	⇦	=B22/B20		
24						
25		169.93	⇦	=AVERAGE(B2:B21)		
26						
27						
28						

① 答を置きたいセル B22 をクリックする。

② 画面の上の方にある（下図参照）[Σ] ボタンをクリックし、つづいて B2 から B21 までをドラッグして選択する。

③ キーボードの Enter キーを押す。

これであっという間に 3398.6 という和が出てしまう。

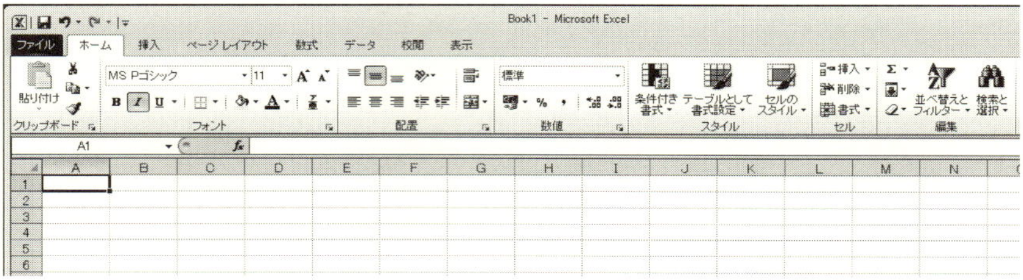

うまくいかなかったら早速トライアンドエラー。

じつはB22に＝SUM(B2：B21)という関数が入っている。

表計算で使う関数はたくさんあり、それをながめるには f_x ボタンまたは「数式」をクリックしてみて欲しい。これからそのうちのいくつかのお世話になるが、ひとまず話を元に戻そう。

● 20で割る

セルB22にある和3398.6を20で割れば平均値が出る。

① 答を置きたいセルB23をクリック。

② そこに＝B22／20と入力する。

③ キーボードのEnterキー。

これで169.93という平均値が求められる。

● もう一つの方法

「全部加えて20で割る」という操作を一発でやってくれる関数が用意されている。

f_x ボタンまたは「数式」をクリックして関数一覧表を開く。統計という分類の中にAVERAGEという関数があるのでこれを選ぶ。そしてB2からB21までをドラッグして選択し、Enterキー。

たちまち169.93が表示される。左ページの図ではセルB25に結果を置いてある。

平均とは何かをよく知っているならば一発でAVERAGE関数を使うのもよいが、やはり加減乗除などの基本的な計算をくりかえしていく方がやっていることの意味がはっきりする。勉強のためならば両方でやってみることをお奨めする。

3　分散・標準偏差

分散とは、(各値－平均値)^2 の平均のことであるから

① 各値から平均(169.93)をひく

② それを 2 乗

③ 全部たす

④ 20 で割る

という 4 段階の仕事をすればよい。

ところが、一発で分散を出す関数

VARP

というのが用意されていて、これを使ってもよい。

また、標準偏差は、$\sqrt{分散}$ であるが、平方根は

SQRT

という関数を使う。

	A	B	C	D	E	F	G	H
1	名前	身長	x−169.93	(x−169.93)^2				
2	足立	160.5	−9.43	88.925				
3	内森	173.7	3.77	14.213				
4	伊藤	175.6	5.67	32.149				
5	上垣	175.1	5.17	26.729				
6	内田	170.6	0.67	0.449				
7	小澤	169.5	−0.43	0.185				
8	大久保	184.6	14.67	215.209				
9	小林	173.2	3.27	10.693				
10	近藤	165	−4.93	24.305				
11	新海	167.5	−2.43	5.905				
12	新谷	175.3	5.37	28.837				
13	多田	169.9	−0.03	0.001				
14	田中	165.3	−4.63	21.437				
15	棚橋	171	1.07	1.145				
16	中出	173.1	3.17	10.049				
17	西谷	164.7	−5.23	27.353				
18	野崎	168.4	−1.53	2.341				
19	部礼	159.6	−10.33	106.709				
20	亀井	172.4	2.47	6.101				
21	脇山	163.6	−6.33	40.069				
22	平均	169.93		662.802	⇦	=SUM (D2:D21)		
23								
24			分散	33.140	⇦	=D22/20		
25				33.140	⇦	=VARP (B2:B21)		
26								
27			不偏分散	34.884	⇦	=D22/19		
28				34.884	⇦	=VAR (B2:B21)		
29								
30			標準偏差	5.757	⇦	=SQRT (D24)		
31				5.757	⇦	=STDEVP (B2:B21)		
32								
33			不偏標準偏差	5.906	⇦	=SQRT (D27)		
34				5.906	⇦	=STDEV (B2:B21)		
35								
36								

これまたデータから直接標準偏差を出す

STDEVP

という関数が用意されている。

念のため、2通りの方法で計算してみた。もちろん一致する。

ある人には蛇足、ある人には不足となって恐縮だが、いくつかの注意点を上げる。

(1) セル C2 には ＝B2－169.93 と入力する。以下 C3, C4, …は、⬇（下方へコピーのボタン）を使って一度でズバッと入力する。

(2) セル D2 には ＝C2^2 と入力する。以下 D3, D4, …は、⬇を使って一度でズバッ。

(3) 分散を求める関数に VARP と VAR、標準偏差を計算する関数にも STDEVP と STDEV の 2 種類がある。我々の知っている $\frac{1}{n}\sum_{i=1}^{n}(x_i-\bar{x})^2$ およびその平方根は VARP, STDEVP の方（うしろに P がついている）である。

VAR, STDEV は $\frac{1}{n-1}\sum_{i=1}^{n}(x_i-\bar{x})^2$ およびその平方根。

母集団から n 個の標本を無作為抽出し、その標本をもとにした母集団の分散の推定値としてはこちらの方が適していて、不偏分散とよばれる。

- ふつうは定義通り P のついている方を使う
- 母集団の推定に使用するときは P のついていない方を使う
- しかし n が 30 以上では両者の違いはあまりない

(4) 関数一覧を見るとまだある。分散についてはさらにうしろに A がついた VARA、VARPA 、標準偏差も STDEVA、STDEVPA というのがある。これはまた使い方によっては便利であるには違いないが、逆に似たようなものがいくつもあって使うとき迷ってしまう。「便利さと、不便さは紙一重」ということなのだろうか。

4 相関係数

体重も入力して、身長と体重の相関係数を計算してみよう。

定義式は

$$\frac{\sum_{i=1}^{n}(x_i-\overline{x})(y_i-\overline{y})}{\sqrt{\sum_{i=1}^{n}(x_i-\overline{x})^2\times\sum_{i=1}^{n}(y_i-\overline{y})^2}}$$

であったから、この式に従って計算したところ下の表になった。

相関係数もCORRELという関数を使うと、途中を全部抜いて結果が即座に出る（セルG25）。

CORRELを使わず、一つ一つ式を確認して値を求めながら進む過程を理解しやすいように、入力する式を右ページに書き出してみた。これを見ると、入力した式は①から⑪までである。

	A	B	C	D	E	F	G	H	I
1	名　前	身長x	体重y	$x-m$	$y-m'$	$(x-m)(y-m')$	$(x-m)$ ^2	$(y-m')$ ^2	
2	足　立	160.5	42.6	−9.43	−22.745	214.485	88.925	517.335	
3	内　森	173.7	68.6	3.77	3.255	12.271	14.213	10.595	
4	伊　藤	175.6	60.8	5.67	−4.545	−25.770	32.149	20.657	
5	上　垣	175.1	65.3	5.17	−0.045	−0.233	26.729	0.002	
6	内　田	170.6	80.6	0.67	15.255	10.221	0.449	232.715	
7	小　澤	169.5	60	−0.43	−5.345	2.298	0.185	28.569	
8	大久保	184.6	94	14.67	28.655	420.369	215.209	821.109	
9	小　林	173.2	90.3	3.27	24.955	81.603	10.693	622.752	
10	近　藤	165	53	−4.93	−12.345	60.861	24.305	152.399	
11	新　海	167.5	63.7	−2.43	−1.645	3.997	5.905	2.706	
12	新　谷	175.3	86.5	5.37	21.155	113.602	28.837	447.534	
13	多　田	169.9	65.3	−0.03	−0.045	0.001	0.001	0.002	
14	田　中	165.3	58.5	−4.63	−6.845	31.692	21.437	46.854	
15	棚　橋	171	67.3	1.07	1.955	2.092	1.145	3.822	
16	中　出	173.1	73.5	3.17	8.155	25.851	10.049	66.504	
17	西　谷	164.7	59	−5.23	−6.345	33.184	27.353	40.259	
18	野　崎	168.4	54.9	−1.53	−10.445	15.981	2.341	109.098	
19	部　礼	159.6	47.5	−10.33	−17.845	184.339	106.709	318.444	
20	亀　井	172.4	67	2.47	1.655	4.088	6.101	2.739	
21	脇　山	163.6	48.5	−6.33	−16.845	106.629	40.069	283.754	
22	平均	169.93	65.345		合計	1297.563	662.802	3727.850	
23									
24									
25			相関係数	0.82548			0.82548		
26				⇧			⇧		
27				=F22/SQRT(G22*H22)			=CORREL(B2:B21,C2:C21)		

①～⑪が、CORRELを使うとただ1つの⑫でできてしまうことになる。

しかし①～⑪の式の入力は、慣れると決して大変ではない。また⑧、⑨、⑩を総数 20 で割るとそれぞれ統計学の共分散、身長の分散、体重の分散であるから、意味を確認しながら計算を進行させる楽しみがある。

①	B22	=AVERAGE (B2:B21)
②	C22	=AVERAGE (C2:C21)
③	D2	=B2－B22
④	E2	=C2－C22
⑤	F2	=D2*E2
⑥	G2	=D2^2
⑦	H2	=E2^2
⑧	F22	=SUM (F2:F21)
⑨	G22	=SUM (G2:G21)
⑩	H22	=SUM (H2:H21)
⑪	D25	=F22/SQRT (G22*H22)
⑫	G25	=CORREL (B2:B21,C2:C21)

	A	B	C	D	E	F	G	H	I
1	名　前	身長x	体重y	$x-m$	$y-m'$	$(x-m)(y-m')$	$(x-m)$^2	$(y-m')$^2	
2	足　立	160.5	42.6	③	④	⑤	⑥	⑦	
3	内　森	173.7	68.6						
4	伊　藤	175.6	60.8						
5	上　垣	175.1	65.3						
6	内　田	170.6	80.6	下	下	下	下	下	
7	小　澤	169.5	60	方	方	方	方	方	
8	大久保	184.6	94	へ	へ	へ	へ	へ	
9	小　林	173.2	90.3	コ	コ	コ	コ	コ	
10	近　藤	165	53	ピ	ピ	ピ	ピ	ピ	
11	新　海	167.5	63.7	ー	ー	ー	ー	ー	
12	新　谷	175.3	86.5						
13	多　田	169.9	65.3						
14	田　中	165.3	58.5						
15	棚　橋	171	67.3						
16	中　出	173.1	73.5						
17	西　谷	164.7	59						
18	野　崎	168.4	54.9						
19	部　礼	159.6	47.5						
20	亀　井	172.4	67						
21	脇　山	163.6	48.5						
22	平均	①	②		合計	⑧	⑨	⑩	
23									
24									
25				⑪			⑫		
26									
27									

5 グラフ

最近の表計算ソフトはいろいろな形のグラフを大変美しく描いてくれるようになった。

「挿入」またはグラフのボタンを押すと図のようなダイアログボックス（説明枠）が表示される。

縦の棒グラフ

横の棒グラフ

折れ線グラフ

まさによりどりみどりである。このどれかを選んでグラフ描きが始まるのだが、データの表ができていないと図を描いてくれない。

数学で関数 $y=x^2$ のグラフの描き方には 2 段階ある。第 1 段階は右のような関数表を作りこれを見て座標平面上にポツリ、ポツリと点を目盛っていく。

x	y
⋮	⋮
-2	4
-1	1
0	0
1	1
2	4
3	9
⋮	⋮

第 2 段階は、$y=x^2$ という式を見ただけで放物線型のグラフを描いてしまう。

表計算ソフトで棒グラフや折れ線グラフを描くときは、あくまでもこの第 1 段階にあたる。

きちんとデータの表が完成していないとグラフは描けない。

これまで扱ってきた身長のデータ（1人だけ数字を変えた）から、度数分布表の柱状グラフ（ヒストグラムともいう）を描いてみよう。

① 階級幅を決め度数を数える（下図ではD列で数値の「並べ替え」を行い、E列でCOUNTという関数を使って各階級の度数を数えた）。

② 階級値を入れた度数分布表を作る。

③ その表を棒グラフにする。

	A	B	C	D	E	F	G	H	I	J	K	L	M
1	名　前	身長x											
2	足　立	160.5		154.9	1								
3	内　森	173.7		159.6	1								
4	伊　藤	175.6		160.5									
5	上　垣	175.1		163.6									
6	内　田	170.6		164.7	3	⇦	=COUNT(D4:D6)						
7	小　澤	169.5		165									
8	大久保	184.6		165.3									
9	小　林	173.2		167.5									
10	近　藤	165		168.4									
11	新　海	167.5		169.5									
12	新　谷	175.3		169.9	6	⇦	=COUNT(D7:D12)						
13	多　田	169.9		170.6									
14	田　中	165.3		172.4				区間		階級値	度数		
15	橋　棚	154.9		173.1			150	−	155	152.5	1		
16	中　出	173.1		173.2			155	−	160	157.5	1		
17	西　谷	164.7		173.7	5		160	−	165	162.5	3		
18	野　崎	168.4		175.1			165	−	170	167.5	6		
19	部　礼	159.6		175.3			170	−	175	172.5	5		
20	亀　井	172.4		175.6	3		175	−	180	177.5	3		
21	脇　山	163.6		184.6	1		180	−	185	182.5	1		
22													
23													
24													
25													
26													
27													
28													
29											FREQUENCY使用		
30											155	1	
31											160	1	
32											165	4	
33											170	5	
34											175	5	
35											180	3	
36											185	1	
37													
38													

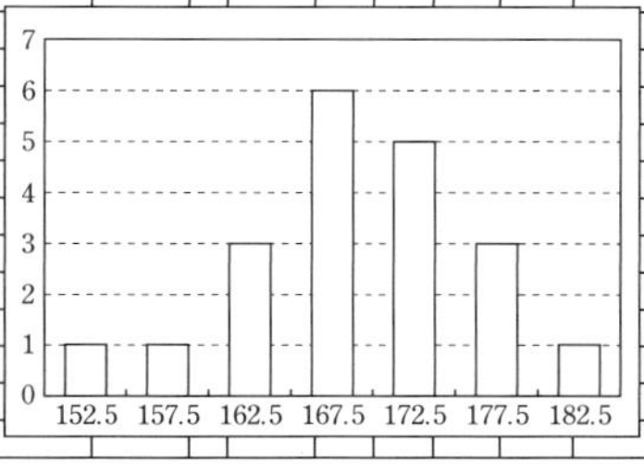

このようにあくまでK15～K21にある数値がないと度数分布のグラフは描けない。なお、関数FREQUENCYは、度数を一気に数える関数である（このソフトでは、階級の右端に等号をつけるので、度数が若干異なっている。なお、操作がかなり面倒である）。

6 表計算ソフトとのつき合い方

エクセルには、確率統計用の関数だけで 80 種類近くある。とても全部覚えるわけにはいかないから、やりたい仕事に合わせて「何か役立つ関数はないかな？」とさがしてみるとよい。

たとえば、サイコロを 20 回投げて、1 の目が 3 回出る確率を求めるには二項分布の確率 ${}_{20}C_3\left(\frac{1}{6}\right)^3\left(\frac{5}{6}\right)^{17}$ を計算すればよい。こんなとき、「何か役立つものはないかな？」と関数をさがす。すると BINOMDIST というのを発見する。これは

BINOMDIST(ア, イ, ウ, エ)

のア～エに次の数を入れていく(ダイアログボックスが教えてくれる)。

	A	B	C	D	E	F	G	H	I
1	回数	確率							
2	0	0.0260841	⇦	=BINOMDIST(A2,20,1/6,0)					
3	1	0.1043362							
4	2	0.1982388							
5	3	0.2378866							
6	4	0.2022036							
7	5	0.1294103							
8	6	0.0647051							
9	7	0.0258821							
10	8	0.0084117							
11	9	0.0022431							
12	10	0.0004935							
13	11	8.972E-05							
14	12	1.346E-05							
15	13	1.656E-06							
16	14	1.656E-07							
17	15	1.325E-08							
18	16	8.282E-10							
19	17	3.898E-11							
20	18	1.299E-12							
21	19	2.735E-14							
22	20	2.735E-16							
23									
24									
25									

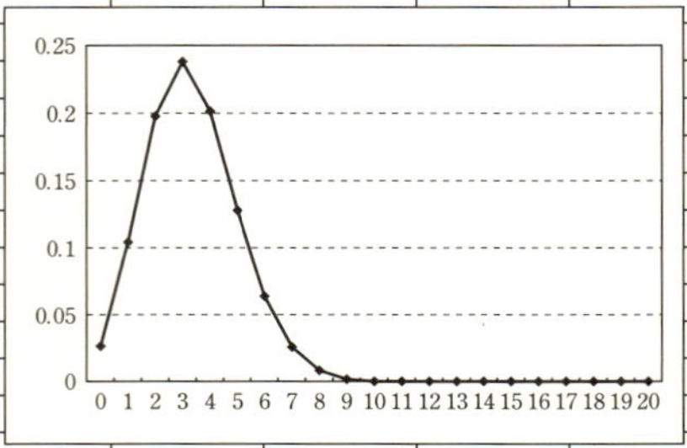

ア：成功数　　　（上の例では 3）

イ：試行回数　　（上の例では 20）

ウ：成功の確率　（上の例では $\frac{1}{6}$）

エ：そこまでの累積を求めたかったら 1、そのときの確率だけ欲しかったら 0　　（上の例では 0）

実際に BINOMDIST (3, 20, 1 ／ 6, 0)で、0.237886566… という答が求まる。

ここでふと考える。

「アを 0 から 20 までずーっと変化させてみたいな。」

早速 A2 から A20 までのセルに 0, 1, 2, ……, 20 を用意する。

次に、B2 に ＝BINOMDIST(A2, 20, 1 ／ 6, 0)を入力。

さらに、B2 から B22 をマウスで選択し、下方向にコピー、そして Enter キー。これでズバッと完成。

さらに、ふと考える。

「この様子をグラフにしたいな。」

B 列を選択してグラフ描きに挑戦。……

つっかえたら 2 つの鉄則。その 1 は近くにいる人に聞いてみる。その 2 はトライアンドエラー。表計算ソフトを楽しく使おう。

＜注＞　この章の名称は「表計算ソフト活用法」となっているが、パソコンについてのマニュアルは、読む人によってやさしすぎたりむずかしすぎたりしがちである。この点についてご理解をお願いしたい。

7 確率分布を扱う関数

前ページでは、二項分布を扱う関数が出てきたが、その他にも統計関数の中には、たとえば次のような正規分布関係の関数がある。

NORMSDIST（ア）

これは、標準正規分布において、$I(a)$すなわち$P(T \leqq a)$の値を求めることができる関数であり、アに a の値を入れる。

NORMSINV（ア）

これはその逆。アに累積確率（$P(T \leqq a)$）を入れると、a の値が出力される。

この 2 つが、標準正規分布表の代わりをしてくれることになる。

たとえば

＝NORMSDIST（－1.96）

と入力すると

0.025

という値が求められる（小数点以下3位までを出力した）。

また、

＝NORMSINV（0.025）

と入力すると、反対に

－1.960

が出力される。

標準化する前の値を使うときのためにも次の関数がある。

NORMDIST（ア，イ，ウ，エ）

ア　求めたい $P(X \leqq a)$ の a の値

イ　平均

ウ　標準偏差

エ　1

とすると、確率 $P(X \leqq a)$ が求められる。

たとえば、ある集団の身長の平均が 170.6cm、標準偏差が 6.6 のとき、$P(X \leqq 165)$ を求めたいときは

＝NORMDIST(165, 170.6, 6.6, 1)

と入力すると

0.198

が出力される。

ポアソン分布、その他の分布についての関数もあり、巻末の表を調べる代わりに、即座に値を出してくれる。

ポアソン分布の場合

POISSON(ア, イ, ウ)

ア　何回起こる場合の確率を求めたいか

イ　平均

ウ　0(1を入れると累積)

という指示の仕方をする。671ページの例でいうと

＝POISSON(1, 0.9323, 0)

と入力すると、ロケット弾 V2 が 1 発あたる確率を求めることができ

0.367

と出力される。

パソコンの進歩は数表を次第に不要にしていくようだ。

8 分析ツールで多変量解析

近年は、統計専門のいろいろなソフトが出ている。

エクセルでも、「ツール」メニューのアドインで「分析ツール」というのをよび出すと、さまざまな資料の解析ができる。

たとえば、ある野球リーグの打者9人を抽出し、右のような表ができたとしよう。

選　手	本塁打	打　点	盗　塁	年　俸
A	32	100	15	5000
B	10	50	25	2500
C	20	70	50	3500
D	5	20	30	1000
E	9	32	15	2000
F	8	25	20	2000
G	20	50	45	3500
H	30	95	50	6000
I	15	45	15	2000
平均	16.5556	54.1111	29.4444	3055.56
標準偏差	9.69679	28.8247	15.0923	1609.43

「分析ツール」のさまざまな機能の中に「相関」というツールがあり、これは大変便利で、本塁打、打点、盗塁、年俸の各2つの相関係数を一度に表にしてくれる(右中央の表)。

	本塁打	打　点	盗　塁	年　俸
本塁打	1			
打　点	0.96171	1		
盗　塁	0.35257	0.33491	1	
年　俸	0.95091	0.94561	0.46458	1

これを見ると本塁打と打点の相関は案の定大きいので、資料としては打点に一本化することにして、さらに

(各値−平均)÷ 標準偏差

を計算して各値を標準化したのが右下の表である。

	打　点	盗　塁	年　俸
A	1.592	−0.9571	1.20815
B	−0.1426	−0.2945	−0.3452
C	0.55123	1.36199	0.27615
D	−1.1834	0.03681	−1.2772
E	−0.7671	−0.9571	−0.6559
F	−1.0099	−0.6258	−0.6559
G	−0.1426	1.03069	0.27615
H	1.41854	1.36199	1.82949
I	−0.3161	−0.9571	−0.6559

概　要

回帰統計	
重相関 R	0.958545
重決定 R2	0.918809
補正 R2	0.891745
標準誤差	0.329021
観測数	9

分散分析表

	自由度	変動	分散	測られた分散	有益 F
回帰	2	7.350472	3.675236	33.94992	0.000535
残差	6	0.649528	0.108255		
合計	8	8			

	係　数	標準偏差	t	P－値	下限 95%	上限 95%	下限 95.0%	上限 95.0%
切片	7.14E-17	0.109674	6.51E-16	1	－0.268362	0.268362	－0.268362	0.268362
打点	0.889821	0.123456	7.207607	0.000361	0.587735	1.191906	0.587735	1.191906
盗塁	0.166575	0.123456	1.349271	0.225937	－0.13551	0.468661	－0.13551	0.468661

残差出力

観測値	予測値：年俸	残　差
1	1.257171	－0.049016
2	－0.175964	－0.169223
3	0.717365	－0.441216
4	－1.046882	－0.230309
5	－0.841997	0.186142
6	－1.002903	0.347047
7	0.044778	0.231372
8	1.489118	0.340372
9	－0.440686	－0.215169

つづいて「分析ツール」の中の「回帰分析」というツールを用いると、打点と盗塁をもとにした予測値（モデル値）を求めることができる。

さらに、下で実際との比較をグラフにしてみた（詳細は略）。

このように多変量解析の方法（理論）も、統計ソフトも日進月歩である。

	実　際	モデル値
A	1.20815	1.25717
B	－0.3452	－0.176
C	0.27615	0.71737
D	－1.2772	－1.0469
E	－0.6559	－0.842
F	－0.6559	－1.0029
G	0.27615	0.04478
H	1.82949	1.48912
I	－0.6559	－0.4407

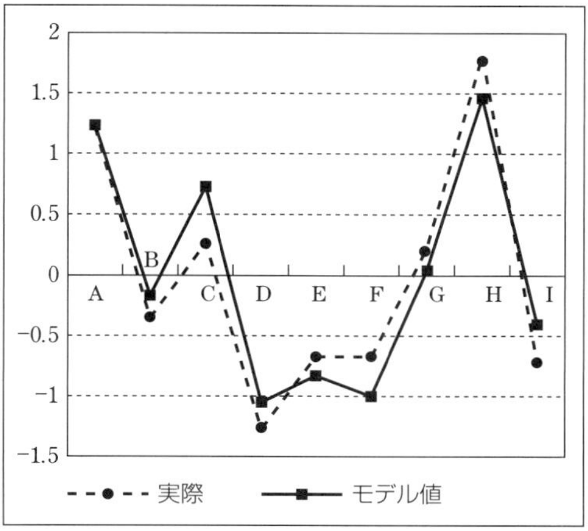

正規分布表

標準正規分布に従う変数 X について

「$X \leqq t$ である確率」を $I(t)$ で表す：$I(t)=P(X \leqq t)$

t	$I(t)$	t	$I(t)$	t	$I(t)$	t	$I(t)$	t	$I(t)$	t	$I(t)$
-3.00	0.00135	-2.50	0.00621	-2.00	0.02275	-1.50	0.06681	-1.00	0.15866	-0.50	0.30854
-2.99	0.00139	-2.49	0.00639	-1.99	0.02330	-1.49	0.06811	-0.99	0.16109	-0.49	0.31207
-2.98	0.00144	-2.48	0.00657	-1.98	0.02385	-1.48	0.06944	-0.98	0.16354	-0.48	0.31561
-2.97	0.00149	-2.47	0.00676	-1.97	0.02442	-1.47	0.07078	-0.97	0.16602	-0.47	0.31918
-2.96	0.00154	-2.46	0.00695	-1.96	0.02500	-1.46	0.07215	-0.96	0.16853	-0.46	0.32276
-2.95	0.00159	-2.45	0.00714	-1.95	0.02559	-1.45	0.07353	-0.95	0.17106	-0.45	0.32636
-2.94	0.00164	-2.44	0.00734	-1.94	0.02619	-1.44	0.07493	-0.94	0.17361	-0.44	0.32997
-2.93	0.00169	-2.43	0.00755	-1.93	0.02680	-1.43	0.07636	-0.93	0.17619	-0.43	0.33360
-2.92	0.00175	-2.42	0.00776	-1.92	0.02743	-1.42	0.07780	-0.92	0.17879	-0.42	0.33724
-2.91	0.00181	-2.41	0.00798	-1.91	0.02807	-1.41	0.07927	-0.91	0.18141	-0.41	0.34090
-2.90	0.00187	-2.40	0.00820	-1.90	0.02872	-1.40	0.08076	-0.90	0.18406	-0.40	0.34458
-2.89	0.00193	-2.39	0.00842	-1.89	0.02938	-1.39	0.08226	-0.89	0.18673	-0.39	0.34827
-2.88	0.00199	-2.38	0.00866	-1.88	0.03005	-1.38	0.08379	-0.88	0.18943	-0.38	0.35197
-2.87	0.00205	-2.37	0.00889	-1.87	0.03074	-1.37	0.08534	-0.87	0.19215	-0.37	0.35569
-2.86	0.00212	-2.36	0.00914	-1.86	0.03144	-1.36	0.08692	-0.86	0.19489	-0.36	0.35942
-2.85	0.00219	-2.35	0.00939	-1.85	0.03216	-1.35	0.08851	-0.85	0.19766	-0.35	0.36317
-2.84	0.00226	-2.34	0.00964	-1.84	0.03288	-1.34	0.09012	-0.84	0.20045	-0.34	0.36693
-2.83	0.00233	-2.33	0.00990	-1.83	0.03362	-1.33	0.09176	-0.83	0.20327	-0.33	0.37070
-2.82	0.00240	-2.32	0.01017	-1.82	0.03438	-1.32	0.09342	-0.82	0.20611	-0.32	0.37448
-2.81	0.00248	-2.31	0.01044	-1.81	0.03515	-1.31	0.09510	-0.81	0.20897	-0.31	0.37828
-2.80	0.00256	-2.30	0.01072	-1.80	0.03593	-1.30	0.09680	-0.80	0.21186	-0.30	0.38209
-2.79	0.00264	-2.29	0.01101	-1.79	0.03673	-1.29	0.09853	-0.79	0.21476	-0.29	0.38591
-2.78	0.00272	-2.28	0.01130	-1.78	0.03754	-1.28	0.10027	-0.78	0.21770	-0.28	0.38974
-2.77	0.00280	-2.27	0.01160	-1.77	0.03836	-1.27	0.10204	-0.77	0.22065	-0.27	0.39358
-2.76	0.00289	-2.26	0.01191	-1.76	0.03920	-1.26	0.10383	-0.76	0.22363	-0.26	0.39743
-2.75	0.00298	-2.25	0.01222	-1.75	0.04006	-1.25	0.10565	-0.75	0.22663	-0.25	0.40129
-2.74	0.00307	-2.24	0.01255	-1.74	0.04093	-1.24	0.10749	-0.74	0.22965	-0.24	0.40517
-2.73	0.00317	-2.23	0.01287	-1.73	0.04182	-1.23	0.10935	-0.73	0.23270	-0.23	0.40905
-2.72	0.00326	-2.22	0.01321	-1.72	0.04272	-1.22	0.11123	-0.72	0.23576	-0.22	0.41294
-2.71	0.00336	-2.21	0.01355	-1.71	0.04363	-1.21	0.11314	-0.71	0.23885	-0.21	0.41683
-2.70	0.00347	-2.20	0.01390	-1.70	0.04457	-1.20	0.11507	-0.70	0.24196	-0.20	0.42074
-2.69	0.00357	-2.19	0.01426	-1.69	0.04551	-1.19	0.11702	-0.69	0.24510	-0.19	0.42465
-2.68	0.00368	-2.18	0.01463	-1.68	0.04648	-1.18	0.11900	-0.68	0.24825	-0.18	0.42858
-2.67	0.00379	-2.17	0.01500	-1.67	0.04746	-1.17	0.12100	-0.67	0.25143	-0.17	0.43251
-2.66	0.00391	-2.16	0.01539	-1.66	0.04846	-1.16	0.12302	-0.66	0.25463	-0.16	0.43644
-2.65	0.00402	-2.15	0.01578	-1.65	0.04947	-1.15	0.12507	-0.65	0.25785	-0.15	0.44038
-2.64	0.00415	-2.14	0.01618	-1.64	0.05050	-1.14	0.12714	-0.64	0.26109	-0.14	0.44433
-2.63	0.00427	-2.13	0.01659	-1.63	0.05155	-1.13	0.12924	-0.63	0.26435	-0.13	0.44828
-2.62	0.00440	-2.12	0.01700	-1.62	0.05262	-1.12	0.13136	-0.62	0.26763	-0.12	0.45224
-2.61	0.00453	-2.11	0.01743	-1.61	0.05370	-1.11	0.13350	-0.61	0.27093	-0.11	0.45620
-2.60	0.00466	-2.10	0.01786	-1.60	0.05480	-1.10	0.13567	-0.60	0.27425	-0.10	0.46017
-2.59	0.00480	-2.09	0.01831	-1.59	0.05592	-1.09	0.13786	-0.59	0.27760	-0.09	0.46414
-2.58	0.00494	-2.08	0.01876	-1.58	0.05705	-1.08	0.14007	-0.58	0.28096	-0.08	0.46812
-2.57	0.00508	-2.07	0.01923	-1.57	0.05821	-1.07	0.14231	-0.57	0.28434	-0.07	0.47210
-2.56	0.00523	-2.06	0.01970	-1.56	0.05938	-1.06	0.14457	-0.56	0.28774	-0.06	0.47608
-2.55	0.00539	-2.05	0.02018	-1.55	0.06057	-1.05	0.14686	-0.55	0.29116	-0.05	0.48006
-2.54	0.00554	-2.04	0.02068	-1.54	0.06178	-1.04	0.14917	-0.54	0.29460	-0.04	0.48405
-2.53	0.00570	-2.03	0.02118	-1.53	0.06301	-1.03	0.15151	-0.53	0.29806	-0.03	0.48803
-2.52	0.00587	-2.02	0.02169	-1.52	0.06426	-1.02	0.15386	-0.52	0.30153	-0.02	0.49202
-2.51	0.00604	-2.01	0.02222	-1.51	0.06552	-1.01	0.15625	-0.51	0.30503	-0.01	0.49601
-2.50	0.00621	-2.00	0.02275	-1.50	0.06681	-1.00	0.15866	-0.50	0.30854	0.00	0.50000

危険率αの推定・検定のための係数 c は、$I(c)=1-\dfrac{\alpha}{2}$ をみたす。よく使われるαとそれに対する c の値を右に示しておく。

危険率 α	係数 c
0.01	2.58
0.05	1.96
0.1	1.65

t	$I(t)$	t	$I(t)$	t	$I(t)$	t	$I(t)$	t	$I(t)$	t	$I(t)$
0.00	0.50000	0.50	0.69146	1.00	0.84134	1.50	0.93319	2.00	0.97725	2.50	0.99379
0.01	0.50399	0.51	0.69497	1.01	0.84375	1.51	0.93448	2.01	0.97778	2.51	0.99396
0.02	0.50798	0.52	0.69847	1.02	0.84614	1.52	0.93574	2.02	0.97831	2.52	0.99413
0.03	0.51197	0.53	0.70194	1.03	0.84849	1.53	0.93699	2.03	0.97882	2.53	0.99430
0.04	0.51595	0.54	0.70540	1.04	0.85083	1.54	0.93822	2.04	0.97932	2.54	0.99446
0.05	0.51994	0.55	0.70884	1.05	0.85314	1.55	0.93943	2.05	0.97982	2.55	0.99461
0.06	0.52392	0.56	0.71226	1.06	0.85543	1.56	0.94062	2.06	0.98030	2.56	0.99477
0.07	0.52790	0.57	0.71566	1.07	0.85769	1.57	0.94179	2.07	0.98077	2.57	0.99492
0.08	0.53188	0.58	0.71904	1.08	0.85993	1.58	0.94295	2.08	0.98124	2.58	0.99506
0.09	0.53586	0.59	0.72240	1.09	0.86214	1.59	0.94408	2.09	0.98169	2.59	0.99520
0.10	0.53983	0.60	0.72575	1.10	0.86433	1.60	0.94520	2.10	0.98214	2.60	0.99534
0.11	0.54380	0.61	0.72907	1.11	0.86650	1.61	0.94630	2.11	0.98257	2.61	0.99547
0.12	0.54776	0.62	0.73237	1.12	0.86864	1.62	0.94738	2.12	0.98300	2.62	0.99560
0.13	0.55172	0.63	0.73565	1.13	0.87076	1.63	0.94845	2.13	0.98341	2.63	0.99573
0.14	0.55567	0.64	0.73891	1.14	0.87286	1.64	0.94950	2.14	0.98382	2.64	0.99585
0.15	0.55962	0.65	0.74215	1.15	0.87493	1.65	0.95053	2.15	0.98422	2.65	0.99598
0.16	0.56356	0.66	0.74537	1.16	0.87698	1.66	0.95154	2.16	0.98461	2.66	0.99609
0.17	0.56749	0.67	0.74857	1.17	0.87900	1.67	0.95254	2.17	0.98500	2.67	0.99621
0.18	0.57142	0.68	0.75175	1.18	0.88100	1.68	0.95352	2.18	0.98537	2.68	0.99632
0.19	0.57535	0.69	0.75490	1.19	0.88298	1.69	0.95449	2.19	0.98574	2.69	0.99643
0.20	0.57926	0.70	0.75804	1.20	0.88493	1.70	0.95543	2.20	0.98610	2.70	0.99653
0.21	0.58317	0.71	0.76115	1.21	0.88686	1.71	0.95637	2.21	0.98645	2.71	0.99664
0.22	0.58706	0.72	0.76424	1.22	0.88877	1.72	0.95728	2.22	0.98679	2.72	0.99674
0.23	0.59095	0.73	0.76730	1.23	0.89065	1.73	0.95818	2.23	0.98713	2.73	0.99683
0.24	0.59483	0.74	0.77035	1.24	0.89251	1.74	0.95907	2.24	0.98745	2.74	0.99693
0.25	0.59871	0.75	0.77337	1.25	0.89435	1.75	0.95994	2.25	0.98778	2.75	0.99702
0.26	0.60257	0.76	0.77637	1.26	0.89617	1.76	0.96080	2.26	0.98809	2.76	0.99711
0.27	0.60642	0.77	0.77935	1.27	0.89796	1.77	0.96164	2.27	0.98840	2.77	0.99720
0.28	0.61026	0.78	0.78230	1.28	0.89973	1.78	0.96246	2.28	0.98870	2.78	0.99728
0.29	0.61409	0.79	0.78524	1.29	0.90147	1.79	0.96327	2.29	0.98899	2.79	0.99736
0.30	0.61791	0.80	0.78814	1.30	0.90320	1.80	0.96407	2.30	0.98928	2.80	0.99744
0.31	0.62172	0.81	0.79103	1.31	0.90490	1.81	0.96485	2.31	0.98956	2.81	0.99752
0.32	0.62552	0.82	0.79389	1.32	0.90658	1.82	0.96562	2.32	0.98983	2.82	0.99760
0.33	0.62930	0.83	0.79673	1.33	0.90824	1.83	0.96638	2.33	0.99010	2.83	0.99767
0.34	0.63307	0.84	0.79955	1.34	0.90988	1.84	0.96712	2.34	0.99036	2.84	0.99774
0.35	0.63683	0.85	0.80234	1.35	0.91149	1.85	0.96784	2.35	0.99061	2.85	0.99781
0.36	0.64058	0.86	0.80511	1.36	0.91308	1.86	0.96856	2.36	0.99086	2.86	0.99788
0.37	0.64431	0.87	0.80785	1.37	0.91466	1.87	0.96926	2.37	0.99111	2.87	0.99795
0.38	0.64803	0.88	0.81057	1.38	0.91621	1.88	0.96995	2.38	0.99134	2.88	0.99801
0.39	0.65173	0.89	0.81327	1.39	0.91774	1.89	0.97062	2.39	0.99158	2.89	0.99807
0.40	0.65542	0.90	0.81594	1.40	0.91924	1.90	0.97128	2.40	0.99180	2.90	0.99813
0.41	0.65910	0.91	0.81859	1.41	0.92073	1.91	0.97193	2.41	0.99202	2.91	0.99819
0.42	0.66276	0.92	0.82121	1.42	0.92220	1.92	0.97257	2.42	0.99224	2.92	0.99825
0.43	0.66640	0.93	0.82381	1.43	0.92364	1.93	0.97320	2.43	0.99245	2.93	0.99831
0.44	0.67003	0.94	0.82639	1.44	0.92507	1.94	0.97381	2.44	0.99266	2.94	0.99836
0.45	0.67364	0.95	0.82894	1.45	0.92647	1.95	0.97441	2.45	0.99286	2.95	0.99841
0.46	0.67724	0.96	0.83147	1.46	0.92785	1.96	0.97500	2.46	0.99305	2.96	0.99846
0.47	0.68082	0.97	0.83398	1.47	0.92922	1.97	0.97558	2.47	0.99324	2.97	0.99851
0.48	0.68439	0.98	0.83646	1.48	0.93056	1.98	0.97615	2.48	0.99343	2.98	0.99856
0.49	0.68793	0.99	0.83891	1.49	0.93189	1.99	0.97670	2.49	0.99361	2.99	0.99861
0.50	0.69146	1.00	0.84134	1.50	0.93319	2.00	0.97725	2.50	0.99379	3.00	0.99865

ポアソン分布表

整数 x と実数 m に対して

$$e^{-m} \cdot \frac{m^x}{x!}$$ の値を表している。

x	m									
	0.1	0.2	0.3	0.4	0.5	0.6	0.7	0.8	0.9	1
0	0.90484	0.81873	0.74082	0.67032	0.60653	0.54881	0.49659	0.44933	0.40657	0.36788
1	0.09048	0.16375	0.22225	0.26813	0.30327	0.32929	0.34761	0.35946	0.36591	0.36788
2	0.00452	0.01637	0.03334	0.05363	0.07582	0.09879	0.12166	0.14379	0.16466	0.18394
3	0.00015	0.00109	0.00333	0.00715	0.01264	0.01976	0.02839	0.03834	0.04940	0.06131
4	0.00000	0.00005	0.00025	0.00072	0.00158	0.00296	0.00497	0.00767	0.01111	0.01533
5	0.00000	0.00000	0.00002	0.00006	0.00016	0.00036	0.00070	0.00123	0.00200	0.00307
6	0.00000	0.00000	0.00000	0.00000	0.00001	0.00004	0.00008	0.00016	0.00030	0.00051
7	0.00000	0.00000	0.00000	0.00000	0.00000	0.00000	0.00001	0.00002	0.00004	0.00007

x	m									
	1.1	1.2	1.3	1.4	1.5	1.6	1.7	1.8	1.9	2
0	0.33287	0.30119	0.27253	0.24660	0.22313	0.20190	0.18268	0.16530	0.14957	0.13534
1	0.36616	0.36143	0.35429	0.34524	0.33470	0.32303	0.31056	0.29754	0.28418	0.27067
2	0.20139	0.21686	0.23029	0.24167	0.25102	0.25843	0.26398	0.26778	0.26997	0.27067
3	0.07384	0.08674	0.09979	0.11278	0.12551	0.13783	0.14959	0.16067	0.17098	0.18045
4	0.02031	0.02602	0.03243	0.03947	0.04707	0.05513	0.06357	0.07230	0.08122	0.09022
5	0.00447	0.00625	0.00843	0.01105	0.01412	0.01764	0.02162	0.02603	0.03086	0.03609
6	0.00082	0.00125	0.00183	0.00258	0.00353	0.00470	0.00612	0.00781	0.00977	0.01203
7	0.00013	0.00021	0.00034	0.00052	0.00076	0.00108	0.00149	0.00201	0.00265	0.00344
8	0.00002	0.00003	0.00006	0.00009	0.00014	0.00022	0.00032	0.00045	0.00063	0.00086
9	0.00000	0.00000	0.00001	0.00001	0.00002	0.00004	0.00006	0.00009	0.00013	0.00019
10	0.00000	0.00000	0.00000	0.00000	0.00000	0.00001	0.00001	0.00002	0.00003	0.00004
11	0.00000	0.00000	0.00000	0.00000	0.00000	0.00000	0.00000	0.00000	0.00000	0.00001

x	m									
	2.1	2.2	2.3	2.4	2.5	2.6	2.7	2.8	2.9	3
0	0.12246	0.11080	0.10026	0.09072	0.08208	0.07427	0.06721	0.06081	0.05502	0.04979
1	0.25716	0.24377	0.23060	0.21772	0.20521	0.19311	0.18145	0.17027	0.15957	0.14936
2	0.27002	0.26814	0.26518	0.26127	0.25652	0.25104	0.24496	0.23838	0.23137	0.22404
3	0.18901	0.19664	0.20331	0.20901	0.21376	0.21757	0.22047	0.22248	0.22366	0.22404
4	0.09923	0.10815	0.11690	0.12541	0.13360	0.14142	0.14882	0.15574	0.16215	0.16803
5	0.04168	0.04759	0.05378	0.06020	0.06680	0.07354	0.08036	0.08721	0.09405	0.10082
6	0.01459	0.01745	0.02061	0.02408	0.02783	0.03187	0.03616	0.04070	0.04546	0.05041
7	0.00438	0.00548	0.00677	0.00826	0.00994	0.01184	0.01395	0.01628	0.01883	0.02160
8	0.00115	0.00151	0.00195	0.00248	0.00311	0.00385	0.00471	0.00570	0.00683	0.00810
9	0.00027	0.00037	0.00050	0.00066	0.00086	0.00111	0.00141	0.00177	0.00220	0.00270
10	0.00006	0.00008	0.00011	0.00016	0.00022	0.00029	0.00038	0.00050	0.00064	0.00081
11	0.00001	0.00002	0.00002	0.00003	0.00005	0.00007	0.00009	0.00013	0.00017	0.00022
12	0.00000	0.00000	0.00000	0.00001	0.00001	0.00001	0.00002	0.00003	0.00004	0.00006
13	0.00000	0.00000	0.00000	0.00000	0.00000	0.00000	0.00000	0.00001	0.00001	0.00001

χ^2 分布表

自由度ごとに、確率 α に対して

$$P(Z > c) = \alpha$$ となるような c

を示している（Z はカイ 2 乗分布に従う確率変数）。

確率 / 自由度	0.995	0.99	0.975	0.95	0.9	0.75	0.5	0.25	0.1	0.05	0.025	0.01	0.005
1	0.00004	0.00016	0.00098	0.00393	0.016	0.102	0.455	1.323	2.71	3.84	5.02	6.63	7.88
2	0.01002	0.02010	0.05064	0.103	0.211	0.575	1.386	2.77	4.61	5.99	7.38	9.21	10.60
3	0.07172	0.11483	0.216	0.352	0.584	1.213	2.37	4.11	6.25	7.81	9.35	11.34	12.84
4	0.20698	0.297	0.484	0.711	1.064	1.92	3.36	5.39	7.78	9.49	11.14	13.28	14.86
5	0.412	0.554	0.831	1.145	1.61	2.67	4.35	6.63	9.24	11.07	12.83	15.09	16.75
6	0.676	0.872	1.237	1.64	2.20	3.45	5.35	7.84	10.64	12.59	14.45	16.81	18.55
7	0.989	1.239	1.69	2.17	2.83	4.25	6.35	9.04	12.02	14.07	16.01	18.48	20.28
8	1.344	1.65	2.18	2.73	3.49	5.07	7.34	10.22	13.36	15.51	17.53	20.09	21.95
9	1.73	2.09	2.70	3.33	4.17	5.90	8.34	11.39	14.68	16.92	19.02	21.67	23.59
10	2.16	2.56	3.25	3.94	4.87	6.74	9.34	12.55	15.99	18.31	20.48	23.21	25.19
11	2.60	3.05	3.82	4.57	5.58	7.58	10.34	13.70	17.28	19.68	21.92	24.73	26.76
12	3.07	3.57	4.40	5.23	6.30	8.44	11.34	14.85	18.55	21.03	23.34	26.22	28.30
13	3.57	4.11	5.01	5.89	7.04	9.30	12.34	15.98	19.81	22.36	24.74	27.69	29.82
14	4.07	4.66	5.63	6.57	7.79	10.17	13.34	17.12	21.06	23.68	26.12	29.14	31.32
15	4.60	5.23	6.26	7.26	8.55	11.04	14.34	18.25	22.31	25.00	27.49	30.58	32.80
16	5.14	5.81	6.91	7.96	9.31	11.91	15.34	19.37	23.54	26.30	28.85	32.00	34.27
17	5.70	6.41	7.56	8.67	10.09	12.79	16.34	20.49	24.77	27.59	30.19	33.41	35.72
18	6.26	7.01	8.23	9.39	10.86	13.68	17.34	21.60	25.99	28.87	31.53	34.81	37.16
19	6.84	7.63	8.91	10.12	11.65	14.56	18.34	22.72	27.20	30.14	32.85	36.19	38.58
20	7.43	8.26	9.59	10.85	12.44	15.45	19.34	23.83	28.41	31.41	34.17	37.57	40.00
21	8.03	8.90	10.28	11.59	13.24	16.34	20.34	24.93	29.62	32.67	35.48	38.93	41.40
22	8.64	9.54	10.98	12.34	14.04	17.24	21.34	26.04	30.81	33.92	36.78	40.29	42.80
23	9.26	10.20	11.69	13.09	14.85	18.14	22.34	27.14	32.01	35.17	38.08	41.64	44.18
24	9.89	10.86	12.40	13.85	15.66	19.04	23.34	28.24	33.20	36.42	39.36	42.98	45.56
25	10.52	11.52	13.12	14.61	16.47	19.94	24.34	29.34	34.38	37.65	40.65	44.31	46.93
26	11.16	12.20	13.84	15.38	17.29	20.84	25.34	30.43	35.56	38.89	41.92	45.64	48.29
27	11.81	12.88	14.57	16.15	18.11	21.75	26.34	31.53	36.74	40.11	43.19	46.96	49.65
28	12.46	13.56	15.31	16.93	18.94	22.66	27.34	32.62	37.92	41.34	44.46	48.28	50.99
29	13.12	14.26	16.05	17.71	19.77	23.57	28.34	33.71	39.09	42.56	45.72	49.59	52.34
30	13.79	14.95	16.79	18.49	20.60	24.48	29.34	34.80	40.26	43.77	46.98	50.89	53.67
40	20.71	22.16	24.43	26.51	29.05	33.66	39.34	45.62	51.81	55.76	59.34	63.69	66.77
50	27.99	29.71	32.36	34.76	37.69	42.94	49.33	56.33	63.17	67.50	71.42	76.15	79.49
60	35.53	37.48	40.48	43.19	46.46	52.29	59.33	66.98	74.40	79.08	83.30	88.38	91.95
70	43.28	45.44	48.76	51.74	55.33	61.70	69.33	77.58	85.53	90.53	95.02	100.43	104.21
80	51.17	53.54	57.15	60.39	64.28	71.14	79.33	88.13	96.58	101.88	106.63	112.33	116.32
90	59.20	61.75	65.65	69.13	73.29	80.62	89.33	98.65	107.57	113.15	118.14	124.12	128.30
100	67.33	70.06	74.22	77.93	82.36	90.13	99.33	109.14	118.50	124.34	129.56	135.81	140.17

t 分布表

自由度ごとに、確率 α に対して

$$P(\,|\,T\,|>c)=\alpha$$ となるような c

を示している（T は t 分布に従う確率変数）。

c は危険率 α の t 検定（両側検定）のための係数である。

自由度＼確率	0.5	0.4	0.3	0.2	0.1	0.05	0.02	0.01	0.005	0.001
1	1.000	1.376	1.963	3.078	6.314	12.706	31.821	63.656	127.321	636.578
2	0.816	1.061	1.386	1.886	2.920	4.303	6.965	9.925	14.089	31.600
3	0.765	0.978	1.250	1.638	2.353	3.182	4.541	5.841	7.453	12.924
4	0.741	0.941	1.190	1.533	2.132	2.776	3.747	4.604	5.598	8.610
5	0.727	0.920	1.156	1.476	2.015	2.571	3.365	4.032	4.773	6.869
6	0.718	0.906	1.134	1.440	1.943	2.447	3.143	3.707	4.317	5.959
7	0.711	0.896	1.119	1.415	1.895	2.365	2.998	3.499	4.029	5.408
8	0.706	0.889	1.108	1.397	1.860	2.306	2.896	3.355	3.833	5.041
9	0.703	0.883	1.100	1.383	1.833	2.262	2.821	3.250	3.690	4.781
10	0.700	0.879	1.093	1.372	1.812	2.228	2.764	3.169	3.581	4.587
11	0.697	0.876	1.088	1.363	1.796	2.201	2.718	3.106	3.497	4.437
12	0.695	0.873	1.083	1.356	1.782	2.179	2.681	3.055	3.428	4.318
13	0.694	0.870	1.079	1.350	1.771	2.160	2.650	3.012	3.372	4.221
14	0.692	0.868	1.076	1.345	1.761	2.145	2.624	2.977	3.326	4.140
15	0.691	0.866	1.074	1.341	1.753	2.131	2.602	2.947	3.286	4.073
16	0.690	0.865	1.071	1.337	1.746	2.120	2.583	2.921	3.252	4.015
17	0.689	0.863	1.069	1.333	1.740	2.110	2.567	2.898	3.222	3.965
18	0.688	0.862	1.067	1.330	1.734	2.101	2.552	2.878	3.197	3.922
19	0.688	0.861	1.066	1.328	1.729	2.093	2.539	2.861	3.174	3.883
20	0.687	0.860	1.064	1.325	1.725	2.086	2.528	2.845	3.153	3.850
21	0.686	0.859	1.063	1.323	1.721	2.080	2.518	2.831	3.135	3.819
22	0.686	0.858	1.061	1.321	1.717	2.074	2.508	2.819	3.119	3.792
23	0.685	0.858	1.060	1.319	1.714	2.069	2.500	2.807	3.104	3.768
24	0.685	0.857	1.059	1.318	1.711	2.064	2.492	2.797	3.091	3.745
25	0.684	0.856	1.058	1.316	1.708	2.060	2.485	2.787	3.078	3.725
26	0.684	0.856	1.058	1.315	1.706	2.056	2.479	2.779	3.067	3.707
27	0.684	0.855	1.057	1.314	1.703	2.052	2.473	2.771	3.057	3.689
28	0.683	0.855	1.056	1.313	1.701	2.048	2.467	2.763	3.047	3.674
29	0.683	0.854	1.055	1.311	1.699	2.045	2.462	2.756	3.038	3.660
30	0.683	0.854	1.055	1.310	1.697	2.042	2.457	2.750	3.030	3.646
40	0.681	0.851	1.050	1.303	1.684	2.021	2.423	2.704	2.971	3.551
50	0.679	0.849	1.047	1.299	1.676	2.009	2.403	2.678	2.937	3.496
60	0.679	0.848	1.045	1.296	1.671	2.000	2.390	2.660	2.915	3.460
70	0.678	0.847	1.044	1.294	1.667	1.994	2.381	2.648	2.899	3.435
80	0.678	0.846	1.043	1.292	1.664	1.990	2.374	2.639	2.887	3.416
90	0.677	0.846	1.042	1.291	1.662	1.987	2.368	2.632	2.878	3.402
100	0.677	0.845	1.042	1.290	1.660	1.984	2.364	2.626	2.871	3.390
110	0.677	0.845	1.041	1.289	1.659	1.982	2.361	2.621	2.865	3.381
120	0.677	0.845	1.041	1.289	1.658	1.980	2.358	2.617	2.860	3.373
∞	0.674	0.842	1.036	1.282	1.645	1.960	2.326	2.576	2.807	3.291

索引

さ行

ま行

や行

ら行

わ行

◉著者紹介

野﨑　昭弘（のざき　あきひろ）

1936 年　生まれ

1959 年　東京大学理学部数学科卒業

東京大学、山梨大学、国際基督教大学、大妻女子大学、サイバー大学に勤める。大妻女子大学名誉教授　数学教育協議会元委員長

数学に魅せられ、数学に一生を捧げつつあるというのは言い過ぎだが、そのセンスは万人を魅了してやまない。微分積分、数と計算、図形・空間、統計・確率に対する思いの丈を長時間 3 人に伝授し、それをもとにどのシリーズも項目を作った。しかし、書くとなると 3 人が勝手に飛び跳ねるので大いに苦労をし、赤ペンを手放す暇がなかった。

【著書】『π の話』（岩波書店）『詭弁論理学』（中公新書）『数学的センス』（日本評論社）『赤いぼうし』（童話屋）『高等学校の確率統計』（ちくま学芸文庫）共著『ゲーデル、エッシャー、バッハ』（白揚社）共訳、ほか多数

何森　仁　（いずもり　ひとし）

1945 年　生まれ

1970 年　横浜市立大学文理学部数学科卒業

会社員、私立高校教諭、塾講師、高等学校理事長を経て、神奈川大学特任教授を勤めた。数学教育協議会会員

数学を嫌い、社会に出るが、数学教育に人生の活路を開こうとアタフタする。そのセンスは“楽しさ”だけで、それのみを求めるという偏りがある。どのシリーズでも、その面白さに挑戦だけはしてみたが…。

【著書】『サイコロで人生は語れるか』（こう書房）『ステレオグラムをつくろう』（日本評論社）『数学がまるごと 8 時間でわかる』（明日香出版社）共著『数と図形の歴史 70 話』（日本評論社）共著 その他

伊藤　潤一（いとう　じゅんいち）

1947 年　生まれ

1970 年　岩手大学教育学部数学科卒業

岩手県立の高校教諭として年輪を重ね、無事定年を迎えたが、その後、盛岡白百合学園で非常勤講師として益々意気盛ん。数学教育協議会委員長

数学を好み、教師になり、“東北のザビエル”と言われながら数学の伝道に心血を注いでいる。そのセンスは“硬にして軟”で、無限小や幾何を好むという偏りがある。どのシリーズでも数学大好き人間として羽を伸ばした。

【著書】高等学校教科書（三省堂）共著　『つながる高校数学』（ベレ出版）共著

小沢　健一（おざわ　けんいち）

1942 年　生まれ

1964 年　東京教育大学理学部数学科卒業

いくつかの都立高校教諭を 36 年間勤め、その後私立の東野高等学校校長を勤めた。数学教育協議会元委員長

数学を愛し、世の中の数学に対する偏見や既成の数学教育に対峙し、闘い続けてきた。そのセンスは、“剛にして柔”で、どこまでも優しく、時として厳しい。どのシリーズも、ゆったりと料理。

【著書】『数のこ・だ・ま』（三省堂）『雨つぶでニュートンは語れるか』（こう書房）『遠山啓エッセンス 1 ～ 7』（日本評論社）共編『関数をイチから理解する』（ベレ出版）その他

意味《いみ》がわかれば数学《すうがく》の風景《ふうけい》が見《み》えてくる

2011 年 9 月 25 日　初版発行
2019 年 4 月 3 日　第 10 刷発行

著者	野崎《のざき》 昭弘《あきひろ》・何森《いずもり》 仁《ひとし》 伊藤《いとう》 潤一《じゅんいち》・小沢《おざわ》 健一《けんいち》
カバーデザイン	B&W⁺
DTP	WAVE 清水 康広
本文イラスト	ツダ タバサ・井ヶ田 恵美・安東 章子

発行者	内田 真介
発行・発売	ベレ出版 〒162-0832　東京都新宿区岩戸町12 レベッカビル TEL.03-5225-4790 FAX.03-5225-4795 ホームページ　http://www.beret.co.jp/
印刷	三松堂印刷株式会社
製本	根本製本株式会社

落丁本・乱丁本は小社編集部あてにお送りください。送料小社負担にてお取り替えします。

ISBN 978-4-86064-297-6 C2041　　編集担当　永瀬 敏章